내신 및 수능 대비 필수 작품 총정리
출제 빈도가 높은 작품 종정리

최우선순 출제 작품을 이렇게 선정하였습니다!

【작품 선정 데이터 기반】

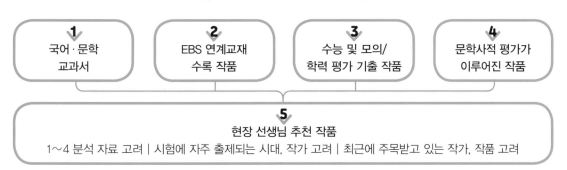

1 국어·문학 교과서

2 EBS 연계교재 수록 작품

3 수능 및 모의/ 학력 평가 기출 작품

4 문학사적 평가가 이루어진 작품

5 현장 선생님 추천 작품

1~4 분석 자료 고려 | 시험에 자주 출제되는 시대, 작가 고려 | 최근에 주목받고 있는 작가, 작품 고려

【작품 우선순위 선정 평가표】

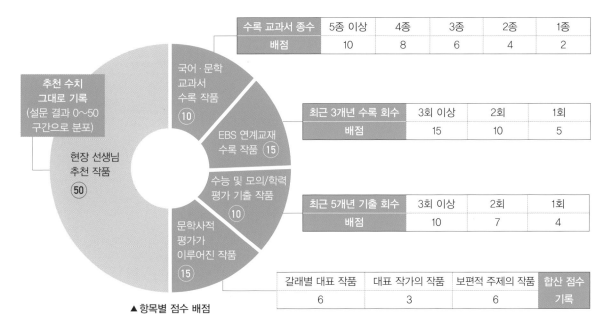

수록 교과서 종수	5종 이상	4종	3종	2종	1종
배점	10	8	6	4	2

최근 3개년 수록 회수	3회 이상	2회	1회
배점	15	10	5

최근 5개년 기출 회수	3회 이상	2회	1회
배점	10	7	4

갈래별 대표 작품	대표 작가의 작품	보편적 주제의 작품	합산 점수
6	3	6	기록

추천 수치 그대로 기록
(설문 결과 0~50 구간으로 분포)

국어·문학 교과서 수록 작품 ⑩

EBS 연계교재 수록 작품 ⑮

수능 및 모의/학력 평가 기출 작품 ⑩

문학사적 평가가 이루어진 작품 ⑮

현장 선생님 추천 작품 ㊿

▲ 항목별 점수 배점

※각 항목의 점수를 합산한 수치를 출제율로 표시함. [100점→100%]

※평가 결과 동점인 경우는 출제 전문가 10명의 검토를 바탕으로 최종 순위를 매겼음.

※평가 총점이 높은 순으로 작품을 배열하되, 출제 비중이 가장 높았던 '소설'을 우선 배치하였음.

【 고전 산문 작품 배열 안내 】

1	출제 최우선 작품 [1위~67위]
2	출제 우선 작품 [68위~194위]
3	출제 플러스 작품

←

작품 선정 / 배열 기준

- 국어 · 문학 교과서 수록 작품, 수능+평가원+교육청 기출 작품, EBS 연계교재 수록 작품 분석
- 문학사적으로 중요한 작품 고려
- 시험에 자주 출제되는 시대, 작가 고려
- 하이라이트문학연구소 기획위원 및 현장 선생님의 추천 작품 반영

출제 최우선 작품

순위	작품명	작가명	교과서	EBS교재	수능 등 기출	문학사적 평가	교사 추천	총점	분포
1	사씨남정기	김만중	10	10	7	15	50	92	**1~10위** 출제율 92~82%
2	박씨전	작자 미상	6	10	7	15	50	88	
3	홍계월전	작자 미상	8	10	4	14	50	86	
4	최척전	조위한	8	5	7	14	50	84	
5	춘향전	작자 미상	10	10	4	13	47	84	
6	흥부전	작자 미상	10	5	4	15	49	83	
7	구운몽	김만중	10	15	4	14	40	83	
8	이생규장전	김시습	10	15	4	12	42	83	
9	임경업전(임장군전)	작자 미상	2	10	15	13	43	83	
10	운영전	작자 미상	4	15	4	13	46	82	
11	조웅전	작자 미상	4	10	7	14	46	81	**11~20위** 출제율 81~75%
12	장끼전	작자 미상	4	10	4	14	48	80	
13	심청전	작자 미상	2	10	10	13	45	80	
14	유충렬전	작자 미상	6	5	7	14	46	78	
15	허생전	박지원	10	5	4	13	45	77	
16	채봉감별곡	작자 미상	2	15	7	11	42	77	
17	최고운전	작자 미상	2	10	10	13	42	77	
18	소대성전	작자 미상	4	5	4	14	49	76	
19	임진록	작자 미상	2	15	4	10	45	76	
20	옥루몽	남영로	4	10	4	12	45	75	

순위	작품명	작가명	교과서	EBS교재	수능 등 기출	문학사적 평가	교사 추천	총점	분포
21	이대봉전	작자 미상	2	5	7	13	47	74	
22	이춘풍전	작자 미상	2	15	0	12	45	74	
23	호질	박지원	4	10	0	13	46	73	
24	양반전	박지원	4	5	0	14	48	71	
25	광문자전	박지원	4	5	0	14	48	71	**21~30**위 출제율 74~68%
26	예덕선생전	박지원	4	5	0	14	47	70	
27	홍길동전	허균	0	10	7	11	42	70	
28	금방울전(금령전)	작자 미상	0	15	4	11	40	70	
29	만복사저포기	김시습	0	10	4	13	42	69	
30	숙향전	작자 미상	0	5	4	13	46	68	
31	옹고집전	작자 미상	0	5	4	14	44	67	
32	서동지전(서대주전)	작자 미상	0	5	4	11	46	66	
33	배비장전	작자 미상	0	5	4	12	44	65	
34	창선감의록	조성기	0	10	0	11	44	65	
35	민옹전	박지원	0	5	4	10	45	64	
36	적성의전	작자 미상	0	10	4	10	40	64	
37	김영철전	홍세태	0	5	4	10	45	64	
38	정을선전	작자 미상	0	5	4	11	43	63	
39	매화전	작자 미상	0	5	4	12	42	63	**31~49**위 출제율 67~60%
40	장경전	작자 미상	0	5	4	12	42	63	
41	김원전	작자 미상	0	10	4	10	38	62	
42	어룡전	작자 미상	0	5	4	12	41	62	
43	유씨삼대록	작자 미상	0	5	4	10	42	61	
44	황새결송	작자 미상	0	5	4	10	42	61	
45	전우치전	작자 미상	2	5	4	10	40	61	
46	숙영낭자전	작자 미상	0	10	4	10	37	61	
47	열녀함양박씨전	박지원	0	5	0	13	43	61	
48	하생기우전	신광한	0	10	4	8	38	60	
49	주생전	권필	0	10	0	10	40	60	
50	봉산탈춤	작자 미상	10	15	4	10	46	85	
51	차마설	이곡	2	5	4	13	48	72	
52	이옥설	이규보	8	0	4	13	47	72	
53	흥보가	작자 미상	10	15	0	10	37	72	
54	수오재기	정약용	6	15	0	10	40	71	
55	일야구도하기	박지원	2	10	0	10	43	65	
56	주몽 신화	작자 미상	10	5	0	12	40	67	
57	김현감호	작자 미상	2	5	4	12	42	65	
58	공방전	임춘	6	10	0	10	38	64	**50~67**위 출제율 85~60%
59	하회 별신굿 탈놀이	작자 미상	4	10	0	13	37	64	
60	지하국 대적 퇴치 설화	작자 미상	2	10	0	12	40	64	
61	조신의 꿈	작자 미상	4	5	0	12	43	64	
62	국순전	임춘	2	5	0	13	41	60	
63	포화옥기	이학규	0	5	4	10	42	61	
64	산성일기	작자 미상	0	5	0	13	42	60	
65	심청가	작자 미상	0	15	0	10	35	60	
66	춘향가	작자 미상	4	5	0	10	41	60	
67	꼭두각시놀음	작자 미상	0	15	0	10	35	60	

출제 우선 작품

68~90위 출제율 60~50%		
68위 황월선전 (작자 미상)	76위 양산백전 (작자 미상)	84위 권익중전 (작자 미상)
69위 양풍(운)전 (작자 미상)	77위 강도몽유록 (작자 미상)	85위 김진옥전 (작자 미상)
70위 옥소선 (임방)	78위 김인향전 (작자 미상)	86위 반씨전 (작자 미상)
71위 용문전 (작자 미상)	79위 신유복전 (작자 미상)	87위 서해무릉기 (작자 미상)
72위 옥주호연 (작자 미상)	80위 김학공전 (작자 미상)	88위 석가산폭포기 (채수)
73위 옥단춘전 (작자 미상)	81위 설홍전 (작자 미상)	89위 석화룡전 (작자 미상)
74위 영영전 (작자 미상)	82위 두껍전 (작자 미상)	90위 설낭자전 (작자 미상)
75위 백학선전 (작자 미상)	83위 각롱추월전 (작자 미상)	

91~117위 출제율 49~30%		
91위 송부인전 (작자 미상)	100위 원생몽유록 (임제)	109위 남궁선생전 (허균)
92위 월왕전 (작자 미상)	101위 토끼전 (작자 미상)	110위 다모전 (송지양)
93위 이학사전 (작자 미상)	102위 장화홍련전 (작자 미상)	111위 유우춘전 (유득공)
94위 장백전 (작자 미상)	103위 콩쥐팥쥐전 (작자 미상)	112위 까치전 (작자 미상)
95위 정비전 (작자 미상)	104위 유광억전 (이옥)	113위 월영낭자전 (작자 미상)
96위 최현전 (작자 미상)	105위 장풍운전 (작자 미상)	114위 윤지경전 (작자 미상)
97위 김씨열행록 (작자 미상)	106위 낙성비룡 (작자 미상)	115위 육미당기 (서유영)
98위 검녀 (안석경)	107위 남염부주지 (김시습)	116위 곽해룡전 (작자 미상)
99위 심생전 (이옥)	108위 용궁부연록 (김시습)	117위 삼사횡입황천기 (작자 미상)

118~156위 출제율 59~30%		
118위 오유란전 (작자 미상)	131위 양주 별산대놀이 (작자 미상)	144위 단군 신화 (작자 미상)
119위 남정팔난기 (작자 미상)	132위 적벽가 (작자 미상)	145위 어미 말과 새끼 말 (작자 미상)
120위 대관재몽유록 (심의)	133위 설씨녀 설화 (작자 미상)	146위 용소와 며느리바위 (작자 미상)
121위 박태보전 (작자 미상)	134위 화왕계 (설총)	147위 통곡할 만한 자리 (박지원)
122위 방한림전 (작자 미상)	135위 동명일기 (의유당)	148위 보지 못한 폭포 (김창협)
123위 수성지 (임제)	136위 낙치설 (김창흡)	149위 원이 아버지께 (이응태의 부인)
124위 옥낭자전 (남영로)	137위 가락국 신화 (작자 미상)	150위 지귀 설화 (작자 미상)
125위 유연전 (이항복)	138위 도미 설화 (작자 미상)	151위 곡목설 (장유)
126위 삼한습유 (김소행)	139위 슬견설 (이규보)	152위 어부 (이옥)
127위 서포만필 (김만중)	140위 조침문 (유씨 부인)	153위 육우당기 (윤휴)
128위 상기 (박지원)	141위 한중록 (혜경궁 홍씨)	154위 거미를 읊은 부 (이옥)
129위 이름 없는 꽃 (신경준)	142위 경설 (이규보)	155위 규정기 (조위)
130위 의산문답 (홍대용)	143위 관상가와의 대화 (이규보)	156위 떠 있는 삶 (정약용)

157~194위 출제율 60~30%		
157위 마환우설 (홍성민)	170위 할계전 (이익)	183위 규중칠우쟁론기 (작자 미상)
158위 옛집 정승초당을 둘러보고 쓰다 (유본학)	171위 상녀 (작자 미상)	184위 주옹설 (권근)
159위 우언 (이덕무)	172위 청렴한 관리와 청지기 (작자 미상)	185위 파리를 조문하는 글 (정약용)
160위 조용 (성현)	173위 바리 공주 (작자 미상)	186위 도산십이곡 발 (이황)
161위 침류대기 (이수광)	174위 성조풀이 (작자 미상)	187위 원수 (이첨)
162위 어촌기 (권급)	175위 세경본풀이 (작자 미상)	188위 수궁가 (작자 미상)
163위 함해당기 (이종휘)	176위 익재난고 (이제현)	189위 고성 오광대 (작자 미상)
164위 봄의 단상 (이규보)	177위 수로 부인 (일연)	190위 저생전 (이첨)
165위 원목 (정약용)	178위 제48대 경문 대왕 (작자 미상)	191위 국선생전 (이규보)
166위 김 장관 댁 죽헌기 (유방선)	179위 거타지 설화 (작자 미상)	192위 청강사자현부전 (이규보)
167위 용암정기 (남구만)	180위 무염판속설 (홍성민)	193위 온달전 (작자 미상)
168위 용풍 (이규보)	181위 수려기 (이용휴)	194위 구복 여행 (작자 미상)
169위 유관악산기 (채제공)	182위 통곡헌기 (허균)	

최우선순

고전 산문

분석편

사용 설명서

01 | 쉽고, 빠르게 고전 산문 읽기 가이드

작품을 읽을 때나 시험에서 작품을 만났을 때, 시간이 없어도 쉽고, 빠르게 읽고 싶다면!
이렇게!

첫 번째! 제목과 작가 확인
주로 주요 인물 및 사건을 제목화하는 고전 산문
➜ 눈으로 스~욱 확인하기!

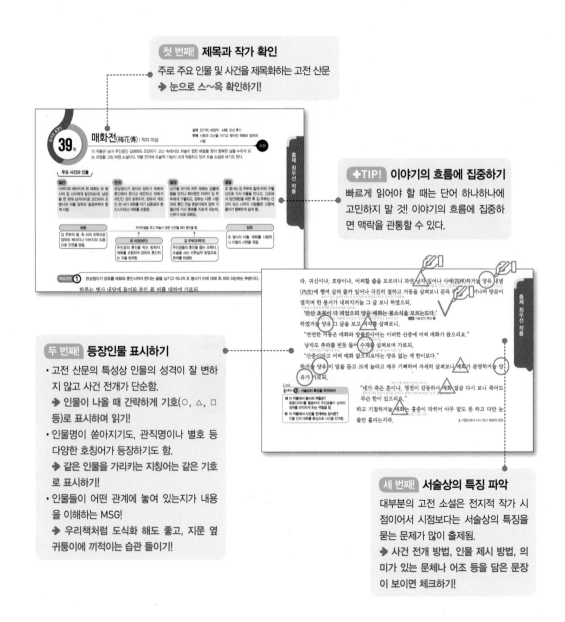

+TIP! 이야기의 흐름에 집중하기
빠르게 읽어야 할 때는 단어 하나하나에
고민하지 말 것! 이야기의 흐름에 집중하
면 맥락을 관통할 수 있다.

두 번째! 등장인물 표시하기
• 고전 산문의 특성상 인물의 성격이 잘 변하
지 않고 사건 전개가 단순함.
➜ 인물이 나올 때 간략하게 기호(○, △, □
등)로 표시하며 읽기!
• 인물명이 쏟아지기도, 관직명이나 별호 등
다양한 호칭어가 등장하기도 함.
➜ 같은 인물을 가리키는 지칭어는 같은 기호
로 표시하기!
• 인물들이 어떤 관계에 놓여 있는지가 내용
을 이해하는 MSG!
➜ 우리책처럼 도식화해도 좋고, 지문 옆
귀퉁이에 끼적이는 습관 들이기!

세 번째! 서술상의 특징 파악
대부분의 고전 소설은 전지적 작가 시
점이어서 시점보다는 서술상의 특징을
묻는 문제가 많이 출제됨.
➜ 사건 전개 방법, 인물 제시 방법, 의
미가 있는 문체나 어조 등을 담은 문장
이 보이면 체크하기!

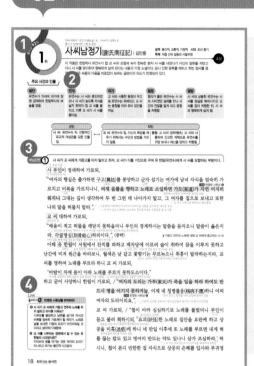

❶ 출제 우선순위 및 출제율 표시

출제 우선순위에 따라 선정된 고전 산문 작품을 볼 수 있어요. 출제 최우선 작품에 표시된 출제율도 확인하세요.

❷ 주요 인물과 사건, 내용 전개 방식 제시

해제 및 구성 단계별 중심 내용을 한눈에 볼 수 있도록 제시하고 있어요. 시험에 수록되지 않았던 부분이 나와도 당황하지 않겠죠?

❸ 핵심 장면, 전문 표시

작품 전 지문 중 출제 가능성이 큰 장면을 선정했어요. 내용을 이해하는 데 도움을 주는 상세한 해설도 같이 확인하세요.

❹ 출제자 톡!

시험에 출제될 수 있거나 꼭 알아야 하는 핵심 사항을 출제자의 시선에서 점검해요. 지문 Link를 통해 놓치지 말아요!

❺ 최우선 출제 포인트!

최우선으로 정리해야 하는 핵심 내용을 머릿속에 포인트만 쏙쏙!

❻ 최우선 핵심 Check!

작품에서 꼭 한번 짚고 갈 내용을 기본 확인 문제로 점검할 수 있어요.

1등급! 〈보기〉!

실제 시험에 활용되었거나 앞으로 활용될 수 있는 정보를 담았어요. 외적 준거로 제시되는 〈보기〉의 중요성은 아무리 강조해도 끝이 없겠죠?

※ 문학 작품에 대한 해석은 관점에 따라 다소 다를 수 있으므로, 내신을 대비할 때는 반드시 해당 학교 선생님의 교수 내용을 준수하시기 바랍니다.

차례

제 1부
출제 최우선 작품

제 3부
출제 플러스 작품

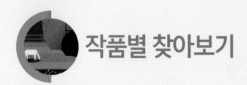

작품별 찾아보기

고전 산문의 흐름 잡기!

고려 시대

- 고려의 건국 신화가 만들어짐.
- 널리 한자 보급 → 설화가 문자로 정착
- 무신 집권 이후 등장한 신흥 사대부 → 실제 사물과 생활에 대한 관심으로 교훈성을 띤 가전체 작품을 창작
- 이치에 따라 사물 해석, 자신의 의견 서술 → 한문 문체인 설(說)이 발달

상고 시대, 삼국~통일 신라

- 고대 국가 건국 정당성 강화, 정복과 지배 합리화 → 건국 신화
- 삼국 시대 설화는 전설, 민담 중심 → 『삼국사기』나 『삼국유사』 등에 기록
- 삼국 수립 후 중국 문물 교류 활성화 → 한문학 발달

조선 전기

- 훈민정음 창제와 인쇄술 발달 → 많은 한문 서적 번역 간행
- 중국 문학의 창조적 수용+오랜 설화 문학의 전통을 이어 → 고전 소설이 등장
- 양반 사대부 계층 → 성리학을 바탕으로 많은 한문학 작품 창작

조선 후기

- 최초 한글 소설 「홍길동전」 → 본격적인 소설의 시대 전개
- 개인 체험, 역사적 사실 기록 → 기록 문학도 함께 발달
- 독자층, 작가층이 점차 확대, 실생활과 신학문에 관심을 둔 실학파의 문학 등장
- 민중의 사고방식과 생활 양식 반영, 현실 비판 의식 드러냄. → 적층 문학으로서의 판소리와 민속극이 널리 향유
- 무당이 굿을 하며 부른 노래 가운데 이야기적 성격을 띠는 서사 무가 창작

서사 문학

고대 국가의 건국 신화

개념 | 고대 국가의 성립과 더불어 등장하였으며, 우주의 창조와 종말, 건국 또는 한 종족이나 민족의 시조와 관련된 신성한 이야기를 말함.

목적 | 건국에 대한 정당성을 확보, 통치자의 고귀한 혈통 강조

주요 작품 | 단군 신화(고조선), 박혁거세 신화(신라), 주몽 신화(고구려), 가락국 신화(가락국) 등

삼국 시대의 설화

개념 | 특정 문화 집단이나 민족, 각기 다른 문화권 속에서 구전되는 이야기

특징 | 신화가 주류였던 종전의 흐름에서 벗어나 전설과 민담이 중심이 됨. 일정한 구조를 지니며 꾸며 낸 이야기라는 점에서 서사 문학의 근원이 됨.

주요 작품 | 온달 설화(고구려), 도미 설화(백제), 지귀 설화(신라), 용소와 며느리 바위 등

한문학

개념 | 한문으로 창작된 것으로, 상층 귀족들을 중심으로 향유되고 발달함.

주요 작품 | 화왕계(설총) 등

설화의 문헌화, 패관 문학

한자가 널리 보급되면서 삼국 시대부터 구전되어 오던 설화가 문자로 정착됨.

> **패관 문학:** 민간에 구전되던 설화를 채록하는 과정에서 채록자의 창의가 가미되어 윤색된 것으로, 이야기들을 모아 기록만 문헌 설화보다 발달한 문학 양식임.

주요 작품집 |

삼국 시대 설화	고려 시대 설화
• 수이전(박인량) • 삼국사기(김부식) • 삼국유사(일연)	• 백운소설(이규보) • 파한집(이인로) • 보한집(최자) • 역옹패설(이제현)

가전체

개념 | 어떤 사물을 역사적 인물처럼 의인화하여 그 가계(家系)와 생애 및 개인적 성품, 공과(功過)를 기록한 전기(傳記) 형식의 글. '가(假)'는 허구적 성격이 포함되었음을 의미함.

(뒷장에 계속 이어짐.)

상고 시대	B.C. 2333 고조선 건국	B.C.37 고구려 건국	372 고구려 불교 전래	918 고려 건국	고려 시대	1170 무신의 난	1388 위화도 회군
	B.C.57 신라 건국	B.C.18 백제 건국	676 통일 신라			1231 몽고 침입	

극 문학

고대 연희

• 상고 시대에는 독자적으로 발생한 원시 종합 예술을 바탕으로 전개되었을 것으로 추정됨.
• 삼국 시대 이후 고대 연희를 계승하여 예술성을 가미함. (처용무 등)

연희 문화 발달

이전보다 문화 예술적으로 발달하여 복합적인 구성과 예술성을 높인 연희가 만들어짐.

주요 작품 | 산대희, 나례희, 가무백희 등

교술 문학

한문학의 발달

한문으로 나라의 이념 및 법률을 정비하고 역사서를 편찬함.

주요 작품 | 격황소서(최치원), 왕오천축국전(혜초) 등

설(說)

개념 | 한문 문체의 하나로, 사물의 이치를 풀이하고 의견을 덧붙여 서술함.

주요 작품 | 경설(이규보), 슬견설(이규보), 차마설(이곡) 등

한문 수필, 패관 문학 발달

주요 작품집 | 백운소설(이규보), 파한집(이인로), 보한집(최자), 역옹패설(이제현) 등

고전 산문의 흐름 잡기!

특징 |

- 인간사의 다양한 문제를 의인화라는 간접적이고 우회적인 수법으로 다루면서 비평하고 있어 강한 풍자성을 띰.
- 창의성이 가미된 허구적 작품이라는 점에서 소설 문학에 한 단계 접근한 양식으로, 설화와 소설을 잇는 교량적 역할을 함.

주요 작품 | 공방전(임춘), 국순전(임춘), 국선생전(이규보), 저생전(이첨), 죽부인전(이곡), 정시자전(석식영암) 등

한문 소설의 발생

개념 | 설화와 가전 등을 바탕으로 중국의 전기(傳奇), 화본(奇本) 등의 영향을 받아 생긴 소설 문학. 이전 시대의 설화적인 단순성을 지양하고 허구성을 갖추어 형식과 내용을 한층 발전시킴.

특징 |

- 비현실적이고 전기적(傳奇的) 요소가 많음.
- 대개 권선징악적 주제와 평면적 구성을 지님.
- 한문 문어체를 사용하였으며, 한시를 다수 삽입함.

주요 작품 | 금오신화(김시습), 설공찬전(채수), 화사(임제), 원생몽유록(임제) 등
(※ 금오신화에 실린 작품: 만복사저포기, 이생규장전, 용궁부연록, 남염부주지, 취유부벽정기)

> ◎ **가전체 전승:** 고려 시대 가전에 허구성이 가미된 의인체 소설. 주요 작품은 포절군전(정수강), 수성지(임제), 화사(임제) 등
>
> ◎ **몽유, 몽자류 소설 등장**
>
> | 몽유 | 꿈에서 겪은 일을 이야기로 함. | 원생몽유록(임제), 대관재몽유록(심의) 등 |
> |---|---|---|
> | 몽자류 | 꿈과 현실이 별개여서 꿈에서 새로운 인물로 나타나는 이야기(일장춘몽) | 구운몽(김만중), 옥루몽(남영로) 등 |

조선
전기

1392
조선 건국

1443
훈민정음 창제

1453
계유정난(단종 폐위)

연극 발전 제약

유교 문화의 영향으로 엄격한 규범이 사회적으로 통제력을 발휘하고, 유교적 이념에 따라 향촌 사회를 정비하는 과정에서 전승되던 것도 잃어 연희 문화의 발전이 크게 제약 받음.

주요 작품 | 산대도감극(작자 미상) 등

한문 수필의 번성

특징 |

- 견문과 사실을 기술하고 사물의 이치를 따져 씀.
- 비평적 성격의 시화집과 여러 일을 두서없이 기록한 잡록으로 구분되어 계승됨.

주요 작품 | 주옹설(권근), 나무 접붙이기(한백겸) 등
주요 작품집 | 동인시화, 용재총화(성현), 패관잡기(어숙권), 순오지(홍만종) 등

국문 소설

개념 | 한글로 쓴 소설을 한문 소설과 구별하여 이르는 것으로, 우리나라 최초의 국문 소설은 조선 광해군 때에 허균이 지은 「홍길동전」임. 이후 김만중, 조성기 등이 국문 소설 문학을 한층 더 높은 수준으로 이끌었음.

주요 작품 | 구운몽(김만중), 유충렬전, 박씨전, 콩쥐팥쥐전, 운영전, 이춘풍전, 춘향전 등

실학파 문학

배경 | 경세치용, 이용후생, 실사구시를 주장하고 양반 사대부들의 허례허식에 대한 맹렬한 비판으로 대두한 실학사상의 영향으로, 선비들이 사회적 책임을 자각하고 사회의 모순을 비판하여 그 개혁의 방향을 모색하는 작품들이 창작됨.

특징 |
- 실리성, 현실성, 비판 의식 등을 그 특징으로 함.
- 당대 평민층의 모습을 생생하게 포착하는 사실주의 기법으로 표현함.

주요 작품 | 목민심서(정약용), 박지원의 소설(허생전, 호질, 양반전, 예덕선생전, 광문자전 등)

소설 문학의 번성

특징 | 조선 후기 평민층의 의식이 높아지고 문화적 참여가 활발해지면서 소설의 주제와 구성이 다양해지고 독자층과 작가층이 확대됨.

주요 작품 |

영웅 군담	임경업전(작자 미상), 박씨전(작자 미상), 유충렬전(작자 미상) 등
애정	숙영낭자전(작자 미상), 운영전(작자 미상), 남윤전(작자 미상), 심생전(작자 미상), 주생전(작자 미상) 등
가정	창선감의록(조성기), 장화홍련전(작자 미상), 정을선전(작자 미상), 월영낭자전(작자 미상), 반씨전(작자 미상) 등
판소리계	흥보전(작자 미상), 심청전(작자 미상), 춘향전(작자 미상), 토끼전(작자 미상), 옹고집전(작자 미상), 이춘풍전(작자 미상), 장끼전(작자 미상) 등
풍자·비판	유광억전(작자 미상), 박지원의 한문 소설 등
몽유, 몽자류	구운몽(김난중), 옥루몽(남영로) 등
우화	서동지전(작자 미상), 까치전(작자 미상), 황새결송(작자 미상)

1592 임진왜란   1636 병자호란   1894 갑오개혁

조선 후기

판소리 사설

개념 | 명창 1인과 고수 1인이 협동해 여러 사람을 상대로 긴 이야기를 노래로 부르는 판소리가 등장함. 판소리 대본을 '판소리 사설'이라 함.

특징 | 광대에 의해 연행됨. 풍자와 해학 등 골계적인 내용이 풍부하게 구사됨.

주요 작품 | 심청가, 흥보가, 춘향가, 수궁가, 적벽가 등

세밀화한 한문 수필

특징 | 일상적 문제들을 세밀하고 구체적으로 쓰며, 다양한 소재를 활용하여 작품성이 높은 수필들이 창작됨.

주요 작품 | 탁론(정약용), 원목(정약용), 수오재기(정약용), 의아기(주세붕), 낙치설(김창흡), 통곡헌기(허균) 등

주요 작품집 | 열하일기(박지원), 서포만필(김만중), 북학의(박제가) 등

민속극 성장

개념 | 예로부터 전승되어 온 연희들을 민중들이 재창조하여 연행된 것으로, 무극, 가면극, 인형극, 창극 등이 있음.

특징 | 당시 지배층에 대한 풍자와 해학을 담음. 주로 하층민이 주도했으며, 서민들의 생생한 삶의 모습이나 정서가 담겨 있음.

주요 작품 | 봉산탈춤, 양주 별산대놀이, 송파 산대놀이, 고성 오광대, 동래 야유, 꼭두각시놀음 등

한글 수필 발달

개념 | 한글이 점차 광범위하게 쓰면서 일상적 경험을 구체적이고 섬세하게 기술함.

특징 | 여성 작가의 활발한 창작 활동, 기행 견문록과 회고록, 자전적 수필 등 종류가 다양해짐.

주요 작품 | 남해문견록(유의양), 화성일기(이희평), 계축일기, 동명일기(의유당), 한중록(혜경궁 홍씨), 조침문, 규중칠우쟁론기, 이응태 묘 출토 언간 등

아무리 시간이 없어도 꼭!
공부해야 할

고전 산문 67작품

소설 49편 / 수필 6편 / 설화 4편 / 민속극 3편 / 판소리 3편 / 가전 2편

출제 우선순위　출제율 60% 이상　　1위 ~ 67위

 알고 공부하면 도움 되는 우선 출제 작품 분석!

수능 출제
문학 작품

고전 산문

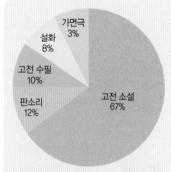

가면극
3%

설화
8%

고전 수필
10%

판소리
12%

고전 소설
67%

영웅 군담 소설	32%
애정 소설	24%
가정 소설	14%
판소리계 소설	10%
풍자 소설	10%
몽유·몽자류 소설	10%
가전체 소설	0%

최근 5개년 간 수능과 모의평가에서 고전 산문이 20%의 비중으로 출제되었다. 출제 비중을 보았을 때 매우 높은 편이고, 지문당 출제 문항 수도 많은 편이다.

고전 산문에서도 고전 소설의 출제 비중이 가장 높게 나타난다. 그리고 판소리계, 고전 수필, 설화, 가면극 순으로 해당 영역에서 출제되고 있다.

영웅 군담 소설과 애정 소설의 출제 비중이 높게 나왔다. 최근에는 낯선 작품들이 종종 모의고사에서 볼 수 있어서 주제별 대표 작품뿐만 아니라 낯선 작품까지 대비하는 것이 좋다.

데이터 분석 결과를 '최우선 작품'과 '우선 작품'에 반영하여 출제율 순으로 작품을 배열하되, 출제 비중이 가장 높았던 '소설' 갈래는 우선 배치하였다.

제1부

출제 최우선 작품

원래 제목은 '남정기(南征記)'로, '(사씨가) 남쪽으로
쫓겨 간 일에 대한 기록'을 뜻함

사씨남정기(謝氏南征記) | 김만중

성격 풍간적, 교훈적, 가정적　**시대** 조선 중기
주제 처첩 간의 갈등과 사필귀정

소설

이 작품은 한림학사 유연수가 첩 교 씨의 모함에 속아 현숙한 본처 사 씨를 내쳤다가 자신의 잘못을 깨닫고
다시 사 씨를 맞이하여 행복하게 살게 된다는 내용의 가정 소설이다. 당시 인현 왕후를 폐하고 희빈 장씨를 중
전으로 세운 숙종의 마음을 바로잡아 보려는 글쓴이의 의도가 반영되어 있다.

주요 사건과 인물

발단	전개	위기	절정	결말
유연수가 15세에 과거에 장원 급제하여 한림학사의 벼슬을 얻음.	유연수는 사 씨와 혼인하였으나 사 씨가 늦도록 자식을 낳지 못하자 첩 교 씨를 들이고, 이후 교 씨가 사 씨를 쫓아냄.	교 씨와 사통한 동청의 무고로 유연수는 유배되고, 교 씨는 동청을 따라 유씨 집안을 떠남.	혐의가 풀린 유연수는 사 씨의 시비였던 설매를 만나 사건의 전말을 알게 되고 동청을 처형함.	사 씨와 상봉한 유연수는 사 씨를 정실로 복위시키고 교 씨를 잡아 처형한 뒤, 사 씨와 행복하게 살게 됨.

선인

사 씨: 유연수의 처. 전형적인 유교적 여성관을 갖춘 인물임.

↔

악인

교 씨: 유연수의 첩. 자신의 욕망을 채우기 위해서는 수단과 방법을 가리지 않음.

동청: 교 씨의 정부(情夫). 교 씨와 내통하여 간교한 계책으로 유연수를 귀양 보내나 배신을 당하고 처형됨.

핵심장면 ①

사 씨가 교 씨에게 거문고를 타지 말라고 하자, 교 씨가 이를 거짓으로 꾸며 유 한림(유연수)에게 사 씨를 모함하는 부분이다.

□ : 주요 인물

사 부인(유연수의 처)이 정색하여 가로되,

『"여자의 행실은 출가하면 구고(舅姑)[시부모]를 봉양하고 군자 섬기는 여가[남는 시간]에 남녀 자식을 엄숙히 가르치고 비복을 가르치나니, 여재 음률을 행하고 노래로 소일하면 가도(家道)[집안에서 마땅히 지켜야 할 도덕적 규범]가 자연 어지러워지니 그대는 깊이 생각하여 두 번 그런 데 나아가지 말고, 그 여자를 집으로 보내고 또한 나의 말을 허물치 말라."』〔교 씨가 거문고를 배우려고 불러들임〕

『 : 가부장제 사회에서 아녀자가 지켜야 할 규범을 중시하는 태도를 보임
→ 사 씨가 유교 사회에서 요구하는 질서를 따르는 인물임을 알 수 있음

Link 반영된 사회상 ❶

교 씨(유연수의 첩) 대하여 가로되,

『"배움이 적고 허물을 깨닫지 못하옵더니 부인의 경계하시는 말씀을 듣자오니 말씀이 옳은지라, 각골명심(刻骨銘心)[어떤 일을 뼈에 새길 정도로 마음속 깊이 새겨 두고 잊지 아니함]하리이다."』〈중략〉

『 : 겉으로는 순종하는 척하나 사 씨가 자신을 가르치려 한다는 생각에 내심 못마땅해 함

▶ 거문고 연주와 노래에 대해 교 씨에게 충고하는 사 씨

이때 유 한림[유연수]이 서원에서 잔치를 파하고 백자당[중국 장안의 서쪽에 있는 궁궐의 화원 교 씨의 거처. '아들 백 명을 두는 집'이라는 뜻임]에 이르러 술이 취하여 잠을 이루지 못하고 난간에 비겨 원근을 바라보니, 월색은 낮 같고 꽃향기는 무르녹으니 취흥이 발작하는지라[일이나 상태가 한창 이루어지려는 단계에 달하니], 교 씨를 명하여 노래를 부르라 하니 교 씨 가로되,

"바람이 차매 몸이 아파 노래를 부르지 못하도소이다."

사 씨를 모함하기 위해 불러도 노래 부르는 것을 거절함 → 교 씨의 주도면밀하고 교활한 성격이 드러남

하고 굳이 사양하니 한림이 가로되, / "여자의 도리는 가부(家夫)가 죽을 일을 하라 하여도 반드시 명을 어기지 못하거늘, 이제 네 칭병불응(稱病不應)[병이 있다고 핑계를 대며 요청에 응하지 않음]하니 어찌 여자의 도리이리요."

Link 반영된 사회상 ❷

『 : 여자의 도리를 강조하는 당대 남성들의 봉건적 사고방식이 반영됨

교 씨 가로되, / "첩이 아까 심심하기로 노래를 불렀더니 부인[사 씨]이 듣고 불러 책하시되, 『"요괴(妖怪)[요사스럽고 괴이한]한 노래로 집안을 요란케 하고 상공을 미혹(迷惑)[무엇에 홀려 정신을 차리지 못함]케 하니 네 만일 이후에 또 노래를 부르면 내게 혀를 끊는 칼도 있고 벙어리 만드는 약도 있나니 삼가 조심하라.'』 하시니, 첩이 본디 빈한한 집 자식으로 상공의 은혜를 입사와 부귀영

『 : 교 씨가 의도적으로 사 씨의 말을 왜곡하여 모함함

Link

출제자 톡 반영된 사회상을 파악하라!

❶ 사 씨가 교 씨에게 거문고 연주와 노래를 하지 말라고 타이른 이유는?
시부모를 봉양하고 남편을 섬기며 자식과 비복을 엄숙히 가르쳐야 할 여자가, 노래로 날을 보내면 가정의 도리가 어지러워질 것이라고 생각하기 때문에

❷ 교 씨를 나무라는 장면에서 알 수 있는 유 한림의 사고방식은?
지아비의 명을 어기는 것은 여자의 도리가 아니라고 여기는 봉건적 사고방식

화가 이 같사오니 비록 죽어도 한이 없겠나이다만, 첩으로 말미암아 상공의 칭덕(稱德)에 흠사(欠事)되면 어찌하오리까."

> 흠이 되는 일

> ➤ 사 씨를 모함하는 교 씨

한림이 크게 놀라고 내심에 생각하되,

'제 상(常)해 투기하지 않겠노라 하고 또 교 씨 대접하기를 후히 하여 한 번도 단처(短處)를 이름이 없더니, 이제 교 씨의 말을 들으니 가내에 무슨 연고가 있도다.'

> 항상
> 부족하거나 모자란 점
> 집안

하고 교 씨를 위로하여 가로되,

『"너를 취함이 다 부인의 권한 바요, 일찍이 부인이 너 대접하기를 극진히 하여 한 번도 낯빛을 변함을 보지 못하였으니 이는 아마 비복들이 참언(讒言)을 주출(做出)함이라. 부인은 본디 유순하니 결코 네게 유해(有害)함이 없을지니 너는 부질없는 염려를 말고 안심하라."』

> 『 』: 사 씨의 됨됨이를 알고 있는 유 한림은 교 씨의 말을 믿지 않음
> 없는 사실을 꾸며 냄
> 거짓으로 꾸며서 남을 헐뜯어 윗사람에게 고하여 바침. 또는 그런 말
> 부드럽고 순하니
> ➤ 교 씨를 위로하는 유 한림

『교 낭자 내심에 앙앙(怏怏)하나 할 일 없어 사례할 뿐이더라. 상담(常談)에 이르기를 '범을 그리매 뼈를 그리기 어렵고 사람을 사귀매 그 마음을 알기 어렵다.' 하니, 교 씨 공교한 말과 아리따운 빛으로 외모 공순하매 사 부인이 교 씨 안과 밖이 다름을 어찌 알리요. 예사 사람으로 알고 다만 음탕한 노래가 장부를 미혹하게 할까 염려하여 교 씨를 진심으로 경계함이요, 조금도 투기함이 아니어늘, 교녀 문득 한을 품고 공교한 말을 지어 가화(家禍)를 빚어내니 교녀의 요악함이 여차하도다.』

> 불평불만이 있어 원망하는 모양
> 늘 쓰는 예사로운 말
> 관련 속담: 열 길 물속은 알아도 한 길 사람 속은 모른다
> 교 씨의 겉모습은 실제 성격과 다르게 순하고 공손함. 관련 한자 성어: 표리부동(表裏不同)
> 교 씨
> 집안에 일어난 재앙
> 갈등이 본격화되어 비극적 사건이 일어날 것임을 암시함
> 『 』: 편집자적 논평(서술자의 개입)
> 이러하도다
> ➤ 교 씨의 요악함

핵심장면 ② 교 씨를 잡아 처형한 뒤 유 상서(유연수)와 사 씨가 행복하게 사는 장면으로 이 작품의 결말에 해당하는 부분이다.

"네 죄가 한둘이 아니니 음부(淫婦)는 들어 보아라. 처음에 부인이 너를 경계하여 음란한 풍류를 말라고 함이 또한 좋은 뜻이어늘, 너는 도리어 참소하여 나를 미혹케 하니 죄 하나이요, 십랑으로 더불어 요괴한 방법으로 장부를 속였으니 죄 둘이요, 음흉한 종과 더불어 당을 지었으니 죄 셋이요, 스스로 방자하고 부인께 미루니 죄 넷이요, 동청과 사통하여 문호를 더럽히니 죄 다섯이요, 옥지환을 도적하여 냉진을 주어 부인을 모해하니 죄 여섯이요, 네 손으로 자식을 죽이고 대악을 부인께 미루니 죄 일곱이요, 간부와 가까이하여 가부를 사지에 귀양 보내니 죄 여덟이요, 인아를 물에 넣어 죽게 하니 죄 아홉이요, 겨우 부지하여 살아오는 나를 죽이려 하니 죄 열이라. 음부 천지간에 큰 죄를 짓고 오히려 살고자 하느냐."

> 음탕한 여자. 교 씨를 가리킴
> 남을 헐뜯어서 죄가 있는 것처럼 꾸며 윗사람에게 고하여 바침
> 교 씨의 시비
> 사 씨의 시비 설매
> 옥가락지
> 교 씨와 내통하여 간교한 계책을 세워 유연수를 유배 가게 함
> 사 씨의 옥지환을 배내 다른 남자(냉진)와 정을 통한 것처럼 모함한 일
> 간통한 남자
> 남편을 이르는 말
> 사 씨가 낳은 아들
> Link 인물의 성격 ❶
> ➤ 교 씨의 죄목을 읊는 유 한림

교녀 머리를 두드리고 울어 가로되,

『"이 모두 첩의 죄이오나 장주를 해함은 설매의 일이요, 도적을 보냄과 엄숭에게 참소함은 동청의 일이로소이다."』

> 교 씨의 아들
> 유 한림의 정적(政敵)
> 『 』: 자신의 죄의 일부를 설매와 동청에게 떠넘기려 함
> Link 인물의 성격 ❷

하고, 사 씨를 향하야 울어 가로되,

"첩이 실로 부인을 저버렸거니와, 오직 부인은 대자대비하신 덕으로 천첩의 잔명을 보존케 하옵소서."

> 남은 목숨
> ➤ 목숨을 살려 달라고 애걸하는 교 씨

부인이 눈물을 흘리고 가로되,

Link
출제자 특강 인물의 성격을 파악하라!
❶ 유 상서(유연수)가 열거한 교 씨의 죄를 통해 알 수 있는 교 씨의 성격은?
자신의 목적을 달성하기 위해 사 씨를 모함하고 아들까지 죽인 악랄하고 교활한 인물
❷ 유 상서(유연수)의 추궁에 대한 교 씨의 대응 방식은?
자신의 책임을 다른 사람에게 전가하며 목숨을 구걸함

"네가 나를 해하려 함은 죽을 죄 아니나 상공에게 득죄함을 내 어찌 구하리오."
교 씨가 자신에게 저지른 죄는 용서할 수 있으나 유연수에게 범한 죄는 자신이 어떻 수 없다는 말임

상서가 더욱 노하여 이에 시종에게 명령하여 <u>교녀의 가슴을 헤치고 심장을 빼라</u> 하니, 사 부
유연수   상서의 노기가 극에 달했음을 보여 줌

인이 가로되,

"비록 죄 중하오나 상공 모신 지 오래니 죽여도 시체를 완전히 하소서."
사 씨의 어진 성품이 드러남

상서 감동하여 동쪽 저자에 잡아내려다가 만인의 보는 앞에 죄를 들어 <u>광포(廣布)</u>하고 타살
세상에 널리 알림

하니라. 부인이 춘방의 <u>원억참사(冤抑慘死)</u>함을 애석히 여겨 상서께 말하여 그 뼈를 찾아다
사 씨의 시비   원통한 누명을 쓰고 비참하게 죽음

묻어 주고 십랑을 <u>치죄</u>코자 하여 찾으니, <u>연전</u>에 벌써 죄를 입어 옥중에서 죽었다 하더라.
허물을 가려내어 벌을 줌   몇 해 전   ▶교 씨의 죽음

『임 씨 유부에 들어온 지 십 년 동안에 세 아들을 계속해서 낳으매 다 <u>옥골선풍</u>이라. 맏아들
사 씨의 권유로 유 한림이 새로 맞아들인 첩   살빛이 희고 고결하여 신선과 같은 풍채

의 이름은 웅이요, 둘째의 이름은 준이요, 셋째의 이름은 란이니, 부형을 닮아서 모두 출중하
『 』: 편집자적 논평. 행복한 결말로 끝나는 고전 소설의 전형적인 결말 구조

더라. 임금이 유 상서의 벼슬을 돋우어 좌승상으로 삼고 황후 또한 사 부인의 덕을 들으시고

자주 보시니 유문의 영광이 비길 데 없고, 또 사추관이 높은 벼슬에 이르니 그 <u>복록(福祿)</u>의
사 씨의 남동생(사경안)   복되고 영화로운 삶

거룩함이 한 세상에 으뜸이었다. 승상 부부 팔십여 세를 <u>안향(安享)</u>하고 그 후 대공자는 병부
하늘이 준 복을 평안하게 누림

상서에 이르고, 유웅(劉熊)은 이부 시랑을 하고, 유란(劉鸞)은 태상경을 하여 조정에 벌였으

니, 임 씨도 무궁한 복록을 누려 <u>자부</u>의 모든 손자를 데리고 사 부인을 모셔 안락하고, 사 부
며느리

인이 <u>내훈(內訓)</u> 십 편과 열녀전 삼 권을 지어 세상에 전하고 자부 등을 가르쳐 착한 도에 나
집안의 부녀자들에게 하는 훈시나 교훈

아가게 하니, 이러므로 착한 사람은 복을 받고 악한 사람은 앙화를 받는 법이다.』 ▶유씨 가문의 후일담
권선징악적 주제 의식

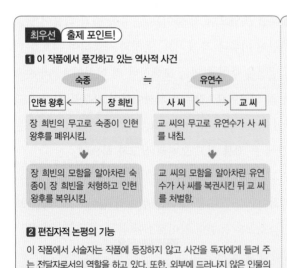

<u>최우선</u> 출제 포인트!

1 이 작품에서 풍간하고 있는 역사적 사건

| 숙종 | ≒ | 유연수 |

| 인현 왕후 ←→ 장 희빈 | | 사 씨 ←→ 교 씨 |

| 장 희빈의 무고로 숙종이 인현 왕후를 폐위시킴. | | 교 씨의 무고로 유연수가 사 씨를 내침. |

↓ ↓

| 장 희빈의 모함을 알아차린 숙종이 장 희빈을 처형하고 인현 왕후를 복위시킴. | | 교 씨의 모함을 알아차린 유연수가 사 씨를 복권시킨 뒤 교 씨를 처벌함. |

2 편집자적 논평의 기능

이 작품에서 서술자는 작품에 등장하지 않고 사건을 독자에게 들려 주는 전달자로서의 역할을 하고 있다. 또한, 외부에 드러나지 않은 인물의 성격이나 심리, 사건의 의미 등을 전달하고 있다. 이러한 서술자의 개입은 고전 소설의 특징이라 할 수 있다. 이 작품의 마지막 부분에 편집자적 논평이 나타나는데, 이는 권선징악에 의한 행복한 결말이라는 작품의 주제 의식을 되새기는 의미가 있다.

<u>최우선</u> 핵심 Check!

1 다음 내용 중 맞는 것은 ○표를, 틀린 것은 ×표를 하시오.

(1) 봉건적 사회의 처첩 간 갈등을 소재로 한 가정 소설이다. (　)

(2) 서술자가 작품 속에 직접 개입하여 작가의 의도를 요약적으로 전달하면서 독자의 상상력을 유발하고 있다. (　)

(3) 숙종이 인현 왕후를 폐위하고 장 희빈을 중전으로 세운 사건을 풍간하여 흐려진 임금의 마음을 참회시키고자 이 작품을 썼다고 전해진다. (　)

2 초성 힌트를 보고 빈칸에 들어갈 알맞은 말을 쓰시오.

(1) 착한 사람은 복을 받고 악한 사람은 벌을 받는다는 ㄱㅅㅈㅇ적 주제 의식을 담고 있다.

(2) 교 씨는 자신의 욕망과 이익을 채우기 위해서 인간이 가져야 할 최소한의 양심마저도 버리고 수단과 방법을 가리지 않는 ㅇㅇ의 전형적인 인물이다.

정답 1. (1) ○ (2) × (3) ○ 2. (1) 권선징악 (2) 악인

박씨전(朴氏傳) | 작자 미상

성격 전기적, 역사적, 영웅적 **시대** 조선 후기
주제 박씨 부인의 영웅적 기상과 재주

소설

이 작품은 병자호란의 치욕을 정신적으로나마 보상받고 싶어 하는 민중의 심리적 욕구를 충족시키기 위해 실존 인물인 이시백과 허구적 인물인 박씨 부인을 내세우고, 역사적 사실에 허구적인 내용을 가미하여 창작된 영웅 소설이다.

주요 사건과 인물

발단
박 씨와 혼인한 이시백은 추한 외모를 가진 박 씨를 외면함.

전개
추한 외모 때문에 시어머니와 남편에게 냉대를 받던 박 씨가 허물을 벗고 절세미인으로 변신함.

위기
호국에서 기흥대를 보내 이시백과 임경업을 죽이려고 하나 박 씨가 이를 저지함.

절정
조선을 침략한 용골대 형제가 박 씨에게 혼이 나고 임경업에게 패배함.

결말
임금이 박 씨의 공로를 치하하고, 박 씨는 이시백과 백년해로함.

박 씨
비범한 능력을 지녔지만 추한 외모로 냉대 받음. ⟷ **이시백**
총명하고 문무를 겸비하였으나 추한 외모의 부인을 박대함.

변신
박 씨가 허물을 벗고 절세미인으로 탈바꿈함.

박 씨
영웅적인 인물로 뛰어난 능력을 발휘함. ⟷ **용골대**
삼만의 병사를 동원해서 조선을 침략함.

핵심장면 ① 박 씨가 추한 허물을 벗고 절세미인의 모습으로 탈바꿈하는 부분이다.

□ : 주요 인물

과연 이튿날 박 씨가 은연히 들어와 다녀온 말씀을 고하니, 상공이 집안 안부와 처사의 하는
_{은은히, 겉으로 뚜렷하게 드러나지 아니하고 어슴푸레하며 흐릿하게}   _{이시백의 아버지}   _{박 씨의 아버지}

일을 묻더라. 박 씨가, / "집안은 무사하옵고, 친정아버님은 아무 날에 오마 하더이다."

상공이 기뻐하며 주찬(酒饌)을 많이 장만하고 기다리더라.
_{술과 안주}   _{바깥주인이 거처하며 손님을 접대하는 곳}   _{옥으로 만든 저, 저는 가로로 불게 되어 있는 관악기를 통틀어 이르는 말}

그날이 당하매, 상공이 의관을 정제하고 외당을 소쇄(掃灑)하여 기다리더니, 홀연 옥저 소리
_{박 처사가 오기로 한 날}   _{비로 먼지를 쓸고 물을 뿌림}

차차 가까워 오며 상서로운 구름이 영롱하더니, 처사가 백학을 타고 공중으로부터 내려와 당
_{박 처사의 신선과 같은 풍모와 비범한 능력(전기성, 비현실성)}

에 오르는지라. 상공이 반기어 맞아 예하며, 여러 해 그리던 회포를 말씀하다가, 상공이
_{마음속에 품은 생각이나 정}

"내 팔자 무상하와 한낱 자식을 두었더니 덕 있는 며느리에게 일생 슬픔을 끼치니, 이는 다
_{이 상공의 운명론적 인생관}   **Link** 인물의 처지 ❶   _{이시백이 용모를 이유로 부인인 박 씨를 꺼리는 것}

나의 불민한 탓이라. 사장(査丈)을 대하여 죄 많사와 부끄럼을 어찌 형언하오리까."
_{혼인한 두 집안의 부모들 사이에서 그 집안의 위 항렬이 되는 상대편을 이르는 말}   「 」: 자신의 아들이 며느리를 구박한 일을 사죄함

처사가,
_{거칠고 더럽고 낮음}

"자식의 인물이 추비(麤鄙)하고 또한 팔자라. 이렇듯 험한 인생이 사장의 덕택으로 이때껏 기탁
_{박 처사의 운명론적 인생관}   **Link** 인물의 처지 ❶, ❷   _{부탁하여 맡기어 둠}

하였사오니 은혜 감격하옵니다. 내 도리어 부끄러움을 이기지 못하나이다."
Link 인물의 처지 ❸   「 」: 추한 외모를 지닌 자신의 딸을 내치지 않고 며느리로 인정한 것에 대해 사례함

주찬을 내어 서로 권하며, 바둑과 옥저를 대하여 즐기더라.
_{모질고 사나운 일을 당할 운수}

일일은 처사가 그 딸을 불러, / "네 이제 액운이 다하였으니 허물을 고치라."
_{구출 및 조력자의 도움 – 박 씨가 추한 허물을 벗게 될 것을 암시함}

하니, 박 씨가 대답하고 피화당으로 들어가니, 시아버지도 그 말을 알지 못하고 고이히 여기더라.
_{'화를 피하는 곳'이라는 의미, 박 씨가 홀로 거처하고 있는 공간}

처사 닷새를 머문 후에 하직을 고하니, 상공이 간곡히 만류하되, 처사가 듣지 아니하는지라. 상공이

"이제 가시면 어느 때 다시 뵈오리까?"
_{구름이 낀 먼 산}   _{신선이 살았다는 중국의 전설 속의 강}

"운산(雲山)이 첩첩하고 약수(弱水)가 묘연하니 다시 보기 어렵도
_{재회를 기약하기 어려움 – 신령스러운 사람이었던 처사가 속세를 완전히 떠날 것임을 암시함}

다. 인간 회환(人間回還)이 정한 수가 있으니 어찌합니까? 부디 백
_{사람이 갔다가 다시 돌아옴}

세무양(百歲無恙)하시옵소서."
_{백세까지 몸에 병이나 탈이 나지 않음}

Link
출제자 Tip 인물의 처지를 파악하라!

❶ 상공과 처사의 대화에서 알 수 있는 두 사람의 공통적인 인생관은?
운명론적 인생관

❷ 상공의 아들(이시백)이 처사의 딸(박 씨)을 멀리하는 이유는?
박 씨의 추한 외모 때문에

❸ 처사가 상공에게 고맙다고 말한 이유는?
추한 외모를 지닌 자신의 딸을 며느리로 인정하고 내치지 않았기 때문에

하니, 상공이 슬픔을 이기지 못하여 이별하는 정이 자못 결연하되, 며느리는 그 부친을 하직
하며 조금도 서러워함이 없더라.

『이윽고 공중에서 구름이 영롱하며, 처사가 당에서 내려 솟아 공중으로 향하더니, 다만 옥저
소리만 들리고 간 곳을 알지 못하겠더라.』

▶ 이 상공에게 작별을 고하고 떠나는 박 처사

이날 밤에 박 씨가 목욕하고 뜰에 내려서 하늘을 향하여 축수(祝手)하고 방에 들어가 자더
라. 이튿날 일어나 계화를 불러,

『"내 간밤에 허물을 벗었으니, 대감께 여쭈어 옥함을 짜 주옵소서 하라."』

할 제, 계화가 보니 추비한 아씨가 허물을 벗고 옥 같은 얼굴이며 달 같은 대도가 사람을 놀래
며 향기가 방 안에 가득한지라. 계화가 도리어 정신을 진정하여, 보고 또다시 보니 그 아름답
고 고운 태도는 옛날 서시(西施)와 양 귀비(楊貴妃)라도 미치지 못하겠더라.

▶ 추한 허물을 벗고 미인이 된 박 씨

핵심장면 ② 박 부인이 율대를 꾸짖고, 비계로써 율대에게 인질들을 데리고 회군하는 도중 임 장군을 만날 것을 당부하고 있는 부분이다.

차시, 박 부인이 계화를 시켜 외치기를,

"무지한 오랑캐야, 내 말을 들으라. 너의 왕은 우리를 모르고 너 같은 구상유취(口尙乳臭)를
보내어 조선을 침노하니, 국운이 불행하여 패망(敗亡)을 당하였거니와 무슨 연고로 아국 인
물을 거두어 가려 하느냐. 『만일 왕비를 모셔 갈 뜻을 두면 너희 등을 함몰(陷沒)할 것이니 신
명을 돌아보라."』 Link 반영된 사회상 ❹

하니, 호장이 가소롭게 여겨

"너의 말이 가장 녹록(碌碌)하도다. 우리 이미 조선 왕의 항서(降書)를 받았으니 데려가기와
아니 데려가기는 우리 장중(掌中)에 달렸으니 그런 말은 구차(苟且)히 말라."

하며 능욕(凌辱)이 무수하거늘 계화가 다시 외치기를,

"너희 등이 일향(一向) 마음을 고치지 아니한다면 나의 재주를 구경하라."

하고, 언파(言罷)에 무슨 진언(眞言)을 외더니, 『문득 공중으로 두 줄 무지개 일어나며 우박이
담아 붓듯이 오며 순식간에 급한 비와 설풍(雪風)이 내리고 얼음이 얼어 호진 장졸(胡陣將卒)
이며 말굽이 얼음에 붙어 떨어지지 아니하여 촌보(寸步)를 운동치 못할지라.』

호장이 그제야 깨달아 가로되,

"당초에 귀비 분부하시되 '조선에 신인(神人)이 있을 것이니 부디 우의정 이시백의 후원을
범치 말라.' 하시거늘, 우리 일찍 깨닫지 못하고 또한 일시지분(一時之忿)을 생각하여 귀비
의 부탁을 잊고 이곳에 와서 도리어 앙화(殃禍)를 받아 십만 대병을 다 죽일 뿐이라. 율대도
무죄히 죽고 무슨 명목으로 귀비를 뵈오리오. 우리 여차(如此)한 일을 당하였으니 부인에게
비느니만 같지 못하다."

하고, 『호장 등이 갑주(甲胄)를 벗어 안장에 걸고 손을 묶어 팔문진(八門陣) 앞에 나아가 복지청
갑옷과 투구   땅에 엎드려 죄를 고백함
죄(伏地請罪)하여 가로되,

Link 반영된 사회상 ❸

"소장(小將)이 천하에 횡행(橫行)하고 조선까지 나왔으되 무릎을 한 번 꿇은 바가 없더니, 부
거리낌 없이 행함
인 장하(帳下)에 무릎을 꿇어 비나이다."
치마 아래
Link 반영된 사회상 ❹
하며 머리 조아려 애걸(哀乞)하고 또 빌어 가로되,

"왕비는 아니 뫼셔 가리이다. 소장 등으로 길을 열어 돌아가게 하옵소서."

하고 무수히 애걸하거늘,』 『 』: 인조가 삼전도에서 보였던 굴욕과 동일
한 방식으로 정신적 보상을 받고자 함   ❯ 패배를 인정하고 살려 줄 것을 애걸하는 용골대

박 씨 주렴(珠簾) 안에서 꾸짖기를,

"너희들을 씨 없이 죽일 것이로되, 천시(天時)를 생각하고 십분 용서하나니 네 말대로 왕비
관련 한자 성어: 발본색원(拔本塞源)   운명론적 사고   충분히
는 뫼셔 가지 말며, 너희 등이 부득이 세자·대군을 뫼셔 간다 하니 그도 또한 천의(天意)를
소현 세자와 봉림 대군
따라 거역(拒逆)지 못하거니와 부디 조심하여 모셔 가라. 『나는 앉아서 아는 일이 있으니, 불
역사적 사실 - 운명론적 태도   『 』: 박 씨의 위협
                                              그렇게 하지 않으면
연즉 내 신장(神將)과 갑병(甲兵)을 모아 너희 등을 다 죽이고 나도 북경(北京)에 들어가 국
신과 같은 장수   갑옷을 입은 병사   호왕
왕을 사로잡아 설분(雪憤)하고 무죄한 백성을 남기지 아니하리니 내 말을 거역치 말고 명심하
분한 마음을 품
라.』"
                                                                        ❯ 용골대의 목숨을 살려 주는 박 씨

하더라. 호장들이 백배사례하고, 용골대 아뢰되,
거듭 절하여 고맙다는 뜻을 나타냄   Link 반영된 사회상 ❷
"황공하오나 소장의 아우 머리를 주옵시면, 덕택이 태산 같을까 바라나이다."
                        용율대
박 씨가 웃으며 일변 꾸짖기를,

"옛날 조양자(趙襄子)는 지백(知伯)의 머리를 옻칠하여 술잔을 만들어 이전 원수를 갚았으
춘추 전국 시대에 조양자가 원수였던 지백을 죽여 그 머리로 술잔을 삼았다고 함
니, 나도 옛날 일을 생각하여 율대 머리에 옻칠하여 남한산성에 패한 분(憤)을 만분지일이나
                                        만으로 나눈 것의 하나라는 뜻으로, 아주 적은 경우를 이르는 말
풀리라. 너의 정성은 지극하나 각기 그 임금 섬기기는 일반이라. 아무리 애걸하여도 그는 못
Link 반영된 사회상 ❶   용율대의 머리를 돌려줄 수 없음
하리라."
                                                                        ❯ 용골대의 부탁을 거절하는 박 씨

골대 차언을 듣고 분심(忿心)이 충천하나 율대의 머리만 보고 대곡(大哭)할 따름이요, 하릴
용율대의 머리를 돌려줄 수 없다는 말   북받쳐 오르나   큰소리로 곡함   어쩔 수 없어
없어 하직하고 행군하려 하니 부인이 다시 일러 왈,

"행군하되 의주(義州)로 행하여 임 장군을 보고 가라." Link 반영된 사회상 ❷
                            임경업에 의한 정신적 보상

골대 그 비계(秘計)를 모르고 내념(內念)에 혜오되,
          비밀스러운 계책   마음속으로 생각하되
"우리가 조선 임금의 항서를 받았으니 서로 만남이 좋다."

하고, 다시 하직하고 세자·대군과 장안 물색(長安物色)을 데리고 의
                        장안에서 수급한 물건과 여자
주로 갈 때, 잡혀가는 부인들이 하늘을 우러러 통곡하여 왈,

"박 부인은 무슨 복으로 화를 면하고 고국에 안한(安閑)이 있고,
                조국이나 고향에서 멀리 떨어져 있는 다른 나라   편안하고 한가함
우리는 무슨 죄로 만리타국에 잡혀가는고. 이제 가면 하일 하시(何
              조상 대부터 살던 나라   언제 어느 때에
日何時)에 고국산천(故國山川)을 다시 볼꼬."
                조국을 떠나는 안타까움
하며, 통곡유체(痛哭流涕)하는 자가 무수(無數)하더라. 부인이 계화
통곡유체장태식(痛哭流涕長太息). 목 놓아 울며 긴 한숨을 쉰다는 말로, 시세의 그릇됨을 한탄하는 의미임

로 하여금 외쳐 가로되,

"인간 고락은 사람의 상사(常事)라. 너무 슬퍼 말고 들어가면 『삼년지간에 세자·대군과 모든
　　　　　　　　　　늘 있는 일　　　　　　　　　　　　　　『 　』: 역사적 사실에 새로운 의미를 부여하여 정신적 보상을 받으려 함

부인을 모셔 올 사람이 있으니 부디 안심하여 무사득달(無事得達)하라.』"
　　　　　　　　　　　　　　　　　　아무 일 없이 목적한 곳에 도달함

위로하더라.

➤ 조선의 인질들을 데리고 호국으로 돌아가는 용골대

최우선 출제 포인트!

1 이 작품의 주요 갈등

전반부 (가정 내 갈등)	박 씨	↔	이시백
	비범한 능력을 지녔지만 천하의 박색으로 남편과 시어머니에게 냉대 받음.		총명하고 문무에 고루 뛰어난 인물이지만, 부인의 용모가 박색임을 알고 대면조차 하지 않음.

박 씨가 3년 만에 액운이 다하여 허물을 벗고 절세가인이 됨.

후반부 (국가 간 갈등)	조선	↔	호국
	박 씨가 뛰어난 능력을 발휘하여 오랑캐를 물리치고 국난을 극복함.		용골대 형제를 앞세워 조선을 침략하지만 박 씨로 인해 실패함.

2 변신 모티프의 기능

· 작품의 전반부와 후반부를 매개하는 사건상의 전환점

전반부	박 씨의 변신	후반부
추녀 박 씨가 허물을 벗기까지의 이야기	→	병자호란을 배경으로 한 박 씨의 영웅적 활약

· 징벌 의식

박 씨가 전생에 지은 죄로 인해 추한 탈을 쓰고 태어남.	징벌 규제	남편을 비롯한 시집 식구들의 사회에 받아들여짐.

· 통과 의례

박 씨가 가족의 구성원이 되기 위해 후원의 피화당(避禍堂)에서 삼 년 동안 시집 식구들과의 교류 없이 홀로 기거함.	→	이씨 가문의 며느리로 대접받게 되고 명실상부한 사회적 인물로 살아갈 수 있게 됨.

3 역사적 사실을 변형한 이유

이 작품은 병자호란이라는 역사적 사실에 허구적 내용을 가미한 역사 소설이자 군담 소설이다. 실존 인물인 이시백, 임경업, 용골대 등을 등장시켜 현실감을 주면서 박 씨와 같은 허구적 인물과 사건을 설정하여 병자호란으로 인한 민족의 상처, 패배 의식을 극복하고자 하였다. 또한 박 씨를 비범한 능력을 지닌 인물로 설정하였는데, 이는 봉건적인 가족 제도에서 해방되고자 하는 당시 여성들의 욕구와, 여성도 국난을 타개할 수 있는 능력을 갖추고 있다는 의식을 반영한 것으로 볼 수 있다.

최우선 핵심 Check!

1 다음 내용 중 맞는 것은 ○표를, 틀린 것은 ×표를 하시오.

(1) 작품의 전반부와 후반부를 매개하는 사건상의 전환점은 박 씨의 변신이다.　　　　　　　　　　　　　　　　　(　　)

(2) 남성의 뛰어난 활약을 보여 줌으로써, 남성의 능력이 여성과 비교가 되지 않음을 드러내고 있다.　　　　　(　　)

2 초성 힌트를 보고 빈칸에 들어갈 알맞은 말을 쓰시오.

(1) 박 씨는 ㅎㄱㅈ 인 인물이고, 용골대는 실존 인물이다.

(2) 패전했던 ㅂㅈㅎㄹ 을/를 있는 그대로 받아들이고 싶지 않았던 당시 사람들의 욕망에 따라 소설화가 이루어졌다.

정답 1. (1) ○ (2) × 2. (1) 허구적 (2) 병자호란

▶ 1등급! 〈보기〉!

「박씨전」과 「임경업전」의 유사성 — 우리책 9위 (임경업전)

「임경업전」은 인조 때의 명장인 임경업의 일생을 영웅화한 소설로, 실존 인물인 임경업과 관련된 단편적 일화에 민중 의식이 가미되어 생겨난 설화들을 일대기 형식으로 통합하여 재구성한 작품이다. 「임경업전」은 병자호란의 치욕, 호국과 간신 등에 대한 민중적 분노를 형상화했다는 점에서 「박씨전」과 유사하다. 또한 역사적 사실이 부분적으로 반영되어 있지만, 허구적인 면을 가미하여 병자호란으로 인한 치욕을 씻고자 했던 민중의 심리가 드러나는 점도 공통적이다.

홍계월전(洪桂月傳) | 작자 미상

성격 비판적, 영웅적, 전기적 **시대** 조선 후기
주제 뛰어난 능력으로 국가와 천자를 구한 홍계월의 영웅성

소설

이 작품은 여주인공 홍계월이 남성들과의 경쟁에서도 위축되지 않고 자신의 비범한 능력을 발휘하여 위험에 처한 국가를 구하는 과정을 그린 여성 영웅 소설이다.

주요 사건과 인물

발단
천상의 선녀였던 계월이 홍 시랑 부부의 딸로 태어나지만 어린 시절 수적 맹길에 의해 강물에 던져짐.

전개
여 공에 의해 구출된 홍계월은 병법을 배워 관직에 진출하고 헤어졌던 부모와도 재회함.

위기
홍계월이 여성임이 밝혀지나 천자에게 용서를 받음. 천자의 주선으로 여보국과 결혼하나 갈등을 겪음.

절정
홍계월은 전쟁에 나가 위기에 빠진 천자를 구하고, 맹길을 잡아 어릴 적 원수를 갚음.

결말
전쟁이 끝난 후 홍계월은 대장군의 작위를 받고, 보국과의 갈등도 해소되어 부귀영화를 누림.

개인과 개인 사이의 갈등
• 부부 사이의 갈등: 홍계월 ↔ 여보국
• 처첩 사이의 갈등: 홍계월 ↔ 영춘

집단과 집단 사이의 갈등
외적의 침입: 명 ↔ 서달

핵심장면 ① 자식이 없어 걱정하던 홍무 부부가 뒤늦게 태몽을 꾼 뒤 아이를 낳는 부분이다.

화설(話說). 『대명(大明) 성화(成化) 연간에 형주 구계촌에 한 사람이 있으되, 성은 홍(洪)이요
이름은 무(武)라. 세대 명문거족(名門巨族)으로 소년 급제(少年及第)하여 벼슬이 이부 시랑(吏部侍郎)에 있어 충효 강직하니, 천자(天子) 사랑하사 국사(國事)를 의논하시니, 만조백관이 다 시기하고 모함하여, 무죄히 삭탈관직(削奪官職)하고 고향에 돌아와 농업에 힘쓰니, 가세는 요부(饒富)하나 슬하에 일점혈육(一點血肉)이 없어 매일 설워하더라.』 **Link** 인물의 처지 ❶

하루는 부인 양 씨로 더불어 탄식하여 말하기를,

『"사십에 남녀 간 자식이 없으니, 우리 죽은 후에 뉘라서 후사(後事)를 전하며 지하에 돌아가 조상을 어찌 뵈오리오."』

하니, 이에 부인이 슬피 울며 말하기를,

"불효 삼천(不孝三千)에 무후 위대(無後爲大)라 하오니, 첩이 존문(尊門)에 의탁하온 지 이십 년이라. 다만, 자식이 없사오니 무슨 면목으로 상공을 뵈오리까. 복원(伏願) 상공께서는 다른 가문의 어진 숙녀를 취하여 후손을 볼진대, 그리하면 첩도 칠거지악을 면할까 하나이다." **Link** 인물의 처지 ❷

이에 시랑이 양 씨를 위로하며 말하기를,

"이는 다 내 팔자라. 어찌 부인의 죄라 하리오. 차후는 그런 말씀 마소서." **Link** 인물의 처지 ❸

하더라.

➤ 자식이 없어 걱정하는 홍무 부부

이때는 추구월 망간(望間)이라. 부인이 시비(侍婢)를 데리고 망월루에 올라 월색(月色)을 구경하더니 홀연 몸이 곤하여 난간에 의지하니, 비몽 간에 선녀가 내려와 부인께 재배(再拜)하고 아뢰기를,

"소녀는 상제(上帝)의 시녀옵더니, 상제께 득죄(得罪)하고 인간에

Link

출제자 특 인물의 처지를 파악하라!

❶ 홍 시랑이 매일 서러워한 까닭은?
슬하에 자식이 없어서

❷ 부인 양 씨가 남편에게 권유하고 있는 것은?
남편 홍 시랑에게 첩을 얻어 후손을 볼 것을 권유함.

❸ 부인 양 씨와의 대화 내용을 통해 알 수 있는 홍 시랑의 성품은?
자식이 없는 것은 자신의 팔자라며 부인을 위로하는 것으로 보아 부인을 위하는 마음을 지녔으며 남 탓을 하지 않는 성품임을 알 수 있음.

내비치어 갈 바를 모르더니, 세존(世尊)이 부인 댁으로 가라 지시하옵기로 왔나이다."
<small>석가모니(부처)를 말함 – 불교의 영향</small>

하고 부인의 품에 들거늘, 놀라 깨달으니 꿈이라. 부인이 크게 기뻐하여 시랑을 청하여 몽사
<small>주인공의 탄생을 암시함 – 영웅의 비정상적 출생</small>
(夢事)를 이르고 귀자(貴子) 보기를 바라더니, 과연 그달부터 태기 있어 열 삭이 차, 하루는 집
<small>양 씨가 선녀 꿈을 꾸고 아이를 뱀</small>
안에 향취 진동하며, 부인이 몸이 곤하여 침석에 누웠더니 아이를 탄생하니 여자라.

선녀 하늘에서 내려와 옥병을 기울여 아기를 눕히고 아뢰기를,

"부인은 이 아기를 잘 길러 후복(後福)을 받으소서."

하고 인하여 나가며 아뢰기를,

"오래지 아니하여서 다시 뵈올 날이 있사오리다."
<small>계월이 이모를 통해 비범한 인물임을 나타낼 태몽에서 옥황상제의 시녀라고 하며 나타난 선녀가 계월로 태어남</small>

하고 문득 떠나거늘, 부인이 시랑을 청하여 아이를 뵈이니, **얼굴이 도화(桃花) 같고 향내 진동**
<small>전설에서, 달에 있는 궁에 산다는 선녀</small>
하니, 진실로 월궁항아(月宮姮娥)더라. **기쁨이 측량없거늘, 다만 남자 아님을 한탄하더라.**
<small>Link 인물의 태도 ❶</small> <small>당대의 남존여비(男尊女卑) 현실을 반영함</small>
▶ 양 씨가 태몽을 꾼 뒤 태어난 계월

핵심장면 ② 계월이 천자의 주선으로 늘 자신보다 뒤처지던 보국과 혼인하면서 부부 사이의 갈등이 형성되는 부분이다.

<small>홍무(계월의 아버지)</small>　　　<small>□ : 주요 인물</small>
위공이 택일단자를 가지고 **계월**의 침소에 들어가 전하니 계월이 아뢰었다.
<small>혼인 날짜를 정하여 상대편에게 적어 보내는 쪽지</small>

"**보국**은 전일 중군(中軍)으로서 소녀의 부리던 사람이라. 내가 그 사람의 아내 될 줄을 어찌
<small>계월과 보국의 관계 변화로 인한 갈등을 암시함</small>
알았으리오. 『다시는 군례(軍禮)를 못할까 하와 이제 망종 군례나 차리고자 하오니 이 뜻을
<small>어찌 알았겠는가</small>　　　　　　　　　　　　<small>일의 마지막</small>
천자께 상달하소서."』 『 』: 부부가 되면 보국을 부하로 다루기 어려워지므로 마지막으로 군례를 하겠다는 계월의 의도가 나타남
<small>윗사람에게 말이나 글로 여쭈어 알려 드림</small>　　　　　　　　　　　　　　　　<small>갑옷과 투구</small>

『위공이 즉시 천자께 주달하니, 천자께서 바로 군사 오천과 장수 수백여 명에게 갑주와 기치
<small>임금에게 아뢰던 일</small>　　　　　　　　　　　　　<small>위공과 천자는 모두 계월의 행동을 지지함</small>　　<small>군대에서 쓰던 깃발</small>
장검을 갖추어 원수에게 보내니,』 계월이 여복을 벗고 갑주를 갖추고 용봉 황월(龍鳳黃鉞)과
<small>계월을 가리킴. 서술자가 계월의 공적 위치를 강조함</small>　　　　　　　　<small>용과 봉황이 새겨지고 황금으로 장식한 도끼</small>
수기(手旗)를 잡아 행군하여 별궁에 좌기하고, 군사로 하여금 보국에게 전령하니 **보국이 전령**
<small>행진할 때에 장수가 손에 들어 직책을 표시하던 깃발</small>　<small>보국은 계월이 여성임에도 벼슬이 높다 하여 자신을 무시한다고 생각함 – 남성 중심적 사고에서 벗어나지 못함</small>
을 보고 분함을 측량할 길 없으나 전일 평국의 위풍을 보았는지라, 군령을 거역치 못하여 갑
<small>계월이 여공에게 구출된 뒤 갖게 된 이름</small>
주를 갖추고 군문 대령하니라.
<small>군영의 입구</small> <small>Link 인물의 태도 ❷</small> <small>『 』: 관련 속담: 울며 겨자 먹기</small>

이때 원수가 좌우를 돌아보며 말했다.
<small>보국</small>
"중군이 어찌 이다지 거만하뇨. 바삐 현신하라." <small>Link 인물의 태도 ❸</small>
<small>가을의 찬 서리</small>　<small>아랫사람이 윗사람에게 예를 갖추어 자신을 보이는 일</small>　<small>계월이 남편이 될 보국을 혼내는 장면</small>
호령이 추상같거늘 군졸의 대답 소리 장안이 끓는 듯 하더라. 중군이 그 위엄에 황겁하야 갑
<small>계월의 호령에 날이 섬</small>　<small>과장된 표현</small>　　　　　　　<small>겁이 나서 얼떨떨함</small>
주를 끌고 국궁(鞠躬)하야 들어오니 얼굴에 땀이 흐르는지라. 바삐 나가 장대 앞에 복지한대,
<small>윗사람이나 위패(位牌) 앞에서 존경하는 뜻으로 몸을 굽힘</small>　　　　　　　　　　　<small>땅에 엎드림</small>
원수 정색하고 꾸짖어 왈, 『 』: 혼인 후에는 보국을 부하로 다룰 수 없다고 여기고 마지막으로 군기를 잡
<small>음 → 여성 영웅으로서의 우월함을 엿볼 수 있음</small>

"군법이 지중하거늘 중군이 되었거든 즉시 대령하였다가 명 내리
기를 기다릴 것이어늘, 장령을 중히 여기지 않고 태만한 마음을 두
어 군령을 소홀히 하니 중군의 죄는 만만 무엄한지라. 즉시 군법을
<small>Link 인물의 태도 ❸, 문맥상 의미 ❷</small>
시행할 것이로되, 십분 짐작하거니와 그저는 두지 못하리라."
<small>계월은 보국이 군령을 즉시 지키지 않은 이유를 알고 있음</small>

하고 군사를 호령하여 중군을 빨리 잡아내라 하는 소리 추상같은지
라. 무사 일시에 고함하고 달려들어 장대 앞에 꿇리니 중군이 정신
<small>동시에</small>　　　　　　　　　　　　　<small>남성이 무릎을 꿇는 모습을 통해 여성 독자에게 대리 만족을 느끼게 함</small>

Link
출제자 톡톡 ❸ **인물의 태도를 파악하라!**

❶ 자식의 출생에 대한 홍 시랑의 태도는?
　자식을 낳은 기쁨은 측량할 수 없을 정도이
　지만, 남자아이가 아니라 여자아이인 것이
　한탄스러움.

❷ 보국이 전령을 보고 분해한 이유는?
　계월이 여성임에도 자신보다 벼슬이 높다
　하여 자신을 무시한다고 생각해서

❸ 보국을 꾸짖는 계월의 모습에서 알 수 있는
　것은?
　여성 영웅으로서의 우월함

을 잃었다가 겨우 진정하야 아뢰되,

『소장은 신병이 있어 치료하옵다가 미처 당치 못하였사오니 태만한 죄는 만사무석(萬死無
『 」: 보국은 자신의 개인적인 처지와 유교적 도리를 근거로 용서를 구함   만 번 죽어도 아까울 것이 없음
惜)이오나 병든 몸이 중장을 당하오면 명을 보전치 못하겠삽고 만일 죽사오면 부모에게 불
            곤장으로 몹시 쳐서 엄중히 다스리던 형벌
효를 면치 못하리니 원수는 하해 같은 은덕을 내리사 전일 정곡을 생각하시와 소장을 살려
                        큰 강과 바다   간곡한 정
주시면 불효를 면할까 하나이다.』

하며 무수히 애걸하니, 원수 내심은 우수(憂愁)나 겉으로는 호령하여 왈, **Link** 문맥상 의미 ❶
              보국의 행동은 불만스럽지만 한편으로는 그를 걱정함

"중군이 신병이 있으면 어찌 영춘각의 애첩 영춘(永春)으로 더불어 주야 풍류로 즐기나뇨?
            보국의 핑계에 대한 계월의 반박 – 애첩 영춘에게 빠져 임무를 소홀히 한 것을 비꼼
그러나 사정이 없지 못하야 용서하거니와 차후는 그리 말라."

분부하니 보국이 백배사례하고 물러나니라.   ➤ 혼인을 앞두고 보국을 혼내는 계월
            거듭 절을 하며 고맙다는 뜻을 나타냄

원수 군을 물리치고 본궁에 돌아올세, 보국이 원수에게 하직하고 돌아와 부모 전에 욕본 사
연을 낱낱이 고하니『여 공이 그 말을 듣고 대소하여 칭찬 왈,
   Link 문맥상 의미 ❷   순덕(착하고 아름다운 덕행)이 높은 여자
            여러 사람 앞에서 계월에게 망신을 당한 일 – 계월에 대한 불만을 표출함
"내 며느리는 천고의 여중군자로다." 『 」: 여 공은 계월의 행동을 긍정적으로 평가함
   계월에 대한 여 공의 긍정적인 태도를 보여 줌

하고 보국더러 일러 말하기를,

"계월이 너를 욕뵘이 다름 아니라 어명으로 너와 배필을 정하매 전일 중군으로 부리던 연고
라 마음이 다시는 못 부릴까 하여 희롱함이니, 너는 추호도 혐의치 말라."
            계월의 의도를 간파한 여 공   꺼리고 미워함

하더라.
                              칭찬하여 상으로 물품을 내려 줌
천자, 계월이 보국을 욕뵈었다는 말을 듣고 크게 웃으시고 상사를 많이 하시더라. 〈중략〉
                              ➤ 군례로 보국을 희롱하는 계월의 의도를 간파하고 보국을 타이르는 여 공
"계월이 전일은 대원수 되어 소자를 중군으로 부리오매 장막지간(將幕之間)이라, 능멸이 여
                                          장수와 부하 사이
기지 못하려니와『지금은 소자의 아내오매, 어찌 소자의 사랑하는 사람을 죽여 심사를 불평
                  『 」: 남편의 권위를 내세우는 보국   보국의 애첩 영춘
케 하오리까."

『계월이 비록 네 아내 되었으나 벼슬 놓지 아니하고 의기 당당하여 족히 너를 부릴 사람으로
『 」: 불평하는 보국을 달래는 여 공   여 공이 보국을 만류하는 이유 ① – 계월이 보국보다 벼슬이 높고 뛰어난 능력을 지녔음
되, 예로써 너를 섬기니 어찌 심사를 그르다 하리오. 영춘은 비첩이라 제 거만하다가 죽었으
            여 공이 보국을 만류하는 이유 ② – 영춘은 보국이 자신을 사랑함을 믿고 거만하게 굴다 벌을 받은 것임
니 뉘를 한하며, 또한 계월이 그릇 궁녀비를 죽인다 하여도 뉘라서 그르다 책망하리오. 너는
조금도 괘념치 말고 마음을 변치 말라. 만일 영춘을 죽였다고 하고 혐의를 두면 부부지의도
            여 공이 보국을 만류하는 이유 ③ – 영춘을 죽였다고 계월을 꺼린다면 부부 사이가 나빠질 것임
변할 것이요 또한 천자 주장하신 바라, 네게 해로움이 있을 것이니 부디 조심하라.』
                  여 공이 보국을 만류하는 이유 ④ – 천자가 중매했으므로 후환이 생길 수 있음

하신대, 보국이 왈,
                              봉건적 남성 중심 사고
"분부 지당하오나 세상 대장부 되어 계집에게 괄시를 당하오리까."
                                          Link 문맥상 의미 ❸
하고 그 후로부터는 계월의 방에 들지 아니하니, 계월이 생각하되,

'영춘의 혐의로 아니 오는도다.' / 하고 왈,
   영춘을 죽인 일에 대한 불만 때문에

"누가 보국을 남자라 하겠는가? 여자에게도 비할 수 없구나."
            보국의 옹졸함을 비난함
이렇게 말하며 자신이 남자가 되지 못한 것이 분해 눈물을 흘리며
세월을 보냈다.   ➤ 영춘의 일로 갈등하는 보국과 계월

Link
출제자 **톡!** 문맥상 의미를 파악하라!

❶ 원수(계월)가 겉으로는 호령하면서도 내심
은 우수(憂愁)한 이유는?
보국의 행동이 못마땅하면서도 속으로는 그
를 걱정하는 마음을 가지고 있기 때문에

❷ '욕본 사연'의 구체적인 내용은?
보국이 여러 사람 앞에서 계월에게 망신을
당한 일

❸ 보국이 가부장적 사고에서 벗어나지 못한,
권위적이고 옹졸한 인물임을 드러내는 구절
은?
"분부 지당하오나 세상 대장부 되어 계집에
게 괄시를 당하오리까."

1 '홍계월'이라는 영웅의 일대기 구조

고귀한 혈통	명문거족인 이부 시랑 홍무의 딸로 태어남.
비정상적 출생	양 부인이 신이한 꿈을 꾼 후 태어남.
비범한 능력	외모가 월궁항아와 같고 어려서부터 매우 영민함.
어린 시절의 위기	수적에게 붙잡혀 강물에 던져짐.
구출과 양육 (조력자의 도움)	여 공에게 구조되어, 여 공의 집에서 평국이라는 이름으로 양육되고 관직에 진출함.
성장 후의 위기와 고난	• 남장한 사실이 발각됨. • 보국과 갈등을 겪음. • 외적이 침입함.
고난 극복 및 욕망 성취	• 천자가 계월이 남자 행세를 한 것을 용서함. • 보국이 계월의 능력을 인정하고 둘 사이의 갈등이 해소됨. • 계월이 출정하여 적을 물리치고, 높은 벼슬을 얻어 대대손손 복을 받음.

2 '계월'과 '보국'의 갈등 양상

계월		보국
• 보국보다 능력이 뛰어남. • 뛰어난 능력으로 보국을 구해 주기도 하고 조롱하기도 함. • 가정으로의 복귀를 거부하고 영웅으로서의 능력을 유지하려 함.	↔	• 계월에 비해 능력이 부족함. • 자신보다 우수한 계월에게 열등감을 느낌. • 사회적으로 보장된 남성으로서의 권위를 이용해 열등감을 극복하려 함.

3 '계월'이 남장을 한 이유

여성 영웅 소설에서는 여성이 남장을 통해 공적 분야로 진출함으로써 사회적 자아를 실현하는 모습이 나타난다. 남장은 남성 중심 사회에 진출하기 위한 방편으로서, 여성 영웅 주인공들은 남장을 하며 남성들과 대등하게 경쟁하고 활약하였다.

이 작품의 주인공 계월은 과거 시험에서 수많은 남성과 경쟁을 하고, 자신의 능력을 펼치며 전쟁을 승리로 이끌어 많은 사람의 칭송을 받는다. 그러나 계월이 여성임이 밝혀지면서, 능력 있는 여성과 그 능력을 인정하지 않는 사회 질서와의 갈등이 발생한다. 이로 보아, 계월의 남장은 중세 봉건 사회에서 여성에게 금기로 여겨졌던 사회적 활동의 성공을 가능하게 해 준 도구라는 것을 알 수 있다.

4 이 작품의 의의

다른 여성 영웅 소설과 달리 주인공 계월이 여성이라는 것이 밝혀진 뒤에도 영웅성을 유지하고, 전쟁이 끝난 뒤 가정으로 돌아가서도 공적인 지위를 유지함.	→	당시의 변화된 여성의 위치에 대한 인식과 사회적 한계를 극복하고자 하는 여성들의 소망이 반영되었음.

1 다음 내용 중 맞는 것은 ○표를, 틀린 것은 ×표를 하시오.

(1) 가부장제, 남존여비, 충군 사상 같은 유교적 이념을 기본 바탕으로 한 당대의 보편적인 가치관을 엿볼 수 있다. ( )

(2) 남자인 보국과 여자인 평국이라는 인물을 내세워 남녀 차별과 같은 제약을 거부하고 새로운 가치관을 제시하고 있다. ( )

(3) 계월이 보국을 조롱하는 장면은 남성 중심 사회에 속한 여성 독자에게 통쾌함을 느끼게 했을 것이다. ( )

2 초성 힌트를 보고 빈칸에 들어갈 알맞은 말을 쓰시오.

(1) 남성보다 우월한 능력을 갖춘 ㅇㅅ 영웅이 위기를 극복하는 모습을 그린 작품이다.

(2) 여성이란 신분을 감추기 위한 ㄴㅈ 모티프가 사용되고 있다.

정답 1. (1) ○ (2) ○ (3) ○ 2. (1) 여성 (2) 남장

1등급! 〈보기〉!

「홍계월전」과 함께 읽으면 좋은 작품들

• 작자 미상, 「정수정전(鄭秀貞傳)」

「정수정전」은 여성이 주체적인 힘으로 난관을 극복해 나가는 여성 영웅 소설의 하나이다. 남장을 하여 혁혁한 공을 세웠다는 점, 여성임을 밝히고도 여전히 대원수로서의 공직 생활을 유지해 나간다는 점, 남편의 애첩을 죽여 갈등이 생긴다는 점 등이 「홍계월전」과 비슷하다.

• 작자 미상, 「이춘풍전」 → 우리책 22위

「이춘풍전」은 무능하고 방탕한 남편 때문에 몰락한 가정을 슬기롭고 유능한 아내가 재건하는 이야기로, 허위에 찬 남성 중심의 사회를 비판하고 여성의 능력을 부각한 고전 소설이다. 여성의 활약으로 남성이 자신의 허위를 깨닫고 화목한 가정을 이룬다는 점이 「홍계월전」과 비슷하다.

출제 확률 84%
4위

최척전(崔陟傳) | 조위한

성격 우연적, 사실적 **시대** 조선 중기
주제 전란으로 인한 가족의 이산(離散)과 재회

소설

이 작품은 일부일처의 건전한 사랑을 내용으로 한 애정 소설이다. 최척은 전란과 이산의 고통 속에서도 포기하지 않고 사랑과 행복을 쟁취하는 인물로, 그의 아내 옥영은 강인한 의지와 슬기로 전쟁의 역경을 극복하고 자신의 운명을 스스로 개척하는 인물로 그려져 있다.

 주요 사건과 인물

발단	전개	위기	절정	결말
남원에 사는 최척은 이옥영과 약혼을 하지만, 왜적의 침입으로 징발되고, 옥영의 부모는 이웃의 양생을 사위로 맞으려 함.	최척이 무사히 돌아와 옥영과 결혼을 하고 행복한 나날을 보내다가 정유재란으로 가족이 모두 흩어지게 됨.	최척과 옥영은 각각 명나라와 일본으로 가서 생활을 하다가 안남에서 해후하지만, 최척이 명나라 군사로 출전하였다가 포로가 됨.	포로수용소에서 맏아들 몽석을 만난 최척은 몽석과 함께 탈출하고, 옥영도 아들 몽선 내외와 조선으로 돌아옴.	조선에서 온 가족이 상봉한 뒤 행복한 삶을 누림.

개인(최척, 옥영 등) ↕ 사회(전란) ··· 전란으로 인한 이산(離散)의 고통 ➡ 이산을 극복하는 강한 사랑과 가족애

핵심장면 ① 정유재란으로 남원이 함락되자 최척의 일가가 흩어지게 된 부분이다.

『그때 마침 명나라 장수가 기병(騎兵) 10여 인을 이끌고 남원성에서 나와 금석교 아래에서 말

『 』: 고전 소설의 우연적 요소 　 말을 타고 싸우는 병사 　 공간적 배경: 전라도 남원

을 씻기고 있었다.』 최척은 의병으로 나가 있을 때 꽤 오랫동안 명나라 군대와 접촉한 경험이

□: 공간적 배경 　 □: 주요 인물 　 임진왜란 당시

있어 중국말을 조금 할 줄 알았다. 최척은 명나라 장수에게 자기 일가가 모두 해를 입은 상황

명나라 장수와 의사소통이 가능함 Link 인물의 특징 ❶

을 말하고 의탁할 곳 없게 된 자신의 신세를 하소연한 뒤 중국에 따라 들어가 은둔하고 싶다고

몸이나 마음을 의지하여 맡김 　 가족과 헤어지고 망연자실한 최척의 태도가 드러남 Link 인물의 특징 ❷

말했다. 명나라 장수는 그 말을 듣고 측은히 여겼으며, 또 최척의 뜻을 가련히 여겨 이렇게 말

여유문, 최척의 조력자

했다.

『"나는 오총병의 천총 여유문(余有文)이라 하오. 집은 절강성 요흥(蟯興)에 있는데, 가난하지

명나라 때 하급 무관직 　 명나라 때 고위직 무관

만 먹고살 만은 하다오. 인생은 마음을 알아주는 사람을 만나는 게 중요하나니, 먼 곳이건

관련 한자 성어: 지기지우(知己之友) 　 형편이 넉넉하지 못하여 생활에 필요한 것이 없거나 부족함

가까운 곳이건 자기 마음 가는 대로 노닐고 머물 따름이지 하필 구석진 땅에 머물며 옹색하

남원성

게 살 이유가 무어 있겠소?"』 『 』: 최척을 위로하고 명나라 동행을 승낙함

이윽고 최척에게 말 한 필을 주어 자신의 진영으로 데리고 갔다.

최척은 용모가 빼어나고 생각이 주도면밀하며 말타기와 활쏘기를 잘하는 데다 문장에도 능

최척의 많은 재능 → 주인공의 전형성

했으므로, 여유문은 이런 최척을 매우 아껴서 한 상에서 밥을 먹고

Link 인물의 특징 ❸ 　 최척과 여유문이 매우 가깝게 지냄

같은 이불을 덮고 잠을 잘 정도였다.

얼마 뒤 총병의 군대가 명나라로 돌아가게 되었다. 여유문은 최척

공간의 이동

을 전사한 병사 한 사람 대신 명부(名簿)에 끼워 넣어 국경을 통과하

어떤 일에 관련된 사람의 이름을 적어 놓은 장부

게 한 뒤 요흥으로 데리고 가서 함께 살았다. ▶ 여유문의 신임을 얻고 명나라로 간 최척

공간적 배경이 조선에서 중국으로 확장됨

이에 앞서 최척 일가가 왜적에게 붙잡혀 섬진강에 이르렀을 때의

최척 가족들의 행방

일이다. 왜적은 최척의 부친과 장모가 늙고 병들었다 여겨 감시를

최숙 　 심 씨

Link

출제자 특① 인물의 특징을 파악하라!

❶ 최척이 명나라 장수와 의사소통이 가능한 이유는?
최척이 의병으로 나가 있을 때 오랫동안 명나라 군대와 접촉한 적이 있어서

❷ 최척이 여유문을 따라 명나라로 갈 생각을 한 이유는?
전란으로 가족들이 모두 죽은 것으로 알고, 혼자 고국에 머무는 것이 의미가 없다고 여김.

❸ 최척이 여유문의 신임을 얻을 수 있었던 까닭은?
많은 재능이 있었기 때문에

소홀히 했다. 두 사람은 왜적의 감시가 태만한 틈을 타 갈대숲에 몸을 숨겼다. 왜적이 떠난 뒤
Link 사건의 전개 ❶
마을을 돌아다니며 구걸을 하다 연곡사에 이르렀다. 그런데 연곡사 승려들의 방에서 아기 우는 소리가 들리는 것이 아닌가. 심 씨가 울며 최숙에게 말했다.
Link 사건의 전개 ❷ 최척의 장모 최척의 아버지

"어떤 아이 울음소리기에 우리 손주 소리와 똑같을까요?"
몽석 최척의 아들

최숙이 급히 문을 열고 들여다보니 과연 몽석이었다. 최숙은 우는 아이를 품에 안고 한참 어루만졌다. 잠시 후 최숙이 승려들에게 물었다.
고전 소설의 우연성

"이 아이를 어디서 데려왔소?"

혜정(慧正)이라는 승려가 앞으로 나오며 이렇게 대답했다.

"제가 길가의 시체 더미 속에서 울음소리를 듣고 불쌍하여 거두었습니다. 혹 아기의 부모가 찾아오지 않을까 기다렸는데 지금 과연 그렇게 되었으니, 이 어찌 하늘의 도움이 아니겠습니까!"
전란의 참혹성 / 관련 한자 성어: 천우신조(天佑神助)

최숙은 손자를 찾은지라, 심 씨와 번갈아 업어 가며 집으로 돌아왔다. 그러고는 부리던 종들을 다시 불러 모아 집안 살림을 꾸려 나갔다.

> 몽석과 재회한 최숙과 심 씨

이때 옥영은 왜적 돈우(頓于)라는 자에게 붙잡혀 있었다. 돈우는 늙은 병사로, 살생을 하지 않는 불교 신자였다. 본래 장사꾼으로 항해에 능숙했으므로 왜장(倭將) 소서행장이 그를 선장으로 발탁하였다.
옥영을 죽이지 않고 함께 장사를 하러 다님 / 임진왜란 때의 선봉장

돈우는 명민한 옥영이 마음에 들었다. 그래서 혹 달아날까 싶어 좋은 옷과 맛난 음식을 주어 그 마음을 안심시키려 했다. 옥영은 물에 빠져 자살할 생각으로 몇 번이나 배에서 빠져나왔지만 그때마다 들켜서 뜻을 이루지 못했다.
총명하고 민첩함 / 가족을 잃은 슬픔 때문에

어느 날 밤 옥영의 꿈에 장륙불이 나타나 이렇게 말했다.
옥영이 절망에서 벗어나는 계기 / 높이가 일 장(丈) 육 척(尺)이 되는 불상

"나는 만복사의 부처다. 죽어서는 안 된다! 훗날 반드시 기쁜 일이 있을 것이다."
최척과의 재회를 암시함
Link 사건의 전개 ❸

옥영이 꿈에서 깨어 그 꿈을 가만히 생각해 보니 그런 일이 전혀 없으란 법도 없을 것 같았다. 이에 억지로 먹으며 목숨을 부지했다.
가족과 다시 만나기를 바라며 힘든 시간을 견뎌 냄

> 왜적에게 붙잡혀 있는 옥영

Link
출제자 톡! 사건의 전개를 파악하라!

❶ 손주 몽석과의 재회를 위한 복선은?
왜적이 최척의 부친과 장모가 늙고 병들었다고 여겨 감시를 소홀히 함.
❷ 최척의 부친과 장모가 손주를 만나는 계기는?
손주 소리와 똑같은 아기 우는 소리를 들음.
❸ 옥영의 꿈이 암시하는 것은?
훗날 기쁜 일이 일어날 것, 즉 옥영이 최척과 다시 만날 것을 암시함.

핵심장면 2 정유재란으로 헤어졌던 최척과 옥영이 안남에서 해후하는 부분이다.

경자년(1600) 봄이었다. 최척은 송우를 따라 한마을의 장사꾼들과 함께 배를 타고 안남으로 장사하러 갔다. 이때 일본 배 10여 척도 같은 포구에 정박해 있었다.
시간적 배경 / 베트남의 중북부 근처 / 배가 드나드는 개의 어귀

열흘 넘게 머물러 4월 초이튿날이 되었다. 『하늘엔 구름 한 점 없고 물빛은 비단처럼 고왔다. 바람이 그쳐 물결이 잔잔했으며 사방이 고요해 그림자 하나 보이지 않았다. 뱃사람들은 깊은 잠에 빠져 있었고, 간간이 물새 울음소리가 들려올 뿐이었다.』 일본 배에서는 염불하는 소리가 들렸는데, 그 소리가 매우 구슬펐다.
『 』: 배경 묘사 – 고요하고 쓸쓸한 분위기 조성

> 상선을 타고 안남의 항구에 정박한 최척

최척은 홀로 선창(船窓)에 기대 자신의 신세를 생각하다가, 짐 꾸러미 안에서 퉁소를 꺼내 슬픈 곡조의 노래를 한 곡 불어 가슴속에 맺힌 슬픔과 원망을 풀어 보려 했다. 최척의 퉁소 소리에 바다와 하늘이 애처로운 빛을 띠고 구름과 안개도 수심에 잠긴 듯했다. 뱃사람들도 그 소리에 놀라 일어나 모두들 서글픈 표정을 지었다. 그때 문득 일본 배에서 염불하던 소리가 뚝 그쳤다. 잠시 후 조선말로 시를 읊는 소리가 들렸다.

『왕자교 퉁소 불 제 달은 나지막하고

바닷빛 파란 하늘엔 이슬이 자욱하네.

푸른 난새 함께 타고 날아가리니

봉래산 안개 속에서도 길 잃지 않으리.』

시 읊는 소리가 그치더니 한숨 소리, 쯧쯧 혀 차는 소리가 들려왔다. 최척은 시 읊는 소리를 듣고는 깜짝 놀라 얼이 빠진 사람 같았다. 저도 모르는 새 퉁소를 땅에 떨어뜨리고 마치 죽은 사람처럼 멍하니 서 있었다. 송우가 말했다.

"왜 그래? 왜 그래?"

거듭 물어도 대답이 없었다. 세 번째 물음에 이르러서야 비로소 최척은 뭔가 말을 하려 했지만 목이 막혀 말을 하지 못하고 눈물만 하염없이 흘렸다. 최척은 잠시 후 마음을 진정시킨 뒤 이렇게 말했다.

"저건 내 아내가 지은 시일세. 우리 부부 말곤 아무도 알지 못하는 시야. 게다가 방금 시를 읊던 소리도 아내 목소리와 흡사해. 혹 아내가 저 배에 있는 게 아닐까? 그럴 리 없을 텐데 말야."

그리고는 자기 일가가 왜적에게 당했던 일의 전말을 자세히 말했다. 배 안에 있던 사람들이 모두 놀랍고 희한한 일로 여겼다.

그 자리에 두홍(杜洪)이란 사람이 있었는데, 젊고 용감한 자였다. 두홍은 최척의 말을 듣더니 의기 넘치는 표정이 되어 주먹으로 노를 치고 분연히 일어서며 이렇게 말했다.

"내가 저 배로 가서 사정을 살펴보겠소!"

송우가 두홍을 말리며 말했다.

"야심한 시각에 소란을 일으켰다가는 큰 난리가 날지도 모르네. 내일 아침에 조용히 처리하는 게 좋겠어."

사람들이 모두 그러는 게 좋겠다고 했다. 최척은 앉은 채로 아침이 오기만을 기다렸다.

이윽고 해가 떠올랐다. 최척은 즉시 해안으로 내려가 일본 배 앞으로 다가갔다. 그리고는 조선말로 물었다.

"간밤에 시를 읊던 사람은 분명히 조선 사람이었소. 나 역시 조선 사람인데, 한번 만나 볼 수 있다면 그 기쁨이 타국을 떠돌아다니다가 자기 나라 사람 비슷한 이를 보고 기뻐하는 데 견줄 수 있겠소?"

옥영은 어젯밤 배 안에서 최척의 통소 소리를 들었다. 조선 가락인 데다 귀에 익은 곡조인지라, 혹시 자기 남편이 저쪽 배에 타고 있는 것이 아닐까 의심하여 시험 삼아 예전에 지었던 시를 읊어 본 것이었다. 『그러던 차에 밖에서 최척이 말하는 소리를 듣고는 허둥지둥 엎어질 듯이 배에서 뛰어 내려왔다.』

남편이 아닐까 의심한 근거
옥영이 시를 읊은 이유. 관련 한자 성어: 이심전심(以心傳心)
Link 소재의 역할 ❸ 『 』: 최척과 옥영의 재회
최척과의 재회를 몹시 서두름

최척과 옥영은 마주 보고 소리치며 얼싸안고 모래밭을 뒹굴었다.』기가 막혀 입에서 말이 나오지 않았다. 눈물이 다하자 피눈물이 나왔으며 눈에 아무것도 보이지 않았다.

두 나라의 뱃사람들이 이들 주위를 빙 둘러서서 구경하고 있었는데, 처음에는 두 사람이 친척이거나 친구인가 보다 여기고 있었다. 한참 뒤 이들이 부부 사이임을 알고는 모두들 놀라 감탄하고 서로 돌아보며 이런 말을 주고받았다.

"참 기이하기도 하다! 하늘이 돕고 귀신이 도왔구나. 옛날에도 이런 일은 없었다."

헤어진 부부가 타국에서 재회한 일
관련 한자 성어: 전대미문(前代未聞)   ▶ 극적으로 재회한 옥영과 최척

최우선 출제 포인트!

1 표현상 특징

사실성 확보	실제 일어난 전쟁(임진왜란, 정유재란)을 배경으로 당시 백성들의 삶과 고통을 사실적으로 표현함.
복잡한 구성	'만남 - 이별 - 재회'의 과정이 반복됨.
방대한 분량	긴 시간 동안의 각 등장인물의 행적을 상세하게 서술함.
공간적 배경 확대	조선뿐 아니라, 중국, 일본, 안남(베트남) 등으로 공간적 배경이 확대됨.

2 다른 군담 소설과의 공통점과 차이점

	최척전	다른 군담 소설
공통점	전란을 배경으로 함.	
차이점	• 평범한 인물을 주인공으로 설정함. • 전란으로 고통 받는 백성들의 고난과 역경을 사실적으로 그림. • 적강 화소가 나타나지 않음.	• 주인공을 민족적 영웅으로 설정함. • 영웅의 활약상을 그림. • 적강 화소가 나타남.

3 '최척' 가족의 이별의 기능

전쟁으로 인해 최척과 옥영은 가족과 헤어져 서로 다른 삶을 살게 된다. 비통한 이별 장면, 가족과의 이별로 인한 슬픔은 마지막에 누리게 될 재회의 기쁨 이전에 통과해야 하는 고통으로 제시되어 있다. 즉 최척과 옥영의 이별은 전쟁의 참혹함을 부각시킴과 동시에 최후에 찾아올 행복을 극대화하는 기능을 하고 있다.

4 이 작품의 공간적 배경

이 작품은 시대적 배경인 임진왜란, 정유재란과 직접적인 관련이 있는 조선, 중국, 일본뿐 아니라, 직접적인 관계가 없는 나라인 안남(베트남)까지 공간적 배경으로 설정하고 있다. 이는 우리 소설의 공간 확대와 함께 동시대를 바라보는 작가의 세계 인식이 확대되었음을 의미한다. 또한 실재(實在)적인 공간을 배경으로 설정하였다는 점도 동시대 다른 작품들과 구별된다.

최우선 핵심 Check!

1 다음 내용 중 맞는 것은 ○표를, 틀린 것은 ×표를 하시오.

(1) 이승을 떠난 존재, 인간이 아닌 존재를 주인공으로 설정하고 있다. (　　)

(2) 남녀 주인공 모두 역경을 극복하고 운명을 개척해 내는 인물로 그려지고 있다. (　　)

(3) 전란을 배경으로 가족의 이산과 재회의 과정이 사실적으로 서술되어 있다. (　　)

2 초성 힌트를 보고 빈칸에 들어갈 알맞은 말을 쓰시오.

(1) 조선뿐만 아니라, 중국, 일본, 안남 등 ㄱㄱㅈ 배경이 확대되어 전개되고 있다.

(2) 종국에는 가족들이 모두 재회하는 ㅎㅂㅎ 결말을 보인다.

정답 1. (1) × (2) ○ (3) ○ 2. (1) 공간적 (2) 행복한

출제예상 84%

5위

춘향전(春香傳) | 작자 미상

성격 해학적, 풍자적, 서민적 **시대** 조선 시대
주제 신분을 초월한 남녀 간의 사랑, 신분적 갈등 극복을 통한 인간 해방과 불의한 지배 계층에 대한 민중의 항거

소설

이 작품은 주인공 성춘향과 이몽룡의 사랑 이야기를 중심으로, 당시 사회적 특권 계급의 횡포를 고발하고 춘향의 정절을 찬양하면서, 천민의 신분 상승 욕구도 나타내고 있는 판소리계 소설이다.

주요 사건과 인물

발단
퇴기 월매의 딸 성춘향과 남원 부사의 아들 이몽룡이 사랑에 빠짐.

전개
몽룡의 아버지가 한양으로 영전하게 되어 몽룡과 춘향이 이별하게 됨.

위기
새로 부임한 사또 변학도가 춘향에게 수청을 들 것을 강요하지만, 춘향은 이를 거절하고 옥에 갇힘.

절정
장원 급제하여 삼남의 암행어사로 내려온 몽룡이 변 사또를 봉고파직함.

결말
몽룡과 춘향은 함께 한양으로 올라가 백년해로함.

전반부(개인적 차원)
• 춘향 ↔ 이몽룡: 사랑과 이별
• 춘향 ↔ 변학도: 수청 요구와 거부
• 이몽룡 ↔ 변학도: 탐관오리 숙청

→

후반부(사회적 차원)
춘향의 사랑 성취 ↔ 신분제 사회

핵심장면 ① 춘향이 신관 사또 변학도의 수청을 거부하고 곤장을 맞는 부분이다.

□ : 주요 인물

<u>사또</u> 대희(大喜)하여 <u>춘향</u>더러 분부하되,
　변학도　　크게 기뻐하여

『"오늘부터 몸단장 정히 하고 수청(守廳)으로 거행하라."』
『 』: 명령을 통해 춘향의 수청을 당연하게 요구함

『"사또 분부 황송하나 일부종사(一夫從事) 바라오니 분부 시행 못 하겠소."』
『 』: 유교적 도리를 들어 수청을 거절함　　한 남편만을 섬김　　**Link** 갈등의 원인 ❶, ❷

사또 웃어 왈,

『"아름답도다! 아름답도다! 계집이로다. 네가 진정 열녀로다. 네 정절 굳은 마음 어찌 그리 어
『 』: 춘향의 마음을 돌리기 위한 변 사또의 회유　　절개가 굳은 여자
여쁘냐. 당연한 말이로다. 그러나 <u>이 도령</u>은 경성 사대부의 자제로서 명문 귀족 사위가 되었
　　　　　　　　　　　　　　　　이몽룡　　　　아주 적은 양　　　★ 주요 소재
으니 일시 사랑으로 잠깐 노류장화(路柳墻花)하던 너를 일분 생각하겠느냐. 너는 근본 ⟨청절⟩
　　　　　　　　아무나 쉽게 꺾을 수 있는 길가의 버들과 담 밑의 꽃이라는 뜻으로, 기생을 비유적으로 이르는 말
있어 오로지 한 사람에게만 절개를 지키다가 홍안이 지는 해 되고 백발이 어지러이 늘어지
　　　　　　　　　　　　　　　　　　　젊어서 혈색이 좋은 얼굴
면 무정한 세월이 흐르는 물 같다고 탄식할 제 불쌍코 가련한 게 너 아니면 뉘가 그랴. 네 아
무리 수절한들 열녀 포양(褒揚) 누가 하랴. 그는 다 버려두고 네 골 관장에게 매임이 옳으냐
　칭찬하여 장려함　　　　　　신분이 미천함을 들어 춘향의 정절을 무시함　　　　　　　　고을
동자(童子)놈에게 매인 게 옳으냐. 네가 말을 좀 하여라."』 / 춘향이 여쭈오되,
이몽룡을 남자아이로 취급함

"충신불사이군(忠臣不事二君)이요 열녀불경이부(烈女不更二夫) 절(節)을 본받고자 하옵는데
유교적 윤리의 핵심 - 충신은 두 임금을 섬기지 않으며 열녀는 두 지아비를 섬기지 않음　　**Link** 갈등의 원인 ❷, ❸
수차 분부 이러하니 생불여사(生不如死)이옵고 열불경이부(烈不更二夫)오니 처분대로 하옵
　　　　　　　　살아 있음이 차라리 죽는 것만 못함
소서."〈중략〉

⟩ 변 사또의 수청 요구를 거절하는 춘향

곤장·태장 치는 데는 사령이 서서 하나 둘 세건마는 형장부터는 법
　　　　　집장사령
각 관아의 버슬아치 밑에서 일을 보던 사람
장(法杖)이라 『형리와 통인이 닭싸움하는 모양으로 마주 엎디어 하나
법률에 의한 형장　『 』: 춘향이 매를 맞는 슬픈 장면을 회화화하여 비극성을 차단함 - 판소리계 소설의 특징
치면 하나 긋고 둘 치면 둘 긋고 무식하고 돈 없는 놈 술집 바람벽에
술값 긋듯 그어 놓으니 한 일 자(一字)가 되었구나.』

⟩ 곤장을 맞는 춘향

춘향이는 저절로 설움 겨워 맞으면서 우는데
○ : 매의 숫자를 이용한 언어유희 - 사령의 구호에 박을 맞추어 춘향의 항변이 이어짐

『"일편단심(一片丹心) 굳은 마음 일부종사(一夫從事) 뜻이오니 ⟨일개⟩
한 조각의 붉은 마음이라는 뜻으로, 진심에서 우러나오는 변치 아니하는 마음을 이르는 말

Link

출제자 특집 갈등의 원인을 파악하라!

❶ 사또와 춘향의 갈등의 주된 원인은?
춘향이 사또의 수청 요구를 거절했기 때문에

❷ 춘향이 지키고자 한 유교적 도덕관념은?
정절(貞節)

❸ '정절'에 대한 춘향의 생각은?
충신과 열녀를 논하며 유교적 윤리를 근거로 정절이 신분을 초월한 이념이라 생각함.

형벌 치옵신들 일 년이 다 못가서 일각(一刻)인들 변하리까." ┌ 춘향이 자신의 절개를 다짐함
└짧은 시간

이때 남원부 한량이며 남녀노소 모여 구경할 제 좌우의 한량들이,
└돈 잘 쓰고 잘 노는 사람을 비유적으로 이르는 말. 여기서는 백수 생활을 하는 사람들을 가리킴

"모질구나 모질구나. 우리 골 원님이 모질구나. 저런 형벌이 왜 있으며 저런 매질이 왜 있을
└변 사또   └지배자의 부당함에 대한 민중들의 반발심

까. 집장사령놈 눈 익혀 두어라. 삼문(三門) 밖 나오면 급살을 주리라."
└볼기를 치던 형벌을 다스리는 사령   └눈물을 흘림   └금히 죽임

보고 듣는 사람이야 누가 아니 낙루(落淚)하랴. 둘째 낱 '딱' 붙이니,
└편집자적 논평   └셀 수 있는 물건의 하나하나

『이비절(二妃節)을 아옵는데 불경이부(不更二夫) 이내 마음 이 매 맞고 영 죽어도 이 도령은
└순임금의 두 아내 아황과 여영이 순임금이 죽자 슬픔을 이기지 못하고 소상강에 몸을 던져 죽었다는 고사에서 나온 말

못 잊겠소." / 셋째 낱을 딱 붙이니,
└이 도령에 대한 절개와 그리움을 표현함

"삼종지례(三從之禮) 지중한 법 삼강오륜(三綱五倫) 알았으니 삼치형문(三治刑問) 정배(定
└집에서는 아버지를, 시집가서는 남편을, 남편이 죽은 후에는 자식을 좇음   └세 차례 매질하여 신문하던 일   └유배

配)를 갈지라도 삼청동 우리 낭군 이 도령은 못 잊겠소." / 넷째 낱을 딱 붙이니,

『사대부 사또님은 사민공사(四民公事) 살피잖고 위력공사(威力公事) 힘을 쓰니 사십팔방
└온 백성들을 위한 공적인 일   └힘없는 여성들을 힘으로 탐하는 일   └온 세상

(四十八方) 남원 백성 원망함을 모르시오. 사지를 가른대도 사생동거(死生同居) 우리 낭군
└죽으나 사나 함께 삶

사생 간(死生間)에 못 잊겠소."   ▶곤장을 맞으며 십장가(춘향이 자신이 맞은 매의 대수에 맞추어 부른 노래)를 부르는 춘향
└변 사또의 폭정을 비판하고 이 도령에 대한 변함없는 사랑을 표현함

핵심장면 ② 암행어사가 되어 돌아온 이몽룡이 변학도의 생일잔치에 찾아가 어사출두를 외치는 부분이다.

운봉 영장이 분부하여 / "저 양반 듭시래라."
Link 인물의 성격 ❶, ❷   └소리가 아주 느린 속도로 우렁차고 씩씩하게 퍼질 때

어사또 들어가 단좌(端坐)하여 좌우를 살펴보니 당상의 모든 수령 다담을 앞에 놓고 진양조
└이몽룡   └단정하게 앉아   └손님을 대접하기 위하여 내놓은 다과 따위

가 양양할 제 어사또 상을 보니 어찌 아니 통분하랴. 『모 떨어진 개상판에 닥채 젓가락, 콩나
└편집자적 논평   └개다리소반. 다리가 개다리같이 구부러진 둥근 소반 └껍질을 벗겨 낸 닥나무의 가느다란 가지

물, 깍두기, 막걸리 한 사발 놓았구나. 상을 발길로 탁 차 던지며 『운봉의 갈비를 직신,
└형편없는 음식 차림으로 푸대접함   └잔치의 분위기를 깨려는 의도   └몸을 슬슬 건드리며 차근차근 조르는 모양

"갈비 한 대 먹고 지고." / "다리도 잡수시오." 하고 운봉이 하는 말이,
└동음이의어 '갈비'를 이용한 언어유희

"이러한 잔치에 풍류로만 놀아서는 맛이 적사오니 차운(次韻) 한 수씩 하여 보면 어떠하오?"
└남이 지은 시의 운자(韻字)를 따서 시를 지음   **Link** 인물의 성격 ❷

"그 말이 옳다." / 하니 운봉이 운을 낼 제 높을 고(高) 자, 기름 고(膏) 자 두 자를 내어놓고

차례로 운을 달 제 어사또 하는 말이,

"걸인이 어려서 추구권(抽句券)이나 읽었더니 좋은 잔치 당하여서 주효(酒肴)를 포식하고 그
└유명한 글귀를 뽑아 적은 책   └술과 안주

저 가기 무렴(無廉)하니 차운 한 수 하사이다."
└염치가 없으니

운봉이 반겨 듣고 필연(筆硯)을 내어 주니 좌중이 다 못하여 글 두 귀[句]를 지었으되, 민정
└붓과 벼루   └다른 사람이 시 짓기를 끝내기 전에 — 어사의 비범함을 부각함   └백성의 마음

(民情)을 생각하고 본관의 정체(政體)를 생각하여 지었것다.
└변 사또의 정치 형태 - 가렴주구(苛斂誅求)

"금준미주(金樽美酒)는 천인혈(天人血)이요, 옥반가효(玉盤佳肴)는
┌ 탐관오리의 가렴주구를 풍자하고 있는 시. 극적 긴장감을 고조하고 새로운 사건이 전개될 것을 암시함

만성고(萬姓膏)라. 촉루낙시(燭淚落時) 민루낙(民淚落)이요, 가성
└운자

고처(歌聲高處) 원성고(怨聲高)라."

『이 글 뜻은, "금동이의 아름다운 술은 일만 백성의 피요, 옥소반의
┌ 서술자의 개입. 한문을 모르는 관객(일반 민중)을 위한 풀이

아름다운 안주는 일만 백성의 기름이라. 촛불 눈물 떨어질 때 백성
└촛농

눈물 떨어지고, 노랫소리 높은 곳에 원망 소리 높았더라."

▶변 사또의 생일잔치에서 탐관오리를 질타하는 시를 지은 암행어사(몽룡)

이렇듯이 지었으되, 본관은 몰라보고 운봉이 글을 보며 내념(內念)에 / '아뿔싸, 일이 났다.'

> 마음속의 생각
> **Link** 인물의 성격 ❶
> 시의 내용을 보고 암행어사임을 눈치챔

이때, 어사또 하직하고 간 연후에 공형(公兄) 불러 분부하되, / "야야, 일이 났다."

> 삼공형, 각 고을의 호장, 이방, 수형리의 세 관속

『공방(工房) 불러 포진(鋪陳) 단속, 병방(兵房) 불러 역마(驛馬) 단속, 관청색 불러 다담 단속,

> 바닥에 깔아 놓는 방석, 돗자리 따위를 통틀어 이르는 말

옥 형리(刑吏) 불러 죄인 단속, 집사 불러 형구(形具) 단속, 형방 불러 문부(文簿) 단속, 사령

> 「 」 운봉이 어사출두를 예감하고 조처를 취함   뒷날에 상고할 문서와 장부

불러 합번(合番) 단속,』한참 이리 요란할 제 물색없는『저 본관이 』

> 중대한 일이 있을 때 관리들이 모여 숙직함   눈치도 없는   「 」 변 사또는 눈치채지 못하고 갈수록 포악하게 굶

"여보 운봉은 어디를 다니시오?" / "소피하고 들어오오."

본관이 분부하되, / "춘향을 급히 올리라." / 하고 주광(酒狂)이 난다.』

> 술주정이 심함
> **Link** 인물의 성격 ❸   ▶ 어사출두를 예감한 운봉과 물색을 모르는 변학도

이때에 어사또 군호(軍號)할 제『서리(胥吏) 보고 눈을 주니 서리, 중방 거동 보소. 역졸 불러

> 상황 전환   도성이나 대궐의 순라군이 자기 편의 식별하나 비밀의 보장을 위하여 쓰던 암호나 신호   어사출두를 위한 준비

단속할 제 이리 가며 수군, 저리 가며 수군수군, 서리, 역졸 거동 보소. 외올망건 공단(貢緞)

> 어사출두를 외치라는 신호를 의성어로 표현함   편집자적 논평   하나의 올로 뜬 망건

쌔기 새 평립(平笠) 눌러 쓰고 석 자 감발 새 짚신에 한삼(汗衫), 고의(袴衣) 산뜻 입고 육모 방

> 신분이 낮은 사람이 쓰던 갓   버선 대신 발에 감는 무명천   육면으로 된 방망이

망이 녹피(鹿皮) 끈을 손목에 걸어 쥐고 예서 번뜻, 제서 번뜻 남원읍이 우꾼우꾼. 청파 역졸

> 사슴 가죽

거동 보소.』달 같은 마패(馬牌)를 햇빛같이 번뜻 들어

> 마패를 달과 해에 비유 – 탐관오리의 학정으로 고통 받는 백성들의 삶을 환하게 밝혀 줄 것임을 드러냄. 옥에 갇힌 춘향이 광명을 찾게 될 것을 암시함

"암행어사 출두(出頭)야!"

> 상황의 극적 반전   「 」 편집자적 논평

외는 소리,『강산이 무너지고 천지가 뒤눕는 듯. 초목금수(草木禽獸)인들 아니 떨랴.』

> 직유법, 과장법   풀과 나무와 날짐승과 길짐승   ▶ 출두하는 암행어사

최우선 (출제 포인트!)

1 갈등 구조에 따른 작품의 주제

정절을 지키려는 춘향과 권력을 이용해 춘향을 취하려는 변학도 사이의 갈등	탐관오리에 대한 저항
탐관오리를 응징하려는 이몽룡과 권력을 이용해 부조리를 저지르는 변학도 사이의 갈등	권선징악
봉건적 신분 사회와 퇴기의 딸이라는 신분적 제약에서 벗어나고자 하는 춘향 사이의 갈등(마지막에 이몽룡과의 사랑이 이루어져 정실부인으로 신분 상승함.)	여성의 인간적 해방

2 표현상 특징

희화화	춘향이 곤장을 맞는 비극적인 장면에서 희극적인 비유를 사용해 비극성을 차단함.
노래	춘향이 자신이 맞은 곤장 대수에 맞추어 부른 노래는 두운에 맞춰 리듬감 있게 반복적으로 춘향의 정절을 되새김.
언어유희	동음이의어, 음의 유사성 등을 이용한 언어유희가 나타남.
삽입 시	변학도의 폭정에 대한 질책과 변학도에 의해 억압받는 민중의 마음을 대변함.
장면의 극대화	이몽룡의 시를 보고 무언가 심상치 않음을 눈치챈 운봉이 관속을 단속하는 부분에서 판소리의 특징 중 하나인, 확장적 문체를 통한 장면의 극대화가 나타남.

3 이 작품의 문학사적 의의

소재의 현실성	비현실적 소재를 취한 당시의 대부분 소설과 달리 사회의 현실적인 생활에서 소재를 취하고 있음.
배경의 향토성	대부분 중국을 배경으로 택한 당시 소설과 달리 남원 지방을 배경으로 하여 사건이 전개됨.
표현의 사실성	장면, 인물 묘사가 비교적 상세하고, 현실적, 사실적 표현이 사용됨.
성격의 창조성	당시 각 계층을 대표하는 인물들의 성격을 전형적으로 보여 주고 있음.

최우선 (핵심 Check!)

1 다음 내용 중 맞는 것은 ○표를, 틀린 것은 ×표를 하시오.

(1) 슬픈 장면을 희화화함으로써 비극성을 차단하고 있다. ( )

(2) 사건을 전개할 때 열거, 대구, 반복, 과장 등을 통해 장면을 극대화하고 있다. ( )

(3) 춘향은 십장가를 통해 변 학도에 대한 비판과 이몽룡을 향한 마음을 표현하고 있다. ( )

2 초성 힌트를 보고 빈칸에 들어갈 알맞은 말을 쓰시오.

(1) 산문체와 3(4)·4조의 □○□□의 결합으로 문장이 서술되고 있다.

(2) 이몽룡이 변학도의 생일잔치 때 지은 한시에는 □□○□에 대한 비판이 드러나 있다.

정답 1. (1) ○ (2) ○ (3) ○ 2. (1) 운문체 (2) 탐관오리

6위

흥부전(興夫傳) | 작자 미상

성격 해학적, 교훈적, 풍자적 **시대** 조선 후기
주제 형제간의 우애와 권선징악, 빈부 간의 갈등

소설

이 작품은 형제간의 우애와 권선징악의 교훈을 전달하는 판소리계 소설로, 그 이면에는 빈곤이라는 조선 후기 민중들의 현실을 담고 있다.

주요 사건과 인물

발단
심술궂은 형 놀부가 부모님의 재산을 모두 차지하고 착한 동생 흥부를 내쫓음.

전개
흥부는 놀부의 집으로 쌀을 구하러 갔다가 매만 맞고 돌아오고, 품팔이를 하며 가난하게 살아감.

위기
흥부가 제비의 부러진 다리를 치료해 주자, 이듬해 그 제비가 박씨를 물어다 줌.

절정
박에서 금은보화가 나와 흥부는 큰 부자가 되고 그 소문을 들은 놀부가 흥부를 따라 했다가 패가망신함.

결말
소식을 들은 흥부는 놀부에게 재산을 나누어 주고, 놀부는 개과천선함.

흥부
아우. 선량하고 신의가 있으나 무능력함.

흥부 아내
흥부와 같이 선량한 인물

놀부 아내
놀부와 같이 탐욕스럽고 몰인정한 인물

놀부
형. 탐욕과 심술로 가득 찬 악인임.

핵심장면 ①

부모의 재산을 혼자 차지하여 부자가 된 놀부는 호의호식하고, 놀부에게 쫓겨난 흥부는 가난하게 살아가는 장면이다.

화설, 경상·전라 양 도 지경(地境)에서 사는 사람이 있었으니, 놀부는 형이요 흥부는 아우라.
<공간적 배경> <고전 소설에서 이야기를 시작할 때 쓰는 말> <지역의 경계> <□: 주요 인물>

놀부 심사 무거하여 부모 생전 분재 전답(田畓)을 홀로 차지하고, 흥부 같은 어진 동생을 구박
<터무니가 없어> <가족이나 친척에게 재산을 나누어 줌> <Link 인물의 성격❷> <서술자의 개입>

하여 건넛산 언덕 밑에 내떨고 나가며 조롱하고 들어가며 비양하니 어찌 아니 무지하리.
<Link 인물의 성격❶> <얄미운 태도로 빈정거리니> ▶부모님의 재산을 혼자 차지한 놀부

『놀부 심사를 볼작시면 초상난 데 춤추기, 불붙는 데 부채질하기, 해산한 데 개 잡기, 장에 가
『 』: 놀부의 악행을 열거함 – 판소리계 소설의 특성

면 억매흥정하기, 집에서 몹쓸 노릇 하기, 우는 아해 볼기 치기, 갓난아해 똥 먹이기, 무죄한
<부당한 값으로 억지로 물건을 사려는 흥정>

놈 뺨치기, 빚값에 계집 빼앗기, 늙은 영감 덜미 잡기, 아해 밴 계집 배 차기, 우물 밑에 똥 누
<빚의 액수에 알맞은 값>

기, 오려논에 물 터놓기, 잦힌 밥에 돌 퍼붓기, 패는 곡식 이삭 자르기, 논두렁에 구멍 뚫기,
<물이 한창 필요한 시기에 올벼를 심은 논의 물꼬를 터놓는다는 뜻으로, 매우 심술이 사납다는 말> <이삭이 나온>

호박에 말뚝 박기, 곱사등이 엎어 놓고 발꿈치로 탕탕 치기, 심사가 모과나무의 아들이라.』 이
<놀부의 심사가 매우 못남을 의미함>

놈의 심술은 이러하되, 집은 부자라 호의호식하는구나.
<서술자의 개입 – 심성이 악한 사람이 호의호식하는 현실을 비판> ▶놀부의 못된 심보

흥부는 집도 없이 집을 지으려고 집 재목을 내려 갈 양이면 만첩청산(萬疊靑山) 들어가서 소
<그리 굵지 아니한 둥근 나무> <주로 대청과 방 사이 또는 대청 앞쪽에 다는 네 쪽문> <겹겹이 둘러싸인 푸른 산> <창호지를 파서 살을 박아 만든 창문>

부등 대부등을 와들렁 퉁탕 버혀다가 안방, 대청, 행랑, 몸채, 내외 분합 물림퇴에 살미 살창
<아름드리의 매우 굵은 나무> <본채의 앞뒤나 좌우에 딸린 반 칸 너비의 칸살>

가로닫이 입 구(口) 자로 지은 것이 아니라, 이놈은 집 재목을 내려 하고 수수밭 틈으로 들어

가서 수수깡 한 뭇을 버혀다가 안방, 대청, 행랑, 몸채 두루 짚어 말집을 꽉 짓고 돌아보니, 수
<수수깡 반 묶음으로 지을 만큼 좁고 초라한 흥부의 집 – 과장된 표현으로 가난한 처지를 부각시킴>

숫대 반 뭇이 그저 남았구나.

방 안이 넓든지 말든지 양주 드러누워『기지개 켜면 발은 마당으로 가고, 대고리는 뒤꼍으로
<바깥주인과 안주인이라는 뜻으로, '부부'를 이르는 말> <머리>

맹자 아래 대문하고 엉덩이는 울타리 밖으로 나가니, 동리 사람이 출입하다가 이 엉덩이 불러
<맹자직문(盲者直門). 맹자가 정문을 바로 찾아 들어간다는 의미로, 여기서는 '곧바로'의 의미임>

들이소 하는 소리』 흥부 듣고 깜짝 놀라 대성통곡 우는 소리,
『 』: 비좁은 흥부의 집을 과장하여 묘사하여 웃음 유발 – 비극적 상황을 해학적으로 표현함 ▶가난한 흥부의 집

"애고 답답 설운지고. 어떤 사람 팔자 좋아 대광보국숭록대부(大匡
<문무관 정일품의 품계>

輔國崇祿大夫) 삼태육경 되어 나서 고대광실(高臺廣室) 좋은 집에
<삼정승과 육조 판서를 통틀어 이르던 말> <매우 크고 좋은 집>

부귀공명 누리면서 호의호식 지내는고. 내 팔자 무슨 일로 말[斗]
<운명론적 사고관>

Link

출제자 톡! 인물의 성격을 파악하라!

❶ 놀부의 성격은?
탐욕스럽고 인색하며 심술궂음.

❷ 흥부의 성격은?
선량하며 성실히 살아가고자 함.

만 한 오막집에 성소광어공정(星疎光於空庭)하니 지붕 아래 별이 뵈고, 청천한운세우시(靑
天寒雲細雨時)에 우대량(雨大量)이 방중(房中)이라. 문밖에 세우 오면 방 안에 큰비 오고 폐
석 초갈 찬 방 안에 헌 자리 벼룩 빈대 등이 피를 빨아 먹고, 앞문에는 살만 남고 뒷벽에는
외만 남아 동지섣달 한풍이 살 쏘듯 들어오고 어린 자식 젖 달라 하고 자란 자식 밥 달라니
차마 설워 못살겠네."

> 가난한 신세를 한탄하는 흥부

핵심장면 ② 흥부가 놀부에게 식량을 얻으러 갔다가 매를 맞고 빈손으로 쫓겨나 매품팔이라도 하려는 장면이다.

"애고 형님 이것이 우엔 말이오? 비나이다, 형님 전에 비나이다. 세 끼 굶어 누운 자식 살려
낼 길 전혀 없으니 쌀이 되나 벼가 되나 양단간에 주시면 품을 판들 못 갚으며, 일을 한들 공
(空)할쏜가. 부디 옛일을 생각하여 사람을 살려 주오."

> 놀부에게 곡식을 빌려 달라고 애원하는 흥부

애걸하니 놀부 놈의 거동 보소. 성낸 눈을 부릅뜨고 볼을 올려 호령하되,
Link 서술상의 특징 ❶

"너도 염치없다. 내 말 들어 보아라. 천불생무록지인이요, 지불생무명지초라. 네 복을 누를
주고 나를 이리 보채느뇨. 『쌀이 많이 있다 한들 너 주자고 노적 헐며, 벼가 많이 있다고 너
주자고 섬을 헐며, 돈이 많이 있다 한들 괴목 궤에 가득 든 것을 문을 열며, 가룻나 주자
한들 복고 왕염 소독에 가득 넣은 것을 독을 열며, 의복이나 주자 한들 집안이 고루 벗었거
든 너를 어찌 주며, 찬밥이나 주자 한들 새끼 낳은 거먹 암캐 부엌에 누웠거든 너 주자고 개
를 굶기며, 지게미나 주자 한들 구중방(九重房) 우리 안에 새끼 낳은 돝이 누웠으니 너 주자
고 돝을 굶기며, 겻섬이나 주자 한들 큰 농우가 네 필이니 너 주자고 소를 굶기랴.』 염치없다.
흥부 놈아."

하고, 『주먹을 불끈 쥐어 뒤꼭지를 꽉 잡으며, 몽둥이를 지끈 꺾어 손 잰 승의 매질하듯 원화상
(元和尙)의 법고 치듯 아주 쾅쾅 두드리니,』 흥부 울며 이른 말이,

"애고 형님 이것이 우엔 일이오? 방약무인 도척이도 이에서 성현이요, 무거불측 관숙이도
이에서 군자로다. 우리 형제 어찌하여 이다지 극악한고." / 탄식하고 돌아오니,〈중략〉

> 매를 맞고 빈손으로 쫓겨나는 흥부

"우리 품이나 팔아 봅세."
Link 서술상의 특징 ❷

흥부 아내 품을 팔 제 『용정 방아 키질하기, 매주가(賣酒家)에 술 거르기, 초상집에 제복 짓
기, 제사 집에 그릇 닦기, 신사(神祀) 집에 떡 만들기, 언 손 불고 오줌 치기, 해빙하면 나물 뜯
기, 춘모 갈아 보리 놓기, 온갖으로 품을 팔고 흥부는 정이월에 가래
질하기, 이삼월에 붙임 하기, 일등 전답 무논 갈기, 입하(立夏) 전에
면화 갈기, 이 집 저 집 이엉 엮기, 더운 날에 보리 치기, 비 오는 날
멍석 걷기, 원산 근산 시초 베기, 무곡 주인 역인 지기, 각읍(各邑)
주인 삯길 가기, 술만 먹고 말짐 싣기, 오 푼 받고 마철 박기, 두 푼
받고 똥 재치기, 한 푼 받고 비 매기, 식전에 마당 쓸기, 저녁에 아해

Link
출제자 특강 서술상의 특징을 파악하라!

❶ '놀부 놈의 거동 보소.'에서 보이는 특징은?
서술자의 개입(편집자적 논평)으로 놀부에
대해 비평하며, 판소리 사설 문체의 특징이
보임.

❷ 놀부가 흥부에게 양식을 못 주는 이유를 나
열한 부분과 흥부 아내의 품 파는 종목을 길
게 나열한 부분에서 보이는 서술상의 특징
은?
흥미로운 부분을 확장하여 서술하는 장면을
극대화 기법을 사용함.

만들기 온가지로 다하여도 끼니가 간데없네.　　　　　　　　　　　　　　　　　　➤품팔이를 하며 살아가는 흥보 내외
　　　　　온갖 품팔이를 해도 살림이 나아지지 않는 상황임

　　이때 본읍(本邑) 김 좌수가 흥부를 불러 하는 말이,
　　　　지방의 자치 기구인 향청의 우두머리

『돈 삼십 냥을 줄 것이니 내 대신으로 감영에 가 매를 맞고 오라.』♪ 죄수가 자신이 받을 형벌을 흥부에게 넘겨씌움
　　관찰사가 직무를 보던 관아　　　　　　　　　　　　　　　　　→ 당시 매품 파는 일이 성행했음을 알 수 있음

하니, 흥부 생각하되, '삼십 냥을 받아 열 냥어치 양식 팔고, 닷 냥어치 반찬 사고, 닷 냥어치

나무 사고 열 냥이 남거든 매 맞고 와서 몸조섭을 하리라.' 하고 감영으로 가려 할 제, 흥부 아
　　　　　　　　　　　　　　　　　　　　몸조리

내 하는 말이,

　　"가지 마오. 부모 혈육을 가지고 매 삯이란 말이 우엔 말이오."
　　　　　　　흥부의 안위를 걱정함

하고, 아무리 만류하되 종시 듣지 아니하고 감영으로 내려가더니, 아니 되는 놈은 자빠져도
　　　　　　　　끝내

코가 깨신다고, 마침 나라에서 사가 내려 죄인을 방송하시니, 흥부 매품도 못 팔고 그저 온다.
　　　　　　　　　국가적인 경사가 있을 때 죄인을 용서해 주던 일　죄인을 풀어 줌

　　흥부 아내 내달아 하는 말이,

　　"매를 맞고 왔습나." / "아니 맞고 왔습네."

　　"애고 좋쇠. 부모유체로 매품이 무슨 일고."
　　　　　부모가 남긴 몸이라는 뜻으로, 자식이 된 몸을 이르는 말

흥부 울며 하는 말이,

　　"애고애고 설운지고. 매품 팔아 여차여차하자 하였더니 이를 어찌하잔 말고."
　　　　　　　매품을 팔아서라도 생계를 유지하려 했으나 그마저도 무산되어 서러워하는 흥부 → 비참한 생활상이 강조됨　➤매품팔이를 못하고 그냥 돌아온 흥부

최우선 출제 포인트!

1 이 작품의 주제

표면적 주제	이면적 주제
선량한 동생인 흥부가, 자신을 박대하던 심술궂은 형인 놀부가 망하자 자신의 재산을 나누어 줌. → 형제간의 우애와 권선징악	부유한 형 놀부에 비해, 흥부는 매품팔이까지 할 생각을 하며 살아가는 극도의 가난을 겪음. → 빈부 간의 갈등

2 인물의 제시 방법

놀부	놀부의 구체적인 행동을 열거하여 그의 심술궂은 성격을 형상화함.	→	희화적 표현을 통해 웃음을 유발함으로써 삶의 진실에 접근하려는 판소리계 소설의 해학성을 보여 줌.
흥부	흥부의 살림 규모나 생활 양상을 보여 줌.		

3 '흥부'와 '놀부'의 갈등

흥부		놀부
•형 놀부에게 도움을 요청함. •형제간의 우애를 중요한 가치로 여김.	←→	•흥부의 도움 요청을 거절함. •재물을 중요한 가치로 여김.

↓

정신적 가치와 물질적 가치의 대립을 통해
어떤 것이 더 소중한지에 대한 문제 제기를 하고 있음.

4 이 작품의 발전 과정

설화	→	판소리	→	고전 소설	→	신소설
방이 설화		흥보가		흥부전		연의 각

최우선 핵심 Check!

1 다음 내용 중 맞는 것은 ○표를, 틀린 것은 ×표를 하시오.

(1) 과장된 표현, 해학적 묘사 등을 통해 골계미가 나타나고 있다. (　　)

(2) 비극적 상황을 서민 특유의 건강한 웃음으로 극복하려는 의식이 드러나 있다. (　　)

(3) 매품팔이를 통해 빈곤을 겪고 있던 당시 서민들의 비참한 삶을 보여주고 있다. (　　)

2 초성 힌트를 보고 빈칸에 들어갈 알맞은 말을 쓰시오.

(1) 이 작품은 보은 설화가 바탕이 된 판소리 「ㅎㅂㄱ」이/가 문자로 정착된 고전 소설이다.

(2) 형제간의 ㅇㅇ와/과 권선징악의 교훈을 전달하고 있다.

(3) 이면적으로는 ㅂㅂ 간의 갈등 문제를 담고 있다.

정답 1. (1) ○ (2) ○ (3) ○　2. (1) 흥보가 (2) 우애 (3) 빈부

7위

아홉 사람의 뜬구름 같은 꿈
구운몽(九雲夢) | 김만중

성격 불교적, 이상적, 구도적 **시대** 조선 중기
주제 인생무상의 자각을 통한 허무의 극복

소설

이 작품은 아홉 사람(성진과 팔선녀)이 속세의 부귀영화를 갈망하다가 하룻밤 꿈속에서 인간의 부귀영화를 다 겪고 난 후, 일장춘몽의 허망함을 깨닫고 불도에 전념하여 이를 이겨 내는 과정을 그린 장편 소설이다.

주요 사건과 인물

발단	전개	위기	절정	결말
육관 대사가 속세의 부귀영화를 탐하는 성진을 팔선녀와 함께 인간 세계로 내침.	성진이 양소유란 인물로 환생하여 인간 세계에서 자람.	양소유는 입신양명하고, 사신, 원수로 활약하며 여러 모습으로 환생한 팔선녀와 인연을 맺음.	자신이 이룬 부귀영화가 허망한 것임을 깨닫고 불도에 귀의할 결심을 한 양소유가 육관 대사에 의해 꿈에서 깨어남.	꿈에서 깨어난 성진은 팔선녀와 함께 깨달음을 얻고 극락세계로 귀의함.

현실(신선 세계)		꿈속(인간 세계)		현실(신선 세계)
성진, 팔선녀	입몽 →	양소유, 2처 6첩	각몽 →	성진, 팔선녀

핵심장면 ① 성진이 팔선녀를 만난 후 속세의 부귀공명을 원하다가 육관 대사에 의해 인간 세계로 쫓겨나는 부분이다.

☐ 주요 인물

성진이 여덟 선녀를 본 후에 정신이 자못 황홀하여 마음에 생각하되,

『남아 세상에 나 어려서 공맹(孔孟)의 글을 읽고, 자라 요순(堯舜) 같은 임금을 만나, 나면 장수
태어나 / 공자와 맹자 / 고대 중국의 요임금과 순임금. 성군의 상징
되고 들면 정승이 되어, 비단옷을 입고 옥대를 띠고 옥궐에 조회하고, 눈에 고운 빛을 보고 귀
문무를 겸비하여 입신양명함을 뜻함 / 대궐 / 임금에게 문안드리고 정사를 아룀
에 좋은 소리를 듣고 은택(恩澤)이 백성에게 미치고, 공명이 후세에 드리움이 또한 대장부의
은혜와 덕택 / 공을 세워 세상에 널리 이름을 드리움. 관련 한자 성어: 유방백세(流芳百世) ★ 주요 소재
일이라. 우리 부처의 법문(法問)은 한 바리 밥과 한 병 물과 두어 권 경문(經文)과 백팔 염주뿐
부처의 가르침 / 부귀영화와는 거리가 먼 초라한 것들
이라. 도덕이 비록 높고 아름다우나 적막하기 심하도다.』 ▶불가에 대한 성진의 번뇌
『 』: 성진의 내적 갈등
Link 인물의 상황 ❶
생각을 이리 하고 저리 하여 밤이 이미 깊었더니, 문득 눈앞에 팔선녀 섰거늘, 놀라 고쳐 보
팔선녀에 정신이 팔려 환상까지 본 성진
니 이미 간 곳이 없더라.

성진이 마음에 뉘우쳐 생각하되,

'부처 공부에 유(類)로 뜻을 바르게 함이 으뜸 행실이라. 내 출가한 지 십 년에 일찍이 반점
유독 / 매우 작은 것을 말함
어김없이 구차한 마음을 먹지 아니하였더니 이제 이렇듯이 염려를 그릇하면 어찌 나의 전정
생각 / 앞길. 여기서는 해탈의 경지를 뜻함
에 해롭지 아니하리오?'

향로에 전단을 다시 피우고, 의연히 포단에 앉아 정신을 가다듬어 염주를 고르며 일천 부처
향나무 / 부들로 둥글게 틀어 만든 방석 / 불도에 정진하더니
를 염하더니, 홀연 창밖에 동자가 부르되,
육관 대사
"사형은 잠들었느뇨? 사부 부르시나이다."
나이와 학덕이 높은 사람. 불교에서 스승의 불법을 이어받은 선배를 일컬음

Link

출제자 👔 **인물의 상황을 파악하라!**

❶ 팔선녀를 만난 후 성진의 심리는?
미색과 인간 세상의 부귀를 그리워하며 내적 갈등을 겪음.

❷ 육관 대사가 성진을 꾸짖은 이유 세 가지는?
① 용왕의 술대접을 받고 술에 취함. ② 팔선녀를 만나 희롱함. ③ 세상의 부귀영화를 흠모하고 불가의 적막함에 염증을 느낌.

성진이 놀라 생각하되,

'깊은 밤에 나를 부르니 반드시 연고 있도다.' ▶육관 대사의 호출
까닭
동자와 한가지로 방장(方丈)에 나아가니 대사가 모든 제자를 모으
함께 / 고승이 거처하는 곳 / 육관 대사가 성진의 죄를 묻기 위해 모든 제자들을 모이게 함
고 등촉을 낮같이 켜고 소리하여 꾸짖되,

"성진아, 네 죄를 아느냐?"

성진이 나려 꿇어 가로되,

"소자가 사부를 섬긴 지 십 년에 일찍 한 말도 불순히 한 적이 없으니, 진실로 어리고 아득하
여 지은 죄를 알지 못하나이다."
_{어리석고}

대사가 이르되,

"중의 공부 세 가지 행실이 있으니 몸과 말씀과 뜻이라. 네 용궁에 가 술을 취하고, 석교에서
_{팔선녀} _{꺼리고 싫어하니} _{성진을 꾸짖는 이유 ①} _{성진을 꾸짖는 이유 ②}
여귀를 흠모하고 불가의 적막함을 염히 여기니, 이는 세 가지 행실을 일시에 무너 버림이라."
_{성진을 꾸짖는 이유 ③} **Link** 인물의 상황 ❷ ➤ 육관 대사의 질책

핵심장면 ② 양소유로 환생한 성진이 팔선녀를 맞아들이고 부귀영화를 누리다가 인생의 무상감을 느끼고 출가를 결심하는 부분이다.

양 부인이 옷깃을 여미고 물이 가로되,
_{경건하게 자세를 바로하고}
"승상이 공을 이미 이루고 부귀 극(極)하여 만인이 부러워하고 천고에 듣지 못한 바라. 좋은
_{양소유(성진)} _{더할 수 없는 지경에 이르러}
날을 당하여 풍경을 희롱하며 꽃다운 술은 잔에 가득하며 사랑하는 사람이 곁에 있으니, 이
_{감상하며} ★ 주요 소재
또한 인생에 즐거운 일이거늘, 통소 소리 이러하니 오늘 통소는 옛날 통소가 아니로소이다."
_{양 승상의 내적 갈등을 드러내는 소재} _{속세에 대한 승상의 염증과 회의감이 나타남} **Link** 인물의 심리 ❶
승상이 옥소를 던지고 부인 낭자를 불러 난간을 의지하고 손을 들어 두루 가리키며 가로되,

"북으로 바라보니 평평한 들과 무너진 언덕에 석양이 시든 풀에 비친 곳은 진시황(秦始皇)
_{진시황이 세운 규모가 크고 화려한 궁전} _{중국 진나라의 제1대 황제}
의 아방궁(阿房宮)이요, 서로 바라보니 슬픈 바람이 찬 수풀에 불고 저문 구름이 빈산을 덮
_{중국 한나라의 제7대 황제}
은 데는 한 무제(漢武帝)의 무릉(茂陵)이요, 동으로 바라보니 분칠한 성이 청산을 둘렀고 붉
_{한 무제의 무덤}
은 박공(博栱)이 반공에 숨었는데 명월은 오락가락하되 옥난간을 의지할 사람이 없으니 이
_{마루머리나 합각머리에 팔(八) 자 모양으로 붙인 널} _{반공중. 그리 높지 않은 공중}
는 현종 황제 태진비(太眞妃)로 더불어 노시던 화청궁(華淸宮)이라. 「이 세 임금은 천고 영웅
_{중국 당나라의 제6대 황제} _{양 귀비} _{현종이 양 귀비를 위해 지은 궁전}
이라 사해로 집을 삼고 억조로 신첩을 삼아 호화 부귀 백 년을 짧게 여기더니 이제 다 어디
_{온 천하를 지배하여 다스리고} _{세상 사람들을 신하와 백성으로 삼아}
있느뇨?」 「 」: 대단하던 세 임금 모두 지금은 죽고 없음. 관련 한자 성어: 인생무상(人生無常)

소유는 본디 하남 땅 베옷 입은 선비라. 성천자 은혜를 입어 벼슬이 장상(將相)에 이르고,
_{벼슬 없이 지내는 가난한 선비. 관련 한자 성어: 포의한사(布衣寒士)} _{장수와 재상}
여러 낭자가 서로 좇아 은정이 백 년이 하루 같으니, 만일 전생 숙연으로 모여 인연이 다하
_{은혜로운 마음} _{세월이 빠르게 흘러갔으니} _{지난 세상에서 맺은 인연 → 윤회 사상}
면 각각 돌아감은 천지에 떳떳한 일이라. 「우리 백 년 후 높은 대 무너지고 굽은 못이 이미 메
「 」: 세월이 지나면 부귀영화가 사라져 버릴 것임
이고 가무하던 땅이 이미 변하여 거친 산과 시든 풀이 되었는데, 초부와 목동이 오르내리며
_{초동급부(樵童汲婦) - 보통 사람들}
탄식하여 가로되, '이것이 양 승상이 여러 낭자로 더불어 놀던 곳이라. 주제 의식이 드러남
여러 낭자의 옥용화태(玉容花態) 이제 어디 갔느뇨?' 하리니, 어이 인생이 덧없지 않으리오?
_{옥 같은 용모와 꽃 같은 자태} **Link** 인물의 심리 ❷ ➤ 인생무상을 느끼는 승상
　　　　내 생각하니 천하에 유도와 선도와 불도가 가장 높으니 이 이른바
_{이 작품의 사상적 배경}
삼교라. 유도는 생전 사업과 신후(身後) 유명할 뿐이요, 신선은 예부
_{생전의 일들과 죽은 다음 이름을 남기는 것만을 목적으로 함 - 유도의 한계}
터 구하여 얻은 자가 드무니 진시황, 한 무제, 현종 황제를 볼 것이
라. 내 치사(致仕)한 후로부터 밤에 잠만 들면 매양 포단 위에서 참
_{벼슬을 사양하고 물러남} _{꿈에서 곧 깨어날 것을 암시함}
선하여 뵈니 이 필연 불가로 더불어 인연이 있는지라. 내 장차 장자
_{만년에 신선술을 익힌 한나라의 제후}
방(張子房)의 적송자(赤松子) 좇음을 효칙하여, 집을 버리고 스승을
_{고대 신선의 이름} _{본받아 법으로 삼음}

Link

출제자 톡! 인물의 심리를 파악하라!

❶ 양 부인이 들은 '통소 소리'에 드러난 양 승
상의 내적 심리는?
'옛날 통소'엔 즐거움이 있었으나, '오늘 통
소'는 그렇지 않다는 것으로 보아 양 승상의
내적 갈등이 드러남.

❷ 양 승상의 말 중에서 이 글의 주제 의식이
드러나는 구절은?
'어이 인생이 덧없지 않으리오?'

구하여 남해를 건너 관음을 찾고 오대에 올라 문수(文殊)께 예를 하여, 불생불멸할 도를 얻
<small>관세음보살 중국 4대 명산 중 하나 문수보살, 모든 부처의 지혜를 맡은 보살</small>
<small>생겨나지도 않고 없어지지도 않고 항상 그대로 변함이 없음</small>
어 진세 고락을 초월하려 하되, 『여러 낭자로 더불어 반생을 좇았다가 일조에 이별하려 하니
<small>세속적인 부귀영화를 다 누린 모습</small>
슬픈 마음이 자연 곡조에 나타남이로소이다.』 **▶ 출가를 결심하는 승상**
<small>『 』: 퉁소 소리가 구슬프게 났던 이유</small>

핵심장면 ③ 성진이 현실로 돌아와 양소유로서의 삶이 꿈이었음을 깨닫고 부귀공명, 남녀 정욕에 대한 욕망이 모두 덧없음을 깨닫는 부
분이다.

스스로 몸을 돌아보니 『백팔 염주가 손목에 걸려 있고, 머리를 만져 보니 머리털이 깎이어 까칠
까칠하니, 틀림없이 소화상의 모양이요, 다시 대승상의 위엄 있는 차림새가 되지 아니하는지라.
<small>『 』: 성진이 승려의 신분임을 깨달음 어린 승려 세속적인 부귀영화를 다 누린 모습</small>
정신이 황홀하더니 오랜 후에야 제 몸이 남악 연화봉 도량의 성진 행자임을 깨닫고 생각하되,
<small>불도를 닦는 곳</small>
'처음에 육관대사께 책망을 듣고 풍도옥으로 떨어졌다가 다시 『인간계에 환생하여 양가의 아
<small>지옥 『 』: 세속적 욕망의 실현</small>
들 되어 장원 급제 한림학사 하고 출장입상(出將入相)하여 공명신퇴(功名身退)하고 두 공주
<small>문무를 다 갖추어 장상의 벼슬을 모두 지냄 공을 세워 이름을 날리고 벼슬에서 물러남 팔선녀</small>
와 여섯 낭자로 더불어 여생을 즐기던 것이 다 하룻밤 꿈이로다. 짐작건대 필연 스승이 나의
생각이 그릇됨을 알고 나로 하여금 이런 꿈을 꾸게 하여 인간의 부귀와 남녀의 사귐이 다 허
무한 일임을 알게 함이렷다!』 **▶ 소화상으로 돌아온 성진**
<small>『 』: 자신에게 깨달음을 주려 한 사부의 배려를 이해함</small>
Link 인물의 역할 ❶
급히 세수하고 의관을 정제하며 방장에 나아가니 다른 제자들이 이미 다 모였더라. 대사가
<small>절에서 주지가 거처하는 방</small>
소리하여 묻되, / "성진아, 인간 부귀를 지내니 과연 어떠하더뇨?"
<small>성진의 꿈 내용을 알고 있는 대사가 성진의 깨달음을 촉구함</small>
성진이 고두하며 눈물을 흘려 가로되,
<small>① 지난날의 잘못을 인정함 ② 사부의 자비에 감사함 ③ 스스로 깨달음을 얻었다고 생각함</small>
"성진이 이미 깨달았나이다. 제자가 불초하여 염려를 그릇 먹어 죄를 지으니 『마땅히 인세에
<small>못나고 어리석어 불가의 적막감에 회의를 느끼고 인세의 부귀영화를 탐함</small>
윤회할 것이거늘, 사부가 자비하사 하룻밤 꿈으로 제자의 마음을 깨닫게 하시니 사부의 은
<small>『 』: 현실과 꿈을 다르게 인식하는 성진 → 아직 깨달음이 부족함 Link 인물의 역할 ❷</small>
혜를 천만겁이라도 갚기 어렵도소이다."

대사가 가로되,

"네 승흥(乘興)하여 갔다가 흥진(興盡)하여 돌아왔으니 내 무슨 간예(干預)함이 있으리오?
<small>흥이 나서 흥이 다하여 관계하여 참견함</small>
네 또 이르되 '인세에 윤회할 것을 꿈을 꾸었다' 하니 이는 인세와 꿈을 다르다 함이니 네 오
<small>윤회하지 않고 꿈으로 인간계를 경험함</small>
히려 꿈을 채 깨지 못하였도다. '장주가 꿈에 나비 되었다가 나비가 장주되니', 어느 것이 거
<small>진정한 깨달음을 얻지 못함 호접지몽(胡蝶之夢) – 인생의 덧없음을 의미함. 물아일체</small>
짓 것이요 어느 것이 참된 것인 줄 분변치 못하나니, 어제 성진과 소유가 어느 것은 정말 꿈
<small>어느 것이 거짓(꿈)이요, 어느 것이 참(현실)인지를 현실과 꿈의 구별 자체가 무의미함을 강조함</small>
이요 어느 것은 꿈이 아니뇨?" **Link** 인물의 역할 ❸

Link
출제자 톡! 인물의 역할을 파악하라!

❶ 육관 대사가 꿈을 통해 성진에게 준 깨달음
의 내용은?
인생무상(人生無常)

❷ 육관 대사가 성진에게 깨달음을 주기 위해
사용한 방법은?
하룻밤 꿈

❸ 육관 대사가 호접지몽(胡蝶之夢)을 인용하
여 알려 주고자 한 것은?
인간 세상과 꿈의 구별은 무의미함.

성진이 가로되,

"제자가 아득하여 꿈과 참된 것을 알지 못하니 사부는 설법하사 제
<small>불교의 교리를 풀어서 밝힘</small>
자를 위하여 자비하사 깨닫게 하소서."
▶ 자신을 깨달음으로 이끌어 줄 것을 부탁하는 성진

대사가 가로되,

"이제 금강경 큰 법을 일러 너의 마음을 깨닫게 하려니와, 당당히
<small>지혜의 정체(正體)를 금강의 견실함에 비유하여 해설한 불경</small>
새로 오는 제자가 있을 것이니 잠깐 기다릴 것이라."
<small>팔선녀</small>

하더니, 문 지킨 도인이 들어와,

"어제 왔던 위 부인 좌하 선녀 여덟 사람이 또 와 사부께 뵈어지이다 하나이다."
　　　　　　　　　문하

대사가 / "들어오라."

하니, 팔선녀가 대사의 앞에 나아와 합장 고두하고 가로되,

『제자 등이 비록 위 부인을 모셨으나 실로 배운 일이 없어 세속 정욕을 잊지 못하더니, 대사
『　』: 불교적 세계관의 우월함을 드러냄
의 자비하심을 입어 하룻밤 꿈에 크게 깨달았으니 제자 등이 이미 위 부인께 하직하고 불문
　　　　　　성진과 같은 꿈을 꾸어 인간 세상의 무상함을 깨달음
에 들어왔으니 사부는 끝내 가르침을 바라나이다.』

대사 왈,

『"여신의 뜻이 비록 아름다우나 불법이 깊고 머니 큰 역량과 큰 발원이 아니면 능히 이르지
　『　』: 불법이 깊고 멀다는 것을 강조함
못하나니 선녀는 모름지기 스스로 헤아려 하라.』　　　　　❯ 불도에 입문할 것을 대사에게 청하는 팔선녀

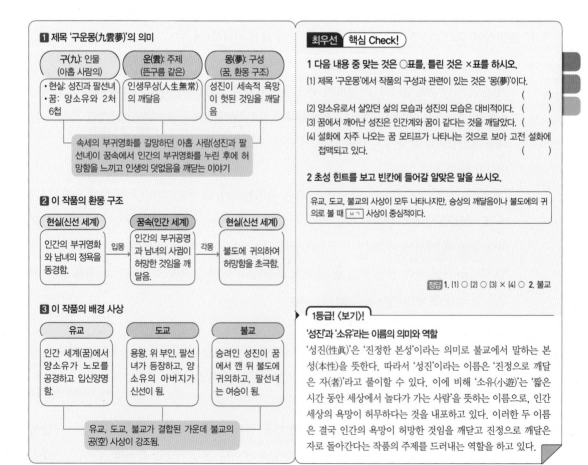

1 제목 '구운몽(九雲夢)'의 의미

구(九): 인물 (아홉 사람의)	운(雲): 주제 (뜬구름 같은)	몽(夢): 구성 (꿈, 환몽 구조)
• 현실: 성진과 팔선녀 • 꿈: 양소유와 2처 6첩	인생무상(人生無常)의 깨달음	성진이 세속적 욕망이 헛된 것임을 깨달음

속세의 부귀영화를 갈망하던 아홉 사람(성진과 팔선녀)이 꿈속에서 인간의 부귀영화를 누린 후에 허망함을 느끼고 인생의 덧없음을 깨닫는 이야기

2 이 작품의 환몽 구조

현실(신선 세계)		꿈속(인간 세계)		현실(신선 세계)
인간의 부귀영화와 남녀의 정욕을 동경함.	입몽	인간의 부귀공명과 남녀의 사귐이 허망한 것임을 깨달음.	각몽	불도에 귀의하여 허망함을 초극함.

3 이 작품의 배경 사상

유교	도교	불교
인간 세계(꿈)에서 양소유가 노모를 공경하고 입신양명함.	용왕, 위 부인, 팔선녀가 등장하고, 양소유의 아버지가 신선이 됨.	승려인 성진이 꿈에서 깬 뒤 불도에 귀의하고, 팔선녀는 여승이 됨.

유교, 도교, 불교가 결합된 가운데 불교의 공(空) 사상이 강조됨.

최우선 핵심 Check!

1 다음 내용 중 맞는 것은 ○표를, 틀린 것은 ×표를 하시오.

(1) 제목 '구운몽'에서 작품의 구성과 관련이 있는 것은 '몽(夢)'이다. (　　)

(2) 양소유로서 살았던 삶의 모습과 성진의 모습은 대비적이다. (　　)

(3) 꿈에서 깨어난 성진은 인간계와 꿈이 같다는 것을 깨달았다. (　　)

(4) 설화에 자주 나오는 꿈 모티프가 나타나는 것으로 보아 고전 설화에 접맥되고 있다. (　　)

2 초성 힌트를 보고 빈칸에 들어갈 알맞은 말을 쓰시오.

유교, 도교, 불교의 사상이 모두 나타나지만, 승상의 깨달음이나 불도에의 귀의로 볼 때 ⓑㄱ 사상이 중심적이다.

정답 1. (1) ○ (2) ○ (3) × (4) ○ 2. 불교

1등급! 〈보기〉!

'성진'과 '소유'라는 이름의 의미와 역할

'성진(性眞)'은 '진정한 본성'이라는 의미로 불교에서 말하는 본성(本性)을 뜻한다. 따라서 '성진'이라는 이름은 '진정으로 깨달은 자(者)'라고 풀이할 수 있다. 이에 비해 '소유(小遊)'는 '짧은 시간 동안 세상에서 놀다가 가는 사람'을 뜻하는 이름으로, 인간 세상의 욕망이 허무하다는 것을 내포하고 있다. 이러한 두 이름은 결국 인간의 욕망이 허망한 것임을 깨닫고 진정으로 깨달은 자로 돌아간다는 작품의 주제를 드러내는 역할을 하고 있다.

출제율 83%

8위

이생이 담장 안을 엿본 이야기
이생규장전(李生窺牆傳) | 김시습

성격 불교적, 이상적, 구도적 **시대** 조선 전기
주제 인생무상의 자각을 통한 허무의 극복

소설

이 작품은 우리나라 최초의 한문 소설집 『금오신화』에 수록되어 있는 전기 소설로, 이생과 최랑의 만남과 혼인이라는 현실적인 내용을 다룬 전반부와 홍건적의 난 이후 살아 있는 이생과 죽은 최랑의 사랑이라는 비현실적 내용을 담은 후반부로 구성되어 있다.

주요 사건과 인물

발단	전개	위기	절정	결말
이생이 최랑을 만나 사랑에 빠짐.	이생과 최랑은 이생 부모의 반대로 이별하나, 최랑 부모의 개입으로 혼인하게 됨.	최랑이 홍건적의 난으로 인해 죽음.	이생 앞에 최랑의 환신(幻身)이 나타남.	최랑이 저승으로 떠난 후 이생은 최랑을 지극히 생각하다가 병이 들어 죽음.

이생	이생 부모	최랑 부모	최랑
최랑과의 사랑을 통해 고통스러운 생활을 극복해 나감.	이생과 최랑의 혼인을 반대함.	이생과 최랑의 혼인을 성사시키기 위해 노력함.	이생과의 사랑을 성취하기 위해 적극적으로 행동함.

핵심장면 ① 홍건적의 난으로 죽은 최랑이 환신으로 돌아와 이생과 재회하는 부분이다.

이경(二更)쯤 되어 달빛이 희미한 빛을 토하며 들보를 비추었다. 그런데 회랑 끝에서 웬 발걸
_{밤 9 ~ 11시 사이}   _{마루}   □ : 주요 인물
음 소리가 들려왔다. 그 소리는 멀리서부터 들려오더니 차츰 가까워졌다. 발걸음 소리가 이생
앞에 이르렀을 때 보니 바로 최 씨였다.
                          _{최랑}

이생은 그녀가 이미 죽은 것을 알고 있었지만, 너무도 사랑하는 나머지 한 치의 의심도 없이
_{최랑이 죽었음을 알지만 이를 인정하지 않으려는 심리가 반영됨 – 지극한 사랑의 감정}   **Link** 인물의 심리 ❶
물었다. / "당신은 어디로 피해 목숨을 부지하였소?"   ▶ 최 씨를 만나 기뻐하는 이생

최 씨는 이생의 손을 잡고 한바탕 통곡하더니 그간의 사정을 이야기하기 시작했다.

「저는 본디 양가의 딸로서 어려서부터 어버이의 가르침을 받들어 수놓기와 바느질에 힘쓰고
「 」: 최 씨가 규방에서 곱게 자란 여인임을 보여 줌
시서(詩書)와 인의(仁義)의 방도를 배울 뿐이었습니다. 오로지 규문의 법도만 알았을 뿐 어
_{시와 글씨}   _{어질과 의로움}   _{규중(閨中). 부녀자가 거처하는 곳}
찌 집 밖의 일을 헤아릴 수 있었겠습니까? 그런데 당신께서 붉은 살구꽃이 핀 담장 안을 한
                                                                      '이생규장'이라는 제목과 관련된 내용
번 엿보신 후 제가 스스로 푸른 바다의 구슬을 바쳤지요. 꽃 앞에서 한 번 웃고는 평생의 은
                    _{최랑의 적극적인 모습}
혜를 맺었고, 휘장 안에서 다시 만났을 때에는 은정이 백 년을 넘칠 것 같았지요.」
                                                          「 」: 이생과 최 씨가 처음 만나 혼인하기까지의 과정

말이 여기에 이르고 보니 슬프고 부끄러워 견딜 수가 없군요. 장차 평생을 함께하려고 하
였는데 뜻밖의 횡액을 만나 구덩이에 뒹굴게 될 줄 어찌 생각이나 했겠습니까? 그러나 저는
                  _{뜻밖에 닥쳐오는 불행}
끝까지 짐승 같은 놈에게 몸을 내맡기지 않고 스스로 진흙탕에서 육신이 찢기는 길을 택하
                                        _{홍건적의 난 때 정조를 지키다가 도적에게 잔인하게 죽임을 당함}
였지요. 그건 천성이 저절로 그렇게 한 것이지 인정으로야 차마 견딜 수 있는 일이 아니었답
                                                      _{사람으로서 견디기 어려운 비극적 사건이었음}
니다. 〈중략〉 이제 추연(鄒衍)이 피리를 불어 적막한 골짜기에 봄바람을 일으켰으니 저도 천
            _{중국 전국 시대 제나라의 사상가. 맹자의 영향을 받아 음양설과 오행설을 혼합한 음양오행설을 제창하였음}
녀(倩女)의 혼이 이승으로 돌아왔듯이 이곳으로 돌아오렵니다. 봉래
    _{고전 소설의 전기성}   _{최 씨의 환신이 이승으로 돌아옴}
산에서 십이 년 만에 만나자는 약속을 이미 단단히 맺었고, 취굴(聚
                                              _{중국 서해에 있다고 하는 신선의 거처}
窟)에서 삼생(三生)의 향이 그윽이 풍겨 나오니 그동안 오래 떨어져
    _{전생(前生), 현생(現生), 내생(來生)}
있던 정을 되살려서 옛 맹세를 저버리지 않겠습니다. 낭군께서 지금
도 삼세의 인연을 알아주신다면 끝내 고이 모실까 합니다. 낭군께서
    _{불교의 윤회 사상}

Link
출제자 ⓣ **인물의 심리를 파악하라!**
❶ 최 씨와 재회한 이생의 심정은?
　최 씨가 죽은 것을 알고도 개의치 않을 정도로 반가워함.
❷ 끝까지 함께하고 싶다는 최 씨의 말을 들은 이생의 심정은?
　다시 함께하자는 말에 기뻐하고 감격함.

고전 산문 **43**

는 허락해 주시겠습니까?"

이생은 기쁘고도 감격하여 말했다. / "그건 바로 내가 바라던 바요."
Link 인물의 심리 ❷
> 지난 일을 이야기하고 다시 이생과 함께하기를 바라는 최 씨

핵심장면 ❷ 이생은 최랑의 환신과 행복한 시간을 보내지만, 최랑이 결국 저승으로 떠나고 이생도 몇 달 만에 세상을 뜨는 부분이다.

그 뒤 이생은 벼슬을 구하지 않고 최 씨와 함께 살았다. 목숨을 구하고자 달아났던 종들도
_{사랑을 부와 명예보다 소중하게 여김}
다시 스스로 돌아왔다.『이생은 이때부터 인간사에 게을러져서 비록 친척이나 손님들의 길흉사
_{『 』관련 한자 성어: 두문불출(杜門不出)}
에 하례하고 조문해야 할 일이 있더라도 문을 걸어 잠그고 밖으로 나가지 않았다.』그는 항상
_{아내 최랑을 보호하기 위한 행위}
최 씨와 더불어 시를 지어 주고받으며 금실 좋게 행복한 시간을 보냈다. 그렇게 몇 년이 흘러
갔다.
> 최 씨와 함께 행복하게 지내는 이생

어느 날 저녁 최 씨가 이생에게 말했다.

"세 번이나 좋은 시절을 만났지만, 세상일은 뜻대로 되지 않고 어그러지기만 하네요. 즐거움
_{① 이생이 최랑의 담장을 엿본 것 ② 이생과 최랑이 부모의 반대를 극복하고 혼인을 한 것 ③ 최랑이 죽은 후 환생하여 이생과 재회한 것}
이 다하기도 전에 갑자기 슬픈 이별이 닥쳐오니 말이에요."
_{관련 한자 성어: 호사다마(好事多魔)}
그러고는 마침내 오열하기 시작하였다. 이생은 깜짝 놀라서 물었다.

"무슨 일로 그러시오?" / 최 씨가 대답하였다.

"저승길의 운수는 피할 수가 없답니다. 하느님께서『저와 당신의 연분이 아직 끝나지 않았고,
_{개인과 운명 사이의 갈등} _{『 』최랑이 환신할 수 있었던 이유}
또 저희가 아무런 죄악도 저지르지 않았음을 아시고』이 몸을 환생시켜 당신과 지내며 잠시
시름을 잊게 해 주신 것이었어요. 그러나 인간 세상에 오랫동안 머물면서 산 사람을 미혹시
_{이승과 저승의 경계를 인정함}
킬 수는 없답니다."

최 씨는 시녀를 시켜 술을 올리게 하고는 '옥루춘(玉樓春)'에 맞추어 노래를 부르면서 이생에
_{노래의 제목} _{최랑의 심리 및 처지를 드러냄}
게 술을 권하였다.
_{이별주}

창과 방패가 눈에 가득한 싸움터 / 옥이 부서지고 꽃도 흩날리고 원앙도 짝을 잃네.
_{홍건적의 침입} _{이생과의 이별}
여기저기 흩어진 해골을 그 누가 묻어 주랴. / 피에 젖어 떠도는 영혼 하소연할 곳 없어라.
_{홍건적에게 죽임을 당한 최랑의 시체가 들판에 버려짐} _{깊은 한과 슬픔}

무산 선녀가 고당에 한번 내려온 후 / 깨졌던 거울이 거듭 갈라지니 마음만 쓰려라.
_{중국의 전설에서, 얼굴이 몹시 곱고 아름답다는 선녀} _{최랑의 처지와 이생의 거듭된 이별}
이제 한번 이별하면 둘 사이 아득하니 / 하늘과 인간 사이에 소식마저 막히리라.
_{이승과 저승의 단절 – 이별의 슬픔 극대화}

최 씨는 한마디씩 노래를 부를 때마다 눈물을 삼키느라 곡조를 제대로 이어 가지 못하였다.
> 이생에게 이별을 고하는 최 씨
이생도 슬픔을 걷잡지 못하여 말하였다.

"내 차라리 당신과 함께 저세상으로 갈지언정 어찌 무료히 홀로 살아남을 수 있겠소? 지난
_{저승} _{『 』수동적이던 이생의 태도가 능동적으로 변함}
번 난리를 겪은 후 친척과 종들이 뿔뿔이 흩어지고, 돌아가신 부모님의 유해가 들판에 버려
_{최랑이 환신한 후 부모님의 유골을 수습하였음}
져 있을 때 당신이 아니었다면 누가 부모님을 묻어 드릴 수 있었겠소? 옛 성현이 말씀하시
기를 '어버이 살아 계실 때는 예로써 섬기고, 돌아가신 후에는 예로써 장사 지내야 한다.'라
_{『논어』에 나오는 구절 – 이생의 유교적 가치관 반영}

고 했는데 당신의 천성이 효성스럽고 인정이 두터웠기 때문에 이런 일을 다 처리할 수 있었던 것이오. 당신의 정성에 너무도 감격하지만, 한편으로는 나 자신에 대한 부끄러움을 참을

_{홍건적의 난 때 자신만 살기 위해 도망을 쳤음}

길이 없었소. 부디 그대는 인간 세상에 더 오래 머물다가 백 년 후 나와 함께 흙으로 돌아가

_{아내에 대한 이생의 깊은 사랑 - 운명을 거부하는 의지적 태도}

시구려." / 최 씨가 대답하였다.

❯이별을 거부하고 최 씨를 붙잡는 이생

_{이름을 적어 놓은 장부}

"당신의 목숨은 아직도 한참 더 남아 있지만 저는 이미 귀신의 명부에 이름이 실렸으니 이곳

_{이생의 수명은 남아 있지만, 최 씨는 이미 수명이 다함 - 이별해야 하는 상황}

에 더 오래 머물 수가 없답니다. 만약 제가 군이 인간 세상을 그리워하며 미련을 두어 운명의 법도를 어기게 된다면 단지 저에게만 죄과가 미치는 게 아니라 당신에게도 누를 끼치게될 거예요. 다만 제 유해가 아무 곳에 흩어져 있으니 만약 은혜를 베풀어 주시려면 그것이나거두어 비바람과 햇볕 아래 그냥 나뒹굴지 않게 해 주세요."

_{유골을 거두어 장사 지내 주기를 바람}

두 사람은 서로 바라보며 눈물만 줄줄 흘렸다. / "서방님, 부디 몸 건강하게 계세요."

말을 마친 최 씨의 자취가 점차 희미해지더니 마침내 흔적도 없이 사라져 버렸다.

이생은 그녀의 유골을 거두어 부모님 무덤 곁에 묻어 주었다. 장사를 지낸 뒤 이생도 최 씨

❯자신의 유골을 수습해 줄 것을 부탁한 후 사라진 최 씨

와의 추억을 생각하다 병을 얻어 몇 달 만에 세상을 떠나고 말았다.

_{아내에 대한 지극한 사랑}

이 이야기를 들은 사람들마다 애처로워하며 그들의 절의를 사모하지 않는 이가 없었다.

❯이생의 죽음과 그에 대한 사람들의 반응

● 무산 선녀가 ~ 마음만 쓰려라.: 초나라의 양왕이 꿈에서 무산의 선녀를 만나 즐거움을 누린 후 다시 만날 것을 간청했는데, 선녀가 '큰 산이 가로막혀 직접올 수 없으니 아침에는 구름이 되고 저녁에는 비가 되어 가깝게 모시겠다.'라고 말한 고사를 인용한 표현임.

최우선 출제 포인트!

1 작품의 구조

만남	이생과 최랑을 만나 서로 사랑하게 됨.
이별	이생 부모의 반대로 이생이 시골로 가게 됨.

↓

만남	이생 부모의 허락을 받고 혼인함.
이별	홍건적의 난으로 인해 최랑이 죽음.

↓

만남	최랑의 환신이 돌아옴.
이별	최랑이 저승으로 돌아감.

2 '이생'과 '최랑'의 성격

이생	• 우유부단하고 결단성이 없음. - 부모의 명에 따라 최랑과 이별함. • 아내를 깊이 사랑함. - 죽은 아내의 환신을 보고 반가워하며, 아내가 저승으로 돌아가자 그리움으로 병을 얻어 죽음.
최랑	• 적극적이고 진취적임. - 부모에게 이생에 대한 자신의 마음을 고백하여 사랑을 성취함. • 남편을 깊이 사랑함. - 죽은 후 환신하여 남편을 찾아옴. • 운명에 순응함. - 때가 되자 저승으로 돌아감.

3 '전기성(傳奇性)'이 드러나는 사건

이 작품의 앞부분은 남녀의 사랑과 결혼이라는 현실적인 사건들로 이루어져 있으나, 뒷부분은 현실 세계에서는 있을 수 없는 기이한 사건들로 이루어져 있다. 최랑이 죽은 후 환신하여 이생과 재회하는 것, 이 환신으로 이생과 몇 년간 함께 사는 것이 이에 해당한다. 이러한 전기적 사건은 환상적이고 애절한 분위기를 조성하여 죽음을 초월한 사랑이라는 주제 의식을 부각하고 있다.

최우선 핵심 Check!

1 다음 내용 중 맞는 것은 ○표를, 틀린 것은 ×표를 하시오.

(1) 비현실적이고 환상적인 상황을 설정하고 있다. (   )

(2) 과거와 현재, 미래를 교차하며 입체적으로 서술하고 있다. (   )

(3) 당대 사회에서 허용되지 않는 남녀의 자유연애를 다루었다. (   )

2 초성 힌트를 보고 빈칸에 들어갈 알맞은 말을 쓰시오.

(1) 만남과 ㅇㅂ 의 이야기 구조가 반복적으로 나타난다.

(2) 글 중간에 삽입된 시(노래)를 통해 인물의 ㅅㄹ 을/를 효과적으로 드러내고 있다.

정답 1. (1) ○ (2) × (3) ○ 2. (1) 이별 (2) 심리

임경업전(林慶業傳) | 작자 미상

성격 영웅적, 비극적   **시대** 조선 후기
주제 임경업의 영웅적 활약상과 호국에 대한 정신적 승리

소설

이 작품은 실존 인물인 임경업을 민족의 영웅으로 그려 내어 허구적으로나마 병자호란으로 인한 치욕을 위로하고, 위축된 민족의 사기를 진작시키고 있는 군담 소설로, '임장군전'으로도 불린다.

주요 사건과 인물

발단	전개	위기	절정	결말
무과에 장원 급제한 임경업은 가달을 물리쳐 용맹을 떨침.	임경업을 두려워한 호국이 임경업을 피해 도성을 공격하여 인조의 항복을 받고 왕자들을 인질로 잡아 회군함.	호왕이 임경업에게 명을 치도록 요구했으나, 임경업은 명과의 의리를 지켜 역으로 호국을 치려 하다가 실패하고 호국에 잡혀감.	임경업의 충의에 감복한 호왕이 세자 일행을 조선으로 돌려보내지만, 귀국한 임경업은 김자점에 의해 억울하게 살해됨.	꿈속에서 임경업의 현신을 본 인조가 김자점을 처형하고 임경업의 충의를 포상함.

호왕		임경업		김자점
임경업과 적대 관계였다가 후에 우호적 관계로 전환됨.	⟷	지조와 절개를 지키는 충신이며 민족적 영웅임.	⟷	자신의 사리사욕만을 채우는 간신으로 충신인 임경업을 죽게 함.

핵심장면 ① 임경업이 지키고 있는 의주를 통과하지 못한 호군이 동해를 돌아 샛길을 통해 조선을 침공하는 부분이다.

이때 호왕(오랑캐의 왕)이 가달(몽골계의 한 부족)을 쳐 항복 받고 3만 명을 거느려 압록강(鴨綠江)에 와서 조선 형세를 살피거늘, 의주 부윤(義州府尹)(조선 시대의 지방 관아인 부(府)의 우두머리)이 대경(크게 놀람)하여 이 뜻으로 장계(왕명을 받고 지방에 나가 있는 신하가 자기 관하(管下)의 중요한 일을 왕에게 보고함)하니, 상(임금(인조))이 놀라서 문무백관(文武百官)(모든 문관과 무관)을 모으시고 가라사대

"이제 호병이 아국(조선)을 엿본다 하니 장차 어찌하리오?" / 제신(여러 신하)이 아뢰되,

"임경업(주인공)의 이름이 호국에 진동하였사오니, 이 사람을 보내 도적을 막음이 마땅할까 하나이다."

상이 의윤(依允)(신하가 아뢰는 청을 임금이 허락함)하사 즉시 경업으로 의주 부윤 겸 방어사(防禦使)(나라의 방위를 위하여 군사 요지에 파견하던 종이품 무관 벼슬)를, 김자점(호병)으로 도원수를 삼으시니, 경업이 사은숙배(謝恩肅拜)(임금의 은혜에 감사하며 공손히 절함)하고 내려가 도임(부임지에 도착함)하니라. **Link** 사건의 전개 ❶

호국 장졸이 경업이 의주 부윤으로 내려옴을 듣고 놀라지 않은 이 없으니, 이는 경업이 가달(가달의 침입을 받은 호국이 명에 구원병을 요청했을 때 임경업이 출군하여 가달의 항복을 받고 호국을 구한 일 때문에)을 쳐 항복 받아 위엄이 삼국에 진동하고 용맹이 출범(出凡)한 연고라. 혼비백산(魂飛魄散)(혼백이 어지러이 흩어진다는 뜻으로, 몹시 놀라 넋을 잃음을 이르는 말)하여 군을 거두어 달아나더라. **Link** 사건의 전개 ❷

경업이 도임한 후로 군정(軍情)(군대 내의 정세나 형편)을 살피고 사졸을 연습하더니, 호장이 가다가 도로 와 경업의 허실(虛實)(허함과 실함)을 알고자 하여 압록강에 와 엿보거늘, 경업이 대로(몹시 분노하여)하여 토병을 호령하여 일진을 엄살(갑자기 습격하여 죽임)하고, / "되놈을 잡아들이라."

군사가 되놈을 결박하여 들이거늘, 경업이 크게 꾸짖으며,

"내 연전에 너희 나라에 가 가달을 쳐 파하고 호국 사직(胡國社稷)(나라 또는 조정을 이르는 말)을 보전하였으니, 그 은덕을 마땅히 만세불망(萬世不忘)(영원히 은덕을 잊지 아니함)할 것이어늘, 도리어 천조를 배반하고(하늘의 도움) 아국을 침범코자 하니, 너희 같은 무리를 죽여 분을 씻을 것이로되 **Link** 사건의 전개 ❸ 십분 용서하여 돌려보내나니, 빨리 돌아가 본토를 지키고 다시 외람(하는 짓이 분수에 지나침)된 뜻 내지 말라. 만일 다시 두 마음을 먹으면 편갑(片甲)(전쟁에 패한 군사를 이르는 말)도 남기지 아니하고 호국을 소멸하리라."

Link
출제자 특강 사건의 전개를 파악하라!

❶ 임경업을 의주 부윤으로 보낸 까닭은?
호국의 침입을 막기 위해

❷ 호국에서 임경업을 두려워하는 이유는?
임경업이 가달을 쳐서 항복을 받았기 때문에

❸ 경업이 되놈을 크게 꾸짖은 이유는?
임경업이 호국을 도와 가달을 물리쳤음에도 불구하고 조선을 침략했기 때문에

하고 끌어 내치니, 되놈들이 쥐가 숨듯 돌아가 제 대장과 군졸을 보고 수말(首末)을 이르니,

장졸들이 크게 노하여

"임경업이 공교한 말로 아국을 능욕하여 군심(軍心)을 미혹케 하니, 맹세코 경업을 죽여 오
늘날 한을 씻으리라." / 하고, 병마 중 정예한 군사를 뽑아 7천을 거느려 압록강에 이르러

강을 사이하고 진세(陣勢)를 베풀고 외치기를,

"조선국 의주 부윤 임경업 필부(匹夫)는 어찌 간사한 말로 나의 군심을 요동(搖動)케 하느뇨.
너의 재주가 있거든 나의 철퇴를 대적하고, 불연즉(不然則) 항복하여 죽음을 면하라."

『경업이 대로하여 급히 배를 타고 물을 건너 말에 올라 청룡검(靑龍劍)을 빗겨 들고 호진(胡陣)
에 달려들어 무인지경(無人之境)같이 좌충우돌하니, 적장의 머리 추풍낙엽같이 떨어지매 적장
이 당해 내지 못하여 급히 달아날세, 서로 짓밟히며 물에 빠져 죽는 자가 그 수를 셀 수 없더라.
경업이 필마단창(匹馬單槍)으로 적진을 파하고 본진으로 돌아와 승전고를 울리며 군사를 호
궤할세, 의주 군졸이 일시에 하례(賀禮)하며 즐기는 소리가 진동하더라.』〈중략〉

　　　　　　　　　　　　　　　　　　　　▶ 의주 부윤이 되어 호군을 물리친 임경업

이때 호왕이 경업에게 패한 후로 분기를 참지 못하여, 다시 제장을 모아 의논하며

"예서 의주가 길이 얼마나 되느뇨?" / 좌우가 대답하기를,

"열하루 길이니, 한편은 갈수풀이요 압록강을 격하였사오니, 월강하여 마군(馬軍)으로 대적
한즉 사문 군졸이 둔취할 곳이 없고, 또한 군사가 패한즉 한갓 죽을 따름이니, 기이한 계교
를 내어 경업을 먼저 피한 후에 군사를 나아감이 좋을까 하나이다."

호왕이 옳게 여겨 용골대(龍骨大)로 선봉을 삼고,

"너는 수만 군을 거느려 가만히 황하수(黃河水)를 건너 동해로 돌아 주야배도(晝夜倍道)하여
가면 조선이 미처 기병치 못할 것이요, 의주서 알지 못할 것이니, 왕도(王都)를 엄습하면 어
찌 항복 받기를 근심하며, 대사를 성공하면 경업을 사로잡지 못하
리오." / 용골대가 청령하고 승선 발행(乘船發行)하니라.

『경업이 호병을 파한 후에 사졸을 조련하여 군기를 수보하고 성첩
을 수축하여 후일을 방비하되, 조정에서는 호병을 파한 후에 의기양
양(意氣揚揚)하여 태평가(太平歌)를 부르고 대비함이 없더니, 국운
이 불행하여 천만의외로 불의지변(不意之變)을 당한지라.』

　　　　　　　　　　　　　　　　　　▶ 호국의 계교를 알지 못하고 태평가를 부르는 조선 대신들

Link
출제자 톡 인물의 특징을 파악하라!
❶ 임경업의 영웅적 면모를 보여 주는 것은?
호병과의 싸움에서 혈혈단신으로 적진에 들
어가 승리를 거둠.
❷ 호병을 파한 뒤에도 후일을 대비하는 것에
서 알 수 있는 임경업의 성격은?
유비무환(有備無患)의 정신이 투철함.
❸ '나라를 위기에 빠뜨린 무능한 위정자들'에
해당하는 인물들은?
호병의 침략을 대비하지 않는 조선의 신하들

핵심장면 ② 호군의 공격에 남한산성에 갇히고 식량이 떨어져 호군에게 항복할 것을 논의하는 부분이다.

『도원수 김자점은 이런 난세(亂世)를 당하였으되 한 계교도 베풀지 못하고, 용골대는 백성의
집을 헐어 뗏목을 만들어 강화로 들어가더라. 강화 유수(江華留守) 김경징(金慶徵)은 좋은 군
기를 고중(庫中)에 넣어 두고 술만 먹고 누웠으니,』도적이 스스로 들어가 왕대비와 세자 대군

을 잡아다가 송파(松坡) 벌에 유진하고 세자 대군을 구류하고 외치기를,
<small>행동하던 군대가 어떤 곳에서 한동안 머무름   잡아서 가둠</small>

"수이 항복치 아니하면 왕대비와 세자 대군이 무사치 못하리라."

하는 소리가 천지진동하더라.
<small>하늘과 땅이 울려서 움직인다는 뜻으로, 소리가 굉장히 크게 남을 이르는 말</small>

> ➤ 왕대비와 세자를 인질로 잡고 진을 친 호군

이때 상이 대신(大臣)과 군졸(軍卒)을 거느리시고 외로운 성(城)에 겹겹이 싸이사 용루(龍淚)
<small>움직이지 않던   임금의 눈물</small>
비 오듯 하시더라. 『김자점은 도적을 물리칠 계교가 없어 태연 부동하던 차에, <mark>도적의 북소리</mark>
<small>마땅히 머뭇거리거나 두려워할 상황에서 태도나 기색이 아무렇지도 않은 듯이 예사로움</small>
<mark>에 놀라 진(陣)을 잃고 군사를 무수히 죽이고 산성 밖에 결진(結陣)하니, 군량(軍糧)은 탕진하</mark>
<small>진을 치니   군대의 식량</small>
<mark>여 사세 위급한데,</mark>』도적은 외치기를
<small>『 』: 변화된 상황에 적절한 대응을 하지 못함</small>
<small>Link 상황에 맞는 말 ❶</small>

"종시 항복하지 아니하면, 우리는 여기서 과동(過冬)하여 여름 지어 먹고 있다가 항복받고
<small>끝내   겨울을 지내면서   농사(를) 지어</small>
가려니와, 너희 무엇 먹고 살려 하느냐? 수이 나와 항복하라."
<small>호국의 우두머리   빨리</small>

하고 한이 봉에 올라 산성을 굽어보며 외는 소리가 진동하니, 상이 들으시고 앙천통곡하며
<small>재주와 꾀 많은 훌륭한 장수   하늘을 쳐다보며 소리를 높여 슬피 욺</small>

"안에는 <mark>양장(良將)이 없고 밖에는 강적(强敵)이 있으니, 외로운 산성을 어찌 보전하며 또한</mark>
<small>다 떨어져 없으니</small>
양식이 진하였으니, 이는 하늘이 과인을 망케 하심이라."

<small>Link 상황에 맞는 말 ❷</small>
하시고 대신과 더불어 항복하심을 의논하는데, 제신이 아뢰기를
<small>여러 신하</small>
"왕대비와 세자 대군이 다 호진(胡陳) 중에 계시니, 국가에 이
런 망극하온 일이 어디 있사오리잇고. 빨리 항복하사 왕대비와
<small>종묘와 사직, 곧 '나라'를 이름</small>
세자 대군을 구하시고 종사를 보전하심이 마땅할까 하나이다."

> ➤ 남한산성에 갇히고 식량마저 떨어져 항복을 논의하는 인조

Link
<small>출제자</small> **특** 상황에 맞는 말을 파악하라!

❶ 군사가 많이 죽은 데다 군량도 탕진한 상황
을 나타내기에 알맞은 한자 성어는?
설상가상(雪上加霜)

❷ 남한산성에 갇힌 채 '앙천통곡'하는 임금의 상
황 인식을 드러내기에 알맞은 한자 성어는?
고립무원(孤立無援)

인조(1595~1649)	인조반정에 성공하여 왕위에 올랐으나, 병자호란과 정묘호란을 겪었으며, 새로운 군영을 설치하고 대동법을 시행함.
임경업(1594~1646)	병자호란 때 중국 명나라와 합세하여 청나라를 치고자 했으나 뜻을 이루지 못하고 김자점의 모함으로 죽음.
김자점(1588~1651)	인조반정 때 공을 세워 벼슬이 영의정에 이르렀으나, 효종이 즉위한 후 파직당하자 이에 앙심을 품고 조선이 북벌을 계획하고 있음을 청나라에 밀고하여 역모죄로 처형됨.
용골대	중국 청나라 장군. 인조 14년(1636)에 사신으로 와서 군신의 의를 맺을 것을 요구하였으나 거절당하자 그해 12월 10만 대군을 거느리고 쳐들어와 병자호란을 일으킴.

최우선 출제 포인트!

1 서술상 특징

인물의 대화와 행동을 중심으로 사건을 전개함.	임경업과 호국 장졸의 말과 행동을 통해 그들의 갈등 상황을 보여 줌.
과장된 표현을 통해 주인공의 영웅성을 나타냄.	'호진에 달려들어~그 수를 셀 수 없더라' 등에서 임경업의 영웅적 행동이 다소 과장되게 그려져 있음.
요약적 진술을 통해 사건의 인과적 관계를 설명함.	경업이 의주 부윤으로 내려옴을 호국 장졸이 듣고 놀라는 이유와 조선이 불의지변을 당한 이유를 요약적으로 서술하여 사건의 인과성을 설명함.

2 이 작품에 담겨 있는 작가의 비판 의식

• 국가를 근심하는 신하들이 없음.
• 임경업이 호병을 물리치자 조정에서는 의기양양하여 태평가를 부르고 대비함이 없음.
➡ 호병의 침략을 대비하지 않는 조신들(나라를 위기에 빠뜨린 무능한 위정자들)을 비판함.

최우선 핵심 Check!

1 다음 내용 중 맞는 것은 ○표를, 틀린 것은 ×표를 하시오.
(1) 허구적 인물인 임경업 장군의 영웅적인 일생과 비극적 죽음을 그려 낸 역사 군담 소설이다. ( )
(2) 과장된 표현을 통해 주인공의 영웅성을 나타내고 있다. ( )
(3) 인물의 대화와 행동을 중심으로 사건을 전개하고 있다. ( )
(4) 인물들의 대립 구도를 통해 서사적인 흥미를 높이고 있다. ( )

2 초성 힌트를 보고 빈칸에 들어갈 알맞은 말을 쓰시오.
(1) 글쓴이는 호병의 침략을 대비하지 않는 조선의 ㅅㅎ 들을 비판하고 있다.
(2) 허구적으로나마 ㅂㅈㅎㄹ (으)로 인한 치욕을 위로하고, 위축된 민족의 사기를 진작시키고 있는 군담 소설이다.

<small>정답 1. (1) × (2) ○ (3) ○ (4) ○ 2. (1) 신하 (2) 병자호란</small>

출제 빈도 82%

10위

운영전(雲英傳) | 작자 미상

성격 비극적, 염정적　**시대** 조선 시대
주제 궁녀 운영과 선비 김 진사의 이루어질 수 없는
비극적인 사랑

소설

이 작품은 안평 대군이 거처하였던 수성궁에 놀러 간 유영이 꿈속에서 궁녀 운영과 김 진사를 만나 그들의 슬픈 사랑 이야기를 듣고 깨어 보니 두 사람은 없고 김 진사가 그들의 이야기를 기록한 서책만 남아 있더라는 내용의 염정 소설이다.

주요 사건과 인물

외화
수성궁 옛터에서 잠든 유영이 꿈속에서 운영과 김 진사를 만나 그들의 비극적인 사랑 이야기를 듣게 됨.

내화 1
안평 대군의 궁녀 운영이 김 진사와 사랑에 빠져 서로 편지를 주고받음.

내화 2
김 진사와 운영은 도망갈 계획을 세우지만, 김 진사의 종 특의 고발로 발각되고, 운영은 자결함.

내화 3
슬픔을 이기지 못한 김 진사 역시 식음을 전폐하고 세상을 떠남.

외화
자신들의 이야기를 세인들에게 전해 달라고 당부함. 유영은 잠에서 깨어 두 사람의 일을 기록한 책을 발견함.

운영
안평 대군의 궁녀이지만, 김 진사와의 사랑을 꿈꾸다가 결국 좌절하는 인물

김 진사
수려한 용모에 재능이 뛰어난 선비로 궁녀 운영과 사랑에 빠지는 인물

유영
운영과 김 진사로부터 그들의 비극적인 사랑 이야기를 전해 듣는 선비

핵심장면 ① 운영과 김 진사의 관계를 의심하는 안평 대군으로 인해 운영과 김 진사가 이별하게 되는 부분이다.

『하루는 대군이 서궁의 수헌에 앉아 계시다가 왜철쭉이 활짝 핀 것을 보고, 시녀들에게 각기
_{안평 대군이 학업에 전념하도록 운영, 자란, 은섬, 옥녀, 비취를 거처하도록 한 곳}
오언 절구(五言絶句)를 지어서 바치라고 명령했습니다.』 시녀들이 지어서 올리자, 대군이 크게
_{비단으로 수놓은 아름다운 가을} _{한 구가 다섯 글자로 된 절구} _{『 』안평 대군이 풍류를 즐기는 인물임을 알 수 있음}
칭찬하여 말했습니다.

□ : 주요 인물

"너희들의 글이 날마다 점점 나아지고 있어서 매우 기쁘다. 다만 운영의 시에는 님을 그리워
_{운영이 지은 시의 주제}
하는 마음이 나타나 있다. 지난번 부연시(賦燃詩)에서도 그러한 마음이 희미하게 엿보였는
_{안평 대군이 나무에서 연기가 피어오르는 것을 보고 궁녀들에게 짓게 한 시} _{집에 대들보를 얹을 때 써넣는 복을 비는 글}
데 지금 또 이러하니, 네가 따르고자 하는 사람이 어떤 사람이냐? 김 진사의 상량문에도 말
이 의심스러운 데가 있었는데, 네가 생각하는 사람이 김 진사 아니냐?" **Link** 작중 상황 ❶
_{이전에 김 진사가 지은 상량문에 있던 '담장을 좋아서 그윽이 풍류곡을 훔치네.'라는 구절을 말함}
❯운영과 김 진사의 연정을 의심하는 안평 대군

저는 즉시 뜰로 내려가 머리를 조아리고 울면서 말했습니다.
_{궁녀가 외간 남자와 정을 통하는 것이 금기였기 때문에 나온 행동}
"지난번 주군께 처음 의심을 사게 되자마자 저는 스스로 목숨을 끊으려고 했었습니다. 그러
나 제 나이가 아직 이십도 되지 않은데다가 다시 부모님도 뵙지 못하고 죽는 것이 매우 원통
_{궁녀가 되면 부모 마음대로 만나지 못함 − 억압적인 궁중 생활에 대한 한(恨)이 나타남}
한지라, 목숨을 아껴 여기까지 이르렀습니다. 그런데 또 의심을 받게 되었으니, 한 번 죽는
Link 작중 상황 ❷
것이 무엇이 아깝겠습니까? 천지의 귀신들이 죽 늘어서 밝게 비추고 시녀 다섯 사람이 한순
_{천지신명이 지켜보고, 다섯 궁녀가 늘 자신과 함께 있었음을 들어 결백을 주장함}
간도 떨어지지 않고 함께 있었는데, 더러운 이름이 유독 저에게만 돌아오니 사는 것이 죽는
것보다 못합니다. 제가 이제야 죽을 곳을 얻었습니다."
❯대군의 의심을 받아 죽기를 결심하는 운영

Link 작중 상황 ❸

저는 즉시 비단 수건을 난간에 매어 놓고 스스로 목을 매었습니다.
이때 자란이 말했습니다.

"주군께서 이처럼 영명(英明)하시면서 죄 없는 시녀로 하여금 스
_{뛰어나게 지혜롭고 총명하시면서} _{운영을 가리킴}
스로 사지(死地)로 나가게 하시니, 지금부터 저희들은 맹세코 붓을
_{자결하도록 하시니} _{자란이 단호한 어조로 운영의 결백을 호소하며 절필을 선언함}
들어 글을 쓰지 않겠습니다."

대군은 비록 화가 많이 났지만, 마음속으로는 진실로 제가 죽는 것
_{안평 대군이 운영을 아끼고 있다는 것을 알 수 있음}

Link

출제자 톡! 작중 상황을 파악하라!

❶ 운영과 김 진사의 사랑이 직접적인 위기를 맞게 되는 계기는?
운영이 쓴 시를 본 안평 대군이 운영과 김 진사의 사이를 의심하게 됨.

❷ 운영의 말로 알 수 있는 운영의 처지는?
아직 20세도 되지 않았으며, 부모조차 마음대로 못 만나는 억압된 생활을 하고 있음.

❸ 운영이 죽으려 한 이유는?
안평 대군이 자신과 김 진사의 사이를 의심하자 위기감을 느낌.

은 바라지 않았습니다. 그래서 자란으로 하여금 저를 구하여 죽지 못하게 했습니다. 그런 뒤 대군은 흰 비단 다섯 단(端)을 내어서 다섯 사람에게 나누어 주면서 말했습니다.

"너희가 지은 시들이 가장 아름답기에 이것을 상으로 주노라."

안평 대군의 양면성 – 궁녀들을 억압하는 동시에 칭찬하면서 상을 줌 ▶ 운영을 용서하고 궁녀들에게 상을 내리는 안평 대군

이때부터 진사는 다시는 궁궐을 출입하지 못하고 집에 틀어박힌 채 병들어 눕게 되었습니

안평 대군이 거처하는 곳 – 운영과 김 진사의 사랑을 가로막는 장애물, 자유로운 삶을 억압하는 폐쇄적 공간 / 운영에 대한 그리움 때문에 상사병에 걸림

다. 눈물이 이불과 베개에 흩뿌려졌으며, 목숨은 한 가닥 실낱같았습니다. 특이 와서 보고는

운영을 만날 수 없는 김 진사의 비참한 처지가 드러남 / 김 진사의 종

말했습니다.

"대장부가 죽으면 죽는 것이지, 어떻게 차마 임을 그리워하다 원한이 맺혀 좀스런 여자들처럼 상심하고, 또 천금 같은 귀중한 몸을 스스로 던져 버리려 하십니까? 이제 마땅히 꾀를 쓰시면 그 여자를 얻는 것은 어렵지 않을 것입니다. 한적하고 깊은 밤에 담을 넘어 들어가서 솜으로 입을 막고 업어서 나오면 누가 감히 우리를 쫓아올 수 있겠습니까?"

운영을 납치하자고 제안함 – 특의 음흉한 성격을 알 수 있음

진사가 말했습니다.

"그 계획 역시 위험하여 성심으로 호소하는 것만 못할 것이다."

정성스러운 마음 ▶ 운영 때문에 상사병에 걸린 김 진사에게 운영의 납치를 제안하는 특

그날 밤 진사가 들어왔는데, 저는 병으로 일어날 수가 없어서 자란에게 진사를 맞아들이게

자란은 운영과 김 진사의 관계를 알고 있음

했습니다. 술이 세 잔 정도 돌아간 후에 제가 봉한 편지를 드리면서 말했습니다.

운영이 김 진사에게 이별을 고하는 편지

"이후부터는 다시 뵐 수 없으니, 삼생(三生)의 인연과 백 년의 약속이 오늘 저녁에 모두 끝났

불교에서 전생, 현생, 내생인 과거세, 현재세, 미래세를 통틀어 이르는 말

습니다. 만약 하늘이 정해 준 인연이 아직 끊어지지 않았다면 마땅히 저승에서나 서로 만나

김 진사와 운영의 인연이 이승에서 맺어지지 못하고 저승(천상계)에서 맺어질 것임을 암시함

볼 수 있을 것입니다."

▶ 김 진사에게 이별을 고하는 운영

진사는 편지를 품속에 넣고 우두커니 서서 묵묵히 바라보다가 가슴을 두드리고 눈물을 흘리면서 나갔습니다. 자란은 저희들이 불쌍하여 차마 보지 못하고 기둥에 몸을 숨긴 채 눈물을 흩뿌리며 서 있었습니다. 진사가 집으로 돌아가 편지를 뜯어보니, 그 글에 일렀습니다.

'박명한 첩 운영은 낭군께 재배하고 사룁니다. 저는 변변치 못한 자질로서 불행히도 낭군의

복이 없고 팔자가 사나운 / 말씀을 올립니다

사랑을 받게 되었습니다. 그 이후 우리는 얼마나 서로를 그리워하고 갈망했었습니까? 다행스럽게도 하룻밤의 즐거움을 이룰 수는 있었으나, 바다처럼 깊은 우리의 사랑은 미진하기만

아직 다하지 못함

합니다. 인간 세상의 좋은 일을 조물(造物)이 시기한 탓으로 궁인들이 알고 주군이 의심하게

조물주. 우주의 만물을 만들고 다스리는 신 / 안평 대군

되어 마침내 재앙이 눈앞에 닥쳤으니, 죽은 뒤에나 이 재앙이 그칠 것입니다. 엎드려 바라건대, 낭군께서는 이별한 후에 비천한 저를 가슴속에 새겨 근심하지 마시고, 더욱 학업에 힘써 과거에 급제한 뒤 높은 벼슬길에 올라 후세에 이름을 드날리고 부모님을 현달케 하십시오.

입신양명 – 유교적 가치관이 드러남 / 벼슬. 명성. 덕망이 높아서 이름이 세상에 드러남

제 의복과 재물은 다 팔아 부처께 공양하시고, 갖가지로 기도하고 지성으로 소원을 빌어 삼생의 연분을 후세에 다시 잇도록 해 주십시오. 그렇게만 해 주신다면 더없이 좋겠나이다! 좋

후생에서 김 진사와의 인연이 이어지길 바람

겠나이다!'

진사는 편지를 다 읽지도 못하고 기절하여 땅에 쓰러졌는데, 집안사람들이 급히 구하여 겨
<u>운영을 향한 김 진사의 절실한 그리움과 그의 여리고 섬세한 성격을 나타냄</u>
우 깨어났습니다.

❯ 운영의 편지를 읽고 기절하는 김 진사

핵심장면 ② 운영이 김 진사와 도망갈 계획을 안평 대군에게 들키고, 동병상련을 느낀 서궁의 궁녀들이 운영을 두둔하지만, 자책감을 느
낀 운영이 자결하는 부분이다.

"이 다섯 사람을 죽여서 다른 사람들을 경계하라."
<u>궁녀와 외간 남자의 사랑을 철저하게 금지하려는 안평 대군의 의도가 드러남. 관련 한자 성어: 일벌백계(一罰百戒)</u>
대군은 또 곤장을 잡은 사람에게 지시하여 말했습니다.

"곤장 수를 헤아리지 말고 죽을 때까지 때려라."
<u>안평 대군의 잔혹한 성격이 드러남</u>
이에 우리 다섯 사람이 말했습니다.

"한마디 말만 하고 죽기를 원합니다."

대군이 말했습니다.

"무슨 말이든지 그간의 사정을 다 털어놓도록 해라."

❯ 서궁의 궁녀들을 문초하는 안평 대군

은섬이 초사(招辭)를 올리니,
<u>조선 시대에 죄인이 범죄 사실을 진술하던 일</u>
"남녀의 정욕은 음양의 이치에서 나온 것으로, 귀하고 천한 것의 구별이 없이 사람이라면 모
『 』남녀 사이에 생기는 정은 사랑이라면 누구나 가진 자연스러운 감정임
두 다 갖고 있는 것입니다.』그런데 저희는 한번 깊은 궁궐에 갇힌 이후 그림자를 벗하며 외
<u>외부 세계와 단절된 궁녀들의 궁중 생활</u>
롭게 지내 왔습니다. 그래서 꽃을 보면 눈물이 앞을 가리고, 달을 대하면 넋이 사라지는 듯
하였습니다. 『저희들이 매화 열매를 꾀꼬리에게 던져 쌍쌍이 날지 못하게 하고, 주렴으로 막
『 』짐승들도 암수가 정답게 지내는데, 인간인 자신들은 마음대로 사랑하지 못하는 것에 대한 한(恨)이 드러남
을 쳐서 제비 두 마리가 같은 둥지에 깃들지 못하게 하는 것도 다름이 아닙니다. 저희 스스
<u>궁녀들의 처지와 대비되는 대상. 선망과 질투의 대상</u>
로 쌍쌍이 노니는 꾀꼬리와 제비를 부러워하고 질투하는 마음을 견딜 수 없었기 때문입니
<u>남녀 간의 애정을 비롯하여 세상에서 누릴 수 있는 즐거움</u> Link 소재의 상징적 의미 ❶
다.』한번 궁궐의 담을 넘으면 인간 세상의 즐거움을 알 수 있습니다. 그럼에도 저희가 궁궐
Link 소재의 상징적 의미 ❷
의 담을 넘지 않는 것은 어찌 힘이 부족하며 마음이 차마 하지 못해서 그러하겠습니까? 저
<u>외간 남자와 정을 통하지 않고 안평 대군에 대한 지조와 절개를 지키는 것</u>
희들이 이 궁중에서 꾀할 수 있는 일은 오로지 주군의 위엄이 두려워 이 마음을 굳게 지키다
<u>안평 대군의 위세에 대한 궁녀들의 두려움 죽을 곳, 또는 죽어야 할 장소</u>
가 말라 죽는 길뿐입니다. 그런데도 주군께서는 이제 죄 없는 저희들을 사지(死地)로 보내려
Link 소재의 상징적 의미 ❸
하시니, 저희들은 황천(黃泉) 아래서 죽더라도 눈을 감지 못할 것입니다."
Link 인물의 의도 ❶ <u>지승</u>   ❯ 자연스러운 인간의 본성과 성정을 억압하는 궁중 제도를 간접적으로 비판하는 은섬
비취가 초사를 올려 말했습니다.

"주군께서 보살펴 주신 은혜는 산보다 높고 바다보다도 깊습니다. 저희들은 감격스러움과
<u>과장법   궁녀들을 대하는 안평 대군의 이중적인 태도에서 오는 반응</u>
두려움에 오로지 글짓기와 거문고 연주만을 일삼고 있을 따름입니다. 이제 씻지 못할 악명이 두루 서궁에까지 이르렀으니, 사는 것이
<u>서궁의 궁녀가 외부인과 만났다는 소문</u>
죽는 것보다 못하게 되었습니다. 오로지 엎드려 바라건대, 사지에
빨리 나가고 싶을 뿐입니다."   ❯ 억울한 누명을 썼으니 차라리 죽는 것이 낫다는 비취의 초사
<u>악명을 썼으니 차라리 죽는 것이 낫다는 의미</u>
자란이 초사를 올려 말했습니다.

"오늘의 일은 죄가 헤아릴 수 없을 정도로 크니, 마음속에 품은 생

Link
출제자 톡 소재의 상징적 의미를 파악하라!
❶ 궁녀들과 대비되는 대상 두 가지는?
  꾀꼬리와 제비
❷ '궁궐의 담'의 기능은?
  외부 세계를 차단하여 궁녀의 생활을 제한
  하는 기능
❸ '궁궐'의 상징적 의미는?
  운영과 김 진사의 사랑을 가로막는 현실적
  장벽 또는 사회적 제약을 의미하는 폐쇄적
  공간

고전 산문 51

각을 어떻게 차마 속이겠습니까?『저희들은 모두 항간(巷間)의 천한 여자로, 아버지가 대순
_{평범한 사람들, 관련 한자 성어: 갑남을녀(甲男乙女)} _{'순임금'을 높여 이르는 말}
도 아니며, 어머니는 이비도 아닙니다. 그러니 남녀의 정욕이 어찌 유독 저희들에게만 없겠
_{순임금의 두 아내인 아황과 여영}
습니까? 천자인 목왕도 매번 요대(瑤臺)의 즐거움을 생각했고, 영웅인 항우도 휘장 속에서
『 』: 자신들에게도 남녀의 정욕이 있음을 강조함   훌륭한 궁전
눈물을 금하지 못했는데, 주군께서는 어찌 운영만이 유독 운우지정(雲雨之情)이 없다 하십
구름 또는 비와 나누는 정이라는 뜻으로, 남녀 간의 정교(情交)를 이르는 말
니까? 김생은 곧 우리 세대에서 가장 단아한 선비입니다.『그를 내당(內堂)으로 끌어들인 것
김 진사   안주인이 거처하는 방
[Link] 인물의 의도 ❷
은 주군의 일이었으며, 운영에게 벼루를 받들라 한 것은 주군의 명이었습니다.』운영은 오래
『 』: 안평 대군의 자업자득(自業自得)임
도록 깊은 궁궐에 갇히어 가을 달과 봄꽃에 매번 성정(性情)을 잃었고, 오동잎에 떨어지는
밤비에는 애가 끊어지는 듯 고통스러워했습니다. 그러다가 호남(豪男)을 한번 보고서 심성
호걸의 풍모나 기품이 있고 풍채가 좋은 사나이
(心性)을 잃어버렸으며, 마침내 병이 골수에 사무쳐 비록 불사약이나 월인의 재주라 할지라
중국 춘추 시대의 명의인 편작의 의술
도 효험을 보기 어렵게 되었습니다. 운영이 하룻저녁에 아침 이슬처럼 스러진다면, 주군께
관련 한자 성어: 인생초로(人生草露)
서 비록 측은한 마음을 두시더라도 돌이켜 보건대 어떤 이익이 있겠습니까? 저의 어리석은
생각으로는, 김생으로 하여금 운영을 만나게 하여 두 사람에게 맺힌 원한을 풀어 주신다면,
주군의 적선(積善)이 이보다 큰 것이 없을 것입니다. 지난날 운영이 훼절(毀節)한 것은 죄가
선행을 쌓음   절개나 지조를 깨뜨림
저에게 있지 운영에게 있지 않습니다. 저의 이 한마디 말은 위로는 주군을 속이지 않고 아래
운영을 대신하여 죽고자 함
로는 동료를 저버리지 않았으니, 오늘의 제 죽음 또한 영광스러울 것입니다. 엎드려 바라건
대, 주군께서는 제 몸으로써 운영의 목숨을 잇게 해 주십시오."   ▶운영을 두둔하는 자란
관련 한자 성어: 살신성인(殺身成仁)
옥녀가 초사를 올려 말했습니다.

"서궁의 영광을 제가 이미 함께했는데, 서궁의 재난을 저만 홀로 면하겠습니까? 곤강에 불
옥이 많이 나왔다는 중국 전설상의 높은 산
이 나서 옥석구분 하였으니, 오늘의 죽음은 제가 마땅히 죽을 곳을 얻은 것입니다."
옥이나 돌이 모두 다 불에 탄다는 뜻으로, 옳은 사람이나 그른 사람이 구별 없이 모두 재앙을 받음을 이르는 말
▶서궁의 궁녀들과 죽음을 같이하겠다는 옥녀
제가 초사를 올려 말했습니다.

                                                     굳게 지킴
"주군의 은혜는 산과 같고 바다와 같습니다. 그런데도 능히 정절을 고수(固守)하지 못한 것
직유법, 과장법   운영의 죄 ①
이 저의 첫 번째 죄입니다. 지난날 제가 지은 시가 주군께 의심을 받게 되었는데도 끝내 사
운영의 죄 ②
실대로 아뢰지 못한 것이 저의 두 번째 죄입니다. 죄 없는 서궁 사람들이 저 때문에 함께 죄
운영의 죄 ③
를 입게 된 것이 저의 세 번째 죄입니다. 이처럼 세 가지 큰 죄를 짓고서 무슨 면목으로 살겠
습니까? 만약 죽음을 늦춰 주실지라도 저는 마땅히 자결할 것입니다. 처분만 기다립니다."
운영의 의지적 태도   ▶자신의 죄를 인정하고 자결하려는 운영
대군은 우리들의 초사를 다 보고 나서, 또다시 자란의 초사를 펼쳐 놓고 보더니 점차 노기
역사적 인물들의 '운우지정'의 고사를 통해 설득한 자란의 초사에 화가 누그러짐
(怒氣)가 풀리었습니다.
[Link] 인물의 의도 ❸
이때 소옥이 무릎을 꿇고 울면서 아뢰었습니다.

"지난날 완사를 성내(城內)에서 하지 말자고 한 것은 제 의견이었
빨래를 함
습니다. 자란이 밤에 남궁에 와서 매우 간절하게 요청하기에, 제가
그 마음을 불쌍히 여겨 여러 사람의 의견을 배척하고 따랐던 것입
다른 궁녀들은 궁궐 안에서 빨래를 하자고 했음
니다. 그러니 운영의 훼절은 죄가 제 몸에 있지 운영에게 있지 않
운영이 길 밖으로 빨래를 하러 나가서 김 진사를 만난 것. 안평 대군에 대한 지조와 절개를 깨뜨리는 행위

Link
출제자 特 인물의 의도를 파악하라!
❶ 은섬이 '죄 없는 저희들'이라고 말한 이유는?
자연스러운 인간의 본성조차 억누르며 정절
을 지켜 왔기 때문에
❷ 자란이 '운우지정'에 대한 고사를 인용함으
로써 강조하고자 한 것은?
남녀 간의 애정은 자연스러운 것이라는 점
❸ 궁녀들이 초사를 올린 의도는?
운영을 옹호하기 위해서

습니다. 엎드려 바라건대, 주군께서는 제 몸으로써 운영의 모습을 이어 주십시오."

> ❯ 운영의 훼절이 자기 때문이라면서 운영 대신 죽겠다고 말하는 소옥

대군의 분노가 점차 풀어져서 저를 별당에 가두고, 그 나머지 사람은 모두 풀어 주었습니다.

그날 밤 저는 비단 수건에 목을 매어 자결하였습니다.

> ❯ 자신의 죄를 인정하고 자결한 운영

비극적 결말 – 현실의 지배 질서를 인정할 수밖에 없다는 작가 의식이 반영됨

- ● 천자인 목왕도 ~ 즐거움을 생각했고: 주나라의 목왕이 요대에서 서왕모를 만나 함께 노니느라고 돌아오기를 잊었다는 고사에서 나온 말.
- ● 영웅인 항우도 ~ 금하지 못했는데: 항우가 해하에서 한나라 군사에게 포위되었을 때, 「해하가」를 지어 우미인과 함께 부르면서 눈물을 흘렸다고 한 데서 나온 말.

최우선 출제 포인트!

1 일반적인 몽유록계 소설과의 차이점

일반적인 몽유록계 소설	운영전
• 꿈과 현실이 명확하게 구별됨. • 현실 세계의 주인공과 꿈속 세계의 주인공이 동일 인물인 경우가 많음. • 현실에서 잠이 들어 꿈을 꾸고, 꿈속의 이야기가 펼쳐지다가 잠이 깨어 다시 현실로 돌아오며, 이야기의 중심이 꿈속 사건에 있음.	• 현실 세계의 주인공은 유영, 꿈속 세계의 주인공은 운영과 김 진사임. • 유영이 운영과 김 진사를 만나 그들의 비극적인 사랑 이야기를 듣는 중심 부분이 꿈속에서가 아니라 현실, 즉 유영이 잠을 깬 후에 이루어지는 것으로 서술되어 있어 현실감이 느껴짐.

2 '궁궐'의 상징적 의미

이 작품의 공간적 배경은 절대 권력을 지닌 안평 대군이 거처했던 수성궁이다. 궁궐 안에는 왕족과 궁녀라는 중세적 신분 질서가 존재하는데, 궁녀들은 자신의 의지와 상관없이 자신이 섬기는 왕족을 위하여 경전과 시문을 익혀야 한다. 뿐만 아니라 자신이 섬기는 왕족 외에는 다른 남자를 사랑할 수도 없고, 궁궐 밖을 마음대로 다니지도 못하고 부모조차 뜻대로 만날 수 없다. 따라서 이 작품에서 '궁궐'은 운영과 김 진사의 사랑을 가로막는 현실적 장벽 또는 사회적 제약을 의미하는 폐쇄적 공간을 상징한다고 볼 수 있다.

3 '운영'과 '김 진사'의 성격

운영	• 궁궐 안에서의 억압적인 삶에서 벗어나 참된 삶을 살고 싶어 함. • 순결하고 뜨거운 정열과 지성을 지님. • 사랑을 실현하고자 하는 의지가 강함. • 자신의 신념에 따라 주관 있게 행동함. • 현실적 장애에 당당히 맞서고자 함.
김 진사	• 글솜씨가 뛰어남. • 자신의 사랑이 현실적 장벽에 가로막히자 죽음을 택함으로써 영원한 사랑을 획득함. • 사랑을 이루기 위해 적극적으로 행동하지 못하는 소심한 성격임.

4 '운영'의 죽음의 의의

운영의 죽음은 단순한 현실의 한계에 대한 좌절 때문에 택한 것이 아니라, 이성에 대한 순수한 사랑이라는 감정마저 마음대로 드러낼 수 없는 유교 사회의 부조리와 외부와 철저하게 단절된 채 살아야만 하는 궁녀의 억압된 삶에 대한 저항이라 볼 수 있다. 나아가 운영의 죽음은 진정한 자아 추구와 인간성 해방이라는 적극적인 의미를 담고 있다.

5 궁녀들이 안평 대군에게 고한 내용

은섬	남녀의 정욕은 음양의 이치에서 비롯되는데 궁녀들은 그 이치를 따르지 못하고 말라 죽어 감.
비취	궁녀들은 주군이 시키는 대로 따르지 않았으므로 죽어야 함.
자란	자신이 운영과 김 진사를 만나게 하였으니, 그 죗값을 치르기 위해 운영을 대신해 죽고자 함.
옥녀	자신도 서궁 궁녀들과 함께 죽음을 받고자 함.
소옥	운영이 훼절하게 된 책임이 자신에게 있으므로, 자신이 운영을 대신해 죽고자 함.

최우선 핵심 Check!

1 다음 내용 중 맞는 것은 ○표를, 틀린 것은 ×표를 하시오.

(1) 남녀의 신분을 초월한 희극적 사랑을 형상화한 소설이다.　(　　)

(2) 궁궐의 담을 넘는 것은 안평 대군의 권위에 도전하는 것이다. (　　)

2 초성 힌트를 보고 빈칸에 들어갈 알맞은 말을 쓰시오.

(1) 액자 속 이야기는 주인공인 ○○ 의 시선에 포착된 현실을 중심으로 전개된다.

(2) 운영을 ㄱㄴ (으)로 설정함으로써 남녀 간의 자유로운 사랑을 이야기함과 동시에, 인간의 근본적 욕망을 억압하는 당시의 사회상을 비판하고 있다.

정답 1. (1) × (2) ○ 2. (1) 운영 (2) 궁녀

조웅전(趙雄傳) | 작자 미상

성격 도술적, 영웅적, 비현실적　**시대** 조선 후기
주제 진충보국(盡忠報國)과 자유연애

소설

이 작품의 주인공인 조웅은 온갖 어려움을 이겨 내고 태자를 복위시키는 전형적인 영웅이자 충신이다. 소설의 전반부는 조웅의 고행담과 애정담, 후반부는 조웅의 영웅적 무용담으로 구성되어 있다.

주요 사건과 인물

발단
간신 이두병의 참소로 문제 때의 공신 조정인이 자결하고, 조정인의 아들 조웅은 모해를 피해 도망함.

전개
문제가 승하하자 이두병은 태자를 축출한 뒤 제위에 오르고, 조웅은 도승을 만나 무술을 익히고 장 소저와 혼인함.

위기
조웅은 위국을 침공한 서번군을 격퇴하고, 이두병이 태자를 죽이기 위해 보낸 사자를 물리치고 태자를 구출함.

절정
조웅이 영웅, 명장을 규합하여 이두병의 군대를 물리침.

결말
조웅은 태자를 등극시키고 제후의 자리에 오름.

조웅
온갖 어려움을 극복하고 태자를 복위시키는 영웅이자 충신의 전형이며, 진보적인 자유연애를 하는 낭만적 인물

↔

이두병
충신인 조웅의 아버지를 참소하고, 황제가 죽은 뒤 태자를 몰아내고 황제를 칭하는 간신의 전형

핵심장면 ①　이두병이 황제의 자리에 오르고, 어린 조웅이 위기에 처하는 장면이다.

이때 송 태자를 외객관[외국 사신을 접대하던 관사]에 두었더니 조신(朝臣)[조정에서 벼슬살이를 하는 신하]이 다시 간하여 태산 계량도에 정배 안치하여 소식을 끊게 하니라. [죄인을 지방이나 섬으로 보내 정해진 기간 그 지역 내에서 감시를 받으며 생활하게 하던 일이나 형벌] 이날 왕 부인 모자 태자 정배함을 듣고 망극하여,

"우리 도망하여 태자를 따라 사생(死生)을 한가지로 하고 싶으나 종적이 현로(顯露)[숨긴 일을 드러냄]하면 지레 죽을 것이니 어찌하리오?" [어떤 일이 일어나기 전 또는 기회나 때가 무르익기 전에 미리]

□ : 주요 인물

하며 모자 주야 통곡하더니, 일일은 웅[조웅]이 황혼에 명월(明月)을 대하여 복수할 모책(謀策)[어떤 일을 처리하거나 모면할 꾀]을 생각하더니 마음이 아득하고 분기탱천(憤氣撐天)[분한 마음이 하늘을 찌를 듯 격렬하여 북받쳐 오름]한지라. 답답한 마음을 참지 못하고 부인 모르게 중문에 내달아 장안 대도상(大道上)에 두루 걸어 한 곳에 다다르니 관동(冠童)[남자 어른과 남자아이를 아울러 이르는 말]이 모여 시절 노래를 부르거늘 들으니 그 노래 하였으되,

Link 삽입 시의 의미와 기능 ❶
국파군망(國破君亡)하니 무부지자(無父之子) 나시도다.
[나라가 망하고 임금이 죽자 아비 없는 아들이 났다는 말로 조웅의 원수인 '이두병'이 왕위를 찬탈한 일을 한탄하는 말]
문제(文帝)가 순제(順帝) 되고 태평이 난세로다.
천지가 불변하니 산천을 고칠소냐. / 삼강(三綱)이 불퇴(不退)하니 오륜을 고칠소냐.
청천백일 우소소(靑天白日雨簫簫)[맑은 하늘에 떨어지는 비]는 / 충신원루(忠臣冤淚)[충신의 원한 섞인 눈물] 아니시면 소인(騷人)의 하소연이로다.
슬프다 창생(蒼生)[세상의 모든 사람]들아, 오호(五湖)에 편주(片舟)[작은 배] 타고 / 사해에 노니다가 시절을 기다려라.

Link
출제자 특강 삽입 시의 의미와 기능을 파악하라!

❶ 삽입된 시의 중심 내용은?
문제가 죽고 나서 근본이 없는 이두병이 황제의 자리를 찬탈한 것에 대한 한탄

❷ 시절 노래를 듣고 난 후 조웅의 심리는?
분함을 이기지 못함.

❸ 삽입 시의 주요 기능 두 가지는?
충(忠)이라는 주제를 집약적으로 전달하면서 조웅의 분노를 자극하여 더 급박한 시련의 상황으로 이끄는 기능을 함.

웅이 듣기를 다함에 분을 이기지 못하고 두루 걸어 경화문에 다다
Link 삽입 시의 의미와 기능 ❷
라 대궐을 바라보니 인적은 고요하고 월색은 가득한데 수쌍 부안(鳧鴈)[오리와 기러기]은 지당(池塘)[연못]에 범범(汎汎)[떠다니고]하고, 십 리 원중(苑中)에 무비전조지경물(無非前朝之景物)[전 왕조의 경치와 물건이 아닌 것이 없음]이라 전조사(前朝事)[바로 전대 왕조에서 있었던 일]를 생각하니 일편단심(一片丹心)[변치 않는 마음]에 굽이굽이 쌓인 근심 갑자기 생기는지라. 담장을 넘어 들
Link 삽입 시의 의미와 기능 ❸
어가 이두병을 대하여 사생(死生)을 결단하고자 싶되 강약(强弱)[아직 힘이 부족함]이

부동이다. 문 안에 군사 수다(數多)하고 문을 굳이 닫았는지라 할 수 없어 그저 돌아서며 분을
수가 많음
참지 못하여 필낭(筆囊)의 붓을 내어 경화문에 대서특필(大書特筆)하여 이두병을 욕하는 글 수
붓 주머니   두드러지게 보이도록 글자를 크게 씀
삼 구를 지어 쓰고 자취를 감추어 돌아오니라.

<u>Link</u> 삽입 시의 의미와 기능 ❸   ❯ 원수 이두병이 황제로 등극하자 경희문에 욕하는 글을 쓴 조웅

『이날 왕 부인이 <u>등하(燈下)</u>에서 한 꿈을 얻으니 승상 <u>조정인</u>이 들어와 부인의 몸을 만지며
             등불 아래   조웅의 아버지
말하기를,

"부인이 무슨 잠을 깊이 자나이까? <u>날이 새면 큰 환을 당할 것이니</u> 웅을 데리고 급히 도망
                                앞으로 있을 일을 알게 됨
하소서." / 하거늘 부인이 망극하여 말하기를,   <u>Link</u> 인물이 처한 상황 ❶

"이 깊은 밤을 어디로 가리이까?" / 승상이 말하기를,

"수십 리를 가면 자연 구할 사람이 있을 것이니 급히 떠나소서."

하거늘 놀라 깨달으니 남가일몽(南柯一夢)이라. 웅을 찾으니 또한 없는지라.
                                        ❯왕 부인의 꿈에 나타나 위기 상황을 미리 알려 주는 조정인
<u>대경실색(大驚失色)</u>하여 문밖에 내달아 두루 살펴보니 인적이 없는지라. 정신이 <u>창황하여</u>
몹시 놀라 얼굴빛이 하얗게 질림   놀라거나 다급하여 어찌할 바를 모름
<u>이윽히</u> 중문을 바라보더니, 웅이 급히 들어오거늘 부인이 크게 놀라 묻기를,
밤이 꽤 깊어

"이 깊은 밤에 어디를 갔더냐?" / 웅이 말하기를,

"마음이 산란하와 <u>월색</u>을 따라 거리를 배회하여 돌아오나이다."
              달빛

"아까 꿈을 얻으니 네 부친이 와 이리이리 하니, 가다가 죽을지라도 어찌 앉아서 죽음을 기
                    조정인
다리리오. 바삐 <u>행장(行裝)</u>을 차리라." / 한대, 웅이 놀라 말하기를,
          여행할 때 쓰는 물건과 차림

"소자 아까 나가 동요를 들사오니 이리이리 하옵거늘, 분김에 경화문에 다다라 이리이리 쓰
고 왔나이다." / 부인이 놀라 꾸짖어 말하기를,

"어린아이 이렇듯 일을 <u>망령(妄靈)</u>되이 하느냐? 그렇지 아니하여도 마음이 우물가에 어린아
                      늙거나 정신이 흐려서 말이나 행동이 정상을 벗어남
이 세워 둠과 같거늘 어찌 그리 경박하냐? 새는 날 그 글을 보면 <u>경각</u>에 죽을 것이니 바삐
                                                        눈 깜박할 사이
행장을 차려 도망하자."

하고 약간 의복과 행장을 모자 힘대로 가지고 바로 충렬 묘조에 들어가니 『화상의 얼굴이 붉고
                                    그림의 얼굴   조웅의 아버지를 모신 사당   초상화
땀이 나 <u>화안(畫顏)</u>을 적셨거늘 모자 나아가 <u>안하(案下)</u>에 엎드려 크게 울지 못하고 눈물을 흘
      그림의 얼굴   책상 아래
리며 슬피 울어 가슴을 두드리며 애통하니 그 모양이 <u>가련가긍(可憐可矜)</u>한지라.』 정신을 진정
『 』기이한 상황을 통해 조정인의 죽음에 대한 분함이 강조됨   불쌍하고 가여움
하여 일어나 화상을 떼어 행장에 간수하고 급히 나와 웅을 앞세우고
걸음을 재촉하여 수십 리를 나와 <u>대강(大江)</u>에 다다르니, 『물새는 하
                                            『 』저녁에 앞을 분간할 수 없는 상황과 길이 막혀 더 이상 도망갈 수 없는 위기에 처함
늘에 닿았고 달은 떨어져 <u>흑운(黑雲)</u>이 하늘을 가려 길을 분별하지
못하고 물가에 빈 배 매었으되 사공이 없는지라.』 배에 올라 부인 손
                          <u>Link</u> 인물이 처한 상황 ❷
수 제비를 들고 아무리 저은들 맨 배 어디로 가리오.
    삿대   ❯길이 막혀 도망할 수 없는 상황에 이른 모자

<u>Link</u>
출제자 <u>톡</u> 인물이 처한 상황을 파악하라!

❶ 왕 부인의 꿈의 내용을 통해 알 수 있는 모
자의 처지는?
날이 새면 큰 환을 당할 것임.

❷ 급하게 행장을 차려 떠나는 왕 부인과 조웅
앞에 놓여 있는 상황은?
앞을 분간할 수 없을 정도로 어둡고, 길이
막혀 더 이상 도망갈 수 없음.

핵심장면 ❷ 이두병이 보낸 최식과 주천이 화공계를 쓰려 하자 조웅이 이를 간파하고 무찌르는 장면이다.

이때에 대원수 최식이 <u>간계(奸計)</u>를 내어 군중에 지휘하되,
                  간사한 꾀

"조웅이 수풀을 의지하여 진을 쳤으니 제 어찌 병법을 안다 하리오? 너희는 화약과 염초를 준비하여 오늘 밤 삼경에 적진에 나아가 고요한 때를 타 불로 쳐 적진을 함몰하고 조웅을 사로잡아 천하를 평정하리라." / 하니 장졸들이 다 즐겨하더라.

이날 초경에 원수 선봉장 강백을 불러 이르기를,

"적진이 우리 수풀에 친 진을 보고 밤에 응당 불로 칠 것이니 어찌 적의 꾀임에 빠지리오? 이제 진을 급히 옮기되 훤화(喧譁)를 일제히 금(禁)하라."

하니 강백이 청령(聽令)하고 진을 옮기더라. 원수 군사 수십 명을 보내어 수풀에 유진(留陣)하는 척하고 밤이 깊도록 솔발을 흔들고 군호(軍號)하다가 본진으로 돌아오니라.

이날 밤에 적진 장졸들이 상림(桑林)에 와 복병(伏兵)하였다가 삼경을 기다려 방포(放砲) 일성(一聲)에 좌우 수풀에 일시에 불을 놓으니 화광(火光)이 충천(衝天)하여 상림을 다 소화(燒火) 하는지라. 황진(皇陣) 장졸이 다 즐겨 말하기를,

"이제 적진 장졸이 혼백(魂魄)도 남지 못하리라." / 하며 즐기더라.

이때 조 원수 은신(隱身)하였다가 필마(匹馬)로 내달아 크게 외치기를,

"죽은 조웅이 살아왔노라." / 하며 장졸을 무수히 죽이고 본진으로 돌아오니라. 〈중략〉

"무섭고 두렵더이다. 분명 죽은 조웅이 다시 살아와 장졸을 짓치고 인하여 간데없사오니 어찌 두렵지 아니하오리까?"

최식과 주천이 듣고 대경실색(大驚失色)하여,

"조웅은 분명 명장이로다. 죽은 혼백도 장졸을 짓치니 만일 살려 두면 대환을 당하렷다."

하며, / "황제 우리를 보내시고 날로 소식을 기다리는지라 승천한 격서(檄書)를 어찌 시각을 유하리오?"

하고 즉시 주문(奏文)을 발송하고 승전고를 울리며 날 새기를 기다리더니 계명성이 나며 동방이 장차 밝거늘 군사 호군하고 선봉을 재촉하여 군사를 풀어 가고자 하더니 문득 일성 방포에 고각과 함성이 천지를 진동하거늘 황진 다 놀래어 함성 나는 곳을 살펴보니 상림 동편에 한 장수 내달으며 크게 꾸짖기를,

"황진은 가지 말고 내 칼을 받으라. 오늘날 너희를 씨 없이 멸하리라."

하며 칼춤 추며 달려드니 황진 장졸이 크게 놀라 진퇴를 능히 못하고 진문(陣門)을 굳이 닫고 나지 아니하며 주천이 최식더러 말하기를,

"조웅을 잡았다 하고 주문을 올렸더니 이제 조웅이 살았으니 그대로 두면 우리 능히 임금을 속인 죄를 면하지 못하올지라. 다시 주문을 하사이다." 〈중략〉

차설, 이때에 황제, 대군을 전장에 보내고 소식을 날로 기다리더니 문득 승천한 격서 올리거늘 급히 떼어 보니

"승상 겸 대원수 최식은 근 백배 돈수 상언(謹白拜頓首上言) 우(宇) 폐하 전에 올리나이다.
　　　　　　　　　　　　　　　머리를 백 번 조아려 황제에게 삼가 알림
신이 모월 모일에 오산 동판에 이르러 적진을 만나 대진하옵고 이러이러하여 조웅을 죽이옵
고 승전하여 평국한 사성을 올리오니 복원 황상은 무려(無慮) 하옵소서." / 하였더라.
　　　　　　　　　　　　엎드려 공손히 원함　　　염려 마옵소서
상이 견필(見筆)에 크게 기뻐하며 만조백관을 돌아보아 이르기를,
　　　　글을 보고　　　　　　조정의 모든 벼슬아치
"원수 한 번 가매 반적(叛賊) 조웅을 잡고 짐이 근심을 더니 어찌 기쁘지 아니하리오?"
　　　　　　　　　역적
하시고 즉일에 태평연을 배설하고 즐기더니 또한 주문을 올리거늘 개탁(開坼)하니 하였으되,
　　　　　　　전쟁에서 이긴 뒤에 베푸는 잔치　　　　　　　　　　봉한 편지나 서류 따위를 뜯어 봄
"승상 겸 대원수 최식은 근 백배 우 폐하 하나이다. 신은 기군망상(欺君罔上)의 죄를 지었사
　　　　　　　　　　　　　　　　　　　　　　　　　　　황제를 속임
오니 죽어 아깝지 아니하오되 천위(天爲)함을 앙달(仰達)하옵나니 일전 상림에서 조웅을 잡
　　　　　　　　　　　하늘이 하는 일　　　우러러보고 아룀
았다 하옵고 승전한 격서를 올렸거니와 이튿날 회환(回還)하려 하올 제 다시 보니 뜻밖에
　　　　　　　　　　　　　　　　　　　　갔다가 다시 돌아옴
한 장수 있기 자세히 보니 조웅이 진을 옮겨 치고 환을 면하고 다시 대전한대 황공 복지(伏
地) 감달(敢達)하옵나이다."　　　조웅의 역공 소식을 전달받음　　　　　황공하여 땅에 엎드려 감히 올라옵나이다
　　　　　　　　　　　　　　　　　　　　　　　▶ 조웅에게 패한 소식을 다시 황제에게 알리는 최식

최우선 출제 포인트!

1 이 작품의 주제 의식

조웅이 황제의 자리를 강탈한 이두병을 제거하고 황실의 질서를 바로 세움.	➡ 충(忠)
조웅이 아버지를 참소하여 죽게 한 이두병을 제거함.	➡ 효(孝)
조웅과 혼약한 장 소저가 다른 혼처를 거부하며 정절을 지킴.	➡ 열(烈)

2 다른 군담 영웅 소설과의 차이점

- 기자 정성(기도를 드려 자식을 얻음.)이나 적강 화소(천상인이 지상에 하강함.)가 없다.
- 한시를 삽입하여 인물의 심리나 상황을 압축하여 제시하고 있다.
- 주인공이 초인적인 능력을 지닌 다른 군담 영웅 소설과 달리 현실적인 인물이다.
- 전통적 유교 윤리에 어긋나는, 부모의 허락 없는 혼전 성사(婚前性事)를 다루고 있다.

3 이 작품의 이야기 구조

고행담	➡	결연담	➡	무용담
• 이두병에게 쫓기며 방황함. • 도승을 만나 능력을 키움.		• 장 소저와 백년언약함. • 장 소저는 다른 혼처를 거부하며 정절을 지킴.		• 위왕을 도와 서번을 격파하고 태자를 구출함. • 이두병의 군사를 무찌름.

4 이 작품의 주요 갈등

조웅 ↔ 이두병	조웅의 고난	• 이두병의 참소로 조웅의 아버지가 자결함. • 이두병이 태자를 내쫓고 황제가 됨.
조웅 ↔ 번왕	태자 구출	• 조웅이 위국의 왕을 도와 서번을 격파함. • 서번을 격파하는 중 유배된 태자를 구출함.
조웅 ↔ 이두병	조웅의 승리	• 위국으로 간 조웅이 이두병의 군대를 물리침. • 태자를 황제로 모시고 질서를 회복함.

최우선 핵심 Check!

1 다음 내용 중 맞는 것은 ○표를, 틀린 것은 ×표를 하시오.

(1) 유교적인 '충(忠)' 사상이 잘 드러나는 영웅 군담 소설이다. (　　)

(2) 선인과 악인의 대결 구도를 만들어 선인이 악인의 횡포를 이기는 과정을 보여 주고 있다. (　　)

(3) 주인공은 초인의 조력을 받지 않고 자신의 힘으로 운명을 개척하고 있다. (　　)

2 초성 힌트를 보고 빈칸에 들어갈 알맞은 말을 쓰시오.

(1) ㅇㄷㅂ 은/는 악인의 전형적인 간신형 인물이다.

(2) 글 중간에 삽입된 시(노래)는 산문의 단조로움을 피하고, 인물의 심리와 주제를 ㅈㅇㅈ(으)로 전달하는 기능을 하고 있다.

정답 1. (1) ○ (2) ○ (3) × 2. (1) 이두병 (2) 집약적

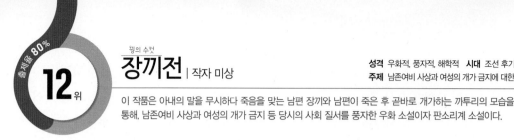

꿩의 수컷
장끼전 | 작자 미상

성격 우화적, 풍자적, 해학적 **시대** 조선 후기
주제 남존여비 사상과 여성의 개가 금지에 대한 비판

소설

이 작품은 아내의 말을 무시하다 죽음을 맞는 남편 장끼와 남편이 죽은 후 곧바로 개가하는 까투리의 모습을 통해, 남존여비 사상과 여성의 개가 금지 등 당시의 사회 질서를 풍자한 우화 소설이자 판소리계 소설이다.

주요 사건과 인물

발단	전개	위기	절정	결말
장끼와 까투리 부부가 먹이를 구하러 나갔다가 먹음직스러운 콩 한 알을 발견함.	까투리는 불길한 꿈을 꾸었다며 장끼를 말리지만, 장끼는 여자의 말이라고 무시함.	까투리가 옛 현인들의 고사까지 들며 말리지만, 장끼는 끝내 고집을 부리며 콩을 먹으려다 덫에 걸림.	장끼는 죽어 가며 까투리에게 수절하라고 유언하고, 까투리는 장끼의 장례를 치름.	까투리는 홀아비 장끼와 재혼하고, 둘은 자녀들을 결혼시킨 후 물에 들어가 조개가 됨.

장끼(남편)	까투리(아내)
신중하지 못하고 가부장적 권위를 내세움.	소신이 뚜렷하며 개가하여 자신의 행복을 추구함.

핵심장면 ① 장끼가 까투리의 만류를 무시하고 콩을 먹다가 덫에 걸리는 부분이다.

□: 주요 인물 ★: 주요 소재

장끼와 까투리가 들판에 떨어져 있는 콩알을 주우러 들어가다가, 불은 콩 한 알이 덩그렇게 놓여 있는 것을 장끼가 먼저 보고 눈을 크게 뜨며 말하기를,

Link 갈등의 원인 ❶

"어허, 그 콩 먹음직스럽구나! 하늘이 주신 복을 내 어찌 마다하랴? 내 복이니 어디 먹어 보자."

옆에서 이 모양을 지켜보고 있던 까투리는, 어떤 불길한 예감이 들어서,
엄동설한에 불은 콩이 먹기 좋게 놓여 있는 것이 수상함 – 신중한 까투리의 태도

"아직 그 콩 먹지 마오. 눈 위에 사람 자취가 수상하오. 자세히 살펴보니 입으로 홀홀 불고
사람의 손길이 닿아 있음을 눈치챔

비로 싹싹 쓴 흔적이 심히 괴이하니, 제발 덕분 그 콩일랑 먹지 마오."

"자네 말은 미련하기 그지없네. 이때를 말하자면 동지섣달 눈 덮인 겨울이라. 첩첩이 쌓인

눈이 곳곳에 덮여 있어 천산(千山)에 나는 새 그쳐 있고, 만경에 사람의 발길이 끊겼는데 사
매우 추운 겨울 깊은 산에 사람이 찾아와 덫을 놓았을 리가 없다고 생각함

람의 자취가 있을까 보냐?"

까투리도 지지 않고 입을 연다.

"사리는 그럴 듯 하오마는 지난밤 꿈이 크게 불길하니 자량하여 처사하오."
일의 이치   스스로 헤아림

그러자 장끼가 또 하는 말이,

"내 간밤에 한 꿈을 얻으니 황학(黃鶴)을 빗기 타고, 하늘에 올라가 옥황상제께 문안드리니

상제께서 나를 보시고는 산림처사를 봉하시고, 만석고(萬石庫)에서 콩 한 섬을 내주셨으니,
벼슬을 하지 않고 세속을 떠나 산골에 파묻혀 글이나 읽고 지내는 선비   매우 많은 곡식이 있는 창고

오늘 이 콩 하나 그 아니 반가운가? 옛글에 이르기를 '주린 자 달
어떤 물건이 절실하게 요구되는 사람에게는 아주 요긴하게 쓰임을 비유적으로 이르는 말

게 먹고 목마른 자 쉬 마신다.'라고 하였으니, 어디 한번 주린 배를

채워 봐야지."

그러나 지지 않고 까투리 또 말하기를,

"당신의 꿈은 그러하나 이내 꾼 꿈 해몽해 보면, 어젯밤 이경 초에

첫잠이 들어 꿈을 꾸었는데, 북망산 음지 쪽에 궂은비 흩뿌리면 맑
밤 9~11시 사이
무덤이 많은 곳이나 사람이 죽어서 묻히는 곳

은 하늘에 쌍무지개 홀연히 칼이 되어 당신의 머리를 뎅겅 베어

Link

출제자 콕 갈등의 원인을 파악하라!

❶ 장끼와 까투리의 갈등을 유발하고 있는 것은?
먹이를 찾아 나선 장끼와 까투리가 먹음직한 콩을 발견하고 그것을 먹을 것인가 말 것인가에 대해 논란을 벌임.

❷ 까투리가 콩을 먹겠다는 장끼를 만류하는 이유는?
간밤에 꾼 꿈의 내용이 불길해서

❸ 콩을 먹지 말라는 까투리의 만류에 대한 장끼의 반응은?
기어이 콩을 먹겠다고 고집을 부림.

내리쳤으니, ^{불길한 꿈} 이것이야말로 당신이 죽을 흉몽임이 틀림없으니 제발 그 콩일랑은 먹지 마오."

Link 갈등의 원인 ❷　　　　　　　　　　　　　　　▶ 불길한 꿈 이야기를 하며 콩을 먹으려는 장끼를 만류하는 까투리

까투리 하는 말이,

　　　　　　　　　　　　　　　　　　　　　　　　^{황천에 가는 사신이 된다는 것으로 곧 죽는다는 의미임}

"그 콩 먹고 잘된단 말은 내 먼저 말하오리다. 잔디찰방 수망으로 황천부사 제수하여 청산을
　　　　　　　　　　　　　　　^{잔디로 덮인 무덤을 관리하는 사람}　　^{엉뚱한 관직명으로 장끼를 조롱함}
영이별(永離別)하오리니 내 원망은 부디 마소. 옛글을 보면 고집 너무 피우다가 패가망신한
자 그 몇이요.『천고의 진시황의 몹쓸 고집 부소의 말을 듣지 않고 민심 소동 사십 년에 이세
　　　　　　　　　^{진시황의 큰아들로 분서갱유의 부당함을 끝까지 간함}　　　　　　　　^{진시황의 아들 호해 때 나라가 망함}
때 나라 잃고, 초패왕의 어리석은 고집 범증의 말 듣지 않다가 팔천 제자 다 죽이고 면목 없
　　　　　　　^{항우}　　　　　　^{초패왕의 신하}
어 자살하고 말았으며, 굴삼려의 옳은 말도 고집불통 듣지 않다가 진무관에 굳게 갇혀 가련
　　　　　　　^{초나라의 굴원}　　^{물고기 배 속에 들어간 혼 – 굴원}
공산 삼혼 되어 강 위에서 우는 새 어복 충혼 부끄럽다오.』당신 고집 너무 피우다가 오신명
　　^{사람의 넋}　　　　　『 』: 충언을 듣지 않아 화를 입은 옛사람들의 고사를 제시하여 장끼를 설득하려 함　　　^{몸과 목숨을 그르침}
하오리다." / 그렇지만 장끼란 놈 그 고집 버릴쏘냐.

"콩 먹고 다 죽을까? 옛글 보면 콩 태(太) 자 든 사람은 모두 귀하게 되었더라.『태곳적의 천
　　　　　　　　　　　　　　　　　　^{콩 태(太) 자와 관련하여 오래 산 사람들의 고사를 들어 까투리의 만류를 부리침}
황씨는 일만팔천 세를 살았고, 태호 복희씨(太昊伏羲氏)는 풍성이 상승하여 십오 대를 전했
　　　　　　　　　　^{중국 고대 전설상의 왕}　　　^{들리는 명성}　　^{서로 이어져}
으며, 한 태조 당 태종은 풍진 세상에서 창업지주가 되었으니, 오곡 백곡 잡곡 가운데서 콩
　　　　　　　^{편하지 못하고 어지러운 세상}
태 자가 제일일세. 궁팔십 강태공은 달팔십(達八十)을 살았고, 시중천자(詩中天子) 이태백은
　　　　　　^{팔십 세까지 가난하게 삶}　　　^{팔십 세에 주문왕에게 발탁되어 이름을 알리고 이후 80년 동안 영달했음}　　^{시인 중 으뜸}
고래를 타고 하늘에 올랐고 북방의 태을성은 별 가운데 으뜸일세. 나도 이 콩 달게 먹고 태
　　　　　　　　　^{병란·재화·생사 따위를 맡아 다스린다는 신령한 별}
공같이 오래 살고 태백같이 하늘에 올라 태을선관 되리라." ▶ 까투리의 만류에도 콩을 먹겠다고 고집을 부리는 장끼
　　　　　　　　　　　　　　　^{태을이라는 작위를 가지고 있는 신선}
장끼 고집 끝끝내 굽히지 아니하니 까투리 할 수 없이 물러났다. 그러자 장끼란 놈 열두 장목
　　　　　　　　　　　　　　　　　　　　　　　　　　　　　　　　　　　　　　^{꿩의 꽁지깃}
Link 갈등의 원인 ❸
펼쳐 들고 꾸벅꾸벅 고갯짓하며 조촘조촘 콩을 먹으러 들어가는구나. 반달 같은 혀뿌리로 콩
　◯^{음성 상징어를 사용하여 현장감을 높임}　　^{망설이며 조금씩 자꾸 움직이는 모양}
을 꽉 찍으니 두 고패 둥그러지며 머리 위에 치는 소리 박랑사 중에 저격 시황 하다가 버금 수
　　　　　　　　　　　　　　　　　^{꿩 잡는 틀에 목을 조르게 되어 있는 쇠}　　　　　^{장량이 진시황을 죽이고자 저격했던 곳}
레 맞히는 듯 와지끈 뚝딱 푸드드득 푸드드득 변통 없이 치었구나. ▶ 콩을 먹으려다 덫에 걸린 장끼
^{진시황을 맞히지 못하고 부관의 수레만 명중시킴}　　　　　　^{형편과 때에 따라서 일을 융통성 있게 잘 처리함}

핵심장면 ②　장끼가 죽어 가며 까투리에게 수절할 것을 당부하는 부분이다.

이 꼴을 본 까투리 기가 막히고 앞이 아득하여,
^{까투리의 말을 듣지 않고 콩을 먹으려던 장끼가 덫에 걸림}
"저런 광경 당할 줄 몰랐던가, 남자라고 여자 말 잘 들어도 패가(敗家)하고 계집 말 안 들어
　　　　　　　　　　　　　　　　　　　　　　^{장끼가 자신의 말을 듣지 않아 죽게 되었다고 여김}
도 망신하네."

하면서,『위아래 넓은 자갈밭에 자락 머리 풀어 헤치고 당글당글 뒹굴면서 가슴 치고 일어나
　　　『 』: 까투리의 행동을 묘사하여 비극적 심정을 효과적으로 표현함
앉아 잔디 풀을 쥐어뜯어 가며 애통해하고 두 발을 땅땅 구르면서 성을 무너뜨릴 듯이 대단히
절통해 한다.』

아홉 아들 열두 딸과 친구 벗님네들이 불쌍하다 탄식하며 조문 애곡하니 가련 공산 낙목천
　　　　　　　　　　　　　　　　　　　　　　　　　　　　　　^{나뭇잎 떨어진 빈 하늘}
에 울음소리뿐이었다. 까투리는 그 슬픈 가운데서도,
　^{까투리의 서글픈 심정을 고조시킴}
"공산 야월 두견새 소리 슬픈 회포 더욱 섧구나.『통감』에 이르기를『좋은 약이 입에 쓰나 병
　^{빈산의 달 밝은 밤}　　　　　　　^{중국 역대 군신의 사적을 엮은 책}
에는 이롭고, 옳은 말은 귀에 거슬리나 행실에는 이롭다 하였으니 당신도 내 말 들었더라면
　　　　　　　　　　　　　　　　　　　『 』: 콩을 먹지 말라는 자신의 충고를 듣지 않아 죽은 장끼에 대한 까투리의 원망 섞인 한탄
이런 변 당할 리 없지. 애고 답답하고 불쌍하다.』우리 양주 좋은 금실 누구에게 말할쏜가?
　　　　　　　　　　　　　　　　　　　　　　　^{부부}

슬피 서서 통곡하니 눈물은 못이 되고 한숨은 비바람이 되는구나. 애고, 가슴에 불이 붙네. 이내 평생 어찌할꼬?"

> 장끼의 죽음을 슬퍼하는 까투리

아직 숨이 끊어지지 않은 장끼는 그래도 덫 밑에 엎디어서 하는 말이,

『"에라 이년 요란하다! 호환을 미리 알면 산에 갈 사람 어디 있겠나? 미련은 먼저 오고 지혜

『 』 비극적 상황을 해학적으로 표현함 – 판소리계 소설의 특징   미련한 짓이 앞서면 그것을 바로잡자고 해도 때는 늦었다는 뜻

는 누구나 그 뒤의 일이니라. 죽는 놈이 탈 없이 죽을까? 그것은 그렇다 치고 사람도 죽고

삶을 맥으로 안다 하니 나도 죽지는 않겠나, 어디 한번 맥이나 짚어 보소.』"

까투리는 장끼의 말을 듣고 그러려니 여겨 장끼의 맥을 짚어 보다가,

"비위맥은 끊어지고, 간맥은 서늘하고, 태충맥은 굳어져 가고 명맥은 떨어지오. 아이고 이게
지라와 위   엄지발가락 위에서 짚는 맥   맥이나 목숨이 유지되는 근본

웬일이오? 웬수로다."

장끼란 놈 몸을 한 번 푸드득 떨고 나서 또 하는 말이,

"맥은 그러하나 눈청을 살펴보게. 동자부처 온전한가?"
'눈망울'의 방언   눈동자에 비쳐 나타난 사람의 형상

까투리는 장끼의 눈청을 살펴보고 나서는 한숨을 쉬면서,
단념하는 것 말고는 달리 도리가 없음

"이제는 속절없네. 저편 눈의 동자부처 첫새벽에 떠나가고, 이편 눈의 동자부처는 지금 막

『 』 장끼의 죽음이라는 비극적인 사건을 해학적으로 처리하여 웃음 유발   발에 버선을 신음

떠나려고 파랑보에 봇짐 싸고 곰방대 붙여 물고 길목 버선 감발하네.』 애고애고, 이내 팔자
먼 길을 갈 때 신는 허름한 버선

이다지도 기박한가, 『상부(喪夫)도 자주 하네. 첫째 낭군 얻었다가 보라매에 채여 가고, 둘째
『 』 지금까지 사별한 남편을 열거함 → 개가를 금지했던 당시 유교 사상을 따르지 않는 까투리를 통해 당시 사회 모습을 풍자함

낭군 얻었다가 사냥개에 물려 가고, 셋째 낭군 얻었다가 살림도 채 못 하고 포수에게 맞아

Link 인물의 사고방식 ❶

죽고, 이번 낭군 얻어서는 금실도 좋거니와 아홉 아들 열두 딸을 남겨 놓고 아들딸 혼사도

채 못해서 구복(口腹)이 원수로 콩 하나 먹으려다 덫에 덜컥 치였으니 속절없이 영 이별하겠
먹고살기 위하여 음식물을 섭취하는 입과 배

구나. 도화살을 가졌는가, 이내 팔자 험악하네. 불쌍하다 우리 낭군, 나이 많아 죽었는가,
여자가 한 남자의 아내로 살지 못하거나 사별하거나 뭇 남자와 상관하도록 지워진 살

남편의 죽음을 자신의 팔자 때문으로 여김

병이 들어 죽었는가, 망신살을 가졌는가, 고집살을 가졌는가, 어찌하면 살려 낼꼬? 앞뒤에

섰는 자녀 뉘 가서 혼취(婚娶)하며 뱃속에 든 유복자 해산구원 누가 할꼬? 운림 초당 넓은
혼인   아기를 낳았을 때 도와줌   구름이 걸친 숲에 지은 초당

들에 백년초를 심어 두고 백년해로 하잖더니 단 삼 년이 못 지나서 영결종천 이별초가 되었
죽어서 영원히 이별함

구나. 저렇게도 좋은 풍신 언제 다시 만나 볼꼬? 명사십리 해당화야 꽃 진다고 한탄 마라.
생김새   곱고 부드러운 모래가 끝없이 펼쳐진 바닷가를 비유적으로 이르는 말

너는 명년 봄이 되면 또다시 피려니와 우리 낭군 이번 가면 다시 오기 어려워라. 미망일세,
남편은 죽었으나 따라 죽지 못하고 홀로 남아 있음

미망일세, 이내 몸이 미망일세."
> 과부가 될 자신의 처지를 한탄하는 까투리

한참 동안 통곡을 하니 장끼는 눈을 반쯤 뜨고,
남편을 잃음

"자네 너무 서러워 말게. 상부(喪夫) 잦은 자네 가문에 장가간 게
자신의 실수로 죽음을 맞게 된 장끼가 죽음의 원인을 까투리 탓으로 돌림

내 실수라. 이 말 저 말 잔말 말게. 죽은 자는 불가부생(不可復生)
Link 인물의 사고방식 ❷   다시 살 수 없음

이라, 다시 보기 어려울 테니 나를 굳이 보려거든 내일 아침 일찍

먹고 덫 임자 따라가면 김천장에 걸렸거나, 청주장에 걸렸거나, 그

렇지 아니하면, 감영도나 병영도나 수령도나 관청고에 걸렸든지
수령의 음식물을 넣어 두던 광

봉물짐에 얹혔든지 사또 밥상에 오르든지, 그렇지도 아니하면 혼인
선물로 봉하여 보내지는 물건 꾸러미

Link
출제자 톡! 인물의 사고방식을 파악하라!

❶ 까투리의 혼인을 통해 알 수 있는 것은?
당시 여성에게 강요되던 봉건적 유교 윤리
를 따르지 않고 여러 번 개가함.

❷ 죽음에 직면한 장끼의 태도는?
자신의 판단 착오 때문에 죽는 것이 아니라,
남편과 사별을 자주 한 까투리 때문이라며
책임을 떠넘김.

❸ 수절을 강요하는 장끼의 말에 담긴 사고방
식은?
여성의 수절을 중시하고 개가를 금지하는
당시의 봉건적 사회 질서를 따름.

정조와 지조를 굳게 지킨 부인에게 내리던 호칭

폐백 건치 되리로다. 내 얼굴 못 보아 서러워 말고 자네 몸 수절하여 정렬부인 되어 주게. 불

바짝 말린 꿩　　　**Link** 인물의 사고방식 ❸　　까투리에게 수절할 것을 요구함 ─ 여성의 재가를 금지하던 당시의 시대상 반영

쌍하다 불쌍하다, 이내 신세 불쌍하다. 우지 마라, 우지 마라, 내 까투리 우지 마라. 장부 간

장 다 녹는구나. 자네가 아무리 슬퍼해도 죽는 나만 불쌍하네."

죽으면서까지 이기적인 모습을 보임　　　　　　　　　　　　　　　❯ 죽어 가며 까투리에게 수절하기를 강요하는 장끼

● **초패왕의 어리석은 ~ 자살하고 말았으며**: 범증이 초패왕 항우에게 한의 유방을 먼저 칠 것을 말하였으나, 항우는 도리어 유방의 술책에 넘어가 범증의 말을 따르지 않았음. 뒤에 초패왕은 한 고조에게 많은 군사를 잃고 도주하다가 자기의 고향인 강동으로 건너가 면목이 없다며 자결함.

● **궁팔십 강태공은 달팔십(達八十)을 살았고**: 중국 주나라의 조신(朝臣)인 강태공은 백육십 세를 살았는데, 첫 팔십까지는 궁했고, 뒤의 팔십 년 동안은 영달했다고 함.

● **박랑사 중에 저격 시황 하다가 버금 수레 맞히는 듯**: 장량(張良)은 역사(力士)들로 하여금 진(秦)나라 무양성의 남쪽에 있는 박랑사에서 철퇴로 진나라 시황제를 저격하게 하였는데, 진시황은 맞히지 못하고 그다음 수레를 맞혀 실패했다고 함.

최우선 **출제 포인트!**

1 이 작품의 주제 의식

- 장끼가 까투리의 말을 무시하고 아전인수식으로 떠넘김.
- 장끼가 자신의 죽음에 대한 원인을 까투리에게 떠넘김.
- 장끼가 죽어 가면서 까투리에게 수절을 강요함.
- 까투리는 장끼가 죽은 뒤 곧바로 개가함.

➡

- 남존여비 사상, 남성 우월 의식, 가부장적 권위주의, 여성의 재가 금지를 비판함.
- 봉건적 유교 윤리를 풍자함.
- 인간의 본능적 욕구 및 여성의 자아를 실현하려는 진보적 의식을 반영함.

2 주요 인물의 성격

장끼	아내의 만류를 무시하고 콩을 먹겠다고 고집을 부리다가 덫에 걸리고, 죽어 가며 아내에게 수절을 강요함. → 권위적이고 가부장적이며 고집이 세고, 신중하지 못함.
까투리	남편에게 콩을 먹지 말라며 말리고, 남편이 죽은 후에는 개가함. → 자신의 의견을 당당히 말하며 개가를 반대하는 사회적 윤리를 깨고 자신의 행복을 추구함.

3 서술상 특징

- 한자어를 사용하고 고사를 인용하였다.
- 운문과 산문이 혼용된 문체를 사용하였다.
- 비극적인 사건을 해학과 풍자로 표현하였다.
- 평민들의 언어인 속어, 재담, 육담 등을 사용하였다.

4 이 작품의 발전 과정

판소리	➡	판소리 대본	➡	판소리계 소설
장끼 타령		자치가(雌稚歌)		장끼전

최우선 **핵심 Check!**

1 다음 내용 중 맞는 것은 ○표를, 틀린 것은 ×표를 하시오.

(1) 동물을 의인화한 우화적 기법으로 조선 후기의 인간 세태와 사회상을 풍자하고 있다. (　　　)

(2) 까투리가 언어유희로 '황천부사'라는 엉뚱한 관직명을 지어내어 장끼를 조롱하며 장끼의 어리석음을 폭로하고 있다. (　　　)

(3) 꿈에 대한 해석은 아내를 걱정하고 조심성 많은 장끼의 성격과 남편의 말을 무시하고 조심성 없는 까투리의 성격을 드러내고 있다. (　　　)

(4) 장끼가 꼼짝없이 고패에 치이고 마는 모습을 고사를 인용하여 희화화함으로써, 인물의 어리석은 행동에 대한 웃음을 유발하고 있다. (　　　)

2 초성 힌트를 보고 빈칸에 들어갈 알맞은 말을 쓰시오.

(1) 까투리의 만류를 무시하며 고집을 꺾지 않다가 죽게 되는 ㅈㄲ은/는 상부 잦은 까투리의 가문을 탓하며 가부장적 권위 의식을 내세우고 있다.

(2) 낭군을 잃었을 때마다 개가하는 ㄲㅌㄹ은/는 수절이라는 봉건적인 윤리에 얽매이지 않고 개인의 행복을 추구하는 모습을 보여 주고 있다.

정답 1. (1) ○ (2) ○ (3) × (4) ○ 2. (1) 장끼 (2) 까투리

13위

심청전(沈淸傳) | 작자 미상

성격 우연적, 비현실적, 교훈적   **시대** 조선 시대
주제 부모에 대한 지극한 효심

소설

이 작품은 아버지의 개안을 위해 공양미 삼백 석에 제물로 팔려 인당수에 몸을 던진 효녀 심청을 통해 유교의 근본 사상인 '효(孝)'를 강조하고 있는 판소리계 소설이다.

주요 사건과 인물

발단
아버지의 젖동냥으로 건강하게 자란 심청이 길쌈과 삯바느질을 하며 아버지를 극진하게 봉양함.

전개
심 봉사가 공양미 삼백 석을 시주하면 눈을 뜰 수 있다는 화주승의 말에 시주를 약속함.

위기
남경 상인에게 공양미 삼백 석을 받고 제물로 인당수에 뛰어든 심청이 옥황상제의 도움으로 인간 세계로 돌아옴.

절정
황후가 된 심청은 아버지를 찾기 위해 맹인 잔치를 열고, 심 봉사는 심청과 재회한 후 눈을 뜸.

결말
심청과 심 봉사는 부귀영화를 누리며 행복하게 살아감.

심청은 가난하고 비천하게 살다가 부친과 생이별함. → 인당수 투신 → 고귀한 신분으로 살게 되고 부친과도 상봉함.

핵심장면 ① 심청이 아버지의 눈을 뜨게 하려고 공양미 삼백 석에 자신을 제물로 팔아 인당수에 뛰어드는 부분이다.

□ : 주요 인물

"**심청**은 시각이 급하니 어서 바삐 물에 들라."
<small>심청을 제물로 바치려는 선원의 말</small>

심청이 거동 보소. 두 손을 합장하고 일어나서 하느님 전 비는 말이,
<small>판소리 사설투의 문체</small>

"비나이다, 비나이다, 하느님 전에 비나이다. 심청이 죽는 일은 추호라도 섧지 아니하여도,
<small>가을철에 털갈이하여 새로 돋아난 짐승의 가는 털같이 매우 적음을 비유적으로 이르는 말</small>

병든 아버지 깊은 한을 생전에 풀려 하고 이 죽음을 당하오니 명천(明天)은 감동하사 어두운
<small>심청이 인당수에 뛰어드는 이유 – 아버지의 개안</small>   **Link** 인물의 처지 ❶   <small>모든 것을 똑똑히 살피는 하늘</small>

아비 눈을 밝게 띄워 주옵소서." / 눈물지며 하는 말이,
<small>심 봉사</small>

"여러 선인님네 평안히 가옵시고 억십만 금 이문 남겨 이 물가를 지나거든 나의 혼백 불러내
<small>이익이 남는 돈</small>   <small>인당수</small>   <small>넋</small>

어 물밥이나 주시오."
<small>무당이나 판수가 굿을 하거나 물릴 때에, 귀신에게 준다고 물에 말아 던지는 밥</small>

하며 안색을 변치 않고 뱃전에 나서 보니 티 없이 푸른 물은 '월러렁 콸넝' 뒤둥구리 구비쳐서 물거품 북적쩌데한데, 심청이 기가 막혀 뒤로 벌떡 주저앉아 뱃전을 다시 잡고 기절하여 엎딘
<small>죽음을 눈앞에 두고 두려움에 떠는 인간적인 모습</small>   **Link** 인물의 처지 ❷   <small>엎어진</small>

양은 차마 보지 못할 지경이었다.
<small>편집자적 논평</small>

심청이 다시 정신 차려 할 수 없어 일어나서 온몸을 잔뜩 끼고 치마폭을 뒤집어쓰고, 종종걸음으로 물러섰다 바닷속에 몸을 던지며, / "애고애고, 아버지 나는 죽소."

뱃전에 한 발이 지칫하며 거꾸로 풍덩 빠져 놓으니, 꽃 같은 몸이 풍랑에 휩쓸리고 밝은 달이 물속에 잠기어 너른 바다 속에 곡식 낟이 빠진 것 같았다. 새는 날 기운같이 물결은 잔잔하고 광풍은 삭아지며 안개 자욱하여 가는 구름 머물렀고, 맑은 하늘 푸른 안개 새는 날 동방처
<small>녹아 없어지며</small>   <small>날이 새는</small>   <small>동쪽</small>

럼 날씨 명랑했다. 도사공 하는 말이,
<small>뱃사공의 우두머리</small><small>조종을 잘 통함</small>

"고사를 지낸 후에 날씨가 순통하니 심 낭자 덕 아니신가?"
<small>날씨가 좋아진 것을 심청의 덕으로 돌림</small>   **Link** 인물의 처지 ❸

좌중이 같은 생각이라 고사를 마치고,

"술 한 잔씩 먹고 담배 한 대씩 먹고 행선함세."

"어, 그리함세."   ▶ 아버지의 눈을 뜨게 하려고 인당수에 몸을 던진 심청

'어기야 어기야' 뱃노래 한 곡조에 삼승 돛을 채어 양쪽에 갈라 달
<small>성글고 굵은 베</small>

Link

출제자 Tip 인물의 처지를 파악하라!

❶ 심청이 인당수에 뛰어드는 이유는?
아버지의 눈을 뜨게 하려고

❷ 심청이 뱃전에서 기절한 것을 통해 알 수 있는 것은?
죽음을 눈앞에 두고 두려움에 떨고 있는 것에서 심청의 인간적인 면모를 볼 수 있음.

❸ 선인들이 심청을 제물로 바친 까닭은?
남경으로 가는 길에 만나는 풍파를 잠재우기 위해

고 남경으로 들어갈 제, 와룡수 여울물에 쏘아 놓은 살대같이, 기러기 다리에 전한 편지 북해
_{화살대}
상에 기별같이 순식간에 남경으로 다다랐다.
_{순조롭고 바르게 남경에 도착함}

이때 『심 낭자는 너른 바다에 몸이 들어 죽은 줄로 알았는데, 무지개 영롱하고 향내가 코를
『 」: 전기적 요소
찌르더니, 맑은 피리 소리 은근히 들리기에 몸을 머물러 주저할 제, 옥황상제 하교하사 인당
_{염라대왕}   _{도교적 성격을 엿볼 수 있음}
수 용왕과 사해용왕, 지부왕에게 일일이 명을 내리셨다.

"내일 출천(出天) 효녀 심청이가 그곳에 갈 것이니 몸에 물 한 점 묻지 않게 할 것이며, 만일
_{하늘이 냄}   _{인당수에 빠져 죽을 운명이었던 심청이 초월적 인물에 의해 구출됨 – 효를 중시하는 가치관 반영}
모시기를 실수하면 사해용왕은 천벌을 주고 지부왕은 파문을 내릴 것이니, 수정궁으로 모셔
_{용궁}
들여 3년 받들고 단장하여 세상으로 돌려보내라."
_{3년 후 심청이 다시 인간 세상으로 돌아가게 될 것을 암시함}

명이 내리니 사해용왕과 지부왕이 모두 다 놀라 두려워하며, 『무수한 바다의 장군과 군사들
『 」: 바닷속 생물들의 나열, 선계 인물들의 반복적 제시를 통해 심청을 맞는 용궁의 다채로운 모습을 보여 줌
이 모여들 제, 원참군 별주부, 승지 도미, 빈랑 낙지, 감찰왕 잉어며, 수찬 송어와 한림 붕어,
_{자라}
수문장 메기, 청령사령 자가사리, 승지 북어, 삼치 갈치 앙금 방게 수군 백관과 백만 물고기
병사며, 무수한 선녀들은 백옥 가마를 마련하여 그때를 기다리니,』과연 옥 같은 심 낭자가 물
로 뛰어들기에 선녀들이 받들어 가마에 올렸다.
▶ 옥황상제의 명으로 구조되는 심청

핵심장면 ② 옥황상제의 도움으로 살아나 수정궁으로 간 심청이 어머니를 만나는 부분이다.

이윽고 가마에 내려 섬뜰에 올라서며, / "내 딸 심청아!"

하니 부르는 소리에 어머니인 줄 알고 왈칵 뛰어 나서며,
_{처음에는 못 알아보다가 '내 딸'이라는 말을 통해 어머니인 줄 알게 됨}

"어머니 어머니, 나를 낳고 초칠일 안에 죽었으니 지금까지 15년을 얼굴도 모르오니 천지간
한없이 깊은 한이 갤 날이 없었습니다. 오늘날 이곳에 와서 어머니와 다시 만날 줄을 알아서
_{수정궁}   _{Link 구성 요소의 역할 ❶}
오는 날 아버지 앞에서 이 말씀을 여쭈었더라면, 날 보내고 설운 마음 적이 위로했을 것
을……. 우리 모녀는 서로 만나 보니 좋지마는 외로우신 아버님은 뉘를 보고 반기시겠습니
_{자신보다 아버지의 안위를 더 걱정하는 모습}
까? 아버지 생각이 새롭군요." / 부인이 울며 말하기를,

"나는 죽어 귀히 되어 인간 생각 아득하다. 너의 아버지 너를 키워 서로 의지하였다가 너조
차 이별하니 너 오던 날 그 모습이 오죽하랴. 내가 너를 보니 반가운 마음이야 너의 아버지
너를 잃은 설움에다 비길쏘냐? 너의 아버지 가난에 절어 그 모습이 어떠하며 아마도 많이
늙었겠구나. 그간 수십 년에 재혼이나 하였으며, 뒷마을 귀덕 어미 네게 극진하지 않더냐."

얼굴도 대어 보고 손발도 만져 보며,
_{자식에 대한 애정}   _{Link 구성 요소의 역할 ❷}
"귀와 목이 희니 너의 아버지 같기도 하다. 손과 발이 고운 것은 어찌 아니 내 딸이랴. 내 끼
_{오래 살고 복을 누리며 평안함}
던 옥지환도 네가 지금 가졌으며, '수복강녕', '태평 안락' 양편에 새
_{부인과 심청이 모녀 관계임을 입증하는 증표 ①}   _{아무 근심 없이 몸과 마음이 편함}
긴 돈 붉은 주머니 청홍 당사 벌매듭도, 애고, 네가 찼구나. 아버지
_{부인과 심청이 모녀 관계임을 입증하는 증표 ②}   _{Link 구성 요소의 역할 ❷}
이별하고 너의 아버지를 다시 만날 줄을 네가 어찌 알겠느냐? 광한
_{심청이 다시 아버지를 만나게 될 것임을 암시함}
전 맡은 일이 너무도 분주해서 오래 비워 두기 어렵기로 다시금 이

Link
출제자 톡 구성 요소의 역할을 파악하라!
❶ 심청이 어머니를 만나는 공간적 배경은?
수정궁
❷ 모녀의 관계를 확인하게 해 주는 도구는?
옥지환, 벌매듭

별하니 애통하고 딱하다만, 내 맘대로 못 하니 한탄한들 어이할쏘냐? 후에라도 다시 만나 즐길 날이 있으리라."

하고 떨치고 일어서니, 소저 만류하지 못하고 따를 길이 없어 울며 하직하고 수정궁에 머물렀다.
＿＿＿＿＿
심청

＞ 수정궁에서 어머니를 만난 심청

핵심장면 ③ 황후가 된 심청이 아버지를 찾기 위해 맹인 잔치를 열고, 잔치의 마지막 날 심 봉사가 심청과 해후하여 눈을 뜨는 부분이다.

황후께서 들으시고 눈물을 흘리며, 그 말씀을 자세히 들으니 분명히 아버지인 줄을 알 수 있
＿＿＿＿
심청
었다. 『아버지와 딸 사이의 천륜에 어찌 그 말씀이 끝나기를 기다렸겠는가마는 자연 이야기를
『 ↲: 서술자가 이야기 전개의 모순(지극한 효녀 심청이 심 봉사의 말을 듣기 전까지 아버지인 줄을 모름)을 적극적으로 해명함
만들자 하니 그렇게 되었던 것이었다.』 그 말씀을 마치자 황후께서 버선발로 뛰어 내려와서 아
버지를 안고, / "아버지, 제가 정녕 인당수에 빠져 죽었던 심청이어요."

심 봉사가 깜짝 놀라, / "이게 웬말이냐?"

하더니 어찌 반갑던지 뜻밖에 두 눈에서 딱지 떨어지는 소리가 나면서 두 눈이 활딱 밝았다.
그 자리에 가득 모여 있던 맹인들이 심 봉사 눈 뜨는 소리에 일시에 눈들이 뜨이는데, '희번덕,
짝짝' 까치 새끼 밥 먹는 소리 같았다. 뭇 소경이 밝은 세상을 보게 되고, 집 안에 있는 소
경, 계집 소경도 눈이 다 밝고, 배 안의 소경, 배 밖의 맹인, 반소경 청맹과니까지 모조리 다
겉으로 보기에는 눈이 멀쩡하나 앞을 보지 못하는 사람
눈이 밝았으니, 맹인에게는 천지개벽(天地開闢)이나 다름없었다. ＞ 심청을 다시 만난 기쁨에 눈을 뜨게 된 심 봉사
하늘과 땅이 서로 나뉘면서 이 세상이 시작되었다는 중국 고대의 사상에서 나온 말

최우선 출제 포인트!

1 이 작품의 배경 사상

유교	효녀 심청이 아버지의 개안을 위해 인당수에 몸을 던짐.
불교	심 봉사가 눈을 뜨기 위해 공양미 삼백 석을 절에 시주함.
도교	옥황상제, 용왕, 선녀 등이 등장함.
민간 신앙	바다의 파도를 잠재우기 위해 사람을 제물로 바침.

2 '심청'의 죽음이 갖는 의미

전반부 (비천한 신분, 가난한 삶)		후반부 (고귀한 신분, 숭고한 삶)
심 봉사를 위해 구걸을 하고, 몸을 팔아 공양미 삼백 석을 마련함.	심청의 죽음 (통과 의례) →	용궁에서 극진한 대접을 받은 후 황후가 되어 부귀영화를 누림.

3 이 작품의 서사 구조

현실계		환상계		현실계
심청의 죽음 (주인공의 불행)	→	심청의 재생 (주인공의 불행이 행복으로 전환)	→	심청과 심 봉사의 재회 및 심 봉사의 개안 (행복한 결말)

4 '수정궁(용궁)'의 공간적 의미

수정궁은 아버지를 위해 인당수에 뛰어든 심청의 행위에 대한 보상이 주어지는 공간, 심청이 현실 세계로 돌아가 아버지와 재회하기 위해 고귀한 신분으로 탈바꿈하는 공간, 어머니와의 만남을 가능하게 하는 매개 공간이다.

최우선 핵심 Check!

1 다음 내용 중 맞는 것은 ○표를, 틀린 것은 ×표를 하시오.

(1) 판소리 「심청가」가 소설화되어 정착된 판소리계 소설이다. ( )

(2) 인간을 제물로 바치는 인신 공희 설화, 부모에 대한 자식의 효심과 효행을 주로 담은 효행 설화 등을 바탕으로 하고 있다. ( )

(3) 환상의 세계가 중심을 이루는 전반부와 현실 세계가 그려진 후반부로 나누어 볼 수 있다. ( )

2 초성 힌트를 보고 빈칸에 들어갈 알맞은 말을 쓰시오.

(1) 주인공 ㅅㅊ 의 출생과 성장, 죽음과 부활, 부녀의 상봉과 심 봉사의 개안이 사건의 중심을 이루고 있다.

(2) 불교의 인과응보 사상을 바탕으로 하여 ㅎ 을/를 형상화하고 있다.

정답 1. (1) ○ (2) ○ (3) × 2. (1) 심청 (2) 효

유충렬전(劉忠烈傳) | 작자 미상

성격 전기적, 비현실적, 영웅적 **시대** 조선 후기
주제 유충렬의 고난과 영웅적인 행적

소설

이 작품은 천상에서 지상으로 적강한 유충렬이 신적인 능력으로 자신과 함께 적강한 악인 정한담을 물리치고 위기에 처한 가문과 국가를 구한다는 내용의 영웅 소설이다.

주요 사건과 인물

발단
명나라 때의 충신 유심이 자식이 없어 한탄하다가 남악 형산에서 기자 정성을 제의하여 아들 유충렬을 얻음.

전개
유심이 정한담에 의해 누명을 쓰고 귀양을 가고, 천우신조로 살아난 유충렬은 강희주의 사위가 됨.

위기
유심을 구하려 하던 강희주 역시 정한담에 의해 유배를 당하고, 쫓기던 유충렬은 노승에게서 도술을 배움.

절정
반란을 일으킨 정한담이 천자를 공격하자, 유충렬이 천자를 구하고 정한담을 사로잡음.

결말
정한담을 응징한 유충렬이 황후와 태자를 구하고, 부모와 장인도 구한 뒤 부귀영화를 누림.

선인: 유충렬	악인: 정한담
비범한 능력의 소유자로, 악인 '정한담'으로 인해 위기에 빠진 나라를 구하는 전형적인 영웅적 인물	자신의 야욕을 채우기 위해 오랑캐와 결탁하고 역적이 되어 나라를 위기에 빠뜨리는 전형적인 악인형 인물

핵심장면 ① 간신 정한담과 최일귀의 모함으로 충신 유심이 유배를 당하게 되는 부분이다.

☐ : 주요 인물

정한담과 최일귀 두 사람이 이때를 타서 천자께 여쭈오되,
<small>반동 인물</small>

"폐하 즉위하신 후에 은덕이 온 백성에게 미치고 위엄이 온 세상에 진동하여 열국 제신이 다
<small>『 」: 토번과 가달을 정벌할 것을 주장함</small> <small>여러 신하 나라, 제후국</small>
조공을 바치되, 오직 토번과 가달이 강포함만 믿고 천명을 거스르니, 신 등이 비록 재주 없
<small>티베트 족</small> <small>몽골계의 한 부족</small>
사오나 남적을 항복 받아 충신으로 돌아오면 폐하의 위엄이 남방에 가득하고 소신의 공명은
<small>남쪽의 오랑캐 – 토번과 가달</small> <small>Link 인물의 태도 ①</small> <small>관련 속담: 누이 좋고 매부 좋다</small>
후세에 전하리니, 엎드려 바라옵건대 폐하는 깊이 생각하소서."』

천자 매일 만적이 강성함을 근심하더니, 이 말을 듣고 대희 왈,
<small>오랑캐</small> <small>크게 기뻐하여</small>
"경의 마음대로 기병하라." / 하시니라.
<small>전쟁을 일으킴</small>
이때 유 주부 조회하고 나오다가 이 말을 듣고 천자 앞에 들어가 엎드려 주 왈,
<small>유심, 유충렬의 아버지</small> <small>아뢰기를</small>
"들사오니 폐하께옵서 남적을 치라 하시기로 기병하신 말씀이 옳으니이까?"

천자 왈, / "한담의 말이 여차여차하기로 그런 일이 있노라." / 주부 여쭈오되,
<small>이러러러하기로 – 구체적인 내용을 생략할 때 쓰는 표현</small>
"폐하 어찌 망령되게 허락하였습니까? 왕실은 미약하고 외적은 강성하니, 이것은 자는 범을
<small>『 」: 토번과 가달의 정벌을 반대함 – 주화파에 해당함</small> <small>국력이 약해서 국력이 강한 남쪽 오랑캐와의 싸움에서 이길 수 없음</small>
찌름과 같고 드는 토끼를 놓침이라. 한낱 새알이 천 근의 무게를 견디리까? 가련한 백성 목
<small>Link 인물의 태도 ②</small>
숨 백 리 사장(沙場) 외로운 혼이 되면 그것인들 아니 적악(積惡)이리오. 엎드려 바라옵건대
<small>전쟁으로 백성들이 희생되는 것이 가장 큰 죄악임</small> <small>남에게 악한 짓을 많이 함</small>
황상은 기병하지 마옵소서."』
<small>황제, 천자</small>
천자 그 말을 들으시고 여러 가지로 생각하던 차에, 한담과 일귀 일시에 합주하되,
<small>한꺼번에 아뢰기를</small>

Link
출제자 톡 인물의 태도를 파악하라!

❶ 정한담이 주장하고 있는 것은?
토번과 가달을 정벌해야 함.

❷ 유심이 정한담의 주장에 반대하는 이유는?
나라의 힘은 약한데 외적은 강성하니 일부러 침략하면 위험해질 것이기 때문에.

❸ 이 작품에서 대립하고 있는 두 인물과 그 유형은?
유심과 정한담, 충신과 간신

"유심의 말을 듣사오니 죽여도 애석하지 않으니, 오국 간신과 같은
<small>오나라</small>
무리로소이다. 대국을 저버리고 도적놈만 칭찬하여 개미 무리를
<small>오나라</small> <small>보잘것없는 무리</small>
대국에 비하고 한낱 새알을 폐하에게 비하니, 일대의 간신이요 만
<small>비유하고</small> <small>염려하건대</small> <small>유심에 대한 부정적인 평가</small>
고의 역적이라. 신 등은 저어하건대 유심의 말이 가달을 못 치게
<small>내부에서 몰래 적과 통함</small>
하니 가달과 동심하여 내응이 된 듯하니 유심의 목을 먼저 베고 가
<small>유심이 가달과 내통한다고 모함함</small>
달을 치사이다."

▶ 남적 토벌로 대립하는 정한담과 유심

이날 밤 삼경에 한담이 선봉장 극한을 불러 군사 십만 명을 주어 금산성을 치라 하니, 극한
<small>밤 11~새벽 1시 사이</small>   <small>유충렬을 유인하는 역할을 맡은 인물</small>

이 청명하고 금산성으로 달려들어 갔다. 극한이 금산성 아래에 십만 병사를 나열한 후 호통을
<small>명령을 주의 깊게 들음</small>

지르며 명진으로 달려가 좌우를 충돌하며 명군을 휘저으니, 불의에 환을 만난 명군들이 황황
<small>근심과 재난</small>   <small>갈팡질팡 어쩔 줄 몰라 몹시 급함</small>

급급하더라.

이때 원수는 도성에서 적세를 탐지하고 있었는데, 한 군사 달려와 아뢰되,
<small>유충렬</small>   <small>적의 세력이나 형세</small>

"지금 도적이 금산성으로 쳐들어와 군사를 다 죽이고 중군장을 찾아 횡행하니, 원수께서 급
<small>명나라 장수 조정만</small>   <small>거리낌 없이 제멋대로 행동함</small>

히 와 구원하소서."

하니, 원수 대경해 금산성 십 리 뜰로 나는 듯이 달려가 벽력 같은 소리를 지르며 적진을 헤치
<small>크게 놀라</small>   <small>벼락</small>

고 중군장 조정만을 구원해 장대에 앉힌 후, 필마단창으로 성화같이 적진을 향해 달려갔다.
<small>장군의 지휘대</small>   <small>한 필의 말과 한 자루의 칼. 혼자 간단한 무장을 하고 한 필의 말을 타고 감</small>

『원수의 장성검이 지나는 곳에 천극한의 머리 떨어지고 천사마 닿는 곳에 십만 군병이 팔공산
<small>「 」: 유충렬의 뛰어난 무예</small>   <small>유충렬이 타는 준마</small>

초목이 구시월 만나듯이 순식간에 없어졌다.』 원수 본진으로 돌아와 칼끝을 보니 정한담은 간
<small>유충렬이 정한담의 계략에 넘어감</small>

데없고 전후가 모두 지금껏 보지 못했던 되놈들이었다.   ▶ 정한담의 계략에 빠진 유충렬
<small>오랑캐 놈들</small>

이때 한담이 원수를 속이고 정병만을 가리어 급히 도성으로 들어가니, 성중에는 지키는 군
<small>우수하고 강한 군사만 모인 정예병</small>

사가 전혀 없었으며, 천자 또한 원수의 힘만 믿고 잠이 깊이 들어 있었다. 이에 한담이 천병만
<small>군사들이 모두 금산성에 가 있음</small>   <small>한담의 계략이 맞아떨어진 것을 나타내는 상황</small>

마를 이끌고 와 순식간에 성문을 깨치고 궐내로 들어가 함성해 이르기를,

"이봐 명제야! 이제 네가 어디로 달아날 수 있겠느냐? 팔랑개비라 비상천하며 두더지라 땅
<small>명나라 황제. 천자</small>

으로 들어가랴. 네 놈의 옥새 빼앗으려고 왔는데, 네 이제는 어디로 달아나려느냐. 바삐 나
<small>황제의 도장 – 황제의 권위를 상징함</small>   <small>바람개비처럼 날아서 하늘로 도망갈 수 없고 두더지처럼 땅속으로
도망칠 수도 없음 – 더는 도망갈 곳이 없음을 빗대어 드러냄</small>

와 항복하라."

하는 소리에 궁궐이 무너지고 혼백이 상천(上天)하는지라. 한담의 고함 소리에 명제도 넋을
<small>넋을 잃고 정신을 못 차림</small>

잃고 용상에서 떨어졌으나, 『다급히 옥새를 품에 품고 말 한 필을 잡아타고 엎어지며 자빠지며
<small>임금이 정무를 볼 때 앉던 평상</small>   <small>「 」: 병자호란 당시 강화도로 피란을 간 임금(인조)에 대한 비판적 의식이 엿보임</small>   <small>매우 다급함을 드러냄</small>

북문으로 빠져나와 변수 가로 도망했다.』 한담이 궐내에 달려들어 천자를 찾았으나 천자는 간
<small>황태후. 황제의 살아 있는 어머니</small>

데없고, 『태자가 황후와 태후를 모시고 도망하기 위해 나오는지라. 한담이 호령하며 달려들어
<small>「 」: 병자호란 당시 대군과 궁중 비빈이 청나라의 포로가 된 것과 유사함</small>

태자 일행을 잡아 호왕(胡王)에게 맡긴 후,』 북문으로 나와 보니 천자가 변수 가로 달아나고 있

었다. 한담이 대희해 천둥 같은 소리를 지르고 순식간에 달려들어 구 척 장검을 휘두르니 천

자가 탄 말이 백사장에 거꾸러지거늘, 천자를 잡아내어 마하(馬下)에 엎어뜨리고 서리 같은
<small>말 밑</small>

칼로 통천관(通天冠)을 깨어 던지며 호통하기를,
<small>황제가 직무를 보거나 조칙을 내릴 때 쓰던 관</small>

"이봐 명제야! 내 말을 들어 보아라. 하늘이 나 같은 영웅을 내실 때는 남경의 천자가 되게
<small>천자가 되고자 하는 한담의 야욕을 알 수 있음</small>

하심이라. 네 어찌 계속 천자이기를 바랄쏘냐. 내가 네 한 놈을 잡으려고 십 년을 공부해 변
<small>정한담이 금산사 옥관 대사에게 술법을 배웠음을 이름</small>

화무궁한데, 네 어찌 순종하지 않고 조그마한 충렬을 얻어 내 군사를 침노하느냐. 네 죄를

논죄컨대 이제 바삐 죽일 것이로되, 나에게 옥새를 바치고 항서를 써서 올리면 죽이지 아니하리
<small>죄과를 논의하여 형을 결정하여 적용함</small>   <small>항복을 인정하는 문서</small>

라. 그러나 만약 그렇지 아니하면 네놈은 물론 네놈의 노모와 처자를 한칼에 죽이리라." 〈중략〉
<small>태후와 황후와 태자</small>   ▶ 명나라 천자에게 항복을 요구하는 정한담

이때 원수 금산성에서 적군 십만 명을 한칼에 무찌른 후, 곧바로 호산대에 진을 치고 있는
적의 청병을 씨 없이 함몰하려고 달려갔다. 그런데 뜻밖에 월색이 희미해지더니 난데없는 빗
방울이 원수 면상에 떨어졌다. 원수 괴이해 말을 잠깐 멈추고 천기를 살펴보니, 도성에 살기
가득하고 천자의 자미성이 떨어져 변수 가에 비쳐 있었다. 원수 대경해 발을 구르며 왈,

"이게 웬 변이냐."

하고 산호편을 높이 들어 채찍질을 하면서 천사마에게 정색을 하고 이르기를,

"천사마야, 네 용맹 두었다가 이런 때에 아니 쓰고 어디 쓰리오. 지금 천자께서 도적에게 잡
혀 명재경각이라. 순식간에 득달해 천자를 구원하라."

하니, 천사마는 본래 천상에서 내려온 비룡이라. 『채찍질을 아니하고 제 가는 대로 두어도 비
룡의 조화를 부려 순식간에 몇천 리를 갈 줄 모르는데, 하물며 제 임자가 정색을 하고 말하고
또 산호 채로 채찍질하니 어찌 아니 급히 갈까. 눈 한 번 꿈쩍하는 사이에 황성 밖을 얼른 지
나 변수 가에 다다랐다.』

❯ 천기를 살피고 천자를 구하러 달려가는 유충렬

『이때 천자는 백사장에 엎어져 있고 한담이 칼을 들고 천자를 치려 했다.』 원수가 이때를 당해
평생의 기력을 다해 호통을 지르니, 천사마도 평생의 용맹을 다 부리고 변화 좋은 장성검도
삼십삼천(三十三天)에 어린 조화를 다 부리었다. 원수 닿는 곳에 강산도 무너지고 하해도 뒤
엎어지는 듯하니, 귀신인들 아니 울며 혼백인들 아니 울리오. 원수의 혼신이 불빛 되어 벽력
같은 소리를 지르며 왈, / "이놈 정한담아, 우리 천자 해치지 말고 나의 칼을 받아라!"

하는 소리에 나는 짐승도 떨어지고 강신 하백도 넋을 잃어버릴 지경이거든 정한담의 혼백과 간
담인들 성할쏘냐.『원수의 호통 소리에 한담의 두 눈이 캄캄하고 두 귀가 멍멍해 탔던 말을 돌려
타고 도망가려다가 형산마가 거꾸러지면서 한담도 백사장에 떨어졌다.』 한담이 창검을 갈라 들
고 원수를 겨누는 순간 구만장천(九萬長天) 구름 속에 번개 칼이 번쩍하면서 한담의 장창대검
이 부서졌다. 원수 달려들어 한담의 목을 산 채로 잡아 들고 말에 내려 천자 앞에 복지했다.

이때 천자는 백사장에 엎드린 채 반생반사(半生半死) 기절해 누웠거늘, 원수 천자를 붙들어
앉히고 정신을 진정시킨 후에 복지 주 왈,

"소장이 도적을 함몰하고 한담을 사로잡아 말에 달고 왔나이다."

하니, 천자 황망 중에 원수란 말을 듣고 벌떡 일어나서 보니 원수 복
지했는지라. 달려들어 목을 안고 왈,

"네가 일정 충렬이냐? 정한담은 어디 가고 네가 어찌 여기에 왔느
냐? 내가 거의 죽게 되었더니, 네가 와서 살렸구나!"

하시었다. 원수 전후수말을 아뢴 후에 한담의 머리를 풀어 손에 감
아 들고 천자와 함께 도성으로 돌아왔다.

❯ 천자를 구하고 정한담을 사로잡은 유충렬
❯ 정한담과의 대결에서 승리한 유충렬

1 '유충렬'이라는 영웅의 일대기 구조

고귀한 혈통	개국 공신의 후예인 유심의 아들임.
비정상적 탄생	부모가 기자 정성을 제의하여 늦게 얻은 아들임.
시련	간신 정한담과 최일귀가 유심을 모함하여 귀양 보내고 가족까지 살해하려 함.
구출, 양육	조력자인 강희주를 만나 그의 사위가 됨.
성장 후 위기	강희주는 유심을 구하기 위해 간언하다가 정한담의 공격을 받아 유배당하고 유충렬은 부인과 헤어지게 됨.
신이한 존재의 도움	광덕산 백룡사에서 도승에게 무예를 배우며 때를 기다림.
고난 극복	천자를 구하고 나라를 바로잡음.
행복한 결말	헤어졌던 가족과 만나 부귀영화를 누림.

2 작품에 반영된 시대상

주전파와 주화파가 대립함.	정한담은 토번과 가달의 정벌을 주장하고 유심은 이에 반대함.
대군과 비빈이 청나라에 잡혀감.	태후, 황후, 황태자가 호국에 잡혀감.
인조가 남한산성으로 피란함.	천자가 금산성으로 피신함.
민중들은 병자호란의 치욕을 보상받고 싶어 함.	유충렬이 호국을 정벌하고 복수함.

3 공간적 배경이 중국으로 설정된 이유

이 작품에서 공간적 배경을 조선이 아닌 중국으로 설정한 것은, 외국을 배경으로 삼으면 독자에게 낯설고 신비한 느낌을 줄 수 있고, 우리나라를 배경으로 했을 때 다루기 힘든 소재와 내용까지도 자유롭게 다룰 수 있기 때문이다. 특히 작품의 무대가 중국의 명나라인 점, 두 번에 걸쳐 호국을 정벌하고 호왕을 살육한다는 내용이 있는 점 등은 병자호란 이후 오랑캐(호국)의 나라인 청나라에 대한 민중의 적개심이 반영된 것이다.

1 다음 내용 중 맞는 것은 ○표를, 틀린 것은 ×표를 하시오.

(1) 꿈과 현실을 교차하여 사건을 입체적으로 구성하고 있다. ( )
(2) 국가의 위기와 전란으로 인해 고통을 겪은 우리 민족의 고난과 이에 맞서는 민중의 꿈과 복수 의지를 드러내고 있다. ( )
(3) 조선을 배경으로 영웅의 일생을 그린 것으로 영웅 서사의 전형적 구조를 가지고 있다. ( )

2 초성 힌트를 보고 빈칸에 들어갈 알맞은 말을 쓰시오.

(1) 주동 인물인 [ㅇㅊㄹ]와/과 반동 인물인 정한담은 각기 충신과 간신의 전형을 보여 주고 있다.
(2) 작품에 [ㅂㅈㅎㄹ]이라는 시대적 배경을 반영하여, 주인공이 호국을 정벌하고 복수하도록 전개하고 있다.

정답 1. (1) × (2) ○ (3) × 2. (1) 유충렬 (2) 병자호란

1등급! 〈보기〉!

「유충렬전」과 「홍계월전」의 공통점과 차이점 → 우리책 3위(홍계월전)

	유충렬전	홍계월전
공통점	• 중국 명나라를 배경으로 함. • 영웅 일대기적 구성을 취함. • 주인공이 위험에 처한 천자를 구하며 공을 세움.	
차이점	남성 주인공 유충렬이 간신 정한담과 대결함.	• 여성 주인공 홍계월이 외적 및 반란군과 대결함. • 홍계월에 비해 상대적으로 능력이 떨어지는 남편과의 갈등도 나타남.

15위

허생전(許生傳) | 박지원

성격 풍자적, 비판적　**시대** 조선 후기
주제 양반 사대부들의 무능함과 허위의식 비판 및
각성 촉구

소설

이 작품은 실천적 지식인 허생을 통해 무능하고 허위에 가득 찬 당대 지도층인 사대부들을 비판하고, 그들의
각성을 촉구하고 있는 한문 소설이다.

주요 사건과 인물

발단
허생이 돈을 벌어 오지 못한 다는 아내의 질책에 집을 나 감.

전개
허생은 변 씨에게 빌린 돈으로 매점매석 하여 돈을 벌고, 그 돈으로 이상국 건설 을 시도하고 빈민을 구제함.

위기
이완이 나라를 위한 허생의 세 가지 계책을 거절함.

절정
허생이 양반 사대부들의 허 례허식을 비판하고 이완을 질타함.

결말
이튿날 이완이 다시 허생의 집에 찾아갔으나 허생은 사 라짐.

변 씨
조선 후기 신흥 부유층을 대표하는 인물로, 허생과 이완 사이의 매개자 역할을 함.

허생
양반임에도 상행위를 하여 이용후생을 실 천하고, 양반 사회의 구조적 모습을 비판함.

이완
무능한 지배 계층을 대변하는 인물로, 작 가의 비판 대상임.

핵심장면 ① 허생이 변 씨에게 빌린 돈으로 매점매석을 하여 돈을 번 후, 이상국 건설을 시도하고 빈민을 구제하는 부분이다.

☐ : 주요 인물

　허생은 거리에 서로 알 만한 사람이 없었다. 바로 운종가로 나가서 시중의 사람을 붙들고 물
1년간 집에 틀어박혀 글만 읽었기 때문에　　　　　　　　　조선 시대에, 서울의 거리 가운데 지금의 종로 네거리를 중심으로 한 곳　　도시 안
었다. / "누가 서울 성중에서 제일 부자요?"

　변 씨(卞氏)를 말해 주는 이가 있어서, 허생이 곧 변 씨의 집을 찾았다. 허생은 변 씨를 대하
상업으로 부를 축적한 신흥 부유층을 대표하는 인물
여 길게 읍하고 말했다.
정중하게 인사를 하고

　"내가 집이 가난해서 무얼 좀 해 보려고 하니, 만 냥을 꾸어 주시기 바랍니다."

　변 씨는 / "그러시오."
변 씨의 대범하고 과감한 성격이 드러남
하고 당장 만 냥을 내주었다. 허생은 감사하다는 인사도 없이 가 버렸다. 변 씨 집의 자제와
허생의 이인(異人)다운 풍모가 드러남
손들이 허생을 보니 거지였다. 『실띠의 술이 빠져 너덜너덜하고 갖신의 뒷굽이 자빠졌으며, 쭈
가죽으로 만든 우리 고유의 신을 통틀어 이르는 말
그러진 갓에 허름한 도포를 걸치고, 코에서 맑은 콧물이 흘렀다.』 허생이 나가자, 모두들 어리
『 』: 허생의 외양 묘사
둥절해서 물었다. / "저이를 아시나요?" / "모르지."

　"아니, 이제 하루아침에, 평생 누군지도 알지 못하는 사람에게 만 냥을 그냥 내던져 버리고
관련 한자 성어: 생면부지(生面不知)　　　　　　　　　　허생에 대한 부정적 인식이 드러남
성명도 묻지 않으시다니, 대체 무슨 영문인가요?"

　변 씨가 말하는 것이었다.

　"이건 너희들이 알 바 아니다. 대체로 남에게 무엇을 빌리러 오는 사람은 으레 자기 뜻을 대
관련 한자 성어: 자화자찬(自畫自讚)
단히 선전하고, 신용을 자랑하면서도 비굴한 빛이 얼굴에 나타나고, 말을 중언부언하게 마
관련 한자 성어: 호언장담(豪言壯談)　　　　관련 한자 성어: 교언영색(巧言令色)　　이미 한 말을 자꾸 되풀이함
련이다. 『그런데 저 객은 형색은 허술하지만, 말이 간단하고, 눈을 오만하게 뜨며, 얼굴에 부
『 』: 변 씨가 허생에게 돈을 빌려준 이유 → 허생의 비범함과 변 씨의 대범함을 부각함
끄러운 기색이 없는 것으로 보아, 재물이 없어도 스스로 만족할 수 있는 사람이다. 그 사람
이 해 보겠다는 일이 작은 일이 아닐 것이매, 나 또한 그를 시험해 보려는 것이다. 안 주면
모르되, 이왕 만 냥을 주는 바에 성명은 물어 무엇을 하겠느냐?』　　　➤ 변 씨에게 돈 만 냥을 빌린 허생
변 씨의 대범하고 호탕한 성격이 드러남
허생은 만 냥을 입수하자, 다시 자기 집에 들르지도 않고 바로 안성(安城)으로 내려갔다. 안

성은 경기도, 충청도 사람들이 마주치는 곳이요, 삼남(三南)의 길목이기 때문이다. 『거기서 대

허생이 안성으로 내려간 이유 – 상품의 집산지라 장사하기 좋음   충청도, 전라도, 경상도 세 지방을 통틀어 이르는 말

추, 밤, 감, 배며 석류, 귤, 유자 등속의 과일을 모조리 두 배의 값으로 사들였다. 허생이 과일

양반의 허례허식을 드러내는 소재 ①

을 몽땅 쓸었기 때문에 온 나라가 잔치나 제사를 못 지낼 형편에 이르렀다. 얼마 안 가서, 허

생에게 두 배의 값으로 과일을 팔았던 상인들이 도리어 열 배의 값을 주고 사 가게 되었다.』 허

『 』: 매점매석(물건값이 오를 것을 예상하여 한꺼번에 샀다가 팔기를 꺼려 쌓아 둠)을 통한 부의 축적

생은 길게 한숨을 내쉬었다.

Link 인물의 심리 ❶

"만 냥으로 온갖 과일의 값을 좌우했으니, 우리나라의 형편을 알 만하구나."

조선의 유통 구조, 경제 구조가 취약함

그는 다시 칼, 호미, 포목 따위를 가지고 제주도에 건너가서 말총을 죄다 사들이면서 말했다.

말의 갈기나 꼬리의 털

"몇 해 지나면 나라 안의 사람들이 머리를 싸매지 못할 것이다."

말총이 없으면 망건을 만들지 못해 상투를 틀기 어려울 것이기 때문에

허생이 이렇게 말하고 얼마 안 가서 과연 망건값이 열 배로 뛰어올랐다. 〈중략〉

양반의 허례허식을 드러내는 소재 ②   ➤ 매점매석으로 부를 축적한 허생

허생은 몸소 이천 명이 1년 먹을 양식을 준비하고 기다렸다. 군도들이 빠짐없이 모두 돌아왔

군도 일천 명에게 돈을 주고 아내와 소를 거느리고 돌아오도록 하였음   때를 지어 도둑질하는 무리

다. 드디어 다들 배에 싣고 그 빈 섬으로 들어갔다. 허생이 도둑을 몽땅 쓸어 가서 나라 안에

★ 주요 소재   도둑을 구제한 허생의 유능함(국가의 무능함 강조)

시끄러운 일이 없었다.

그들은 나무를 베어 집을 짓고, 대[竹]를 엮어 울을 만들었다. 땅기운이 온전하기 때문에 백

땅이 기름져서 휴경을 하지 않아도 됨   땅이 기름짐   온갖 곡식

곡이 잘 자라서, 한 해나 세 해만큼 걸러 짓지 않아도 한 줄기에 아홉 이삭이 달렸다. 3년 동

일본 나가사키

안의 양식을 비축해 두고, 나머지를 모두 배에 싣고 장기도로 가져가서 팔았다. 장기라는 곳

해외 무역을 통해 부를 축적함

은 삼십만여 호나 되는 일본의 속주(屬州)이다. 그 지방이 한참 흉년이 들어서 구휼하고 은 백

어느 나라에 속하여 있는 주(州)   재난을 당한 사람이나 빈민에게 금품을 주어 구제함

만 냥을 얻게 되었다.

➤ 해외 무역을 통해 큰돈을 번 허생

허생이 탄식하면서,

"이제 나의 조그만 시험이 끝났구나." / 하고, 이에 남녀 이천 명을 모아 놓고 말했다.

이상 국가 건설

"내가 처음에 너희들과 이 섬에 들어올 때엔 먼저 부(富)하게 한 연후에 따로 문자를 만들고

경제적 안정을 우선시함 – 실학의 이용후생(利用厚生)과 관련됨

의관을 새로 제정하려 하였더니라. 그런데 땅이 좁고 덕이 엷으니, 나는 이제 여기를 떠나련

빈 섬의 한계, 허생이 섬을 떠나는 이유

다. 다만, 아이들을 낳거들랑 오른손에 숟가락을 쥐고, 하루라도 먼저 난 사람이 먼저 먹도

식사 예절, 장유유서(長幼有序) 등 기본적인 예의 정도만 가르침

록 양보케 하여라." / 다른 배들을 모조리 불사르면서,

Link 인물의 심리 ❷   안정적인 빈 섬의 생활이 육지와의 교류 때문에 무너질까 봐 염려되어 한 행동

"가지 않으면 오는 이도 없으렷다."

하고 돈 오십만 냥을 바다 가운데 던지며,

돈이 지나치게 많아지면 그에 따른 폐단이 생겨날 것을 염려함

"바다가 마르면 주워 갈 사람이 있겠지. 백만 냥은 우리나라에도 용납할 곳이 없거늘, 하물

조선 경제 구조의 취약함을 비판함

며 이런 작은 섬에서랴!"

= 화근

했다. 그리고 글을 아는 자들을 골라 모조리 함께 배에 태우면서,

★ 주요 소재

"이 섬에 화근을 없애야 되지." / 했다.

공리공론만 일삼는 지식인 비판

허생은 나라 안을 두루 돌아다니며 가난하고 의지 없는 사람들을

관련 한자 성어: 구세제민(救世濟民)

구제했다.

➤ 이상국 건설을 시도하고, 빈민을 구제하는 허생

Link

출제자 **특** 인물의 심리를 파악하라!

❶ 매점매석을 하여 돈을 번 허생이 한숨을 쉰
이유는?
나라의 경제 구조, 유통 구조가 매우 취약함
을 알고 근심하였기 때문에

❷ 허생이 섬을 떠나며 아이를 낳으면 오른손
으로 숟가락을 쥐게 하고 나이 많은 사람이
먼저 먹도록 하라고 당부한 이유는?
양반과 같은 복잡한 허례허식은 필요없으
며, 기본적인 예절만 지키면 충분하다고 여
기기 때문에

실존 인물인 이완. 효종의 북벌 정책의 선봉 부대인 어영청 대장으로 일함
이 대장이 방에 들어와도 허생은 자리에서 일어서지도 않았다. 이 대장은 몸 둘 곳을 몰라
　　　　　　　지배 계층에 대한 허생의 반감이 드러남　　　　　　　　　　　　　　　　허생의 푸대접에 당황함
하며 나라에서 어진 인재를 구하는 뜻을 설명하자, 허생은 손을 저으며 막았다.

"밤은 짧은데 말이 길어서 듣기에 지루하다. 너는 지금 무슨 벼슬에 있느냐?" / "대장이오."
　사대부들의 탁상공론 비판

"그렇다면 너는 나라의 신임 받는 신하로군. 『내가 와룡 선생 같은 이를 천거하겠으니, 네가
　　　　　　　　　　　　　　　　　　　중국 삼국 시대 촉한(蜀漢)의 정치가 겸 군사 전략가인 제갈량(諸葛亮)　　Link 인물의 의도 ❶
임금께 아뢰어서 삼고초려를 하게 할 수 있겠느냐?』」: 첫 번째 계책: 인재를 얻기 위해서는 삼고초려의 노력이 필요함
인재를 맞아들이기 위하여 참을성 있게 노력함. 중국 삼국 시대 촉한의 유비가 제갈량을 맞아들이기 위해 그의 초가에 세 번이나 찾아갔다는 데서 유래함
이 대장은 고개를 숙이고 한참 생각하더니,

"어렵습니다. 제이(第二)의 계책을 듣고자 하옵니다." / 했다.
　　　　　　차선책

"나는 원래 '제이'라는 것은 모른다."

하고 허생은 외면하다가, 이 대장의 간청에 못 이겨 말을 이었다.

『명(明)나라 장졸들이 조선은 옛 은혜가 있다고 하여, 그 자손들이 많이 우리나라로 망명해
　「: 두 번째 계책: 명나라 유민을 대우해야 함　　　임진왜란 당시 조선에 파병을 해 줌
와서 정처 없이 떠돌고 있으니, 너는 조정에 청하여 종실(宗室)의 딸들을 내어 모두 그들에
　　　　　　　　　　　　　　　　지위가 높고 권세가 있음. 또는 그런 사람　　　임금의 친척
게 시집보내고, 훈척(勳戚) 권귀(權貴)의 집을 빼앗아서 그들에게 나누어 주게 할 수 있겠느
　　　　나라를 위하여 드러나게 세운 공로가 있는 임금의 친척
냐?』」 Link 인물의 의도 ❶

이 대장은 또 머리를 숙이고 한참을 생각하더니, / "어렵습니다." / 했다.
　　　　　　　　　　　　　기득권을 포기할 수 없으므로

"이것도 어렵다, 저것도 어렵다 하면 도대체 무슨 일을 하겠느냐? 가장 쉬운 일이 있는데,
　　　　　　　　　　집권층의 무능과 실천 의지 부족을 비판함
네가 능히 할 수 있겠느냐?" / "말씀을 듣고자 하옵니다."

"무릇, 천하에 대의(大義)를 외치려면 먼저 천하의 호걸들과 접촉하여 결탁하지 않고는 안
　　　　　　　청나라 정벌
되고, 남의 나라를 치려면 먼저 첩자를 보내지 않고는 성공할 수 없는 법이다. 지금 만주 정
　　　　　　　　관련 한자 성어: 지피지기 백전불태(知彼知己百戰不殆)　　　　　　　　　　　　청나라
부가 갑자기 천하의 주인이 되어서 중국 민족과는 친근해지지 못하는 판에, 조선이 다른 나
　　　　　　　　　　　　　　　　　　　　　　한족　　　　　　　　　　　병자호란 때 군신 관계를 맺음
라보다 먼저 섬기게 되어 저들이 우리를 가장 믿는 터이다. 진실로 당(唐)나라, 원(元)나라
　　　　　　　　　　　　　　　　　　　　　　　　　중국과 교류가 왕성했던 시기
때처럼 우리 자제들이 유학 가서 벼슬까지 하도록 허용해 줄 것과 상인의 출입을 금하지 말
　　　　　　　　　　　　인적 교류　　　　　　　　　　　　　　　　　　자유 무역
도록 할 것을 간청하면, 저들도 반드시 자기네에게 친근해지려 함을 보고 기뻐 승낙할 것이
　　　　　　　　　　　　　　　　　변발과 호복 착용 – 청의 문물을 따름
다. 『국중의 자제들을 가려 뽑아 머리를 깎고 되놈의 옷을 입혀서, 그중 선비는 가서 빈공과
　「: 세 번째 계책: 청나라와 실질적으로 교류하여 그들을 파악해야 함　　　　중국 당나라 때에, 외국인에게 보게 하던 과거(科擧)
에 응시하고, 또 서민은 멀리 강남(江南)에 건너가서 장사를 하면서, 저 나라의 실정을 정탐
　　　　　　　　　　　　　　　　　　당시 중국 경제의 중심지　　　　　　　　　　　청나라의 약점을 엿보는
하는 한편, 저 땅의 호걸들과 결탁한다면 한번 천하를 뒤집고 국치(國恥)를 씻을 수 있을 것
　　　　　　　　　　　　Link 인물의 의도 ❶　　　　청나라를 멸망시키고　　병자호란의 패배
이다.』 그리고 만약 명나라 황족에서 구해도 사람을 얻지 못할 경우, 천하의 제후를 거느리고
적당한 사람을 하늘에 천거한다면, 잘되면 대국의 스승이 될 것이고, 못되어도 백구지국(伯
　　　　　　　　　　　황제로 세운다면　　　　예전에, 우리나라에서 중국을 이르던 말　　　중국 봉건 시대 제후국 중에서 규모가 큰 나라. '백구'는
舅之國)의 지위를 잃지 않을 것이다." / 이 대장은 힘없이 말했다.　천자가 성(性)이 다른 제후를 존경하여 부르던 말임

"사대부들이 모두 조심스럽게 예법을 지키는데, 누가 변발을 하고 호복을 입으려 하겠습니
　　　　　　　　　　　　　　　　　　　① 만주인의 옷 ② 오랑캐의 옷차림
까?" / 허생은 크게 꾸짖어 말했다.　몽골인이나 만주인의 풍습으로, 남자의 머리를 뒷부분만 남기고 나머지 부분을 깎아 뒤로 길게 땋아 늘인 머리
　　　　　　　　　　　　　　　　　　▶ 나라를 위한 허생의 계책을 모두 거절하는 이완

"소위 사대부란 것들이 무엇이란 말이냐? 오랑캐 땅에서 태어나 자칭 사대부라 뽐내다니 이런
　　　허례허식에 얽매이는 사대부에 대한 비판　　　중국을 세계의 중심으로 보는 중화사상의 관점

어리석을 데가 있느냐? 의복은 흰옷을 입으니 그것이야말로 상인(喪人)이나 입는 것이고, _{상을 당한 사람} 머리털을 한데 묶어 송곳같이 만드는 것은 남쪽 오랑캐의 습속에 지나지 못한데, 대체 무엇 _{상투} 을 가지고 예법이라 한단 말인가?『번오기(樊於期)는 원수를 갚기 위해서 자신의 머리를 아 _{중국 진(秦)나라의 장수} 끼지 않았고, 무령왕(武靈王)은 나라를 강성하게 만들기 위해서 되놈의 옷을 부끄럽게 여기 _{중국 전국 시대 조(趙)나라의 왕} 지 않았다.』이제 대명(大明)을 위해 원수를 갚겠다 하면서, 그까짓 머리털 하나를 아끼고, 또 _{『 』: 목표를 이루기 위해 체면을 버리고 실리를 추구하며 노력했던 역사적 인물들의 사례 제시} 장차 말을 달리고 칼을 쓰고 창을 던지며 활을 당기고 돌을 던져야 할 판국에 넓은 소매의 옷을 고쳐 입지 않고 딴에 예법이라고 한단 말이냐? 내가 세 가지를 들어 말하였는데, 너는 _{형식적인 북벌론에 대한 비판}　　　　　　　　　_{① 인재 등용 ② 부패 척결 ③ 문물 교류를 통한 부국강병} 한 가지도 행하지 못한다면서 그래도 신임 받는 신하라 하겠는가? 신임 받는 신하라는 게 _{명분만 내세우고 실천을 못하는 지} 참으로 이렇단 말이냐? 너 같은 자는 칼로 목을 잘라야 할 것이다." _{무능한 지배층에 대한 통렬한 비판}

하고 좌우를 돌아보며 칼을 찾아서 찌르려 했다. 이 대장은 _{Link 인물의 의도 ❷} 놀라서 일어나 급히 뒷문으로 뛰쳐나가 도망쳐서 돌아갔다.
　　이튿날, 다시 찾아가 보았더니, 집이 텅 비어 있고, 허생 _{허생의 잠적 – 그가 제시한 시사 삼책이 현실적으로는 수용되기 어려운 것임을 암시함} 은 간 곳이 없었다.　　　　　　　　　　　　　▶ 사라진 허생

최우선　출제 포인트!

1 등장인물의 특징

인물	대표 유형	행적
허생	비판적, 실천적 지식인	당대 사대부의 무능과 허위를 비판하고 비범한 능력을 바탕으로 이상국 건설을 시도하고 빈민을 구제함.
변 씨	상업을 통해 부를 축적한 신흥 부유층	허생의 능력을 알아보고 돈을 빌려 주고, 이완과의 만남을 주선함.
이완	허례허식에 얽매인 사대부	실리보다 예법에 집착하며, 허위적인 북벌론을 주장함.

2 '허생'의 행동과 풍자의 대상

가족의 생계를 책임지라는 아내의 말을 거부함.	경제적으로 무능한 양반 계층 풍자
일만 냥으로 매점매석을 함.	적은 돈으로 매점매석이 가능한, 조선 후기의 취약한 경제 구조 풍자
빈 섬에 새로운 사회를 건설하고, 섬을 나올 때 글을 아는 사람들을 모두 데리고 나옴.	부정부패가 만연한 당대 조선의 현실과 공리공론을 일삼으며 백성들을 살피지 못하는 지배층 풍자
세 가지 대책을 이완에게 제시하나 모두 거절당함.	명분을 내세우며 북벌론을 주장하면서, 자신들이 지닌 기득권이나 유교적 예법을 포기하지 않으려는 집권층 풍자

3 작품에 반영된 당대의 사회상

평민층의 몰락	평민들이 생계를 꾸리기 어려워 도둑이 되는 경우가 많았음.
신분 질서의 동요	• 상업을 기반으로 한 신흥 부자가 출현함. • 평민 의식이 성장하여 무능한 양반에 대한 비판 의식이 나타남.
실학사상의 등장	실사구시(實事求是), 이용후생(利用厚生)의 정신을 바탕으로 백성을 구제하려 함.

최우선　핵심 Check!

1 다음 내용 중 맞는 것은 ○표를, 틀린 것은 ×표를 하시오.
(1) 실존 인물인 이완을 등장시켜 작품에 현실성을 부여하고 있다.
　　　　　　　　　　　　　　　　　　　　　　　　　　(　　)
(2) 허생은 당시 지배 계층의 무능한 정책을 비판하는 주체이자 아내로부터 질책을 받는 비판의 대상이다.　　　　　　　　(　　)
(3) 일반적인 고전 소설과는 달리 미완의 결말 구조를 취하고 있다.
　　　　　　　　　　　　　　　　　　　　　　　　　　(　　)

2 초성 힌트를 보고 빈칸에 알맞은 들어갈 말을 쓰시오.
(1) ㅅㅎ 사상을 바탕으로 당대 사회의 모순을 풍자하고 있다.
(2) 허생이 ㅁㅈㅁㅅ 을/를 하는 상행위를 보여 줌으로써 나라의 취약한 경제 구조를 풍자하고 있다.

정답 1. (1) ○ (2) ○ (3) ○　2. (1) 실학 (2) 매점매석

채봉감별곡(彩鳳感別曲) | 작자 미상

성격 사실적, 비판적, 진취적 **시대** 조선 후기
주제 권세에 굴하지 않는 지고지순한 사랑   소설

이 작품은 조선 후기의 사회상을 반영한 애정 소설로, 평양 김 진사의 딸 채봉과 선천 부사의 아들 장필성이 시련을 극복하고 사랑을 성취하는 과정을 그리고 있다.

주요 사건과 인물

발단	전개	위기	절정	결말
평양에 사는 김 진사가 벼슬을 구하려고 서울에 간 사이 그의 딸 채봉이 가난한 선비 장필성을 만나 결혼을 약속함.	김 진사는 세도가인 허 판서를 만나 딸을 첩으로 주기로 하고 과천 현감 자리를 약속받음.	상경 도중 채봉이 도망을 가고 이에 분노한 허 판서가 김 진사를 옥에 가둠.	채봉은 기생 일로 번 돈으로 김 진사를 구하고, 장필성은 기생이 된 채봉과 재회함.	채봉과 장필성은 이 감사의 도움으로 혼인을 하고, 허 판서는 파국을 맞이함.

김채봉	장필성	김 진사	허 판서
주체적으로 자신이 처한 상황을 스스로 해결하려 함.	채봉과의 약속을 끝까지 지키고자 하며 사랑을 성취하기 위해 노력함.	자신의 욕망을 위해 딸(채봉)을 허 판서의 첩으로 보내려고 함.	부패한 권력자이며, 자신의 욕망을 위해 채봉을 첩으로 삼으려 함.

핵심장면 ① 서울에 간 김 진사가 세도가인 허 판서의 힘으로 벼슬을 얻어 보고자 하는 부분이다.

채봉의 아버지 □ : 주요 인물

잠시 후 미소년이 연적을 갖다 놓고 돌아가거늘, 김 진사 넋을 잃고 미소년 가는 데를 바라본다. 이 미소년은 허 판서의 시중을 드는 아이인데, 허 판서는 세상 남녀 간에 이 미소년만 한 인물이 없다고 칭찬하는 터이다. 그런데 허 판서는 김 진사의 말을 듣고 별안간 딴 욕심이 생기니, 오백여 리 밖에 있는 채봉의 앞날에 무수한 고난이 이로부터 비롯된다.

벼루에 먹을 갈 때 쓰는, 물을 담아 두는 그릇
뒤따란 인물의 미소년을 보고 채봉의 신랑감으로 생각함
육조의 으뜸 벼슬

Link 인물의 성격 ❶ *편집자적 논평 – 앞으로 전개될 내용을 제시하고 흥미를 유발함*

김양주가 먹을 다 갈고 김 진사를 '탁' 치며,

"무엇을 그렇게 정신없이 보고 있소. 어서 어음이나 써서 드리고 갑시다."

"예, 쓰지요. 그런데 오천 냥은 지금 있고, 오천 냥은 평양으로 기별을 해서 가져오든지, 그렇지 않으면 내가 내려가야 할 터인데 어찌하면 좋겠습니까?"

허 판서는 벼슬 팔기에 수단이 있는 양반일 뿐 아니라, 김 진사 집의 실정을 다 아는 터라, 이 말을 듣고 선뜻 허락을 한다.

돈을 주기로 약속한 표
Link 인물의 성격 ❶ *김 진사의 재산 사정을 알고 어음을 받아 줌*

"그러면 오천 냥 가진 표는 나를 주고, 오천 냥은 어음만 써 놓았다가 나중에 들여놓게그려."

김 진사는 오천 냥 어음을 써 놓고, 또 오천 냥은 돈표를 써 놓으니, 허 판서가 받아 문갑 서랍에 넣고 웃는 낯으로 김 진사를 쳐다본다.

현금으로 바꿀 수 있는 표

"내일이면 과천 현감을 할 터이니, 이제는 김 과천이라 하지. 김 과천, 허허!"

조선 시대에 둔, 작은 현(縣)의 수령
Link 인물의 성격 ❷, 반영된 시대상 ❶

Link

출제자 톡톡 인물의 성격을 파악하라!

❶ 허 판서의 인물됨은?
돈을 받고 벼슬을 파는 것으로 보아 부패한 세도가이며, 김 진사가 미소년에게 하는 말을 듣고 김 진사의 딸을 첩으로 삼고 싶은 의도를 내비치는 것으로 보아 탐욕적인 인물임.

❷ 김 진사가 허 판서에게 돈을 준 이유는?
허 판서에게 돈을 주고 과천 현감 자리를 받기로 함.

"황송합니다." ➤ 허 판서에게 돈을 주고 벼슬을 사려는 김 진사

"내일이면 할 터인데 무슨 관계가 있나, 그런데 아까 우리 집 심부름하는 아이를 보고 무어라고 했나?"

"위인이 하도 얌전하기에 칭찬하였습니다."

됨됨이로 본 그 사람

"글쎄, 칭찬한 줄은 아네. 그런데 사위 삼았으면 좋겠다고 그러지 않았나?"

허 판서는 <u>음흉한 생각이 있어서</u> 묻는 말이지만 김 진사가 어찌 그런 속을 알겠는가. 조금도
_{김 진사의 딸을 첩으로 들이고자 하는 속내}　　　　　　　　　　　　　　　　_{편집자적 논평 – 허 판서의 의중을 모르는 김 진사}
의심하지 않을 뿐 아니라 도리어 황공하여 대답한다.

"네, 그러했습니다. 소인에게 <u>미천한</u> 딸이 하나 있사온데, 과히 모자라지는 아니하므로 그에
　　　　　　　　　　　　　_{채봉}
걸맞은 사람으로 짝을 지어 주려고 열여섯이 되도록 시집을 못 보냈습니다. 댁 상노를 보니
　　　　　　　　　　　　　　　　　　　　　　　　　　　　　　　　_{밥상을 나르거나 잔심부름을 하는 어린아이}
그 모양이 비슷하기에 무심코 속으로 말한다는 것이 대감 귀에까지 들리게 되었습니다."

허 판서가 <u>이 말을 듣고 불같은 욕심이 일어나서</u> 체면도 돌아보지 않고, 한바탕 너털웃음을
　　　　　　　　_{채봉을 첩으로 들이고 싶은 욕망}
터뜨리더니,

"여보게 김 과천, 나는 그 상노 놈과 비교해서 어떤가?"

"황송합니다."

"황송하다고 할 것이 아니라, 내가 김 과천에게 청할 말이 있으니, 부담 없이 들을 텐가?"

"대감의 분부라면 죽더라도 따르겠사오니, 어찌 안 듣겠습니까?"

<mark>"다른 청이 아니라, 내가 자네 사위가 되면 어떻겠는가?"</mark>
　　　　　　　　　　　　　　　　　　　　Link 인물의 성격 ❶

"천만의 말씀이올시다."

"천만의 말이 아니라 내 말을 들어 보게. 김양주가 이 자리에 앉아 있어서 하는 말이네만 김
양주는 내 속을 다 아네. 내가 작년에 첩을 잃고, 마땅한 사람이 없어서 지금까지 그저 있네.
자네 딸을 내게 줄 것 같으면, 자네 딸도 호강을 할 것이요, 자네도 작은 고을 수령으로만 다
_{육조(六曹)에 둔 종이품 벼슬. 판서의 다음 서열}　　　　　　　　　　_{채봉의 안녕과 김 진사에게 갈 수도 있는 벼슬로 현혹함}
니겠나. 감사, 아니 참판, 판서는 못 할라구." 　　　　　　　**▶** 김 진사에게 딸을 첩으로 보낼 것을 제안하는 허 판서
_{관찰사. 조선 시대에 둔, 각 도의 으뜸 벼슬}
애초에 김 진사가 서울에 왔을 때에는 천금 같은 딸을 위해 좋은 사위를 얻어 낙을 보려는

마음이 먼저였다. 그런데 <mark>평안도 사람이 벼슬하기가 하늘에 오르는</mark>
　　　　　　　　　　　　　　　　　_{조선 시대에 서북인을 등용하는 것에 대한 차별이 있었음}
<mark>것처럼 어려운 이 시절</mark>에, 천만뜻밖으로 줄을 잘 잡아 벼슬자리를
　　　　　Link 반영된 시대상 ❷
얻고, 또 이같이 허 판서의 농간에 놀아나다 보니 헛된 영예에 <u>불같</u>

<u>은 욕심</u>이 나는지라. 혼자 생각하길,
_{욕심이 많고 허영을 좇는 김 진사의 성격이 드러남}
　　　　　「채봉의 됨됨이가 녹록치 아니하여 팔자가 세니 재상의 첩이나 시켜
　　　　　『 』: 딸 채봉의 호강을 핑계로 자신의 벼슬 욕심을 채우려는 속내
　　　　　호강하게 하고, 나는 <u>부원군</u> 부럽지 않게 벼슬이나 실컷 얻으리라.』
　　　　　　　　　　　　　　　_{왕의 사위}
하고 기쁘게 허락한다. 　　　　　　　　　　　　**▶** 벼슬이 탐나 채봉을 허 판서의 첩으로 보내기로 결심한 김 진사

Link
출제자 톡 반영된 시대상을 파악하라!

❶ 김 진사가 허 판서에게 돈을 주고 과천 현감
자리를 산 것을 통해 알 수 있는 것은?
돈으로 관직을 사고팔았음.

❷ 서울 양반이 아니면 벼슬하기가 어려웠던
당시의 시대상을 드러내는 구절은?
'평안도 사람이 벼슬하기가 하늘에 오르는
것처럼 어려운 이 시절에'

❸ 이 글에서 알 수 있는 당시 양반의 혼인 문
화는?
여러 명의 부인과 첩을 거느릴 수 있었음.

핵심장면 ❷ 장필성과 정혼한 채봉의 혼수를 준비하던 이 부인이 허 판서에게 채봉을 첩으로 주기로 했다는 김 진사의 말을 듣는 부분
이다.

"아니, 장 선천 부사 아들과 정혼했어? 그 거지 다 된 것하고? 흥, 내 참 기가 막혀서……. 서
　　　　　　　_{장필성}
울에서 기막힌 사위를 정하고 내려왔으니, 채봉이를 데리고 우리 서울로 올라가서 삽시다."
　　　　　　_{허 판서}
부인이 이 소리를 듣고 눈이 휘둥그레져서,

"기막힌 사위라니 어떤 사람이란 말이오?"

하고 물으니, 김 진사 혀를 휘휘 내두르며 허풍을 떤다.

"누군지 알면 뒤로 자빠질 것이오. 누구인고 하니, 사직골 허 판서 댁이오. 세도가 이 나라
_{정치상의 권세}
에서 제일이지."

부인이 이 말을 듣고 한편으론 끔찍하고 한편으로는 기가 막혀서 다시 묻는다.

"허 판서면 첫째 부인이요, 둘째 부인이요?"

<u>"첫째 부인도, 둘째 부인도 아니오. 첩이라오."</u>
_{조선 시대에 첩을 둘 수 있던 축첩(蓄妾) 문화} **Link** 반영된 시대상 ❸

"나는 못 하겠소. 허 판서 아니라 허 정승이라도……." / "왜 못 해!"

"서울 가시더니 정신이 돌아 버렸구려. 예전에는 얌전한 신랑을 택해 슬하에 두고 걱정 근심

없이 재미있게 살자고 늘 말씀하시더니 오늘은 이게 무슨 날벼락이오. 그래, 채봉이 그것을
_{채봉을 첩으로 보내는 것을 반대함}
금이야 옥이야 길러서 남의 첩으로 준단 말이오."

"허허, 아무리 남의 첩이 되더라도 호강하고 몸 편하면 됐지."
_{김 진사의 배금주의와 속물근성을 드러냄}

"첩이란 것이 남의 눈엣가시 되는 것이 아니오? 언제 무슨 해를 당하는지 모르니 비단 방석
_{몹시 밉거나 싫어 늘 눈에 거슬리는 사람}
에 앉아도 바늘방석 같을 텐데, 호강만 하면 제일이란 말이오? 나는 죽어도 그런 호강 아니
_{앉아 있기에 아주 불만스러운 자리를 비유적으로 이르는 말}
시키겠소."

김 진사 이 말을 듣고 열이 나서 무릎을 '탁' 치며 큰소리를 친다.

"그래, 그런 자리가 싫어? 저런 복 찰 사람을 보았나. 딴소리 말고 내 말 좀 들어 보오. 우선

춤출 일이 있으니……."

"무엇이 그리 좋은 일이 있어 춤을 춘단 말이오?"

『"벼슬 없이 늙던 내가 허 판서의 주선으로 벼슬길에 나서게 됐지, 또 내일모레면 과천 현감
_{『 』: 채봉을 첩으로 보내는 일에 반대하는 아내를 설득함}
을 하지, 이제 채봉이가 그리 들어가 살면 평생 호강하거니와, 내가 감사도 되고 참판도 되

고 판서도 될 것인즉, 부인이야 정경부인은 따 놓은 당상이니 이런 경사가 어디 있소. 두말
_{정일품·종일품 문무관의 아내에게 주던 봉작} **Link** 인물의 의도 ❶

말고 데리고 올라갑시다." / 첩이란 말에 펄펄 뛰던 이 부인도 그 말에 솔깃하여,
_{정경부인이 될 수 있다는 말}

"영감이 기어코 하려 드시면 난들 어찌하겠소마는, 채봉이가 말을 들을지 모르겠소."
_{김 진사에게 설득되어 태도가 누그러진 모습}   ▶ 채봉을 첩으로 보내는 것을 설득하는 김 진사

이때 초당에 앉아 글을 읽고 있던 채봉은 부친의 목소리를 듣고 취향을 데리고 안방으로 건
_{집의 몸채에서 따로 떨어진 곳에 지은 조그마한 집채}
너오다가 자신의 혼사 이야기가 나오자 걸음을 멈추고 서서 듣고 있었다. 이윽고 말소리가 그

치자 채봉이 방에 들어가 부친 앞에서 날아갈 듯 맵시 있게 절을 한다.

Link

출제자 **콕!** 인물의 의도를 파악하라!

❶ 김 진사가 채봉을 허 판서의 첩으로 보내려는 이유는?
① 과천 현감 자리를 얻고 그 이상의 관직도
볼 욕심에 ② 채봉이 부귀영화를 누릴 것이라고 생각해서

❷ '계집애 자식이란 것은 으레 부모가 하는 대로 좇아가는 법이랍니다.'라는 부인의 말에 담긴 의도는?
혼사 문제에 있어 본인보다 부모의 결정이 중요함을 드러냄.

"아버님, 먼 길 안녕히 다녀오셨습니까?"

김 진사가 딸을 보고 귀한 생각이 한층 더 나서 등을 어루만지며,
_{채봉을 허 판서에게 보낼 생각에 들뜬 모습}

"오냐, 잘 있었느냐. 그래 그동안 글공부도 더 하고, 바느질도 많

이 익혔느냐?"

하더니, 부인을 쳐다보고 벙글벙글 웃으며,
_{남의 집에 매여 바느질을 맡아 하고 품삯을 받는 여자}

"부인, 참 이제는 바느질을 배워도 쓸데가 없겠구려. 침모가 있어
_{채봉이 누릴 부귀영화를 언급함}

다 해서 바칠 터이니……."

채봉은 이 말을 듣고 <u>눈살을 찌푸리며</u> 얼굴을 숙인다. 김 진사가 다시 채봉을 보고,
_{첩으로 가게 되는 일에 대해 거부감을 드러냄}

"아가, 너는 재상의 첩이 좋으냐, <u>여염집</u>의 부인이 좋으냐? 아비, 어미 있는데 부끄러울 게
_{일반 백성의 살림집}

뭐냐. 네 생각을 말해 보아라."

채봉이 예사 여염집 처녀 같았으면 부모의 말이라 뭐라고 대꾸하지 않았을 터이지만, <u>장필</u>

<u>성과의 일</u>을 잠시도 잊지 않은 데다 부모가 하는 얘기를 다 들은 터라 조금도 서슴지 않고 얼
_{서로 사랑하여 혼인하기로 약속함}　　　　　_{채봉을 허 판서의 첩으로 보낸다는 이야기}

굴을 바로 하고 대답한다.

"차라리 닭의 입이 될지언정 소의 뒤 되기는 바라는 바가 아닙니다."
_{힘없는 가문의 정실부인이 될지언정 세도가의 첩이 되는 것은 바라는 바가 아님을 느러냄}

"허어, 그 녀석. 네가 첩 구경을 못 해서 그런 소리를 하는구나! 재상의 첩이야 세상에 그 같
_{『♪ 첩의 대우가 좋음을 들어서 채봉을 설득하려 함}

은 호강이 또 없느니라.』/ 부인이 말을 가로막고 김 진사를 쳐다보며,

"영감은 자식에게 별말씀을 다 하시는구려. 계집애 자식이란 것은 으레 부모가 하는 대로 좇

아가는 법이랍니다. 아가! 너는 네 방으로 가 있어라."
　　　_{Link 인물의 의도 ❷}

채봉을 내보낸 두 내외는 서울 올라갈 의논을 하고, 그날로 집안 세간을 팔아 서울 갈 짐을

꾸린다.

▶ 채봉에게 허 판서의 첩이 될 것을 강요하는 김 진사

77%
17위

최치원의 자(본이름 대신 부르는 이름)

최고운전(崔孤雲傳) | 작자 미상

성격 영웅적, 도술적, 설화적　**시대** 조선 후기
주제 최치원의 영웅적 면모와 민족의 자긍심 고취

소설

이 작품은 신라 말기의 대학자 최치원의 삶을 허구화한 영웅 소설로, 최치원의 파란만장한 생애에 민간 설화를 결합해 최치원을 영웅화함으로써 반중 감정과 우리 민족의 우월감을 드러내고 있다.

주요 사건과 인물

발단	전개	위기	절정	결말
최치원이 금돼지의 아들이라 하여 길거리에 버려지나, 하늘에서 선녀가 내려와 그를 보호하고 선비들이 내려와 그에게 글을 가르침.	중국 황제가 함 속에 든 물건을 알아내어 시를 짓지 못하면 신라를 섬멸하겠다고 하자, 최치원이 함 속의 물건을 알아내어 시를 지음.	중국 황제가 최치원을 죽이려 하나, 최치원은 지략과 도술로써 그 간계를 모두 물리침.	격문을 지어 황소의 난을 해결한 최치원이 황제의 신하들의 모함으로 유배를 가게 됨.	위기를 모면한 최치원은 사람을 몰라보는 황제 밑에 있을 수 없다고 선언하고 신라의 가야산으로 들어가 신선이 됨.

중국 황제
- 함 속에 든 물건을 알아내어 시를 지으라고 함.
- 최치원이 지은 시를 받아 들고 놀라서 최치원을 시험하기 위해 중국으로 불러들임.

←→

최치원
- 중국 황제가 보낸 함 속에 든 물건을 알아내어 시를 지음.
- 중국에 도착한 후 황제의 간계(奸計)를 모두 물리침.

핵심장면 ①　최치원이 당나라 황제가 보낸 함 속의 물건을 알아내어 시를 짓고 나 승상의 사위가 되는 부분이다.

글을 짓거나 글씨를 쓰는 재능

"너는 문재(文才)가 남음이 있는데도 끝내 시를 지을 수 없다고 하니 무슨 하고자 하는 것이
　　　　　　　　시를 짓지 않기 바라는 속내가 있는지 묻고 있음 · 서둘러 시를 짓게 하고 싶기 때문에
있느냐? 만약 하고자 하는 바가 있다면 감히 나에게 숨기지 말고 솔직하게 말하여라. 그러
Link 갈등의 양상 ❶
면 내가 그 일이 이루어지도록 힘써 보마."

하니, 파경이 입을 다물고 있다가 한참 후에 말하였다.
　　　최치원
"승상께서 나를 사위로 삼으신다면 내 반드시 시를 짓겠습니다."
　　　　시 짓기를 통해 흠모하던 나 승상의 딸과 혼인하고자 함　　▶ 시를 짓는 조건으로 나 승상의 딸과의 혼인을 제시한 최치원
유모가 들어가 승상에게 보고하니 승상이 성난 얼굴로 말했다.

"어찌 노비로 사위를 삼는 이치가 있겠느냐? 너의 말은 크게 잘못된 것이다. 그렇지만 딸아
　　　　　　신라의 엄격한 신분제를 엿볼 수 있음
이의 얼굴을 그려 주었다가 시를 지은 후에는 반드시 사위로 삼으마."
　　　　　거짓 약속으로 일단 시를 짓게 하려는 나 승상의 속내가 드러남
유모를 시켜 나가 그 말을 파경에게 전하도록 하니, 파경이 미소를 머금으며 말하길,

"종이에 떡을 그려 놓고 종일 그것을 바라본들 어찌 배가 부르겠습니까? 반드시 떡을 먹은
　　종이에 그린 떡 → 진짜 떡이 아님　　　　　　　　　　　　　약속을 미루는 나 승상에 대해 반박함
후에야 배가 부르다고 말할 수 있을 것입니다." / 하고는 발로 함을 밀어내고 누워 말하였다.
　　　　　　　　　　　　　　Link 갈등의 양상 ❷
"내 비록 토막토막 잘린다 해도 시를 지을 수 없습니다."
　　　소원(나 소저와의 혼인)을 먼저 이루고자 하는 의지
유모가 들어가 아뢰니 승상이 입을 다물고 말을 하지 않았다.　　▶ 나 승상의 거짓 약속을 거절하는 최치원
　　　　　　　　　　　　　　말을 듣지 않는 최치원을 어쩌지 못해 속앓이하는 나 승상
이에 나녀가 승상에게 말했다.
　　　나 승상의 딸
『지금 아버님께서 저를 사랑하시어 파경의 말을 들어주지 않는다면 뒤에 반드시 후회할 일
『 』 최치원과의 혼인을 받아들이고 나 승상을 설득하는 나 소저
이 있을 것입니다. 원하건대 파경의 말을 좇아 부모님께서 오래도록
부귀를 누리시는 것 또한 영광스러운 일 아니겠습니까? 예부터 지금
에 이르기까지 가히 아낄 바는 오직 사람의 목숨일 뿐입니다.』
　　　　　　　　　　　부모님을 위하고 생명을 소중하게 생각하는 나 소저의 마음이 나타남
승상이 말하길,
　　　　　　　　　　　　　　　　　　　파경
"착하도다, 너의 말이여. 부모의 마음으로 만약 그 아이를 배필로

Link
출제자 ⑤ **갈등의 양상을 파악하라!**

❶ 나 승상이 파경에게 요구하고 있는 것은?
시를 빨리 지어서 문제를 해결해 줄 것을 요구함.

❷ 파경이 시를 지으면 딸과 혼인시켜 주겠다는 나 승상의 제안을 거절한 이유는?
거짓 약속을 통해 위기에서 벗어나고자 하는 나 승상의 의도를 간파했기 때문에

삼으면 너에게 백년의 근심이 될까 두려웠기 때문에 어쩔 수 없이 거절했던 것이다. 그런데

_{노비인 최치원과 자신의 딸이 결혼하게 되어 불행해질까 염려하는 마음}

네가 이처럼 말하니 진실로 효녀라 이를 만하다."

하고, 부인과 더불어 혼인시킬 것을 약속하였다. 이내 시비(侍婢)에게 물을 데워 파경의 몸을

_{곁에서 시중을 드는 계집종}

씻겨 때를 벗기게 하고, 다시 비단 수건으로 닦도록 하였다. 그런 다음 비단옷으로 꾸며 입히

고, 마침내 날을 택하여 혼례를 치렀다.　　　　　　　　　　　　　　　▶나 승상의 딸과 혼인을 하게 된 최치원

다음 날 승상이 사람을 부려 신방(新房)에 다녀오도록 하고 묻기를,

_{신랑, 신부가 거처하도록 새로 꾸민 방}

"사위가 시를 짓더냐?" / 하니, 대답하였다.

"종이를 벽에 발라 놓고 스스로 붓을 발가락에 끼운 채 자고 있습니다."

_{시를 지을 준비를 하고}　　　　　　　　　　★ 주요 소재

이때 나 승상의 딸 또한 잠시 잠이 들었다. 꿈에 쌍룡이 하늘로부터 내려와 함 위에서 서로

_{「: 최치원이 시를 지어, 함 속의 물건을 맞추게 될 것을 암시하는 꿈을 꾼 나 승상의 딸}

벗하며, 또 오색 무늬 옷을 입은 동자 열 명이 함을 받들고 서서 노래 부르니 함이 저절로 열

리려 하였다. 이윽고 오색 서기(瑞氣)가 쌍룡의 목구멍으로 나와 함 속을 꿰뚫어 비추었다. 홍

의(紅衣)를 입은 청백(淸白)의 사람들이 좌우에 나열하여 어떤 자는 시를 지어 부르고 어떤 자

_{하늘나라의 사람들}

는 붓을 쥐고 글을 쓰려고 할 때 문득 꿈에서 깨어났다. 일이 몹시 이상하여 이내 그 남편을

_{Link 소재의 의미와 기능 ❶}

흔들어 깨웠다. 이에 서랑이 기지개를 켜고 일어나 즉시 시를 지어 벽에 붙인 종이 위에 큰 글

_{남의 사위를 높여 이르는 말. 여기서는 나 승상의 사위가 된 최치원을 가리킴}

씨로 쓰니 마치 용과 뱀이 꿈틀거리듯 했다. 그 시에 이르기를,

　　단단한 돌 안의 알은 / 반절은 옥 반절은 황금이라.

　　밤이면 시간을 알리는 새가 / 정을 머금은 채 소리를 토하지 못하네.

시를 다 짓자 그것을 승상 앞에 들여보냈다. 승상이 그것을 보고 자못 기쁜 빛을 띠면서도

_{Link 소재의 의미와 기능 ❷}

믿지 못하다가, 딸이 꿈속에서 본 일에 관해 들은 후에야 그것을 믿었다.

_{신비로운 꿈 덕분에 최치원의 시를 믿게 됨}　　　　　　　　　　▶하늘의 도움을 받아 시를 지은 최치원

시를 받들고 대궐에 나아가 왕에게 바치니 왕이 그것을 보고 이내 놀라며 말하길,

"경은 어떻게 알고 지었소?" / 하니, 승상이 대답하였다.

"신이 지은 것이 아니라 신의 사위가 지었습니다. 그렇기 때문에 신은 그 시가 어떻게 지어

진 것인지 모릅니다."　　　　　　　　　　　　　　　▶신라 왕에게 최치원의 시를 바친 나 승상

신라 왕은 마침내 사자(使者)를 보내 그 시를 황제에게 바쳤다. 황제가 그 시를 보더니 한참

_{명령이나 부탁을 받고 심부름하는 사람}

있다가 말하였다.

"알이라고 운운한 것은 옳도다."

_{알이라고 한 부분은 맞지만 새라고 한 부분은 틀렸다는 말 – 황제는 함 속의 알이 부화한 것을 모르고 있음}

Link
출제자 톡톡! 소재의 의미와 기능을 파악하라!

❶ 함 속의 물건을 알아내어 시를 짓는 일이 하
늘의 뜻과 관련된 것임을 보여 주는 것은?
나 승상의 딸이 꿈속에서 하늘나라 사람들
(홍의를 입은 청백의 사람들)이 시를 짓는
것을 본 일

❷ 나 승상의 딸이 꾼 꿈의 역할은?
최치원이 지은 시가 문제의 정답이라는 믿
음을 줌.

이내 함을 쪼개어 보니 그 안에 싸 놓았던 알이 부화하여 이미 새

끼가 되어 있었다. 그제서야 '정을 머금은 채 소리를 토하지 못하네.'

_{함 속의 알이 부화해 병아리가 된 것까지 맞추는 최치원의 능력에 황제가 놀람}

라는 구절을 이해하게 된 황제가 감탄하며 말하길,

"천하의 기재(奇才)로다."

_{아주 뛰어난 재주. 또는 그 재주를 가진 사람}

하고 학사들을 불러 그 시를 보여 주니 칭찬하지 않는 자가 없었다.

▶최치원의 기재에 감탄하는 황제

"하늘 밑 어느 곳이든 왕토(王土) 아닌 곳 없고, 온 천하 누구든 왕의 신하 아닌 자 없소. 이
임금에게 소속된 영토
로 말할 것 같으면 그대는 비록 신라 사람이지만 신라 또한 나의 땅이니 그대 또한 나의 사

자를 꾸짖은 것은 무엇 때문이오?"
최치원의 죽음을 확인하기 위해 보낸 사자를 최치원이 시를 지어 꾸짖었음
치원이 한 일(一) 자를 공중에 쓰고 그 위에 뛰어올라 말하길,

"이곳 또한 폐하의 땅입니까?"
이 세상에 황제의 힘이 미칠 수 없는 부분이 있다는 것을 깨우쳐 줌 – 자신의 잘못을 깨닫지 못하고 무소불위함을 주장하는 황제를 꾸짖는 말임
하니, 황제가 크게 놀라 용상에서 내려와 머리를 조아리고 사죄하였다. 〈중략〉
임금이 정무를 볼 때 앉던 평상
치원이 신라의 경내에 이르러 사람들이 시냇가에 모여 노는 것을 보고 한 사람에게 물으니
일정한 지역의 안
그가 거짓으로 대답하였다.

"대왕께서 나와 노십니다." / 치원이 그 말을 믿고 가서 보니 사냥꾼들이었다.

치원이 계속 길을 가 동문(東門) 밖에 이르니 『마침 신라 왕이 나와 놀다가 치원을 보고는, 대
『 』: 신라 왕의 무능함을 보여 줌
국에서 미적거리며 놀다가 이제 돌아왔다고 하여 사람을 시켜 치원을 포박하도록 하고 심하게
꾸물거리며
꾸짖었다.』

"내가 너를 죽이고 싶지만 너의 공이 크기 때문에 차마 죄를 가하지 않는 것이니, 너는 지금
이후로는 내 앞에 나타나지 마라."

이로 말미암아 치원은 마침내 집안사람들을 데리고 가야산으로 들어가 다시는 돌아오지 않
았다.

❯ 가족들과 가야산으로 간 최치원

최우선 **출제 포인트!**

1 이 작품의 갈등 구도

최충 ↔ 최치원	친자 의혹에 따른 부자간의 갈등
나 승상 ↔ 최치원	나 승상의 딸과 최치원의 혼인에 따른 갈등
중국의 학사들 ↔ 최치원	학식의 우열을 따지는 문사 간의 갈등
황제 ↔ 최치원	힘의 우열에 따른 대국과 소국 간의 갈등

2 다른 군담 소설과의 공통점과 차이점

	최고운전	다른 군담 소설
공통점	• '영웅의 일대기' 구조에 충실함. • 이인(異人)을 통해 전기성(傳奇性)을 확보함. • 민족의 수모를 설욕하고자 하는 주제 의식을 가지고 있음.	
차이점	중국에 대한 척화 의식을 표출함.	일본이나 오랑캐와 같은 특정 이민족에 대한 적개심을 표출함.

최우선 **핵심 Check!**

1 다음 내용 중 맞는 것은 ○표를, 틀린 것은 ×표를 하시오.

(1) 전통적인 동아시아 질서인 중화주의 사상이 드러나 있다. (　)

(2) 주인공의 무용(武勇)을 부각하는 일반적인 영웅 소설과는 달리 문재(文才)를 부각하고 있다. (　)

(3) 수수께끼 설화 등 여러 가지 설화를 수용하여 내용을 구성해 작품의 흥미를 높이고 있다. (　)

2 초성 힌트를 보고 빈칸에 들어갈 알맞은 말을 쓰시오.

(1) 신라 말기의 학자 ㅊㅊㅇ 의 생애를 허구적으로 꾸며 영웅화하고 있다.

(2) ㅂㅂ 한 인물을 내세움으로써 북방 민족에게 당했던 우리 민족의 설움을 정신적으로 보상 받으려는 민중의 심리가 반영되었다.

정답 1. (1) × (2) ○ (3) ○ 2. (1) 최치원 (2) 비범

출제율 76%

18위

소대성전(蘇大成傳) | 작자 미상

성격 전기적, 일대기적 **시대** 조선 후기
주제 고난을 극복하고 지위를 회복한 영웅의 활약상

소설

이 작품은 어려서 부모를 잃고 고난을 겪다가 위기를 극복하여 성공하는 소대성의 활약상을 그린 영웅 소설이다. 조선 후기에 대중적으로 큰 인기를 누렸으며, 독자의 요구에 부응하여 소설의 상업화 과정에 첨병 역할을 한 작품으로 평가받고 있다.

주요 사건과 인물

발단
동해 용왕의 아들이었으나 병부 상서 소양의 아들로 적강한 소대성이 어린 나이에 부모를 잃고 유리걸식함.

전개
소양의 옛 친구인 이 승상이 소대성을 집으로 데려와 자신의 딸 채봉과 혼인시키려 함.

위기
이 승상이 죽은 후 가족들의 위협으로 집을 나온 소대성이 병법을 익혀 호국의 침입 때 출정함.

절정
소대성이 위태로운 지경에 처한 천자를 구하고 큰 공을 세움.

결말
노국의 왕이 된 소대성이 채봉과 재회하여 인연을 맺고 선정을 베풂.

개인과 개인의 갈등(전반부)
소대성 ↔ 왕 부인과 세 아들: 소대성은 집을 나옴.

사회와 사회의 갈등(후반부)
소대성 ↔ 호국: 소대성은 노국의 왕이 되고 채봉과 혼인함.

핵심장면 ① 대성과 채봉의 성례 전에 이 승상이 갑자기 세상을 떠나자 두 사람의 결혼을 반대하던 이 승상의 부인과 세 아들이 자객을 보내 대성을 죽이려고 하는 부분이다.

이로부터 승상이 택일(擇日)하여 혼례를 치르고자 하더니, 불과 대여섯 달 만에 승상이 우연
_{어떤 일을 치르거나 길을 떠나거나 할 때 운수가 좋은 날을 가려서 고름}
히 병을 얻어 어떤 약도 효험이 없으니, 끝내 병석에서 일어나지 못할 것을 알고 부인을 청하
_{소대성의 앞날에 암운을 드리우는 사건}　　　　　　　　　　　_{왕 부인}
여 손을 잡고 말했다.

「"내 병이 회복하기 어려운지라. 이제 나이 칠순이니 죽어도 한이 없으나, 다만 여아의 혼사
　　　　　　　　　　　　　　　　　　　　　　　　　　　　　　　　　　　　　_{이채봉}
를 이루지 못하매 한이 깊도다. 이후로는 집안의 모든 일을 부인이 맡으실 것이니, 여아의
『　』: 대성의 비범함을 알아보지 못하는 부인에게 대성과 딸의 혼사를 부탁함
Link 인물의 심리 ❶　　　_{승상 자신}
혼사를 그대로 치러서 황천(黃泉)에 가는 사람의 한이 없게 하옵소서."」
　　　　　　　_{저승. 사람이 죽은 뒤에 그 혼이 가서 산다고 하는 세상}　_{소대성과 이채봉의 혼례를 올려 주라는 의미}

또 소저를 불러 말하길
　　_{이채봉}

"내 너의 혼사를 이루지 못하고 구천(九泉)에 돌아가니, 원한이 가슴에 맺혔도다. 그러나 삼 년
　　　　　　　　　　　　　_{땅속 깊은 밑바닥. 죽은 뒤에 넋이 돌아가는 곳을 이르는 말}
후에 중헌에서 지은 글을 잊지 말라. 너의 천성을 아나니 달리 부탁할 말이 없노라."
_{이 승상은 소대성과 이채봉을 중헌에 불러서 그 뜻과 재주를 담은 시를 쓰게 하고 이를 서로 바꾸어 갖게 하였음}　　**Link 인물의 심리 ❷**

하시니, 이는 왕 부인이 소생(蘇生)에게 뜻이 적음을 보시고 소저에게 당부하심이요. 또 소생
　　　　　_{왕 부인이 대성을 마음에 들어 하지 않음을 나타냄}　　　　　　　　　　　　　　　_{소대성}
을 불러 말했다. / "사람의 목숨이 하늘에 달렸으니 이를 거역할 수 없도다. 그대를 만나 정회
　　　　　　　　_{관련 한자 성어: 인명재천(人命在天)}
를 다 펴지 못하고 황천을 향하노라. 여아의 일생이 군자에게 달렸으니, 혹 부족한 일이 있
　　　　　　　　　　　　　　　_{이채봉}　　　_{소대성}
어도 이 늙은이를 생각하여 버리지 말며, 세 아들이 혹 못난 일을 하더라도 개의치 말며 백
　　　　　　　　　　　　　　　　　　　　　　_{복선. 세 아들이 대성을 위험에 빠뜨릴 것을 암시함}
년을 편히 지내라."

Link
출제자 톡 ❶ 인물의 심리를 파악하라!

❶ 이 승상이 죽기 전 부인에게 대성과 딸 채봉의 혼사를 부탁한 까닭은?
대성의 비범함을 알고 사위로 삼으려 하나 부인이 꺼림을 알고 있었기 때문에

❷ 이 승상이 딸 채봉에게 달리 부탁의 말을 하지 않은 이유는?
채봉의 천성이 곧아 대성을 배반하지 않을 것이라고 믿었기 때문에

❸ 대성에 대한 왕 부인의 태도는?
미천한 신분의 대성을 자신의 사위로 삼는 것이 못마땅함.

이윽고 세상을 떠나시니 온 집안이 망극하여 곡소리가 진동하더
라. 소생이 장례를 극진히 지내니 칭찬하지 않는 이 없더라.
　　　　　　　　　　　　　　　　　　　　　　▶갑작스럽게 세상을 떠난 이 승상
이때 이 승상의 세 아들이 승상의 부고(訃告)를 듣고 밤낮으로 내
　　　　　　　　　　　　　　　　　　　　　　　　_{길을 멈추지 않고 달려와}
려와 승상 영위(靈位)에 통곡할새, 소생이 조문을 전하니 이생 등이
　　　　_{상가에서 모시는 혼백이나 신위}　　　　　　　　　　　　_{이 승상의 세 아들}
알지 못하매 왕 부인께 묻자온대, 부인이 소생의 전후 이야기를 다
　　　　　　　　　　_{왕 부인이 대성을 마음에 들어 하지 않았으므로, 아들들에게 대성에 대해 좋은 말을 하지 않았을 것임}
한대 생 등이 들을 따름이라.

80 최우선순 분석편

며칠 후 서당에 나와 위문할새, 소생이 이생 등을 보니 하나도 그 부친과 같은 명감(明鑑)이
^{뛰어난 안목과 식견}
없는지라. 소생이 생각하되 / '승상이 세상을 버리시니, 뉘 대성을 알리오?'
^{이 승상과 달리 세 아들은 자신의 능력을 알아봐 주지 않을 것으로 생각함}
하고, 이로부터 서책을 전폐(全廢)하고 의관을 폐하고 잠자기만 일삼더니, 승상의 장례일이
^{영웅을 알아보지 못하는 세상에 대한 한탄. 뒤에 대성이 쓴 이별시 '사람이 지음을 잃음이여'와 관련이 있음}
^{자신을 알아주던 이 승상이 세상을 뜨자 대성은 실의에 빠져 잠만 잠}
되니 마지못하여 의관을 정제(整齊)하고 함께 장사를 극진히 지내고 돌아와 서당에 눕고는 일
^{격식에 맞게 차려입고 매무시를 바르게 함}
어나지 아니하니, 왕 부인이 일가에 자주 의논하며 말하기를

^{대성이 잠만 자는 모습에서 '소대성이 모양으로 잠만 자나.'라는 속담이 만들어짐}
"소생의 거동이 지나치도다. 학업을 전폐하고 밤낮으로 잠자기만 숭상하니, 이러고서 어찌
^{공명에 뜻을 두지 않는 소대성을 사위로 삼을 수 없다는 말}
공명을 바라리오? 여아의 혼사를 거절하고자 하나니, 너희들의 소견은 어떠하뇨?"
^{채봉과 대성의 혼사를 파기하려는 뜻을 드러냄}
아들들이 여쭈었다.

"이제 아버님이 아니 계셔 집안의 모든 일은 모친이 맡으실 것이니, 소자들에게 하문(下問)하실
바가 아니로소이다. 또 소생을 잠깐 보니 단정한 선비가 아니라 소저에게 욕될까 하나이다."
^{아들들은 대성의 비범한 능력을 알아보지 못함}
부인이 / "본래 빌어먹는 걸인을 승상이 취중(醉中)에 망령되이 허하신 바라. 너희들은 소생
^{왕 부인은 걸인이었던 대성의 신분이 마음에 들지 않아 대성을 사위로 받아들이지 못하는 것임} **Link** 인물의 심리 ❸
을 내칠 꾀를 빨리 행하라."

하셨다. 이생 등이 서당에 나가니 소생이 잠을 깊이 들었거늘, 흔들어 깨워 마주 앉은 후에 말
했다. / "선비가 학업을 전폐하고 잠자기를 숭상하니, 어찌 공명을 바라리오?"

^{돌아가신 남의 아버지를 높여 이르는 말로, 이 승상을 가리킴}
소생이 대답하였다. / "공명은 호화로운 사람의 일이라. 선대인(先大人)의 은혜를 입사와 존
^{신분만 따지고, 사람의 능력을 제대로 평가하지 않는 이생 등을 염두에 두고 자신의 미천한 신분을 상기시킴}
문(尊門)에 의탁(依託)하였으나, 숨은 근심이 있기로 자연 공명에 뜻이 없나이다."
^{자신의 능력을 알아주는 사람이 없으므로 공명에 뜻이 없다는 뜻임} **Link** 인물의 의도 ❶
이생 등이 말하기를 / "장부의 행사가 아니로다. 어찌 근심으로 학업을 폐하리오?"
^{장부가 할 일이}
소생이 미소를 지으며 답하지 않거늘, 이생 등이 이어 말했다.

[『]"이제 아버님이 아니 계시고 우리가 경성에 돌아가면 소형(蘇兄)을 대접할 주인이 없사오니,
^{『 』: 소대성이 떠나 주기를 바라는 마음을 둘러서 말하고 있음} ^{소대성}
객의 마음이 무료할까 하나이다."[』] **Link** 인물의 의도 ❷
^{넓고 큰 바다}
소생은 생각이 창해(滄海)를 헤아리는지라, 어찌 진심을 모르리오.
^{대성이 탁월한 능력을 갖춘 사람임을 드러냄}
그러나 공손히 대답하여 말하기를

"의지할 데 없는 사람이 일이 년 의탁함도 감사하옵거니와, 선대인
^{채봉과의 혼약}
께옵서 하신 금석 같은 언약이 있사옵기에 지금까지 있사옵거니
와, 여러 형들의 인후하심을 바라나이다."
^{어질고 후덕함} **Link** 인물의 의도 ❸
^{이생 등의 요청을 받아들이지 않고 채봉과의 혼약을 부탁함}

❯ 대성이 떠나기를 바라는 왕 부인과 세 아들

Link
출제자 **톡** 인물의 의도를 파악하라!
❶ 이 승상이 죽은 후 대성이 학업을 전폐하고 잠만 잔 이유는?
자신을 알아주던 승상이 죽자 실의에 빠져서
❷ 소대성이 객으로 지내는 것이 무료할까 봐 걱정이라는 이생 등의 말에 담긴 의도는?
대성이 떠나 주기를 바람.
❸ 소대성이 이생 등의 의도를 간파했음에도 이 승상 댁을 떠나지 않은 이유는?
채봉과 혼인하기로 한 이 승상과의 언약 때문에

핵심장면 ❷ 왕 부인과 세 아들이 소대성을 죽이기 위해 자객을 보내자, 소대성이 자객을 죽이고 이 승상의 집을 떠나는 부분이다.

자객이 비수를 들고 음산한 바람이 되어 문틈으로 들어와 두루 살피더니, 인적이 없음을 보
^{바람이 되어 문틈으로 들어오는 자객 - 전기적 요소}
고 도로 밖으로 향하고자 하거늘, 생이 동쪽 벽의 촛불 아래에서 언연히 불러 물었다.
^{소대성} ^{거드름을 피우며 거만하게}
"너는 어떠한 사람이건대, 이 깊은 밤에 칼을 들고 누구를 해치고자 하느냐?"

조영이 그제야 소생인 줄 알고 칼춤을 추며 나가고자 하더니, 소생이 문득 간데없이 사라진
^{왕 부인과 세 아들이 보낸 자객} ^{전기적 요소}
지라. 조영이 의혹(疑惑)할 차에 생이 또한 서쪽 벽 촛불 아래에서 언연히 크게 꾸짖어 말했다.
^{의심하여 수상하게 여김}

『무지한 필부(匹夫)야. 금은을 받고 몸을 돌아보지 아니하니, 어찌 가련치 아니하리오?』

조영이 대답하지 아니하고 생을 향하여 칼을 던지니, 촛불 아래에서 검광(劍光)이 빛나더니

소생이 또한 간데없는지라. 조영이 촛불 그림자를 의지하며 주저하더니, 남쪽 벽 촛불 아래에

한 소년이 칠현금(七絃琴)을 무릎 위에 놓고 줄을 희롱하며 노래하였다.

전국(戰國)적 시절인가 풍진(風塵)도 요란하며, / 초한(楚漢)적 천지런가 살기도 무궁하다.

홍문연 잔치런가 칼춤은 무슨 일고. / 『패택(沛澤)에 잠긴 용이 구름을 얻었으며

초산의 모진 범이 바람을 일켰도다. / 범증이 깨뜨린 구슬은 백설(白雪)이 되었도다.

항장의 날랜 칼이 쓸 곳이 전혀 없다. / 『장량의 통소 소리 월하(月下)에 일어나니

장막 안에 잠든 패왕 혼백이 놀랐도다. / 음릉(陰陵) 좁은 길에 월색(月色)이 희미하니

오강(烏江) 너른 물에 수운(愁雲)이 적막하다. / 역발산기개세(力拔山氣蓋世)도 강동을 못 가거든

필부 형경이야 역수를 건널소냐. / 『거문고 한 곡조에 살별이 섞였으니

가련타 저 장사야, 갈 길이 어디매요. / 멀고 먼 황천길에 조심하여 가거라.』

가다가 깨치거든 오묘한 도(道)를 닦으라.

조영이 그 노래를 듣고 자세히 보니 이는 곧 소생이라. 조영이 마음에 헤아리되

『내 재주가 십 년을 공부한 것이니, 사람은 물론이거니와 귀신도 헤아리지 못하더니, 오늘

칼을 두 번 허비(虛費)하여도 소생을 죽이지 못하고 또한 노래로 나를 조롱하도다. 제 비록

장량이 통소로 팔천 명 장사를 흩어 버리던 비상한 계교를 행하여 나로 하여금 돌아가게 하

고자 하거니와, 내 어찌 제 간사한 계교에 넘어가리오?』

하고 다시 칼을 들어서 던지니 칼 소리 울리되 소생은 간데없거늘, 조영이 칼을 찾더니 소생

이 비수를 들고 촛불 아래 나서며 꾸짖어 말했다.

"처음에 너를 타일러 돌아가게 하고자 하였거늘, 네가 끝내 금은만 생각하고 몸은 돌아보지

아니하니, 진실로 어린 강아지 맹호(猛虎)를 모르는도다."

하고 말을 마침에 칼을 들어 조영을 치니 조영의 머리가 떨어지는지

라. 소생이 분한 마음을 이기지 못하여 칼을 들고 바로 내당에 들어가

이생 등을 모두 죽이고자 하다가, 돌이켜 생각하고 탄식하여 말했다.

"제 비록 무도(無道)하여 원수가 되었으나, '차라리 남이 나를 배반

하게 할지언정 내가 남을 배반하지 않는다.'고 하니, 이제 저들을

베어 분한 마음을 풀고자 하나 그렇게 한즉 어진 사람의 후사를 끊

어지게 할지라. 아직은 피하리라."

하고 붓을 잡아 떠나가는 이별시를 벽 위에 붙였다.

Link 삽입 시의 내용 ❶, ❷

Link
출제자 특 삽입 시의 내용을 파악하라!

❶ 소대성이 부른 노래에서 '저 장사'에 해당하
는 인물은?
자객 조영

❷ 소대성이 노래를 부름으로써 조영에게 알리
고자 하는 것은?
조영이 죽 수도 있음.

❸ '주인의 은혜', '객의 정'에 담겨 있는 대성의
심리는?
이 승상에 대한 감사의 마음과 정

❹ 소대성이 쓴 이별시에서 후반부 내용을 암
시하는 역할을 하는 구절은?
'어느 날에 대성의 그림자가 이 집에 다시
이르리오.'

유리걸식하던 자신을 거두어 준 이 승상의 은혜. 관련 한자 성어: 각골난망(刻骨難忘)

주인의 은혜 무거움이여, 태산(泰山)이 가볍도다, / 객의 정이 깊음이여, 하해(河海)가 얕도다.

『 』: 태산이 가볍게 느껴질 만큼 은혜가 무겁다는 뜻　소대성　Link 삽입 시의 내용 ❸

사람이 지음(知音)을 잃음이여, 의탁이 장구(長久)치 못하리로다.

마음이 서로 통하는 친한 벗을 이르는 말로, 이 승상을 가리킴　오랫동안 의탁하지는 못할 것임

후손이 불초(不肖)함이여, 원수를 맺었도다.

이 승상의 아들들　자기를 죽이려 한 것에 대한 비판

자객의 보검이 촛불 아래 빛남이여, 목숨을 보전하여 천 리를 향하는도다.

조영과의 결투를 요약적으로 제시

아름다운 인연이 뜬구름 되었으니,

채봉과의 인연이 덧없이 되었음

모르겠노라, 어느 날에 대성의 그림자가 이 집에 다시 이르리오.

후반부 내용에 대한 복선　Link 삽입 시의 내용 ❹

쓰기를 다하매 붓을 던지고 짐을 메고 서당을 떠나니, 깊은 밤에 서천을 향하니라.

소대성이 기거하던 곳　▶ 이 승상의 집을 떠나는 소대성

이때 이생 등이 자객을 서당에 보내고 마음이 초조하여, 밤이 지난 후에 서당에 나가 문틈으로 엿보니 한 주검이 방 가운데 거꾸러졌거늘, 처음에는 소생인가 하여 기뻐하더니 자세히 본

소대성의 암살이 성공했는지 궁금했기 때문에

즉 이는 곧 조영이라. 이생 등이 놀라 주저하다가 문득 벽 위를 보니 예전에 없던 글이 있거

조영의 시체

늘, 본즉 소생의 필적이라. 아주 나간다고 말하였으되 은근히 이생 등을 후일에 찾아올 뜻을

소대성이 쓴 이별시 – 이 승상에 대한 감사의 마음과 이생 등에 대한 비판적 태도가 담긴 시

일렀으니, 도리어 뉘우침을 측량치 못하더라.

소대성이 복수할 것이 두려워 자신들이 한 일을 후회함　▶ 자객이 죽고 소대성이 떠난 것을 알게 된 왕 부인의 세 아들

최우선 출제 포인트!

1 '소대성'이라는 영웅의 일대기 구조

고귀한 혈통	적강 전은 동해 용왕의 아들, 적강 후는 병부 상서의 아들임.
비정상적 탄생	영보산 청룡사 노승에게 시주하고 소대성을 얻음.
탁월한 능력	어려서부터 비범함.
시련	부모가 죽고 품팔이와 걸식으로 연명함.
조력자에 의한 구원	대성의 비범함을 알아본 이 승상이 대성을 구출해 공부시키고 사위로 삼으려 함.
위기	이 승상이 죽자 이 승상의 부인과 세 아들이 자객을 보내 대성을 죽이려 함.
조력자에 의한 구원	용왕이 보낸 동자의 인도로 청룡사로 가고, 그곳에서 노승의 도움으로 공부하고 무기도 얻음.
위기의 극복과 승리	나라를 위기에서 구하고, 헤어졌던 채봉과 다시 만나 고귀한 지위에 올라 부귀를 누림.

2 다른 영웅 소설과의 차이점

천상계와 지상계 – 이원적 세계관	• 천상계의 도움으로 지상계에서의 고난을 해결함. • 싸움의 원인 및 승패가 천상계에 의해 결정됨.
주인공 개인적 성취를 위한 군담	전쟁이 집단적 가치를 실현하기 위한 수단이라기보다, 개인적 가치를 실현하기 위한 수단으로 활용됨.

최우선 핵심 Check!

1 다음 내용 중 맞는 것은 ○표를, 틀린 것은 ×표를 하시오.

(1) 배경 묘사를 통해 해학적인 분위기를 조성하고 있다. (　　)

(2) 소대성의 비범한 능력을 돋보이게 하려고 자객과의 싸움 장면에서 전기적(傳奇的) 요소를 사용하고 있다. (　　)

2 초성 힌트를 보고 빈칸에 들어갈 알맞은 말을 쓰시오.

(1) 명나라와 호국의 전쟁에서 위기로부터 백성들과 명나라를 구한 소대성의 ㅇㅇ적 일대기를 다룬 소설이다.

(2) 이 승상이 죽은 후 소대성과 ㄱㄷ을/를 일으키는 인물은 왕 부인과 세 아들이다.

정답 1. (1) × (2) ○　2. (1) 영웅 (2) 갈등

1등급! 〈보기〉!

'소대성'과 관련된 속담

속담에서 소대성은 흔히 '잠이 몹시 많은 사람'을 묘사하기 위해 활용되는데, '소대성이 모양으로 잠만 자나.', '소대성이 이마빡 쳤나.', '소대성이 점지를 했나.'와 같은 것이 그 예이다.

출제 최우선 작품

출제율 76%

19위

임진록(壬辰錄) | 작자 미상

성격 전기적, 설화적, 역사적 **시대** 조선 후기
주제 임진왜란의 패배에 대한 설욕 및 민족적 응전 의지 고취

소설

이 작품은 임진왜란을 배경으로 하면서도, 실제 사실과는 다소 다르게 영웅적 허구를 가미한 군담 소설이다. 이순신, 곽재우, 사명당 등 역사적 실존 인물들이 등장하지만 사건은 역사적 사실과 다르게 서술되어 있다.

주요 사건과 인물

발단	전개	위기	절정	결말
최일경이 선조의 꿈을 해몽하다 왜의 침략을 예견하고 보고하지만, 도리어 선조의 노여움을 사서 귀양을 감.	왜군이 침략하자 이순신, 강홍립은 많은 활약을 펼치지만 전사하고, 김덕령이 도술로 왜군을 격파함.	민중은 나라를 지키기 위해 결사 항전하는데, 선조는 도망을 가고 양반들은 민중을 외면함.	곳곳에서 의병이 일어나고 육지와 바다에서 왜군을 격퇴함으로써 전쟁을 승리로 이끎.	임진왜란이 끝나고 왜군이 재침하려 하자, 사명당이 일본으로 건너가 왜왕을 굴복시키고 항복 문서를 받아 옴.

힘 인물을 주인공으로 하는 다른 소설과 달리 이순신, 강홍립, 김덕령, 곽재우, 사명당 등 임진왜란 당시의 실존 인물이 다수 등장함. → 인물들을 실제 행적이 아니라 민중적 영웅상에 맞게 변용하여 서술함.

핵심장면 **①** 강홍립이 제주 목사에게 군사를 얻어 왜적을 무찌르는 부분이다.

이때, 제주 성중(城中)에 한 사람이 있으되 성은 강(姜)이요 이름은 홍립(弘立)이라. 조실부
_{광해군 때의 실존 인물}   _{어려서 부모를 여읨}
모(早失父母)하고 주색이 방탕하여 연장(年長) 십육 세에 힘이 능히 삼천 근을 들고 신장이 구
                                                          _{강홍립의 비범성 → 영웅적인 면모 강조}
척이라. 산중으로 다니며 범도 잡고 녹용(鹿茸)도 잡아 팔아 생애(生涯)를 하더니, 일일은 왜
                                                                                    _{생계}
적이 조선에 나와 사직(社稷)이 위태하여 조모(朝暮)에 있단 말을 듣고 제주 본부(本府)에 들
                      _{나라 또는 조정}   _{어떤 일이 곧 결판나거나 끝장날 상황}
어가 목사(牧使)더러 왈,
_{관찰사의 밑에서 지방의 목(牧)을 다스리던 정삼품 외직 문관. 병권(兵權)도 함께 가짐}
"지금 왜적이 우리 조선을 침범하여 팔도를 거의 다 탈취하였다 하오니 어찌 놀랍지 아니하
「 」 민족의 위기 상황에서 몸을 사리지 않고 적극적으로 대응함
리오. 소장(小將)이 비록 재주 없사오나 일지병(一枝兵)을 주시면 한칼로 왜적을 모조리 죽
                                        _{한 떼의 군사}
이고 창생(蒼生)을 건지리다." / 하니, 목사 대책(大責) 왈,
        _{세상의 모든 백성} **Link** 인물의 의도 **❶**   _{몹시 꾸짖음. 또는 큰 꾸지람}
"너는 어떠한 미친 사람으로 강보(襁褓)를 면치 못하고 당돌히 큰 말을 하여 부중(府中)을 요
                              _{어린아이의 작은 이불}   _{어린 나이에}   _{행정 구역 단위였던 부(府)의 가운데}
란케 하느냐." / 호령하고,
              _{거듭되는 횟수}
"태벌(笞罰) 삼십 도(度) 후 하옥하라." / 하니, 홍립이 앙천대소(仰天大笑) 왈,
_{태형. 작은 형장으로 죄인의 볼기를 치던 형벌}   _{하늘을 쳐다보고 크게 웃음}
"범 모르는 강아지로다."

하고, 등에 졌던 보(褓)를 내려 비봉(飛鳳) 투구를 내어 쓰고 천 근 철갑(鐵甲)을 입고 청파검
                      _{물건을 싸거나 덮기 위해 네모지게 만든 천}
(靑波劍)을 들고 목사를 꾸짖어 왈,

"너는 국록지신(國祿之臣)으로 국사를 생각지 아니하고 도리어 이같이 하니 너도 반적(叛賊)
        _{나라의 녹을 받는 신하}   _{자기 나라를 배반한 역적}
이라. 네 머리를 베어 성중에 효수(梟首)하리라."
                          _{죄인의 목을 베어서 높이 매다는 형벌}
하고 소리를 크게 하며 칼을 들고 달려드니 목사 웃으며 가로되,

Link

출제자 톡톡 **인물의 의도를 파악하라!**

❶ 강홍립이 제주 목사를 찾아간 이유는?
군사를 얻어 왜적을 무찌르기 위해서

❷ 제주 목사가 강홍립을 미친 사람 취급하며 태장을 치고 하옥하려고 했던 이유는?
강홍립의 용맹을 시험해 보기 위해서

"이제 명장(名將)을 만났으니 어찌 왜적을 근심하리오. 나도 왕명
                                _{강홍립}
을 받아 이 성을 지켰으니 이때를 당하여 어찌 침식(寢食)이 편하
        Link 인물의 의도 **❷**   _{잠자는 일과 먹는 일}
리오. 처음은 장군의 위엄을 보고자 함이니 이미 짐작한지라. 성중
        _{강홍립의 용맹을 시험해 보고자 크게 꾸짖고 벌을 내려 미리 지키고 대비함}
군사를 바삐 발령(發令)하여 왜적을 방비하소서."
                    _{명령을 내림}   _{적의 침입이나 피해를 막기 위해 미리 지키고 대비함}

홍립이 그제야 분한 마음이 풀리는지라. 즉시 정병(精兵) 팔천을 조발(調發)할새 목사로 중
<u>강한 병사</u>   군사를 편성함

군장(中軍將)을 삼아 행군한 지 삼 일 만에 청주성으로 올라가니 왜적 마홍·마동이 나계(羅界)
옛 신라, 즉 경상도 지방의 경계

이십팔 주를 엄습(掩襲)하고 성내에 웅거(雄據)하였거늘 홍립의 날랜 장략(將略)을 걷잡지 못
뜻하지 아니하는 사이에 습격함   일정한 지역을 차지하고 굳게 막아 지킴   장수로서의 지략과 기량

하여 달려들어 성문을 파하고 무찔러 들어가니 왜적 마홍·마동이 정신을 수습(收拾)치 못하여
제주 목사를 독려하여 왜군과 싸우게 하고, 뛰어난 활약을 하여 왜군을 격파함

<u>오만 군을 다 죽였는지라.</u>
      ➤ 군사를 얻어 왜적을 무찌른 강홍립

핵심장면 ② 사명당이 왜국으로 건너가 왜왕의 여러 가지 시험에 초인적인 능력을 보여 주고, 왜왕으로부터 항복을 받아 내고 조공 약속을 받아 돌아오는 활약을 펼치는 부분이다.

더욱 놀라 모계(謀計)를 의논하니, 한 신하 주(奏) 왈,
계책을 꾀하는 일. 또는 그 계책   길이의 단위. 한 장은 약 3미터에 해당함

『"남문 밖에 한 못이 있으되 깊이 만여 장(丈)이라. 대연(大宴)을 배설(排設)하고 구리쇠로 천
『 : 사명당이 생불인지 시험하기 위한 계책   큰 잔치를 베풀어 놓고

근 방석을 만들어 주며 생불더러 저 방석을 타고 저 물 위에 선유(船遊)하라 하여 만일 시행
    사명당   방석을 물 위에 띄우고 그 못에 놀게

치 아니하면 살기를 바라리오.』"

왜왕이 옳게 여겨 대연을 배설하고 사명을 데리고 장막을 치고 놀다가 천 근 방석을 내어 놓

고 왈, / "생불은 저 방석을 타고 저 물 위에 다니면 생불의 도술을 알리이다."
     사명당의 능력을 시험하려는 의도   **Link** 인물의 심리 ❶

『사명이 잠소(潛笑)하고 사해(四海) 용왕(龍王)을 불러 육정육갑(六丁六甲)을 외고 방석을 타
   속으로 웃음   둔갑술을 할 때 부르는 신장의 이름

고 물 위에 떠 선유하니, 동풍이 불면 서로 행하고 남풍이 불면 북으로 행하는지라.』 호령 왈,
『 : 사명당이 도술을 부려 시련을 극복함 – 사명당의 비범한 능력과 영웅성이 두드러짐. 고전 소설의 전기성

"왜왕은 들어라. 나는 석가여래의 제자라. 물 위에 이렇듯이 선유하니 풍악을 갖추고 친히

나와 춤을 추라. 그렇지 아니하면 대화(大禍)를 당하리라."
        큰 재앙

왜왕이 대경(大驚)하여 일어나 춤추거늘, 사명이 종일 놀다가 별궁에 돌아와 가로되,
   크게 놀라

『"왜왕은 바삐 나와 항복하라. 임진년에 내 들어와 왜놈의 씨를 없이 하고자 하였더니 석가여
『 : 힘이 없어서 임진년에 패전한 것이 아니라는 것과 앞으로도 조선이 왜국을 처벌할 힘이 있음을 강조함

래께옵서 만류하시되, 종차(從次) 하라 하시기로 이제 들어왔거니와 너희는 천의(天意)를 모
     이 다음에   하늘의 뜻

르고 외람히 조선을 침범하니, 우리 전하 근심하사 또한 팔천 명 생불이 갈충보국(竭忠報國)
                                  목숨을 다하여 나라의 은혜에 보답함

하거든 네 어찌 항거하리오. 목숨을 아끼거든 항서(降書)를 올리라. 그렇지 아니하면 왜국을
                              항복 문서

공지(空地)로 만들리라."』〈중략〉
사람이 살지 않는 빈 땅   ➤ 왜왕의 시험에 초인적 능력을 보여 주며 항복을 요구하는 사명당

"불로 달군 방에 얼음을 깔고 있는 생불이 어찌 불을 겁내 하리오. 그러나 시험하리라."
풀무. 불을 피울 바람을 일으키는 기구

하고, 구리쇠 말에 풍구를 달아 불말을 만들어 세우고 조선 생불에게 타라 하니, 『사명이 냉소
    사명당이 생불임을 시험하기 위한 계책   **Link** 인물의 심리 ❶

Link
출제자 톡 인물의 심리를 파악하라!

❶ 사명당에 대한 왜왕의 태도 변화는?
온갖 계교를 부려 사명당에게 악독한 시험
을 자행하던 왜왕이 사명당에게 비굴한 모
습으로 굴복함.

❷ 왜왕의 항복을 받고 왜왕으로 하여금 조선
에 조공을 바치라고 하는 사명당의 말에 반
영되어 있는 민족의 정서는?
일본에 대한 분노와 적개심

하고 서(西)로 조선을 향하여 사배(四配)하고 침 세 번을 뱉으니, 서
                사명당을 일본으로 보낸 서산 대사에게 도움을 요청함

로 일점 흑운(黑雲)이 떠 오며 순식간에 천지가 뒤눕고 벽력 소리 사
                                      벼락

람의 정신을 놀라게 하며, 급한 비 담아 붓듯하여 바다가 창일(漲溢)
                                  물이 범람하여 넘쳐남

하여 왜국 장안이 거의 해중(海中)에 묻힐 듯하더라.』
『 : 사명당이 시련을 극복함 – 임진왜란 당시의 치욕을 전쟁이 아닌 다른 방법으로 설욕하고자 한 민중의 의지를 반영함

왜왕이 크게 겁을 내어 옥새를 끌러 목에 걸고 용포를 벗어 목에
                        옥으로 만든, 나라를 대표하는 도장

매고 돈수 사죄(頓首謝罪) 왈,
머리를 조아리고 절하며 사죄함

"신령하신 생불은 잔명(殘命)을 보존케 하옵소서."
　　　　　　남은 목숨
　　　　　　　　　　　　Link 인물의 심리 ❶

하며 애걸하거늘, 그제야 사명당이 비를 그치게 하고 왈,

　　"이제도 다시 반심(叛心)을 두어 조선에 항거할쏘냐."
　　　　　　　　　배반하는 마음

　　왜왕이 복지 애걸(伏地哀乞) 왈,
　　　　　　　땅에 엎드려 소원을 애처롭게 빎

　　"차후는 그런 범람한 뜻을 두지 아니하오리다."
　　　　　　　　제 분수에 넘침

하고 백배사죄 왈,

　　"잔명을 살려 주옵시면 천추만세라도 은혜를 갚사오리라."　　　　　▶ 왜왕의 항복을 받은 사명당
　　　　　　　　　　천만년의 긴 세월

　　사명당이 허락하고 매년 인피(人皮) 삼백 장과, 동철(銅鐵) 삼천 근과 목단 삼천 근과 왜 물산
　　Link 인물의 심리 ❷　　　　　사람의 가죽

삼천 근을 조공(朝貢)하라 하니, 왜왕이 그대로 항서를 써 올리거늘, 사명당 왈,
　　종속국이 종주국에 때를 맞추어 예물을 바치는 일

　　『우리 조선에 한 도에 생불이 일천씩 계시니, 다시 반심을 두면 팔천 생불이 일시에 왜국을
　　『 』: 조선에 사명당과 같은 사람이 팔천 명이나 있으니 절대 반역을 하지 말라는 위협

공지로 만들 것이니 부디 조심하라.』
　　　　　　　　　　　　　　　　　　자신의 말을 낮추고 예의를 다함

　　왜왕이 백배 돈수하더라. 사명당이 조선에 나올새 왜왕이 비사후례(卑辭厚禮)로 전송하더라.
　　　　　　　　　　　　　　　　　　　　　　　　　　　　　　　▶ 왜왕의 항복과 조공 물건을 받고 귀국하는 사명당

최우선 출제 포인트!

1 이 작품의 주제 의식

팔도 명장들의 용전 모습과 각지의 의병들의 활약상을 보여 줌.	임진왜란의 패배로 상실된 민족의 긍지와 자부심을 고취하고자 함.
실제로는 패배한 임진왜란의 역사적 사실을 승전의 역사로 바꿈.	일본에 대한 복수심을 드러내고, 이로써 정신적인 보상을 받으려고 함.

2 이 작품의 창작 배경

전쟁의 패배에 대한 정신적 보상	승리한 전쟁으로 임진왜란을 묘사함.
민중의 주체적 사고 반영	· 의병장, 승려, 기생 등이 전쟁에서 주로 활약하는 것으로 묘사함. · 무능한 집권층을 비판함.
일본에 대한 적개심과 정신적 승리	· 김응서와 강홍립이 일본을 정벌함. · 사명당이 왜왕의 항복을 받아 냄.
배명 의식	명나라 장수 이여송 등 명의 구원군들을 비판적으로 묘사함.

3 역사적 인물을 변용한 이유

이 작품은 매우 다양한 이본이 있다. 이러한 이본들은 크게 역사적 사실을 중시한 것과 설화성을 중시한 것으로 나눌 수 있다. 대체로 전자의 경우는 이순신의 활약상, 후자의 경우는 김덕령 등의 활약상이 두드러지게 서술되어 있다. 이처럼 이본에 따라 강조된 인물은 각각 다르지만, 특정 인물의 생애를 중심으로 전개하지 않고, 임진왜란 중에 활약한 인물들의 영웅적 활약상을 나열하는 방식으로 전개하고 있다는 점은 동일하다.

최우선 핵심 Check!

1 다음 내용 중 맞는 것은 ○표를, 틀린 것은 ×표를 하시오.

(1) 전란 중 공을 세운 한 사람이 주인공으로 등장한다.　　（　　）
(2) 전쟁의 참상을 겪은 민중들이 정신적 위안을 얻기 위해 창작한 설화와 역사적 사건들이 소재로 활용하고 있다.　　（　　）

2 초성 힌트를 보고 빈칸에 들어갈 알맞은 말을 쓰시오.

(1) 역사 속 사건 중 ㅇㅈㅇㄹ 을/를 배경으로 한 역사 군담 소설이다.
(2) 사명당을 비롯한 전란 당시의 ㅅㅈ 인물의 활약상을 연대기적 구조로 그려 낸 역사 영웅 소설이다.

정답 1. (1) × (2) ○ 2. (1) 임진왜란 (2) 실존

옥루몽(玉樓夢) | 남영로

성격 전기적, 일대기적 **시대** 조선 후기
주제 양창곡(문창성)과 다섯 여인의 결연과 영웅적 일생

소설

이 작품은 주인공 양창곡의 일대기를 다룬 회장체 대하소설로, 전체 64회로 내용이 방대하고 구성이 치밀하며 표현도 뛰어나다. 특히 여성들의 성격이 아주 개성 있게 창조되어 있어서 조선 후기에 매우 큰 인기를 누렸다.

출제 최우선 작품

주요 사건과 인물

발단
천상의 신선 문창성은 다섯 선녀와 술을 마시며 희롱하다가 벌을 받고 인간 세계로 쫓겨남.

전개
문창성은 양창곡으로 다시 태어나고 천상에 함께 있다가 인간 세상에 태어난 다섯 여인과 결연을 맺음.

위기
양창곡이 전쟁터로 나간 뒤 강남홍은 위기에 빠져 강물에 투신하고, 윤 소저가 강남홍을 구하지만 그녀를 태운 배는 남만으로 향함.

절정
남만이 침공하자 양창곡은 대원수가 되어 참전하고, 남만의 장수가 된 강남홍과 재회함.

결말
양창곡은 두 부인, 세 첩과 부귀영화를 누리다가 천상계로 돌아가 신선이 됨.

천상계(현실)
• 문창성
• 제방옥녀, 천요성, 홍란성, 제천선녀, 도화성

인간 세계(꿈)
• 양창곡
• 윤 소저, 황 소저, 강남홍, 벽성선, 일지련

핵심장면 남만이 침공하자 양창곡이 대원수로 출정하고, 강남홍은 적국의 지휘관으로 출정하여 두 사람이 재회하는 부분이다.

강남홍이 정절을 지키기 위해 전당호에 몸을 던졌을 때 그녀를 구해 준 인물

강남홍은 수레에서 내려 말을 타고 손삼랑과 진 앞으로 갔다. 양창곡 역시 진세를 이루어 포

남장을 하고 전쟁터로 나섰다가 적국의 지휘관으로 양창곡과 맞섬 / 진영의 형세

진하였다. 강남홍은 권모설화마(捲毛雪花馬) 위에서 부용검을 차고 활과 화살을 허리에 두른

뒤 진영 앞에서 손삼랑에게 소리치게 하였다. / "어제의 싸움은 먼저 무예를 시험했던 까닭에

전날 싸움에서 강남홍은 명의 장수 소유경을 벨 수 있었지만 죽이지 않고 살려 보냈음

좀 봐주었지만, 오늘은 나를 당할 자 있으면 즉시 나오라. 만약 당할 수 없다면 괜히 출전하여

Link 인물의 특징 ❶

전쟁터 위에 백골을 더하지 말도록 하라." 〈중략〉

뇌천풍이 바라보고 있다가 분노를 이기지 못하고 도끼를 휘두르며 나갔다. 강남홍이 웃으며 말했다.

"노장(老將)은 노쇠한 정력을 함부로 낭비하지 마시오. 내가 마땅히 당신의 목숨을 빌려줄

테니 노장은 갑옷 위에 칼자국을 살펴보시고 내 솜씨를 보시구려." ▶ 적국의 지휘관이 되어 출전한 강남홍

말을 마치기도 전에 부용검을 휘두르며 몇 합 맞붙어 싸웠다. 뇌천풍이 자신의 갑옷을 내려

칼이나 창으로 싸울 때 칼이나 창이 맞부딪히는 수를 세는 단위

다보니 칼자국이 낭자했다. 그는 싸울 생각이 없어지면서 말을 돌려 돌아갔다. 명나라 진영의

Link 인물의 특징 ❶   Link 인물의 특징 ❷

여러 장수들이 서로 돌아보며 출전하려는 사람이 없었다. 양창곡이 크게 노하여 분연히 일어

양창곡의 성격 – 혈기가 왕성함

났다. 청총사자마(靑驄師子馬)에 걸터앉아 장팔탱천이화창(丈八撐天梨花槍)을 들고 붉은 도

포에 금빛 갑옷을 입었다. 허리에는 활과 화살을 두르고 진영 앞에 나와 섰다. 소유경이 간하여 말했다.

"원수께서 황제의 명을 받들어 삼군을 지휘하시니, 국가의 안위가

현실적 여건을 내세워 출전을 말리는 노련한 소유경

원수 한 몸에 달려 있으며 종묘사직의 중대함이 진퇴에 달려 있습

Link 인물의 특징 ❸

니다. 이제 필마단기(匹馬單騎) 혼자 힘으로 친히 화살과 돌을 무

혼자 한 필의 말을 탐. 또는 그렇게 하는 사람

릅쓰고 한때의 분노로 승부를 내려 하시니, 이 어찌 몸을 보전하고

나라를 위하는 뜻이라 하겠습니까?"

Link

출제자 톡! 인물의 특징을 파악하라!

❶ 어제의 싸움에서 일부러 봐주었다는 강남홍의 말과 강남홍과 뇌천풍의 싸움의 결과를 통해 알 수 있는 것은?
강남홍의 무예가 매우 뛰어남.

❷ 명나라 진영의 장수들이 출전을 꺼릴 때 분연히 일어난 양창곡의 모습을 통해 알 수 있는 그의 성격은?
혈기가 왕성하여 분노를 참지 못함.

❸ 소유경이 양창곡을 말린 이유는?
한때의 분노로 현실적 여건을 고려하지 않고 적과 싸우는 것은 나라를 위하는 것이 아니라고 생각하기 때문에

『이때 양창곡은 소년의 날카로운 기상으로, 강남홍의 무예가 절륜한 것을 알고 한번 대항해

『   」양창곡과 강남홍은 서로의 존재를 알지 못한 채로 참전함   두드러지게 뛰어난

보고 싶어서 소유경의 간언을 듣지 않고 말을 달려 출전했다. 강남홍은 원수가 나오는 것을

         윗어른이나 임금에게 옳지 못하거나 잘못된 일을 고치도록 하는 말   양창곡

보고 말을 돌려 칼을 휘두르며 그를 맞아 싸웠다.』 그러나 일 합을 맞붙기 전에 강남홍의 총명

으로 어찌 양창곡의 모습을 몰라보겠는가. 너무 기뻐 눈물이 먼저 흐르며 정신이 황홀하여 어

        편집자적 논평   낭군인 양창곡과 적으로 만난 데 대한 감정

찌할 바를 몰랐다. 『그러나 지기지심(知己知心)을 가진 양창곡이라도 한밤중 황천으로 영원히

          서로 마음이 통하여 지극하고 참되게 알아주는 마음

떠난 강남홍이 지금 만리절역(萬里絕域)에서 자기와 싸우는 오랑캐 장수가 되었으리라고 어찌

          멀리 떨어져 있는 다른 지역

생각이나 했겠는가.』 양창곡이 창을 들어 강남홍을 찌르니, 그녀는 머리를 숙여 피하면서 쌍검

『   」양창곡은 강남홍이 이미 죽은 것으로 알고 있음   양창곡에게 자신의 정체를 알리기 위해 일부러 쌍검을 던지고 땅에 떨어짐

을 던지고 땅에 떨어지며 낭랑하게 외쳤다.

             Link 인물의 의도 ❶

"소장이 실수로 칼을 놓쳤습니다. 원수는 잠시 창을 멈추고 칼을 줍도록 해 주시오."

  강남홍

양창곡은 그 목소리가 귀에 익어서 창을 거두고 그 모습을 살폈다. 강남홍은 칼을 거두어 말

           양창곡도 강남홍을 알아봄

에 오르더니 양창곡을 돌아보며 말했다.

"천첩 강남홍을 어찌 잊으실 수 있습니까? 첩은 당연히 상공을 따라야 하나, 제 수하의 노졸

          강남홍   양창곡   경험이 노련한 병사

들이 오랑캐의 진영에 있사오니, 오늘 밤 삼경에 군중에서 만나 뵙기를 기약하겠습니다."

                    밤 11시 ~ 새벽 1시 사이   ▶ 전장에서 오랑캐 장수가 된 강남홍을 알아본 양창곡

말을 마치고 채찍질을 하여 오랑캐의 본진을 향하여 훌쩍 돌아갔다. 양창곡이 창을 짚고 조

각상처럼 서서 오래도록 그쪽을 바라보다가 본진으로 돌아왔다. 소유경이 물었다.

  강남홍

"오늘 오랑캐 장수가 그 재주를 다하지 않은 것은 무엇 때문일까요?"

  소유경은 강남홍이 일부러 실수했다는 것을 알고 있음

양창곡이 웃기만 하고 대답을 하지 않았다. 그는 진영을 화과동으로 옮겼다. 한편, 강남홍은

강남홍과 자신 사이에 있었던 일을 소유경이 알 까닭이 없기에 대답을 하지 않음

만왕을 보고는 말했다.

남만의 왕

"오늘 명나라 원수를 거의 사로잡을 뻔했는데, 몸이 불편하여 진을 퇴각시켰습니다. 내일 다

                                  명나라 진영으로 넘어가기 위해 한 거짓말

시 싸워야겠습니다." / 나탁이 깜짝 놀라며 말했다.

          남만의 왕

"장군께서 불편하시다면 과인이 마땅히 옆에서 시중을 들면서 직접 간병을 하겠습니다."

"대왕께서는 염려 마시고 조용히 요양하도록 해 주시오."

  다른 사람 모르게 양창곡의 진영으로 넘어가려는 의도   Link 인물의 의도 ❷

나탁은 즉시 가장 여유롭고 외진 곳으로 객실을 옮겨 주었다. 〈중략〉

                              ▶ 명나라 진영에서 만나기로 한 강남홍과 양창곡

양창곡은 본진으로 돌아가서 군막 안에 누워 생각하였다.

                  군대에서 쓰는 장막

『오늘 싸움터에서 만난 사람이 진짜 강남홍이라면 인연을 다시 이을 수 있을 뿐만 아니라 나

                    강남홍에 대한 양창곡의 미련과 충성심이 나타남

Link

출제자 특강 인물의 의도를 파악하라!

❶ 강남홍이 일부러 쌍검을 던지고 땅에 떨어
진 이유는?
양창곡에게 자신의 정체를 알리기 위해

❷ 강남홍이 나탁에게 조용히 요양하도록 해
달라고 청한 의도는?
다른 사람이 눈치채지 못하게 양창곡의 진
영으로 넘어가기 위해서

❸ 강남홍이 나타날지도 모른다는 기대감과, 강
남홍과 있었던 전의 일들을 비밀에 부치고
싶어서 양창곡이 한 일은?
주변 사람들을 모두 물러나게 하고 군막에
쳐 두었던 장막을 걷어 올림.

라를 위하여 남쪽 오랑캐 지역을 평정하는 것 역시 쉬우리라. 이 어

찌 다행이 아니겠는가. 그러나 우리 홍랑이 세상에 살아 있어 여기

                              양창곡은 강남홍이 황의병의 횡포를 피해 물에 빠져 죽은 줄 알고 있음

서 만난 것은 꿈에서도 예기치 못한 일이라. 이는 필시 홍랑의 원혼

이 흩어지지 못한 것이리라. 남방에는 예부터 물에 빠져 죽은 충신

열녀가 많은 곳이라. 초강(楚江)의 백마(白馬)와 소상강(瀟湘江) 반

죽(斑竹)에 외로운 혼이 여전히 있어서 오가며 서성거리다가, 내가

이곳에 온 걸 알고 평생의 원한을 하소연이나 해 보고 싶어서 그런

            양창곡은 낮에 싸움터에서 결투를 벌였던 강남홍을 죽은 원혼으로 여기고 있음

게 아닐까? 오늘 밤 우리 진영 안에서 만나기로 약속을 했으니 그 시간을 기다려 보면 알게 되겠지.』 『 』: 양창곡의 심정 – 초조함, 기대감, 의구심

그는 촛불을 돋우며 책상에 기대어 시간을 알리는 북소리를 헤아리며 앉아 있었다. 『얼마 후 『 』: 강남홍이 나타날지 모른다는 기대감과, 강남홍과 있었던 일을 숨기고 싶어 하는 양창곡의 심리 삼경 일점(三更一點)이 되자 주변 사람들을 모두 물러가게 하고 군막에 쳐 두었던 장막을 걷어 삼경(밤 11시 ~ 새벽 1시)을 다섯으로 나눈 것 중의 첫 번째 시각 올린 뒤 기다렸다.』 갑자기 차가운 바람이 촛불에 불어오자 한 줄기 푸른 기운이 장막 안에서 Link 인물의 의도 ❸ 양창곡과 강남홍의 재회를 위한 극적인 분위기 조성 일어났다.

양창곡이 정신을 집중하여 자세히 살피니, 한 소년 장군이 쌍검을 짚고 표연히 들어와서 촛 변장을 한 강남홍 훌쩍 나타나거나 떠나는 모양이 거침없이 불 아래에 섰다. 놀라서 살펴보니 분명히 아득한 저승으로 생사의 길 이별하고 오롯한 마음으 관련 한자 성어: 오매불망(寤寐不忘) 로 자나 깨나 잊지 못하던 강남홍이었다. 양창곡이 묵묵히 한참을 바라보다가 말했다.

『"홍랑아, 네 죽어서 영혼이 왔느냐, 살아서 진짜 얼굴로 왔느냐? 나는 네가 죽었다고 알 뿐 『 』: 강남홍을 다시 만난 것이 믿기지 않음 살아 있다는 것을 믿지 못하겠구나."』

강남홍 역시 울음을 머금고 흐느끼면서 말을 제대로 잇지 못했다. ➤ 감격스러운 해후를 한 양창곡과 강남홍

● 초강(楚江)의 백마(白馬): 중국 초나라의 굴원이 모함을 입고 초강에 투신하자 그의 죽음을 슬퍼했다는 말[馬].
● 소상강(瀟湘江) 반죽(班竹): 중국의 순임금이 죽자 그의 두 부인인 아황과 여영도 남편을 따르기 위해 소상강에 몸을 던졌는데 그 이후로 소상강 일대에 피는 대나무 잎에 핏자국이 생겼다는 고사에서 유래한 말로, 남편을 향한 여인의 절개를 상징함.

최우선 출제 포인트!

❶ 이 작품의 환몽 구조

이 작품의 환몽 구조는 독특하다. 천상계에서 꿈을 통해 속세로 진입한 남녀 주인공들은 속세에서 다시 꿈을 꾸어 천상계를 경험하는데, 이때 신이한 존재에 의해 자신의 정체를 깨달으며 꿈에서 깨어나게 된다. 꿈에서 깨어난 남녀 주인공들은 속세로 돌아와 천수를 누리다가 천상계에 복귀하게 된다.

천상계 ──입몽→ 속세 ──입몽→ 천상계 ──각몽→ 속세 ──죽음→ 천상계

❷ 이 작품이 당시에 인기를 끌었던 이유

• 뛰어난 성격 창조로 인물들이 개성 있게 살아 움직이고 있다.
• 이상적인 인간형의 주인공 남녀가 결연하는 이야기를 중심으로 하고 있다.
• 간신과 충신의 대결, 반전에 반전을 거듭하는 전쟁담이 방대한 스케일로 전개되고 있다.
• 유교 사상을 중심으로 하고 있으며, 불교 및 도교 사상을 대승적인 견지에서 수용하여 현실과 인생을 긍정적인 시각에서 다루고 있다.

❸ '강남홍'의 영웅적 모습

전투에서 승승장구하고, 명나라 장수를 부용검 하나로 물리침.	남성들보다 뛰어난 능력을 발휘함.
부대를 지휘하는 장수 대 장수로 서 양창곡과 재회함.	남녀의 종속적인 관계가 아니라 대등한 관계로 만남.

최우선 핵심 Check!

1 다음 내용 중 맞는 것은 ○표를, 틀린 것은 ×표를 하시오.

(1) 양창곡과 강남홍의 만남과 이별은 아국과 적국을 넘나들며 반복된다.
( )
(2) 강남홍은 초자연적 현상을 불러일으킴으로써 자신의 영웅성을 뽐내고 있다.
( )
(3) 양창곡은 오랑캐 장수의 복장을 한 강남홍을 한눈에 알아보았다.
( )

2 초성 힌트를 보고 빈칸에 들어갈 알맞은 말을 쓰시오.

(1) 천상계에서의 ㄱ 을/를 통해 천상계 인물이 지상계의 존재로 살아가는 이야기를 다루고 있다.
(2) 양창곡은 강남홍의 ㅈㅇ (으)로 지상계에서 그녀와 인연이 끝났다고 생각하였다.

3 다음 구절에서 드러나는 양창곡의 심리를 나타내는 한자 성어는?

아득한 저승으로 생사의 길 이별하고 오롯한 마음으로 자나 깨나 잊지 못하던 강남홍이었다.

정답 1. (1) ○ (2) × (3) × 2. (1) 꿈 (2) 죽음 3. 오매불망(寤寐不忘)

21위

이대봉전(李大鳳傳) | 작자 미상

성격 전기적, 비현실적 **시대** 조선 후기
주제 구국 영웅의 업적과 남녀 주인공의 사랑

소설

이 작품은 주인공인 이대봉 가문의 몰락과 회복 과정에서 나타나는 영웅적 활약상을 그린 군담 소설로, 남성 주인공인 이대봉보다는 그의 정혼자인 장애황의 활약상이 두드러지게 나타난다.

주요 사건과 인물

발단
이 시랑의 아들 대봉과 장 한림의 딸 애황은 정혼을 함.

전개
간신 왕희는 이 시랑 부자를 죽이려 하고, 고아가 된 애황은 남장을 하고 도망친 후 남 선우와의 전쟁에서 공을 세움.

위기
산에서 도술을 익히던 대봉은 북 흉노를 격파하고 돌아오던 중 우연히 부친을 만남.

절정
천자가 애황에게 벼슬을 내리려 하자 애황은 자신이 여성임을 밝히고, 대봉과 재회하여 혼인함.

결말
남 선우와 북 흉노가 다시 침입하자 대봉과 애황은 출정하여 큰 공을 세운 후 부귀영화를 누리다가 일생을 마침.

이대봉	장애황	왕희	천자
명망이 높은 이 시랑의 아들로 비범한 능력의 소유자임.	장 한림의 무남독녀로, 대원수로 출정하여 큰 공을 세움.	대봉과 애황을 위기에 처하게 하는 간신임.	이 시랑 부자와 애황에게 벼슬을 내림.

핵심장면 ① 대봉과 이 시랑이 죽은 줄 알고 그들을 위한 수륙재를 지내던 애황이 우연히 대봉의 모친과 시비 난향을 만난 장면이다.

"그대 등은 어느 절에 있으며 성명은 무엇이며, 무삼 지통을 품었건대 그다지 슬퍼하느냐?"
　　스승 등(이대봉의 모친과 시비 난향)　　　　　　　　　　　고통이 매우 심함

그 노승이 눈물을 머금고 합장 대 왈,
　이대봉의 모친

"산중 천승이 비통한 일이 있어 슬퍼함이어늘, <u>원수</u>가 하문하시니 불승송황(不勝悚惶)으로
　　　왕희의 계략으로 가족이 뿔뿔이 흩어진 상황　　여성 주인공인 애황. 애황은 대원수로 출전하여 남 선우를 격파함　　송구스럽고 황공함을 못 이김

소이다." / 원수가 척연(慼然) 탄 왈,
　　　　　근심스럽고 슬픔

"나의 회포가 그대 등과 또한 일반인 고로 마음이 또한 비감하여 그대 등을 불러 심중 소회
　　　　　　　　　　　　　　자신과 정혼한 대봉과 그의 부친이 물에 빠져 죽었다고 생각하여 수륙재를 지내고 있었음　　　　마음속에 품고 있는 회포

를 듣고자 하노라." / 노승이 대 왈,

"원수는 백만 군중의 원융(元戎) 상장(上將)이시고, 소승 등은 심산궁곡(深山窮谷)의 일개 빈승
　　　　　　　　　　군사의 우두머리　　　　　　　　　　　　　　덕(德)이 적다는 뜻으로, 승려나 도사가 자기를 낮추어 이르는 일인칭 대명사

(貧僧)이오니, 승속(僧俗)이 다를 뿐 아니라 존비귀천이 현수(懸殊)하오거늘, 추비한 인생을
　　　　　　　승려와 승려가 아닌 속인을 아울러 이르는 말　　　　　　　　현격하게 다름　　　　　　거칠고 더럽고 낮은

무휼(撫恤)하사 이처럼 하문하옵시니, 어찌 진정을 고달치 않으리잇고? 소승의 법명은 강재
　어려운 처지에 있는 사람을 불쌍히 여기고 위로하고 물질로 도움　　　　승려가 되기 전

요, 상좌의 승명은 애원이라 하오며, 속인 때 거주는 기주 땅이오며, 머무는 절은 봉명암이
　　　　　　　　　　　　　　　　　　　　　　　흉노의 난을 피해 기주를 떠나 떠돌아다니다가 우연히 난향을 만나 봉명암의 승려가 됨

오며, <u>소승의 팔자가 기구하와 일찍 가군(家君)과 아자(兒子)를 생이별하옵고</u>, 또 흉노의 난
　　　　　　　　　　　　　　　　　　　　　이대봉의 부친　　　이대봉　　Link 인물의 상황 ❶, ❷

에 모진 목숨을 살고자 하옴은 혹자(或者) 가군과 자식을 만나 볼까 하와 삭발하여 봉명암에
　　　　　　　　　　　　　이 시랑 부인은 남편과 아들을 혹시 만날 수 있을까 하는 마음에 승려가 됨

있삽더니, 오늘날 우연히 이곳을 지나옵다가 <u>원수의 치제(治祭)하심을 보옵고 자연 비회 동</u>
　　　　　　　　　　　　　　　　　임금이 제물과 제문을 보내어 죽은 신하를 제사 지내던 일

(動)하와 가군과 자식을 생각하오매 또한 수중원혼이 된 듯하여 마음을 진정치 못하와 통곡
　　우연히 치제를 보고 남편과 자식을 생각함　　　왕희는 뱃사공을 매수하여 이 시랑과 대봉을 죽이려 했지만 대봉 부자는 용왕의 도움으로 살아남

하여, 원수로 하여금 동심(動心)케 하오니 죄사무석(罪死無惜)이로소이다."
　Link 인물의 상황 ❷　　　　　　　　죄가 무거워서 죽어도 안타깝지 아니함　　▶ 이대봉 모친의 사연을 들은 애황

소저가 청파에 정신이 아득하고 슬픔이 간절하여 목이 메어 말씀을 이루지 못하다가 겨우
장애황　　　　　　　　　　　　　노승의 남편과 자식이 이 시랑과 대봉일 것이라고 짐작했기 때문에

진정하고 다시 문 왈,

『기주에 사셨다 하시니 동명(洞名)이 무엇이며, 가군의 성명은 무
『　』: 애황이 자신의 짐작을 확인하기 위해 한 질문으로 이 시랑과 대봉을 염두에 둠

엇이며, 아자의 이름을 무엇이라 하며, 무삼 일로 이별하여 수중고
　　　　　　　　　　　　　　　　　　　　물에 빠져 죽은 사람의 외로운 넋

혼이 된 듯하뇨?"』

Link

출제자 톡) 인물의 상황을 파악하라!

❶ 노승에게 있어 '비통한 일'이란?
　가군과 아자(남편과 아들 대봉)를 생이별한 일

❷ 노승이 통곡을 하게 된 계기는?
　우연히 원수의 치제를 보고

노승이 대 왈, / "근본이 기주 모란동에서 살았사오며, 가군은 일찍 벼슬에 올라 <u>이부 시랑</u>
<small>왕희를 가리킴</small>　　　　　　　　　　　　　　　　　　　　　　　　　<small>이대봉의 부친</small>
을 하였사오며, <u>소인의 모해를 입어 적소에 간 지 팔 년이로되</u> 소식을 모르오니, 사지(死地)
　　　　<small>간신 왕희의 계략으로 모함을 당해 유배를 간 일</small>
에 간 사람을 어찌 살기를 바라오며, 응당 수중고혼이 되기 쉬울 듯하오며, 아자의 이름은
<u>대봉</u>이요, 그 부친과 한데 적소로 갔사오나 <u>사생존망(死生存亡)</u>을 모르나이다."
<small>원수(애황)의 정혼자　　이 시랑과 대봉이 같은 곳으로 유배를 감　　살아 있는지 죽었는지 모른다는 의미</small>
　소저가 허다 설화(說話)를 들으니, 이 시랑 부인임이 정녕 의심할 바가 없는지라. 이에 노승
　　　　　　　　　　　　　　　　　　　　　　　　　　　　　<small>이 시랑 부인이 밝혀짐</small>
을 향하여 재배 통곡 왈,
　"부인의 화안(和顔)을 모르옵더니 이제 말씀을 듣자오니 어찌 슬프지 않으리잇고? <u>소첩은</u>
<u>장미동 장 한림의 여식 애황이로소이다.</u> [Link] 사건의 전개 과정 ❶　　▶자신이 장 한림의 딸임을 밝히는 애황
<small>자신이 장 한림의 여식 장애황임을 밝힘 - 이대봉 모친과 애황의 극적인 만남</small>

핵심장면 ② 북 흉노의 대군과 남 선우의 군대가 다시 침입하자 대봉과 애황이 출전하는 부분이다.

　"이 일을 어찌하리오? 남북의 적병이 다시 일어났도다. 전일에 애황이 있었지만 지금은 깊
　　<small>흉노의 대군과 선우의 군대가 다시 침입한 일</small>　[Link] 사건의 전개 과정 ❷
은 규중에 들어갔으니 한쪽에는 대봉을 보내면 되겠지만 또 한쪽에는 누구로 하여금 막게
　<small>애황이 대봉과 혼인한 후이므로</small>
하리오? <u>짐이 덕이 없어 도적이 자주 일어나니</u> 초왕 대봉이 성공하고 돌아오면 이번에는 천
　　　<small>천자　　　죄책감을 느끼는 천자</small>　　　　　　<small>북 흉노와 남 선우를 격퇴한 공을 인정받아</small>
자의 자리를 대봉에게 전하리라."　　　　　　　　<small>이대봉은 초왕, 애황은 충렬왕후가 됨</small>
　이렇게 말하며 눈물을 흘리니, 여러 신하들이 간언을 올려 말하였다.
　　　　　　　　　　　　　　　<small>웃어른이나 임금에게 옳지 못하거나 잘못된 일을 고치도록 하는 말</small>
　"천자가 눈물을 흘려 땅을 적시면 3년 동안 심한 가뭄이 든다고 합니다. 하니 과도히 슬퍼하
지 마십시오. 즉시 <u>초왕</u>만 패초하옵시면 <u>왕후</u>는 본래 충효를 겸비한 인재이니 가지 않으려
　　　　　<small>이대봉　임금이 신하를 부르던 일　애황</small>
하지 않을 것입니다."
　이에 황제가 즉시 패초하니 초왕이 <u>전교</u>를 보고 크게 놀랐으며 온 나라가 떠들썩하였다. 『초
　　　　　　　　　　　<small>임금이 명령을 내림. 또는 그 명령</small>
왕이 즉시 태상왕에게 국사를 맡기고 용포를 벗고 월각 투구를 쓰고 용인갑을 입고 청룡도를
비스듬히 들고 오추마를 채찍질하여 그날 바로 황성에 도착하였다.』▶황제의 부름을 받고 지체 없이 달려온 대봉
　<small>『 』♪황제의 부름에 지체 없이 응하는 모습을 통해 군주에게 충성하는 유교적 가치관을 확인할 수 있음. 속도감 있는 전개</small>
　초왕이 계단 아래에 나아가 땅에 엎드리니, 황제가 초왕의 손을 잡고 양쪽에 장수를 다 보낼
수 없는 국가의 위태로움을 이야기하였다. 이에 초왕이 이렇게 말하였다.
　"비록 남북의 강병이 억만이라 하더라도 폐하께서는 조금도 근심하지 마소서."
　　　　　　　　　　　<small>이대봉의 충직함과 용맹함이 드러남</small>
　즉시 사자를 명하여 <u>충렬왕후</u>에게 사연을 전하였더니, 『왕후가 사연을 보고 크게 놀라 화려
　　　　　　　　　　<small>애황</small>　　　　<small>『 』♪사회적 제약을 뛰어넘는 여성 영웅의 면모. 혼인 후에도 영웅성을 유지. 속도감 있는 전개</small>
한 옷을 벗고 갑주를 갖추어 입고 천사검을 들고 천리준총마를 타고 태상 태후 및 두 공주와
후궁에게 하직한 뒤, 천리마를 채찍질하여 황성으로 달려왔다.』황성에 도착하니 황제와 초왕
이 성 밖에까지 나와 맞이하거늘 왕후가 말에서 내려 땅에 엎드려 아뢰었다.

Link
출제자 톡 사건의 전개 과정을 파악하라!
❶ 노승의 사연을 듣고 애황이 한 일은?
　자신이 장 한림의 딸 애황임을 밝힘.
❷ 천자가 눈물을 흘린 이유는?
　북 흉노와 남 선우가 다시 침입했기 때문에

　　　　"초왕 부부가 정성이 부족하여 외적이 자주 강성하는 게 아닌가 합
　　　니다."
　　　황제가 그 충성스러움을 못내 칭찬하고 어떻게 적을 물리칠 것인
　　　지 방책을 물었더니 왕후가 아뢰었다.

"폐하의 은덕이 오직 우리 초왕 부부에게 미쳤사온데, 불행하여 전장에서 죽은들 어찌 마다
「 」: 애황이 전장에 참여하기 전에 죽기를 각오하고 싸우겠다는 결의를 드러냄
하겠습니까? 엎드려 바라건대 폐하께서는 근심하지 마옵소서." Link 인물의 태도 ❶

이에 군병을 조발하여 왕후를 대원수 대사마 대장군 겸 병마도총독 상장군에 봉하고 인끈과
군사로 쓸 사람을 강제로 뽑아 모음   애황   병권(兵權)을 가진 무관이 발병부(發兵符) 주머니를 매어 차던, 길고 넓적한 녹비 끈
절월을 주며 군중에 만약 태만한 자가 있거든 즉시 참수하라 하였다. 또 초왕은 대원수 겸 상
군령을 어긴 자에 대한 살생권을 상징함   대봉
장군을 봉하였다. 군사를 조발할 때 장 원수는 황성의 군대를 조발하고 이 원수는 초나라의
                                    애황   대봉
군대를 조발하여 각각 80만씩 거느리고 행군하여 대봉은 북방의 흉노를 치러 가고 애황은 남
방의 선우를 치러 떠났다.   ➤ 북 흉노와 남 선우를 격퇴하기 위해 떠나는 대봉과 애황

이때 애황은 잉태한 지 일곱 달이었다. 각자 말을 타고 남북으로 떠나면서 대봉이 애황의 손
임신한 상황에서 자신의 몸을 돌보지 않고 출전하는 모습 – ① 여성 영웅으로서의 면모 ② 개인적인 가치보다는 집단적 가치를 우선시하는 모습
을 잡고 말하였다.

"원수가 잉태한 지 일곱 달이니, 복중에 품은 혈육 보전하기를 어찌 바랄 수 있으리오? 부디
애황   대봉과 애황의 아이
몸을 안보하소서. 무사히 돌아와 서로 다시 보기를 천만 바라노라."
대봉은 애황이 무사히 돌아오기를 신신당부함   Link 인물의 태도 ❷
이렇게 애틋한 정을 이기지 못하였는데, 애황이 다시 말하였다.
                                    대봉
Link
출제자 톡톡 인물의 태도를 파악하라!
❶ 정적을 물리칠 방책을 묻는 황제에 대한 애
  황의 답변은?
  전장에 참여하여 죽기를 각오하고 싸울 것
  임.
❷ 잉태한 애황에게 대봉이 한 말은?
  전장에서 몸을 보존하고 무사히 돌아와 다
  시 만나길 바람.

"원수는 첩을 걱정하지 마시고 대군을 거느리고 가 한 번 북을 쳐
「 」: 개인적 가치보다 집단적 가치를 우선시하는 모습을 알 수 있음
도적을 깨뜨리고 빨리 돌아와 황상의 근심을 덜고 태후의 근심을
                              충(忠)   효(孝)
덜게 하소서."
말 위에 서로 잡았던 손을 놓고 이별한 뒤, 대봉은 북으로 향하고
                                          남녀 주인공이 역할 분담을 통해 협력하는 모습
애황은 남으로 향하여 행군하였다. ➤ 잉태한 몸으로 전장에 나서는 애황을 걱정하는 대봉

최우선 출제 포인트!
1 영웅의 일대기 구조

	이대봉	장애황
고귀한 혈통	명망이 높은 부귀한 집안에서 태어남.	
비범한 능력	어려서부터 비범함.	
위기와 고난	간신 왕희의 계략으로 부모와 헤어지거나 부모를 잃음.	
조력자의 도움	용왕으로부터 도움을 받고, 노승으로부터 도술을 배움.	호씨 집안에 머물며 학문을 익힘.
고난 극복 및 성취	• 북 흉노 / 남 선우를 토벌함. • 애황과 대봉이 혼인하고, 이후 전란의 공을 인정받아 대봉은 초왕, 애황은 충렬왕후에 봉해짐. • 다시 침입한 흉노족을 물리친 후 부귀공명을 누리며 살아감.	

2 「이대봉전」에 나타난 가치관

개인적 가치보다 집단적 가치를 우선하며 군주에게 충성을 다하는 남녀 주인공	➤	유교적 이념
사회적 제약을 뛰어넘는 여성 영웅의 활약상	➤	진보적 가치관

3 애황의 활약상에 나타난 작가의 의도

애황의 활약상		작가의 의도
• 남복을 입고 이름을 바꾼 뒤 과거에 급제함. • 국가가 위기에 처하자 잉태한 몸임에도 불구하고 전쟁에 나가 큰 공을 세움.	→	• 남장을 하지 않으면 현실에 직접 개입할 수 없는 당대 현실을 비판함. • 여성도 남성과 대등한 능력을 지녔음을 보여 주고자 함.

최우선 핵심 Check!

1 다음 내용 중 맞는 것은 ○표를, 틀린 것은 ×표를 하시오.

[1] 개인적 가치보다 집단적 가치를 우선하며 천자에게 충성을 다하는 남
  녀 주인공의 모습을 나타내고 있다.   (   )

[2] 대봉은 왕희의 계략으로 수중원혼이 되었다.   (   )

2 초성 힌트를 보고 빈칸에 들어갈 알맞은 말을 쓰시오.

이 작품에서 애황은 혼인 후 잉태한 몸임에도 불구하고 영웅성을 유지하며
전장에서 큰 공을 세운다. 이를 통해 ㅇㅅ 도 남성과 대등한 능력이 있음을
보여 주고 있다.

정답 1. (1) ○ (2) × 2. 여성

출제예상 74%

22위

이춘풍전(李春風傳) | 작자 미상

성격 해학적, 교훈적, 풍자적 **시대** 조선 후기
주제 허위적인 남성 중심 사회에 대한 비판 및 진취적 여성상의 제시

소설

이 작품은 기생 추월의 유혹에 넘어가 재물을 탕진한 춘풍의 방탕한 모습과 남장을 하고 나타나 남편을 위기에서 구해 내는 아내의 현명한 모습을 통해, 가부장적 권력의 횡포를 비판하고, 적극적이고 능력 있는 여성상을 제시한 판소리계 소설이다.

주요 사건과 인물

발단	전개	위기	절정	결말
춘풍이 방탕히 살며 재산을 탕진하나 아내의 도움으로 가산을 회복함.	평양으로 장사를 떠난 춘풍이 기생 추월에게 홀려 돈을 모두 빼앗기고 이를 알게 된 춘풍의 아내는 비장이 되어 평양에 감.	춘풍의 아내가 비장으로서 춘풍과 추월을 문초하고 추월에게서 춘풍이 빼앗긴 돈을 되찾아 줌.	춘풍이 고향으로 돌아와 의기양양해하자 춘풍의 아내가 비장 복장으로 나타나 춘풍을 꾸짖음.	아내의 정체를 알게 된 춘풍은 부끄러워하며 반성함.

춘풍의 아내	이춘풍	추월
남편을 위기에서 구출하고 그의 허위를 꾸짖음.	위선과 허세로 가득 찬 가부장적 남성의 전형임.	춘풍을 유혹하여 돈을 빼앗고 머슴처럼 부림.

핵심장면 ① 남장을 하고 비장이 되어 평양으로 온 춘풍의 아내가 추월을 문초하여 돈을 되찾는 부분이다.

□ : 주요 인물

비장이 처소에 돌아와서 수일 후에 사령 불러 분부하여, 춘풍을 잡아들여 형틀에 올려 매고,
> 조선 시대에 무관 벼슬. 여기서는 남장을 한 춘풍의 아내임

> 조선 시대에, 각 관아에서 심부름하던 사람

"이놈, 네 들으라! 네가 이춘풍이냐?"

춘풍이 벌벌 떨며,

"과연 그러하오이다."

> 조선 시대에, 육조 가운데 호구, 공부, 전량(田糧), 식화(食貨)에 관한 일을 맡아보던 관아

"막중 호조(戶曹) 돈 수천 냥을 가지고 사오 년이 되도록 일 푼 환납 아니하니 호조 관자(關子)

┌ ♪ 춘풍을 잡아들인 표면적 이유 – 호조의 돈을 빌린 후 갚지 않아서

내어 너를 잡아 죽이라 하였으니, 너는 그 돈을 다 어찌하였는고. 매우 쳐라."

> 관공서에서 작성한 서류나 공증한 문서

분부하자 사령놈 매를 들어 이십여 도를 힘껏 때리니 춘풍의 다리에 유혈이 낭자하거늘, 비

> 거듭되는 횟수

장이 보고 차마 더 치진 못하고,

> 남편에 대한 연민, 안타까움 때문에

"춘풍아, 네 그 돈을 어디다 없앴느냐? 바로 아뢰어라."

춘풍이 대답하되,

"호조 돈을 가지고 평양 와서 일 년을 기생 추월과 놀고 나니 일 푼도 남지 않고, 달리는 한

> 춘풍의 방탕함. 어리석음이 드러남
> Link 인물의 성격 ①

푼도 쓴 일 없삽나이다."

> ▶춘풍을 잡아들여 돈의 사용처를 추궁하는 춘풍의 아내

비장이 이 말 듣고 이를 갈고 사령에게 분부하여, 추월을 바삐 잡아들여 형틀에 올려 매고,

별태장(別笞杖) 골라잡고,

> 볼기를 치는 데 쓰던 형구

Link
출제자 특강 인물의 성격을 파악하라!

❶ 호조에서 빌린 돈을 기생 추월에게 탕진한 것으로 볼 때 춘풍의 성품은?
어리석고 방탕함.

❷ 추월이 춘풍의 돈을 갚겠다고 말한 이유는?
매를 더 맞으면 목숨을 부지하기 어려울 것 같아서.

❸ 비장에 대한 춘풍의 마음은?
비장 덕에 호조 돈을 되찾을 수 있게 된 것에 감사함.

"일분도 사정없이 매우 쳐라."

> 사소한 부분

호령하여 십여 장을 중치(重治)하고,

> 엄중히 다스림

"이년, 바삐 다짐하라. 네 죄를 모르느냐?"

추월이 정신이 아득하여 겨우 여쭈오되,

"춘풍의 돈은 소녀에게 부당하여이다."

> 춘풍이 쓴 돈은 자신과 관련이 없음을 주장함

비장이 대노하여 분부하되,

"네 어찌 모르리오. 막중 호조 돈을 영문에서 물어 주랴, 본부에서 물어 주랴? 네 먹었는데,
_{관찰사가 직무를 보던 관아} _{지방관이 자기가 있는 관부를 스스로 이르던 말}
무슨 잔말 아뢰느냐? 너를 쳐서 죽이리라."

몽둥이로 때리면서, / "바삐 다짐하라."
_{빨리 결심하고 자백을 할 것을 재촉함}
오십 도를 힘껏 치며 서리같이 호령하니, 추월이 기가 막혀 질겁하여 죽기를 면하려고 아뢰되,
_{**Link** 인물의 성격 ❷}
"국전(國錢)이 지중하고 관령이 지엄하니 영문 분부대로 춘풍의 돈을 다 물어 바치리이다."
_{나라의 법전} _{진정으로 뉘우쳐서가 아니라. 목숨을 구하기 위해 돈을 돌려주려 함}
비장이 이르되,

『호조에 관자하여 너를 죽이려 하였으되, 네 죄를 뉘우치고 돈을 모두 바치겠다고 하니, 그
_{『 』:추월을 잡아들인 목적을 이룸 – 춘풍이 빌린 호조의 돈을 돌려받기 위해}
런고로 너를 살리나니 호조 돈을 자모지례(子母之例)로 오천 냥을 바치리.』
_{1년 동안의 변리를 원금의 2할 이내로 정한 이율}
하니, 추월이 여쭈오되,

"열흘 말미만 주시오면 오천 냥을 바치리."

다짐 써 올리니, 춘풍과 추월을 형틀에서 풀어 놓고 춘풍더러 이르되,

"십 일 내에 오천 냥을 받아 가지고 경성으로 올라오라. 내가 특별한 사정이 있어 먼저 올라

가니 내 뒤를 미처 올라와 집으로 찾아오라."

하니, 춘풍이 황황하여 아뢰되,
_{갈팡질팡 어쩔 줄 모르게 급함}
"나으리 덕택으로 호조 돈을 다 거두어 받으니 은혜 백골난망이로소이다. 경성 가서 댁에 먼
_{비장의 정체(춘풍의 아내)를 알아보지 못하고 감사 인사를 함}
저 문안하오리이다." ▶추월을 문초하여 춘풍의 돈을 되찾아 주는 춘풍의 아내
_{**Link** 인물의 성격 ❸}
하고 여쭙더라. / 비장이 감사께 여쭈되,

"추월에게 설욕하고 춘풍도 찾삽고 호조 돈도 거두어 받으니 은혜 감축 무지하온 중, 소인
_{춘풍의 아내가 비장이 되어 평양에서 이룬 것}
몸이 외람되이 존중한 처소에 오래 있삽기 죄송하여 떠날 줄로 아뢰나이다."

감사 그러히 여겨 허락하니, 이튿날 감사께 하직하고 상으로 받은 돈 오만 냥을 환전(換錢)
_{환표로 보내는 돈}
부쳐 놓고, 떠나서 여러 날 만에 집에 와 정돈하고 환전도 찾은 후 남복을 벗어 놓고 춘풍 오

기 기다리더라. ▶집으로 돌아와 춘풍을 기다리는 춘풍의 아내

핵심장면 ❷ 평양에서 돌아와 의기양양해 하던 춘풍이 비장의 정체가 자신의 아내였음을 알게 되는 부분이다.

비장 가로되,
_{춘풍의 아내}
"남산 밑 박 승지 댁에 가서 술에 대취하여 네 집에 왔더니, 시장도 하거니와 갈증이나 풀게

갈분(葛粉)이나 한 그릇 하여 오너라."
_{칡뿌리를 짓찧어 물에 담근 뒤 가라앉은 앙금을 말린 가루} _{아내}
춘풍이 황공하여 밖으로 내달아서 아무리 제 계집을 찾은들 어디 간 줄 알리요. 주저주저하
_{서술자의 개입}
매 비장이 꾸짖어 가로되,

"네 계집을 어디 숨기고 나를 아니 뵈는고?" / 차왈피왈(此曰彼曰) 하니,
_{춘풍을 당황하게 하려는 의도}
"너는 벌써 잊었느냐? 평양 일을 생각하여 보라. 네가 집에 왔다고 그리 지위가 높은 체하느냐?"

춘풍이 갈분을 가지고 부엌에 내려가 죽 쑤는 꼴은 차마 볼 수 없더라. 한참 꿈적여서 쑤어
_{비장의 꾸짖음에 안절부절못함} _{매우 둔하고 느리게 움직여서}

들이거늘, 비장이 조금 먹는 체하고 춘풍을 주며,

"먹어라. 추월의 집에서 깨어진 헌 사발에 누룽밥, 된장 덩이를 이지러진 숟가락도 없이 먹
던 생각하고 어서 먹어라." _{춘풍이 평양에서 겪은 일을 상기시켜 수치심을 느끼게 하려는 의도}
Link 소재의 의미 ❶

춘풍이 받아먹으며 제 아내가 밖에서 다 듣는가 하여 속으로 민망히 여기더라. 비장이 가로되,

"밤이 깊었으니 네 집에서 자고 가리라." _{춘풍에게 자신의 정체를 드러내고자 함}

하고 의복 벗고 갓, 망건을 벗으니, 춘풍이 감히 가란 말을 못하고 속마음으로 해포 만에 그리
던 아내 만나서 잘 잘까 하였더니, 비장이 잔다 하니 속으로 민망히 여기더라. _{한 해가 조금 넘는 동안} _{▶다시 비장 복장을 하고 춘풍 앞에 나타난 아내}

관망 탕건 벗어 놓고 웃옷을 훨훨 벗은 후 일어서니 완연한 계집이라. 춘풍이 깜짝 놀라 자
_{벼슬아치가 갓 아래 받쳐 쓰던 관(冠)의 하나}
세히 보니 천만뜻밖에 제 아내라. 춘풍이 어이없어 묵묵무언 앉았으니 춘풍의 처 달려들며,
_{갓과 망건}   _{입을 다문 채 말이 없음}

"여보소, 아직도 나를 모르시오?"

춘풍이 그제야 아주 깨닫고 깜짝 놀라며, 두 손을 마주 잡고,

"이것이 웬일인가? 평양 회계 비장이 지금 내 아내 될 줄 어이 알리.
이것이 생시인가, 꿈인가?"

하며 원앙금침에 옛정을 다시 이뤄 은근한 정이 비할 데 없더라.
Link 소재의 의미 ❷   ▶정체를 밝히고 관계를 회복하는 춘풍 부부

Link

출제자 톡! **소재의 의미를 파악하라!**

❶ '깨어진 헌 사발에 누룽밥, 된장 덩이'에서
짐작할 수 있는 과거 춘풍의 처지는?
추월의 집에서 머슴 노릇을 하며 험한 대접
을 받았음.

❷ '원앙금침'을 통해 암시하는 바는?
부부 사이의 관계 회복, 가정의 화목

최우선 **출제 포인트!**

1 대표하는 인물의 유형

이춘풍	춘풍의 아내
• 가정을 돌보지 않고, 부모의 유산과 아내가 모은 재산을 모두 술과 여자, 노름에 탕진함. • 장사를 하겠다며 호조에서 빌린 돈을 기생에게 빼앗김. → 무능하고 방탕한 남성	• 바느질품을 팔아 재산을 모음. • 남장을 하고 비장이 되어 남편이 빼앗긴 돈을 찾아 줌. • 남편을 개과천선시켜 가정을 지킴. → 지혜롭고 유능한 여성

남성 중심 사회 비판

2 작품에 반영된 사회상

가부장적 사회	춘풍은 가부장적 권위를 내세우며 아내를 억압함.
새로운 여성상	춘풍의 아내는 적극적으로 문제를 해결하는 유능한 모습을 보임.
물질 중심적 사회	춘풍은 호조의 돈을 빌려 장사를 하려 하고, 추월은 춘풍을 유혹하여 돈을 모두 빼앗음.

최우선 **핵심 Check!**

1 다음 내용 중 맞는 것은 ○표를, 틀린 것은 ×표를 하시오.

(1) 당시 물질 중심적 사회의 모습을 반영하고 있다. ( )

(2) 가정을 제대로 돌보지 않고 재산을 탕진하는 이춘풍을 통해 허위적인 가장의 모습을 비판하고 있다. ( )

(3) 춘풍이 겪는 어려움을 그의 아내가 해결해 준다는 점에서 춘풍의 아내는 진취적이고 유능한 여성상을 보여 주고 있다. ( )

2 초성 힌트를 보고 빈칸에 들어갈 알맞은 말을 쓰시오.

(1) 춘풍의 아내가 ㄴㅈ을/를 하고 문제를 해결하는 데서 당시 사회의 지배적 질서를 완전히 넘어서지는 못했다는 한계가 드러나고 있다.

(2) '춘풍이 황공하여 밖으로 내달아서 아무리 제 계집을 찾은들 어디 간 줄 알리요.' 등에서 ㅅㅅㅈ은/는 작중 상황에 개입하여 자신의 주관적 견해를 드러내고 있다.

정답 1. (1) ○ (2) ○ (3) ○ 2. (1) 남장(남복) (2) 서술자

출제율 73%

23위

호랑이의 꾸짖음
호질(虎叱) | 박지원

성격 풍자적, 비판적, 우의적 **시대** 조선 후기
주제 양반의 위선과 부도덕성 풍자

소설

이 작품은 범을 의인화하여 북곽 선생과 동리자와 같은 이중적인 인물의 위선을 꼬집으며 당대 양반들의 부정적인 모습을 풍자한 한문 소설이다.

주요 사건과 인물

발단
범이 창귀들과 저녁거리로 선비 고기를 먹기로 함.

전개
유학자인 북곽 선생이 수절 과부 동리자와 밀회를 함.

위기
북곽 선생이 동리자의 다섯 아들에게 쫓겨 똥구덩이에 빠짐.

절정
범이 나타나 인간의 위선을 꾸짖음.

결말
북곽 선생은 비굴한 자신의 모습을 감추며 허세를 부림.

범
작가 의식을 대변하는 인물로, 양반의 위선과 부도덕성을 비판함. ←→ **북곽 선생, 동리자**
부녹녹하고 신의가 없으며 표리부동함. ←→ **농부**
북곽 선생과 대비되는 인물로, 아침부터 일하며 근면성을 지님.

핵심장면 ①

명망 높은 도학자 북곽 선생이 정려문을 받은 청상과부 동리자와의 밀회를 들켜 동리자의 아들들에게 쫓기다 범을 만나는 부분이다.

□ : 주요 인물

정(鄭)나라의 도읍에 벼슬을 하찮게 여기는 선비가 있었는데 북곽 선생(北郭先生)이라고 하
▵ 글 전체 내용으로 볼 때, 반어적인 표현임
였다. 나이는 마흔 살로, 손수 교열한 책이 일만 권이며, 유교의 아홉 가지 주요 경전의 뜻을
▵ 글의 내용 중 잘못된 것을 바로잡아 고침   ▵ 옛 성현들의 사상과 교리를 써 놓은 책
해설하여 다시 일만오천 권의 책을 저술하였다. 『천자는 그의 절의를 가상하게 여겼으며, 정나
▵ 절개와 의리
라 제후는 그의 명성을 흠모하였다.』 『: 천자와 제후는 북곽 선생의 본질을 파악하지 못하고,   ▶ 학식과 절의가 높은 북곽 선생
▵ 기쁜 마음으로 받들어 모시며 사모함   표면적 모습만 보고 판단하는 어리석은 지배층을 비춤

또한 도읍 동쪽에 아름다운 젊은 과부가 있었는데 동리자(東里子)라고 하였다. 천자는 그녀
의 절개를 가상하게 여겼으며, 정나라 제후는 그녀의 현숙함을 흠모하여 도읍 주변 사오 리의
▵ 마음이 어질고 정숙함
땅을 하사하고는 '동리(東里)의 과부가 사는 마을의 문'이라는 정려문을 세워 표창하였다.
                          ▵ 충신, 효자, 열녀 등을 표창하기 위하여 그 집 앞에 세우는 문   ▶ 절개 높은 과부 동리자
『동리자는 과부로서 정절을 잘 지켰다. 하지만 아들 다섯을 두었으며, 그들은 제각기 다른 성
『 』: 모순된 동리자의 행실, 관련 한자 성어: 표리부동(表裏不同)   ▵ 다섯 아들의 아버지가 모두 다름 – 정절과는 거리가 먼 행실
을 지녔다.』 하루는 다섯 아들들이 서로 말을 주고받기를,

"강 북쪽에선 닭이 울고, 강 남쪽에선 샛별이 빛나는데, 방 안에서 무슨 소리가 나네. 어쩌
                    ▵ 밤이 깊어 새벽이 다가오는 시간이라는 의미임
면 그리도 북곽 선생과 목소리가 닮았을까!"

하고는, 오 형제가 번갈아 문틈으로 엿보았다. / 동리자가 북곽 선생에게 청하기를,
                                        ▵ 북곽 선생과 동리자의 본색이 드러나는 시간
"선생님의 덕을 오랫동안 흠모하였습니다. 오늘 밤 선생님께서 글 읽는 소리를 듣고 싶사옵
 Link 인물의 심리 ❶   ▵ 북곽 선생을 유혹하려 함
니다." / 하니, 북곽 선생이 옷깃을 가다듬고 무릎을 꿇고 앉아서『시경』을 읊었다.
                                        ▵ 고대 중국의 시가를 모아 엮은 시집
"원앙새는 병풍에 그려져 있고 / 반짝반짝 반딧불 날아다니는데 / 크고 작은 이 가마솥들은
『 』: 명성에 어울리지 않는 낮은 수준의 시를 읊음   ▵ 동리자의 성이 다른 다섯 아들
                                        / 어느 것을 모형 삼아 만들었나?』

Link
출제자 톡톡! 인물의 심리를 파악하라!

❶ 북곽 선생을 대하는 동리자의 본심은?
겉으로 덕을 흠모하였다고 하나 본심은 북곽 선생을 유혹하려 함.

❷ 북곽 선생에 대한 범의 마음은?
구린내가 심하다고 하며, 가까이 오지 못하게 하는 것으로 보아 더럽게 여기며 거부감을 느낌.

그리고 나서   『시경』에서 말하는 한시의 여섯 체(體) 가운데 하나. 비유적인 다른 사물을
             먼저 표현하여 분위기를 돋운 후 본래의 뜻을 나타내면서 시를 짓는 방법
"이는 흥(興)이로다." / 하였다.   ▶ 북곽 선생과 동리자의 밀회

다섯 아들들이 서로 말을 주고받기를,

『『예기(禮記)』에 과부의 집 문 안에는 들어가지 않는 법이라고 했는
            ▵ 의례에 대한 해설과 음악·정치·학문 등 여러 방면에 걸쳐 예의 근본정신에 대하여 서술한 중국의 고전

데, 북곽 선생은 현자가 아니신가."

"정나라 도읍의 성문이 허물어진 곳에 여우가 굴을 파고 산다더라."

"여우가 천년을 묵으면 요술을 부려 사람으로 둔갑할 수 있다더라. 그러니 이는 여우가 북곽
북곽 선생을 둔갑한 여우로 여김 – 본질을 파악하지 못함
선생으로 둔갑한 게 아닐까?" / 하고는, 서로 함께 모의하기를,

"여우가 쓰던 모자를 얻은 사람은 그 집에 천금의 부(富)가 굴러 들어오고, 여우가 신던 신발
을 얻은 사람은 대낮에도 종적을 감출 수가 있으며, 여우의 꼬리를 얻은 사람은 홀리기를 잘하
여 사람들이 반하게 된다더라. 그러니 어찌 이 여우를 죽여서 나누어 갖지 않으랴!" / 하였다.
여우를 잡아서 욕심을 채우려 함   **▶ 북곽 선생을 여우로 오인한 동리자의 다섯 아들**
이에 다섯 아들들이 함께 에워싸고 공격하니, 북곽 선생은 몹시 놀라 뺑소니를 치면서도 남
들이 자기를 알아볼까 두려워하였다. 그래서 다리를 들어 목에 걸치고는 귀신처럼 춤추고 귀신
자신의 정체를 들키지 않기 위한 우스꽝스러운 행동 – 인물의 희화화
처럼 웃더니, 대문을 나서자 줄달음치다가 그만 들판의 구덩이에 빠져 버렸다. 그 속에는 똥이
★ 주요 소재   *북곽 선생의 허위와 위선을 빗댐*
가득 차 있었다. 구덩이에서 기어 올라와 고개를 내놓고 바라보았더니, 범이 길을 막고 있었다.

『범은 얼굴을 찌푸리며 구역질을 하고, 코를 막고 고개를 왼쪽으로 돌리며 숨을 내쉬고는,
Link 인물의 심리 ❷
"선비는 구린내가 심하구나!" / 하였다.』 『 』: 범이 나타나 북곽 선생을 비판함
표면적으로는 북곽 선생이 똥구덩이에 빠져서 냄새가 난다는 의미이나, 이면적으로는 그의 내면이 더럽다는 의미임
북곽 선생이 머리를 조아리고 기어 와서, 세 번 절하고 무릎을 꿇은 채 고개를 들고는,
목숨을 구걸하기 위한 비굴한 모습 – 인물의 희화화
『범의 덕이야말로 지극하다 하겠사옵니다. 대인(大人)은 그 가죽 무늬가 찬란하게 변하는 것
『 』: 범에게 아부함. 관련 한자 성어: 교언영색(巧言令色)   *군자*
을 본받고, 제왕은 그 걸음걸이를 배우며, 사람의 자식은 그 효성을 본받고, 장수는 그 위엄
을 취하지요. 명성이 신령스러운 용과 나란히 드높아, 하나는 바람을 일으키고 하나는 구름
을 일으키니, 하계에 사는 이 천한 신하는 감히 그 아랫자리에서 모시고자 하옵니다."
사람이 사는 이 세상   **▶ 목숨을 부지하기 위해 범에게 아첨하는 북곽 선생**
하였다. 그러자 범은 이렇게 꾸짖었다.
북곽 선생에 대한 거부감, 역겨움 때문에   **Link** 인물의 특징 ❶
"가까이 오지 마라! 예전에 듣기를 유(儒)는 유(諛)라더니, 과연 그렇구나. 너는 평소에 천하
    Link 인물의 심리 ❷   *선비 '유(儒)' 자는 아첨 '유(諛)'의 뜻이라더니 – 동음이의어를 사용한 언어유희*
의 못된 이름을 다 모아 함부로 나에게 갖다 붙이다가, 이제 급하니까 면전에서 아첨을 하
                              북곽 선생의 기회주의적 태도를 비판함
니, 장차 누가 너를 신뢰하겠느냐? 무릇 천하의 이치란 한가지다. 범이 실로 악하다면, 사람
                                                    만물의 본성은 같음
의 본성도 악할 것이다. 사람의 본성이 선하다면, 범의 본성도 선할 것이다.

네가 하는 수천수만 마디의 말들은 오륜에서 벗어나지 않고, 네가 훈계하거나 권고하는
유학에서 사람이 지켜야 할 다섯 가지 도리. 부자유친, 군신유의, 부부유별, 장유유서, 붕우유신을 이름
것도 항상 사강(四綱)에서 벗어나지 않는다. 그런데도 도읍 일대에 형벌을 받아 코가 베였거
                  예(禮)·의(義)·염(廉)·치(恥)
나 발이 잘렸거나 얼굴에 자자(刺字)한 채 다니는 자들은 모두 오륜을 따르지 않은 사람들이
          얼굴이나 팔뚝의 살을 따고 흠을 내어 먹물로 죄명을 찍어 넣던 벌
다. 죄인을 묶는 굵은 동아줄과 처형할 때 쓰는 도끼나 톱을 날마다 쉴 새 없이 제공해도 저
들의 악을 막을 수 없으나, 범의 집안에는 본래 이런 형벌이 없느니라. 이로써 보자면 범의
본성이 어찌 사람보다 낫지 않겠느냐? 범은 나무나 풀을 먹지 않고 벌레나 물고기를 먹지
      범보다 못한 사람의 잔인함 비판
않는다. 누룩으로 빚은 술과 같이 풍기를 문란하게 하는 것을 즐기지 않으며, 새끼를 배거나
알을 품은 하찮은 생물들에게 잔인하게 굴지도 않는다. 산에 들어가면 노루나 사슴을 사냥
하고 들판에서는 말이나 소를 사냥하되, 한 번도 먹고사는 데 급급하거나 음식 때문에 남과

다툰 적이 없다. 그러니 범의 도의야말로 어찌 광명정대하지 아니한가!"〈중략〉

_{말이나 행실이 떳떳하고 정당함} ▶인간 세상의 부도덕성과 잔인함을 질책하는 범

북곽 선생은 경의를 표하기 위해 앉은자리에서 일어났다가 넙죽 엎드리고, 물러나면서 두 번 절하고 머리를 거듭 조아리면서,

『『맹자』에 아무리 추악하게 생긴 사람이라도 목욕재계하면 하느님께 제사 드릴 수 있다는 말

┌ ┘목숨을 구걸하기 위한 북곽 선생의 비굴한 모습

이 있사옵니다. 그러니 하계에 사는 이 천한 신하는 감히 그 아랫자리에서 모시고자 하옵니다." / 하였다.

이어서 숨을 죽이고 살며시 귀를 기울이고 있었지만, 한참 지나도 아무런 명령이 없었다. 실로 황공해하며 두 손 맞잡고 머리가 땅에 닿도록 절하고 나서 고개를 쳐들고 살펴보았더니, 동쪽이 훤히 밝았고 범은 이미 가 버리고 없었다.

▶범에게 꾸지람을 들은 북곽 선생

Link 인물의 특징 ❷

핵심장면 ② 범이 사라지자 북곽 선생이 다시 허세를 부리는 부분이다.

Link

출제자 톡 인물의 특징을 파악하라!

❶ 범의 역할은?
당대 유자(儒者)의 위선을 비판함.

❷ 범이 북곽 선생을 잡아먹지 않은 이유는?
북곽 선생이 너무 더럽다고 여겨 잡아먹지 않고 떠남.

❸ 북곽 선생의 위선적인 모습과 대비되는 인물은?
(새벽부터 열심히 일하는) 농부

Link 인물의 특징 ❸
아침에 밭을 갈던 어떤 농부가,
_{위선적인 북곽 선생과 대조되는, 근면하고 성실한 인간형}

"선생님은 어째서 새벽부터 들에서 경배를 드리고 계십니까?"

하고 물었더니, 북곽 선생이 이렇게 말하였다.

『내 들었노라. / '하늘이 어찌 높지 않으냐 하지만 / 감히 몸을 굽히지 않을 수 없고 / 땅이 어찌 두텁지 않으냐 하지만 / 감히 조심스레 걷지 않을 수 없네.'라고 말이다.』

┌ ┘근엄한 체하며 허세를 부리는 북곽 선생 – 허위에 찬 선비의 모습을 다시 강조함

▶허세를 부리는 북곽 선생

최우선 출제 포인트!

1 주된 풍자의 대상

북곽 선생	이름 높은 유학자이지만, 실은 학식이 낮고 아첨을 잘하며 비굴함.	→ 부도덕한 유학적 위선자들
동리자	정려문까지 제수받은 수절 과부이지만, 실은 행실이 바르지 못함.	

2 '범'의 역할

범은 인격화된 영물로 작가 의식을 대변하는 인물이며, 작가는 범의 입을 통해 당대 유자(儒者)들의 위선과 부도덕성을 우회적으로 비판하고 있다. 이는 당대 유교 사회에서는 작가가 직접적으로 지배 계층인 양반을 비판하는 것이 용인되지 않았기 때문이다.

3 '북곽 선생'과 '농부'의 대조

북곽 선생		농부
범에게 목숨을 구걸하다가, 범이 간 후에는 옛글을 인용하여 자기 모습을 합리화함. → 허위와 위선에 가득 찬 유학자	↔	아침 일찍부터 밭을 갈며 열심히 일함. → 성실하게 살아가는 서민

최우선 핵심 Check!

1 다음 내용 중 맞는 것은 ○표를, 틀린 것은 ×표를 하시오.

[1] '인간이 동물보다 우월하다.'라는 구도가 역전되어 동물이 가진 특성들이 미덕으로 드러나 있는 우화(寓話)이다. ( )

[2] 등장인물이 희화화된 언행을 통해 자신의 위선을 폭로하고 있다. ( )

2 초성 힌트를 보고 빈칸에 들어갈 알맞은 말을 쓰시오.

[1] 작가를 대변하는 'ㅂ'을/를 의인화하여 양반층의 허위를 비판하고 있다.

[2] 북곽 선생과 동리자의 위선적이고 이중적인 모습을 나타내기에 알맞은 한자 성어는 ㅍㄹㅂㄷ이다.

[3] ㄴㅂ의 등장으로 인해 사회적 체면을 중시하는 북곽 선생의 성격이 두드러지고 있다.

정답 1. [1] ○ [2] ○ 2. [1] 범 [2] 표리부동 [3] 농부

24위

양반전(兩班傳) | 박지원

성격 풍자적, 비판적, 사실적 **시대** 조선 후기
주제 양반들의 무능과 위선적 태도, 허례허식 풍자

소설

이 작품은 '양반'이라는 신분을 사고파는 과정을 통해 양반들의 무능함과 허례허식을 풍자하고 있는 한문 소설이다.

주요 사건과 인물

기
감사가 환곡을 갚을 능력이 없는 양반을 잡아 가두라고 명함.

서
마을의 부자가 양반의 환곡을 대신 갚아 주는 대가로 양반 신분을 사고, 그 사실을 안 군수가 양반 매매 증서를 써 줌.

결
증서를 본 부자는 양반의 삶이 도둑의 삶과 다르지 않다고 하며 양반 되기를 포기함.

양반
학식과 인품을 지녔지만 경제적 능력이 없어 자신의 양반 신분을 부자에게 팖.

부자
부유한 평민으로, 돈으로 양반 신분을 사려고 하다가 양반의 실상을 알고 양반 되기를 포기함.

양반의 부인
현실적인 생활 능력을 중시하여 무능한 양반을 질책함.

군수
양반과 부자의 신분 매매를 매개하며, 부자로 하여금 양반이 되는 것을 포기하게 만듦.

전문

양반(兩班)이란, 사족(士族)들을 높여서 부르는 말이다.
　　선비나 무인(武人)의 집안. 또는 그 자손

정선군(旌善君)에 한 양반이 살았다. 이 양반은 어질고 글 읽기를 좋아하여 매양 군수가 새
　　□ : 주요 인물

로 부임하면 으레 몸소 그 집을 찾아와서 인사를 드렸다. 그런데 이 양반은 집이 가난하여 해
　　신임 군수들이 찾아가 인사할 정도로 덕망이 높았음

마다 고을의 환자(還子)를 타다 먹은 것이 쌓여서 천 석에 이르렀다. **Link** 인물의 처지 **❶**
조선 시대에, 곡식을 사창(社倉)에 저장하였다가 백성들에게 봄에 꾸어 주고 가을에 이자를 붙여 거두던 일

강원도 감사(監司)가 군읍(郡邑)을 순시하다가 정선에 들러 환곡(還穀)의 장부를 열람하고
　　　　　　　　　　　　　　돌아다니며 사정을 보살핌　　　　　　　　= 환자

대노해서

"어떤 놈의 양반이 이처럼 군량(軍糧)을 축냈단 말이냐?"
　　　　　　　　　　　　군대의 양식

하고, 곧 명해서 그 양반을 잡아 가두게 했다. 군수는 그 양반이 가난해서 갚을 힘이 없는 것
　　　　　　　　　　　　　　　　　　　　　　　　　　　　양반의 처지를 동정함

을 딱하게 여기고 차마 가두지 못했지만 무슨 도리도 없었다.
　　　　　　　　　　　　Link 인물의 처지 **❷**

양반 역시 밤낮 울기만 하고 해결할 방도를 찾지 못했다. 그 부인이 역정을 냈다.
　　　　　　현실적인 문제를 해결할 능력이 없기 때문에　　　　　　　　작가 의식을 대변하는 인물

"당신은 평생 글 읽기만 좋아하더니 고을의 환곡을 갚는 데는 아무런 도움이 안 되는군요.

쯧쯧 양반, 양반이란 한 푼어치도 안 되는걸."
　　양반의 비생산성 비판　**Link** 인물의 처지 **❸** 　　　　　　　　▶ 환곡을 갚지 못해 어려움에 처한 양반

그 마을에 사는 한 부자가 가족들과 의논하기를

"양반은 아무리 가난해도 늘 존귀하게 대접받고 나는 아무리 부자라도 항상 비천(卑賤)하지
　　　　　　　　　　　　　　　　　조선 시대의 신분 제도 때문에

Link
출제자 **톡** **인물의 처지를 파악하라!**

❶ 정선군에 사는 양반이 해마다 환자를 타다 먹은 이유는?
　집이 가난해서

❷ 군수가 딱하게 여긴 양반의 처지는?
　관청에서 빌린 환곡을 갚을 능력이 없음.

❸ 문제 상황을 해결하지 못해 밤낮으로 울기만 하는 양반에 대한 아내의 태도는?
　무능한 남편을 질타함.

❹ 부자가 양반 신분을 사게 된 계기는?
　평소 양반들로부터 수모를 당함.

않느냐. 말도 못 하고, 양반만 보면 굽신굽신 두려워해야 하고, 엉금
　　　　　　　　　　　　부자가 양반에게서 받은 갖가지 수모 – 양반 신분 매매의 동기가 됨

엉금 가서 정하배(庭下拜)를 하는데 코를 땅에 대고 무릎으로 기는
　　　　　　　　뜰 아래에서 절을 올리는 것

등 우리는 노상 이런 수모를 받는단 말이다. 이제 동네 양반이 가난
　　　　　　　　　　Link 인물의 처지 **❹**

해서 타 먹은 환자를 갚지 못하고 아주 난처한 판이니 그 형편이 도

저히 양반을 지키지 못할 것이다. 내가 장차 그의 양반을 사서 가져
　　　　　　　　　　　　　　　당시 양반 신분의 매매가 이루어졌음을 짐작할 수 있음

보겠다."

부자는 곧 양반을 찾아가 보고 자기가 대신 환자를 갚아 주겠다고

청했다. 양반은 크게 기뻐하며 승낙했다. 부자는 즉시 곡식을 관가에 실어 가서 양반의 환자를 갚았다.

▶양반의 환곡을 대신 갚아 주고 양반 신분을 사고자 하는 부자

군수는 양반이 환곡을 모두 갚은 것을 놀랍게 생각했다. 군수가 몸소 찾아가서 양반을 위로하고 또 환자를 갚게 된 사정을 물어보려고 했다. 그런데 뜻밖에 양반이 벙거지를 쓰고 짧은 잠방이를 입고 길가에 엎드려 '소인'이라고 자칭하며 감히 쳐다보지도 못하고 있지 않은가. 군
양반의 희화화 – 부자에게 양반의 신분을 팔았으므로 평민이 벼슬아치를 대하듯 하고 있음
Link 인물의 태도 ❶
수가 깜짝 놀라 내려가서 부축하고

"귀하는 어찌 이다지 스스로 낮추어 욕되게 하시는가요?"
양반이 갑자기 평민의 옷차림을 하고 엎드려 있어서 당혹스러워함

하고 말했다. 양반은 더욱 황공해서 머리를 땅에 조아리고 엎드려 아뢰었다.

"황송하오이다. 소인이 감히 욕됨을 자청하는 것이 아니오라, 이미 제 양반을 팔아서 환곡을 갚았습지요. 동리의 부자 사람이 양반이올습니다. 소인이 이제 다시 어떻게 전의 양반을 모칭(冒稱)해서 양반 행세를 하겠습니까?"
성명을 거짓으로 꾸며서

군수는 감탄해서 말했다.

「"군자로구나 부자여! 양반이로구나 부자여! 부자이면서도 인색하지 않으니 의로운 일이요,
」: 부자의 덕을 칭찬하는 군수   천한 신분   양반 신분
남의 어려움을 도와주니 어진 일이요, 비천한 것을 싫어하고 존귀한 것을 사모하니 지혜로
계급 사회에서는 특권이 많은 높은 신분을 사모하는 것이 당연하므로 지혜롭다는 의미
운 일이다. 이야말로 진짜 양반이로구나. 『그러나 사사로 팔고 사고서 증서를 해 두지 않으면
개인적으로
송사의 꼬투리가 될 수 있다. 내가 너와 약속을 해서 군민(郡民)으로 증인을 삼고 증서를 만
분쟁이 생겼을 때 관부에 호소하여 판결을 구하던 일   **Link** 인물의 태도 ❷
들어 미덥게 하되 본관이 마땅히 거기에 서명할 것이다.」"
」: ① 신분 매매가 용인되던 시대상이 나타남 ② 뒤의 증서 내용으로 보아 양반 되기를 포기하도록 유도하려는 것임을 알 수 있음   ▶양반 매매 증서를 작성할 것을 제의하는 군수
그리고 군수는 관부(官府)로 돌아가서 고을 안의 사족(士族) 및 농공상(農工商)들을 모두 불러
향청의 좌수와 별감   서리 중 중요한 직임을 맡은 사람들
관정(官庭)에 모았다. 부자는 향소(鄕所)의 오른쪽에 서고 양반은 공형(公兄)의 아래에 섰다.
신분 매매로 양반과 부자의 위치가 뒤바뀜
그리고 증서를 만들었다.

건륭(乾隆) 10년 9월 ○일
'건륭'은 청나라 고종의 연호로, 건륭 10년은 영조 21년(1745년)에 해당함
위의 명문(明文)은 양반을 팔아서 환곡을 갚은 것으로 그 값은 천 석이다.
글로 기록된 증서
오직 이 양반은 여러 가지로 일컬어지나니 글을 읽으면 가리켜 사(士)라 하고, 정치에 나아가면 대부(大夫)가 되고, 덕이 있으면 군자(君子)이다. 무반(武班)은 서쪽에 늘어서고 문반(文班)은 동쪽에 늘어서는데 이것이 '양반'이니 너 좋을 대로 따를 것이다.

『야비한 일을 딱 끊고 옛것을 본받고 뜻을 고상하게 할 것이며, 늘
」: 양반이 지켜야 할 일 – 겉치레와 관념에 얽매인 행동 비판
오경(五更)만 되면 일어나 황[硫]에다 불을 당겨 등잔을 켜고서 눈은
새벽 3~5시 사이   유황
가만히 코끝을 보고 발꿈치를 궁둥이에 모으고 앉아 『동래박의(東萊
1168년에 중국 남송의 동래(東萊) 여조겸이 『춘추좌씨전』에 대하여 논평하고 주석(註釋)한 책
博義)』를 얼음 위에 박 밀 듯 왼다. 주림을 참고 추위를 견뎌 입으로
막힘없이 유창하게
설궁(說窮)을 하지 아니하되 고치·탄뇌(叩齒彈腦)를 하며 입안에서
살림의 구차한 형편을 남에게 말함   윗니와 아랫니를 자주 마주치며 머리를 두드리는 도가(道家)의 양생법
침을 가늘게 내뿜어 연진(嚥津)을 한다. 소맷자락으로 모자를 쓸어
침을 조금씩 씹어서 삼킴

Link
출제자 (콕) 인물의 태도를 파악하라!

❶ 양반이 평민의 옷을 입고 스스로를 낮추어 행동하고 있는 이유는?
양반이 부자에게 양반의 신분을 팔았기 때문에

❷ 양반 신분을 산 부자에 대한 군수의 태도는?
겉으로는 부자를 칭송하고 있지만, 그 이면에는 양반의 특권을 누리고 싶어서 양반 신분을 산 부자를 비판하고 있음.

서 먼지를 털어 물결무늬가 생겨나게 하고, 세수할 때 주먹을 비비지 말고, 양치질해서 입내
〔갓을 청결히 관리함〕
를 내지 말고, 소리를 길게 뽑아서 여종을 부르며, 걸음을 느릿느릿 옮겨 신발을 땅에 끈다.

그리고 『고문진보(古文眞寶)』, 『당시품휘(唐詩品彙)』를 깨알같이 베껴 쓰되 한 줄에 백 자를 쓰
〔송나라 황견이 엮은 시문집〕 〔명나라 고병이 지은 당나라 시인들의 선집〕
며, 손에 돈을 만지지 말고, 쌀값을 묻지 말고, 더워도 버선을 벗지 말고, 밥을 먹을 때 맨상투
〔경제적인 활동을 하지 않음. 관련 한자 성어: 무위도식(無爲徒食)〕
로 밥상에 앉지 말고, 국을 먼저 훌쩍 떠먹지 말고, 무엇을 후루루 마시지 말고, 젓가락으로
방아를 찧지 말고, 생파를 먹지 말고, 막걸리를 들이켠 다음 수염을 쭈욱 빨지 말고, 담배를
피울 때 볼에 우물이 파이게 하지 말고, 화난다고 처를 두들기지 말고, 성내서 그릇을 내던지
지 말고, 아이들에게 주먹질을 말고, 노복(奴僕)들을 야단쳐 죽이지 말고, 마소를 꾸짖되 그
〔종과 심부름꾼〕
판 주인까지 욕하지 말고, 아파도 무당을 부르지 말고, 제사 지낼 때 중을 청해다 재(齋)를 드
〔성대한 불공이나 죽은 이를 천도(薦度)하는 법회〕
리지 말고, 추워도 화로에 불을 쬐지 말고, 말할 때 이 사이로 침을 흘리지 말고, 소 잡는 일을
말고, 돈을 가지고 놀음을 말 것이다. 「이와 같은 품행이 양반에 어긋남이 있으면 이 증서를 가
〔옳고 그른 것을 따져 바로잡음〕   〔양반이 지켜야 할 규범을 어기면 양반의 권리를 빼앗길 수 있음〕
지고 관(官)에 나와서 변정할 것이다.」

성주(城主) 정선 군수(旌善郡守) 화압(花押). 좌수(座首) 별감(別監) 증서(證書).
                              〔손으로 서명함〕   ▶1차 양반 매매 증서 - 양반의 의무 사항

「이에 통인(通引)이 탁탁 인(印)을 찍어 그 소리가 엄고(嚴鼓) 소리와 마주치매 북두성(北斗
〔조선 시대에 수령의 잔심부름을 하던 사람〕   〔시간을 알리는 북〕
星)이 종으로, 삼성(參星)이 횡으로 찍혀졌다.」 「'」: 양반 신분을 산 부자에게 위압감을 주는 동시에 상황의 심각성과 엄숙함을 표현함
〔오리온 성좌 가운데 나란히 있는 세 개의 별〕
부자는 호장(戶長)이 증서를 읽는 것을 쭉 듣고 한참 멍하니 있다가 말했다.
〔고을 구실아치의 우두머리〕
「"양반이라는 게 이것뿐입니까? 나는 양반이 신선 같다고 들었는데 정말 이렇다면 너무 재미
「'」: 양반 매매 문서에 대해 불만을 토로함   Link 인물의 의도 ❶
가 없는걸요. 원하옵건대 무어 이익이 있도록 문서를 바꾸어 주옵소서."」
                    〔부자가 양반을 산 이유 - 양반이 되어 특권을 누리고 싶음〕 ▶1차 양반 매매 증서를 불만스러워하는 부자
그래서 다시 문서를 작성했다.

"하늘이 민(民)을 낳을 때 민을 넷으로 구분했다. 사민(四民) 가운데 가장 높은 것이 사(士)
〔사농공상(士農工商)〕
이니 이것이 곧 양반이다. 양반의 이익은 막대하니 농사도 안 짓고 장사도 않고 약간 문사
(文史)를 섭렵해 가지고 크게는 문과(文科) 급제요, 작게는 진사(進士)가 되는 것이다. 문과
의 홍패(紅牌)는 길이 2자 남짓한 것이지만 백물이 구비되어 있어 그야말로 돈 자루인 것이
    〔문과 과거의 합격증〕   〔온갖 물건〕   〔벼슬아치들이 부당한 방법으로 재물을 축적하였음을 드러냄〕
다. 「진사가 나이 서른에 처음 관직에 나가더라도 오히려 이름 있는 음관(蔭官)이 되고, 잘되
   「'」: 양반들의 권력 세습과 무위도식하는 모습   〔과거를 거치지 아니하고 조상의 공덕에 의하여 맡은 벼슬. 또는 그런 벼슬아치〕
면 남행(南行)으로 큰 고을을 맡게 되어, 귀밑이 일산(日傘)의 바람에 희어지고, 배가 요령
  〔=음관〕   〔양반들의 향락적인 삶〕
소리에 커지며, 방에는 기생이 귀고리로 치장하고, 뜰에 곡식으로 학(鶴)을 기른다.」 궁한 양

Link
출제자 톡 인물의 의도를 파악하라!

❶ 부자가 양반 신분을 산 궁극적인 의도는?
  양반이 되어 신선놀음(신선처럼 아무 걱정
  이나 근심 없이 즐겁고 평안하게 지냄)을 이
  르는 말을 하며 지내고 싶은 소망 때문에

❷ 특권을 가지고 함부로 백성들을 괴롭히는
  양반에 대한 부자의 생각을 직접적으로 드
  러내는 말은?
  도둑놈

반이 시골에 묻혀 있어도 무단(武斷)을 하여 「이웃의 소를 끌어다
                    〔무력이나 억압을 써서 강제로 행함〕
먼저 자기 땅을 갈고 마을의 일꾼을 잡아다 자기 논의 김을 맨들
누가 감히 나를 괄시하랴. 너희들 코에 잿물을 들이붓고 머리끄덩
을 회회 돌리고 수염을 낚아채더라도 누구 감히 원망하지 못할 것
「'」: 양반의 부도덕한 행위와 이중적 속성을 폭로하고 있음
이다.」
                              ▶2차 양반 매매 증서 - 양반의 특권

부자는 증서를 중지시키고 혀를 내두르며

"그만두시오, 그만두어. 맹랑하구먼. 장차 나를 도둑놈으로 만들 작정인가."

양반에 대한 직접적인 비난, 작가의 부정적 인식 반영   **Link** 인물의 의도 ❷

하고 머리를 흔들고 가 버렸다.

부자는 평생 다시 양반 말을 입에 올리지 않았다 한다.

▶ 양반 되기를 포기한 부자

부자가 추구했던 존귀 자체는 돈으로 살 수 없는 것임을 깨달음 – 양반의 무능과 무위도식, 부정부패 비판

최우선 **출제 포인트!**

1 '부자'가 양반 신분을 사려고 한 이유

| 양반은 아무리 가난해도 존경을 받지만, 자신은 평민이기 때문에 아무리 부유해도 천대받는다고 한탄함. | → | • 양반의 신분을 사서 양반에게 무시를 당하거나 수모를 당하지 않겠다는 의지
• 자신의 경제력에 걸맞은 신분을 갖고 싶은 욕망 |

2 작품에 반영된 당시의 사회상

집이 가난한 양반이 고을의 환자를 타다 먹음.	→	양반 계층 중 경제적 능력을 상실하여 힘겹게 사는 이들이 있음.
돈으로 신분을 사고픔.		신분제가 점차 붕괴되고 있음.
평민 부자가 양반의 신분을 삼.		상공업을 통해 경제적 부를 쌓은 새로운 평민 계층이 등장함.

3 등장인물의 특징과 역할

인물	특징과 역할
양반	생활 능력이 없어서 양반 신분을 파는 인물. 양반의 전형이며 가장 신랄한 풍자의 대상임.
양반의 아내	양반의 경제적 무능력을 조롱하고 비생산성을 비판하는 인물. 작가 의식을 대변함.
부자	경제력을 바탕으로 양반 신분을 사서 신분 상승을 꾀하는 인물. 속물적 속성으로 비판의 대상이 되고 있음.
군수	겉으로는 양반과 부자의 신분 매매를 공정하게 처리하는 것처럼 보이나 결과적으로는 부자가 양반 신분을 얻는 것을 포기하도록 만드는 이중적 인물임.

4 '양반 매매 증서'에 담긴 작가의 비판 의식

| 1차 매매 증서 | 양반이 지켜야 할 일상적인 규범과 태도가 열거되어 있음. | → | 양반들의 허식적인 생활 태도에 대한 비판 |
| 2차 매매 증서 | 양반으로서 누릴 수 있는 특권이 망라되어 있음. | → | 양반층의 부당한 특권과 횡포에 대한 비판 |

최우선 **핵심 Check!**

1 다음 내용 중 맞는 것은 ○표를, 틀린 것은 ×표를 하시오.

(1) 인물의 말과 행동을 통해 사건을 전개하고 있다. (　　)

(2) 부자는 자신이 부유해도 수모를 당하고 천대 받는 상황에 대해 한탄하고 있다. (　　)

(3) 군수는 첫 번째 증서에서 양반의 부도덕한 측면을 부각하여 부자 스스로 양반 되기를 포기하게 했다. (　　)

2 초성 힌트를 보고 빈칸에 들어갈 알맞은 말을 쓰시오.

(1) 양반의 아내는 양반 때문에 생계의 고통을 겪고 있으며, 양반의 ㄱㅈ 적 무능력함을 비판하고 있다.

(2) 양반 신분을 매매하는 일을 소재로 삼아 당시 ㅅㅂ 질서의 동요를 그려 내면서 동시에 무능한 양반 계급의 횡포를 풍자하고 있다.

정답 1. (1) ○ (2) ○ (3) × 2. (1) 경제 (2) 신분

▶ **1등급! 〈보기〉!**

「양반전」의 창작 동기

"선비란 것은 하늘이 내린 벼슬이며, 선비[士]의 마음[心]은 곧 지(志) 자가 되는 것이다. 그러면 그 뜻이란 어떠한 것인가. 첫째, 권세와 이익을 꾀하지 말 것이니, 선비는 몸이 비록 높아지더라도 선비에서 떠나지 않아야 할 것이며, 몸이 비록 곤궁하더라도 선비의 본분을 잊어서는 아니 될 것이다. 지금 소위 선비들은 명절(名節)을 닦기에는 힘쓰지 않고 부질없이 문벌(門閥)만을 이득의 기회로 여겨 그의 세덕(世德)을 팔고 사게 되니, 이야말로 저 장사치에 비해서 무엇이 낫겠는가. 이에 나는 이 「양반전」을 써 보았노라."

– 박지원, 『방경각외전(放璚閣外傳)』

조선 후기의 대표적인 실학자 박지원은 『방경각외전』에서 자신이 생각하는 선비(양반)의 모습을 제시하고 있다. 선비는 개인적 이익을 탐하지 않아야 하며 곤궁하더라도 양반의 본분을 지켜야 한다는 것이 그것이다. 하지만 「양반전」에는 가난 때문에 양반 신분을 팖으로써 선비의 지조를 잃은 모습, 신분상의 특권을 이용해서 남을 억압하는 모습 등 작가가 이상적으로 생각하는 선비와는 정반대되는 양반의 모습이 제시되어 있다. 즉, 작가는 「양반전」을 통해 부정적인 양반의 모습을 풍자하고 비판함으로써 양반들이 작가가 생각하는 진정한 선비(양반)의 모습으로 거듭날 것에 대한 기대를 우회적으로 드러내고 있다.

광문자전(廣文者傳) | 박지원

성격 풍자적, 비판적, 사실적　**시대** 조선 후기
주제 신의 있고 정직한 삶의 태도

소설

이 작품은 광문이라는 미천한 인물의 덕성을 부각함으로써 양반 사회에 대한 비판적인 인식을 드러내고 있는 풍자 소설이다.

주요 사건과 인물

기
거지 광문이 누명을 쓰고 동료들에게 쫓겨 도망을 치다가 어떤 집에 들어가게 되고, 그 집주인이 광문의 덕행을 보고 의롭게 여겨 그를 약국의 부자에게 천거함.

서
약국의 부자는 돈이 없어지자 광문을 의심하나 광문의 무고함이 밝혀지고, 부자는 광문을 의심했던 일을 사죄한 뒤 그의 의로움을 널리 알림.

결
신의 있고 진실한 광문의 면모를 보고 많은 사람들이 그를 좋아하게 됨.

광문
못생기고 신분이 천한 거지의 우두머리로, 정직하고 신의가 있으며, 따뜻한 마음씨를 지닌 인물

→
- 천한 신분을 긍정함.
- 신의 있는 삶을 강조함.
- 인간 평등사상을 고취함.
- 세태를 풍자하고 비판함.

전문

□ : 주요 인물

　광문(廣文)이라는 자는 거지였다. 일찍이 종루(鐘樓)의 저잣거리에서 빌어먹고 다녔는데, 거
현재의 보신각 자리　　가게가 죽 늘어서 있는 거리
지 아이들이 광문을 추대하여 패거리의 우두머리로 삼고, 소굴을 지키게 한 적이 있었다.

　하루는 날이 몹시 차고 눈이 내리는데, 거지 아이들이 다 함께 빌러 나가고 그중 한 아이만
이 병이 들어 따라가지 못했다. 조금 뒤 그 아이가 추위에 떨며 숨을 몰아쉬는데 그 소리가 몹
시 처량하였다. 광문이 너무도 불쌍하여 몸소 나가 밥을 빌어 왔는데, 『병든 아이를 먹이려고
　　　　　　　　　　　　　　 병든 아이를 가엾이 여기는 착한 성격　　　　　Link 인물의 성격 ❶
보니 아이는 벌써 죽어 있었다. 거지 아이들이 돌아와서는 광문이 그 애를 죽였다고 의심하여
다 함께 광문을 두들겨 쫓아내니,』 광문이 밤에 엉금엉금 기어서 마을의 어느 집으로 들어가다
　　　　　『 』: 다른 거지들의 오해를 사서 쫓겨나게 됨
가 그 집 개를 놀라게 하였다. 집주인이 광문을 잡아다 꽁꽁 묶으니, 광문이 외치며 하는 말이,

　"나는 날 죽이려는 사람들을 피해 온 것이지 감히 도적질을 하러 온 것이 아닙니다. 영감님
　이 믿지 못하신다면 내일 아침에 저자에 나가 알아보십시오."

하는데, 말이 몹시 순박하므로 집주인이 내심 광문이 도적이 아닌 것을 알고서 새벽녘에 풀
　　　　　거짓 없는 순수한 성품이 행동으로 드러남
어 주었다. 광문이 고맙다는 인사를 하고는, 떨어진 거적을 달라 하여 가지고 떠났다. 집주인
　　　　　　　　　　　　　　　　　　　　　 죽은 거지 아이의 시신을 수습하고자 함　　　Link 인물의 성격 ❷
이 끝내 몹시 이상히 여겨 그 뒤를 밟아 멀찍이서 바라보니, 거지 아이들이 시체 하나를 끌고
　　　거적을 달라는 광문의 뜬금없는 요구 때문에　　　　　　　　　　　『 』: 거지 아이들의 비정한 모습
수표교(水標橋)에 와서 그 시체를 다리 밑으로 던져 버리는데, 『광문이 다리 속에 숨어 있다가
조선 세종 때 청계천에 놓은 다리　　　　　　　　　　　　　　　『 』: 광문의 인간적인 면모
떨어진 거적으로 그 시체를 싸서 가만히 짊어지고 가, 서쪽 교외 공동묘지에다 묻고서 울다가
중얼거리다가 하는 것이었다.』
Link 인물의 성격 ❷
▶ 누명을 쓰고 쫓겨난 광문의 의로운 행위

　이에 집주인이 광문을 붙들고 사유를 물으니, 광문이 그제야 그전에 한 일과 어제 그렇게 된 상황을 낱낱이 고하였다. 집주인이 내심 광문을 의롭게 여겨, 데리고 집에 돌아와 의복을 주며 후히 대우하 광문의 행동에 감명을 받아 광문에 대한 대접이 달라짐 였다. 그리고 마침내 광문을 약국을 운영하는 어느 부자에게 천거 어떤 일을 맡아 할 수 있는 사람을 그 자리에 쓰도록 소개하거나 추천함 (薦擧)하여 고용인으로 삼게 하였다.
▶ 광문을 약국 부자에게 천거한 집주인

Link

출제자 **틒킹** 인물의 성격을 파악하라!

❶ 광문이 몸소 나가 밥을 빌어 온 이유는?
병든 아이를 불쌍히 여겨 그에게 밥을 먹이기 위해서

❷ 광문이 집주인에게 거적을 얻어 간 이유와 그것을 통해 알 수 있는 광문의 성격은?
죽은 아이의 시체를 싸서 묻어 주기 위해서이며, 이를 통해 광문이 따뜻한 마음씨를 지닌 인물임을 알 수 있음.

『오랜 후 어느 날 그 부자가 문을 나서다 말고 자주자주 뒤를 돌아보다, 도로 다시 방으로 들
『 』: 약국 부자가 광문을 의심하여 재차 문단속을 함
어가서 자물쇠가 걸렸나 안 걸렸나를 살펴본 다음 문을 나서는데, 마음이 몹시 미심쩍은 눈치
였다. 얼마 후 돌아와 깜짝 놀라며, 광문을 물끄러미 살펴보면서 무슨 말을 하고자 하다가, 안
Link 인물의 의도 ❶   광문을 의심하고 있지만 쉽게 털어놓지 못하고 망설이는 약국 부자의 행동
색이 달라지면서 그만두었다. 『광문은 실로 무슨 영문인지 몰라서 날마다 아무 말도 못 하고
                        『 』: 광문이 자신을 대하는 약국 부자의 태도가 달라진 것을 알아차림
지냈는데, 그렇다고 그만두겠다고 말할 수도 없었다.』

　　그 후 며칠이 지나, 부자의 처조카가 돈을 가지고 와 부자에게 돌려주며,
                    광문에 대한 오해가 풀리게 되는 계기
　　"얼마 전 제가 아저씨께 돈을 빌리러 왔다가, 마침 아저씨가 계시지 않아서 제멋대로 방에
　『 』: 약국 부자가 광문을 의심하게 된 일의 전말이 밝혀짐
　　들어가 가져갔는데, 아마도 아저씨는 모르셨을 것입니다.』

하는 것이었다. 이에 부자는 광문에게 너무도 부끄러워서 그에게,
　　　　　 덕망이 뛰어나고 경험이 많아 세상일에 익숙한 어른
　　"나는 소인이다. 장자(長者)의 마음에 상처를 주었으니 나는 앞으로 너를 볼 낯이 없다."
　　　　　　　　　　광문을 의심하여 불편하게 대했던 행동들
하고 사죄하였다. 그러고는 『알고 지내는 여러 사람들과 다른 부자나 큰 장사치들에게 광문을
　　　　　　　　『 』: 광문을 의심했던 일이 미안한 약국 부자가 광문의 신의를 높이 평가하여 널리 알림
의로운 사람이라고 두루 칭찬을 하고, 또 여러 종실(宗室)의 빈객(賓客)들과 공경(公卿) 문하
　　　　　　　　　　　　　　　　　　 임금의 친족　　　귀한 손님
(門下)의 측근들에게도 지나치리만큼 칭찬을 해 대니, 공경 문하의 측근들과 종실의 빈객들이
　　　　　　　　　　　　　Link 인물의 의도 ❷
모두 이야깃거리를 만들어 밤이 되면 자기 주인에게 들려주었다. 그래서 두어 달이 지나는 사
　　　　　　　광문의 이야기가 사람들의 입에 오르내림
이에 사대부까지도 모두 광문이 옛날의 훌륭한 사람들과 같다는 이야기를 듣게 되었다. 그 당
　　　　　　　　　　　　광문에 대한 긍정적 평가가 끊임없이 재생산되었음
시에 서울 안에서는 모두, 전날 광문을 후하게 대우한 집주인이 현명하여 사람을 알아본 것을
　　　　　　　　　　　　　　　　　　　　　　　광문에 대한 긍정적 평가가 널리 퍼지자 그를 높이 샀던 사람들의 평판도 좋아짐
칭송함과 아울러, 약국의 부자를 장자(長者)라고 더욱 칭찬하였다.
　　　　　　　　　　　　　　　 ▶ 신의 있는 광문의 행위를 널리 알리는 약국 부자
　　이때 돈놀이하는 자들이 대체로 머리꽂이, 옥비취, 의복, 가재도구 및 가옥·전장(田庄)·노복
　　　　　　　　　　　　　　　　　　　　　　　　　　　　　 밭과 그 근처에 지어 놓은 집　사내종
등의 문서를 저당 잡고서 본값의 십 분의 삼이나 십 분의 오를 쳐서 돈을 내주기 마련이었다.
그러나 광문이 빚보증을 서 주는 경우에는 담보를 따지지 아니하고 천금(千金)이라도 당장에
　　　　　　　　　　　　　　　 광문의 신의가 널리 알려져 높은 신용을 얻게 됨에 따른 결과
내주곤 하였다. 〈중략〉
　　　　　　　　　　　　　　　　　 ▶ 광문의 인품을 믿고 신뢰하는 사람들

　『광문이 길을 가다가 싸우는 사람을 만나면 그도 역시 옷을 홀랑 벗고 싸움판에 뛰어들어, 뭐
　『 』: 자신이 웃음거리가 되어서 싸움을 말림　　　　　　　　　 Link 인물의 의도 ❸
라고 시부렁대면서 땅에 금을 그어 마치 누가 바르고 누가 틀리다는 것을 판정이라도 하는 듯
한 시늉을 하니, 온 저자 사람들이 다 웃어 대고 싸우던 자도 웃음이 터져, 어느새 싸움을 풀
고 가 버렸다.』
　　　　　　　　　　　　　　　　　 ▶ 지혜롭게 싸움을 말리는 광문

광문은 나이 마흔이 넘어서도 머리를 땋고 다녔다. 남들이 장가가
　　　　　　　　　　　　 당시 미혼자는 머리를 내려 땋고 다녔음
라고 권하면,

　　"잘생긴 얼굴은 누구나 좋아하는 법이다. 그러나 사내만 그런 것이
아니라 비록 여자라도 역시 마찬가지다. 그러기에 나는 본래 못생
　　　　　　　　　　 남녀를 평등하게 생각하는 가치관
겨서 아예 용모를 꾸밀 생각을 하지 않는다."

하였다. 남들이 집을 가지라고 권하면,

　『나는 부모도 형제도 처자도 없는데 집을 가져 무엇하리. 더구나
　『 』: 욕심부리지 않고 자유분방하며 자신의 처지에 만족하는 삶의 태도

출제자 특강 인물의 의도를 파악하라!

❶ 부자가 외출을 하려다가 자물쇠가 걸렸나
안 걸렸나를 살펴본 이유는?
광문이 돈을 훔치지 않을까 의심이 되어서

❷ 광문이 돈을 훔치지 않았다는 사실이 밝혀
진 뒤 부자의 행동은?
광문을 의심한 것을 부끄러워하며 사죄하고
광문의 사람됨을 널리 알림.

❸ 광문이 싸움판에 옷을 벗고 뛰어드는 이유
는?
스스로 웃음거리가 되어 저절로 싸움을 멈
추게 하기 위해서

최우선순 분석편

나는 아침이면 소리 높여 노래를 부르며 저자에 들어갔다가, 저물면 부귀한 집 문간에서 자
_{일정한 거처 없이 떠돌아다니며 지냄}
는 게 보통인데, 서울 안에 집 호수가 자그만치 팔만 호다. 내가 날마다 자리를 바꾼다 해도
내 평생에는 다 못 자게 된다." / 하였다.
▶ 물욕에 얽매이지 않는 광문

서울 안에 명기(名妓)들이 아무리 곱고 아름다워도, 광문이 성원해 주지 않으면 그 값이 한
_{광문의 사람 보는 안목이 뛰어나 큰 영향력을 가짐}
푼어치도 못 나갔다.

예전에 궁중의 우림아(羽林兒), 각 전(殿)의 별감(別監), 부마도위(駙馬都尉)가 청지기들을
_{궁궐의 호위를 맡은 부대 중 하나인 우림위 소속의 군인들} _{임금의 사위에게 주던 칭호} _{양반집에서 잡일을 맡아보거나 시중을 들던 사람}
거느리고 옷소매를 늘어뜨리며 운심(雲心)의 집을 찾아간 적이 있다. 운심은 유명한 기생이었
다. 대청에서 술자리를 벌이고 거문고를 타면서 운심더러 춤을 추라고 재촉해도, 운심은 일부
러 늑장을 부리며 선뜻 추지를 않았다. 광문이 밤에 그 집으로 가서 대청 아래에서 어슬렁거
_{권력을 등에 업은 사람들에게 도도한 태도를 보이는 운심}
리다가, 『마침내 자리에 들어가 스스로 상좌(上座)에 앉았다. 광문이 비록 해진 옷을 입었으나
_{「 」: 추레한 몰골과 달리 당당한 광문의 태도} _{윗사람이 앉는 자리}
행동에는 조금의 거리낌도 없이 의기가 양양하였다. 눈가는 짓무르고 눈꼽이 끼었으며 취한
_{천인인 광문이 부귀와 권세를 가진 사람 앞에서도 당당함 – 신분이나 지위보다 인품이 중요함을 부각함}
척 구역질을 해 대고, 헝클어진 머리로 북상투[北髻]를 튼 채였다.』온 좌상이 실색하여 광문에
_{아무렇게나 막 끌어 올려 짠 상투} _{놀라서 얼굴빛이 달라짐}
게 눈짓을 하며 쫓아내려고 하였다. 광문이 더욱 앞으로 나아가 무릎을 치며 곡조에 맞춰 높
으락낮으락 콧노래를 부르자, 운심이 곧바로 일어나 옷을 바꿔 입고 광문을 위하여 칼춤을 한
_{권력자보다 허식 없는 광문을 위해 춤을 추는 운심}
바탕 추었다. 그리하여 온 좌상이 모두 즐겁게 놀았을 뿐 아니라, 또한 광문과 벗을 맺고 헤어
졌다. _{계층에 상관없이 귀감이 됨}
▶ 신분의 고하를 떠나 사람의 마음을 움직이는 광문

최우선 출제 포인트!

1 등장인물의 태도 변화

집주인	광문이 밤중에 자신의 집에 들어온 사연을 미심쩍어함.	광문이 죽은 거지 아이를 공동묘지에 묻음. →	광문을 약국 부자에게 천거함.
약국 부자	광문이 돈을 훔치는 것으로 의심함.	처조카가 돈을 가져간 것임이 밝혀짐. →	광문이 의로움을 널리 알림.
기방을 드나들던 관리들	행색이 더러운 광문을 쫓아내려 함.	광문이 운심의 마음을 움직임. →	광문과 벗이 됨.

2 '광문'의 사람됨을 보여 주는 일화

• 죽은 거지 아이의 시신을 수습함.
• 광문을 의심했던 약국 부자가 오해를 품.
• 광문이 빚보증을 서면 선뜻 돈을 빌려 줌.
• 사람들의 싸움을 재치 있게 말림.
• 기생 운심의 마음을 움직임.
→ 광문은 따뜻한 인간애를 지니고 있고 허위와 가식에 얽매이지 않으며 욕심 없는 삶을 사는 인물임.

3 주인공을 거지로 설정한 이유

재자가인형 인물을 주인공으로 하는 대부분의 고전 소설과 달리 미천한 신분의 못생긴 거지를 주인공으로 설정함. → 가문, 권력, 부 등과 관계없이 바르게 살면 주위 사람들의 인정을 받을 수 있음을 통해, 당시 사회에 허위와 가식에 얽매이지 않고 성실하고 신의 있는 인물이 필요함을 드러냄.

최우선 핵심 Check!

1 다음 내용 중 맞는 것은 ○표를, 틀린 것은 ×표를 하시오.

(1) 한 인물에 대한 여러 가지 일화를 제시하여 주제를 강조하고 있다.
( )

(2) 서술자가 전지적인 위치에서 인물의 대화와 행동을 전달하고 있다.
( )

2 초성 힌트를 보고 빈칸에 들어갈 알맞은 말을 쓰시오.

(1) 거지인 주인공의 사람됨을 예찬함으로써, 겉모습보다는 [ㄴㅁ]의 아름다움을 강조하고 있다.

(2) 광문의 장가 관련 일화를 통해 광문이 [ㄴㄴㅍㄷ] 사상에 대한 인식을 가지고 있음을 드러내고 있다.

_{정답 1. (1) ○ (2) ○ 2. (1) 내면 (2) 남녀평등}

26위 예덕선생전(穢德先生傳) | 박지원

성격 교훈적, 예찬적, 설득적 **시대** 조선 후기
주제 올바른 벗 사귐의 도(道)와 엄 행수의 삶 예찬

소설

이 작품은 똥을 져 나르는 더러운 일을 하지만 덕이 있다고 칭송받는 엄 행수라는 인물을 통해 무위도식하며 허욕에 가득 찬 양반들의 위선을 풍자한 한문 소설이다.

주요 사건과 인물

기
자목이 선귤자가 인분을 나르는 일을 하는 엄 행수를 '예덕 선생'이라 존칭하며 벗으로 사귀는 것에 반발함.

서
선귤자는 자목에게 진정한 벗 사귐의 방식에 대해 이야기해 주고, 비천할지라도 분수를 지키며 성실하게 사는 엄 행수의 삶을 예찬함.

결
선귤자는 자신이 따라갈 수 없을 정도로 엄 행수의 덕이 높아서 그를 예덕 선생이라 높이는 것이라고 말함.

선귤자
실질을 숭상하며 혁신적인 사고를 지님.

→ 긍정적 평가 →

예덕 선생(엄 행수)
분수를 알고 성실하며 남의 것을 탐하지 않음.

← 부정적 평가 ←

자목
선귤자의 제자. 신분의 귀천을 따지고 체면과 외양에 집착함.

↓

바람직한 인간상

전문

☐ : 주요 인물

선귤자(蟬橘子)에게 벗 한 분이 계시니 그는 예덕 선생(穢德先生)이라고 하는 분이다. 종본
_{당시 실학자인 이덕무의 별호. 작가 의식을 대변하는 인물}   _{'더러울 예(穢)'와 '어질 덕(德)'을 합친 것으로, 더러운 일을 하지만 덕이 있는 엄 행수를 가리킴}

탑(宗本搭) 동쪽에서 사는데 마을 안의 똥거름을 쳐내는 것으로써 생계를 삼고 있다. 온 마을
_{지금의 서울 종로 탑골 공원 안에 있는 원각사지 석탑}   Link 인물의 특징 ❶

에서 그를 모두 엄 행수(嚴行首)라고 부른다. 행수는 상일을 하는 늙은이의 일컬음이요, 엄은
_{별로 기술이 필요하지 않은 막일}

그의 성이다. 자목(子牧)이 선귤자에게 묻기를,
_{선귤자의 제자}

"그전에 선생님이 제게 말씀하시기를 벗은 동거 생활을 하지 않는 아내요, 한 탯줄에서 나오
_{벗은 한몸처럼 가깝고 소중한 존재라는 의미}

지 않은 형제라고 했습니다. 벗이란 것이 이렇게 소중한 것입니다. 이 세상의 한다하는 양반
_{수준이나 실력 따위가 상당하다고 자처하거나 그렇게 인정받는}

님네 중에서 선생님의 지도를 받고자 하는 이가 수두룩합니다. 『선생님이 그런 분은 상대도
_{선귤자는 양반 사회에 비판적인 시각을 가지고 있음}

하지 않으셨습니다. 그런데 지금 엄 행수로 말한다면 마을 안의 천한 사람으로서 상일을 하
_{외적인 조건에 따라 사람을 판단하는 자목}

는 하층의 처지요, 마주 서기 욕스러운 자리입니다. 선생님이 그의 인격을 높이어 '스승'이라
                                                        Link 인물의 특징 ❷

고 일컬으면서 장차 교분을 맺어서 벗이 되려고 하시니 저까지 부끄러워 견디지 못하겠습니
                                                                              Link 인물의 특징 ❸

다.』이제 선생님의 문하(門下)를 하직하려고 합니다."
_{『 』: 신분의 귀천에 따른 차별 의식을 보이는 자목}
_{가르침을 받는 스승의 아래}   ➤ 예덕 선생에 대한 소개와 선귤자에 대한 자목의 평가

선귤자가 웃으면서 말하기를,

"거기 앉게. 벗에 대한 것을 내 자네에게 이야기해 줌세. 속담에도 있거니와『의원이 제 병을
                                                   『 』: 잘하던 일도 자신과 연관되면 하기 어려움을 통함 – 자목의 잘못된 생각을 자신이 가르쳐 주겠다는 의미

못 보고 무당이 제 굿을 못 한다고 하네.』자기 생각으로는 이거야말로 내 장처(長處)라고 믿
                                                                    _{장점(長點)}

고 있는 점도 남들이 몰라준다면 어떤 사람이나 속이 답답해서 자기

결함을 지적해 달라는 편으로 말을 꺼내게 되네.』그런데 칭찬만 하
_{『 』: 자기의 장점을 듣고 싶어서 단점을 말해 달라며 이야기를 꺼낸다는 것}

면 아첨에 가까워서 멋대가리가 없고 타박만 하면 흉보는 것으로 떨

어져서 본의와 틀려지네. 그러니까 그의 장처가 아닌 점을 들추어서
_{말이나 행동을 똑똑하게 분명히 하지 못하고 우물쭈물하는 모양}

어름어름 당치 않은 말을 한단 말일세.『그렇게 적절한 내용이 아닌
                                         『 』: 자신의 단점이라고 생각하지 않기 때문에 지나치게 화를 내지 않음

만큼 설사 책망이 좀 과하더라도 저편에서 골을 내지는 않을 것일세.』
_{잘못을 꾸짖거나 나무라며 못마땅하게 여김}   _{비위에 거슬리거나 언짢은 일을 당하여 벌컥 내는 화}

Link

출제자 톡 인물의 특징을 이해하라!

❶ 엄 행수가 하는 일은?
마을의 똥거름을 치는 일을 함.

❷ 사람을 사귀는 것에 대한 자목의 태도는?
상대방의 내면적인 성품보다 신분과 직업 등 외면적인 조건을 중시하는 그릇된 가치관을 가지고 있음.

❸ 자목이 선귤자의 문하를 떠나려는 이유는?
선귤자가 미천한 엄 행수를 '스승'이라 부르며 벗하는 것이 부끄러워서

그러다가 숨겨 놓은 물건을 알아나 맞히는 듯이 슬그머니 그가 장처라고 믿고 있는 그 점을 언급한단 말일세. 그러면 듣는 이는 마치 가려운 데나 긁어 준 듯이 속마음으로 감격해할 것일세. 가려운 데를 긁는 데도 도가 있네그려. 『등에 손을 댈 때에는 겨드랑이에 가까이 가지
　　　　　　　　　　　　　　　　장점을 언급해 주길 바라는 마음을 비유적으로 표현함
말고, 가슴을 만질 때에는 목을 건드리지 말아야 하네.』 칭찬 같지 않게 칭찬을 하면 왈칵 손
　　『　』: 지나친 칭찬으로 상대방이 민망하게 생각하거나 아부로 느끼게 하지 말아야 한다는 것을 의미함
목을 잡으면서 자기를 알아준다고 할 것일세. 그래, 이렇게 벗을 사귀면 좋겠는가?"

자목이 한 손으로 귀를 가리고 한 손은 내치면서 말하기를,

"이건 선생님이 제게다가 장사치의 하는 일이나 하인 놈이 하는 버릇을 가르치고 계십니다."
　　　　　　　　　　　　　선굴자의 가르침을 속된 처세술로 여김　　　　　　　▶ 세속적인 사귐에 대한 선굴자의 생각
선굴자가 말하기를,

"그렇다면 자네가 부끄럽게 여기는 것도 과연 저기 있지 않고 여기 있는 것일세그려. 대개
　　　　　　　　자목이 부끄러워하는 것은 천한 사람과의 교류가 아니라 잇속과 아첨으로 하는 세속적인 처세술임을 깨닫게 함
장사치의 벗은 잇속으로 사귀고, 체면을 차리는 양반님네의 벗은 아첨으로 사귀네. 본래부
터 『아무리 친한 사이라도 세 번 달라고 해서 멀어지지 않을 사람이 없고, 아무리 원수 치부
　　　　　　『　』: 잇속이나 아첨에 의한 교우 관계를 비판함　　　　　　　　　　　　　　　　마음속으로 그러하다고 여기는
하는 사이라도 세 번 주어서 친해지지 않을 사람이 없단 말일세.』 그렇기 때문에 잇속으로 사
귀어서는 지속되기 어렵고 아첨으로 사귀면 오래가지 못하는 법일세. 『만일 깊숙하게 사귀자
　　　　　　　　　　　　　　　　　　　　　　　　　　　『　』: 진실한 사귐에는 가식적인 태도가 필요 없음을 말함
면 체면 같은 것을 볼 것이 없고 진실하게 사귀자면 특별히 죽자 사자 할 것이 없네.』 오직 마
　　　　　　　　　　　　　　　　　　　　　　　　선굴자가 생각하는 진짜 벗
음으로 벗을 사귀며 인격으로 벗을 찾아야만 도덕과 의리의 벗으로 되네. 이렇게 사귀는 벗
　　선굴자가 생각하는 진실한 사귐　　　　　　　　　Link 인물의 가치관 ❶　　　　진실한 사귐의 가치
은 천년 전의 옛사람도 아득히 떨어져 있는 것이 아니요, 만 리의 거리도 소격(疏隔)한 것이
　　　　　　　　　　　　　　　　　　　　　　　　　　　　　　　사귀는 사이가 서로 멀어져서 왕래가 막힘
아닐세.
　　　　　　　　　　　　　　　　　　　　　　　　　　　　　　　▶ 올바른 교우의 도

저 엄 행수란 분이 언제 나와 알고 지내자고 한 것일까마는 그저 내가 늘 그분을 찬양하고
싶어서 견디지 못하네. 『그가 밥을 자실 때에는 꿀떡꿀떡, 걸어 다닐 때에는 어청어청, 잠을
　　　　　　　　　　　『　』: 가식 없고 평범한 예덕 선생의 삶
잘 때에는 쿨쿨, 웃음을 웃을 때에는 허허, 가만히 앉아 있을 때에는 멍하니 등신과 같이 보
이네. 흙으로 쌓고 짚으로 덮은 데다가 구멍을 뚫어 놓고서는 새우처럼 등을 구부리고 들어
　　　　　　　　　　　　　　　　　　　　　　　　　　　　　　지게에 얹어 짐을 담는 소쿠리 모양의 물건
가서 개처럼 주둥이를 틀어박고 자네. 다시 아침나절에는 즐거이 일어나서 발채를 짊어지고
　　　　　　　　　　　　　　　　　　　　묵묵히 자신의 일을 함 - 무위도식하는 사대부의 모습과 대비됨
똥거름을 치러 마을 안으로 들어오네. 구월에 들어서면 서리가 내리고 시월로 접어들면 살
　Link 인물의 가치관 ❷, ❸
얼음이 잡히네그려. 그는 뒷간에서 사람의 똥, 마구간에서 말똥, 외양간에서 소똥, 집 안 구
석구석에서 닭의 똥, 개똥, 거위 똥, 돼지우리에서 돼지 똥, 비둘기 똥, 토끼 똥, 참새 똥 등
똥이란 똥을 귀한 보물처럼 모조리 걸레질해 가도 누가 염치 뻔뻔하다고 말할 사람은 없단 말일세. 혼자 이익을 남겨 먹어도 누가 의리를 모른다고 말할 사람이 없고 많이 긁어모아도 누가 양보성이 없다고 말할 사람이 없네. 손바닥에다가 침을 탁 뱉어서 삽을 들고는 허리를 구부리고 꺼불꺼불 일을 하는 것이 마치 날짐승이 무엇을 쪼아
　　　　　　　　　　　　　　가볍게 흔들려 자꾸 움직이는 모양
먹고 있는 것과 흡사하거든. 그는 화려한 외화(外華)도 힘쓰려 하지
　　　　　　　　　　　　　　　　　　　　화려한 걸치레
않고 풍악을 잡히며 노는 것도 바라지 않지. 『돈이 많아지고 지위가
　　　　　　　　　　　　　　　　　　　　　　　『　』: 안분지족(安分知足)한 태도

높아지는 일을 누가 원하지 않을까마는 원한다고 해서 얻어질 것이 아니기 때문에 애초부터 부러워하지 않는단 말일세.』찬양을 한다고 해서 더 영예로운 것도 없으며 헐뜯는다고 해서 더 욕될 것이 없네그려.

> 가식 없이 근면하게 사는 예덕 선생

왕십리의 배추, 살곶이의 무, 석교(石郊)의 가지, 외, 참외, 호박, 연희궁(延禧宮)의 고추, 마늘, 부추, 파, 염교, 청파의 미나리, 이태원의 토란 등을 아무리 상상등(上上等)의 밭에 심는다고 하더라도 엄씨의 똥거름을 가져다가 걸쭉하게 가꿔야만 일 년에 육천 냥 돈을 벌어들이게 되네. 그런데 그는 아침에 밥 한 그릇을 먹네. 그래도 의기양양하고, 저녁에 이르러서는 또 밥 한 그릇을 비우네.『누가 고기를 좀 먹으라고 권하면 고기반찬이나 나물 반찬이나 목구멍 아래로 내려가서 배부르기는 마찬가지인데 입맛에 당기는 것을 찾아 먹어서는 무얼 하느냐고 하네. 또, 옷과 갓을 차리라고 권하면 넓은 소매를 휘두르기에 익숙지도 못하거니와 새 옷을 입고서는 짐을 지고 다닐 수 없다고 대답하네.』해가 바뀌어 설이 되면 이른 아침에 처음으로 갓 쓰고 웃옷 입고 띠를 띠고 신도 새로 신고, 동리 이웃 간을 두루 돌아다니며 새해 인사를 하지. 그리고 돌아와서는 헌 옷을 도로 꺼내 입고 발채를 지고 마을 안으로 들어서거든.『엄 행수와 같은 분은 더러운 상일로 높은 덕을 가리고서 세상을 크게 숨어 사는 분이 아닌가?

> 검소하고 금욕적인 생활을 하는 엄 행수

옛글에 이르기를 부자와 귀인의 처지에 있어서는 부자와 귀인으로 지내고 가난하고 미천한 처지에 있어서는 가난하고 미천한 대로 지낸다고 했네. 대체 처지란 것은 이미 정해져 버린 것이야. 또『시경(詩經)』에 이르기를, 아침저녁 공무를 같이 보는데도 분복(分福)이 저마다 다르다고 했네. 분복이란 것은 타고난 것이란 말이지. 대체 모든 사람이 이 세상에 태어날 때 각기 정해진 분복이 있는 것이니 제 분복을 가지고 누구를 원망하겠는가? 새우젓을 먹게 되니 달걀찌개가 생각나고 갈옷을 입고 나면 모시옷이 부럽게 되는 것일세. 천하가 여기서부터 어지러워지고 백성들이 와 하고 들고일어나서 논밭을 서로 빼앗으며 이에 밭이랑이 황폐해지네.

『진승, 오광, 항적의 무리가 그해 농사일이나 하는 데만 만족하고 말 사람들이었는가?』『주역(周易)』에서 짐 질 것도 있고 탈것도 있어서 도적을 불러들인다고 한 것이 바로 이것을 두고 이른 말일세. 그렇기 때문에 굉장한 벼슬자리에는 깨끗하지 못한 구석이 있으며 제힘으로 번 것이 아니고는 부호가, 재산가의 칭호도 더러운 것일세.

본래 사람의 숨이 떨어지면 입안에 구슬을 넣어 주는 것도 깨끗이 가란 뜻일세그려.『저 엄 행수가 똥을 지고 거름을 져 날라서 그걸로 먹고사는 것이 지극히 깨끗지 못하다고 보겠지만 그 생활은 지극히 향기롭고, 몸을 굴리는 것이 지극히 더럽다고 보겠지만 의리를 지키

Link
출제자 특강 ❶ 인물의 태도를 파악하라!
❶ 좋은 옷을 입으라는 사람들의 권유를 거절하는 것에서 알 수 있는 엄 행수의 삶의 자세는?
격식보다는 실용성을 중시함.
❷ 엄 행수를 참된 선비라고 칭송하는 선귤자의 말을 통해 알 수 있는 그의 가치관은?
신분과 직업의 귀천보다는 사람의 됨됨이를 중시함.
❸ 선귤자가 엄 행수를 예덕 선생이라고 칭하며 존경하는 이유는?
자신의 분수와 처지를 알고, 남의 것을 탐하지 않고 욕심 없이 사는 엄 행수의 삶이 성인의 도와 통한다고 생각하기 때문임.

는 점은 지극히 높은 것일세. <u>Link 인물의 태도 ❷</u> 그 뜻을 미루어 생각건대 비록 굉장한 벼슬자리도 그를 움직이

지는 못할 것일세. 이로 본다면 <u>깨끗한 가운데도 깨끗지 못한 것이 있고 더러운 가운데도 더</u>

<u>럽지 않은 것이 있단 말일세.</u> <small>높은 벼슬과 재산가를 엄 행수와 비유적으로 대비함</small> 내가 먹고 입는 데서 견디기 어려운 처지에 다다르면 항상 나

만도 못한 처지의 사람을 생각하게 되는데, 『엄 행수에 이르는 견디기 어려운 처지란 것이

<small>더 어려운 사람을 생각하며 자신의 어려움을 견디 내려고 애씀</small> <small>『 』: 엄 행수를 성인에 비할 만큼 높이 평가하는 선귤자의 태도</small>

없네. 진심으로서 애초부터 도적질할 마음이 없기로 말하면 엄 행수 같은 분이 없다고 생각

하네. <u>이 마음을 더 키워 나간다면 성인(聖人)도 될 수 있을 것일세.</u>

<small>지혜와 덕이 매우 뛰어나 길이 우러러 본받을 만한 사람</small> <u>Link 인물의 태도 ❸</u>

대체 선비가 좀 궁하다고 해서 궁기(窮氣)를 떨어도 수치스러운 노릇이요, 출세한 다음 제

<small>궁한 기색</small>

몸만 받들기에 급급해도 수치스러운 노릇일세. 아마 엄 행수를 보기에 부끄럽지 않을 사람

이 거의 드물 것일세. <small>제 분수에 만족하지 못하고 깨끗하지 못한 당대 양반 사대부를 비판함</small> 그렇기 때문에 나는 엄 행수를 선생으로 모시려고 하고 있단 말일세.

어떻게 감히 벗으로 사귀겠다고 할 것인가? 그렇기 때문에 나는 엄 행수를 감히 그 이름을

<small>엄 행수의 덕이 높아 선귤자가 감히 따라갈 수 없을 정도라고 평가함</small>

부르지 못하고 예덕 선생이라고 일컫는 것일세."

❯ 선귤자가 엄 행수를 예덕 선생이라 대우하는 까닭

최우선 출제 포인트!

❶ 이 작품의 내용 구조

자목의 문제 제기	선귤자의 대답	지목의 반발	선귤자의 대답
스승인 선귤자가 천한 신분의 엄 행수와 사귀는 것을 비판함.	세속적인 사귐에 대한 이야기를 통해 자목을 떠봄.	선귤자의 세속적인 사귐에 대한 이야기에 반발함.	엄 행수가 지닌 덕을 드러내고 그와의 사귐이 정당함을 주장함.

❷ 이 작품에 나타난 새로운 인간형과 시대적 의미

농부들에게 인분을 져다 주고 돈을 받던 임금 노동자인 엄 행수는 사농공상(士農工商)의 어디에도 속하지 않는, 새로운 계층에 속하는 인물이다. 이러한 엄 행수는 자기의 분수를 알고 욕심내지 않으며 열심히 살아가는 모든 인물을 대변한다.

작가는 이 작품에서 엄 행수와 같은 인물을 이상적인 인간의 모습으로 제시하고 있다. 또한 이름난 학자인 선귤자가 하층민인 엄 행수와 사귄다는 설정은 당시 봉건 사회의 엄격한 신분 체제에 대한 작가의 부정적인 인식을 드러내는 동시에 신분과 관계없이 교우할 수 있는 평등 사회 실현의 의지를 드러낸 것이라 볼 수 있다.

❸ '선귤자'의 말하기 방식의 특성

엄 행수		벼슬아치와 부자
비천한 일을 하지만 누구보다 뛰어난 덕성을 품고 있음.	대조	부정한 방법으로 벼슬이나 부를 탈취하고 누림.

엄 행수와의 사귐이 덕과 마음에 의한 진정한 사귐이라는 사실 강조

---

❹ 이 작품에 드러난 풍자 의식과 작가의 의도

이 작품에서는 작가를 대변하는 선귤자의 말을 통해, 비천한 신분인 엄 행수를 '예덕 선생'이라 칭송하며 그의 무실역행(務實力行)하는 삶을 예찬하고 있다. 엄 행수에 대한 선귤자의 예찬의 이면에는 당대의 양반 계층을 풍자하고 비판하려는 작가의 의도가 담겨 있다.

엄 행수의 삶	양반층의 삶
• 스스로 노동을 하며 생활함. • 자신의 분수에 맞게 삶. • 남의 것을 탐하지 않음. • 화려함, 쾌락적인 삶을 추구하지 않음.	• 노동보다는 명분에 집착함. • 자신의 분수에 맞지 않게 높은 자리에 오르려고 노력함. • 권력으로 남의 것을 탐하려 함. • 화려함, 쾌락적인 삶을 추구함.

양반층의 허례허식과 위선적인 삶을 비판함.

최우선 핵심 Check!

1 다음 내용 중 맞는 것은 ○표를, 틀린 것은 ×표를 하시오.

(1) 더럽고 미천한 일을 하지만 덕을 지닌 인물을 주인공으로 삼아 통념과 다른 관점에서 대상의 가치를 제시하고 있다. (　　)

(2) 선귤자와 자목이 대화하는 형식을 통해 진정한 사귐의 의미와 참다운 인간상을 형상화하고 있다. (　　)

(3) 엄 행수의 긍정적인 인물됨과 삶의 태도는 그와 상반된 모습을 보이던 양반들을 직접적으로 비판하는 효과를 거두고 있다. (　　)

2 초성 힌트를 보고 빈칸에 들어갈 알맞은 말을 쓰시오.

(1) ⟨ㅅㄱㅈ⟩의 말을 통해 엄 행수의 인물됨을 제시하고 있다.

(2) 작가는 자목의 말을 통해 당대 ⟨ㅇㅂ⟩들의 허례허식을 드러내고 있다.

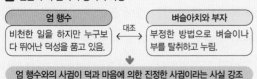

정답 1. (1) ○ (2) ○ (3) × 2. (1) 선귤자 (2) 양반

홍길동전(洪吉童傳) | 허균

성격 전기적, 영웅적, 비판적 **시대** 조선 중기
주제 적서 차별 철폐와 인간 평등사상, 탐관오리의
응징과 빈민 구제, 이상국 건설에 대한 염원

소설

이 작품은 서자라는 신분적 한계에 부딪혀 방황하지만 비범한 능력을 바탕으로 모든 소망을 이루고 이상적인
국가를 세우는 홍길동을 주인공으로 한, 우리나라 최초의 한글 소설이다.

주요 사건과 인물

발단
홍 판서와 천비 춘섬 사이에서 서자로 태어난 홍길동은 총명하고 재주가 뛰어나지만 천비 소생이라는 이유로 천대를 받다가 집을 떠남.

전개
뛰어난 능력으로 도적들의 괴수가 된 길동은 활빈당을 조직하여 빈민을 구제함.

위기
나라에서 길동을 잡으려고 하지만 길동의 재주에 농락당하고 길동에게 병조 판서의 자리를 제안함.

절정
길동이 왕에게 벼 천 석을 받아 율도국으로 가서 요괴를 물리치고 율노국의 왕이 됨.

결말
길동은 율도국에서 이상적인 정치를 펼치다가 신선이 됨.

홍길동: 홍 판서의 서지로 당대의 모순된 현실에 정면으로 항거하고 자신의 이상을 성취하는 영웅적 인물

춘섬
홍 판서의 시비였다가 길동을 배고 첩이 되며, 온갖 고난을 겪고 한숨으로 세월을 보내는 인물

홍 판서
전형적인 양반. 길동의 처지를 이해하지만 적서 차별이라는 당시 사회적 관념과 질서를 따르는 보수적인 인물

초란
홍 판서의 첩으로 길동을 음해하고 길동과 갈등을 빚는 인물

핵심장면 ① 초란이 자객을 보내 죽이려 하자 길동은 도술로써 특재와 관상녀를 죽이고 부모님께 작별 인사를 한 뒤 집을 떠나는 부분이다.

□: 주요 인물   홍 판서, 길동의 아버지

한편, 길동은 그 원통한 일을 생각하니 잠시를 머물지 못할 바이지만, 상공의 엄령이 지중하
길동이 집안의 우환이 될 것이라는 말을 들은 상공이 길동에게 자중하며 멀리 떨어져 산에 머물라고 한 일   유교적 효(孝) 사상을 중시하는 모습이 보임

므로 어쩔 수가 없어 밤마다 잠을 설치고 있었다. 그런데 그날 밤, 촛불을 밝혀 놓고 『주역』을
                                                                                    유학 오경의 하나

골똘히 읽고 있는데, 까마귀가 세 번 울고 갔다. 길동은 이상한 예감이 들어 혼잣말로,
                       불길한 일이 벌어질 것임을 암시함

'저 짐승은 본래 밤을 꺼리거늘, 이제 울고 가니 심히 불길하도다.'

하면서 잠시 『주역』의 팔괘로 점을 쳐 보고는, 크게 놀라 책상을 밀치고 둔갑법으로 몸을 숨긴
                                          마음대로 자기 몸을 감추거나 다른 것으로 변하게 하는 술법 – 길동의 비범한 능력. 전기성

채 동정을 살피고 있었다. 사경(四更)쯤 되자 한 사람이 비수를 들고 천천히 방문으로 들어오
Link 인물의 행동 ❶   새벽 1~3시 사이   특재   날이 예리하고 짧은 칼

는지라. 『길동이 급히 몸을 감추고 주문을 외니, 홀연 한 줄기의 음산한 바람이 일어나면서, 집
「 」: 고전 소설의 전기성과 길동의 비범한 능력이 드러남

은 간데없고 첩첩산중에 풍경이 굉장하였다. 〈중략〉
                                              사람의 얼굴 등을 보고 그 사람의 재수나 운명 등을 판단하는 일을 하는 여자
                          Link 인물의 행동 ❷

"너는 죽어도 나를 원망하지 말라. 초란이 무녀(巫女)와 관상녀로 하여금 상공과 의논하게
         책임을 회피함   홍 판서의 첩   무당   상공의 뜻임을 강조하여 길동의 절망감을 자극함

하고, 너를 죽이려 한 것이니, 어찌 나를 원망하랴."

칼을 들고 달려드는 특재를 보자, 길동은 분함을 참지 못해 요술로 특재의 칼을 빼앗아 들고
                                                    도술을 발휘함 – 전기성

호통을 쳤다.

"네가 재물을 탐내어 사람 죽이기를 좋아하니, 너같이 무도한 놈은 죽여서 후환을 없애겠다."
                                        도리에 어긋나서 막됨   뒷날에 생기는 걱정이나 근심

하고 칼을 드니, 특재의 머리가 방 가운데 떨어졌다. 길동은 분노를 이기지 못해 그날 밤에 바

로 관상녀를 잡아 와 특재가 죽어 있는 방에 들이쳐 박고 꾸짖기를,

"네가 나와 무슨 원수 졌다고 초란과 짜고 나를 죽이려 했나?"

하고 칼로 치니, 처참하기 그지없다. ▶초란이 보낸 자객 특재와 관상녀를 죽인 길동
                  편집자적 논평

이때 길동이 두 사람을 죽이고 하늘을 살펴보니, 은하수는 서쪽으
                 특재와 관상녀   길동의 심리를 드러냄

Link
출제자 특강 **인물의 행동을 파악하라!**

❶ 둔갑법으로 몸을 숨긴 채 동정을 살피는 행동을 통해 드러나는 길동의 능력은?
환상적 도술을 발휘할 수 있음.

❷ 자객 특재를 보내 길동을 죽이려 한 인물은?
초란

로 기울어지고 달빛은 희미하여 마음은 더욱 울적해졌다. 분통이 터져 초란마저 죽이고자 하

『 』: 초란을 죽이려다가 아버지가 사랑하는 여자라는 사실 때문에 죽이지 못함 – 유교의 효(孝) 사상

다가, 상공이 사랑하는 여자라는 데 생각이 미치자, 칼을 던지고 달아나 목숨이나 건지기로

마음먹었다. 바로 상공 침소에 가 하직 인사를 올리고자 하는데, 마침 공도 창밖의 인기척을

Link 사건의 의미 ❶　　　　　　먼 길을 떠날 때 웃어른께 작별을 고하는 것

들고서 창문을 열고 살폈다. 공은 길동임을 알고 불러 말했다.

"밤이 깊었거늘 네 어찌 자지 않고 이렇게 방황하느냐?"

길동은 땅에 엎드려 아뢰었다.

　　　　　　　　　　유교의 효 사상

"소인이 일찍 부모님께 낳아 길러 주신 은혜를 만분의 일이나마 갚을까 하였더니, 집 안에

길동의 신분을 알 수 있음　　　　　남을 헐뜯어서 죄가 있는 것처럼 꾸며 윗사람에게 고하여 바침　　　　　초란

옳지 못한 사람이 있어 상공께 참소하고 소인을 죽이고자 하기에, 겨우 목숨은 건졌으나 상

서자인 길동은 아버지를 아버지라 하지 못하고 상공으로 부름

공을 모실 길이 없기로 오늘 상공께 하직을 고하옵니다." 〈중략〉

Link 사건의 의미 ❷

"내가 너의 품은 한을 짐작하겠으니, 오늘부터는 아버지를 아버지라 부르고 형을 형이라 불

적서 차별에서 비롯된 한　　　　　　　　　호부호형(呼父呼兄)을 허락함 – 길동의 한을 일시적으로 해소함

러도 좋다." / 길동이 절하고 아뢰었다.

Link 사건의 의미 ❸　　　　　　　　　　　　　　▶ 상공께 하직을 고하는 길동과, 길동에게 호부호형을 허락하는 상공

"소자의 한 가닥 지극한 한을 아버지께서 풀어 주시니 죽어도 한이 없습니다. 엎드려 바라옵

자신을 지칭하는 말이 '소인'에서 '소자'로 바뀜 – 호부호형을 허락받았기 때문

건대, 아버지께서는 만수무강하십시오."

이렇게 말하고 하직하니, 공이 붙잡지 못하고 다만 무사하기만을 당부하더라. 길동이 또 어

　　　　　　　　　　　　　　　　　　　　　　　　　　　　　　　　춘섬

머니 침소에 가서,

"소자는 지금 슬하를 떠나려 하오나 다시 모실 날이 있을 것이니, 모친은 그 사이 귀체(貴體)

'무릎 아래'라는 뜻으로, 어버이의 곁을 뜻함　　　　　　　　　　　　　　　　　　　'몸'을 높여 부르는 말

를 아끼십시오."

하고 작별 인사를 하였다. 춘섬이 이 말을 듣고 무슨 까닭이 있음을 짐작하나 굳이 묻지는 않

Link

출제자 **특강** 사건의 의미를 파악하라!

❶ 부친에 대한 길동의 지극한 효성을 보여 주
는 사건은?
분통이 터져 초란을 죽이려 하다가 부친이 사
랑하는 여자이기 때문에 차마 죽이지 못함.

❷ 길동이 집을 떠나게 된 직접적인 계기가 된
사건은?
초란이 상공에게 참소하고 길동을 죽이려
고 함.

❸ 극적 전환이 이루어지는 대목으로 갈등을
부분적으로 해소하는 사건은?
상공이 길동에게 호부호형을 허락함.

고 하직하는 아들의 손을 잡고 통곡하면서 말했다.

「네 어디로 가려 하느냐? 한집에 있어도 거처하는 곳이 멀어 늘 보

『 』: 아들 길동에 대한 춘섬의 염려와 애정이 담겨 있음

고 싶었는데, 이제 너를 정처 없이 보내고 어찌 잊으랴. 부디 쉬 돌

아와 만나기를 바란다.」

길동이 절하고 문을 나와 멀리 바라보니 첩첩한 산중에 구름만 자

　　　　　　　　　　　　　　　　　　　　　앞으로 길동이 겪을 고난과 역경을 암시함

욱한데 정처 없이 길을 가니 어찌 가련치 않으랴.

편집자적 논평 – 길동에 대한 연민이 드러남

▶ 부모에게 작별 인사를 하고 집을 떠나는 길동

핵심장면 ❷　천문을 보던 길동이 부친의 죽음이 임박했음을 알고 집으로 돌아가 장례식을 치른 이후 율도국을 정벌하고 율도국의 왕이
되어 대대손손 태평한 나라를 만드는 부분이다.

하루는 천문(天文)을 보다가 놀라 눈물을 흘리기에, 주위에서 무슨 까닭으로 슬퍼하느냐고

천체의 운행에 따라 역법을 연구하거나 길흉을 예언하는 일

물으니, 길동이 탄식하면서 말하기를,

"내가 부모의 안부를 하늘의 별을 보고 짐작하더니, 지금 하늘을 본즉 부친의 병세가 위중

별들의 밝기나 움직임 등을 통해 미래를 점침　　　　　　　　　　　　　　　　　위험한 병세

(危症)하신지라. 그러나 나의 몸이 먼 곳에 있어 거기에 이르지 못할까 하노라."

Link 인물의 심리 ❶

하니 모든 사람들이 슬퍼하였다. 이튿날 길동은 월봉산에 들어가 하나의 훌륭한 묘 터를 구한

후, 일을 시작하여 석물(石物)을 국릉(國陵)과 같이 하였다. 그러고는 한 척의 큰 배를 준비하여
_{무덤 앞에 돌로 만들어 놓은 물건}　_{왕의 무덤}
부하들에게 조선국 서강 강변으로 몰고 가서 기다리라 하였다. 자신은 즉시 머리를 깎고 중의
_{다른 사람들의 이목을 피하고, 그간의 자신의 행적을 궁금해할 가족들에게 둘러댈 구실을 마련하기 위해}
모습을 갖춘 뒤, 작은 배 한 척을 타고 조선을 향하였다.　　　　　　❯ 아버지의 묘 터를 살펴보고 집으로 가는 길동

　　이 무렵, 홍 판서는 홀연히 병을 얻어 위중해지자, 부인과 인형을 불러 말하기를,
_{길동의 이복형}
　　"내가 죽어도 다른 한이 없으나, 길동의 생사를 알지 못하는 것이 한스럽구나. 제가 살아 있
_{적자(嫡子)와 서자(庶子)}　　　　　　　_{길동을 염려하고 걱정하는 홍 판서의 마음이 드러남}
으면 찾아올 것이니, 적서(嫡庶)를 구분하지 말고 제 어미를 잘 대접하라." Link 인물의 심리 ❷
_{홍 판서의 본심. 길동을 차별하지 말고 길동의 모친 춘섬을 잘 봉양하라는 당부}
하고, 숨이 끊어지니, 온 집안이 슬픔에 잠겨 장사를 치르고자 하나, 묘 터를 구하지 못해 난
처하였다. / 하루는 문지기가 알리기를,
_{남의 죽음에 대하여 슬퍼하는 뜻을 드러내며 상주를 위문함}
　　"어떤 중이 와서 영위(靈位)에 조문(弔問)하려 합니다."
_{길동}　　_{혼백, 신주, 지방 따위의 신위를 통틀어 이르는 말}
라고 했다. 이상하게 여겨 들어오라 했더니, 그 중이 들어와 목을 놓아 크게 우니, 모든 사람
이 곡절을 몰라 서로 얼굴만 돌아보았다. 그 중이 상주(喪主)에게 한 번 통곡한 뒤 말하기를,
_{낯선 중이 영위 앞에서 통곡을 하는 것을 의아해함}
　　"형님께서 어찌 아우를 몰라보십니까?"
_{인형}　　　_{길동}
라고 했다. 상주가 자세히 보니, 곧 길동이라 붙잡고 통곡하며,

　　"아우냐. 그 사이 어디 갔더냐? 아버지께서 평소에 유언이 간절하셨는데, 이제 오니 어찌 자
_{상주인 인형은 길동을 동생으로 대하고 있음}　　　　　_{홍 판서가 길동을 많이 그리워했음}
식의 도리이겠는가?"　　　　　　　　　　　　　　　　　　　　　❯ 부친의 장례식에 참석한 길동
Link 인물의 심리 ❸
하며, 손을 이끌고 내당에 들어가 모부인을 뵈옵고 춘섬을 상면(相面)케 하였다. 한바탕 통곡
_{부녀자가 거처하는 방}　　_{홍 판서의 부인. 인형의 어머니}　　　　　　_{서로 대면함}
한 뒤 묻기를,

　　"네가 어찌 중이 되어 다니느냐?" / 했다. 길동이 대답했다.

　　"소자가 조선을 떠나 머리 깎고 중이 되어 지술(地術)을 배웠지요. 이제 부친을 위하여 좋은
_{풍수지리설에 바탕을 두고 지리를 보아 묏자리나 집터 따위의 좋고 나쁨을 알아내는 술법}
터를 구했으니, 모친은 염려 마십시오."
_{자신이 구한 터에 부친의 산소를 정함으로써 자식으로서의 지위가 확고해짐}
인형이 크게 기뻐하면서 말했다.

　　"너의 재주 기이한지라, 좋은 터를 구했다니 무슨 염려가 있으랴."
Link 인물의 심리 ❹
다음 날 길동이 운구(運柩)하여 제 모친을 모시고 서강 강변에 이르니, 지휘해 놓은 배가 기
_{관을 운반하여}
다리고 있었다. 배에 올라 화살같이 빨리 저어 한 곳에 다다르니, 여러 사람이 수십 척의 배를

Link
출제자 특강 인물의 심리를 파악하라!

❶ 천문을 보다가 부친의 병세가 위중하다는
것을 알게 된 길동의 심정은?
먼 곳에 있어서 부친이 있는 곳에 이르지 못
할 것 같아 슬퍼함.

❷ 유언에 담겨 있는 홍 판서의 길동에 대한 마
음은?
길동을 염려하고 걱정함.

❸ 부친의 장례식에서 길동을 대하는 인형의
태도는?
길동을 동생으로 대하고 있음.

❹ 지술을 배운 길동이 부친을 위하여 좋은 터
를 구했다는 것을 알게 된 인형의 심리는?
길동의 지술을 인정하며 묘 터를 구하지 못
해 난처했던 상황이 해결되어 크게 기뻐함.

대기시켜 놓고 있었다. 서로 반기며 호위하여 가니 그 광경이 대단
하였다. 어언간 산 위에 다다르매, 인형이 자세히 본즉 산세가 웅장
_{알지 못하는 동안에 어느덧}
한지라. 길동의 지식을 못내 탄복하였다. 〈중략〉
　　　　　　　　　　　　　　　　　　❯ 명당자리에 부친의 장지를 마련한 길동
　　남쪽에 율도국이라는 나라가 있었으니, 기름진 평야가 수천 리나
_{지도자가 덕으로써 백성을 다스리니}　　　　　　_{이상적인 사회의 모습을 갖춘 율도국}
되며 덕화(德化)가 행해지니 실로 살기 좋은 나라라, 길동이 매양 마
음속으로 생각해 오던 바였다. 모든 사람을 불러 말하기를,

　　"내가 이제 율도국을 치고자 하니 그대들은 최선을 다하라."
_{개인적 욕망과 명분이 모순을 일으킴 – 이미 이상적인 나라인 율도국을 정벌하는 것은 논리에 맞지 않음}
길동이 성중(城中)에 들어가 백성을 달래어 안심시키고 왕위에 오른

후, 전의 율도왕으로 의령군을 봉했다. 『마숙과 최철로 각각 좌의정과 우의정을 삼고, 나머지
『　』: 길동이 점령한 율도국이 국가로서의 면모를 갖추게 되었음을 드러냄
여러 장수에게도 각각 벼슬을 내리니, 조정에 가득 찬 신하들이 만세를 불러 하례(賀禮)하였
축하하여 예를 차림
다.』왕이 나라를 다스린 지 삼 년에 산에는 도적이 없고, 길에서는 떨어진 물건을 주워 가지지
태평성대인 율도국의 모습
않으니, 태평세계라고 할 만하였다.

❯ 율도국의 왕이 된 길동

최우선 (출제 포인트!)

1 영웅의 일대기 구조

고귀한 혈통	명문거족인 홍 판서의 아들로 태어남.
비정상적인 출생	천비인 춘섬에게서 서자로 태어남.
비범한 능력	총명하고 도술에 능함.
위기와 고난	초란이 보낸 자객에 의해 죽을 위기를 겪음.
위기 극복	도술로 자객을 물리치고 스스로 위기를 극복함.
또 다른 위기와 고난	나라에서 활빈당을 이끄는 길동을 잡으려 함.
위기의 극복과 승리	병조 판서를 제수받고, 율도국으로 가서 왕이 됨.

이 작품의 경우 당대 실제 사회 문제 때문에 주인공이 위기를 겪게 된
다는 점이 다른 영웅 소설과 다르다. 또한 조력자의 도움을 받아 위기를
극복하는 일반적인 영웅 소설의 구조와 달리, 자신의 뛰어난 능력을 통
해 스스로 위기를 극복하는 모습을 보인다.

2 '초란'의 음모

홍 판서의 첩인 초란은 춘섬이 낳은 길동이 홍 판서로부터 귀여움을
받자 길동을 모함하고 길동을 죽이려 자객을 보내지만 실패함.

⬇

• 길동이 집을 떠나게 되는 결정적인 계기가 됨.
• 길동을 더 넓은 세상으로 나아가게 하는 계기가 됨.

3 '호부호형(呼父呼兄)'의 의미

서자인 길동은 자신의 아버지와 형을 부를 때 '아버지', '형'이라는 호칭을 사용하지 못함.	➡	길동이 적서 차별의 부당함을 알게 되고 자신의 신분 때문에 능력을 발휘할 수 없음을 깨달으면서 현실에 대한 저항 의식을 갖게 됨.

⬇

길동이 사회에 대해 저항하는 행동을 하게 되는 근본적인 원인이 되어
사건 전개에 필연성을 부여함.

4 '율도국'의 의미

• 모든 백성이 배부르게 먹을 수 있는 곳
• 평화롭게 살 수 있는 곳
• 탐관오리의 가렴주구가 없는 곳

⬇

• 조선 사회에서는 불가능했던 영웅 의지의 궁극적 실현 장소
• 인류의 보편적 낙원 동경 의식의 구체적 실현 장소

최우선 (핵심 Check!)

1 다음 내용 중 맞는 것은 ○표를, 틀린 것은 ×표를 하시오.

(1) 모순된 사회를 개혁하려는 혁명성과 서민 정신을 잘 반영하고 있다.
( )

(2) 인물, 배경, 소재 등을 중국에서 취하지 않고 우리나라를 무대로 삼아
현실성을 높였다. ( )

2 초성 힌트를 보고 빈칸에 들어갈 알맞은 말을 쓰시오.

(1) 주인공의 신분 설정을 통해 ㅈㅅ ㅊㅂ (이)라는 당시의 신분 제도의 모
순을 드러내고 있다.

(2) 불의와 비리가 판치는 당대 사회에 대해 문제를 제기하면서 ㅇㄷㄱ
(이)라는 이상 사회의 모습을 제시하고 있다.

(3) 이 작품은 ㅎㄱ 표기를 통해 독자층을 서민층까지 확대시켰다.

정답 1. (1) ○ (2) ○ 2. (1) 적서 차별 (2) 율도국 (3) 한글

출제율 70%

28위

'금방울의 모습으로 태어난 남해 용왕의 딸'을 가리킴

금방울전 | 작자 미상

성격 전기적, 도술적 **시대** 조선 후기
주제 시련을 극복하고 혼사를 성취하는 금방울의 삶

소설

이 작품은 전생에 부부였던 금방울과 장해룡이 다시 태어나 고난을 극복하고 부귀영화를 누리다가 선계(仙界)로 돌아가는 과정을 그리고 있는 영웅 소설이다.

주요 사건과 인물

발단	전개	위기	절정	결말
남해 용왕의 딸과 동해 용왕의 아들이 각각 금방울과 장해룡으로 다시 태어남.	피난을 가다가 부모를 잃은 해룡은 여러 차례 죽을 고비를 맞고, 금방울 역시 방울의 모습으로 태어나 갖은 시련을 겪음.	해룡이 어려운 일을 겪을 때마다 금방울이 나타나 도와주며 지내고 있을 때 금선 공주가 요괴에게 납치를 당함.	해룡이 금방울의 도움으로 요괴를 물리치고 금선 공주와 결혼하여 부마가 됨.	금방울은 탈을 벗고 해룡과 인연을 맺고 부귀영화를 누리다가 신선이 되어 하늘로 올라감.

요괴, 변 씨, 흉노족	↔	장삼, 막 씨
해룡과 금방울을 힘들게 함.		고난을 겪는 해룡과 금방울을 도와줌.

핵심장면 ① 옥황상제로부터 아이를 점지 받은 막 씨가 죽은 남편의 혼과 만난 후 배가 불러 오다 금방울을 낳은 부분이다.

막 씨 졸연 복통이 있어 마치 태중에 아이 놀 듯하여 점점 불러 오거늘 심히 괴이히 여겨 행여 남이 알까 근심하더니, 집 삭에 미쳐는 산점이 있어 초막(草幕)에 엎드렸더니, 해산하고 돌아보니 아이는 아니요, 금방울 같은 것이 금광이 찬란하거늘, 막 씨 대경하여 괴이히 여기며 손으로 누르되 터지지 아니하고 돌로 깨쳐도 깨어지지 아니하거늘, 이에 집어다가 멀리 버리고 돌아보니 금방울이 굴러 따라오는지라. 더욱 의심하여 집어다가 깊은 물에 들이치고 돌아오니 금방울이 물 위에 가볍게 떠다니다가 막 씨의 가는 양을 보고 여전히 굴러 따라오는지라.

막 씨 헤아리되,

'나의 팔자 기구하여 이 같은 괴물을 만나 타일에 이로 인하여 반드시 큰 화근이 되리로다.'

하고 불 땔 때에 아궁이에 들이쳤더니, 닷새 후에 헤쳐 본즉 금방울이 뛰어나오되 상하기는커녕 새로이 금빛이 더욱 씩씩하고 향내 진동하거늘, 막 씨 하릴없어 두고 보니 밤이면 품속에 들어 자고 낮이면 굴러다니며 혹 칩떠 나는 새도 잡고 나무에 올라 과실도 따 가지고 와 앞에 놓으니, 막 씨 자세히 본즉 속에서 실 같은 것이 온갖 것을 묻혀 오되 그 털이 출입이 있어 평시에는 반반하고 뵈지 아니하거늘, 추위를 당하여도 방울이 굴러 품에 들면 조금도 춥지 아니하여 엄동설한에 한데서 남의 방아를 찧어 주고 저녁에 초막으로 돌아오니 방울이 굴러 막에서 내달아 반기는 듯 뛰놀거늘 막 씨 추위를 견디지 못하여 막 속으로 들어가니 그 속이 놀랍게 더우며 방울이 빛을 내어 밝기 낮 같거늘, 막 씨 기이히 여겨 남이 알까 저어하여 낮이면 막 속에 두고 밤이면 품속에 품고 자더니, 방울이 점점 자라매 산에 오르기를 평지같이 다니며 진 데와 마른 데 없이 굴러다니되 몸에 흙이 묻지 아니하더라.

Link
출제자 특강 작중 상황을 파악하라!

❶ '초막'이라는 배경을 통해 알 수 있는 막 씨의 처지는?
'초막'은 가난한 막 씨의 처지를 보여 줌.

❷ 금방울을 낳은 막 씨의 심리는?
후일 화근이 될까 염려하여 죽여 없애고자 함.

❸ 금방울의 여러 행적을 통해 드러나고 있는 것은?
금방울의 신이한 능력과 영웅적 자질

▶ 신기한 능력을 발휘하는 금방울

원래 금제는 천지개벽 후에 일월 정기로 생겨나서 득도하여 신통이 거룩하고 재주가 무쌍한
_{천지가 처음으로 열림}
지라. 생이 문밖에서 주저하여 감히 들어가질 못하더니, 이윽고 안으로부터 여러 계집들이 나
_{해룡}
오는데 색태가 아름답고 시골에 묻힌 계집과 판이하거늘 생이 급히 피할 때, 몸을 풀포기에
_{여자의 곱고 아름다운 자태}　　　　　　　　　　　　　_{아주 다르거늘}
숨기고 동정을 살피니, 이윽고 사오 명의 계집이 피 묻은 옷을 광주리에 담아 이고 서로 손을
이끌고 나와 시냇가에 이르러 옷을 물에 빨며 근심이 가득하여 서로 말하기를,

"우리 대왕이 전일에는 용력이 절인하고 신통이 거룩하여 당해 낼 자가 없더니 오늘은 나가
_{요괴}　　　　　　　　　　_{씩씩한 힘}　_{남보다 아주 뛰어나고}
시더니 홀연 속을 앓고 돌아와 피를 무수히 토하고 기절하니, 그런 신통으로도 이런 병을 얻
_{금방울이 요괴 안에서 계속 배를 찌르고 있기 때문}
었으니 곧 나으면 좋으려니와 만일 오래 신고하여 낫지 못하면 우리들의 괴로움을 어디에다
_{어려운 일을 당하여 몹시 고생하여}
비하리오."

하니 그중에 한 여자가 말하기를,

"우리 공주 낭랑이 간밤에 한 꿈을 얻으니, 하늘에서 한 선관이 내려와 이르시되 '내일 다섯
_{금선 공주}　　　　　　★ 주요 소재
　　　　　　　　　　　Link 소재의 의미 ❶
시에 일위수재(一位秀才)가 이곳에 와서 이 악귀를 잡아 없이하고 공주 낭랑을 구하여 돌아
_{한 명의 재주가 뛰어난 사람 – 해룡을 가리킴}
갈 터이니 염려 말라 하시고 또 이 사람은 다른 수재가 아니라 동해 용왕의 아들로서 그대와
　　　　　　Link 소재의 의미 ❷　　　　　　　　　　　　　　　　_{해룡}
속세 연분이 있음에 그대가 이렇게 됨이 또한 천수(天數)라 인력으로 못하나니 천명을 부디
_{공주와 해룡이 혼인할 사이임을 암시함}　　　　　_{하늘의 명령}
어기지 말고 순순히 따르라.' 당부하고 이른 말을 누설치 말라 하시더라. 그러더니 오늘 다
섯 시가 되도록 소식이 없으니 그런 꿈도 허사가 아닌가 하노라."
　　　　　　　　　　　　　　　　　　　　　_{거짓말}
하고, 서로 크게 말을 하며 슬피 탄식하고 눈물을 흘리며 말하기를,

"우리도 언제나 이곳을 벗어나 고국에 돌아가 부모님을 만나 뵈옵고, 우리도 팔자가 기박하여
　　　　　　　　　　　　　　　　　　　　　　　　　　　　　_{사납고 복이 없어}
이처럼 공주 낭랑과 같이하니 이도 또한 팔자에 매인 천수(天數)인가."

하거늘, 생이 이 말을 모두 듣고 즉시 풀 포대를 헤치고 부지불식간(不知不識間)에 내다르니,
　　　　　　　　　　　　　　　　　　　　　　　　　　　　　　▶ 요괴의 시녀들이 하는 말을 엿듣는 해룡
　　　　　　　　　　　　　　　　　　　　　　_{생각하지도 못하고 알지도 못하는 사이에}
그 계집들이 놀라 달아나려 하니 생이 나아가 인유하며,
　　　　　　　　　　　　　　　　　　　_{꾀어내며}
"그대들은 놀라지 마라. 내 여기 들어옴이 다른 일이 아니라 악귀를 없애고자 들어왔으니 아
무 의심을 두지 말고 그 악귀 있는 곳을 자세히 가리키라."

하니, 그 계집들은 이 말을 듣고 공주 낭랑의 몽사(夢事)를 생각하매, 신기하기 그지없는지라.
　　　　　　　　　　　　　　_{공주 낭랑이 간밤에 꾼 꿈의 내용 – 용왕의 아들이 와서 악귀를 잡아 없애고 공주 낭랑을 구해 돌아갈 것이라고 선관이 말한 일}
여러 계집들이 나아가 울며 말하기를,

"그대 덕분에 우리들을 살려 내어 공주 낭랑과 모두 살아나서 각각 고향으로 돌아가게 되면
_{해룡}
어찌 이런 덕택이 있겠습니까?"

하고, 생을 인도하여 들어가니 중문은 첩첩하고 전각은 의의하여 반공에 솟았는데, 몸을 숨기
　　　　　　　　　　　　　　　　　　　_{궁전과 누각}　_{웅장하여}　　_{땅으로부터 그리 높지 아니한 허공}
어 가만히 들어가니 한곳에 흉악하게 신음하고 앓는 소리에 전각이 움직일 듯하니라. 생이 뛰
　　　　　　　　　　　　　　_{금방울을 삼킨 지하 요괴가 앓는 소리}
어 올라가 보니 그 짐승이 『전각에 누워 앓다가 문득 사람을 보고 일어나려 하다가 도로 자빠지
　　　　　　　　　　　『 』: 요괴의 배 속에 금방울이 들어있어 힘을 잃고 고통스러워함
며 배를 움키고 온몸을 뒤틀어 움직이지 못하고 입으로 피를 무수히 토하고 거꾸러지더라.』

출제 최우선 작품

생이 이 형상을 보고 싸우고자 하나 빈손으로 몸에 촌철(寸鐵)이 없어 할 수 없이 방황하는

<small>작고 날카로운 쇠붙이나 무기</small>

데, 그때 한 미인이 칠보 홍군으로 몸도 가볍게 걸어오며, 벽상에 걸린 보검(寶劍)을 가져다가

<small>금선 공주   여러 가지 패물로 꾸민 다홍치마   보배로운 칼</small>

급히 생에게 주는 것이매, 생이 즉시 그 보검을 받아 들고 달려들어 그 요괴의 가슴을 무수히

찌르고 보니, 금 터럭 돋힌 염이 부르돋고 그 짐승은 여러 천년을 산중에 있어 득도(得道)하였

<small>수염   우뚝하고 굳세게 돋고</small>

기로 사람의 형용을 쓰고 변화무쌍한 조화를 부리던 터이라, <mark>이에 가슴을 헤치고 본즉 문득</mark>

<small>Link 소재의 의미 ❸</small>

<mark>금령이 굴러 나오니,</mark> 생이 보고 크게 반기며 소리를 질러 말하기를,

<small>요괴를 죽이자 요괴에게 잡아먹혔던 금방울이 살아나옴</small>

"너희 수십 명이 필경 다 요괴로 변하여 사람을 속임이 아니냐?"

하니, 모든 여자가 일시에 꿇어앉아

"우리들은 하나도 요괴가 아니오. 우리 팔자가 기구하여 그릇 이놈의 요괴에게 잡히어 와서 험

<small>잔심부름을 시키기 위해 고용한 사람</small>

악한 욕을 보고 수하에 있어 사환이 되어 이처럼 부지하여 죽도 살도 못하고 어느 때를 만나야

다시 세상을 볼까 하여, 이곳에 어찌할 수 없어 억류되어 있는 급한 목숨들이로소이다. 아까 공자께 보검을 드리던 분이 곧 천자의 외따님이며, 금선 공주 낭랑이로소이다."

이 말이 채 끝나기도 전에 한 사람의 미인이 나와 채의 홍상

<small>여러 가지 빛깔과 무늬가 있는 다홍치마</small>

을 끌고 옥 같은 얼굴을 가리고 외면하여 섰으니, 이는 다름

아닌 금선 공주더라.

▶ 요괴를 퇴치하고 금선 공주를 만나는 해룡

Link

출제자 특강 소재의 의미를 파악하라!

❶ 금선 공주가 꾼 꿈의 기능은?
앞으로 일어날 일을 암시함.

❷ 금선 공주가 꾼 꿈의 내용은?
하늘에서 내려온 선관으로부터 해룡이 요괴를 물리치고 공주를 구하러 올 것이라는 말을 들음.

❸ 단단한 껍질 속에 갇혀 있다는 점에서 새로운 탄생을 준비하는 과정이자 재생을 위한 시련을 형상화한 사물로 볼 수 있는 것은?
금령(금방울)

최우선 출제 포인트!

1 '금방울'의 영웅의 일대기 구조

고귀한 혈통	남해 용왕의 딸이었음.
비정상적 출생	방울의 모습으로 태어남.
탁월한 능력	아무리 해치려 해도 살아나고 갖가지 신이한 능력으로 주변 사람들을 도움.
시련과 고난	금방울을 낳은 막 씨가 금방울의 모습을 보고 놀라 없애려고 함.
위기의 극복과 성공	• 신이한 능력으로 막 씨를 돕고 막 씨에게 인정을 받음. • 요괴에게 잡아먹히지만 배 속에서 요괴를 찔러 쓰러지게 함.

2 '금방울'의 여성 영웅으로서의 한계

이 작품에서 해룡의 영웅적인 활약이나 고난의 극복은 대부분 금방울의 도움에 의해 이루어지고 있다. 이것은 '여성 영웅의 출현'이라는 점에서 그 의의를 찾을 수 있다. 그러나 금방울의 신이한 능력은 대부분 막 씨나 해룡을 돕는 것과 같이 수동적인 역할에만 국한되어 나타나고 있다. 특히 금방울의 활약은 남자 주인공인 해룡을 돕는 보조적인 역할에만 그치고 있다.

3 '꿈'이라는 소설적 장치의 기능

꿈

해룡이 요괴를 물리치고 금선 공주를 구할 것임을 암시함.	금선 공주가 해룡의 등장을 의심하지 않고 돕도록 하고 있음.

최우선 핵심 Check!

1 다음 내용 중 맞는 것은 ○표를, 틀린 것은 ×표를 하시오.

(1) 막 씨와 죽은 남편의 혼 사이에서 금방울이 태어났다는 것은 영웅의 비정상적인 출생과 관계가 있다. ( )

(2) 막 씨가 금방울을 괴이하게 여겨 손으로 누르고 돌로 깨치고 멀리 버리는 것은 금방울이 겪는 고난을 말해 준다. ( )

2 초성 힌트를 보고 빈칸에 들어갈 알맞은 말을 쓰시오.

(1) 이 작품은 ㄲ(이)라는 소설적 장치를 사용하여 앞으로 일어날 일을 암시하고 있다.

(2) 이 작품의 소재이면서 동시에 주인공인 ㄱㅂㅇ은/는 난생 신화에 나오는 '알'과 유사한 성격을 지닌 존재로 볼 수 있다.

정답 1. (1) ○ (2) ○ 2. (1) 꿈 (2) 금방울

출제율 69%

29위

만복사저포기(萬福寺樗蒲記) | 김시습

성격 전기적, 환상적, 비극적　**시대** 조선 전기
주제 생사를 초월한 남녀 간의 사랑

소설

출제 최우선 작품

이 작품은 김시습이 지은 『금오신화』에 수록된 한문 소설로, 이승의 남성과 혼령인 여성 사이의 사랑과 이별을 다루고 있다.

주요 사건과 인물

발단
만복사에서 양생이 부처님과 저포 놀이를 하여 이김.

전개
양생은 아름다운 여인을 만나 사랑을 나눔.

위기
여인은 양생과 헤어지며 신표로 은그릇을 줌.

절정
양생은 여인이 왜구의 난리 때 죽은 처녀의 환신임을 알게 되고, 둘은 영원히 이별함.

결말
양생은 지리산에 들어가 약초를 캐며 혼자 삶.

양생
귀신인 하씨 여인과 생사를 초월한 사랑을 나누고, 여인과의 의리를 지킴.

하씨 여인
정절을 지키기 위해 죽음을 불사하고, 환신의 몸으로 양생과 진정한 사랑을 이룸.

핵심장면 ①　외롭게 살던 양생이 만복사에서 부처님에게 저포 놀이를 하여 자신이 이기면 미녀를 점지해 달라고 부탁하는 부분이다.

남원(南原)에 양생(梁生)이란 사람이 있었다. 어린 나이에 부모를 여의고 만복사(萬福寺) 동
〈공간적 배경 – 중국이 아닌 우리나라를 배경으로 하여 주체성을 드러내고, 현실감을 부여함〉　관련 한자 성어: 조실부모(早失父母)　〈전북 남원에 있는 절. 고려 문종 때 창건되었으며, 정유재란 때 소실됨〉
쪽에서 혼자 살았다. 방 밖에는 배나무 한 그루가 있었는데, 바야흐로 봄을 맞아 배꽃이 흐드

러지게 핀 것이 마치 옥나무에 은이 매달린 듯하였다. 양생은 달이 뜬 밤이면 배나무 아래를

서성이며 낭랑한 소리로 이런 시를 읊조렸다.
Link 소재의 의미와 기능 ①　〈양생의 처지를 드러내는 객관적 상관물 ①〉

쓸쓸히 한 그루 나무의 배꽃을 짝해 / 달 밝은 이 밤 그냥 보내다니 가련도 하지
Link 소재의 의미와 기능 ②

청춘에 홀로 외로이 창가에 누웠는데 / 어디서 들려오나 고운 님 피리 소리
〈외로움을 심화시키는 소재〉

외로운 비취새 짝 없이 날고 / 짝 잃은 원앙새 맑은 강에 몸을 씻네
〈양생의 처지를 드러내는 객관적 상관물 ②〉　〈양생의 처지를 드러내는 객관적 상관물 ③〉

내 인연 어딨을까 바둑알로 맞춰 보고 / 등불로 점을 치다 시름 겨워 창에 기대네

> 외롭게 살아가며 배필을 맞고 싶어 하는 양생

시를 다 읊고 나자 문득 공중에서 말소리가 들렸다.
〈비현실적, 전기적 사건〉

"네가 좋은 배필을 얻고 싶구나. 그렇다면 근심할 것 없느니라."

양생은 이 말을 듣고 내심 기뻐하였다. / 이튿날은 3월 24일이었다. 이날 만복사에서 연등회
〈석가모니의 탄생일에 등불을 켜고 복을 비는 의식〉
(燃燈會)를 열어 복을 비는 것이 이 고을의 풍속이었다. 남녀가 운집하여 저마다 소원을 빌더
〈많은 사람이 모여들어〉　★★ 중심 소재
니, 날이 저물자 염불 소리가 그치며 사람들이 모두 돌아갔다. 그러자 양생은 소매에서 저포(樗蒲)
〈주사위 같은 것을 나무로 만들어 던져서 그 끗수로 승부를 겨루는 것으로, 윷놀이와 비슷함〉
를 꺼내 불상 앞에 던지며 이렇게 말했다.

Link

출제자 톡 소재의 의미와 기능을 파악하라!

❶ 양생이 읊은 시의 기능은?
글의 단조로움을 탈피하고, 양생의 심리를 부각함.

❷ 양생의 외로운 처지를 형상화한 소재는?
배나무 한 그루

❸ 이 글의 제목과 관련이 있는 소재는?
저포 놀이

"제가 오늘 부처님과 저포 놀이로 내기를 해 보렵니다. 제가 진다
〈제목과 관련된 내용〉　**Link** 소재의 의미와 기능 ❸
면 법회(法會)를 베풀어 부처님께 공양을 올리겠지만, 만약에 부처
〈설법하는 모임〉
님이 진다면 미녀를 점지해 주시어 제 소원을 이루도록 해 주셔야
〈좋은 배필을 얻는 것〉
합니다."

이렇게 기도를 하고는 저포 놀이를 시작하였다. 결과는 양생의 승

리였다.

> 저포 놀이에서 부처님을 이긴 양생

고전 산문 **117**

여인은 소원이 담긴 종이를 던지고 목메어 슬피 울었다. 양생이 좁은 틈 사이로 여인의 자태
부처님 앞에 글이 적힌 종이를 바침 – 자신의 기구한 신세를 한탄(왜구의 침략 이후 외진 곳에서 지내 옴)하고 인연을 만나기를 소원하는 내용
를 보고는 정을 억누르지 못하고 뛰쳐나가 이렇게 말했다.
여인의 아름다운 모습에 반함

"좀 전에 부처님께 글을 바친 건 무슨 일 때문입니까?"

양생이 종이에 쓴 글을 읽고는 얼굴에 기쁨이 가득한 채 이렇게 말했다.
여인도 자신과 같이 배필을 원한다는 것을 알았기 때문에 **Link** 인물의 심리 ❶

"그대는 어떤 사람이기에 혼자서 이곳에 오셨소?" / 여인이 대답했다.

"저 또한 사람입니다. 무슨 의심하실 것이 있는지요? 그대가 좋은 배필을 얻을 수 있다면 그
자신이 사람이 아님을 들킬까 봐 경계함. 관련 속담: 도둑이 제 발 저린다
뿐, 제 이름을 물으실 것까지야 있을까요. 이처럼 성급하시다니요."
▶양생과 여인의 만남

당시 만복사는 쇠락한 상태여서 이곳의 승려들은 한쪽 모퉁이 방에 거주하고 있었다. 대웅
기세나 상태가 쇠하여 전보다 못하여 감
전(大雄殿) 앞에는 행랑만이 쓸쓸히 남아 있었고, 행랑 맨 끝에 나무판자를 붙여 만든 좁은 방
이 하나 있었다. 양생이 여인을 부추겨 함께 그 방으로 들어가자고 하자 여인도 그다지 어려
운 기색이 아니었다. 정답게 이야기를 나누다 보니 영락없는 사람의 모습이었다.

한밤중이 되자 동산에 달이 떠오르며 창으로 그림자가 들이치는데 홀연 발소리가 들렸다.
여인이 말했다.

"누구냐? 몸종 아이가 왔느냐?" / 시중드는 여종이 말했다.

"예, 아씨. 지금껏 아씨께서는 중문(中門) 밖을 나선 적이 없으셨고 걸어야 몇 걸음을 가지
가운데뜰로 들어가는 대문. 문 안에 또 세운 문
않으셨는데, 어젯밤 문득 나가시더니 어쩌다가 이 지경에 이르셨어요?" / 여인이 말했다.

"오늘 일은 우연이 아니란다. 하늘이 돕고 부처님이 도우셔서 이처럼 좋은 임을 만나 백년해로
여인은 양생과의 일을 운명으로 생각함   부부가 되어 평생 사이좋게 지내고 함께 늙음
를 하게 되었구나. 부모님께 말씀드리지 않고 혼인하는 건 비록 예에 어긋나는 일이지만, 훌
유교적 가치관의 반영
륭한 분과 잔치를 벌여 노니는 것 또한 평생토록 일어나기 어려운 기이한 일이 아니겠니. 집
에 가서 자리를 가져오고, 술상을 봐 오너라."

시중드는 여종이 여인의 명에 따라 갔다 와서는 뜰에 자리를 깔았다. 사경 가까운 시각이었
새벽 1~3시 사이
다. 펴 놓은 술상은 수수하니 아무런 무늬 장식도 없었으나, 술에서 나는 향기는 진정 인간 세
여인이 죽은 사람임을 암시함
계의 것이 아닌 듯하였다. **양생은 비록 의심스러운 마음이 없지 않았지만 담소하는 맑고 고운**
여인을 귀신으로 의심함   웃고 즐기면서 이야기하는
모습이며 여유로운 태도를 보고는, '필시 귀한 댁 처자가 담장을 넘어 나온 것이리라.' 생각하
며 더 이상 의심하지 않게 되었다.
▶양생에게 술을 대접하는 여인
Link 인물의 심리 ❷
여인이 양생에게 술잔을 건네더니 시중드는 여종더러 노래를 한 곡 불러 보라 하고는 양생
에게 이렇게 말했다.

"이 아이가 옛날 곡조를 잘 부른답니다. 제가 노랫말을 하나 지어 부르게 해도 괜찮을까요?"

양생이 흔쾌히 허락하자 여인은 노래 한 곡조를 지어 여종에게 노래하게 하였다. 그 노래는
다음과 같다.

서러워라 쌀쌀한 봄날 / 얇은 비단옷 입고 몇 번이나 애간장 끊어졌나

향로(香爐)는 차갑고 저문 산은 검푸른 빛 / 해 질 녘 구름은 우산을 펼친 듯

<u>비단 장막과 원앙 이불 함께할 사람 없어</u> / 비녀를 반쯤 기울인 채 피리를 부네
　　　여인의 외로운 처지를 드러냄
애달파라 쏜살같은 세월이여 / 내 맘속엔 원망만 가득

불 꺼진 등잔 / 야트막한 은 병풍

공연히 눈물 훔치나니 / 사랑할 사람 누구런가

<u>기뻐라 오늘 밤 봄기운 돌아 따뜻함이 찾아왔으니</u> / 내 무덤에 맺힌 천고의 원한 풀어 주오
　　　양생과의 만남을 의미함　　　　Link 인물의 심리 ❸　　　　여인이 이미 죽은 처지임을 드러냄
'금루곡(金縷曲)' 부르며 은 술잔 기울이네
민간 가곡에서 발달한 중국 운문의 한 형식인 '사(詞)'의 하나
지난날 아쉬워 한을 품은 여인이 / 외로운 집에 잠들었다네
　　왜구의 침략으로 인한 여인의 한스러운 죽음을 의미함

Link
출제자 통! 인물의 심리를 파악하라!

❶ 양생이 여인이 쓴 글을 읽고 좋아한 이유는?
아름다운 여인이 자신과 같이 배필을 원한다는 것을 알았기 때문에

❷ 여인의 정체에 대한 양생의 심리 변화는?
처음에는 의심을 하다가, 여인의 맑고 고운 모습과 여유로운 태도를 보고는 더 이상 의심하지 않음.

❸ 노래를 통해 알 수 있는, 양생을 만난 여인의 심정은?
봄기운이 돌아 따뜻함이 찾아온 것처럼 기뻐함.

노래가 끝나자 여인이 슬픈 얼굴로 말했다.

"옛날 봉래도(蓬萊島)에서 이루지 못한 만남을 오늘 소상강(瀟
　　　　　신선이 산다는 봉래산(蓬萊山)을 의미함
湘江)에서 이루게 되었으니, 천행(天幸)이 아니겠습니까? 낭
　　　　　　　　　　　　　하늘이 준 큰 행운
군께서 저를 버리지 않으신다면 죽도록 곁에서 모시겠어요.
하지만 제 소원을 들어주지 못하시겠다면 영영 이별입니다."
양생은 이 말을 듣고 감동하는 한편 놀라워하며 말했다.
"내 어찌 당신의 말을 따르지 않겠소?"　　　▶인연을 맺게 된 여인과 양생

최우선 출제 포인트!

❶ 주인공들의 모습에 반영된 작가의 가치관

| 하씨 여인은 목숨보다 정절을 중히 여김. | 양생은 여인과의 의리를 지켜 다시 장가들지 않음. |

↓

의리와 정절이 무엇보다 중요함.

❷ 이 작품의 배경 사상

이 작품은 불교적 색채가 매우 짙은데, 그 근거는 다음과 같다. 첫째, 양생과 여인이 배필을 만나게 해 달라고 소원을 비는 장소와 둘의 만남이 성사되는 장소가 절이라는 것, 둘째, 여인의 가족이 여인의 제사를 지내려 한 것, 마지막으로 여인이 양생에게 나타나 불도를 닦아 윤회에서 벗어나라고 한 것 등이다.

❸ '삽입 시(노래)'의 기능

| 인물의 심리, 정서, 처지 등을 드러냄. | + | 글의 단조로움을 피하고, 서정적 분위기를 조성함. |

최우선 핵심 Check!

1 다음 내용 중 맞으면 ○표를, 틀린 것은 ×표를 하시오.

(1) 글 중간에 시를 삽입하여 인물의 심리를 효과적으로 전달하고 있다.
(　)
(2) 양생은 불우한 환경에도 불구하고 현실 속에서 자신의 욕망을 실현해 나가는 인물이다.
(　)
(3) 〈핵심 장면 1〉에 나타난 시에서 양생은 자연물에 감정을 투영하여 자신의 정서를 표출하고 있다.
(　)

2 초성 힌트를 보고 빈칸에 들어갈 알맞은 말을 쓰시오.

(1) ㅁㅂㅅ 은/는 현실 세계에 속한 양생과 환상 세계에 속한 여인이 만나는 공간이다.
(2) 여종이 부른 노래에서 ㄴ ㅁㄷ 이라는 구절을 통해 여인이 이미 죽은 처지임을 짐작할 수 있다.

정답 1. (1) ○ (2) × (3) ○ 2. (1) 만복사 (2) 내 무덤

30위

숙향전(淑香傳) | 작자 미상

성격 전기적, 낭만적, 도교적 **시대** 조선 후기
주제 시공을 초월한 남녀의 사랑

소설

이 작품은 숙향이라는 여주인공이 고귀한 혈통으로 태어나 어려서 고난을 겪다가 위기를 극복하고 마침내 행복한 삶을 누리게 되는 영웅 소설적 구조를 갖춘 애정 소설이다. 천상에서 죄를 얻은 두 남녀가 각각 지상계로 내려와 시련을 극복한 후 다시 사랑을 성취하는 내용이 담겨 있다.

주요 사건과 인물

발단
오랫동안 아이가 없던 김전과 장 씨 사이에서 숙향이 태어남.

전개
숙향은 전쟁으로 부모와 헤어져 장 승상 댁 양녀로 성장하게 되나 시비 사향의 모함으로 쫓겨남.

위기
떠돌던 숙향은 마고할미와 살게 되고, 어느 날 천상 선녀로 놀던 전세의 꿈을 꾼 뒤 그 광경을 수놓음.

절정
숙향의 수를 본 이선이 숙향과 가연을 맺고, 이에 분노한 이선의 아버지가 김전에게 숙향을 하옥하게 하나 김전은 숙향이 자신의 딸임을 알게 됨.

결말
마고할미가 죽자 자결하려던 숙향이 이선의 부모를 만나 이선과의 혼인을 허락받고 부귀를 누리다가 선계로 돌아감.

숙향
천상의 인물인 숙향이 천상에서 죄를 짓고 인간 세상에 태어나 시련을 겪게 됨.

← 조력 →

거북, 용, 사슴, 화덕진군, 마고할미 등
숙향을 돕는 조력자로 숙향이 고난을 극복해 나갈 수 있도록 도움.

핵심장면 ① 피란길에 부모를 잃은 숙향은 사슴의 도움으로 장 승상 댁에 이르고, 장 승상이 숙향을 신임하여 양녀로 삼고 가사를 다 맡기자 이를 시샘한 시비 사향이 숙향을 모함하는 부분이다.

이날 사향이 틈을 타 부인의 침소에 들어가 금봉차와 옥장도를 훔쳐 낭자의 사사로운 그릇
장 승상 댁 시비 『」: 계략을 세워 숙향을 음해하려는 사향 금으로 봉황을 조각해서 만든 비녀 자루와 칼집을 옥으로 만들거나 꾸민 작은 칼 개인적인
속에 감추었더니 그 후에 부인이 잔치에 가려고 봉차를 찾으니 간데없는지라. 괴이하게 여겨
봉잠. 봉황의 모양을 대가리에 새긴 큼직한 비녀 이상히
세간을 내어 살펴보니 장도 또한 없거늘 모든 시녀를 죄주었다.
집안 살림에 쓰는 온갖 물건 주머니 속에 넣거나 옷고름에 늘 차고 다니는 칼집이 있는 작은 칼

이때 사향이 들어오며 말하기를,

"무슨 일로 이렇게 요란하십니까?"
간계를 꾸미고 모르는 척하는 사향의 교활한 면모

부인이 말하기를,

"옥장도와 금봉차가 없으니 어찌 찾지 아니하리오?"

사향이 부인 곁에 나아가 가만히 고하여 말하기를,

"저번에 숙향이 부인의 침소에 들어가 세간을 뒤지더니 무엇인가 치마 앞에 감추어 가지고
자기 침방으로 갔으니 수상합니다."
『」: 숙향이 부인의 물건을 훔쳤다고 모함함
Link 인물의 의도 ❶

부인이 말하기를,

"숙향의 빙옥 같은 마음에 어찌 그런 일이 있으리오?"
맑고 깨끗하여 아무 티가 없음을 비유 **Link** 인물의 의도 ❷

사향이 말하기를,

"숙향이 예전에는 그런 일이 없더니 근간 혼인 의논을 들은 후로는 당신의 세간을 장만하노
『」: 그럴듯한 이유를 들어 숙향에게 누명을 씌움 요사이
라 그러하온지 가장 부정함이 많습니다. 어쨌든 숙향의 세간을 뒤져 보십시오."
▶ 숙향을 모함하는 시비 사향

부인이 또한 의심하여 숙향을 불러 말하기를,
Link 인물의 의도 ❷

"봉차와 장도가 혹 네 방에 있나 살펴보라."

숙향이 말하기를,

Link
출제자 **콕!** 인물의 의도를 파악하라!

❶ 시비 사향이 금봉차와 옥장도를 훔쳐 숙향의 그릇 속에 감춘 이유는?
숙향을 도둑으로 모함하기 위해서

❷ 숙향에 대한 부인의 태도 변화는?
처음에는 숙향을 믿는 모습을 보이다가 사향의 말에 속아 숙향을 의심함.

"소녀의 손으로 가져온 일이 없사오니 어찌 소녀 방에 있겠습니까?"

결백함을 주장하는 숙향

하고 그릇을 내어 친히 찾게 하니 과연 봉차와 장도가 있는지라. 부인이 대로하여 말하기를,

사향의 계획으로 누명을 쓰게 됨

"네 아니 가져왔으면 어찌 네 그릇에 들어 있느냐?"

하고 승상께 들어가 말하기를,

"숙향을 친딸같이 길렀으나 이제 장도와 봉차를 가져다 제 함 속에 넣고 종시 몰라라 하다가

끝내

제게 들켰사오니, 봉차는 계집의 노리개니 이상하지 않으나 장도는 계집에게 어울리지 않는

숙향이 사통하는 남자가 있을 것으로 의심함

물건이라 그 일이 가장 수상합니다. 어찌 처치하면 마땅하겠습니까?"

Link 인물의 심리 ❶

사향이 곁에 있다가 고하기를,

『요사이 숙향의 거동을 보오니 혹 글자도 지으며, 외인이 자주 출입하니 그 뜻을 모르겠습니

『 』: 숙향이 외간 남자와 사통한다고 모함함

다.』

승상이 대경하여 말하기를,

크게 놀람

생각이나 행동 따위가 과심하고 엉큼함

"제 나이가 찼음에 필연 외인과 상통하는 것입니다. 그냥 두었다가는 집안에 불측한 일이 있

외간 남자를 만나 집안에 누를 끼칠 염려가 있다며 숙향의 처벌을 다그침

을 것이니 빨리 쫓아내십시오."

▶ 봉차와 장도를 훔쳤다는 누명을 쓴 숙향

Link 인물의 심리 ❷

핵심장면 ❷ 도둑 누명을 쓴 숙향이 억울함에 물에 뛰어들어 자결을 하려 하나 용녀의 구출로 살아나게 되는 부분이다.

숙향이 천지 아득하여 침소에 들어가 손가락을 깨물어 벽 위에 하직하는 글을 쓰고 눈물을

뿌리며 차마 일어나지 못하니, 사향이 발을 구르며 숙향을 이끌어 문밖으로 내치고 문을 닫고

억울하게 떠나야 하는 처지

들어가며 말하기를,

『근처에 있지 말고 멀리 가라. 만일 승상이 아시면 큰일 나리라.』

『 』: 숙향을 걱정하는 척하면서 내쫓음

하거늘, 숙향이 멀리 가며 승상 집을 돌아보고 울며 가더라.

한 곳에 다다라 문득 보니 큰 강이 있으니 이는 표진강이었다.『어찌할 바를 몰라. 강변을 헤

『 』: 관련 한자 성어: 사면초가(四面楚歌)

매다가 날은 저물고 행인은 드문지라 사면을 돌아봐도 의지할 곳이 없는지라,』 하늘을 우러러

Link 인물의 심리 ❸

통곡하다가 손에 깁 수건을 쥐고 치마를 뒤집어쓰고 물속으로 뛰어들었다. 행인이 놀라 급히

비단 수건

억울함에 물속으로 뛰어들어 자결을 시도함

구하려 하였으나 이미 어쩔 수 없는지라 모두 탄식하며 그 곡절을 알고자 하더라.

▶ 억울함에 자결하는 숙향

이때 숙향이 물에 뛰어드니 검은 소반 같은 것이 물 밑으로부터 숙향을 태우고 물 위에 섰는

자그마한 밥상

데 편하기가 반석 같았다. 이윽고 오색구름이 일어나며 사양머리를

넓고 평평한 큰 돌

두 갈래로 갈라서 땋은 머리

한 계집아이가 연엽주를 바삐 저어 숙향의 앞에 다다라 말하기를,

연잎 모양을 한 작은 배

"부인은 어서 이 배에 오르십시오."

하니, 그 검은 것이 변하여 계집아이가 되어 숙향을 안아서 배에 올

리고 아이 둘은 숙향을 향하여 재배하고 말하기를,

숙향에게 예의를 갖추는 모습 – 숙향이 비범한 인물임을 알게 함

"귀하신 몸을 어찌 이렇게 가벼이 버리십니까? 저희는 항아의 명

하늘에서 점지한 선녀   월궁항아. 달에 있는 궁에 산다는 선녀

으로 부인을 구하러 오다가 옥하수에서 여동빈 선생을 만나 잠시

Link

출제자 **톡** 인물의 심리를 파악하라!

❶ 숙향의 함 속에서 장도를 발견한 부인의 반응은?
장도는 계집에게 어울리지 않는 물건이라며 의혹을 제기함.

❷ 숙향을 모함하는 사향의 말을 들은 승상의 반응은?
숙향이 다른 남자와 내통한다고 생각하고 숙향을 내쫓음.

❸ 도둑 누명을 쓰고 쫓겨난 숙향이 한 일은?
모함을 받은 자신의 처지를 한탄하며 자결을 시도함.

술을 마셨는데, 하마터면 부인을 구하지 못 할 뻔하였습니다." ▶월궁항아의 도움으로 목숨을 구한 숙향

하고 용녀를 돌아보며 말하기를,
_{숙향의 아버지가 구해 준 거북}

"어디로부터 와서 구하셨습니까?"

하니 용녀가 대답하여 말하였다.

"전에 사해용왕이 수정궁에 모여 잔치할 때 저의 사랑하는 시녀가 유리종을 깨뜨렸기에 행
_{전설에서, 동서남북의 네 바다 가운데 있다고 하는 용왕}
여 죄를 얻을까 하여 감추었더니 부왕이 아시고 노하여 첩을 반하수에 내치심에 수변으로
다니다가 어부에게 잡히어 죽게 되었습니다. 이때 김 상서의 구함을 얻어 살아났으나 그 은
_{숙향의 아버지, 김전}
혜를 갚을 길이 없었습니다. 어제 부왕이 옥경에서 조회할 때 옥제 말씀을 듣사오니 「소아가
_{하늘 위에 옥황상제가 산다고 하는 가상적인 서울   옥황상제   숙향이 천상계에 있을 때의 이름}
천상에서 득죄하여 김전의 집에 적강한 뒤로 도적의 칼 아래 놀라게 하고, 표진강에 빠져 죽
_{「   」: 숙향이 겪게 될 시련으로 천상에서 지은 죄에 대한 벌을 옥황상제가 내림}
을 액을 당하고, 노전에서 화재를 만나고, 낙양 옥중에서 죽을 액을 지낸 후에야 태을을 만
_{이선이 천상계에 있을 때의 이름}
나게 하라.」하시고 물 지키는 관원을 명하여 '기다렸다가 죽이지는 말고 욕만 뵈어 보내라.'
하시기에 제가 특별히 상서의 은덕을 갚고자 하여 자원하여 왔습니다. 이제 그대가 또 와서
_{목숨을 구해 준 은혜를 갚고자}
구하시니 저는 가겠습니다." ▶자신이 오게 된 연유를 밝히는 용녀

숙향이 선녀더러 물어 말하였다.

"그는 어떠한 사람인데 강물을 평지같이 다닙니까?"
_{용녀}
선녀 말하기를,

"그는 동해 용왕의 딸로서 전일 부인의 부친 은덕으로 살아났으매 이제 와서 부인을 구하고
가는 것입니다." / 하였다. 숙향이 말하기를,
Link 작중 상황 ❶
"저는 어려서 부모를 잃고 남의 집에서 고행하다가 더러운 이름을 쓰고 차마 세상에 있지 못
_{도둑 누명을 씀}
하여 이 물에 빠져 죽으려 한 것인데 그대들이 멀리까지 와서 수고로이 구하여 주시니 감격
하여이다."

하니 선녀가 말하기를,
_{세상의 속된 것들을 비유}
"부인께서 인간 진애에 잠겨 저희를 몰라보십니다."
_{천상계의 기억을 잊어버린 숙향}
하고 이슬 같은 차를 주며 말하였다.

"이를 먹으면 자연 알게 되실 것입니다."

숙향이 받아먹으니 그제야 월궁 소아로서 태을과 글을 지어 창화하고 월연단을 훔쳐 태을을
_{연주에 맞추어 노래를 부름}
준 죄로 인간 세상으로 적강한 일과 그 아이 둘이 부리던 시녀였던
_{신선이 인간 세상에 내려오거나 사람으로 태어남}
것이 기억났다. 말미암아 붙들고 반기며 말하기를,
Link 작중 상황 ❷
"내가 전생의 죄가 중한 탓으로 부모를 잃고 고생은 하려니와 장
Link 작중 상황 ❸
승상 댁에서 얻은 누명은 무슨 일이냐?"

하니 선녀가 말하였다.

"부인은 한하지 마십시오. 이것은 모두 하늘이 정한 것입니다. 장
_{몹시 억울하거나 원통하여 원망스럽게 생각함}

<table>
<tr><td colspan="2">Link
출제자 **틀** ▶ 작중 상황을 파악하라!</td></tr>
<tr><td>❶ 용녀가 숙향을 구해 준 까닭은?
숙향의 아버지인 김 상서가 용녀를 구해 준
일이 있어서 그 은혜를 갚기 위해</td></tr>
<tr><td>❷ '이슬 같은 차'를 마신 후 숙향에게 생긴 변
화는?
잃었던 기억(천상에서의 기억)을 떠올릴 수
있게 됨</td></tr>
<tr><td>❸ 숙향이 인간 세계에서 고초를 겪는 이유는?
천상에서 죄를 지었기 때문에</td></tr>
</table>

승상 집 인연도 다만 십 년뿐이었습니다. 사향이 부인을 모함한 죄로 옥제께서 진노하시어 이에 벼락을 내려 죽였으며, 부인의 애매함도 이미 장 승상 집에서 알고 있습니다. 사람을 시켜 들에 와서 부인을 찾다가 못 찾고 도로 갔으나 모든 것이 이미 밝혀졌거니와 앞에 또 두 횡액이 있으니 조심하십시오." 〈중략〉

억울함을 비유함   횡래지액. 뜻밖에 닥쳐오는 불행   앞으로 있을 일을 예견함

"태을이 어디에 있으며 인간 성명은 무엇이냐?"

선녀가 말하기를, / "저번에 항아의 말씀을 들으니 '태을은 낙양 땅에 위공의 자식이 되어 부귀를 누린다.' 합니다."

하였다. 숙향이 탄식하여 말하기를,

"동시에 적강하여 태을은 어이 영화로이 되고, 나는 어찌 고생하느냐?"

같이 적강했으나 다른 처지를 한탄함

하니 선녀가 말하기를,

선경에서 벼슬살이를 하는 신선

"당초 부인이 먼저 죄를 지었으므로 궁곤함을 겪게 하셨고, 태을은 상제를 근시하던 선관으로 상제께서 몹시 사랑하시어 항아의 청으로 부득이 적강은 시켰으나 귀히 점지하셨습니다."

가까이 모심   신이 사람에게 자식을 갖게 하여 줌

하였다.

▶ 천상에서의 기억을 떠올리게 된 숙향

핵심장면 ③ 우여곡절 끝에 이선과 숙향이 만나 결혼을 약속하지만 이선의 아버지 이 상서가 이를 알아차리고 숙향을 죽이려고 하는 부분이다.

이때에 상서가 국사(國事)에 매이어 집에 돌아오지 못하였더니 상서의 부인이 생의 행동거지가 수상함을 보고 하인들을 힐문하였다. 이에 하인들이 부득이하여 사실대로 아뢰니 부인이 크게 놀라 즉시 상서께 기별하였다. 상서가 또한 통분하나, '누님께서 주혼하고 선이 몹시 사랑한다 하니 달리 금치 못하리라.' 하고 낙양 태수에게 기별하되,

이선의 아버지   이선   트집을 잡아 따져 물음   이선이 아버지께 비밀로 하고 고모를 통해 숙향과 결혼 준비를 하고 있다는 사실

숙향의 아버지인 김전

『"동촌 술 파는 할미 집에 숙향이라는 계집이 가장 요악하다 하니 잡아다가 죽이라."』

『 』: 유교적 예법을 중시하는 상서는 신분이 불분명한 숙향을 며느리로 맞이할 수 없다고 생각하고 죽이려 함

하였다. 이생은 고모 집에 있어 아무것도 모르고 있었다. 『이때 낙양 태수 김전이 위공의 말을 듣고 즉시 관원들을 풀어 숙향을 잡아오니 숙향이 아무것도 모르고 잡히어 관전(官前)에 이르니 태수가 물어 말하기를,』

이선   『 』: 태수는 5세 때 숙향을 잃었기 때문에 16세가 된 숙향을 알아보지 못함   Link 사건의 의미 ❶

"너는 어떤 계집이기에 위공 댁 공자를 고혹(蠱惑)하였느냐? 이제 쳐 죽이라는 기별이 왔으니 나를 원망하지 말라."

아름다움이나 요염한 자태 등으로 호려서 마음이 쏠리게 함

하고 아랫사람들에게 호령하여 형틀에 매고 치려 하니 낭자가 원망하여 말하기를,

Link

출제자 톡 사건의 의미를 파악하라!

❶ 이 상서가 낙양 태수에게 숙향의 처벌을 명한 결과 일어난 일은?
숙향이 헤어졌던 아버지 김전을 만나게 됨.

❷ 숙향이 신이한 힘의 도움을 받고 있음을 드러내는 사건은?
집장사령이 매를 들지 못하여 숙향을 치지 못하게 됨.

"소녀는 다섯 살 때 피란 가던 중에 부모를 잃고 동서로 구걸하며 다니다가 할미 집에 의지하였는데 이랑이 빙례(聘禮)로 구혼(求婚)하여 상하 체면에 거스르지 못하여 성혼(成婚)하였습니다.』 이는 진실로 첩의 죄가 아닙니다."

『 』: 자신의 일생을 요약해서 말함   혼인의 의례   결혼을 청함   혼인을 이룸

하였다. 태수 말하기를,

"나는 상서의 기별대로 할 뿐이다."

숙향을 알아보지 못함

하고 치기를 재촉하니 숙향이 화월(花月) 같은 용모에 머리를 흐트러뜨리고 눈물이 밍밍하여

꽃이나 달처럼 환하고 고움

슬피 우니 그 경상(景象)이 차마 못 볼러라. 집장사령(執杖使令)이 매를 들어 치려 한즉 팔이

장면의 모양   볼기를 치는 벌을 집행하던 사람

무거워 들지를 못하였다. 태수가 크게 노하여 다른 사령으로 갈아치웠으나 또한 매 끝이 땅에

Link 사건의 의미 ❷

붙고 떨어지지 아니하니 태수가 괴이히 여겨 말하기를,

『 』: 초월적 힘(천상의 힘)이 숙향을 죽음의 위기에서 구함 – 전기성

"필시 애매한 사람이리라. 그러나 상서의 기별임에 나로서는 어쩌지 못하겠다."

아무 잘못 없이 벌을 받아 억울한   ➤ 초월적인 힘의 도움으로 죽음을 모면하는 숙향

최우선 출제 포인트!

1 이 작품의 서사 구조

출생	늦도록 자식이 없어 근심하던 김전이 명산대찰에 빌어 숙향을 낳음.
성장과 구출	숙향의 기아와 구출, 모함과 신원, 투신과 구출, 화재와 구출, 방황과 구출 등이 드러남.
만남	숙향이 이선과 상봉함.
이별	이선의 부모로 인해 숙향이 위기에 처하고 두 사람은 헤어짐.
재회	이선이 과거에 급제하여 숙향을 다시 만남.
완성	이선 부모에게 허락을 받고 결혼한 숙향과 이선은 행복하게 지내다가 천상 세계로 복귀함.

2 이 작품에 나타난 주요 갈등

(이 상서(이선의 아버지))

아들의 혼인을 안 이 상서는 낙양 태수 김전에게 숙향을 죽이라고 명령함. → 봉건적 신분 질서(유교적 도덕관)를 통해 누려 왔던 기득권을 지키려 함.

↕ 대립

(숙향, 이선)

이선이 부모에게 허락도 받지 않고 고아인 숙향과 가연을 맺음. → 봉건적 신분 질서를 무시하고 애정을 실현하려 함.

➡ 현실적 장애 요소를 극복하고 애정을 성취함.

최우선 핵심 Check!

1 다음 내용 중 맞는 것은 ○표를, 틀린 것은 ×표를 하시오.

(1) 지배층이 신분 질서에 대해 비판 의식을 지니고 있었음을 드러낸다. ( )

(2) 애정 소설로 분류할 수 있으나, 주인공 숙향이 고귀한 혈통을 타고 태어나 고아가 되지만 고난을 극복하고 사랑을 이룬다는 점에서 영웅의 일대기 구조를 따른다고 볼 수 있다. ( )

(3) 자신의 능력이 아닌 초월적 힘을 통해 위기를 극복하는 점에서 전형적인 영웅상과 차이를 드러내고 있다. ( )

2 초성 힌트를 보고 빈칸에 들어갈 알맞은 말을 쓰시오.

(1) 등장인물들이 ㅊㅅㄱ 에서 죄를 짓고 지상계로 쫓겨나 벌을 받는 과정에서 일어난 사건을 중심으로 이야기가 전개된다.

(2) 도둑 누명을 쓴 숙향은 억울함에 물속으로 뛰어들어 자결을 시도하지만, ㅇㄴ 의 도움으로 구출된다.

3 숙향이 천상계에서의 기억을 떠올릴 수 있도록 한 소재를 찾아 쓰시오.

 1. (1) × (2) ○ (3) ○ 2. (1) 천상계 (2) 용녀 3. 이슬 같은 차

31위 출제율 67%

옹고집전(雍固執傳) | 작자 미상

성격 해학적, 풍자적　**시대** 조선 후기
주제 권선징악

소설

이 작품은 부유하면서도 인색하게 굴고, 부모에게 불효하고 불도를 능멸하는 옹고집이라는 부정적 인물이 개과천선하는 과정을 통해 인과응보와 권선징악이라는 주제를 전달하고 있는 판소리계 소설이다.

출제 최우선 작품

주요 사건과 인물

발단	전개	위기	절정	결말
심술 사납고 인색한 옹고집을 징계하려 온 학 대사가 오히려 옹고집에게 매만 맞고 쫓겨남.	학 대사가 옹고집을 벌하기 위해 가짜 옹고집을 만들어 옹고집의 집으로 감.	진짜 옹고집과 가짜 옹고집을 가리기 위해 송사까지 벌어짐.	진짜 옹고집은 송사에 져서 집에서 쫓겨나고 처자를 비관하여 죽으려 함.	도사의 용서로 진짜 옹고집은 참회하고 이후 노모에게 효도하고 불도를 공경하여 칭송받게 됨.

옹고집의 악행		악행으로 인한 문제 발생		문제 상황에서 탈출
옹고집이 팔십이 된 노모를 냉돌방에 두는 불효를 저지르고, 시주를 하러 간 학 대사를 때리고 내쫓음.	→	학 대사가 짚으로 가짜 옹고집을 만들어 진짜를 대신하게 하고 진짜 옹고집은 처자를 잃고 쫓겨남.	→	진짜 옹고집이 도사에게 애원하여 부적을 얻고 이를 가지고 집으로 돌아가자 가짜 옹고집이 사라짐.

핵심장면 ① 형편이 부유한데도 베풀 줄 모르고 모친에게도 불효하는 옹고집을 벌주라는 도사의 명을 받은 학 대사가 옹고집의 집으로 찾아갔다가 매만 맞고 쫓겨나는 부분이다.

합장배례(合掌拜禮)하고 다시 목탁을 두드리니, 옹 좌수 벌떡 일어나 밀창문을 드르르 밀치
두 손바닥을 마주 대고 절하는 예　　　　　　　　　　　　옹고집　　　　　　　　　　미닫이문
면서, / "어찌 그리 요란하냐?"

종놈이 조심조심 여쭈기를, / "문밖에 중이 와서 동냥 달라 하나이다."

옹 좌수 발칵 화를 내어 성난 눈알 부라리며 소리 질러 꾸짖기를,

"괘씸하다 이 중놈아! 시주하면 어쩐다냐?"

학 대사는 이 말 듣고 육환장(六環杖)을 눈 위로 높이 들어 합장배례로 대답하기를,
불교를 업신여기는 태도　　　　고리가 여섯 개 달린 스님들이 짚는 지팡이
"황금으로 일천 냥만 시주하옵시면, 소승이 절에 가서 수륙재(水陸齋)를 올릴 적에, 아무 면
　　　　　　　　　　　　　　　　　　　　　　물과 육지에서 헤매는 외로운 영혼을 위로하기 위한 의식
아무 촌 아무개라 외우면서 축원을 드리오면 소원대로 되나이다."
　　　　　　　　　　부처에게 소원을 빎

옹 좌수가 쏘아붙이되,

"허허, 네놈 말이 가소롭다! 하늘이 만백성을 마련할 제, 부귀빈천(富貴貧賤), 자손유무(子
孫有無), 복불복(福不福)을 분별하여 내셨거늘, 네 말대로 한다면 가난할 이 뉘 있으며, 무자
　　　　　　　운명은 정해져 있어 바뀌지 않는다며 베풀지 않는 자신을 정당화함　　　　　　　　자식이 없음
할 이 뉘 있으리? 속세에서 일러 오는 인중 마른 중이렷다! 네놈 마음 고약하여 부모 은혜
배반하고, 머리 깎고 중이 되어 부처님의 제자인 양, 아미타불 거짓 공부하는 듯이 어른 보
면 동냥 달라, 아이 보면 가자 하니, 불충불효 태심(太甚)하며, 불측한 네 행실을 내 이미 알
　　　　　　　　　　　　　　　　　　생각이나 행동 따위가 괘씸하고 엉큼함　　너무 심함
았으니 동냥 주어 무엇하리?" 〈중략〉

▶ 시주를 받으러 온 학 대사를 문전박대 함

Link 인물의 태도 ❶

학 대사가 일러 주되,

Link
출제자 특강 **인물의 태도를 파악하라!**

❶ 승려에 대한 옹고집의 태도는?
승려에 반감을 품고 업신여기고 있음.

❷ 시주를 받으러 온 학 대사에게 한 옹고집의 행동은?
학 대사의 귀를 뚫고 태장을 쳐서 내침.

"좌수님의 상을 살피건대, 눈썹이 길고 미간이 넓으시니 성세는 드
　　　　　　　　　　　　　　　　　　　　　　　　　　　　세력을 이루어 떨침
날리되, 누당이 곤하시니 자손이 부족하고, 면상이 좁으시니 남의
　　　　눈 아래 오목하게 들어간 곳
말을 아니 듣고, 수족이 작으시니 횡사도 할 듯하고, 말년에 상한
　　　　　　　　　　　　　　　　　　뜻밖의 재앙으로 죽음　　　　　　　중풍 등의 질병
병을 얻어 고생하다 죽사오리다."

고전 산문 **125**

이 말을 듣고 성난 옹 좌수가 종놈들을 소리쳐 불렀다.
<small>학 대사가 자신에 대해 나쁜 말을 하자 화가 남</small>

"돌쇠, 뭉치, 깡쇠야! 저 중놈을 잡아내라!"

종놈들이 일시에 달려들어 굴갓을 벗겨 던지고 학 대사를 휘휘 휘둘러 돌 위에 내동댕이치
<small>모자 위를 둥글게 대로 만든 갓</small>
니 옹 좌수가 호령하되,

"미련한 중놈아! 들어 보라. 진도남 같은 이도 중을 불가하다 하고서 운림 처사 되었거늘, 너
<small>송나라의 도사</small> <small>박곡식</small> <small>숨어 사는 선비</small>
같은 완승놈이 거짓 불도 핑계하여 남의 전곡 턱없이 달라 하니, 너 같은 놈 그저 두지 못하
<small>완고하고 고집스러운 승려</small> <small>종들이 무위도식한다고 생각하여 반감을 드러냄</small> <small>Link 인물의 태도 ①</small>
렷다!"

종놈 시켜 중을 눌러 잡고, 꼬챙이로 귀를 뚫고 태장(笞杖) 사십 도를 호되게 내리쳐서 내쫓
<small>볼기를 치는 태형과 장형을 아울러 이름</small> <small>Link 인물의 태도 ②</small>
았다.
> 학 대사를 학대하고 쫓아낸 옹고집

핵심장면 ② 집에서 내쫓긴 옹고집이 죽으려는 때에 도사가 나타나 옹고집을 용서하며 부적을 써 주고, 그 부적으로 가짜 옹고집을 없앤 진짜 옹고집이 개과천선하는 부분이다.

이렇듯이 즐겨할 제, 실옹가는 할 수 없이 세간 처자 모조리 빼앗기고 팔자에 없는 곤장 맞
<small>진짜 옹고집</small> <small>가짜 옹고집에게 당해 집에서 쫓겨남</small>
고 쫓겨나니 세상에 살아본들 무엇하리? 애고 애고 내 팔자야. 죽장망혜(竹杖芒鞋) 단표자(單
<small>매우 간편한 차림으로 아무것도 없이 쫓겨남을 비유함</small>
瓢子)로 만첩청산(萬疊靑山) 들어가니 산은 높아 천봉(千峰)이요, 골은 깊어 만학(萬壑)이라.
<small>겹겹이 둘러싸인 푸른 산</small> <small>Link 인물의 처지 ①</small> <small>첩첩이 겹쳐진 많은 골짜기</small>
인적은 고요하고 수목은 빽빽한데 때는 마침 봄철이라.

출림 비조(出林飛鳥) 산새들은 쌍거쌍래(雙去雙來) 날아들 제, 슬피 우는 두견새는 이내 설
<small>숲속에서 날아다니는 새</small> <small>쌍쌍이 오고 감</small>
움 자아내어 꽃떨기에 눈물 뿌려 점점이 맺어 두고, 불여귀를 일을 삼으니 슬프다. 이런 공산
<small>두견새 울음소리를 통해 돌아가지 못하는 처지를 비유함</small>
속에서는 아무리 철석같은 간장이라도 아니 울지는 못하리라. 자살을 결심하고 슬피 울새, 한
곳을 쳐다보니 충암절벽 벼랑 위에 백발 도사 높이 앉아 청려장(靑藜杖)을 옆에 끼고 반송(盤
<small>험한 바위가 겹겹으로 쌓인 낭떠러지</small> <small>명아주의 대로 만든 지팡이</small> <small>키가 작고 가지가 옆으로 퍼진 소나무</small>
松) 가지를 휘어잡고 노래 불러 하는 말이,

"뉘우쳐도 미치지 못하느니라. 하늘이 주신 벌이거늘, 누구를 원망하며 누구를 탓하고자 하
<small>옹고집 자신에게 잘못이 있음을 이름. 관련 한자 성어: 인과응보(因果應報)</small>
는가?" / 실옹가는 이 말을 다 들으매 어찌할 줄 모르는 듯, 도사 앞에 급히 나아가 합장배
례 급히 하며 애원하되,

┌"이 몸의 죄 돌이켜 생각하면 천만 번 죽사와도 아깝지 아니하오나, 밝으신 도덕하에 제발
<small>「 」: 자신이 저지른 잘못에 대해 용서를 구함</small>
덕분 살려 주사이다. 당상의 늙은 모친, 규중의 어린 처자, 다시
<small>대청 위. 부모가 거처하는 곳을 비유적으로 이르는 말</small> <small>부녀자가 거처하는 곳</small>
보게 하옵소서. 이 소원 풀고 나면 지하로 돌아가도 여한이 없을
줄로 아나이다. 제발 덕분 살려 주옵소서.」

온갖 정성 다 기울여 애걸하니, 도사가 소리 높여 꾸짖기를,
<small>그 수에 해당하는 나이를 이르는 말</small>
"천지간에 몹쓸 놈아! 이제도 팔십 당년 병든 모친 구박하여 냉돌
<small>옹고집의 악행 ① – 노모에게 불효함</small>
방에 두려는가? 불도를 업신여겨 못된 짓 하려는가? 너 같은 몹쓸
<small>옹고집의 악행 ② – 학 대사를 학대하고 불교를 탄압함</small>
놈은 응당 죽여 마땅하되, 정상(情狀)이 가긍하고 너의 처자 불쌍
<small>사정이 불쌍하고 가엾고</small>

Link
출제자 특강 인물의 처지를 파악하라!

❶ '죽장망혜 단표자'로 알 수 있는 실옹가의
처지는?
모든 것을 허옹가에게 빼앗기고 빈 몸으로
쫓겨남.

❷ 지난날 자신의 잘못을 뉘우친 실옹가에게
도사가 준 것은?
허옹가를 몰아낼 수 있는 부적

❸ 방에 있던 허옹가가 사라지고 짚 한 뭇이 놓
여 있는 것을 통해 알 수 있는 것은?
옹고집의 아내가 허옹가와 많은 자식을 두
고 살았음.

하기로 풀어 주겠으니 돌아가 개과천선(改過遷善)하여라."
지난날의 잘못이나 허물을 고쳐 올바르고 착하게 됨

도사는 부적 한 장을 써 주면서 일러두길,

"이 부적 간직하고 네 집에 돌아가면 괴이한 일이 있으리라."
Link 인물의 처지 ②

하고 슬며시 사라지니, 도사는 간데온데없었다. 〈중략〉
전기성

이럴 즈음에, 방에 있던 옹가는 간데없고, 난데없는 짚 한 뭇이 놓여 있을 따름이요, 허옹가와
가짜 옹고집   가짜 옹고집

수다한 자식들도 홀연히 허수아비 되므로, 온 집안이 그제야 깨달은 듯 박장대소(拍掌大笑)하

였다. 좌수가 부인에게 하는 말이,
진짜 옹고집

"마누라, 그 사이 허수아비 자식을 저렇듯이 무수히 낳았으니, 그놈과 한가지로 얼마나 좋아
                                                                        가짜 옹고집

하였을꼬? 한 상에서 밥도 먹었는가?"

얼이 빠진 부인은 아무 말 못 하고서, 방안을 돌아가며 허옹가의 자식들 살펴보니, 이를 보
가짜 옹고집이 허수아비로 변하는 기이한 경험을 하고 놀람

아도 허수아비요, 저를 보아도 허수아비라, 아무리 다시 보아도 허수아비 무더기가 분명하였

다. 부인은 실옹가를 맞이하여 반갑기 그지없되 일변 지난 일을 생각하고 매우 부끄러워하였

다. 도승의 술법에 탄복하여, 옹 좌수 그로부터 모친께 효성하며 불도를 공경하여 잘못을 뉘
                                                          권선징악이 강조되는 행복한 결말

우치고 착한 일 많이 하니, 모두들 그 어짊을 칭송하여 마지아니하였다.

▶ 개과천선한 옹고집

최우선 출제 포인트!

1 '옹고집'으로 대표되는 인간상

고집이 매우 강하고, 다른 사람들의 삶은 돌아보지 않고 자기 자신만을 위해 살아가는 이기적인 인물의 전형	→	이기적이고, 부도덕한 행동을 일삼는다는 점에서 비판의 대상이 됨.

조선 후기 경제 발전에 따른 계층 분화 현상으로 등장한 신흥 서민 부자 계층

2 이 작품의 종결 구조

이 작품은 권선징악을 주제로 드러내기 위해 악인이 벌을 받아 잘못을 뉘우치고 행복한 결말을 맺는 고전 소설의 전형적인 유형을 따르고 있다.

옹고집이 모친에게 불효하고, 불교를 탄압했던 자신의 반도덕적인 행동을 반성하고 개과천선함.	→	악행을 일삼던 인물이 선한 인물로 바뀌면서 마무리됨.

최우선 핵심 Check!

1 다음 내용 중 맞는 것은 ○표를, 틀린 것은 ×표를 하시오.

(1) 옹고집은 평소에 성질이 고약하고 어머니께 불효하며 불도를 업신여겼다. ( )

(2) 짚으로 사람을 만드는 비현실적인 상황을 설정하여 전기성이 드러나고 있다. ( )

(3) 새로운 사건을 도입하면서 서술자를 교체하고 있다. ( )

2 초성 힌트를 보고 빈칸에 들어갈 알맞은 말을 쓰시오.

(1) ㅎㅅㅇㅂ 은/는 주인공을 벌하기 위해 사용된 소재이다.

(2) 주인공 옹고집은 조선 후기에 등장하기 시작한 중인 출신의 부자층을 대변하는 인물로, 부의 힘을 믿고 이기적이고 부도덕한 행동을 일삼는다는 점에서 ㅂㅍ 의 대상이 된다.

(3) 비윤리적인 부자층에 대한 비판과 함께 ㄱㅅㅈㅇ 을/를 바라는 서민들의 소망을 반영하고 있다.

정답 1. (1) ○ (2) ○ (3) × 2. (1) 허수아비 (2) 비판 (3) 권선징악

1등급! 〈보기〉!

「옹고집전」의 근원 설화 - 「장자못 설화」 → 우리책 146위(용소와 며느리바위)

「옹고집전」에서 동냥 온 중을 괄시해서 화를 입게 되었다는 설정은, 「장자못 설화」의 내용과 일치한다.

「장자못 설화」는 장자 첨지 영감이 시주를 온 도승에게 쇠똥을 주었다가 벌을 받아 그가 살던 집이 용소로 변했다는 내용의 이야기이다. 구어체이므로 문장의 경계가 모호한 부분이 많고, 문장의 길이가 대체로 긴 경향을 보이며, 화자가 청자를 앞에 두고 들려주는 방식을 취하고 있다.

「장자못 설화」에는 세 명의 인물이 등장한다. 중은 절대적인 질서를 대변하는 존재이고, 장자(김 부자)는 세속적인 욕망의 표상이며, 며느리는 절대적 질서와 세속적 욕구 사이에서 갈등하는 인간의 모습을 대변한다.

32위

'동지중추부사'라는 벼슬의 이름임

서동지전(鼠同知傳) | 작자 미상

성격 우의적, 교훈적, 풍자적 **시대** 조선 후기
주제 배은망덕한 처사 비판과 아량 있는 태도 권장

소설

이 작품은 다람쥐가 서대주(쥐)에게 은혜를 입고도 배은망덕하게 그를 모함하여 송사를 한다는 내용의 우화 소설이다.

주요 사건과 인물

발단	전개	위기	절정	결말
당 태종이 금융성을 칠 때 공을 세운 서대주가 황제로부터 벼슬을 받아 잔치를 베풂.	다람쥐가 서대주 잔치에 찾아가 도움을 받고, 겨울에 다시 서대주를 찾아가서 구걸하나 거절을 당함.	원한을 품은 다람쥐는 백호산군에게 거짓으로 소송을 하려 하고, 계집 다람쥐가 이를 만류하다가 집을 나감.	다람쥐가 백호산군에게 서대주를 고발했다가 허위로 고발하였음이 발각되어 귀양을 가게 될 처지에 놓임.	서대주는 백호산군에게 다람쥐를 불쌍히 여겨 용서해 줄 것을 부탁하고, 이에 모든 이가 서대주의 인덕에 감동함.

서대주		다람쥐
자신이 도와준 다람쥐에게 모함을 당하나 그를 용서함.	←→	자신에게 은혜를 베푼 서대주를 배은망덕하게 모함함.

핵심장면 ① 하도산에 사는 다람쥐가 서대주에게 음식을 구걸했다가 거절을 당한 후 원한을 품고 거짓으로 서대주를 고발하는 부분이다.

□ : 주요 인물

다람쥐 듣기를 마치고 크게 노하여 가로되,

『"이 같은 천한 계집이 호위인사(好爲人師)로 나를 가르치고자 하느냐. 계집은 마땅히 장부가
　　　　　　　　자신의 학문의 깊이는 돌아보지 않고 조금 아는 것을 가지고 많이 아는 체하며 남을 가르치려고만 하는 경향
욕을 입음을 분히 여김이 옳거늘 오히려 서대주를 관후장자라 일컫고 날더러 포악하다 꾸짖
　서대주에게 구걸했다가 거절을 당한 일　　　　　　부유한 쥐　　　　너그럽고 후하며 점잖은 사람
으니 이내 형세 곤궁함을 보고 배반할 마음을 두어 서대주를 얻고자 함이라. 예로부터 부창
　　　　　　　　　　　　　서대주에 대한 열등감으로 억측을 부려 아내를 비방함
부수(夫唱婦隨)는 남녀의 정이고 여필종부(女必從夫)는 부부의 의이어늘 부귀를 따라 딴마
남편이 주장하고 아내가 이에 잘 따름　　아내는 반드시 남편을 따라야 함　　　　　　　　　　다람쥐의 가부장적
음을 둘진대, 가려면 빨리 가고 머뭇거리지 말라."』 　권위 의식이 드러남　　➤ 계집 다람쥐의 질책에 화를 내는 다람쥐

계집 다람쥐 발딱 화를 내어 눈을 부릅뜨며 귀를 발룩이고 꾸짖어 가로되,
　　　　　　　　　억울함과 분함을 드러냄
"그대로 더불어 남녀 간의 연분을 맺어 아들 두고 딸을 낳으며 남취여가(男娶女嫁)하여 고초
　　　　　　　　　　　　　　　　　　무가치한 것으로 알고　　　　　장가들고 시집가는 일
를 달게 알고 그대를 좇는 바는 부귀를 뜬구름같이 알고 빈천을 낙으로 알아 『상강(湘江)의
　　　　　　　　　　　　　　　　　　　　　　　　순임금의 두 아내인 아황과 여영. 순임금이 죽자 함께 상강에 빠져 죽음
이비(二妃)를 본받아 여상(呂尙)이 마 씨(馬氏)를 꾸짖는 바이어늘 더러운 말로써 나를 욕하
　　　　　　　　　　태공망이 젊은 시절 가난을 이기지 못하고 가출한 아내 마 씨에게 '엎질러진 물은 주워 담을 수 없다.'라고 꾸짖은 일
니 이는 한때의 끼니를 아끼려고 처자를 내치고자 함이라. 고인이 일렀으되 조강지처(糟糠
之妻)는 불하당(不下堂)이요, 빈천지교(貧賤之交)는 불가망(不可忘)이라 하였나니, 오늘날
　　　　　　　　　　가난한 시절을 함께한 아내는 내칠 수 없고, 가난한 시절에 사귄 친구는 잊을 수 없음
가난하고 못살 때의 쓰고 단 것을 함께한 것은 생각지 아니하고 나를 이같이 욕보이니, 두
귀를 씻고자 하나 영천수(潁川水)가 멀어 한이로다. 오늘 수양산을 찾아가서 백이숙제(伯夷
　　　　　　　　요임금이 왕위를 물려주려 하자 허유가 이를 더럽게 여기고 귀를 씻었다는 물
叔齊) 채미(採薇)타가 굶어 죽은 일을 좇으리니 그대는 홀로 자위하라."』『 다양한 고사를 활용하여 자신의
은나라가 망하자 백이와 숙제가 주나라의 녹을 먹지 않겠다며 수양산에 들어가 굶어 죽은 일　　　　　　　　의견을 효과적으로 전달함
말을 마치며 짐을 꾸려서 훌쩍 문밖으로 나가더니 자취가 보이지 않는지라.
　　　　　　　　　　　　　　　　　　　　　　　➤ 다람쥐를 질책하고 집을 나가는 계집 다람쥐

다람쥐 더욱 분노하여 가로되,
　　　　내부에서 일어난 변란　　　　나로 말미암아 죽음
"소장지변(蕭墻之變)은 유아이사(由我而死)라. 도시 서대주로 말미암아 생긴 일이라 내 당당
　　　　다람쥐 자신이 송사를 하면 자신으로 인해 서대주가 죽을 것이라는 의미
히 서대주를 설욕하고 말리라." Link 인물의 의도 ❶
　부끄러움을 씻고　　　　　　　　　　　　　　　　　　　동물의 왕 호랑이를 의인화함.
　　　　　　　　　　　　　　　　　　　　　　　　공정한 선악의 판단자(바람직한 관리)
인하여 일장 소지(訴紙)를 지어 가지고 바로 곤륜산 동중에 이르러 백호궁(白虎宮)의 형방을
　　　　고소장　　　　　　　　　　　　　　　　　　　　　　법률 재판을 맡아보던 관아
찾아 들어가서 다람쥐 억울한 마음을 올림을 고하니, 이때 백호산군(白虎山君)이 태산오악(泰
　　　　　　　　　　　　　　　　　　　　　　　　　　　　　　　　　태산에 있는 유명한 다섯 봉우리

山五嶽)을 순행하다가 곤륜산으로 돌아와 각처 짐승의 선악을 문죄코자 하더니 홀연 형부 아
전이 들어와 고하되,

> 법률, 소송, 재판에 관한 일을 맡아보던 관아

"하도산(河圖山) 낙서동(落書洞) 등지에 거하는 다람쥐가 억울함을 호소하려고 궁문 밖에서
기다리고 있습니다."

하거늘 백호산군이 형부 관원에게 명하여 다람쥐를 불러들이라 하는지라. 다람쥐 허리를 굽히
고 머리를 숙이며 형졸을 따라 백호궁 앞뜰에 이르니, 전후좌우에 위엄이 범상치 않은지라.

> 앞과 뒤, 왼쪽과 오른쪽. 곧 사방(四方)을 이름

감히 우러러 쳐다보지도 못하고 숨을 나직이 하여 복지대령(伏地待令)하였더니, 이윽고 전상

> 권력 앞에서 움츠리는 비겁한 모습   엎드려 명령을 기다림   전각이나 궁전의 위

(殿上)에서 형부 관헌이 나와 소지를 빨리 올리라 하니, 다람쥐 품속에서 일장 소지를 내어 받
들어 올리는데 백호산군이 그 소지를 받아 본즉 사연에 가로되,

"하도산 낙서동에 거하는 다람쥐는 다음의 일의 이모저모를 고하나이다. 신은 본디 낙서동에

> 성격이 고지식하고 주변이 없음

서 나서 자라 천성이 어리석고 마음이 졸직(拙直)하온 바 항상 굴문을 나오는 바 없고, 밖으로

> 자신은 세속의 욕망을 초월한 인물임을 강조함   다람쥐의 습성과 생태. 관련 속담: 우물 안 개구리

는 강 건너 친척 없으며 오척에 동자 없고 척신이 고고하여 다만 미천한 계집과 약한 자식으로

> '척'의 반복을 통한 언어유희. 다람쥐의 외로운 삶. 관련 한자 성어: 사고무친(四顧無親)   [Link 인물의 의도 ❷]

더불어 낮이면 초산에서 나무를 베며 산야에서 밭을 갈고, 밤이면 탁군에 자리를 치며 패택에

> 숲이 우거져 들짐승이 숨어 사는 곳

신을 삼고, 춘하에 사업하며 추동에 독서하여 동서를 분간치 못하고, 만수 천산 깊은 곳에 꽃

> 봄, 여름에는 고사리를 캐며

을 보면 봄철을 짐작하고 잎을 보면 여름을 깨닫고 낙엽으로 가을을 양도하며 서리와 눈이 내
리면 겨울임을 알아 문호에 명철보신(明哲保身)으로 일삼고 청운에 공명을 기약치 아니하여

> 총명하고 사리에 밝아 일을 잘 처리하여 자기 몸을 보존함   높은 지위나 벼슬을 추구하지 않아

부귀를 뜻하지 아니하고 천수만목(千樹萬木)의 열매를 거두어 양식을 삼고 하루하루 재산을

> 각양각색의 많은 나무

계산하옵더니, 뜻밖에 지난달 보름밤에 구궁산 팔괘동에 거하는 서대주 놈이 노복 쥐 수십 명

> 사실과 다르게 서대주를 모함하는 내용   수많은 산봉우리와 산골짜기

을 데리고 한밤중에 신의 집에 불문곡직(不問曲直)하고 돌입하여 천봉만학에 흐르는 날밤과

> 옳고 그름을 따지지 않음   행위의 주체: 다람쥐

높은 봉우리와 험준한 골짜기에 떨어진 잣을 천신만고하여 주우며 거두어, 비바람이 치고 눈

> 천 가지 매운 것과 만 가지 쓴 것이라는 뜻으로, 온갖 어려운 고비를 다 겪으며 심하게 고생함을 이르는 말

오는 추운 겨울날에 깊은 엄동을 보전코자 저축하온 양미 수십여 석을 탈취하여 가며 오히려

> 몹시 추운 겨울   행위의 주체: 서대주

신을 무수히 난타하온즉, 신의 슬픈 정세는 땅 없는 외로운 망량(魍魎)이라. 막막한 세상에

> 마구 때림   도깨비. 삶이 무의미해진 존재를 비유

호소할 곳 없는 고로 극히 원통하와 한 조각 원정을 지어 가지고 엎디어 백호산군 밝은 다스

> 사정을 하소연한 내용

림 아래에 올리옵나니 신의 참상을 살피신 후에 능력을 발하사 이 같은 서대주 놈을 성화착래

> 소지의 요지   급히 잡아들임

(星火捉來)하여 엄형으로 중히 다스려 잔약한 신의 약탈된 양미(糧米)를 찾아 주옵소서.

> 가냘프고 약한   [Link 인물의 의도 ❶]

혈혈단신으로 의지할 곳 없는 잔명이 한을 품고 억울하게 죽는 일이 없게 하옵심을 천만 빌

> 얼마 남지 아니한 쇠잔한 목숨   자신의 청빈한 삶과 딱한 처지를 들어 서대주의 처벌을 촉구함

Link

출제자 특 **인물의 의도를 파악하라!**

❶ 다람쥐가 백호산군을 찾아간 이유는?
자신의 부탁을 거절한 서대주를 모함하기 위해 거짓 소지를 올리려고

❷ '척'의 반복을 통한 언어유희를 통해 드러내고 있는 다람쥐의 처지는?
외로운 삶

❸ 다람쥐가 서대주의 강한 처벌을 촉구하며 강조하고 있는 것은?
자신의 청빈함과 딱한 처지

어 산군주 처분만 바라나이다. (무진 정월일에 고장을 올림.)"

> [Link 인물의 의도 ❸]   백호산군을 찾아가 거짓 소지를 올리는 다람쥐

하였거늘 백호산군이 읽기를 마치고 제사(題辭)를 불러 왈,

> 관부에서 백성이 제출한 공소장에 쓰는 판결이나 지령

"대개 만물의 가볍고 무거움을 알고자 할진대 저울을 사용하는 것

> 공평과 정의를 상징함

만 같음이 없고, 송사의 바르고 그릇됨을 아는 데는 양쪽의 말을

> 소송

듣는 것만 같음이 없나니 한편의 말만 듣고 좋고 나쁨을 경솔하게

> 다람쥐의 말만 듣고 잘못된 판단을 할 수 없음

판결치 못하리라. 소진(蘇秦)의 말로써 진나라를 배반함이 어찌 옳다

> [Link 인물의 특징 ❶]

하며 장의(張儀)의 말로써 진나라를 섬김이 어찌 그르다 하리오. 소장(訴狀) 양쪽의 말을 같이
〔소송을 제기하기 위하여 법원에 제출하는 서류〕
들은 연후에야 종횡을 쾌히 결단하리니, 다람쥐는 우선 옥으로 내리고 서대주를 즉각 잡아와
서 상대한 연후에 밝게 분변하리라.”
『 』: 백호산군의 신중한 성격을 보여 줌

　한번 제사하매 오소리와 너구리 두 형졸로 하여금 서대주를 빨리 잡아 대령하라 분부하니
　　　　　　　　 부패한 하급 관리를 상징함
두 짐승이 명을 듣고 나올새 오소리가 너구리더러 일러 왈,

　『내 들으니 서대주 재물이 많으므로 심히 교만하매 우리가 매양 괴악히 알아 벼르던 바였는
　　　　　　　 서대주에 대한 평가가 좋지 않음　　　　　　　　　　　　 이상야릇하고 흉악히
데, 오늘 우리에게 걸렸는지라. 이놈을 잡아 우리를 괄시하던 일을 설분하고 또 소송당한 놈
　　　　　　　　　　 Link 인물의 특징 ❷　　　　　　　　　　　　　　 분함을 씻고
이 피차 예물 바치는 전례는 위에서도 아는 바라. 수백 냥이 아니면 결단코 놓지 말자.』
　『 』: 뇌물로 사리사욕을 채우려 하는 형졸 - 당대 하급 관리들의 타락상을 보여 줌　　　　　▶ 백호산군의 명으로 서대주를 잡으러 가는 너구리와 오소리

핵심장면 ❷ 　공정한 판결을 내린 백호산군에게 서대주가 다람쥐를 석방할 것을 간청하자 모든 이들이 그의 인후함을 칭송하는 장면이다.

　백호산군이 서대주의 소지를 본 후 말이 없더니, 이윽고 제사를 부르매 그 제사에 가로되,
　　　　　　　　　　　　　　　　 재하자 유구무언(在下者有口無言)
“예로부터 일렀으되 아랫것들은 입이 있어도 말이 없는 것이어늘, 『당돌히 위를 범하여 나의
　　　　　　　　　　　　　　　　　　　　　　　　　『 』: 자신의 덕이 부족하여 소송이 일어나는지도 모른다는 소지 내용에 대한 평가
덕화 없음을 꾸짖으니 죄는 마땅히 만 번이라도 죽일 만하다.』그러나 임금이 어질어야 신하
옳지 못한 사람을 덕행으로 감화함　　　　　　　　　　　　　　　　 관련 속담: 윗물이 맑아야 아랫물이 맑다
가 곧다 하였나니, 『위(魏)나라 임좌는 그 임금 측천무후의 그름을 말하였고 하나라 신하 주
　　　　　　　　　　　　　 중국 역사에서 유일한 여황제
운은 그 임금 한제의 그름을 말하였더니, 너는 이제 나의 덕이 없음을 말하니 너는 진실로
임좌와 주운이 되고 나는 진실로 무후와 한제 되리니, 너같이 곧은 자 어찌 다람쥐의 양식을
　곧은 신하　　　　　　　　　　　　어진 임금　　　　　　 의기가 바른 서대주가 다람쥐의 양식을 도적질하지 않았으므로 판단함
도적하리오. 어불성설(語不成說)이니 다람쥐는 엄형으로 다스려 귀양 보내고 서대주는 즉시
　　　　　　　　　 말이 조금도 사리에 맞지 아니함　　　　　　 엄하게 형벌함
풀어 주어라.”』『 』: 백호산군의 덕화 없음을 간할 수 있는 서대주의 용기를 칭찬하고
　　　　　　　　 그런 서대주가 잘못을 저지를 리 없으니 풀어 주라는 의미

제사 이미 내리니 서대주 일어나 다시 꿇어 가로되,

“산군의 밝으신 정사를 입어 풀어 주심을 입사오니 황송무지하온지라 다시 무엇을 고하리요
　　　　　　　　　　　　　　　　　　　　　　 황공하여 몸 둘 바를 모르겠으므로
마는, 신의 미천한 마음을 감히 산군께 우러러 알리옵나니, 다람쥐의 죄상을 의논하올진대
『간교하온 말로써 욕심을 내고 기군망상(欺君罔上)하온 일은 만 번 죽어도 애석하지 않으며
　『 』: 다람쥐의 죄상　　　　　 임금을 속임. 여기서는 산군에게 거짓 소지를 올린 것을 말함
죽어도 죄가 남겠으나, 헤아리건대 『다람쥐는 일개 작은 짐승으로 배고픔이 몸에 이르고 빈
　　　　　　　　　　　　　　　　 『 』: 죄를 저지른 원인을 말하며 다람쥐를 변호함　　 다람쥐가 죄를 짓게 된 근본적인 원인
곤이 처자에 미치매, 살고자 하오나 살기를 구하지 못하고 죽고자 하나 또한 구하기 어려우
매 진퇴유곡하던 항우(項羽)의 군사라, 다만 죽기를 달게 여기고 살
　이러지도 저러지도 못하고 꼼짝할 수 없는 궁지
기를 원하지 않는 고로 방자히 산군 위엄을 범하였나 보옵니다.』오
히려 생각하올진대 가련한 바이어늘, 『다람쥐로 하여금 중형으로 다
　　　　　　　　　　　　　　　　 『 』: 서대주의 인후한 성품을 드러냄
스릴진대 이는 죽은 자를 다시 때리는 일이요, 오히려 노승발검(怒
　　　　　　　　　　　　　　　　　　 파리에 화내어 칼을 뺀다는 뜻으로, 사소한 일에 화내는 사람을 일컫는 말
蠅拔劍)이오니, 엎드려 바라옵건대 산군은 위엄을 거두고 다람쥐로
하여금 쇠잔한 명을 살려 주시고 은택을 내리는 덕을 끼치사 일체
　　　　　　　　　　　　　 힘이 바저 거의 죽게 된　　 은혜와 덕택
풀어 주시면 호천지덕(昊天之德)을 지하에 돌아간들 어찌 잊으리까.
　　　　　　　 하늘과 같은 덕　　　　　　　　　　　　 Link 인물의 특징 ❸

Link
출제자 특강 인물의 특징을 파악하라!

❶ 백호산군의 인물됨은?
　신중하며 공정함을 기하는 인물

❷ 오소리와 너구리가 상징하는 인물은?
　뇌물로 사리사욕을 채우려 하는 당대의 부
　패한 하급 관리

❸ 백호산군에게 자신을 모함한 다람쥐를 석방
　해 달라고 간청한 데서 알 수 있는 서대주의
　인물됨은?
　가난한 자에 대한 인정이 있고 관용을 베풀
　줄 앎.

살피고 살피심을 바라옵고 바라나이다."』 ❯ 다람쥐를 풀어 줄 것을 간청하는 서대주

산군이 듣기를 다하매 길이 탄식하여(서대주의 성품에 감탄함) 가로되,

『"기특하도다, 네 말이여. 다람쥐가 큰 부처님의 선함을 누르고자 하니 한갓 불로 하여금 달빛을 가리고자 함이라.』 서대주의 선한 말을 좇아 다람쥐를 풀어 주니 돌아가 서대주의 착한 마음을 본받으라."

『 』: 서대주의 덕은 사소한 송사로 가릴 수 없는 지경임 / ◯: 서대주의 덕망을 비유함

하고 인하여 방송하니(죄인을 풀어 주니), 다람쥐 백번 절하며 사은하고(받은 은혜에 대하여 감사히 여겨 사례하고) 만 번 치사한 후 물러가니라(서대주의 의기와 대조되어 다람쥐의 비굴함이 비판적으로 제시됨). 백호산군과 녹판관, 저판관(사슴과 원숭이를 의인화함)이며 모든 하리(서리. 관아에 속하여 말단 행정 실무에 종사하던 구실아치) 등이 서대주의 인후함을 못내 칭송하더라. ❯ 모든 이가 서대주의 인후함을 칭송함

- **여상(呂尙)이 마 씨(馬氏)를 꾸짖는 바이어늘**: 가난한 서생으로 끼니조차 제대로 잇지 못하던 여상을 두고 그의 아내 마 씨는 친정으로 도망을 갔음. 그 후 여상이 입신출세를 하자 가출했던 마 씨가 돌아왔는데, 여상은 마당에 물을 엎지른 다음 마 씨에게 그 물을 주워 그릇에 담으라고 했음. 이에 마 씨가 이미 땅속으로 스며든 물을 주워 담지 못하고 진흙만 약간 주워 담자, 여상은 한번 엎지른 물은 다시 담을 수 없고, 한 번 떠난 아내는 돌아올 수 없는 법이라며 마 씨를 꾸짖었다고 함.
- **소진(蘇秦)의 말로써 ~ 그르다 하리오.**: 전국 시대 말에 진나라가 다섯 나라와 대치하였는데, 이때 소진은 나머지 다섯 나라가 힘을 합쳐 진나라를 견제할 것을 주장했고, 이것을 알게 된 진나라의 장의는 다섯 나라의 단결을 깨뜨리고 각각 진나라와 연계하도록 일을 꾸몄다고 함. 이러한 소진과 장의의 고사는 어느 한쪽의 입장만 듣고 판단해서는 안 된다는 것을 비유할 때 쓰임.

최우선 출제 포인트!

1 작가의 대변자 '계집 다람쥐'

계집 다람쥐		
남편 다람쥐가 서대주의 은혜를 입고도 신의를 저버리고 그를 모함하려 하자, 유교의 기본 덕목인 오상과 옛 성인의 글을 읽은 사람의 도리가 아님을 근거로 들어 남편 다람쥐를 꾸짖음.	➔	사리를 분별할 줄 알며 가부장적인 권위 의식에 항거함.

2 '다람쥐'와 '서대주'의 인물 유형

다람쥐: 부정적·권위적 인물 → 조선 후기 몰락한 양반 계층을 표상함.		서대주: 긍정적·근대 지향적 인물 → 조선 후기 신흥 상공인 계층을 표상함.
• 양반이라는 허위에 젖어 일은 하지 않고 남에게 의존하여 살아가고자 함. • 아내의 올바른 충고를 무시하고 질책함. • 자신에게 은혜를 베푼 서대주를 모함함.	↔	• 자신이 도와준 다람쥐에게 모함을 당하고도 그를 관대한 마음으로 용서함. • 누명을 벗기 위해 뇌물도 이용하며 현실에 능동적으로 대응함. • 상황 변화에 민첩하게 대응하고 현실적인 권익을 추구함.

최우선 핵심 Check!

1 다음 내용 중 맞는 것은 ○표를, 틀린 것은 ×표를 하시오.

(1) 공간의 이동에 따라 인물의 성격이 변화하고 있다. ( )

(2) 다람쥐와 서대주의 관계를 통해 빈부 문제가 당시에 갈등 요인이 되었음을 짐작할 수 있다. ( )

(3) 작가는 자신의 지위를 이용하여 뇌물을 얻으려는 오소리를 통해 부정부패가 만연했던 당시의 세태를 풍자하고 있다. ( )

2 초성 힌트를 보고 빈칸에 들어갈 알맞은 말을 쓰시오.

(1) 다람쥐와 계집 다람쥐는 [ㅅㄷㅈ]을/를 서로 다르게 평가하고 있다.

(2) 아내에게 무조건 남편을 따르는 게 옳다고 말하는 다람쥐의 모습을 통해 [ㄱㅂㅈㅈ]인 가치관의 문제점을 드러내고 있다.

정답 1. (1) × (2) ○ (3) ○ 2. (1) 서대주 (2) 가부장적

배비장전(裵裨將傳) | 작자 미상

성격 풍자적, 해학적　**시대** 조선 후기
주제 지배 계층의 위선적인 행위에 대한 폭로와 풍자

소설

이 작품은 위선적 인물인 배 비장으로 하여금 지배 계층의 허세에 대한 조롱과 풍자를 통해 당시 조선 후기의 혼란해진 신분 질서를 잘 보여 주는 판소리계 소설이다.

주요 사건과 인물

발단
배 선달이 아내에게 술과 여자에 빠지지 않을 것을 약속하고 제주 목사의 비장이 되어 제주도로 떠남.

전개
정 비장이 기생 애랑과 헤어지는 모습을 보며 배 비장이 홀로 깨끗한 척하자 목사 등이 그를 골려 주고자 함.

위기
기생 애랑의 유혹에 넘어가 상사병에 걸린 배 비장은 방자의 주선으로 애랑의 집을 찾아감.

절정
방자와 애랑의 계교로 배 비장은 자루와 나무 궤짝 속에 갇혀 수난을 당함.

결말
궤짝에서 알몸으로 나와 헤엄을 치던 배 비장은 동헌 마당에 있던 사람들에게 망신을 당함.

배 비장
사신은 여색에 빠지지 않는다며 잔뜩 허세를 부리다가 망신을 당함.

↔

방자
배 비장과 내기를 하고 기생 애랑과 모의하여 배 비장에게 망신을 줌.

+

애랑
배 비장을 골리려는 목사의 계획에 자원하여 방자와 짜고 배 비장을 유혹함.

+

제주 목사
도덕군자를 자처하는 배 비장을 훼절시킬 계획을 짬.

핵심장면 ①　기생 애랑이 정 비장과 이별하면서 그의 재물뿐만 아니라 앞니까지 뽑게 만드는 것을 보고 배 비장이 비웃는 부분이다.

□ : 주요 인물

이렇게 이들이 작별할 때였다. 신관 사또의 앞장을 섰던 예방의 배 비장이 이 거동을 잠깐
　　　　　　　　　　　　　　　정 비장과 기생 애랑　　새로 부임한 관리　　　관아에서 예전(禮典)에 관한 일을 맡아보던 부서
보고는 방자를 불러 물었다.
　　　　지방의 관아에서 심부름하던 남자 하인
"저 건너편 노상에서 청춘 남녀가 서로 잡고 못 떠나고 있으니, 무슨 일이냐?"
　　　　　　　　길 위
방자가 대답하였다.
"기생 애랑이와 구관 사또를 모시고 있던 정 비장이 작별하고 있습니다."
　　　　　　　　먼저 재임하였던 관리
배 비장은 그 말을 듣고 비방하였다. **Link** 인물의 성격 **①**
　　　　　　　　　　　　　비웃고 헐뜯어서 말함
"허랑한 장부로구나. 부모 친척과 떨어져 천 리 밖에 와서 아녀자에게 현혹하여 저러니 체면
언행이나 상황 따위가 허황하고 착실하지 못한　　　　　　여기서는 제주도를 뜻함　　정신을 배앗겨서 하여야 할 바를 잊어버림
이 꼴이 아니다." / 방자놈은 코웃음을 쳤다. **Link** 인물의 성격 **②**
　　　　　　　　　　배 비장을 비웃음
"남의 말씀 쉽게 하지 마십시오. 나으리도 애랑의 은근한 태도와 아름다운 얼굴을 보시면 오목
요(凹) 자에 움을 묻고 게다가 살림을 차릴 것입니다."
　　　　　　애랑에게 빠져 헤어 나오지 못할 것임
배 비장은 잔뜩 허세를 부리면서 방자를 꾸짖었다.

Link 인물의 성격 **②**
"이놈, 양반의 정취를 어찌 알고 경솔히 말을 하느냐?" / 그러나 방자는 물러서지 않았다.
　　　　깊은 정서를 자아내는 흥취　　★ 주요 소재　　　　　　　　　　관료의 권위에 위축되지 않고 계속 도전함
"그러면 황송하오나 소인과 내기를 합시다." / "무슨 내기를 하자느냐?"
　　　　　　　　　　　　사건의 전개 방향을 암시함
『나으리께서 올라가시기 전에 저 기생에게 눈을 팔지 않으시면 소인의 많은 식구가 댁에 가서
『 』: 방자는 자신의 식구와 배 비장의 말을 거는 불공정한 내기를 할 만큼 자신감을 보임
드난밥을 먹고, 만일 저 기생에게 반하시면 타시고 다니는 말을 소인에게 주시기 바랍니다.』
임시로 남의 집 행랑에 지내며 그 집의 일을 도와주며 얻어먹는 밥

이에 배 비장은 대답하였다.

『그래라. 말값이 천금이 된다 할지라도 내기하고서 너를 속이겠느냐?』
『 』: 여색에 빠지지 않을 거라는 자신감을 보임
두 사람이 한참 이렇게 수작하고 있을 때, 신관 사또와 구관 사또
　　　　　　　　　　　　　　　서로 말을 주고받고
는 인수인계를 마치고 새 사또가 도임하였다. 그리고 사또의 도임
　　　업무를 물려받고 넘겨줌　　　　지방의 관리가 근무지에 도착함
절차가 끝나고 모두가 정해진 처소로 돌아갔을 때는 이미 해가 지고

Link
출제자 톡 인물의 성격을 파악하라!
❶ 정 비장을 보는 배 비장의 태도는?
　여자에게 현혹된 정 비장을 비방함.
❷ 방자의 행동에서 짐작할 수 있는 그의 성격은?
　관료와 하인의 관계임에도 배 비장의 말에 코웃음을 치며 배 비장의 호통에도 물러서지 않고 내기를 거는 도전적인 성격임.

동쪽에 달이 뜨면서 맑은 바람이 부니 태평한 기상이 완연하였다.　　　❯ 방자와 배 비장이 내기를 함

핵심장면 ②　계교에 빠진 배 비장이 궤짝 속에 갇혀 수난을 겪다가 동헌 마당에서 망신을 당하게 되는 부분이다.

　"음! 거문고라면 좀 타 보자."
배 비장을 골리려는 방자의 수작 - 배 비장이 든 큰 자루를 애랑이 거문고라 둘러댄 상황임

하고는 대꼬챙이로 배부른 통을 탁탁 쳤다. 그러니 배 비장은 참을 길이 없었다. 그러나 꿈틀

거릴 수는 없는 일이다. 『배 비장은 아픔을 꾹 참고 대꼬챙이로 때릴 때마다 자루 속에서,
　　　　　　　　　　　　　『 』: 바깥 상황을 모르기 때문에 거문고인 척 소리를 내는 배 비장

　"둥덩둥덩." / 하고 소리를 냈다.』 **Link** 서술상의 특징 ❶
방자의 수작에 당하는 배 비장의 우스꽝스러운 행동이 웃음을 자아냄

　"음! 그놈의 거문고 소리가 매우 웅장하구나. 대현을 쳤으니 이제 소현을 쳐 봐야겠군."
　　　　　　　　　　　　　　　　　　　거문고의 셋째 줄의 이름, 가장 굵은 줄

이번은 코를 탁 쳤다. / "둥덩둥덩."

　"음! 그놈의 거문고가 이상하다. 아래를 쳐도 위에서 소리가 나고 위를 쳐도 위에서 소리가

나니 말이다. 이 어떻게 된 놈의 거문고냐?" / 저 계집 대답하되,
　　　　　　　　　　　　　　　배 비장이 입으로 악기 소리를 내는 것을 놀리고 있음　기생 애랑

　"무식한 말 하지도 마오. 옛적 여화씨 적에 생황(笙簧) 오음 육률을 내실 적에 궁상각치우를
　　　　　　　　　　　　　　　고사를 들어 거문고 소리가 위에서 나는 까닭을 둘러댐

청탁(淸濁)으로 울리오니 상청음(上淸音)도 화답이랍네." / 이놈이 옳게 듣는 듯이,
　　　　　　　　　　　　　　　　　　　　방자

　"네 말이 당연하다. 세사는 금삼척이요, 생애는 주일배라. 사정 강상월이요, 동각 설중매라.

술 한잔 날 권하고 줄 골라라. 오늘 밤에 놀아 보자. 내 소피하고 들어오마."
　　　　거문고를 치게 할 것이니 준비하라는 의미　　일부러 자리를 피하는 행동
　　　　　　　　　　　　　　　　　　　　　　❯ 거문고인 척하는 배 비장을 골려 주는 애랑과 방자

하고, 문밖에 나와 서서 기척 없이 귀를 기울이고 엿듣는다.

　배 비장 자루 속에서 가만한 소리로 하는 말이,

　"여보오, 그자가 거문고를 내 볼 것 같으니 다른 데로 나를 옮겨 주오."

　"이곳으로 어서 들어가시오."

　궤 속으로 들어간 배 비장은 몸을 웅송그리고 앉아서 생각하니 한심스러웠다. 그러나 그것

이 모두 자기가 믿고 데리고 있는 방자의 계교라는 것을 어찌 알 것인가.
　　　　　　편집자적 논평　　　　　　　　**Link** 서술상의 특징 ❷

　계집이 궤문을 닫고 쇠를 덜커덕 채우니 이제는 함정에 든 범이요, 독 안에 든 쥐였다. 배 비
　　　　　　　　　　　　　　　　　　　　궁지에서 벗어날 수 없는 배 비장의 처지

장은 숨이 가빠져 왔다.

　이때 나갔던 사내가 다시 들어오면서 말하는 소리가 들려왔다.
　　　　　　　애랑의 남편인 척하는 방자

　"아까 눈이 저절로 감겨 잠깐 꿈을 꾸니 백발 노인이 나를 불러, 네 집에 거문고와 피나무 궤

가 있느냐고 묻기에 그렇다고 대답했다. 그랬더니 액신이 붙어서 장난을 하므로 패가망신할
　　　　　　　　　　　　　　　　　재앙을 가져온다는 악신　　집안의 재산을 다 써 없애고 몸을 망침

징조라 했다. 저 궤를 불태워 버려라. 어서 짚 한 단을 가지고 가서
　　　　　　　　　　배 비장에 대한 위협과 조롱 ①

불을 놓아라!" / 배 비장은 탄식하였다.
　　　　　　　　Link 인물의 심리 ❶

　"이젠 화장인가. 이 일을 어찌한단 말이냐. 뛰쳐나가지도 못하고."

　이때 계집이 악을 썼다. **Link** 인물의 심리 ❶
　　　　애랑이 방자와 짜고 하는 언행

　"조상 적부터 전해 내려온 기물로 업귀신이 들어 있는 업궤인데 그
　　　　　　　　　　　　　한 집안의 살림을 보호하거나 보살펴 준다고 하는 귀신

것을 불사르라니 안 될 말이오."

Link
출제자 특강 서술상의 특징을 파악하라!

❶ 이 작품에서 해학성을 드러내기 위해 사용
한 방법은?
배 비장으로 하여금 우스꽝스러운 상황에
처하게 하여 배 비장을 희화화함.

❷ 이 작품의 시점은?
작품 밖 서술자가 인물의 상황과 심리에 대
해 모두 알고 서술하는 전지적 작가 시점으
로, 서술자가 작품 안에 개입하여 논평하는
편집자적 논평이 드러남.

"이년아, 나는 너하고 못 살겠다. 나는 업궤를 가지고 나가겠다."

사내가 궤를 덜컥 어깨에 걸머지고 밖으로 나가려 하자 계집이 붙들고 늘어졌다.

"임자가 업궤를 가져가고 나는 망하란 말이오? 이 궤는 못 놓겠소."

"그렇다면 한 토막씩 나누어 갖자."

사내는 커다란 톱을 가지고 와서 궤짝 위에 올려놓고 말하였다.

"자 어서 톱을 마주 잡고 당기자."
_{배 비장에 대한 위협과 조롱 ②}

배 비장은 더 참지 못하고 겁결에 소리를 질렀다.
_{갑자기 겁이 나서 어쩔 줄 몰라 당황한 판}

"여보소. 미련도 하오. 하룻밤을 자도 만리성을 쌓는다 하지 않소? 그 계집에게 궤를 다 주구려. 토막을 내면 못 쓰게 되고 말지 않소?"

그러자 사내는 톱을 내던지며 말하였다.

"아뿔싸! 이놈의 업귀신이 도생하여 인사가 되었으니 불침으로 찌르자."
_{살아나가기를 꾀함   사람   배 비장에 대한 위협과 조롱 ③}

불에 단 송곳이 배 비장의 왼편 눈으로 내려왔다. 일이 이 지경에 이르고 보니 궤 속의 배 비
_{달군}
장은 비장한 결심을 하고서 악이라도 한 번 써 보지 않을 수 없었다.

"여보, 아무리 무식하기로서니 눈의 소중함을 모른단 말이오?"

"에그! 궤신이 저 상할 줄 미리 알고 애걸하니 정상이 가엾구나. 그 몸 상하지 않도록 궤를 져다가 물에다 던져 버려라."
▶ 방자가 궤에 들어 있는 배 비장을 위협하며 조롱함
_{배 비장에 대한 위협과 조롱 ④}

사내는 질빵을 걸어 궤짝을 지고 밖으로 나가는 것이었다. 그리고 얼마쯤 가는데 어디서 한
_{짐 따위를 질 수 있도록 어떤 물건 따위에 연결한 줄}
사람이 앞으로 나서며 물었다. / "그게 뭐냐?" / "업궤요."

"그 궤를 내게 팔아라." / "그러시오."

사내는 궤짝을 져다가 사또가 있는 동헌 마당에 놓고 물에 던지는 듯이 말하며 궤 틈으로 물
_{지방 관아에서 고을 원이나 수령들이 공사를 처리하던 중심 건물}
을 붓고 흔들었다. / "궤 속 귀신 너는 들어라! 이 파도에 띄울 테니 천 리 길을 떠나거라."
_{배 비장에 대한 위협과 조롱 ⑤}

배 비장은 생각하였다.

'어허 궤가 벌써 물에 떴나 보구나. 이젠 죽었구나.' / 하며 궤 중에서 탄식한다.
_{안   **Link** 인물의 심리 ②}

『"이 물속에서 죽다 한들 멱라수 아니어든 굴원(屈原)의 소절(素節)이며, 오강수(吳江水) 아니
_{중국 초나라의 굴원이 투신한 강   깨끗한 절개   중국 오나라의 강물}
어든 자서(子胥)의 충절 될까.』 이름 없고 남모르게 죽게 되니, 이런 때 배가 지나가면 목숨이
_{중국 춘추 시대 오나라의 정치가   ♪ 목숨이 위급한 상황에서도 중국 고사를 인용하여 자신의 처지를}
나 살 수 있으련만." _{비유하는 배 비장을 통해 지배층의 허례허식을 풍자함}

그런데 얼마 후에 들으니 '어기어차! 어기어차!' 하는 소리가 들려왔다. 물론 사령들이 지어
_{배 비장을 속이기 위해 거짓으로 내는 소리임}
서 하는 배 젓는 소리였다. / 배 비장은 소리를 질렀다.

"거기 가는 배는 어디로 가는 배란 말이오?" / "제주 배요."

"어렵지만 이 궤를 실어다가 죽을 사람 살려 주오."

"궤 속에서 나는 그 소리가 이상하다. 우리 배에 부정 탈라! 상앗
_{배질을 할 때 쓰는 긴 막대}
대로 떠밀자."

Link

출제자 톡 **인물의 심리를 파악하라!**

❶ 방자와 애랑의 심리는?
방자가 위협을 하면 애랑은 말리는 척하며 배 비장이 의심을 못하고 당하게 만듦으로써 배 비장을 조롱함.

❷ 배 비장의 심리는?
반복되는 위협에 겁에 질려 어찌할 바를 모르고, 죽을 위험에 처해 탄식함.

"난 사람이니 부디 살려 주오."

"어디 사는 사람이냐?" / "제주 사오."

"제주라는 곳이 미색의 땅이라, 분명 <u>유부녀 통간</u> 갔다가 그 지경이 되었구나."
<small>아름다운 여인이 많은 곳</small> <small>배 비장의 부도덕한 행실을 꼭 짚음</small>

"예, 옳소이다."
<small>자신의 잘못을 시인함</small>

"우리 배엔 부정이 탈까 못 올리겠고 궤문이나 열어 줄 테니 헤엄을 쳐서 가거라. 그런데 이 물은 짠물이니 눈에 들어가면 눈이 멀 테니 눈을 감고 가라."

사공이 쇠를 덜커덕 열어 놓자, 배 비장은 알몸으로 쑥 나와서 두 눈을 잔뜩 감고 이를 악물고 와락 두 손을 짚으면서 허우적거렸다.

한참을 이 모양으로 헤엄쳐 가다가 동헌 댓돌에다가 대가리를 부딪치니 배 비장은 두 눈에서 불이 번쩍 나서 두 눈을 번쩍 떴다. 자세히 살펴보니 동헌에 사또가 앉고 전후좌우에 <u>관속</u>들과 기생, 노비들이 늘어서서 웃음을 참느라고 두 손으로 입을 막고 있는 것이었다.
<small>지방 관아의 아전과 하인을 통틀어 이르던 말</small>

『사또가 웃으면서 물었다.
<small>『 』: 도덕군자라 자처하던 배 비장의 현재 모습을 비꼼</small>

"자네, 그 꼴이 웬일인고?" / 배 비장은 어이가 없어 고개를 푹 수그렸다.』

❯ 배 비장이 동헌 마당에서 망신을 당함

최우선 출제 포인트!

1 이 작품에 나타난 대립 양상

배 비장		애랑, 방자
중인 계층이나 제주도의 관리로 들어옴. → 유교적 윤리로 무장한 지배 계급	갈등 ↔	기생과 하인 등 피지배 계급

⬇

피지배 계층이 지배층의 이중성과 위선을 비판하고 풍자함.

2 '배 비장'과 '방자'의 내기

내용	• 방자: 배 비장도 애랑의 유혹에 빠질 것임. • 배 비장: 자신은 애랑의 유혹에 빠지지 않을 것임.
보상	• 방자: 방자의 가족 전부가 배 비장의 드난살이를 함. • 배 비장: 자신의 말을 방자에게 줌. → 불리한 보상으로 내기를 한 것은 방자의 자신감의 표현이자 배 비장이 보상에 끌려, 내기에 응하게 하기 위한 것임.
서사적 역할	사건의 방향 제시 → 방자가 내기에서 이기기 위해 애랑과 계교를 꾸며 배 비장을 골탕 먹일 것임.
의의	지배 계층의 위선과 이중성을 폭로함.

3 '방자'와 '애랑'의 역할

방자	애랑
• 배 비장의 약점과 위선을 폭로하여 조롱하고 풍자함. • 작가의 목소리를 대변하는 인물로 형상화됨. • 해학성을 풍부하게 해 줌.	• 방자와 함께 배 비장의 위선을 폭로하여 망신을 줌. • 정 비장의 재물을 탈취함으로써 탐관오리에게 뺏긴 재물을 되찾음.

최우선 핵심 Check!

1 다음 내용 중 맞는 것은 ○표를, 틀린 것은 ×표를 하시오.

(1) 판소리 창자의 말투가 드러나 있는 판소리계 소설이다. ( )

(2) 신분 질서가 엄격히 구분되는 당대 시대상을 반영하고 있다. ( )

(3) 리듬감이 있는 율문체를 통해 당대 서민들의 삶과 정서를 드러내고 있다. ( )

2 초성 힌트를 보고 빈칸에 들어갈 알맞은 말을 쓰시오.

(1) 배 비장이 ㄱㅅ 애랑의 유혹에 빠져 망신을 당하는 이야기를 통해 남성 훼절형 모티프를 보여 주고 있다.

(2) 목숨이 위급한 상황에서도 중국 고사를 인용하여 자신의 처지를 말하는 배 비장의 모습을 통해 지배 계층의 허례허식에 대한 ㅍㅈ을/를 엿볼 수 있다.

정답 1. (1) ○ (2) × (3) ○ 2. (1) 기생 (2) 풍자

34위 창선감의록(彰善感義錄) | 조성기

성격 교훈적, 유교적 **시대** 조선 후기
주제 충효 사상의 고취와 권선징악

소설

이 작품은 한 사대부 집안 가장의 삶과 가문의 운명에 초점을 맞추어, 유교적 덕목과 권선징악이라는 교훈적
이야기를 다루고 있는 가정 소설이다.

주요 사건과 인물

발단
화욱이 정 부인의 아들 화진과 요 부인의 딸 빙선을 편애하여 심 부인과 그녀의 아들 화춘의 불만을 사게 됨.

전개
화욱이 죽자 심 부인과 화춘이 갖은 방법으로 화진과 빙선을 모함하고 학대함.

위기
화진은 과거에 급제하여 벼슬을 하게 되었으나 그를 시기한 화춘의 무고로 귀양을 가게 되고, 화진의 아내도 누명을 쓰고 쫓겨남.

절정
귀양지에서 선인을 만나 병서를 배운 화진이 백의종군하여 해적을 토벌하고, 남방의 어지러움을 모두 평정함.

결말
천자가 화진에게 봉작을 내리고, 심 부인과 화춘은 개과천선하여 모두 화목하게 삶.

핵심장면 ① 화욱이 화진과 빙선을 편애하는 데 불만을 품었던 심 부인이, 화욱이 죽자 간계를 부려 화진과 빙선을 모함하고 학대하는 부분이다.

하루는 요 부인의 유모 취선이 빙선 소저를 대하여 흐느끼며 이르기를,
〔화욱의 두 번째 부인〕 〔요 부인의 소생 딸〕

"어르신과 정 부인의 은덕으로 소저와 둘째 공자(公子)에 대해 염려하지 않았더니, 두 분이
〔화욱〕 〔화욱의 세 번째 부인〕 〔정 부인 소생 아들인 화진〕

돌아가시매 문득 독수(毒手)에 들었으니 이 늙은이가 차라리 먼저 죽어 그 일을 아니 보고자
〔남을 해치려는 악독한 수단을 비유적으로 이르는 말〕

하나이다."

소저가 눈물을 삼키며 대답하지 않더니, 취선이 또 말하기를,

"정 부인이 돌아가신 후에 그분이 거하시던 수선루(壽仙樓)의 시녀들이 가혹한 형벌을 받은

자 많으니, 아아, 정 부인이 어찌 남에게 해악을 끼쳤으리오?"

하니, 소저 또 대답하지 않더라.
▶ 빙선에게 하소연을 하는 유모 취선

이를 난향이 창밖에서 엿듣고 심 씨에게 고한대, 심 씨 시비(侍婢)를 시켜 소저를 잡아 와서
〔심 씨의 시비〕 〔화욱의 첫 번째 부인〕 〔곁에서 시중을 드는 계집종〕

꾸짖기를,

『"네년이 감히 흉심(凶心)을 품고 진이와 함께 장자(長子)의 자리를 빼앗고 나를 제거하고자
〔흉악한 마음. 또는 음흉한 마음〕 〔화진〕 〔심 부인이 가장 우선시하는 것〕

천한 종 취선과 모의한 것이 아니냐?"』 ▪️화춘이 지닌 장자의 자리를 확고히 하고자 화빙선을 모함함
Link 인물의 의도 ❶

하니, 소저가 당혹하여 말도 못하고 구슬 같은 눈물만 흘릴 따름이라. / 심 씨 또 화진 공자를

오라 하여 마당에 꿇리고 큰 소리로 죄를 묻기를,
〔남의 힘을 빌려서 의지함〕

『"네 이놈 진아, 네가 성 부인의 위세를 빙자하고 선친(先親)을 우
〔화욱의 누이, 과부가 되어 화욱의 집에 의탁함〕 〔돌아가신 아버지를 이르는 말〕

롱하여 적장자(嫡長子) 자리를 빼앗고자 하나 하늘이 돕지 않아 대
Link 인물의 의도 ❷

사(大事)가 틀어졌더니, 도리어 요망한 누이와 흉악한 종과 함께
〔빙선〕 〔취선〕

불측(不測)한 일을 꾀하였도다."』 ▪️심 씨가 자신의 아들 화춘의 장자 자리를
〔생각이나 행동 따위가 괘씸하고 엉큼함〕 확고히 하기 위해 화진을 모함하고 꾸짖음

Link
출제자 톡 인물의 의도를 파악하라!

❶ 심 씨가 빙선을 꾸짖은 근본적인 이유는?
빙선을 모함하여 자신의 아들이자 장자인 화춘의 권한을 확고히 하기 위해서

❷ 심 씨가 화진을 모함하기 위해 꾸민 간계는?
화진이 빙선, 취선과 함께 적장자의 자리를 빼앗으려 일을 꾸몄다고 모함함.

하니, 공자가 통곡하며 우러러 여짜오되,

『"사람이 세상에 나매 오륜(五倫)이 중하고 오륜 중에 부자지간이 더욱 중하니, 부친과 모친
유교의 다섯 가지 실천 덕목   부자유친(父子有親)
은 한 몸이라, 소자 선친의 혈육으로 모부인을 가까이 모시고 있는데 어찌 이런 말씀을 하시
심 부인(심 씨)
나이까? 누이가 비록 취선과 말하긴 하였으나 사사로운 정을 나눔이 큰 죄 아니고, 혹 원망
빙선   개인적인
의 말이 있었어도 취선이 하였지 누이가 하지는 않았으니, 바라건대 모친은 측은지심(惻隱
之心)을 베푸소서."』『 』: 유교적 윤리관과 도리를 말하며 해명하는 화진
      불쌍히 여기는 마음

소저 여짜오되,

"큰집 작은집이 모두 혈육이니 이 자리를 빼앗고 저 사람과 협력한다는 말씀은 만만부당하
적장자의 자리   천부당만부당. 어림없이 사리에 맞지 아니함
나이다."

하니, 심 씨 크게 노하여 쇠채찍을 잡고 소저를 치려 하니, 공자는 방성대곡(放聲大哭)한대,
                                                            대성통곡
화춘의 부인 임 씨가 심 씨 손을 붙들고 눈물을 흘리며 만류하니 심 씨 더욱 노하여 노비로 하
심 씨의 며느리(화춘의 본처)
여금 공자를 잡아 내치라 하고, 임 씨를 꾸짖어,

"너도 악한 무리에 들어 나를 없애려 하느냐?" / 하더라.
                                          ➤화진과 빙선을 모함하여 학대하는 심 씨

이때 비복(婢僕)들이 황황히 중문 밖에 모여 흐느끼더니, 마침 빙선의 약혼자 유생이 화씨
계집종과 사내종   유용양
집안으로 들어오다가 공자가 찢어진 베옷에 머리를 풀어 헤치고 나오는 것을 보고 크게 놀라
                        화진
물으니 공자가 부끄러워 대답을 못하는지라. 유생이 큰 변이 있는 줄 알고 화춘을 만나려고
시묘(侍墓)하는 곳에 가니 춘이 없는지라. 동자가 한송정(寒松亭)에서 낮잠이 드셨다고 아뢰
부모의 기상 중에 3년간 그 무덤 옆에서 움막을 짓고 삶
니, 유생이 그곳에 올라 보니 과연 대공자(大公子)란 자가 창틀에 다리를 높이 얹고 코를 골며
                              심 씨의 아들 화춘
옷을 풀어 헤치고 자고 있거늘, 유생이 탄식하기를,
                  Link 인물의 성격 ❶

Link
출제자 톡 **인물의 성격을 파악하라!**
❶ 시묘도 하지 않고, 집안에 변고가 있는데도
정자에서 잠을 자고 있는 화춘의 성격은?
맏상제로서의 본분도 망각하고 분별력이 없음.
❷ 도척과 유하혜는 형제 사이였지만, 도척은
잔악무도한 도적이었고, 유하혜는 공자가
칭찬할 정도의 현자(賢者)였다. 이 작품에서
유하혜에 해당하는 인물은?
화진

『"쯧쯧, 도척(盜跖)과 유하혜(柳下惠)가 세상에 항상 있는 것이 아
유명한 도적. 유하혜의 형 춘추전국 시대의 어진 인물. 도척의 동생
니라더니, 어찌 오늘 다시 이런 형제를 보는가?"
『 』: 화춘과 화진을 도척과 유하혜에 비유함   Link 인물의 성격 ❷
하고 발로 차서 깨우면서,

"그대의 집에 큰 변란이 일어났으니 빨리 가 보라." / 하니라.
                                          ➤집안의 변고에 알리려 화춘을 깨우는 유생

핵심장면 ❷ 화춘이 정실인 임 소저를 내쫓고 첩인 조 씨를 정실로 삼고, 조 씨가 갖은 악행을 저지르며 남 부인과 윤 부인에게서 집안의
가보까지 빼앗으려고 하는 부분이다.

조 씨는 임 소저를 몰아내고자 하여 주야로 춘에게 참소하니, 춘이 마침내 말하기를,
화춘의 첩   화춘의 본처(정실)   남을 헐뜯어서 죄가 있는 것처럼 꾸며 윗사람에게 고하여 바침
"임 씨의 죄는 족히 내가 짐작하되, 형옥이 필경 말을 할 것이요, 또 임 씨의 성품이 강정하
                            화진   끝장에 가서는   굳세고 바름
니, 무슨 괴변이 생길까 두려워하노라."

조 씨가 박장대소하며 말하기를

"상공은 형이요, 한림은 아우라. 형이 그 아내를 내치는데 아우가 어찌 감히 간섭하며 또 설
화춘   화진
혹 임 씨가 스스로 죽는다 하더라도 상공께 해됨이 없거늘, 상공이 한 추부를 저어하여 장중
                                                          염려하거나 두려워하여

에 있는 일을 결단치 못하니, 첩은 그윽히 상공을 위하여 애석히 여기나이다."

화춘이 오히려 머뭇거리기를 마지아니하더니, 하루는 범한과 장평과 더불어 서로 의논하여
_{화춘과 어울리는 불량배들}
꾀를 결단한 후, 죽우당에 이르러 『사기(史記)』 한 권을 빼어 보는 체하다가 책을 덮고 한림더
_{중국 역대 왕조의 사적을 엮은 한나라 역사책(총 130권)}
러 묻기를,

"옛적에 한나라 무제는 진 황후의 투기함을 능히 알고 폐하였으니, 그 임군의 일이 어떠하
_{임금}
뇨?" / 한림은 형의 흉계를 알지 못하고, 바른대로 대답하여 말하기를,

"남자는 양덕(陽德)이요, 여자는 음덕(陰德)인 고로 양덕이 음덕을 이긴 연후에야 가도(家道)
가 정해지니, 한 무제는 본디 호색지심(好色之心)이 있었으니 황후만의 잘못은 아니지만 여
_{여자를 좋아하는 마음}
자의 투기(妬忌)는 칠거지악(七去之惡)이기에 이로써 내쳤나이다."
_{예전에 아내를 내쫓을 수 있는 이유가 되었던 일곱 가지의 허물}

춘이 대희(大喜)하여 뛰어들어가서 심 씨에게 말하기를,

"임 씨의 죄악은 소자가 이미 절통(切痛)히 알고 있는 바로되, 지금까지 참고 내치지 아니함
_{뼈에 사무치도록 원통함}
은 성 고모의 총애하심이 너무도 편벽(偏僻)되고, 또 형옥이 임 씨의 편당(偏黨)인 연고러니,
_{이러함}　_{정상에서 벗어날 정도로 지나침}　_{한 편인 무리}
이제 형옥의 말이 여차(如此)하고 또 성 고모는 복건에 가고 없으니, 이때를 타서 임 씨를 내
　　　　　　　Link 인물의 의도 ❶
치고 조 씨로 정실(正室)을 삼으려 하나이다."
_{본처를 달리 이르는 말}

심 씨는 놀라서,

"임 부의 죄는 불과 가부(家夫)를 침석(枕席)에 들이지 않는 것뿐이니 어찌 투기가 있으리오.
_{문어체에서, '아내'를 이르는 말}　_{남편}　_{잠자리}
또 나의 정들음은 굳으니 가히 요동(搖動)치 못하리라."
　　　　　　　　　　_{흔들리어 움직임}

하고 결연(決然)히 대답하더라. 춘이 재삼 간청했으나, 심 씨는 종시 듣지 않으려 하더라.
_{움직일 수 없을 만큼 확고함}　　　　　　　▶ 임 소저를 몰아내기 위해 흉계를 꾸미고 심 씨에게 간청하는 화춘

조 씨는 시녀 난수로 하여금 범한을 사통(私通)하여 모주(謀主)로 삼고, 또 계행 등과 결탁
_{몰래 정을 통함}　　　_{일을 주장하여 꾀하는 사람}
(結託)하여 악하고 더러운 물건을 심 씨의 침소에 많이 묻고, 또한 계행 등으로 하여금 그 흉
물(凶物)을 파내는 체하여 심 씨에게 말하기를,
　　Link 인물의 의도 ❷

"임 씨의 소위(所爲)라!"
_{소행. 이미 해 놓은 일이나 짓}

심 씨는 그제서야 대로(大怒)하여 임 소저를 꾸짖고 부외(府外)에 내치니, 비복(婢僕) 등이
_{목놓아 크게 우는 것}　　　　　　　　　　　　　_{집 밖에}
실성 호읍(號泣)하며 윤 부인과 남 부인이 앙천방탄(仰天妨歎)하고, 한림이 갓을 벗고 맨발로
　　　　　　　　　　　　　　　　　　_{하늘을 향해서 크게 탄식함}
계하(階下)에서 통곡하니, 심 씨는 또 대로(大怒)하며 말하니라.
_{섬돌이나 층계의 아래}

Link
출제자 특강 **인물의 의도를 파악하라!**

❶ 화춘이 화진에게 역사적 사건에 대한 견해를 물어본 까닭은?
한나라 무제가 진 황후를 가차 없이 폐위한 일에 대한 견해를 물어 임 씨를 내쫓고자 하는 구실을 마련하기 위해서

❷ 조 씨가 범한을 모주로 삼고, 더러운 물건을 심 씨의 침소에 묻고, 계행에게 그 흉물을 파내도록 한 이유는?
흉계를 꾸며 임 씨를 몰아내고 정실의 지위를 차지하려고

❸ 윤 부인이 조 씨에게 순순히 보물을 내놓은 이유는?
조 씨의 인물됨을 알기에, 조 씨가 흉계를 꾸며 자신에게 화를 입힐 것이 두려워서

"임 씨의 죄악이 위나라 황후보다 더한지라! 공연히 장부(丈夫)를
　　　　　　　　　　　　　　　　　　　　　_{화춘}
거절하여 침석에 용납지 아니하니, 경옥이 이미 궁형지인(宮刑之
_{화춘}　　　　　_{생식기를 자른 형벌을 당한 죄인}
人)이 아닌즉 어찌 통분치 않으며, 또 조 씨가 들어온 후로 임 씨의
투기는 날로 심하여 천고에 없는 요악지변(妖惡之變)이 나의 침방
　　　　　　　　　　　　　　_{요사하고 간악스러운 변고}
에까지 미치니, 어찌 참고 내치지 아니하리오!"

한림이 애읍(哀泣)하고 간(諫)하고, 머리를 땅에 부딪쳐서 유혈이
_{슬프게 욺}　_{웃어른이나 임금에게 옳지 못하거나 잘못된 일을 고치도록 말함}
낭자한지라. 〈중략〉
　　　　　　　　　　　▶ 조 씨의 흉계로 인해 쫓겨나는 임 씨

윤 부인은 즉시 상자를 열고 홍옥차를 내어 주며 말하되,

　　홍옥 팔찌

"명교(名敎)가 당연하도다!"

　사람이 마땅히 지켜야 할 바를 가르침

조 부인이 받아 가지고 두세 번 완롱(玩弄)하매, 희색이 만면하거늘, 남 부인은 정색 단좌(正

　　　　　　　　　　장난감이나 놀림감처럼 희롱함　　　　　　　　　　　　　　　얼굴빛을 엄격하게 하고 단정하게 앉음

色端坐)하여 묵연히 말이 없고 시종 내어 줄 뜻 없으니, 조 부인은 앙앙하여 홍옥차만 가지고

　잠잠히 말이 없이　　　　　　　청옥패를　　　　　　　매우 마음에 차지 아니하거나 야속함

나가 버리더라.

남 소저가 윤 부인더러 말하기를,

"이 두 옥보(玉寶)는 아등(我等)의 신물이어늘, 군자의 말을 듣지 아니하고 어찌 경솔히 타인

　　　　　옥으로 만든 보물　'우리'를 문어적으로 이르는 말

을 주시나이까?"

"군자도 오히려 스스로 보전치 못하려든, 하물며 우리를 염려하며, 우리도 능히 보전치 못하

는데 하물며 보물을 염려하랴. 『시전(詩傳)』에 하였으되, ●혁혁종주(赫赫宗主)를 포사멸지라

　　　　　　　　　　　Link 인물의 의도 ❸　『시경』의 내용을 알기 쉽게 풀이한 책

하였으니, 정히 이를 이름이로다."

하고, 윤 부인이 의젓하게 대답하나라.

❯남 부인과 윤 부인에게 가보까지 빼앗으려는 조 씨

● **혁혁종주(赫赫宗主)를 포사멸지라.**: '빛나고 빛나는 주나라를 포사가 망쳤다.'라는 뜻임. 포사는 중국 서주(西周)의 마지막 왕인 유왕의 총희로, 좀처럼 웃지
않는 그녀를 웃기려고 유왕이 거짓 봉화를 올렸고, 이에 제후들이 나중에는 진정으로 나라가 위급할 때 봉화를 올려도 모이지 않았다고 함.

최우선 **출제 포인트!**

1 화씨 집안의 갈등이 본격적으로 촉발되는 계기

화씨 집안의 가장인 화욱이 심 씨 소생인 장남인 화춘을 냉대하고, 화진
과 화빙선을 편애하면서 심 씨와 화춘이 악한 인물이 되고 갈등이 생김.

⬇

화욱이 죽음으로써 갈등이 전면에 드러나게 됨.

2 등장인물의 유형

선인	악인
• 화진: 화욱의 둘째 아들로, 총 명하고 어진 성품을 가지고 있음. • 화빙선: 화욱의 딸로, 화진과 함께 심 씨와 화춘에게 구박을 받음.	• 심 씨: 화욱의 첫 번째 부인이 며 화춘의 친모로, 화춘의 장 자 자리를 지키고자 온갖 악 행을 저지름. • 화춘: 화욱의 맏아들로, 어리석 고 거친 성품을 가지고 있음.

↔

3 가족 간의 갈등 양상

심 씨 ↔ 화진	화욱의 정실부인과 셋째 부인에게서 태어난 아들 과의 갈등
화춘 ↔ 화진	이복형제간의 갈등
화춘 ↔ 임 씨	부부간의 갈등
조 씨 ↔ 남 씨	동서 간의 갈등
성 부인 ↔ 심 씨	시누이와 올케 간의 갈등

4 악인형 인물의 처리 방식

심 씨, 화춘	심 씨는 자신이 낳은 아들 화춘이 장자의 자리를 빼앗길 것이 두려워 화춘의 이복동생인 화진과 화빙선 을 학대하고, 간계를 꾸며 모함함.	➡	악인이었지만 나중 에 개과천선하여 착 한 사람이 되고, 가 정의 화목을 이룸.
조 씨	흉계를 꾸며 임 소저를 몰아내고 정실이 된 후에도 온갖 부정적인 행동을 일삼고, 화진의 두 부인에 게서 가보마저 빼앗으려 함.	➡	악한 인물의 전형으 로, 화씨 집안을 혼 란스럽게 한 죄로 처벌됨.

최우선 **핵심 Check!**

1 다음 내용 중 맞는 것은 ○표를, 틀린 것은 ×표를 하시오.

(1) 인물들의 대화를 중심으로 사건을 전개하고 있다.　　　(　)

(2) 시대적 배경을 구체적으로 제시하여 사실성을 부여하고 있다.(　)

2 초성 힌트를 보고 빈칸에 들어갈 알맞은 말을 쓰시오.

(1) 효와 형제간의 우애처럼 보편적인 ㄱㅅㅈㅇ 을/를 주제로 하고 있다.

(2) 일부다처제와 가부장 제도라는 전통적 가치관 아래 집안에서 일어나 는 ㄱㅈ 간의 갈등을 사실감 있게 묘사하고 있다.

정답 1. (1) ○ (2) × 2. (1) 권선징악 (2) 가족

민옹전(閔翁傳) | 박지원

성격 풍자적, 비판적   **시대** 조선 후기
주제 시정 세태에 대한 비판과 풍자

소설

이 작품은 실존 인물인 민유신을 주인공으로 하여 서술자인 '나'가 보고 겪은 일화를 중심으로, 능력은 있으나
불우하게 일생을 마친 그의 삶을 통해 당시의 세태를 풍자한 소설이다.

주요 사건과 인물

처음	가운데	끝
민옹의 출신과 성품	'나'와 민옹의 만남 및 민옹의 인물됨을 보여 주는 일화	민옹의 죽음 및 민옹의 삶을 애도하는 시를 짓는 '나'

'나'	민옹	손님
민옹에 대한 일화를 전달하는 인물(일인칭 서술자)	손님들의 집요한 질문에 재치 있게 답변함.	민옹에게 어려운 질문을 던져 그를 시험하고자 함.

재치 있는 처방으로 '나'의 병을 고쳐 줌. → 민옹
어려운 질문 ← / 재치 있는 답변 →

핵심장면 ① 민옹의 출신을 소개하고 민옹의 성품과 관련된 일화를 제시하는 부분이다.

☐ : 주요 인물

『민옹(閔翁)은 남양 사람이다. 무신년 군인으로서 반란의 토벌에 참여, 공을 세워 첨사의 벼
└ 『 』 민옹의 출신과 전적   조선 영조 4년(1728년)   이인좌의 난   조선 시대 절도사의 관할에 속한 진(陳)의 군직 이름
슬이 내려졌지만 반란이 끝난 후 집에 돌아와 벼슬을 받지 않았다.』

『민옹은 어려서 깨달음이 빠르고 총명했으며 말주변이 좋았다. 특히 그는 옛사람의 기이한
└ 『 』 민옹의 성품   절개나 위대한 자취를 흠모하여 강개한 마음으로 흥분하곤 하였다. 그리하여 매번 그들의 전
의롭지 못한 것을 보고 의기가 복받쳐 슬픔
기를 읽을 때마다 일찍이 탄식하고 눈물짓지 않은 적이 없었다.』

▶ 민옹의 출신과 성품
Link 인물의 특징 ❶

나이 일곱 살에, / "항탁은 스승이 되었다."
『전국책』의 구절을 인용
라고 벽에 크게 썼다. 열두 살에는, / "감라는 장수가 되었다."
『사기』의 구절을 인용
라고 썼으며, 열세 살에는, / "외항의 소년은 유세했다."
『사기』의 구절을 인용
라고 썼으며, 열여덟 살에는 덧붙이기를, / "거병은 기련에 출정했다."
『사기』의 구절을 인용
라고 했고, 스물네 살에는, / "항적이 강을 건넜다." / 라고 썼다.
『사기』의 구절을 인용

나이 사십에 이르러서도 그는 아무런 명성을 얻지 못했으나 또 크게 쓰기를,
Link 인물의 특징 ❶
"맹자는 부동심을 얻었다."
『맹자』의 구절을 인용
라고 했다. 이렇게 해마다 쓰기를 게을리하지 않으니 그의 벽은 온통 먹으로 뒤덮였다.
성실하게 정진하는 민옹의 면모

나이 칠십이 되자 부인이 조롱하며 말하기를, / "영감, 금년에는 까마귀를 그리겠구려."
벽이 온통 먹으로 뒤덮여 검게 된 것을 조롱하는 말
라고 하니 민옹이 웃으며 말하였다. / "당신은 먹이나 갈아 주구려."

하고는 더욱 크게 쓰기를, / "범증은 기이한 계책이 뛰어났다."
『사기』의 구절을 인용
라고 했다. 부인이 화가 나서 소리치기를,

Link

출제자 툭톡! 인물의 특징을 파악하라!

❶ 민옹의 이력을 통해 알 수 있는 것은?
유능한 재주와 강개한 성품을 가지고 있
으면서도 벼슬을 받지 않음.

❷ 자신을 조롱하는 아내의 말에 웃으며 대답
한 민옹의 성품은?
재치 있고 낙천적임.

"계책이 비록 기이하더라도 당신은 어느 때 사용하려 하시오?"

그러나 민옹은 웃으며,

"옛날 여상은 나이 팔십에 매처럼 들날렸지. 지금 내 나이는 여상
『시경』의 구절을 인용   **Link** 인물의 특징 ❷
에 비하면 어린 동생에 불과할 뿐이라오." / 라고 말했다.

▶ 민옹의 행적과 아내의 조롱

지난 계유년, 갑술년에 내 나이는 열일곱, 열여덟이었다. 병으로
조선 영조 29년(1753년)   조선 영조 30년(1754년)

오랫동안 시달리면서 노래, 글씨, 그림, 옛 칼, 거문고, 골동품 등의 여러 잡물들을 제법 좋아하였다. 게다가 지나는 손님들을 모아 놓고 익살스럽거나 우스운 옛날이야기를 들으며 마음을 달래었지만, 깊숙이 스며든 우울증을 어쩔 수가 없었다. 그러자 어떤 사람이 이렇게 말하였다.

『민 영감은 기이한 사람이지요. 노래도 잘 부르지만, 말도 잘한답니다. 그의 이야기는 신나고도 괴이하고, 능청스럽고도 걸쭉하지요. 그의 이야기를 듣는 사람치고 마음이 상쾌하게 열리지 않는 이가 없답니다.』

나는 그 말을 듣고 몹시 기뻐서 그에게 함께 놀러 오라고 부탁했다.
> 민옹과 '나'의 만남의 계기

핵심장면 ② 민옹이 기지를 발휘하여 여러 사람 앞에서 재담을 펼치는 부분이다.

"좋소. 그러나 불사약은 영감님도 결코 못 보았겠죠?" / 민 영감이 웃으면서 말하였다.

"이거야말로 내가 아침저녁으로 늘 먹는 것인데, 어찌 모르겠소? 큰 골짜기 굽은 소나무에 달콤한 이슬이 떨어져 땅속으로 스며든 지 천 년 만에 복령(茯笭)이 되지. 인삼 가운데는 신라의 토산품이 으뜸인데, 단정한 모양 붉은빛에 사지가 갖추어진데다, 쌍갈래로 딿은 머리는 아이처럼 생겼지. 구기자가 천년 되면 사람을 보고 짖는다우. 내가 일찍이 이 세 가지 약을 먹고는 백 일이나 음식을 먹지 못하다가, 숨결이 가빠져서 죽을 지경에 이르렀소. 이웃집 할미가 와서 보고는 이렇게 탄식합니다. '자네 병은 굶주렸기 때문에 생겼지. 옛날에 신농씨(神農氏)가 온갖 풀을 다 맛보고 비로소 오곡(五穀)을 뿌렸으니, 병을 다스리려면 약을 쓰고 굶주림을 고치려면 밥을 먹어야 한다네. 이 병은 오곡이 아니면 고치기 어렵겠네.' 나는 그제야 쌀로 밥을 지어 먹고는 죽기를 면했다우. 불사약치고 밥보다 나은 게 없는 셈이지. 그래서 나는 아침에 한 그릇, 저녁에 또 한 그릇 먹고, 이제 벌써 일흔이 넘었다우."
> 불사약을 보았느냐는 질문에 대한 민 영감의 답변

민 영감은 언제나 말을 지루하게 늘어놓았지만, 끝에 가서는 모두 이치에 맞았다. 게다가 속속들이 풍자를 머금었으니, 변사(辯士)라고 할 만하였다. 그 손님도 물을 말이 막혀서 다시금 따지지 못하게 되자, 벌컥 화를 내면서 / "그럼 영감님도 역시 두려운 게 있소?"

하고 물었다. 민 영감이 잠자코 있다가 별안간 목소리를 높여서 말하였다.

『나 자신보다 더 두려운 건 없다우. 내 오른쪽 눈은 용이고, 왼쪽 눈은 범이거든. 혀 밑에는 도끼를 간직했고, 굽은 팔은 활처럼 생겼지요. 내 마음을 잘 가지면 어린아이처럼 착해지지만, 까딱 잘못하면 오랑캐도 될 수 있다우. 삼가지 못하면 장차 제 스스로 물고 뜯고, 끊고 망칠 수도 있는 거지요. 그래서 옛 성인의 말씀 가운데도 '자신의 사욕을 극복하여 예법으로 돌아간다.'라고 하였고, '사심을 막고 참된 마음을 지닌다.' 하였지요. 성인께서도 스스로를 두려워하신 거라우.』
> 두려운 게 있느냐는 질문에 대한 민 영감의 답변

Link
출제자 콕! 인물의 견해를 파악하라!
❶ 민 영감이 '불사약'이라고 한 것은?
밥
❷ 두려운 것이 있느냐는 손님의 질문에 민옹이 성인을 예로 들어 강조하고자 한 것은?
자신을 두려워하며 자신을 잘 다스려야 함.

민 영감은 한꺼번에 여러 가지 질문을 받았지만, 그의 대답은 언제나 메아리처럼 빨랐다. 그는 자기 자신을 자랑하기도 하고, 기리기도 했으며, 곁에 앉은 사람을 놀리기도 하였다. 사람들이 모두 허리를 잡고 웃어도, 민 영감은 얼굴빛 하나 변하지 않았다. 어떤 사람이

"해서 지방에 황충(蝗蟲)이 생겨서, 관청에서 백성들더러 잡으라고 감독한답니다."
<small>황해도</small>
<small>떼를 지어 날아다니며 농작물을 갉아먹는 곤충</small>

하고 말하자, 민 영감이 물었다. / "황충을 잡아서 무엇한다우?"

"이 벌레는 누에보다도 작은데, 알록달록한 빛에 털이 돋쳤지요. 이놈이 날면 명(螟)이 되고, 붙으면 모(蟊)가 되어서 우리 곡식을 해치는데 거의 전멸시키지요. 그래서 잡아다가 땅
<small>식물의 줄기 속을 파먹는 해충</small>
속에 묻는답니다." / 민 영감이 말했다.
<small>곡식의 뿌리를 잘라먹는 해충</small>
Link 비유적 의미 ❶

『"이따위 조그만 벌레를 가지고 걱정할 게 무어람. 내 보기엔 종로 네거리에 한길 가득히 오
가는 것들이 모두 황충일 뿐입니다. 키는 모두 일곱 자가 넘고, 머리는 검은 데다 눈은 빛나
<small>**Link** 비유적 의미 ❷</small> <small>인간(지배층)</small>
지요. 입은 주먹이 드나들 만큼 큰 데다 무슨 소린지 지껄여 대고, 구부정한 허리에 발굽이
<small>놀고먹으며, 백성을 억압하고 착취하기 때문에</small> <small>길이의 단위, 약 30cm</small>
서로 닿고 궁둥이가 잇달아 있습니다. 이놈들보다 더 농사를 해치고 곡식을 짓밟는 놈들이

Link
출제자 **특강** 비유적 의미를 파악하라!
❶ '황충'을 잡아다가 땅속에 묻는 행위가 의미하는 것은?
폐단의 근본 원인을 없앤다는 의미임.
❷ '황충'이 비유하는 것은?
백성을 억압하고 착취하는 지배층

없다우. 내가 그놈들을 잡고 싶은데, 큰 바가지가 없는 게 한스럽
구려."』 『 』: 벌레보다 무서운 것이 사람임 – 민 영감의 말을
빌려 세상을 비판하고자 하는 주제 의식을 담음

마치 이런 벌레가 참으로 있는 것처럼 생각하고, 그 자리에 있던 사람들이 모두 크게 두려워했다.

▶ 인간을 비판하는 민 영감

최우선 (출제 포인트!)

1 '민옹'의 재담에 담긴 지혜
민옹은 자신을 골탕 먹이기 위한 손님들의 질문에 대해 생활의 상식에 기초해 대답하고 있다. 민옹의 대답에는 일상인들이 흔히 간과하기 쉬운 생활의 교훈이 담겨 있다.

손님의 질문	민옹의 답
신선을 본 일이 있소?	가난뱅이요.
나이 많이 먹은 사람을 보았소?	글을 많이 읽은 사람이오.
제일 맛있는 것을 보았소?	소금이 제일 맛있는 것이오.
불사약을 보았소?	밥이오.
두려운 것이 있소?	나 자신이 가장 두렵소.

2 구성상 특징

민옹의 이력	민옹의 고향, 어린 시절과 성격을 소개함.
민옹과 관련된 일화	• '나'의 병을 고쳐 줌. • 손님들의 질문에 재치 있게 대답함. • 파자 놀이에 답함.
민옹의 죽음	• 민옹에 대한 세인들의 평, 민옹의 자식들을 소개함. • 「민옹전」의 창작 동기, 민옹을 애도하는 시를 제시함.

최우선 (핵심 Check!)

1 다음 내용 중 맞는 것은 ○표를, 틀린 것은 ×표를 하시오.

(1) 사람들의 질문에 대한 민옹의 대답을 중심으로 서술되고 있다.
( )
(2) 서술자의 비판적인 입장을 직접적으로 드러내어 주제를 제시하고 있다.
( )
(3) 전(傳)의 형식을 빌려 조선 후기 실존 인물이었던 민유신의 삶을 소개하고 있다.
( )
(4) 관리자들에 대한 조롱과 풍자를 통해 모순적인 사회를 비판하려는 작가의 의도가 담겨 있다.
( )

2 초성 힌트를 보고 빈칸에 들어갈 알맞은 말을 쓰시오.

(1) 작가는 ㅁㅇ 을/를 사회에 대한 비판적 의식을 대변하는 인물로 설정하고 있다.
(2) ㅅㄴ 은/는 작가의 의도대로 인물의 재치 있는 답변을 이끌어 내기 위해 설정된 보조적 인물이다.

정답 1. (1) ○ (2) × (3) ○ (4) ○ 2. (1) 민옹 (2) 손님

적성의전(赤聖儀傳) | 작자 미상

성격 유교적, 교훈적, 전기적 **시대** 조선 후기
주제 부모에 대한 효와 형제간의 우애

소설

이 작품은 재주와 덕성을 겸비한 주인공 적성의가 형 적항의에 의해 고난을 겪은 후 승리한다는 이야기를 통해 부모에 대한 효와 형제간의 우애를 강조하고 있는 한문 소설이다.

 주요 사건과 인물

발단	전개	위기	절정	결말
안평국 왕비가 병이 들자 아들 적성의가 왕비의 병을 치유할 일영주를 구하러 서역으로 떠남.	선관의 도움으로 서역에 이른 성의가 일영주를 얻음.	성의의 형 항의가 일영주를 빼앗고 성의의 눈을 칼로 찔러 바다에 빠뜨림.	구출되어 천자의 후원에 머물게 된 성의는 어머니가 기러기 편에 보낸 편지를 받은 후 눈을 뜨고 공주와 혼인함.	항의는 죽임을 당하고 성의는 안평국의 왕이 되어 선정을 베풂.

선인		악인
적성의: 안평국의 둘째 왕자로, 재주와 덕성을 겸비하였음.	⟷	**적항의**: 안평국의 첫째 왕자로, 동생 성의를 시기하여 공을 가로채고 죽이려 함.

핵심장면 ① 형 적항의에 의해 두 눈이 먼 채 표류하다가 호 승상에게 구출되어 천자의 후원에 머물게 된 적성의가 기러기 발에 매어 보낸 어머니의 편지를 받는 부분이다.

『달빛 고요히 밝은 밤에 날짐승은 수풀에 자고 길짐승은 굴에 들어 천지가 고요한데 홀연히
『 』: 자연적 배경을 통해 적성의에게 일신상의 변화가 있을 것임을 암시함   ★ 주요 소재
들리는 소리가 나거늘,』 모두 잠잠히 앉아 들었더니 문득 동남으로부터 기러기가 슬피 울며 점
                                                        적성의가 기르던 기러기가 적성의를 찾아옴
점 가까이 오더니 허공에 높이 떠서 금각전을 향하여 울고 돌아다녔다. 〈중략〉

Link 인물의 상황 ❶

'이 기러기는 분명히 내가 기르던 기러기로다. 만일 다른 기러기 같으면 가지 않고 내가 앉
은 전각 위에서 지금까지 소리 질러 나의 심장을 상하게 하겠는가? 이내 심사를 둘 곳이 없
다. 소리는 듣지만 눈은 어이 못 보는가?'
    형 적항의가 적성의에게서 일영주를 뺏은 후 적성의의 두 눈을 찔러 멀게 했음
하며 애갈자진(哀竭自盡)하여 미친 듯 취한 듯하였다. 넋 없이 앉았는데 기러기 점점 날아 내
    슬퍼하기를 매우 심히 하여 몸의 힘이 다 빠짐
리더니 두 날개를 반만 펴고 궁전의 사면을 돌며 슬피 우니 뜻 깊은 저 기러기가 주인을 찾을
                                                                              ↓
줄을 그 누가 짐작하리오? 공주와 모든 시녀들은 정신이 아득하여 매우 의아히 여기는데, 기   적성의
러기가 금각전 난간을 날개로 치며 고성을 지르더니 성의의 앞에 들어와 앉으며 목을 늘여 슬
피 울더니 고개를 들어 성의에게 몸을 부대끼니 성의가 그제서야 자기가 기르던 기러기가 온
줄 쾌히 알고 급히 두 손으로 기러기를 덥석 안고 온몸을 어루만지며 눈물을 흘리며 울고 말하
    자신이 기르던 기러기임을 알아봄 – 기러기가 자신에게 온 것을 왕비의 죽음과 관련지음
기를,

Link
출제자 특강 인물의 상황을 파악하라!

❶ 공주와 시녀가 이상하게 여긴 것은?
  기러기가 슬피 울며 궁전 주변을 돌아다님.

❷ 적성의가 기러기를 보고 기절한 이유는?
  기러기가 어머니의 죽음을 알리러 온 것이라고 생각했기 때문에

❸ 기러기 다리에 서찰을 매어 보낸 인물은?
  적성의의 어머니

"네가 이제 나를 찾아 여기 오니 반드시 중전께서 승하하셨도다."
        기러기가 왕비의 죽음을 알리러 자신을 찾아왔다고 생각함
                                                    Link 인물의 상황 ❷
말을 마치자마자 기러기 목을 안고 기절하니 좌우의 시녀들이 급
히 구완하는데, 공주가 신기함을 이기지 못하여 자세히 살펴보니 기
    아픈 사람을 간호함   ★ 주요 소재
러기 다리에 한 통의 서찰이 매어 있거늘 바삐 끌러 보니 겉봉에, '안
평국 국모는 내 아들 성의에게 부치노라.'라고 하였다. **Link** 인물의 상황 ❸
➤ 어머니가 기러기의 발에 매어 보낸 편지를 받은 성의

각설, 이때 안평국 중전 왕비가 기러기의 발에 편지를 매어 보내고 회답 오기를 밤낮으로 기
장면의 전환   적성의에게 답장이 오기를 간절히 바람
다리고 있었는데, 하루는 왕이 내전에 들어 왕비와 더불어 옥루에 올라 난간에 비기어 앉아
        Link 인물의 심리 ❶   왕비가 거처하던 궁전   옥으로 장식한 화려한 누각
성의를 생각하시고 슬픔을 금치 못하였다. 홀연 기러기가 중천에 높이 떠서 긴 소리로 아뢰는

듯하더니 순식간에 쏜살같이 내려와 왕비 앞에 앉거늘, 왕비가 기러기만 보아도 성의를 본 듯
                                                        적성의에 대한 왕비의 마음을 알 수 있음
하여 손으로 기러기를 덥석 안고 어루만지며 살펴보니 기러기가 발에 한 통의 편지를 매고 왔

는지라. 일희일비하여 급히 풀어 뜯어보니 그 사연에 이르기를,
        한편으로는 기뻐하고 한편으로는 슬퍼함   여러 번 절을 함. 또는 그렇게 하는 절

"불효자 성의는 삼가 백배(百拜)하옵고 부왕 진하와 모비 마마께 올리나이다. 이별이 오래되
              겸손하고 조심하는 마음으로 정중하게

었사온데 양 전하의 기후 강녕하심을 기러기 편으로 듣자오니 반갑고 설운 마음 헤아릴 길
                  몸과 마음의 현편이라는 뜻으로, 웃어른께 올리는 편지에서 문안할 때 쓰는 말

이 없사옵니다. 연전에 모비의 병환을 위하여 슬하를 떠나 서역으로 갈 때에 온갖 고비를 다
    Link 인물의 심리 ❷   몇 해 전   적성의는 어머니의 병을 고치기 위해 일영주를 구하러 서역으로 떠났음   관련 한자 성어: 천신만고(千辛萬苦)
겪으며 고생한 끝에 십생구사(十生九死)로 수만 리 서천에 이르러 일영주를 얻었습니다. 돌
        열 번 살고 아홉 번 죽는다는 뜻으로, 위태로운 지경에서 겨우 벗어남을 이르는 말
아오던 도중 바다 가운데에서 포악한 변을 만나 뱃사람 일행을 모두 죽이고 장차 소자를 죽

이려 할 때 거느린 군사 중에 태연이라 하는 사람의 힘을 입어 목숨은 보전하였으나 두 눈을
                                            적항의에게서 적성의를 구해 준 인물
잃고 한 조각 나무판에 태워져 푸른 파도 속으로 밀쳤으니 십이 세 어린것이 어찌 살기를 바
                    맹인이 되어 표류함
라겠습니까?

파도에 밀려서 지향 없이 가옵더니 여러 날 만에 겨우 한 섬에 다다랐습니다. 짐작하니 언
                지향한 방향 없이
덕이어서 더듬어 보니 바위가 있기에 바위 위에 올라 정신을 수습하였더니 바람결에 대 우
는 소리가 들려 내려가 더듬어 보니 과연 대밭이 있었습니다. 대를 베어 단저를 만들어 슬픈
                                        과일   짧은 피리
마음을 덜고 앉아 오작에게 실과를 얻어먹고 있었더니 천지신명이 도우사 중국 호 승상이
              까마귀와 까치를 아울러 이르는 말   적성의의 조력자
남일국의 사신으로 다녀오시는 길에 소자를 데려다가 보살핌을 입어 승상부에 머물게 되었
던 일이며, 과거에 급제하여 부마된 전후 사연과 호 승상의 수양자 된 말씀을 낱낱이 아뢰
                                            「 」: 서역으로 떠난 후 자신이 겪은 일들을 시간 순서대로 이야기함
고, 공주와 더불어 고국으로 즉행하오니 또 중도에 무슨 변이 있을지 모르오니 엎드려 바라
                            고국으로 돌아오는 길이 순탄치 않을 것임을 예측함
옵건대 양친은 살피옵소서." / 하였더라.   ▶ 기러기 발에 편지를 매어 어머니에게 되돌려 보낸 성의

왕비가 보기를 다함에, 전하는 다 듣고 나서 눈물을 흘리고 슬퍼하시더라. 왕비가 기러기를
                                            크게 소리 내며 울
붙들고 통곡하여 슬퍼하시더니, 이때 세자 항의가 왕비의 곡성을 듣고 크게 놀라 들어가 엎드려
                        동생 적성의를 시기하여 그의 공을 가로채고 죽이려 했음

Link
여쭙기를, / "모후는 무슨 까닭으로 이렇듯이 비창(悲愴)하십니까?"
                                            마음이 몹시 상하고 슬픔

출제자 특 인물의 심리를 파악하라!   왕비가 항의를 보고 잠잠하시거늘 항의가 일어나 사면을 살펴보니

❶ 편지를 보내고 회답이 오기를 기다리는 중   서안에 일봉 서찰이 놓였고 또 기러기를 어루만지시거늘 자세히 보
   전의 심리는?   예전에, 책을 얹던 책상
   아들 성의를 간절히 그리워함.   니 이는 곧 성의의 필적이었다. 〈중략〉
                                                                모후가 읽고 있던 편지를 확인함
❷ 어머니께 보낸 편지에 담겨 있는 성의의 마   차설, 항의가 마음속으로 헤아리되,
   음은?
   반갑고도 서러움.   '성의가 틀림없이 죽은 줄로 알았는데 어찌하여 살았으며 이다지

❸ 항의가 성의의 편지를 보고 근심에 휩싸인   영귀하게 되었는고. 만일 성의가 오면 나의 전후 행적이 발각되겠구나.'
   이유는?   지체가 높고 귀하게   항의가 적성의에게서 일영주를 빼앗고 그의 눈을 멀게 한 일
   성의가 살아서 돌아오면 자신이 저지른 일
   들이 모두 탄로 날 것이기 때문에

하고 매우 근심하다가 한 계교를 생각하고 노복에게 분부하여 적부리를 부르니, 이 사람은 지
혜와 용기가 매우 많았다. 이날 항의가 적부리를 청하여 후히 대접하고 말하기를,

『그대가 나를 위하여 오백 군사를 거느리고 중로에 나가 매복하였다가 성의 일행을 쳐서 함
몰시키고 돌아오면 천금의 상을 아끼지 않겠다. 그리고 내 장차 왕이 되는 날 무거운 소임을
맡길 것이니 그대는 힘을 다하여 성사케 하라.』 / 하니 적부리가 크게 기뻐 말하기를,

"이 일은 소장의 손끝에 달렸으니 조금도 의심치 마시고 동궁께서는 다만 후일을 준비하소서."

하며 하직하니 항의가 크게 기뻐하여 잔을 잡아 술을 권하며 즐기다가 잔치를 마치고 비밀리
에 의논하더니 적부리가 돌아와 군사를 거느리고 출발하더라.

각설, 이때 부마는 배를 재촉하여 청강에 다다르니 갑자기 중천에 기러기가 슬피 울며 떠오
더니 뱃머리에 앉았다. 부마와 공주가 크게 반겨 몸을 어루만지며 말하기를,

"네 능히 서간을 전하였느냐?"

하니 기러기가 고개를 들어 답하니 일행이 모두 신기하게 여기며 칭찬하더라. 기러기가 문득
날아 강변으로 떠다니며 슬피 울거늘 부마와 공주 및 모든 사람이 의심하니 공주가 말하기를,

『이제 기러기가 비록 짐승이지만 신통함이 있으니 무슨 변이 있을 것입니다. 반드시 불길한
징조이니 대비합시다.』

하고 데려온 장수와 군사를 단속하고 또 행장을 끌러 갑주와 창검을 내어 공주가 친히 화복(華
服)을 벗고 의갑(衣甲)을 갖추어 뱃머리에 서며,

"부마는 배 안으로 드십시오." / 하였다. 부마가 말하기를,

"약하디약한 공주가 무슨 지혜로 이렇듯 하십니까?"

공주가 말하기를,

『분명 앞으로 불의의 변이 있을 것입니다. 우리 일행을 보호하는
장수들로써 막지 못하면 첩이 반드시 대적하려 하오니 부마는 너
무 우려하지 마십시오.』 / 하고 곧바로 나아갔다.

Link
출제자 특 인물의 성격을 파악하라!

❶ 성의 일행을 없애는 계교에 대한 적부리의
태도는?
출세에 대한 욕심을 보이며 항의에게 자신이
그 계략을 성사시킬 수 있다며 호언장담함.

❷ 기러기가 강변으로 떠다니며 슬피 우는 모
습을 본 뒤 공주가 한 말을 통해 알 수 있는
공주의 성격은?
지혜롭고 선견지명이 있음.

❸ 공주의 대범함을 보여 주는 것은?
부마에게 불의의 변이 생기면 자신이 대적
할 것이니 걱정하지 말라고 함.

핵심장면 ③ 공주 일행과의 전투에서 적부리가 죽자 항의가 직접 성의를 죽이려고 나서는 부분이다.

이때 항의가 적부리 형제에게 약속하여 보내고 소식을 탐지하더니 적부리 형제가 공주의 칼
아래 죽었다는 소식을 듣고 분기를 참지 못하여 말하기를,

"내 적부리를 수족같이 여겼는데 부리 형제가 여자의 칼끝에 영혼이 되었으니 장차 나의 일
을 어찌하겠는가. 반드시 성의를 죽여 후환을 덜리라."

하고 나오더라. 문득 뒤에서 한 사람이 칼을 들고 내달아 꾸짖어 말하기를,

『나는 당시에 배를 타고 중로에 마중 나갔던 태연이다. 인륜을 모르는 항의는 들어라. 네가

전일 바다에서 어진 대군을 죽이려 하거늘 만류했더니, 칼로 대군의 두 눈을 찔러 모난 판자
　　　　　　　　　적성의　　　　　　　　　　　　　　　　　　　　사물의 모습을 분명히 비추어 주는 거울이라는 뜻으로, 훌륭한 귀감을 이르는 말
쪽에 태워 바닷속에 밀쳤으니 이는 사람의 할 바가 아니다. 천도(天道)가 명감(明鑑)하여 상
　　　　　　　　　　　　　　　　　　　　　　　　　　　　하늘의 도리
한 눈을 다시 뜨고, 영화롭게 귀하게 되어 고국에 돌아오니 기뻐하지 않는 자가 없는데, 네
어머니의 편지를 받고 성의가 눈을 뜸　　과거에 장원 급제하고 부마가 됨
　　홀로 포악하여 윤기를 모르고 골육을 해치고자 하니 무슨 원수로 그러느냐?"
　　　　　　　　　　　　윤리와 기강　　　　　　형제　　　　　　　『　』: 천륜에 어긋나는 행위를 하는 항의를 꾸짖음
하며 말을 마치기도 전에 칼을 들어 항의의 목을 치니 머리가 땅에 뒹구는지라. 이때 보는 자
그 누가 상쾌하게 여기지 않으리오? 보고 듣는 사람이 모두 태연을 의로운 남자라고 칭찬하더
　　　편집자적 논평 – 항의에 대한 서술자의 비판적 태도가 드러남
라. 그러나 태연이 말하기를,

　　"내 이제 항의를 죽여 장부의 답답함을 덜었으나 왕자를 죽였으니 나도 죽는 것이 옳다."
　　　　　　　　　　　　　　　　　　　　　　　　유교적 질서에 충실한 태연의 인물됨이 드러남
하고 자결하니 이는 뒷사람을 경계함일러라.　　　　　　　　▶ 항의를 죽이고 자결하는 무사 태연
　　왕권을 해치고는 살아남을 수 없음을 몸소 보여 줌
　　이때 공주의 행차가 궐문에 이르러 황제의 군사는 별궁으로 들어가고 공주와 부마는 내궁으
로 들어가 전하 내외분께 엎드려 배알하였다. 중전이 일희일비하여 공주와 대군의 손을 잡고
　　　　　　　　　지위가 높거나 존경하는 사람을 찾아가 뵘
등을 어루만지시며 말씀하기를, / "공주는 나의 자부로다."
　　　　　　　　　　　　　　　　　　　　　　며느리
하시며 대군의 전후수말을 대강 들으시고 이번에 나오다가 변란 만난 사연을 문답하시고 탄식
성의가 항의에게 일영주를 빼앗기고 눈이 멀어 곤경에 빠졌던 일　　성의가 고국으로 돌아오다가 항의가 보낸 군사들 때문에 고초를 겪은 일
하시기를 마지아니하시거늘 공주와 부마가 만단으로 위로하시더라.
　　　　　　　　　　여러 가지나 온갖 방법　　　　　　　　▶ 항의를 무찌르고 귀향하여 왕 내외를 만난 성의 일행

최우선 출제 포인트!

1 이 작품의 서사 구조

집을 떠남.	성의는 왕비의 병을 낫게 할 일영주를 얻기 위해 집을 떠나 서역으로 향함.
위기에 봉착함.	일영주를 구한 성의가 돌아오는 도중에 바다에서 변을 당해 두 눈을 잃고 표류함.
위기에서 구출됨.	호 승상에 의해 구출된 성의는 호 승상의 보살핌을 받으며 승상부에 머묾.
위기를 겪은 것에 대한 보상을 받음.	두 눈을 뜨게 된 성의는 중국에서 과거에 급제하여 입신양명하고 공주와 가약을 맺음.
집으로 돌아옴.	성의 일행은 항의를 무찌르고 귀향하여 왕 내외를 만남.

2 주요 소재의 의미와 기능

일영주	• 안평국 왕비의 병을 고치는 데 필요한 약 • 성의가 고난을 겪고 형 항의와 갈등하게 만듦.
기러기	• 정보 전달의 매개물 • 왕비의 편지를 성의에게, 성의의 편지를 왕비에게 전달해 주고, 성의에게 불행한 일이 닥칠 것임을 암시함.
편지	• 성의의 눈을 뜨게 하는 소재 • 성의에 대한 왕비의 마음과 왕비에 대한 성의의 마음이 담겨 있음.

최우선 핵심 Check!

1 다음 내용 중 맞는 것은 ○표를, 틀린 것은 ×표를 하시오.

(1) 적성의와 적항의라는 인물로 대변되는 선과 악의 대결 구도를 바탕으로 하고 있다. （　　）
(2) 적항의는 적성의가 돌아오는 일을 달갑게 여기고 있다. （　　）
(3) 공주는 변고가 발생할 것으로 예상하고 이에 대한 대비를 강화하여 성의의 귀환 과정에서 발생할 수 있는 위험에 대비하고 있다. （　　）

2 초성 힌트를 보고 빈칸에 들어갈 알맞은 말을 쓰시오.

(1) 부모님에 대한 ㅎ 을/를 실천하는 주인공 적성의가 온갖 시련을 극복하고 결국 승리하는 권선징악적 내용을 담고 있다.
(2) 'ㄱㄹㄱ'은/는 성의의 소식을 다른 이에게 전달하고, 성의 일행이 앞으로 닥칠 일을 대비할 수 있게 돕고 있다.
(3) ㅌㅇ 은/는 항의의 죄를 물으면서 그를 죽이고는 왕자인 항의를 죽인 죄가 크다며 스스로 목숨을 끊는 것에서 살신성인한 인물로 평가할 수 있다.

정답 1. (1) ○ (2) × (3) ○ 2. (1) 효 (2) 기러기 (3) 태연

김영철전(金英哲傳) | 홍세태

성격 사실적, 비극적 **시대** 조선 후기
주제 전쟁으로 인한 민중의 고통

소설

이 작품은 17세기, 명과 후금이 격돌하던 시대적 격변기에 전쟁의 소용돌이에 휘말려 고난을 겪는 김영철이라는 인물의 일대기를 그린 고전 소설이다. 전란으로 인해 당시 조선 민중이 겪어야 했던 고통과 이산가족의 슬픔을 사실적으로 묘사하고 있다.

주요 사건과 인물

발단
광해군 때 후금이 명나라를 공격하자 명나라는 조선에 군대를 청하였고, 19세였던 김영철은 병정으로 징집되어 출전하였다가 후금의 포로가 됨.

전개 1
후금의 장군 아라나의 노비가 된 김영철은 명나라 사람 전유년과 같이 탈출하고 그의 여동생과 결혼하여 가정을 이룸.

전개 2
조선의 사신이 타고 온 배에서 고향 사람을 만난 영철은 중국의 처자식을 버리고 고향으로 돌아와 가족과 만나고 새 가정을 꾸림.

전개 3
병자호란이 일어나 다시 전장에 나간 영철은 아라나 장군을 만나 위기에 처하나 황제의 호의로 용서를 받고 청 노새를 얻게 됨.

결말
전쟁이 끝나고 고향에 돌아온 김영철은 늙어서도 군역을 면하지 못하고, 중국 땅에 두고 온 처자식 때문에 괴로워하다가 84세에 세상을 떠남.

아라나 장군
후금의 장군으로 포로로 잡혀 죽을 위기에 처한 김영철을 살려 노비로 데려감.

전유년
김영철과 함께 탈출하여 명나라로 간 뒤 김영철을 자신의 누이동생과 결혼시킴.

유림 장군
조선의 장군으로 아라나 장군이 김영철을 죽이려 할 때 몸값을 주어 아라나를 달래나 후에 영철을 괴롭힘.

핵심장면 ① 청나라의 군대 요청에 김영철이 조선군의 통사(通事)로 불려 갔다가 아라나 장군을 만나 고초를 겪는 부분이다.

신사년(1641)에 조선 군대가 금주(錦州)에 이르니 청나라가 금주를 반드시 함락시키고자 하
조선 인조 19년   후금은 1636년 나라 이름을 청으로 고침
여 청나라 황제가 친히 나서고, 여덟 명의 고산 대장(高山大將) 또한 각기 군대를 이끌고 와서

금주성을 에워쌌다. 고산 대장이 매번 사자(使者)를 조선군 진중(陣中)에 보내니 유림이 사자
                              명령이나 부름을 받고 심부름하는 사람   : 주요 인물   군대의 안
대접하는 일을 영철에게 맡겼다. 한 번은 청나라 장수가 조선군 진중에 와서 일을 논의하는데
영철은 예전에 포로로 청나라에 잡혀갔을 때 청나라 말을 배웠음
영철이 청나라 말의 통역을 맡게 되었다. 그때 그 청나라 장수가 영철을 한참 보더니
                                                  아라나 장군
"내 너를 처음 보는 것 같지 않은데, 너는 나를 알아보겠느냐?"

"소신(小臣), 장군이 누구신지 잘 모르겠사옵니다." / 하니

청나라 장수가 노하여 말하되

"내 이제 너를 자세히 보니 누군지 알겠거늘 네가 어찌 나를 모른다고 하겠느냐?"

이에 영철이 청나라 장수를 자세히 보니 옛적 건주에서 자신이 모시고 있던 아라나(阿羅那)

장군이었다.
▶ 금주에서 아라나 장군을 만난 영철

"이놈아 듣거라! 내가 네게 세 번의 큰 은혜를 베풀었노라. 네가 참수형을 받아야 할 처지였
                              후금의 포로로 처형받기 직전 김영철이 아라나 장군의 죽은 동생을 닮았기에 죽이지 않고 노비로 데려감
을 때 죽음을 모면하게 한 것이 그 하나이고, 네가 두 번이나 도망가다 잡혔지만 죽이지 않

고 풀어준 것이 그 둘이며, 내 제수를 너의 아내로 주고 건주의 집안 살림을 맡긴 것이 그 셋
          아라나 장군은 영철이 도망가지 않도록 죽은 동생의 아내를 영철과 결혼시켰음
이니라. 하지만 너는 용서받기 어려운 죄를 진 것이 셋이니, 목숨을 살려 주고 거두어 기른

은혜를 생각지 않고 재차 도망간 것이 첫 번째 죄이고, 너로 하여금 말을 먹이도록 할 때 진
                                          영철은 아라나 장군의 말을 돌보는 일을 하였음
심으로 너에게 맡겼거늘 도리어 명나라 놈들과 짜고 나를 배신했으니 이것이 두 번째 죄이

며, 도망가면서 내 천리마 세 필을 잃은 것이 한스러워 지금도 원통하도다. 내 이제 다행히
                                            Link 인물의 처지 ①
너를 만났으니 반드시 네 목을 베리라!"

그러고는 휘하 기병을 시켜 영철을 포박하게 했다. 사태가 급박하게 돌아가자 영철은 크게

소리치며 말하기를

"주공(主公), 원통하옵니다. 말을 훔쳐 달아난 죄는 제게 있지 않사옵니다. 그건 한족 놈들

이 한 짓이옵니다. 당시 제가 그들의 계획을 따르지 않았다면 그 아홉 명이 저를 베는 건 손

바닥을 뒤집는 것처럼 쉬운 일이었사옵니다. 주공께서는 사정을 잘 헤아려 주소서! 제가 처

자를 버리고 도망한 것이 어찌 제 본심이었겠습니까? 몇 년 전에 장군의 조카께서도 이러한

사정을 아시고 말을 받아 돌아가셨습니다. 바라옵건대 주공께서는 살펴 용서하여 주소서."

"그 일은 내 이미 알았거니와 네 죄를 생각하면 어찌 말 한 마리로 용서할 수 있겠느냐? 내

이제 너를 만났으니 진실로 용서치 못하리라."

아라나는 영철의 말을 듣지 않았다. 유림이 아라나를 달래며 말하되

『"장군, 이자에게 죄가 있으나 이미 공이 살리셨는데 이제 죽이시면 덕스럽지 않사옵니다. 제

가 이자의 몸값을 후하게 치를 것이니 공께서 호생(好生)하는 덕을

보전하소서."』

그러고는 세남초(細南草) 이백 근을 내어 아라나에게 주니 이때는

담배가 매우 귀한 물건이라 보통 비싼 것이 아니었다.

아라나가 처음에는 받지 아니하였으나 억지로 받는 듯이 하며 허

락하였다.

❯ 유림 장군이 준 세남초를 받고 영철을 용서하는 아라나 장군

핵심장면 ② 영철이 황제에게 하사받은 청노새를 유림 장군에게 팔지 않자, 이에 앙심을 품고 억지를 부려 영철이 고초를 겪는 부분이다.

몇 달 뒤 조선에서 교대할 군대가 오자 영철은 봉황성으로 돌아갔다. 유림이 영철에게 말하되

『"네가 금주에서 아라나에게 잡혀갈 때 세남초 이백 근으로 네 몸값을 치러 너를 구하였는데,

그 물건이 나랏돈에서 나온 줄은 너도 알 것이니라. 이제 각 진영에서 쓰고 남은 것을 계산

하여 호조(戶曹)에 바쳐야 하는데 세남초 값은 네가 갚도록 하거라."』

영철이 깜짝 놀라 말하기를

"장군, 제가 일찍이 나라의 부름을 받고 군문(軍門)에 출입하여 재산을 모은 것이 없는데 이렇

게 큰돈을 어떻게 마련할 수 있겠사옵니까? 장군께서 헤아려 주시기를 간절히 청하옵니다."

"네 비록 감당하기 어려울지 모르겠지만, 그렇다고 하더라도 나라의 재산을 아니 갚지는 못

할 것이니라."

"장군, 제가 세 번 전쟁에 나가 그동안 수고한 것과 세운 공이 적지 아니하니, 그것으로 이를 갚

은 것으로 해 주시면 안 되겠사옵니까? 이는 장군에게 달렸으니 소신의 청을 헤아려 주소서."

영철은 몇 번이고 유림에게 간청하였으나 유림은 끝내 영철의 청을 흘려듣고 들어주지 아니

하였다. 유림이 이렇게 영철의 간청을 들어주지 않은 것은, 금주에 있을 때 영철이 청나라 황

Link

출제자 톡 인물의 처지를 파악하라!

❶ 금주에서 영철을 만난 아라나 장군이 영철을 죽이려 한 까닭은?
목숨을 살려 준 은혜를 갚지 않고 명나라와 내통하여 배신하고 도망가다 천리마를 잃어버렸기 때문에

❷ 유림이 영철의 목숨을 구하기 위해 한 일은?
세남초 이백 근을 영철의 몸값으로 치르며 아라나 장군을 달램.

제에게 하사받은 청노새를 자신에게 팔지 않은 것에 앙심을 품은 까닭이었다.

　영철이 집으로 돌아온 지 얼마 안 되어 호조에서 관리를 보내 영철에게 은 이백 냥 갚기를

▶ 영철에게 몸값을 갚으라고 요구하는 유림 장군

재촉하였다. 호조에 돈 들이는 일이 늦어지자 영유 현령은 영철의 일가친척을 감옥에 가두고

> 돈 내는

기한을 정하여 바치도록 하였다. 감옥에 갇힌 일가친척의 원망은 하늘을 찌를 정도였다. 그중

에 한 명이 분개하여 말하되

「"영철이 임경업 장군과 유림 장군을 따라 바다로, 육지로 종군(從軍)하면서 들인 노고(勞苦)

『　』백성을 보살피지 않는 당시 위정자들에 대한 비판

와 세운 공(功)이 적지 아니한데, 어찌 조정에서는 조그마한 상조차 주는 일은 없고 도리어

Link

출제자 **특강** 반영된 사회상을 파악하라!

이렇듯 살과 뼈를 깎는단 말이냐? 우리는 조선 백성도 아니더란

말이냐?"」 **Link** 반영된 사회상 ❷, ❸

❶ 영철이 몸값을 갚지 못한 원인은?
나라의 명으로 전쟁터에 불려 다니며 일을 하느라 재산을 모을 수 없었음.

❷ 감옥에 갇힌 일가친척의 반응은?
영철이 나랏일로 종군하면서 들인 노고와 공을 생각하지 않고 몸값을 바치라는 처사에 분개함.

❸ 영철의 사례에서 짐작할 수 있는 당시의 사회상은?
전쟁으로 인한 백성의 고난을 생각하지 않는 당시 위정자들의 처사에 대한 백성의 원성이 큼.

　영철이 청노새를 팔고 집안의 세간을 다 파니 호조에 갚을 돈의 반

정도를 간신히 마련할 수 있었다. 하지만 그 나머지는 충당할 길이

없어, 결국 친족들의 도움을 받아 그 나머지를 갚을 수 있었다. 조정

에서는 그 후로도 영철에게 상 주는 일이 없었으니 이 어찌 불쌍하

편집자적 논평 – 영철의 안타까운 상황에 공감함

다 하지 아니하리오.

▶ 몸값을 치르기 위해 고생을 하는 영철

최우선 출제 포인트!

❶ 주인공을 평범한 인물로 설정한 이유

김영철	설정 효과
• 영웅적인 면모를 지니지 않은 평범한 백성임. • 평생을 전란 속에서 가족과 헤어지는 아픔, 종군의 괴로움, 가혹한 군역 등을 겪음.	• 민중이 겪었던 시대적 아픔을 사실적으로 드러냄. • 민중적 시각에서 사건을 서술함으로써 위정자에 대한 비판적 태도를 드러냄.

❷ 주인공의 삶에 대한 서술자의 태도

김영철의 굳은 의지에 감탄하면서도 운명의 가혹함을 탄식함.	김영철은 강인한 의지로 고국에 돌아왔지만, 그 때문에 생이별을 해야 했던 중국의 가족들에 대한 그리움과 미안함으로 일생을 괴로워했음.
김영철이 비극적이고 고단한 삶을 마감한 데 대한 위정자들의 책임을 지적하며 비판함.	김영철은 평생을 전장에서 보내며 적지 않은 공을 세웠지만 아무런 보상도 받지 못했으며 부역과 몸값으로 인한 부채로 고통받으며 살다가 죽었음.

최우선 핵심 Check!

1 다음 내용 중 맞는 것은 ○표를, 틀린 것은 ×표를 하시오.

(1) 전쟁의 소용돌이 속에 민중이 겪었던 고통을 사실적으로 그리고 있다. (　　)

(2) 전쟁에서 활약하는 영철을 통해 영웅적 면모를 확인할 수 있다. (　　)

(3) 영철이라는 인물의 일대기를 통해 민족의 자존심을 고양하고 있다. (　　)

(4) 아라나 장군은 과거의 사건을 나열하며 상대방에 대한 적대적 감정을 드러내고 있다. (　　)

(5) 영철이 나랏돈을 갚지 못해 감옥에 갇힌 일가친척은 영철을 원망하는 말을 했다. (　　)

2 초성 힌트를 보고 빈칸에 들어갈 알맞은 말을 쓰시오.

(1) 역사적 사건 속에 존재하는 ㅁㅈ 의 삶에 초점을 맞추고 있다.

(2) 백성의 고통을 돌아보지 않는 당시 위정자들에 대한 ㅂㅍㅈ 인 태도가 드러나 있다.

정답 1. (1) ○ (2) × (3) × (4) ○ (5) × 2. (1) 민중 (2) 비판적

정을선전(鄭乙善傳) | 작자 미상

성격 전기적, 교훈적 **시대** 조선 후기
주제 봉건적인 가족 제도의 모순으로 인한 가족 간의
갈등과 그 해결 과정

소설

이 작품은 「유소저전」이라고도 불리는 가정 소설로, 전반부는 계모와 전처소생 간의 갈등을 다룬 계모형 구조
이고 후반부는 처와 처 간의 갈등을 다룬 쟁총형 구조로 이루어져 있다.

주요 사건과 인물

발단	전개	위기	절정	결말
중국 송나라 때 유 승상의 딸 춘연은 계모 노 씨에게 학대를 받으며 지내던 중 그녀를 보고 반한 정 승상의 아들 을선에게 청혼을 받고 혼사가 성사됨.	정혼일에 노 씨의 흉계로 소박을 맞은 춘연은 자결을 하지만 사연을 듣고 약을 구해 온 을선에 의해 되살아나고 을선의 정비가 되어 충렬부인에 봉해짐.	서융의 반란으로 을선이 대원수로 출전하게 되자 정렬부인은 남장한 시비 금연을 보내 충렬부인이 통정한 것으로 꾸미고 이에 충렬부인은 옥에 갇힘.	시비들의 도움으로 옥에서 탈출하여 아들을 낳은 충렬부인은 죽임을 당할 위기에 처하지만 호철이 보낸 서간을 받고 집으로 돌아온 을선에 의해 구출됨.	정렬부인은 벌을 받아 죽고, 충렬부인은 을선과 무궁한 영화를 누리다가 한날한시에 죽고, 자손들도 대대로 부귀 복록을 누림.

노 씨, 정렬부인(조 씨)		유춘연(유 소저, 충렬부인)
춘연을 시기하여 계략을 꾸며 위기에 빠뜨림.	⟷	초월적 힘과 을선의 도움으로 위기를 극복하고 을선과 더불어 부귀영화를 누림.

핵심장면 ① 유 소저의 원혼이 출몰하는 사건을 조사하러 온 을선이 유 소저를 오해했음을 깨닫고 슬퍼하는 부분이다.

홀연 공중에서 한 여자가 울며 내려와 할미를 책하여 말하기를,
> 억울하게 죽은 유 소저의 원혼이 나타남 – 전기적 요소

"어미를 보러 왔더니 어찌 잡인을 들였는가? 외인이 있으니 들어가지 못하노라."

하고 슬피 울며 돌아가니, 정 승상이 괴히 여겨 묻기를,
> 정을선

"어떤 사람이기에 깊은 밤에 울고 다니나뇨?"

주인 노파가 울기를 그치고 답하기를,
> 원귀가 된 춘연의 해원을 돕는 보조자 역할을 함

"저의 딸이로소이다."

"주인의 딸이면 무슨 일로 울고 다니는가?"

『"상공이 이렇듯 물으시니 대강 고하리이다. 우리 상전은 유 승상이시니, 승상께서 황성에서
> 『 』: 정을선에게 과거 내력을 이야기함 – 사건의 요약적 제시

벼슬하시더니, 천자께 죄를 지어 이곳에 오신 후 정실부인 최 씨 다만 일녀를 낳으시고 삼

일 만에 돌아가셨나이다. 승상께서 후실 노 씨를 취하고 딸을 낳으매, 노 씨가 덕이 없어 소
> 춘연

저를 죽이려 하여 죽에 약을 주니, 천지신명이 도우사 홀연 바람이 일어나 죽에 티끌이 들

매, 인하여 먹지 아니하고 개를 주니 그 개가 먹고 즉시 죽거늘, 그 후는 놀라 밥을 저희 집

에서 수건에 싸다가 연명하였나이다. 길렛날 밤에 노 씨가 제 사촌 노태에게 금을 주고 달래
> 관례나 혼례 따위의 경사스러운 예식날

어 칼을 가지고 와 작란(作亂)하니, 정 시랑이 그 거동을 보고 의심하여 밤에 돌아갔습니다.
> 신혼 첫날밤에 노 씨가 사촌 노태로 하여금 간부(姦夫)로 위장하여 행패를 부리게 하고, 이에 을선은 춘연을 부정한 여자로 오해하여 본가로 돌아감
> 난리를 일으킴

이에 소저가 분하여 자결하매, 염습하고자 하나 사나운 기운이 사람을 침노하니 노 씨가 이
> **Link** 사건의 전개 ❶

로 인하여 죽고 다른 사람들도 빈소에 가까이 가지 못하였더니이다. 그 후에 소저의 원혼이
> 초현실적 힘에 의한 복수 – 전기적 요소
> 세상에 자신의 억울한 죽음과 결백함을 알리기 위해 원혼이 되어 나타남

공중에서 울매, 동리 사람들이 그 곡성을 들은 자면 병들어 죽으니 견디지 못하여 집을 떠나

타지에 살되, 저는 관계치 아니하기로 이곳에 있사온즉 소저가 밤마다 울고 오나이다.』
> ★ 주요 소재
> **Link** 사건의 전개 ❷, ❸

하고 인하여 <u>혈서 쓴 적삼</u>을 내어 놓으니, 승상이 바라보매 놀라고 몸이 떨려 방성대곡하다가
> 죽은 유 소저의 원통함과 억울함을 드러내는 소재
> 큰 소리로 몹시 슬프게 곡을 하다

이윽고 진정하여 주인더러 말하기를,

"내 과연 정 시랑이니 일이 이렇게 된즉 어찌하리오? 내 불명하여 여자의 원을 끼치니 후일
　　　　　　　　　　　　　　　　　　　　　　　　을선이 유 소저를 오해했음을 깨달음 – 정혼자에 대한 오해의 해소
반드시 앙화(殃禍)를 받으리로다."
　　　　지은 죄의 앙갚음으로 받는 재앙
　　　　　Link 사건의 전개 ❸

유모 부처가 이 말을 듣고 반가움을 이기지 못하여 붙들고 방성대곡하며 말하기를,

"시랑께서 어찌 이곳에 오시니잇고?"

승상이 또한 눈물을 흘리며,『과연 모년 월일에 자신의 부친을 모시
　　　　　　　　　　　　　　　『 』: 사건의 요약적 제시
고 유 승상 집에 내려왔을 제 후원에서 화초를 구경하다가 추천하는
　　　　　　　　　　　　　　　　　　　　　　　　　　　　그네를 타는
소저를 보고 올라와 병이 되어 사경에 이르렀으나, 승상이 허혼하기
　　　　　　　　　 을선이 유 소저를 보고 상사병에 걸림　　　　혼인을 허락하여
로 하여 살아난 말이며, 과거에 장원 급제 후 천자가 조왕의 딸과 혼
인하라는 명을 내려 듣지 아니하고 성례하러 내려와 신혼 초일에 흉
한 놈이 칼을 들고 여차여차하매 그 밤으로 올라가던 말을 다하고,
조왕의 사위 된 말과 옛일을 생각하고 찾아온 말을 세세히 일러 통
춘연과의 혼사가 파기된 이후 조왕의 딸과 혼인함　　　순무어사가 되어 조사하러 내려옴
곡하니,』주객이 슬퍼함을 마지않더라.
　　　　　주인과 손님. 여기서는 노파와 을선을 의미함　▶ 주인 노파의 이야기를 들은 을선이 자신의 잘못을 깨달음

Link
출제자 톡! 사건의 전개를 파악하라!

❶ 유 소저가 죽은 이유는?
유 소저를 시기한 계모 노 씨의 계략에 의해
음행의 누명을 쓰고 소박을 맞아 자결함.

❷ 유 소저의 원혼이 나타나게 된 이유는?
억울한 누명을 쓰고 죽은 유 소저는 한이 맺
혀 원혼이 되고, 자신의 억울한 죽음과 결백
함을 알리기 위해 원혼이 되어 나타남.

❸ 원혼으로 인해 일어난 일들은?
노 씨는 천벌을 받아 죽고, 마을 사람들이
죽거나 떠나 폐읍이 된 일을 조사하러 온 을
선이 사연을 듣고 자신의 잘못을 깨닫게 됨.

핵심장면 ② 금섬의 오라비 호철의 편지를 받고 집으로 급히 돌아온 을선이 시비 금연을 취조해 조 씨의 음모를 밝힘으로써 충렬부인의
누명을 벗기고, 천자에게 상소하여 조 씨를 벌할 것을 청하는 부분이다.

승상이 큰 소리로 묻기를,
정을선
"너는 옥졸의 말을 듣고 누구에게 전했느냐?"

금연이 몹시 놀라 넋을 잃고 말하기를, 정렬부인 조 씨가 금은을 많이 주며 계교를 가르쳐
　　　정렬부인의 편에 서서 음모에 가담함　　　　　　　　　　요리조리 헤아려 보고 생각해 낸 꾀
남장을 하고 충렬부인의 침소에 들어가 병풍 뒤에 숨었던 말과, 조 씨가 사촌인 성복록을 청
　　　춘연(유 소저)
하여 왕비 침전에 두세 번 참소(讒訴)하던 일의 자초지종을 낱낱이 고하니, 왕비 하늘을 우러
　　을선의 어머니　　　남을 헐뜯어서 죄가 있는 것처럼 꾸며 윗사람에게 고하여 바침　　　**Link** 인물의 역할 ❶
러 탄식하며 말하기를,

"내 불명하여 악녀의 꾀에 빠져 애매한 충렬을 죽일 뻔하였으니 무슨 낯으로 어진 부인을 대
　　　　　사리에 어두움　조 씨　　　　　유춘연
면하리오?"

하고 슬퍼하니, 승상이

"이는 모친의 허물이 아니라 소자의 제가(齊家)치 못한 죄이니, 모친은 심려치 마소서."
　　　　　　　　　　　　　집안을 잘 다스려 바로잡음
하고는 즉시 조 씨를 잡아들여 무릎을 꿇리고 크게 꾸짖어 말하기를,

"네 죄는 하늘 아래 서지 못할 죄이니 입으로 다 옮기지 못할지라. 사사로이 죽이지는 못하
고 천자께 이 일을 아뢰옵고 죽이리라."

승상이 조 씨를 큰칼 씌워 옥에 가둔 후 상소를 지어 궁궐에 올리니, 그 글에 하였으되,

"승상 정을선은 돈수백배하옵고 성상께 올리나이다. 신이 황명을 받자와 한 번 북 쳐 서융
　　　　　　　　머리가 땅에 닿도록 수없이 계속 절을 함
(西戎)을 항복받고 백성을 위로한 후 회군하려 하옵더니, 신의 집 급한 소식을 듣고 바삐 올
라와 보온즉 여차여차한 가변(家變)이 있사오니 어찌 부끄럽지 아니리잇가? 이 일이 비록
　　　　　　　　　　　집안의 재앙이나 사고

❶ 정렬부인 조 씨의 역할은?
충렬부인을 모함하여 죽이려 하는 악인

❷ 정 승상의 역할은?
가부장으로서 옳고 그름을 밝혀 선인을 기리고 악인을 벌하여 집안을 바로잡는 등 사건을 주도적으로 해결해 나가는 역할

❸ 시비 금섬과 월매의 역할은?
죽음을 무릅쓰고 충렬부인을 구해 내는 충성스런 인물들로, 조력자의 역할

신의 집 일이오나 사사로이 처단치 못하와 이 연유를 자세히 아뢰옵나니, 『원컨대 폐하는 극형(極刑)으로 국법을 쓰시어 죄를 다스리시고, 신의 집 시비 금섬이 상전을 위하여 죽었사오니 그 원혼을 널리 칭찬해 주시기를 바라나이다.』

『 』: 권선징악적 해결을 요청함 – 주제 의식이 드러남

시비 금섬이 충렬부인을 구해 내고 대신 옥중에서 죽음

Link 인물의 역할 ❷, ❸

하였고, 그 끝에 유 씨가 무사히 몸을 피해 아들을 낳고 월매의 충의

Link 인물의 역할 ❸

힘입어 그 목숨을 보전하였음을 세세히 설명하였더라.

➤ 을선이 조 씨의 음모를 밝히고 이를 천자에게 고함

최우선 출제 포인트!

1 이 작품의 전체 구조

전반부	후반부
전처소생과 계모 간의 갈등 (유 소저와 노 씨의 갈등)	처와 처 간의 갈등 (충렬부인과 정렬부인의 갈등)
계모형 구조	쟁총형 구조

2 이 작품의 주요 갈등과 극복 양상

• 전처소생과 계모 간의 갈등, 혼사 장애 갈등

• 악한 성품을 지닌 계모 노 씨는 전처소생인 유 소저가 장원 급제한 을선과 정혼하게 되자 흉계를 꾸미며 혼인 첫날밤 유 소저로 하여금 소박을 맞게 하고, 이로 인해 유 소저는 자결함.
• 억울한 누명을 쓰고 죽은 유 소저는 원귀가 되어 떠돌며 고을을 폐읍으로 만들고 노 씨는 천벌을 받아 죽음.
• 원귀를 조사하러 왔다가 유모의 말을 듣고 자신의 잘못을 깨닫게 된 을선은 약을 구해 유 소저를 되살린 뒤 유 소저와 혼인하고 그녀를 충렬부인에 봉함.

계모형 구조 초현실적 힘의 개입에 의한 해결

• 처와 처 간의 갈등

• 을선과 먼저 혼인한 조 씨(정렬부인)는, 을선이 충렬부인(유 소저)을 편애하는 데다 충렬부인이 아이를 갖자 흉계를 꾸며 그녀를 위기에 빠뜨림.
• 시비 금섬과 월매의 도움으로 목숨을 구한 충렬부인은 아들을 낳고, 호철이 보낸 서간을 보고 집으로 돌아온 을선은 충렬부인을 구한 뒤 정렬부인을 처벌함.

현실적인 힘에 의한 해결

3 '유 소저'의 '재생(再生)'이 갖는 의미

유 소저의 재생은 혼사 장애를 극복하고 사랑을 성취하기 위한 강한 집념의 표현이며, 자신의 정절을 사회적으로 인정받아 사회적 설원을 이루고, 을선과의 혼사를 완성하기 위한 것이라 할 수 있다. 또한 유 소저의 죽음 이후 을선이 조왕의 딸과 혼인하게 되고, 재생한 유 소저를 다시 처로 삼음으로써 대립적 갈등 관계가 형성된다는 점에서 유 소저의 죽음과 재생은 이어지는 사건과 필연적 인과 관계를 맺는 계기가 된다고 볼 수 있다.

최우선 핵심 Check!

1 다음 내용 중 맞는 것은 ○표를, 틀린 것은 ×표를 하시오.

(1) 환상적인 요소가 개입하여 인물이 당면한 모든 문제를 직접 해결해 주고 있다. ( )

(2) 노 씨는 흉계를 꾸미며 유 소저를 부정한 여자로 몰아 죽게 만드는 악독한 모습을 보인다. ( )

(3) 〈핵심 장면 1〉에서는 주인 노파의 말을 통해 사건을 요약해 제시하고 있다. ( )

(4) 〈핵심 장면 2〉에서는 정렬부인과 충렬부인 간의 처첩 갈등을 다루고 있다. ( )

2 초성 힌트를 보고 빈칸에 들어갈 알맞은 말을 쓰시오.

(1) ㄱㅅ 은/는 자신이 모시는 충렬부인을 구해 내고 자신이 대신 죽는 충직하고 희생적인 모습을 보인다.

(2) 'ㅎㅅ 쓴 적삼'은 죽은 유 소저의 원통함과 억울함을 드러내는 소재이다.

정답 1. (1) × (2) ○ (3) ○ (4) ○ 2. (1) 금섬 (2) 혈서

39위

매화전(梅花傳) | 작자 미상

출제율 63%

성격 전기적, 애정적 **시대** 조선 후기
주제 시련과 고난을 이기고 맺어진 매화와 양유의 사랑

소설

이 작품은 남녀 주인공인 김매화와 조양유가 고난 속에서도 하늘이 정한 배필을 찾아 행복한 삶을 누리게 되는 과정을 그린 애정 소설이다. 작품 전개에 도술적 기능이 크게 작용하고 있어 도술 소설로 보기도 한다.

주요 사건과 인물

발단
아버지와 헤어지게 된 매화는 조 병사의 집 시비에게 발견되는데, 남장을 한 탓에 남자아이로 오인되어 조 병사의 아들 양유와 글공부하며 함께 자람.

전개
관상쟁이가 찾아와 양유가 매화와 혼인해야 한다고 예언하고 매화가 여인인 것이 밝혀지자, 양유의 계모인 최 씨가 매화를 자기 남동생과 혼인하게 하려고 매화를 모함함.

절정
납치될 위기에 처한 매화는 강물에 몸을 던지나 헤어졌던 아버지 김 주부에게 구출되고, 양유는 다른 사람과의 혼인 전날 호랑이에게 잡혀 구월산에 가서 혼례를 치르게 되는데, 신부가 바로 매화임.

결말
조 병사는 김 주부의 말에 따라 구월산으로 가서 아들을 만나고, 그곳에서 임진왜란을 피한 후 김 주부는 신선이 되고 나머지 사람들은 고향에 돌아가 행복하게 살게 됨.

매화
김 주부의 딸. 최 씨의 모략으로 양유와 헤어지나 아버지의 도움으로 인연을 맺음.

우여곡절을 겪고 하늘이 정한 인연을 찾아 혼인을 함.

양유
조 병사의 아들. 매화를 사랑하나 이별의 시련을 겪음.

최 씨(방해자)
주인공의 혼인을 막는 방해자. 매화를 모함하여 양유와 혼인하는 것을 방해함.

김 주부(조력자)
주인공들의 혼인을 돕는 조력자. 도술을 쓰는 비현실적 방법으로 문제를 해결함.

핵심장면 1 관상쟁이가 양유를 매화와 혼인시켜야 한다는 글을 남기고 떠나자 조 병사가 이에 대해 최 씨와 의논하는 부분이다.

하루는 병사 내당에 들어와 부인 최 씨를 대하여 가로되,
"전일 관상쟁이가 이러이러하니 앞으로 닥칠 길흉을 어찌하리요. 매화는 내 집에 있을 뿐 아니라 양유와 동갑이요, 인물이 비범하니 혼사함이 어떠하리이까?"

Link 인물의 의도 ❶

부인이 변색하여 가로되,
"병사 어찌 그런 말씀을 하시나이까? 양유는 사부(士夫) 후계요, 매화는 유리걸식(流離乞食) 하는 아이라. 근본도 아지 못 하고 어찌 인물만 탐하리까?"

병사 옳이 여겨 가로되,
"부인 말씀이 옳도다. 일후에 장단골 가서 매화의 근본을 알리라." / 하고 나아가거늘,

부인이 그 말을 듣고 제 동생을 불러 이르되,
"병사께서 장단골 가서 매화의 근본을 알고자 하니 네 먼저 가서 재물을 많이 그 근처 사람에게 주어라. 그러면 매화 너의 짝이 될지라. 저런 인물을 어찌 그저 두리요." **Link 인물의 의도 ❷**

한대 최 씨 동생이 이 말을 듣고 재물을 많이 가지고 장단골 연화동을 찾아가더라.

▶ 매화를 자신의 동생과 결혼시키기 위해 계략을 짜는 최 씨

이때에 병사 길을 떠나 여러 날 만에 장단골을 찾아가니 어떤 사람 길가에 앉았거늘 병사 말을 머무르고 물어 가로되, / "이곳이 연화동이냐?" / "연화동이로소이다."

병사 물어 가로되, / "연화동이라면 김 주부라 하는 양반 있느뇨?"

그 사람이 웃고 대답하여 가로되,

"주부라 하는 놈이 있더니 남의 재물을 많이 쓰고 도망하였나이다."

하거늘 병사 이 말을 들으매 정신이 아득하여 어찌할 줄을 모르다가 다시 생각하여 가로되,

『"날이 저물은지라 유하고 갈 터이니 주점을 이르라."』 『 』: 매화의 아버지에 대한 소문을 확인하기 위함
　　　　　　머물고

한대 그 사람이 한 집을 인도하거늘 병사 들어가니 또 한 사람이 물어 가로되,
　　　최 씨 동생에게 매수된 사람이 인도한 집으로 감

"말 타고 온 손님은 어떠한 양반인고?"

주모가 가로되, / "저러한 양반이 김 주부 같은 놈을 찾아왔다."

하고 냉소하여 가로되, / "주부라 하는 놈은 이미 도망하였거니와 저희 딸 매화 비록 천인(賤
　　　　　　　　　　　　　　주모도 최 씨의 돈에 매수되어 김 주부가 천한 신분이라고 거짓말을 함

人)의 자식이나 인물이 절색이라. 아무 데로 가더라도 남을 속이리라."

하거늘 병사 주모더러 물어 가로되,

"이 곳에 김 주부라 하는 재인이 있느냐?"

주모가 가로되, / "수년 전에 어디론가 도망하였삽더니 들사오니 제 딸 매화는 남복을 입고
　　　　　　　　　　　　　　　　　　　　　　　매화의 거처를 밝힘으로써 자신의 말이 사실임을 넌지시 드러냄

황해도 연안 지경에 있단 말을 들었나이다."

병사 이 말을 들으니 다시는 의혹이 없는지라. 그날 밤을 겨우 지내어 말을 몰아 집에 돌아

와 부인께 답하여 가로되,

『"만일 부인의 말씀을 듣지 아니하고 혼사를 하였던들 사대부 집안에 대단 비웃음을 살 뻔하
『 』: 최 씨의 계략으로 매화와 양유의 혼담이 깨짐

였도다. 매화는 천인 자식이라 내쫓으라."』 / 한대 부인이 가로되,

Link
출제자 🎯 **인물의 의도를 파악하라!**
❶ 관상쟁이의 말을 들은 후 주모가 한 행동은?
　최씨 부인과 매화와 양유의 혼사에 대해 의
　논함.
❷ 최 씨가 혼사를 반대하는 이유는?
　매화를 자신의 동생과 짝지어 주기 위해서임.
❸ 매화의 신분을 확인한 조 병사의 행동은?
　매화를 내쫓으려 하고 양유와의 교류를 막음.

"매화 아무리 천인의 자식이라도 혼사 아니하면 무슨 허물 있으리
　　　　　　　　　　　　겉으로는 매화를 위하는 척함. 표리부동(表裏不同)한 태도

까?" / 병사 또 학당에 가 양유를 불러 가로되,

"매화로 더불어 공부하던 일이 분하도다. 앞으로는 매화를 대면치

말라." Link 인물의 의도 ❸

하시거늘 양유 이 말을 듣고 정신이 아득하여 엎어지더라.
　　　　　　　　　　　사랑하는 매화와 이별하게 되어 충격을 받음
　　　　　　　　　　　　▶ 최 씨의 계략으로 혼담이 깨진 매화와 양유

핵심장면 ② 양유의 혼인 전날 김 주부는 동자를 호랑이로 변신시켜 양유를 잡아 오게 하여 방에 가두고 매화와 만나게 하는 부분이다.

"동자는 불쌍한 사람을 살려 주소서." / 한대 동자 가로되,

『"원명 그뿐이라 낸들 어찌하리요. 만일 여자 혼신(魂神) 들어와 절하거든 맞절하소서. 정성
　타고난 목숨　　　　　　　　　　　　영혼　　　　　　　　　맞절을 한다는 것 = 혼인한다는 의미

이 지극하면 천행으로 살아갈까 하나이다."』
『 』: 양유가 살아날 방법을 일러 줌

문을 잠그고 나가거늘 양유 촉하에 앉았으니 정신 산란한지라. 『창천에 월색은 명랑한데 구
　　　　　　　　　　　촛불 아래　　　　　　　　　　　　　동쪽 하늘　　　밝고 환함

름만 얼른하여도 범이 오는가 하고 바람만 수수하여도 귀신인가 의심할 제 이팔청춘 어린아이
　　　　　　　　　　　　　　　　　　　　　　　　　　　　　　『 』: 서술자의 개입. 양유가 두려움에 떨고 있음을 서술함

일천 간장 다 녹인다.』 이윽하여 밖으로 공성이 들리거늘 정신 차려 살펴보니,
　　　　　　　　　　　귀뚜라미의 우는 소리

"아가 들어가자." / "어머님, 어머님, 못 가겠소."
　　매화

부인이 가로되, / "밤이 깊었으니 어서 바삐 들어가자."

매화가 가슴을 치며, / "나는 죽어도 못 가겠소."
　　　　　　　　　　　매화가 양유가 아닌 다른 사람과 혼인하는 줄 알고 거부하는 말

문고리 떨렁 방문이 와당탕, 양유 깜짝 놀래어 금침을 무릅쓰고 동정을 살펴보니 어떠한 낭
　　　　　　　　　　　　　　　　　　　이부자리와 베개를 아울러 이르는 말

자 녹의홍상을 입고 들어와 벽을 안고 슬피 울거늘 양유 정신이 아득하여 실로 꿈만 같은지
　　연두저고리와 다홍치마. 신부가 혼례식 때 입는 옷 색깔임

라. 귀신이야, 호랑이야, 어찌할 줄을 모르더니 과연 낭자 일어나 사배(四拜)하거늘 양유 내념
_{혼례를 치를 때 신부는 신랑에게 절을 네 번 함}　_{마음속 생각으로}
(內念)에 행여 살려 줄까 일어나 극진히 절하고 거동을 살펴보니 문득 광풍이 일어나며 방문이
_{동자가 살고 싶으면 여자 혼신이 절할 때 맞절을 하라고 일러 줬기 때문에}
열치며 한 봉서가 내려지거늘 그 글 보니 하였으되,
_{인물들이 상대의 정체를 파악하게 되는 실마리}

　'만산 초목이 다 피었으되 양유·매화는 봄소식을 모르는도다.'
　_{자연물인 '버들'과 '매화'와 주인공인 '양유'와 '매화'를 뜻하는 중의적 의미}　**Link** 서술상의 특징 ❶

하였거늘 양유 그 글을 보고 여자를 살펴보니,

　"연연한 거동은 매화와 방불하다마는 이러한 산중에 어찌 매화가 왔으리요."
　　　　　　　_{거의 비슷하다마는}

낭자도 추파를 번듯 들어 수재를 살펴보며 가로되,
　_{미인의 맑고 아름다운 눈길}　　_{예전에, 미혼 남자를 높여 이르던 말}

　"산중이라고 어찌 매화 없으리요마는 양유 없는 게 한이로다."

하거늘 양유 이 말을 듣고 크게 놀라고 매우 기뻐하여 자세히 살펴보니 매화가 분명하거늘 양

유가 가로되,

　　　　　　　　　　_{모든 것을 똑똑히 살피는 하느님}
　"네가 죽은 혼이냐. 명천이 감동하사 매화 얼굴 다시 보니 죽어도
　_{동자가 여자 영혼이 들어올 것이라고 말했기 때문에 매화가 죽은 줄 알고 있음}
무슨 한이 있으리요."

하고 기절하거늘 매화는 흉중이 막히어 아무 말도 못 하고 다만 눈
　　　　　　　　_{마음속에 품고 있는 생각}
물만 흘리는지라.
　　　　　　　　　　　　　▶구월산에서 다시 만난 매화와 양유

최우선 출제 포인트!

1 이 작품에 나타나는 모티프

내용	주인공들의 결연담	애정 소설
	매화의 아버지 김 주부의 도술적인 행위와 신분	전기적 도술 소설
	계모의 행위	계모형 가정 소설
	임진왜란이라는 역사적 사실	역사 군담계 소설
문체	판소리 사설의 영향	
주제	매화와 양유의 시련과 애정 성취를 중심으로 전개된다는 점에서 조선 후기의 애정 소설들과 맥을 같이 함.	

2 혼사 장애담의 과정

고전 소설에서, 남녀 주인공의 혼사가 어떤 장애 요인으로 보류되었다가 그 장애를 극복하고 혼사에 성공하는 유형의 이야기를 혼사 장애담이라 한다. 혼사 장애담은 일반적으로 다음 과정에 따라 사건이 전개되는데 이 작품 역시 그 과정을 그대로 따르고 있다.

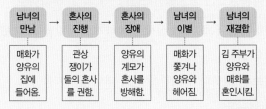

남녀의 만남	→	혼사의 진행	→	혼사의 장애	→	남녀의 이별	→	남녀의 재결합
매화가 양유의 집에 들어옴.		관상쟁이가 둘의 혼사를 권함.		양유의 계모가 혼사를 방해함.		매화가 쫓겨나 양유와 헤어짐.		김 주부가 양유와 매화를 혼인시킴.

3 '양유'와 '매화'의 의미와 역할

양유	버드나무, 사람 이름	→	동음이의어를 활용하여 중의적으로 표현함으로써 인물의 정체를 암시해 줌.
매화	매화꽃, 사람 이름		

최우선 핵심 Check!

1 다음 내용 중 맞는 것은 ○표를, 틀린 것은 ×표를 하시오.

(1) 우의적인 소재를 통하여 대상을 희화화하고 있다. 　　　　(　)
(2) 사건 진행 과정에서 과거와 현재를 교차하고 있다. 　　　　(　)
(3) 인물 간의 대화를 중심으로 사건이 전개되고 있다. 　　　　(　)

2 초성 힌트를 보고 빈칸에 들어갈 알맞은 말을 쓰시오.

(1) 최 씨는 자신의 남동생을 매화와 결혼시키기 위해 매화의 근본을 핑계 삼아 양유와 매화의 ㅎㅇ 을/를 의도적으로 반대하고 있다.
(2) 구월산에서 재회한 매화와 양유는 ㅂㅅ 을/를 통해 비로소 서로의 정체를 알게 되었다.

정답 1. (1) × (2) × (3) ○ 2. (1) 혼인 (2) 봉서

출제율 63%

40위

장경전(張景傳) | 작자 미상

성격 낭만적, 일대기적, 군담적　**시대** 조선 후기
주제 장경의 영웅적 일대기

소설

이 작품은 주인공 장경이 혼사를 성취하고 충(忠)을 실현하여 연왕의 자리에 오르는 과정을 담은 이야기로, 일반적인 영웅 소설의 구조를 따르고 있다.

주요 사건과 인물

발단	전개	위기	절정	결말
장취는 천축사에 공양 후 태몽을 꾸고 경을 얻음. 장 처사의 유배로 어린 상경은 관노 차영의 사환이 됨.	초운의 도움으로 학업을 이룬 장경은 대원수가 되어 서봉의 모반을 진압하고 돌아오는 길에 부모를 만남.	건성은 장경을 모함하여 귀양을 보내고, 초운은 소 부인의 모함으로 죽을 위기에 처하게 됨.	건성이 황제의 자리를 빼앗고 황제를 귀양보내자, 장경은 건성의 반역을 진압하여 황제를 복위시킴.	연왕이 된 장경은 소 부인을 벌하고, 초운은 정숙 왕비에 봉해짐.

장경	초운	태자(폐제)	건성(연왕)
어려서 부모를 잃고 걸식하다가 조력자의 도움으로 위기를 극복한 후 어려움에 처한 황제를 도운 공으로 연왕이 됨.	기생이지만 장경의 학업을 이루게 돕고, 소 부인에 의해 죽을 위기에도 처하지만 후에 정숙 왕비에 오름.	어린 나이에 즉위하여 건성의 모략으로 황토에 유배되지만 장경의 도움으로 황제에 복위함.	태자의 형으로 어린 황제의 자리를 빼앗지만 후에 장경에게 항복함.

핵심장면 ①　소 씨가 승상이 없는 틈을 타 초운을 모함하는 부분이다.

□: 주요 인물　　장경은 서융 등의 모반을 진압하여 우승상에 봉해짐　　**Link** 인물의 심리 ❶

원래 소 씨는 <u>초운의 지모와 승상의 애중함</u>을 시기하여 매양 해코자 하더니, 마침 승상 없는
　　　　　　　　　장경의 3처 중 한 인물로 소성운의 딸　　장경　　　　　　　　　　　　장경은 연왕 건성의 꾐에 빠져 절도 귀양을 가게 됨
때를 타 계교를 생각하고 시비 춘향을 불러 초운의 필적을 도적하여 서간을 위조하고 초운의
　　　　　　　　　　　　　　　　　　곁에서 시중을 드는 계집종　　　　　초운이 쓴 서간처럼 만듦
사환 손침에게 후히 뇌물을 주어 말하기를,
　잔심부름을 시키기 위해 고용한 사람

"네 이 서간을 가지고 병마 총독 정사운에게 가 여차여차하라."

하니 손침이 허락하고 바로 정사운에게 가니, <u>정사운이 본디 무과 출신으로 운주 병마사로 있</u>
　　　　　　손침은 뇌물을 받고 모함에 가담함　　　　　　　　　　　　　　　정사운이 가짜 서간에 답을 하게 된 원인
<u>을 때에 초운을 흠모하던 바라.</u> 의외로 초운의 서간이 왔음을 듣고 대희하여 서간을 떼어 보
　　Link 인물의 심리 ❷　　　　소 씨의 계략으로 시비 춘향이 작성한 것임 → 정사운이 초운의 집으로 오게 하는 역할을 함
니 하였으되,

『초운은 삼가 글월을 정 장군 좌하에 올리옵나니 첩이 운주 있을 제 장군이 사랑하시매 첩이
『　』: 초운을 궁지에 빠뜨리기 위해 소 씨가 조작한 글
매양 뫼시고자 하다가 마침 여의치 못하고 장 승상이 데려오시매 주야 사모하는 정이 간절

하더니 이제 승상이 절도 정배하매 돌아올 기약이 없는지라. 원컨대 장군은 모일에 장 승상
　　　　　　죄인을 지방이나 섬으로 보내 정해진 기간 동안 그 지역 내에서 감시를 받으며 생활하게 하던 일
집을 침입하고 첩을 데려 가소서.』

하였거늘, 정사운이 간파에 대희하여 즉시 답서를 닦아 주거늘 손침이 돌아와 전하니 소 씨가
　　　　　　　　　　　　　　　　　초운을 곤경에 처하게 함
기꺼하여 춘향에게 건네며 말하기를,

"네 이 서간을 가져다가 가만히 초운의 서안 밑에 감추라." → 초운이 정사운과 내통한 것처럼 꾸밈
　　정사운이 초운에게 보낸 답서　　　　　　　예전에, 책을 얹던 책상
하고 이윽고 소 씨가 시비를 데리고 초운에게 가니 초운이 일어나 사례하여 말하기를,
　　　　　　　　　　　　　　　　　　　　　　　　황송하고 감격하여 견딜 수가 없음

"부인이 누지에 하림하시니 불승황감하니다." / 소 씨 말하기를,
　　　누추한 곳이라는 뜻으로, 자기가 사는 곳을 겸손하게 이르는 말

"승상이 귀양지에 가신 후로 자연 심사 울울하기로 운랑을 보려 왔
　　　　　　　　　　　　　마음이 상쾌하지 않고 매우 답답함
노라."

하며 서책을 뒤져 보는 체하다가 서간을 얻어 내어 말하기를,
Link 소재의 역할 ❶　　소 씨의 교활함을 알 수 있음
"이 편지 어디서 왔냐뇨?"
　초운을 위기에 빠뜨리는 계기를 제공함

Link

출제자 특강　**인물의 심리를 파악하라!**

❶ 소 씨가 초운을 모함하는 이유는?
초운의 지모와 승상의 애중함을 시기하기 때문에

❷ 정사운이 서간에 답을 한 이유는?
정사운이 병마사로 있을 때에 초운을 흠모했기 때문에

초운이 놀라 보니 피봉에 '정 총독은 운랑에게 화답하노라.' 하였거늘 이에 실색하여 말하기를,
_{봉투의 겉면} _{정사운} _{초운} _{놀라서 얼굴색이 달라짐}

"실로 알지 못하나이다." / 소 씨 말하기를,

"그대 방중에 있는 것을 어찌 모르노라 하나뇨."

하며 떼어 보니 기서에 하였으되,

『전에 운주에 있을 제 낭자를 흠모하여 한 번 보고자 마음이 평생 간절하더니 의외 수찰(手
_{초운} _{초운이 손수 썼다고 생각하는 편지}
札)을 보매 일촌간장이 녹는 듯한지라. 반가운 정회는 종차 하려니와 기별한 말을 그대로 할
_{한 토막의 간과 창자라는 뜻으로, 애달프거나 애가 타는 마음을 이르는 말} _{이 다음에} _{장 승상 집에 침입하여 초운을 데려가 달라는 말}
것이니 근심 말라.』┌ 』: 정사운의 답서 내용 – 초운을 흠모하는 마음이 있으며, 초운의 부탁을 들어줄 것이니 근심하지 말라

하였거늘, 소 씨가 보고서 대로하여 시비로 하여금 초운을 결박하고 꾸짖기를,
_{크게 화를 내어}

"일시 승상이 아니 계시다 하여 이런 행실을 하니 어찌 통한치 아니하리오?" ▶초운을 모함하는 소 씨

핵심장면 ② 장경이 원수가 되어 남 이적을 멸하고 황성으로 돌아오는 길에 초운을 다시 만나는 부분이다.

원수가 초운을 보며 전일을 생각하고 슬픔이 간절하나 잠깐 참고 문 왈,
_{장경}

"네 이름이 남방에 유명하매, 한 번 보고자 하여 부른즉, 무슨 병이관데 즉시 아니 오느냐."
_{초운은 장경이 원수가 되었음을 알지 못하고 병을 이유로 원수의 부름을 거절해 왔음}

초운이 여쭈오되,

"소인의 병은 누년이 지나되 백약이 무효하오니 민망하여이다." / 원수 왈,
_{장경과의 이별로 인한 병} _{└여러 해}

"온갖 병이 다 각각 근본이 있는지라. 너는 무슨 근본이 있느냐."

초운이 여쭈오되,

"황공하오나 근본을 묻자오니 실상을 아뢰나이다. 과연 이 골에 장 수재 하는 사람과 언약이
_{장경}
중하옵더니, 전관 소 목사가 데려갔삽기로 이별 삼 년에 자연 병이 되었나이다." / 원수 왈,
_{장경과의 이별이 병의 원인이 됨}

"그는 거짓말이로다. 소 목사는 나와 일가라. 내 항상 그 댁에 다니되 장 수재라 함은 금시초
문이로다. 연즉 다른 사람을 인연함이라."
_{장경이 초운의 속마음을 시험하기 위해 한 말}

초운이 대 왈,

"어찌 그러하리이까. 원정에 가다가 죽었삽거나 혹 중로에서 버리고 가옵거나 하였나이다."

하며 눈물을 흘리거늘, 원수 속이지 못하여 눈물을 뿌리고 왈,

"네 병이 즉시 나을 약이 내게 있노라."

하며 월귀탄을 주시거늘, 초운이 받아 보니 장 수재가 이별할 때 드린 것이라. 비록 백 년인들
_{이별할 때 초운이 장경에게 주었던 물건 – 초운이 장경을 알아보게 하는 역할을 함} **Link** 소재의 역할 ②
어찌 모르리오. 마음을 진정치 못하여 생각하되,

Link
출제자 톡! 소재의 역할을 파악하라!

❶ 초운을 위기에 빠뜨리는 역할을 하는 소재
는?
정사운이 보낸 답서(서간)

❷ 초운이 장경을 알아보게 하는 역할을 하는
소재는?
월귀탄

'원수가 소 목사의 일가라 하니, 분명 장 수재의 서간을 가져왔거
_{신표인 월귀탄을 보고 원수를 의심하는 마음을 품음}
나 불연즉 나를 취코자 앗아 옴이라.' ▶장경을 알아보지 못하는 초운

하더니, 원수 초운의 손을 잡고 눈물을 흘려 왈,

"운랑은 나를 모르느냐. 자세히 보아라." / 초운이 아뢰되,

"소인은 하방 천기라, 존명을 어찌 알리이까."

원수 왈,

"운랑 낭랑아, 칠 년 방자 구실하던 장경을 모르느냐."

초운이 이 말을 듣고 꿈인 듯 생신 듯 반가움을 이기지 못하여 원수의 소매를 잡고 기절하거
_{초운이 원수의 말을 듣고서 그제야 원수가 장경임을 알아차리고 기뻐함}
늘, 원수 손을 잡고 왈,

"운랑아, 진정하라. 이제는 네 병이 즉시 나으리라."

하고 못내 반기거늘, 초운이 겨우 인사를 차려 품을 열고 사운시를 드리거늘 받아 보니 당시
이별시라. 원수 마음이 비창함을 이기지 못하여 하더라. 초운이 울며 왈,
_{이별할 때 장경이 초운에게 주었던 시}

_{마음이 몹시 상하고 슬픔}
"소첩이 잔명을 보전하여 살았다가 오늘날 대원수 행차 와 찾으심을 어찌 뜻하오리까."

하고 못내 즐기거늘, 원수 소 왈,

"내 너를 그리던 정곡이야 어이 다 측량하리오."

하시니, 일읍 인민이 그제야 장경인 줄 알고 못내 반겨 차례로 문안하거늘, 차영 부처를 불러
_{온 고을 사람들}
칠 년 은혜를 이르고 채단을 주시며 양육하던 은혜를 갚노라 하시니, 차영의 부처가 못내 황
감하더라.
_{아버지가 유배되어 어린 장경이 걸식할 때 관노 차영의 사환이 됨}

▶ 장경과의 재회를 기뻐하는 초운

핵심장면 ③ 장경이 이끄는 진압군이 반란군을 진압한 후, 황제가 복위하고 장경이 연왕에 봉해지는 부분이다.

『승상이 [폐제]를 모시고 남성문에 올라 청룡기(靑龍旗)를 두르니, 좌선봉 양철이 십만 정병을
_{장경}
『 』반란군의 진압 과정을 구체적으로 묘사함
거느리고 동성문을 쳐 백이해를 맞아들이고 백호기(白虎旗)를 두르니 우선봉 신담이 팔만 정
병을 거느려 서성문을 쳐 유지엄을 맞아들이니, 삼대진(三大陣)이 합세하여 궁성을 둘러싸고
치니 대장 추통이 군병 대세를 당치 못하여 죽도록 막더니, 선봉장 양철이 말을 몰아 추통과
_{반란군의 대장}
접전하여 이십여 합에 승부를 결단치 못하더니, 총독장 마맹덕이 말 위에서 보다가 크게 소리
_{반란군의 대장이 죽자 반란군이 급격히 몰락하게 됨}
하고 달려들어 일합에 추통의 머리를 베어 선봉 깃대에 달고 좌충우돌하니, [건성]이 추통의 죽
_{반란군에 의해 황제로 추대됨}
음을 보고 크게 놀라 신하들을 거느리고 북문으로 달아나거늘, 승상이 북을 울리며 기를 둘러
좌우 군병을 재촉하여 급히 따르니, 건성이 후군 급함을 보고 유성장 한원과 도총독 배웅으로
뒤를 막으로 하고 달더니, 선봉장 양철이 군사를 재촉하여 쫓아가며 후군을 치니 한원 등이
선봉을 막거늘, 양척이 달려들어 한원을 베고 우선봉 신담은 배웅을 베고 급히 쳐들어가니,
건성군이 힘이 다하매, 중서랑 추원에게 명하여 옥새를 봉하여 드리거늘』 양철이 마상에서 칼
_{옥새를 줌으로써 반란이 끝났음을 암시함}
끝에 받아 들고 크게 외쳐 왈,
▶ 반란군을 진압한 장경

"반적 건성은 하늘로 오르며 땅으로 들다. 어디로 가리오."

하며 칼을 빼어 들고 달려들거늘, 승상이 급히 말려 왈,

"건성의 죄는 죽음직하나 선제(先帝)의 혈육이라. 양원수는 진정하라."
_{건성이 황제로 추대된 이유} **Link** 사건의 양상 ❶

하시니, 양철이 건성의 용포(龍袍)와 금관(金冠)을 벗기고 따르던 신하들을 다 결박하여 앞에
세우고 폐제를 모시고 이날 환궁하사 승전고를 울리며 황극전(皇極殿)에 나와 앉으시니,
_{폐제가 다시 황제로 복귀함}

『제장군졸이 만세를 부르며 역모에 가담한 신하들을 차례로 항복받아 법에 따라 사형에 처하고, 비군을 잡아내어 능지처참하고 건성의 황비(皇妃)를 백파강 가에 내치니, 건성이 남루한 옷차림으로 천수산에 들어가 주려 죽으니라.』 승상이 폐제를 받들어 종사에 나아가, 다시 천자사직(天子社稷)을 받드신 후에 천하가 태평하더라.

> 『 』반란군 진압 후의 상황을 빠른 사건 전개를 통해 요약적으로 제시함

이적에 폐제 섬기던 신하들이 산중에 숨었더니, 기별을 듣고 모두 들어와 천자를 섬기는지라.

승상이 남북방 군사를 위로하여 보낸 후에 천자께서 큰 연회를 벌여 잔치하실새, 상이 친히 잔을 들어 승상께 전하시고 명령 왈,

"짐이 경등(卿等)으로 더불어 오늘날 즐김은 다 승상의 덕이라. 어찌 그 은혜를 모르리오."

> 승상과 여러 신하들과 더불어
> 황제가 장경의 공을 치하함

하시고, 이날 장경을 연왕으로 봉하시고 곧 유지를 내리우시니, 승상이 사은(謝恩)하시고 돌아오니 연국(燕國) 신하들이 잇달아 위의(威儀)를 차려 왔는지라.

> 임금이 신하에게 내리던 글
> 위엄이 있고 엄숙한 태도나 차림새
> ▶ 반란군을 진압한 공으로 연왕이 된 장경

최우선 출제 포인트!

1 장경의 영웅적 일대기

고귀한 혈통	송나라 장진의 후예인 처사 장취는 천축사에 공양하고 태몽을 꾼 뒤 아들 경을 낳음.
비범한 능력	태몽을 통해 장경의 출세를 예고함(비범성에 대한 복선).
위기와 고난	장 처사가 유배되자 장경은 걸식하다가 관노 차영의 사환이 됨.
조력자의 도움	기생 초운의 도움으로 학업을 이루고 한림학사가 됨.
고난 극복 및 욕망 성취	연왕의 모함으로 귀양 보내진 장경은 탈출을 하여 초운을 만나고 형주에서 군대를 일으켜 황제를 복위시킨 후 초운을 정숙 왕비로 봉함.

2 서사 구조의 기본축

혼사의 성취(결연담)		충의 실현(군담)
소 부인에게 축출된 초운은 장경을 다시 만나며, 장경은 소 부인을 벌하고 초운을 정숙 왕비로 봉함.	+	서융 등이 일으킨 모반을 격퇴한 장경은 건성이 황제의 자리를 빼앗자 군대를 일으키고, 황제를 복위시키고, 충의 실현에 대한 보상으로 연왕에 오르게 됨.

↓ 군담보다는 애정담에 큰 비중을 두고 있다는 점이 다른 영웅 소설과의 차이점임.

최우선 핵심 Check!

1 다음 내용 중 맞는 것은 ○표를, 틀린 것은 ×표를 하시오.

(1) 소 씨는 초운을 궁지에 빠트리기 위해서 직접 서간을 위조하였다. ( )

(2) 초운은 장경이 원수가 되었음을 알지 못하고 병을 이유로 장경의 부름을 거절하였다. ( )

(3) 황제의 자리를 되찾은 폐제는 장경의 공을 치하하며 장경을 연왕으로 봉하였다. ( )

2 초성 힌트를 보고 빈칸에 들어갈 알맞은 말을 쓰시오.

> 영웅의 일대기를 기록한 영웅 소설의 보편적 구조를 갖추고 있는 이 작품에서 사건은 크게 ㅎㅅ 의 성취와 ㅊ 의 실현이라는 두 축으로 이루어져 있다. 이 작품에서는 군담보다는 애정담이 큰 비중을 차지하는데 바로 이와 같은 점이 일반적인 영웅 소설과의 다른 점에 해당한다.

3 다음 중 주인공 장경의 조력자 역할을 하는 인물은?

태자 정사운 초운 건성

정답 1. (1) × (2) ○ (3) ○ 2. 혼사, 충 3. 초운

41위

김원전(金圓傳) | 작자 미상

성격 전기적, 설화적 **시대** 조선 후기
주제 김원의 영웅적 일대기

소설

이 작품은 수박 형상을 하고 태어난 김원이 10년 만에 탈을 벗고 요괴에게 납치된 공주를 구출하여 용왕의 사위가 된 뒤 부귀영화를 누리다가 신선이 된다는 내용의 영웅 소설이다.

주요 사건과 인물

발단	전개	위기	절정	결말
괴상한 모습으로 태어난 김원이 허물을 벗고 뛰어난 능력으로 도원수가 됨.	김원은 지하국에서 아귀를 처치하고 아귀에게 잡혀갔던 공주를 구출함.	김원은 부하의 시기로 지하에 홀로 갇힘.	김원은 용왕의 아들을 구하고 사위가 되지만 지상에 나왔다가 도적을 만나 죽게 됨.	용왕에 의해 회생한 김원은 부귀와 영화를 누리다 신선이 됨.

김원
수박 형상으로 태어났으나, 열 살이 되어 탈을 벗고 아귀를 퇴치하여 공주를 구함.

공주
주도면밀한 성격으로, 김원이 아귀를 퇴치하는 데 도움을 줌.

아귀
머리 아홉 달린 괴물로, 지하국에서 공주와 여자들을 인질로 삼아 부림.

핵심장면 ① 수박 형상을 하고 김규의 아들로 태어난 김원이 10년 만에 허물을 벗는 부분이다.

☐ : 주요 인물

차설(且說). 이때 **원**의 나이가 열 살이었다. 원이 마음속에 생각하되,
(사건을 전환할 때 상투적으로 쓰는 말)

'내가 무슨 죄악으로 10세가 되도록 허물을 벗지 못하고, 어느 시절에 세상을 구경하리오.'
(수박 형태의 탈)

하고 차탄하기를 마지아니하였다.
(탄식하고 한탄함)

이윽고 방문이 저절로 열리며 붉은 도포를 입은 **선관(仙官)**이 들어와 옥으로 만든 채찍으로
(신선 – 도교적 요소)

원을 세 번 치며 말하기를,

★ 주요 소재

"**남두성(南斗星)**아, 네 죄악이 다하였으매 옥황상제께서 나를 보내시어 네가 쓰고 있는 **보자기**
(김원) (천상에서 저지른 죄) (허물 – 수박 형태의 탈)

를 벗기고 오라 하시매 내가 이곳에 와서 보자기를 벗기고 가노라. 이 보자기를 가져가고 싶으

나 두고 가는 것은 너의 부모께서 이럴 줄을 자세히 모를 것이니, 이 보자기를 두었다가 이

말씀을 아뢰어라. <u>60년 후면 자연 다시 만나리라.</u> 할 말이 무궁하나 하늘의 뜻을 누설하지 못하
(60년 후 다시 김원이 천상에 올라갈 것임을 암시함)

나니 백 세가 되도록 **무양(撫養)**하라."
(몸에 병이나 탈이 없음) **Link** 인물의 상황 ❶

하고 갑자기 간데없이 사라졌다. <u>원이 보자기를 벗고 보니</u> 방 안에 아무것도 없고 다만 **천서**
(둥근 원으로 태어나 10년 만에 원을 깨고 아름다운 남자로 변신함) (하늘의 이치를 기록한 책)

(天書) 세 권이 놓여 있었다. 책을 끌러 보니 마음이 넓어져서 **청천(晴天)**에 올라 **사해**를 굽어
(맑게 갠 하늘) (온 세상)

보는 듯, <u>소견이 저절로 열려 백만 가지 일에 모를 것이 없었다.</u> ➤ 태어난 지 10년 만에 허물을 벗은 김원
(출중한 지혜를 획득함) **Link** 인물의 상황 ❷

핵심장면 ② 김원이 공주와 협력하여 지하국의 아귀를 퇴치하는 부분이다.

(머리 아홉 달린 괴물)

공주가 칼을 놓고 **아귀**가 잠들기를 기다렸다. 아귀가 깊이 잠들었거늘, 비수를 가지고 협실
(아귀에게 인질로 잡혀 지하국에서 살고 있음)

로 나와 원수에게 잠들었음을 이르고 함께 후원에 이르러 큰 기둥을
(허물을 벗은 후 뛰어난 능력으로 도원수가 된 김원)

가리키고 말하기를,

"원수의 칼로 저 기둥을 쳐 보소서."
(공주의 신중함이 엿보임)

원수가 즉시 비수를 들어 기둥을 치니 기둥이 반쯤 부러졌다. 공주가 크게 놀라서 말하기를,

Link

출제자 톡! 인물의 상황을 파악하라!

❶ 원수(김원)가 10세가 되던 해 생긴 큰 변화는?
허물을 벗게 됨.

❷ 천서 세 권을 통해 원수(김원)가 획득하게 된 것은?
출중한 지혜

❸ 공주가 칼로 기둥을 쳐 보게 한 까닭은?
원수의 비수로 아귀의 목을 벨 수 있는지 확인해 보기 위해서

"만일 그 칼을 썼더라면 성사도 못 하고 도리어 큰 화가 미칠 뻔하였습니다."

원수의 칼로는 아귀의 목을 베기 어렵다고 판단함   **Link** 인물의 상황 ❸

아귀가 쓰던 비수로 기둥을 치니 썩은 풀이 베어지는 듯하였다. 마음속으로 크게 기뻐하며

아귀를 죽일 수 있게 되었으므로

공주와 함께 아귀가 자는 방에 이르러 문을 가만히 열고 들어가 공주에게 말하기를,

"매운 재를 준비하였다가 아귀의 아홉 머리를 다 베어 내치거든 즉시 재를 온몸에 뿌리소서."

약속을 정하고 비수를 메고, / "아귀야!"

하고 큰 소리로 불렀다. 『아귀가 잠을 미처 깨지 못하여 기지개 켤 때 자세히 보니 온몸에 비늘

『 : 김원의 영웅적 면모 ①

이 돋쳐 있었다. 아귀가 잠을 깨지 못함을 보고 칼을 들어 아홉 머리를 치니 아귀의 아홉 머리

가 일시에 떨어졌다. 여러 여자가 일시에 재를 끼치니 아귀인들 어찌하리오. 머리 없는 등신

편집자적 논평

이 일어나며 대들보를 받으니 대들보가 부러졌다. 아귀가 한 식경이나 난동을 부리다가 거꾸

밥을 먹을 동안이라는 뜻으로, 잠시 동안을 이름

러지거늘, 공주 등이 아귀가 죽었음을 보고 분분하게 치하하였다.』   ▶공주의 도움으로 아귀를 퇴치한 김원

떠들썩하게

시위하던 여러 소아귀들이 장수가 죽었음을 알고 병기를 갖추고 군사를 거느려 원수를 찾았

다. 원수가 그제야 장중 두목 소아귀를 보니, 신장이 구 척이요, 머리에 쌍봉 자금 투구를 쓰고

길이의 단위. 약 30.3cm에 해당함

몸에 엄신갑을 입고 팔 척 장창을 들었으니 풍채가 늠름하였다. 아귀는 요술로 죽였거니와 이놈

윗몸에 두르는 갑옷

은 대적하기 어려우니 즉시 자금 용봉 투구를 쓰고 황금 대자 보신갑을 입고 비수를 들고 마구

예전에, 몸을 보호하기 위하여 입던 갑옷

간에 있는 으뜸 준마를 타고 나는 듯이 내달아 대진하니, 소아귀가 오랫동안 보다가 외치기를,

"너는 어떤 사람이길래 무슨 원한으로 나의 대장을 죽였느냐? 빨리 목을 늘여 나의 창을 받

으라. 이제 너를 죽여 우리 대장의 원수를 갚으리라." 〈중략〉

『원수가 정신을 가다듬어 또 오십여 합을 싸우다가 칼을 안장에 걸고 산호 채찍을 왼손에 들

칼이나 창으로 싸울 때, 칼이나 창이 서로 마주치는 횟수를 세는 단위

고 외로 둘러 바로 치니 아귀의 무리가 땅에 붙고 떨어지지 아니하였다. 아귀가 놀라 말에서

내리려 하였는데, 발이 안장에 붙어 떨어지지 않았다. 원수가 칼을 들어 그 아귀들을 다 죽이

니 소아귀가 또 달려들었다. 원수가 기세를 타서 좌충우돌하니 아귀의 머리가 추풍낙엽 같았

어떤 형세나 세력이 갑자기 기울어지거나 헤어져 흩어지는 모양을 비유적으로 이르는 말

다. 원수가 돌아서 나오려 하니 문을 지키는 장수가 또 덤벼들었다. 그런 것들은 칼을 한 번

휘두르매 썩은 풀이 베어지듯 하니 주검이 산과 같고 피가 흘러 시내가 되었다.』『 : 김원의 영웅적 면모 ②

과장법

원수가 심신을 진정하고 공주를 모시고 두루 살펴보니 사면 곳간에 보배가 즐비하였다. 모

두 끌어내어 놓고 누각을 보니 삼사 층 별당이 살살이 있고 보패를 얽었으니, 산호 기둥이며

아주 귀하고 소중한 물건

청석 마루와 유리벽이며 호박 주초에 백옥대를 세웠으며 용린 기와에 수정렴을 달았으니, 서기

주초. 기둥 밑에 괴는 돌 따위의 물건   용의 비늘   수정 구슬을 꿰어서 만든 아름다운 발   상서로운 기운

가 반공에 어리고 사치가 장려함을 다 기록할 수 없었다.   ▶아귀의 잔당을 해치우고 일행과 곳간을 확인한 김원

웅장하고 화려함

공주와 모든 여자들이 원수께 사례하기를, / "팔자가 기박하여 부모를 이별하고 아귀에게

사납고 운이 없어

잡혀 외로운 혼령이 될 뻔하였는데, 원수의 크나큰 은혜로 다시 하늘 아래에서 부모를 상봉

하게 되오니 은혜 백골난망이란 말은 오히려 부족하옵니다."

죽어서 백골이 되어도 잊을 수 없다는 뜻으로, 남에게 큰 은덕을 입었을 때 고마움을 이르는 말

원수가 치사하여 말하기를, / "공주의 넓으신 덕으로 아귀를 죽이고 이런 흉악한 곳을 무사

칭찬하여

히 면하게 하오니 황제의 은혜를 저버리지 아니하도소이다."

하고, 그 동천을 다 불태우고 공주와 모든 여자들을 데리고 둥우리에 나아가 가로되,

"세 분 공주는 둥우리에 오르소서. 황상의 기다리심이 일각이 여삼추 같사오니 모름지기 수
이 오르시고 둥우리를 내려보내시면 모든 여자들을 내보내고 신은 나중에 올라가겠습니다."

공주가 가로되,

"원수가 큰 공을 세워 잔명을 보전하였으니 먼저 올라가시면 우리는 뒤쫓아 올라가겠습니다."

원수가 머리를 숙이고 사양하기를,

"신은 신하 된 자라. 공이 무엇이길래 어찌 감히 먼저 올라가리이까? 공주는 바삐 오르소서."

공주가 말하기를,

"먼저 오르소서 한 뜻은 뒷근심이 있을까 함이었사오니, 그러하면 장군과 함께 가사이다."

원수가 크게 놀라고 듣지 않으니 하릴없이 모든 여자를 분배하고 방울을 일시에 흔드니, 지혈
을 지키는 군사가 방울 소리를 듣고 일시에 줄을 당기어 지혈 밖으로 올렸다. 공주를 마지막
으로 안돈하게 하고, 다시 둥우리를 내리우는데 부장 강문추가 마음에 생각하되,

'이제 김원이 지혈에 들어가 큰 공을 이루고 공주를 모셔 내었으니
서울에 돌아가면 일등 공신이 될 것이요, 나는 아뢸 공이 없으니
차라리 김원을 지혈에서 나오지 못하여 죽게 하고 저의 공을 빼앗
음만 같지 못하다.'

하고, 심복 군사를 불러 여차여차하라 약속을 한 후 둥우리를 내리
우다가 군사가 그 줄을 놓아 버렸다.

➤ 부하의 시기로 지하에서 올라오지 못한 김원

Link 사건의 전개 ❶

Link 사건의 전개 ❷

Link 사건의 전개 ❸

출제자 특강 사건의 전개를 파악하라!

❶ 공주와 여자들이 둥우리까지 올 수 있었던
것은?
원수가 아귀와 소아귀를 모두 죽이고 공주
와 여자들을 둥우리 타는 곳까지 인도함.

❷ 공주가 원수에게 함께 올라갈 것을 권유한
이유는?
뒷근심이 있을까 염려되었기 때문에

❸ 강문추가 심복 군사로 하여금 둥우리의 줄
을 놓아 버리게 한 이유는?
김원의 공을 가로채기 위해서

최우선 출제 포인트!

1 이 작품의 배경 설화

이 작품은 전 세계적으로 분포하고 있는 「지하국 대적 퇴치 설화」를 바
탕으로 하고 있다.

「지하국 대적 퇴치 설화」의 줄거리
• 옛날 어느 곳에 사는 무사가 아귀에게 납치된 여인을 구출함.
• 동료의 배신으로 혼자 지하국에 갇히나 조력자를 만나 탈출함.
• 배신자를 응징하고 여인과 결혼함.

이 작품과 「지하국 대적 퇴치 설화」의 공통점과 차이점은 다음과 같다.

공통점	• 주인공이 여인의 도움을 받음. • 주인공이 부하들에게 배신을 당함. • 작품의 배경으로 '지상'과 '지하'라는 두 공간을 설정함.
차이점	• 용궁 장면을 추가하여 작품에 흥미를 더함. • 주인공의 국적과 신분을 제시함으로써 이야기에 구체성을 부여함. • 주인공을 천상계와 관련된 인물로 그려 기본 서사를 좀 더 복잡하게 만듦.

최우선 핵심 Check!

1 다음 내용 중 맞는 것은 ○표를, 틀린 것은 ×표를 하시오.

(1) 주인공의 비정상적인 출생 이야기를 통해 주인공의 비범성을 드러내
고 있다. ( )

(2) 주인공이 직접 아귀를 없애는 내용을 통해 주인공의 영웅적 면모를 부
각하고 있다. ( )

(3) 현실적인 방법으로 문제 상황을 해결하는 과정을 보여 주고 있다.
( )

(4) 인물의 움직임을 역동적으로 나타내어 긴박한 분위기를 표현하고 있다.
( )

2 초성 힌트를 보고 빈칸에 들어갈 알맞은 말을 쓰시오.

(1) 주인공이 괴물을 퇴치하고 괴물에게 납치된 ㅇㅇ을/를 구원하는 내용
이 주를 이루는 괴물 퇴치담이다.

(2) '여러 여자가 일시에 재를 끼치니 아귀인들 어찌하리오.'라는 부분에서
ㅍㅈㅈㅈ 논평을 통해 서술자의 생각을 드러내고 있다.

정답 1. (1) ○ (2) ○ (3) × (4) ○ 2. (1) 여인 (2) 편집자적

계모에 의해 쫓겨난 '어룡'이 고난을 극복하는 이야기

42위 출제예상 62%

어룡전(漁龍傳) | 작자 미상

성격 사실적 **시대** 조선 후기
주제 계모의 학대를 극복하고 이룬 가정의 재결합

소설

이 작품은 계모에게 쫓겨난 남매가 갖은 고초를 겪은 끝에 다시 가정의 화합을 이룬다는 내용으로, 후반부로 갈수록 영웅 소설의 성격이 짙게 나타난다.

주요 사건과 인물

발단	전개	위기	절정	결말
어 학사는 부인이 죽자 품성이 간악한 강 씨를 후실로 삼는데, 강 씨는 재룡을 낳은 후 월의 남매를 해치고자 음모를 꾸밈.	강 씨는 어 학사가 집을 비운 틈을 타 월의 남매를 내쫓고, 용은 도사를 만나 무예를 배우고 월은 윤 시랑의 양녀가 됨.	벼슬을 사양하고 본가로 내려온 어 상서는 월의 남매가 쫓겨난 사실을 알고는 그들을 찾아 나섬.	월과 혼인한 임춘은 한림학사가 되며, 용은 북 흉노를 격퇴한 공으로 좌승상이 되고, 기이한 꿈을 꾼 어 상서는 고향에 돌아옴.	어 상서는 월의 남매를 만나고 계모는 앙화를 입고 죽지만 용은 이복동생을 거두어 주고 부귀영화를 누림.

친부 어 상서	월	남매 → 용	계모 강 씨
강 씨의 모함으로 월의 남매가 쫓겨났음을 알고는 적극적으로 남매를 찾아 나섬.	강 씨의 모함으로 고초를 겪다 쫓겨나지만 임춘과 혼인하여 부귀영화를 누림.	강 씨에 의해 집에서 쫓겨나지만 나라에 큰 공을 세우고 부귀영화를 누림.	간악한 성격의 인물로, 전처의 자식인 월의 남매를 집에서 쫓아냄.

핵심장면 ① 어 학사가 새로 맞은 부인 강 씨가 월의 남매를 시기하여 악행을 자행하는 부분이다.

□ : 주요 인물

이러구러 여러 날 만에 <u>강 씨</u>를 데려오니, 얼굴은 비록 고우나 **본성이 강포하여 평생을 해코**
_{어 학사가 부인이 죽자 후실로 맞이한 인물} _{몹시 우악스럽고 사나워}
자 하는 사람이라. <u>학사가 매양 월의 남매를 불쌍히 여겨 슬퍼하며 사랑하는 양을 보고,</u> 강 씨
_{강 씨가 월과 용을 핍박하는 원인이 됨}
속마음에 시기하여 은근히 해코져 하여 <u>학사 보는 데는 월의 남매를 불쌍히 여겨 사랑하는 체</u>
Link 인물의 특징 ② _{어 학사 앞에서만 남매를 위하는 체를 함}
하며 음식을 좋이 먹이며 각별 위로하니, 학사가 강 씨를 사랑하여 모든 일을 다 맡기는지라.
_{강 씨를 의심하지 않기 때문에}

이러구러 강 씨는 잉태하여 십 삭 만에 아들을 낳으니 학사가 극진히 사랑하며 월의 남매 우
애 극진하니, 강 씨 속마음에 교만하여 비복이라도 일절 엄하게 하니, <u>뉘 아니 두려워하리오.</u>
_{재룡} _{서술자의 개입}

이때 <u>월</u>의 나이는 십사 세요, <u>용</u>의 나이는 팔 세라. 강 씨 낳은 아들 이름은 재룡이니, 아직
강보에 있는지라. 강 씨 마음에 매양 월의 남매를 해코져 하나 틈을 얻지 못하여 하더니, 일일
_{어린아이의 작은 이불}
은 한 계교를 생각하고 『바늘을 끼어 아이 업는 천의에다 찔러 놓고 월을 불러 재룡을 업히고
_{월을 곤경에 빠드리려는 목적} _{『 』:재룡을 이용하여 어 학사 앞에서 월을 모함하려 함}
학사를 청하여 음식을 권하더니, 이때 밖에서 재룡의 울음소리가 들리는지라.』 강 씨 거짓 놀
래어 내달아 아이를 앗아 업고 들어오며 왈,

"네가 아이를 보면 항상 놀래어 이렇듯이 울린다."
_{처음 있던 일이 아닌 것처럼 말하여 학사와 월을 이간질하려 함}
하며, 젖을 물리고 학사 보는데 『천의를 벗기는 체하고 바늘을 감춘 후 아이를 안아 내니, 볼기
_{『 』:친자에게 상처를 입히면서까지 월을 모함하는 강 씨의 잔인한 면모}
밑에 유혈이 낭자하거늘, 강 씨 또한 놀라는 체하고 피 흘리는 데 살펴보니 바늘로 찔린 흔적
이 완연하거늘,』 학사 놀라 <u>연고</u>를 모르더니, 강 씨 갑자기 얼굴빛이 달라지며 왈,
_{일의 까닭}

"이러한 흉측한 변고가 어디 있으리오."/ 하고, 줄줄이 밀치고 왈,

"다만 오늘뿐이 아니라 이러한 일이 종종 있으나 매양 계모라 하여
_{자신의 탓으로 돌리는 척하며 어 학사의 판단에 영향을 미치려 함}
허물이 첩에게 미칠까 하여 밝히지 아니하였삽더니, 이러한 줄이
야 어찌 알았사오리까."

Link
출제자 특 **인물의 특징을 파악하라!**
❶ 강 씨의 성품은?
  강포하고 남을 해하고자 하는 사람
❷ 강 씨가 월의 남매를 해하려는 원인은?
  어 학사가 월의 남매를 사랑하는 것을 시기
  하기 때문에

하고, 아이를 안고 침금을 덮고 누워 슬퍼하는 양을 보이거늘, 학사가 다시 생각하니 바늘에 찔린 자국은 확실하나 바늘은 없으니 고이하나, 월이 어찌 그런 악한 일을 자행하리오. 또한 <u>전일에도 여차한 일을 보지 못하였으니, 고이하다 하고 부인을 개유하여 왈,</u>
<small>강 씨의 말에 대한 어 학사의 의심 ①　　　　　　　　　강 씨의 말에 대한 어 학사의 의심 ②</small>
<small>사리를 알아듣도록 잘 타일러</small>

"이것이 다 자식이 어린 탓이니, 깊이 헤려려 두루 생각하면 전혀 허물이 없을 것이니 부디
<small>자식이 어린 탓이라 말하며 강 씨를 달래려 함 – 월을 두둔하려는 의도</small>

안심하라." / 하고 나아오니, <u>월은 그런 사정을 어찌 알리오.</u>
<small>서술자의 개입</small>

아이를 무단히 데려가매, 마음에 불안하여 용의 옷을 고쳐 입히며 처량히 앉았거늘, <u>학사가</u>
<small>재취를 후회하며 월의 남매에 대한 애처로운 마음을 드러냄</small>
<u>그 거동을 보고 재취를 무수히 한탄하더라.</u>

▶ 월을 모함하는 강 씨

Link 인물의 심리 ❶

핵심장면 ② 　강 씨가 월의 남매를 집에서 쫓아낸 사실을 알고 남매를 찾던 어 상서가 용과 상봉하는 부분이다.

이때 날이 이미 저물고 갈 길이 바이없으매, 슬픔을 이기지 못하여 <u>실혼한 사람같이 앉았더</u>
<small>강 씨의 모함으로 월의 남매가 집에서 쫓겨났음을 알게 되었기 때문에</small>　<small>몹시 두려워서 정신을 잃은</small>

니, 또 『비몽사몽간에 아까 보이던 도사가 다시 이르되,
<small>어 상서가 월의 남매와 상봉하게 하는 조력자</small>

"죽림 도원 본집으로 가면 자연 반가운 소식이 있을 것이니 급히 황성으로 가라."
<small>어 학사</small>

하고 간데없거늘,』상서가 깨어 공중을 향하여 무수 사례한 후, 그 밤을 지내고 이튿날 길을 떠
<small>『 』: 고전 소설의 전형적인 사건 전개</small>

나 여러 날 만에 죽림 도원 본집으로 가니, 집은 여구하나 장원이 퇴락하고 후뜰에 초목이 무성
<small>모양이나 상태가 옛날과 같으나</small>

하여 사람 자취 그친 지 오랜지라. 슬픈 마음을 금치 못하여 눈물 내림을 깨닫지 못할레라.

Link 인물의 심리 ❷

학사 마음을 진정하고 두루 살펴보니 노복 등도 다 사냥하고 다만 차영이 홀로 있다가 상서
<small>월의 노비</small>

를 보고 반겨 복지 통곡 왈, / "노야 어디로 다니다가 이제 오시니까."
<small>땅에 엎드림　　어 학사</small>

하며 못내 슬퍼하다가, 다시 여쭈오되, / "소저와 아기 용을 찾아보아 계시니까."
<small>월　　용</small>

하며 반김을 마지아니하거늘, 상서가 차영의 손을 잡고 눈물을 흘리며 왈,

"차영아, 그간 몸 성히 잘 있었느냐. 난 여러 해 돌아다니되 월의 남매를 보지 못하고 왔노라."
<small>어 학사가 남매를 찾아 나섰던 것을 알 수 있음</small>

하시니, 차영이 상서 말씀을 듣고 정신이 아득하여 이윽히 앉았다가 눈물을 흘리며 왈,

"그러하오면 어디로 가 죽었는가 아닌가. 진적 유무를 알 수 없으니 이런 답답한 일이 어디

있사오리까. 노야 나가신 후에 나라에서 한림으로 패소하여 계시오니, 황성에나 올라가사
<small>어 학사　　　　　　　　　　　　　임금이 신하를 급히 만나야 할 때 패를 써서 입궐하게 하는 것</small>

소저와 공자를 찾게 하옵소서."

▶ 본집에 와 차영과 이야기를 나누는 어 학사

하거늘, 상서가 내심에 <u>현몽하시던 일</u>을 생각하고 황명을 받자와 택일 발행할새, 여러 날 만
<small>꿈에서 도사가 했던 말</small>

에 황성에 득달하여 천자께 숙배하온대, 상이 보시고 크게 반기사 좌를 주시고 가로되,
<small>백성들이 왕이나 왕족에게 절을 하던 일. 또는 그 절</small>

"<u>경</u>의 아들이 멀리 집을 떠난단 말을 들었더니 그간 만나 보았는가."
<small>용</small>

Link
<table><tr><td>출제자 톡톡</td><td>인물의 심리를 파악하라!</td></tr></table>

❶ 계모와 자식 간의 가정불화를 본 학사의 심
정은?
　강 씨와 재취한 것을 후회함.

❷ 본집으로 돌아온 어 상서의 심리는?
　사람 자취가 끊어지고 남매가 없는 집을 보
고는 슬픔을 느낌.

하시거늘, 상서가 복지 주왈,

"소신의 불초한 자식이 있사옵더니, 나이 어려 우연 집을 떠나 나

아가 우금 십여 년이 되옵되 종적을 알지 못하나이다."

하며 슬픈 빛이 나타나거늘, 상이 보시고 측은히 여기시며 가라사대,

"<mark>금번 북흉노 병란에 경의 아들 곧 아니어던 종묘와 사직이 위태</mark>
<small>집에서 쫓겨난 용은 통천 도사를 만나 도술과 무예를 배웠으며 북 흉노가 침입하자 적장을 베어 격퇴함</small>

하고 짐의 몸이 마칠 것을 하늘이 도우사 경의 영자를 만나 북적을 소멸하고 천하를 평정하
_{뛰어난 아들. 여기서는 용을 가리킴}

였으니, 그 공을 무엇으로 갚으리오."
Link 사건의 전개 ❶

하시고, 좌승상 어룡을 급히 명초하시니, 이때 승상이 부친 오신다는 말을 듣고 전지도지하여
_{공을 세워 좌승상이 된 용 임금의 명령으로 신하를 부름 용 어 학사 엎드러지고 곱드러지며 몹시 급히 달려가는 모양}

나오더니, 나라에서 부르심을 듣고 급히 예궐 숙배하온대, 상이 인견하시고 가라사대,
Link 사건의 전개 ❷

"지금 경의 부친을 대하면 그 얼굴을 능히 기억할소냐." / 승상이 대왈,
_{어 학사}

"어려서 아비를 이별하였사오나 지금도 그 형용이 주야 눈에 있나이다."

하고 설위함을 마지아니하거늘, 상이 그 사친지정이 절로 골수에 맺힘을 불쌍히 여기시고, 상서
_{어버이를 그리워하며 생각하는 참된 정}

와 대면케 하시니, 승상이 부친 앞에 나아가 엎어져 실성통곡하며 말을 이루지 못하거늘,
_용

한림이 혼미하여 꿈인지 생시인지 분별치 못하고 묵묵히 앉았다가,
_{어 학사}

이윽한 후 정신을 차려 용의 손을 잡고 가로되,

"네가 진정 나의 아들 용이냐 아니냐."

하며 안고 서로 슬피 우니, 보는 사람은 고사하고 산천초목도 다 슬

퍼할러라.
_{서술자의 개입}

❯ 용과 어 학사의 재회

Link
출제자 🅣특 사건의 전개를 파악하라!

❶ 어룡이 좌승상에 오르게 된 이유는?
어룡이 북 흉노를 소멸하고 천하를 평정했기 때문에

❷ 아버지를 만나러 가는 어룡의 심정을 단적으로 나타내는 단어는?
전지도지

최우선 출제 포인트!

1 서사 구조의 특징

전반부		후반부
계모형 가정 소설(월의 남매가 계모 강 씨의 학대로 고난을 겪는 이야기)	+	영웅 소설(어룡이 북 흉노를 격퇴하여 좌승상이 되며, 후에 공주와 혼인하여 부귀영화를 누림.)

2 갈등의 양상

계모 강 씨		전처 자식인 월의 남매
어 상서가 전처의 자식인 월의 남매를 사랑하는 것을 시기함.	↔	계모 강 씨의 계략으로 온갖 고초를 겪다가 어 상서가 집을 비운 사이에 쫓겨남.

⬇

어룡은 국가적 위기 상황을 극복하고 출세함.

⬇

계모는 앙화를 입어 죽고, 남은 가족은 재회하고 가정을 회복함.

3 편집자적 논평

• 뉘 아니 두려워하리오.
• 월은 그런 사정을 어찌 알리오.
• 보는 사람은 고사하고 산천초목도 다 슬퍼할러라.

⬇

상황에 대한 서술자의 생각을 직접 드러냄.

최우선 핵심 Check!

1 다음 내용 중 맞는 것은 ○표를, 틀린 것은 ×표를 하시오.

(1) 어 상서는 강 씨의 모함에 동참하고 있다.   (   )

(2) 강 씨는 어 상서가 월의 남매를 사랑하는 것을 시기하고 있다.
(   )

(3) 어룡은 전장에서 큰 공을 세우고 좌승상이 되어 아버지와 재회하고 있다.   (   )

2 초성 힌트를 보고 빈칸에 들어갈 알맞은 말을 쓰시오.

이 작품은 계모와 전처 자식 간의 갈등을 주요 내용으로 하는 전형적인 계모형 ㄱㅈ 소설의 성격을 띠면서 동시에 주인공이 전쟁에서 공을 세우는 군담 화소가 결합되어 있는 ㅇㅇ 소설에 해당한다.

정답 1. (1) × (2) ○ (3) ○ 2. 가정, 영웅

1등급! 〈보기〉!

「양풍운전」과의 차이점 → 우리책 69위(양풍운전)

	양풍운전	어룡전
아버지의 태도	아버지가 계모 송 씨에게 빠져 직접 남매를 쫓아내고 학대함.	남매가 쫓겨난 사실을 안 아버지가 남매를 찾아 나섬.
가화(家禍) 해결 방법	남매가 선계를 다녀옴.	어룡의 영웅적 활약
계모를 벌하는 방법	죽임을 당함.	계모는 앙화를 입고 죽지만, 이복동생은 전처 자식에 의해 거두어짐.

43위

3대에 걸친 유씨 가문 인물들의 다채로운 인생살이가 담긴 이야기

유씨삼대록(劉氏三代錄) | 작자 미상

성격 사실적, 일대기적 **시대** 조선 후기
주제 유씨 가문 3대 가정사

소설

이 작품은 유씨 가문 삼대에 걸쳐 펼쳐지는 혼인을 둘러싼 갈등과 일부다처제로 인한 갈등 등을 주요 내용으로 하는 장편 소설로, 삼대록계 소설의 전형적인 구조를 갖추고 있다.

주요 사건과 인물

1대(유백경, 유우성 형제)
유우성의 계속적인 승진 및 전장에서의 무훈

2대(유세기, 유세형 형제 등)
유우성의 여덟 자녀의 혼사와 입신, 부부 생활에서의 갈등 및 시련

3대(유관, 유현 형제 등)
유세형의 자녀 중 관, 현 형제의 무훈과 가족 간의 갈등 및 유세창의 아들인 몽의 영웅담

유세기
유우성의 아들로, 장원 급제하여 간의대부 소순의 여식과 혼인함.

유세형
유우성의 아들로, 이부 상서 상순의 딸과 성혼하나 신양 공주의 신랑으로 간택되어 진양 공주와 혼인함.

장 씨(장 소저)
장준의 딸로, 유세형이 진양 공주와 혼인하자 이를 한탄하고 후일에 공주를 투기하여 유세형에게 진양 공주를 참소함.

진양 공주
남편인 세형이 박대하나 남편에게 순종하고 남편이 재취할 수 있도록 장 씨와의 혼인을 도와줌.

백 공
백 부인의 친동생으로, 장원 급제한 유세기에게 자신의 딸과의 혼인을 집요하게 요구하나 승상과 선생이 가법을 내세워 허락하지 않음.

핵심장면 ① 백 공의 거짓말로 인한 유세기의 혼인과 관련된 갈등이 해소되는 장면이다.

백 공이 왈,

"혼인은 좋은 일이라 서로 헤아려 잘 생각할 것이니 어찌 이같이 좋지 않은 일이 일어나는가? **Link** 갈등의 원인 ❶ 〔유세기가 집에서 쫓겨난 일〕 내가 한림의 〔유세기〕 재모를 아껴 이같이 기별해 사위를 삼고자 하였더니 선생 형제는 도학 군 〔재주와 용모〕 〔유백경, 유우성〕 자라 예가 아닌 것을 문책하시는도다. 내가 마땅히 곡절을 말하리라." 〔혼인과 관련하여 가법을 지키지 않은 것 – 부모의 허락 없이 혼사를 결정함〕 〔복잡한 사정〕

이에 백 공이 유씨 집안에 이르러 선생 형제를 보고 인사를 하고 나서 흔쾌히 웃으며 가로되,

"제가 두 형과 더불어 죽마고우로 절친하고 또 아드님의 특출함을 아껴 제 딸의 배필로 삼고 「ː 가법을 지키려는 유세기의 모습〕 〔한림, 유세기〕 〔백 공은 한림을 자신의 딸과 혼인시키려 하였음〕 자 하여, 어제 세기를 보고 여차여차하니 아드님이 단호하게 말하고 돌아가더이다.」 제가 더욱 흠모하여 염치를 잊고 거짓말로 일을 꾸며 구혼하면서 '정약'이라는 글자 둘을 더했으니 〔유세기가 혼사와 관련된 곤욕을 치르게 된 원인〕 〔좋지 않은 일이 벌어진 이유〕 이는 진실로 저의 희롱함이외다. 두 형께서 과도히 곧이듣고 아드님을 엄히 꾸짖으셨다 하니, 혼사에 도리어 훼방이 되었으므로 어찌 우습지 않으리까? 원컨대 두 형은 아드님을 용 〔백 공의 거짓말로 인해 유세기가 꾸지람을 당하여 곤경에 처하게 됨〕 서하여 아드님이 저를 원망하게 하지 마오."

선생과 승상이 바야흐로 아들의 죄가 없는 줄을 알고 기뻐하면서 사례하여 왈,

"저희 자식이 분에 넘치게 공의 극진한 대우를 받으니 마땅히 그 후의를 받들 만하되, 이는 선조 〔유세기〕 〔남에게 두터이 인정을 베푸는 마음〕 로부터 대대로 내려오는 가법이 아니기에 감히 재취를 허락하지 못하 〔본처인 소 소저를 두고 또 백 공의 딸과 혼인하는 것〕 〔두 번째 장가가서 맞이한 아내〕 였소이다. 저희 자식이 방자함이 있나 통탄하였더니 그간 곡절이 이 **Link** 갈등의 원인 ❷ 렇듯 있었소이다." 〔혼인에 있어서 가법을 중시하는 유씨 가문의 모습〕

백 공이 화답하고 이윽고 돌아가서 다시 혼삿말을 이르지 못하고 〔유세기를 사위 삼는 것을 포기함〕 딸을 다른 데로 시집보냈다. 선생이 백 공을 돌려보낸 후에 한림을 불러 앞으로 더욱 행실을 닦을 것을 훈계하자 한림이 절을 하면서

Link

출제자 톡 갈등의 원인을 파악하라!

❶ 백 공이 유씨 가문과 갈등을 일으키는 원인은?
한림(유세기)을 자신의 딸과 혼인시키기 위해 거짓말로 일을 꾸몄기 때문에

❷ 유씨 가문에서 유세기와 백 공의 딸과의 혼인을 반대하는 이유는?
선조 대대로 내려오는 가법이 아니기 때문에

명령을 받들었다. 차후 더욱 예를 삼가고 배우기를 힘써 학문과 도덕이 날로 숙연하고, 소 소저와 더불어 백수해로하면서 여덟 아들, 두 딸을 두고, 집안에 한 명의 첩도 없이 부부 인생 희로를 요동함이 없더라.

> 유세기의 혼인과 관련된 갈등과 그 해결

핵심장면 ② 장 씨가 자신의 처량한 신세를 유세형에게 토로하는 장면이다.

화설, 장 씨 이화정에 돌아와 긴 단장을 벗고 난간에 기대어 하늘가를 바라보며 평생 살아갈
계책을 골똘히 헤아리자, 한이 눈썹에 맺히고 슬픔이 마음속에 가득하여 생각하되,

『내가 재상가의 귀한 몸으로 유생과 백년가약을 맺었으니 마음이 흡족하고 뜻이 즐거울 것이
거늘, **천자의 귀함으로 한 부마를 뽑는데 어찌 구태여 나의 아름다운 낭군을 빼앗아가 위세**
로써 나로 하여금 공주 저 사람의 아래가 되게 하셨는가? 도리어 저 사람의 덕을 찬송하고
은혜를 읊어 한없는 영광은 남에게 돌려보내고 구차한 자취는 내 일신에 모이게 되었도다.
우주 사이는 우러러 바라보기나 하려니와 나와 공주의 현격함은 하늘과 땅 같도다. 나의 재
주와 용모가 저 사람보다 떨어지는 것이 없고 먼저 혼인 예물까지 받았는데 이처럼 남의 천
대를 감심할 줄 어찌 알리오? 공주가 덕을 베풀수록 나의 몸엔 빛이 나지 않으리니 제 짐짓
능활하여 아버님, 어머님이나 시누이를 제편으로 끌어들인다면 낭군의 마음은 이를 좇아 완
전히 달라질지라. 슬프다, 나의 앞날은 어이 될고?』

> 장 씨의 신세 한탄

생각이 이에 미치자 북받쳐 오르는 한이 마음속에 가득 쌓이기 시작하니 어찌 좋은 뜻이 나
리오? 정히 눈물을 머금고 마음을 붙일 곳 없어 하더니, 문득 세형이 보라색 두건과 녹색 도포
를 가볍게 나부끼며 이르러 장 씨의 참담한 안색을 보고 옥수를 잡고 어깨를 비스듬히 기대게
하며 물어 왈,

"그대 무슨 일로 슬픈 빛이 있나뇨? 나를 좇음을 원망하는가?"

장 씨가 잠시 동안 탄식 왈,

"낭군은 부질없는 말씀 마옵소서. 제가 낭군을 좇는 것을 원망했다면 어찌 깊은 규방에서 홀
로 늙는 것을 감심하였사오리까? 『다만 제가 귀댁에 들어온 지 오륙일이 지났으나 좌우에 친
한 사람이 없고 오직 우러르는 바는 아버님, 어머님과 낭군뿐이라 어린 여자의 마음이 편안
하지 못한 바이옵니다.』 공주가 위에 계셔 온 집의 권세를 오로지 하시니 그 위의와 덕택이
저로 하여금 변변찮은 재주 가진 하졸이 머릿수나 채워 우물 속에서 하늘을 바라보는 것 같
게 만드옵니다. 제가 감히 항거할 뜻이 있는 것이 아니나 평생의 신세가 구차하여 슬프고,
『진양궁에 나아가면 궁비와 시녀들이 다 저를 손가락질하며 비웃어
한 가지 일도 자유롭게 하지 못하게 하옵고, 제 입에서 말이 나면 일
천여 시녀가 다 제 입을 가리니, 공주의 은덕에 의지하여 겨우 실례
를 면하고 돌아왔사옵니다.』"

> 처량한 신세에 대한 장 씨의 토로

Link
출제자 톡1 인물의 심리를 파악하라!
① 장 씨가 자신의 신세를 한탄하게 된 원인은?
남편이 부마가 되어 자신이 공주의 아래가
됨.
② 남편이 부마가 된 일에 대한 장 씨의 심리는?
슬프고 걱정스러움.

『부마가 바야흐로 장 씨의 외로움을 가련하게 여기고 공주의 위세가 장 씨를 억누르는 것을 좋지
  유세형   지위와 권세
않게 여기고 있다가 장 씨의 이렇듯 애원한 모습을 보자 크게 불쾌하여 장 씨를 위한 애정이 샘솟
는 듯하였다.』 Link 인물의 태도 ❶ 은근하고 간곡하게 장 씨를 위로하고 그 절개와 외로움에 감동하여 이날부터 발자취
                       유세형이 장 씨를 위로하고 애정을 쏟는 공간   무산지운(巫山之雲). 중국 초나라의 양왕이 꿈에서 무산신녀를 만나 즐거움을 누림
가 이화정을 떠나지 않았다. 연리지와 같은 신혼의 정은 양왕의 꿈에 빠진 듯 어지럽고, 낙천의 마
              유세형이 장 씨를 위로하고 애정을 쏟는 공간   서로 다른 나무의 가지가 맞닿아서 결이 통하여 하나가 된 것. 화목한 부부의 모습을 나타냄   세상과 인생을 즐겁고 좋은 것으로 여김
음이 취한 듯 기쁘고 즐거워 바라던 바를 다 얻은 듯한 마음은 세상에 비할 데가 없더라.

> 장 씨에 대한 유세형의 위로와 애정

핵심장면 ③ 장 씨가 공주에게 가했던 악행이 밝혀지는 장면이다.

태후가 더욱 염려하시어 상을 돌아보고 말씀하셨다.
                                      임금
"진양 공주의 병이 이같이 중대한데 좌우에서 조심함이 없어 그 먹는 약에 독을 넣었다 하니
                                   진양 공주에게 위해를 끼친 사건이 벌어짐
어찌 역모를 꾀하는 무리가 아니리오? 상께서는 빨리 형벌을 갖추어 궁궐에 속한 사람들을

심문하소서."

상이 명을 받드시자 태후가 또 말씀하셨다.

"공주가 어려서부터 성스러운 덕이 있으니 궁인들이 무슨 연고로 그 주인을 몰래 해치려 하
           진양 공주   진양 공주의 성품   장 씨에 대한 태후의 평가
리오? 짐이 전일에 친히 누에를 칠 때 장 씨를 보았는데 가장 간악하고 음흉한 여자였다. 이 일
                                                            공주가 먹는 약에 독을 넣은 일
이 어찌 장 씨가 저지른 악행이 아니겠는가?"→ 사건의 원인이 공주가 아닌, 장 씨에게 있다고 생각함
         장 씨를 의심함
이에 장 씨의 주변 사람들을 먼저 심문하라 하셨다. 태후가 안에서 상과 사사로이 의논하신
                          유씨 가문의 위기가 심화됨
옥사(獄事)로 유사(有司)가 비록 삼척(三尺)의 법률 조문을 잡지는 않았으나『내시와 사관(史
어떠한 단체의 사무를 맡아보는 직무. 또는 그 직무를 맡은 사람   『 』 상황 묘사를 통해 사태의 심각성을 부각함
官)이 뜰 아래 시위하고 어림군(御臨軍)이 수풀 같아서 형장(刑杖) 기구들을 진열해 놓았으니』

진공 또한 마음이 두려워 계단 아래에서 죄를 청하였다.
유세형
장 씨가 비록 매우 대담하나 이때를 당해서는 넋이 날아가고 담이 떨어지는 듯하여 단지 가
                                       서술자가 인물의 심리를 직접 전달함
슴을 두드리며 자결하고자 하였다. 그러나 좌우에서 붙들어 말리니 대(臺) 아래에서 명령을

기다리게 되었다. 상이 엄한 형벌로 먼저 장 씨의 시녀를 심문하셨다. 평범한 사람들이 하인
                                          채운   편집자적 논평
들을 심문하는 위세라도 오히려 두렵거늘 하물며 천자의 위세일 것인가? 호령이 벽력같으니

불과 십여 장에 장 씨의 시녀 채운이 자백하였다.

"이 일은 신첩(臣妾)의 일이 아닙니다.『저의 안주인인 장 씨가 옥주가 주공(主公)으로부터 총
    진양 공주 먹는 약에 독을 넣은 일   유세형
애를 받는 것을 시기하고 질투하여 모해하고자 하나 도모할 사람이 없고 이목이 많으니 일
                                                            짐새의 깃에 있는 독
을 꾸밀 수 없음을 한하더니 옥주께서 마침 병환이 계신 틈을 타서 짐독을 가져다가 일을 꾸
                                     진양 공주를 해하고자 하는 장 씨의 불순한 의도
미고자 하였습니다. 마침 궁녀 사채홍이 약을 달이다가 졸고 있는 것을 보고 안주인이 가만
      Link 인물의 태도 ❷
히 약에 짐독을 넣고 섞은 뒤 돌아왔더니 이제 발각된 것입니다.』

Link   『 』 장 씨가 진양 공주를 해하려 한 사건의 원인과 경과
출제자 톡! 인물의 태도를 파악하라!   이밖에는 알지 못하나이다."

❶ 장 씨의 한탄을 들은 유세형의 태도는?   상과 태후께서 매우 놀라고 진노하시어 공주의 좌우 사람들을 잡
   장 씨의 절개와 외로움에 감동하여 장 씨를
   위로함.   아 물어보셨다. 장손 상궁이 먼저 고하였다.
❷ 장 씨가 저지른 악행은?   사건의 원인을 알려 주는 인물
   공주가 먹는 약에 독을 넣음.

정성을 들이지 않고 아무렇게나 하는 대접

"주공께서 장 부인을 박대하시어 한번도 찾아가 보지 않았기에 이 일이 일어났습니다. 이에

공주가 먹는 약에 독을 넣은 장 씨 행위의 원인   Link 사건의 전개 ❶

옥주께서 그 사정을 불쌍하게 여기시고 그 신세를 측은해하시어 죄를 은닉고자 저희 시비들

자신을 해치려 한 인물까지 포용하는 진양 공주의 성품을 알 수 있음

에게 당부하시고 약을 없애시니 저희 비자들이 감히 고하지 못하였나이다."

Link 사건의 전개 ❷

태후가 더욱 노하여 말하였다.

"진양이 짐이 낳고 길러 준 큰 은혜를 잊고 천한 장가 여자를 위하여 짐을 속이는 것이 이에

                                                    장 씨   장 씨의 죄를 은닉해 줌

미쳤느냐?"

공주가 황공하여 땅에 엎드려 감히 대답하지 못하였다. 태후가 즉시 장 씨를 칼 씌워 하옥하

                                                        첩(장 씨)을 관리하지 못함

라 하시고 부마에게 집안을 잘 다스리지 못한 죄로 추고(推考)하시

유세형   벼슬아치의 허물을 추문(推問)하여 고찰함

고 사채홍을 다 옥중에 가두어 조정의 법으로 처치하라고 하셨다.

진공이 머리를 조아리고 죄를 청하여 추고를 받고 물러나고 장 씨는

옥에 갇히었다.

❯ 진양 공주를 해치려 한 장 씨를 심문하여 하옥함

최우선 출제 포인트!

1 '유세기'의 혼인과 관련된 갈등의 양상

| 백 공이 자신의 딸과 유세기가 '정약하였다고 거짓말로 일을 꾸밈. | → | 부모 허락 없이 혼사를 결정했다며 유세기가 곤경에 처하자 백 공이 해명함. | → | 선생과 승상은 유씨 가문의 가법에 따라 재취는 허락하지 못한다고 말함. | → | 백 공은 딸을 다른 데로 시집보내고, 유세기는 소 소저와 백수해로함. |

2 '유세형'의 혼인과 관련된 갈등의 양상

유세형은 장순의 딸과 약혼했지만 부마로 간택되어 공주와 혼인함.

↓

공주는 부마의 마음을 헤아려 장 씨를 계비로 봉하도록 하지만, 장 씨는 공주를 모해하고 부마는 공주를 학대함.

↓

엄벌을 받은 부마는 잘못을 뉘우치고 가정을 잘 다스리기로 다짐함.

최우선 핵심 Check!

1 다음 내용 중 맞는 것은 ○표를, 틀린 것은 ×표를 하시오.

(1) 유세기는 평생 첩을 두지 않고 소 소저와 해로하였다. (   )

(2) 장 씨는 유세형이 부마가 된 것을 가문의 영광으로 생각하며 기뻐하고 있다. (   )

(3) 장손 상궁은 진공(유세형)이 장 씨를 박대했기 때문에 장 씨가 악행을 저질렀다고 말하고 있다. (   )

(4) 진양 공주는 악행을 저지른 장 씨를 엄하게 처벌해야 한다고 주장하고 있다. (   )

2 초성 힌트를 보고 빈칸에 들어갈 알맞은 말을 쓰시오.

「유씨삼대록」은 유씨 삼대 인물들의 이야기를 연결한 소설로, 혼사를 둘러싼 갈등은 가문의 안정과 번영을 저해한다고 여겼기 때문에 이를 ㄱㅁ 차원에서 해결해 나가는 내용을 다루고 있다.

정답 **1.** (1) ○ (2) × (3) ○ (4) × **2.** 가문

44위 황새결송 | 작자 미상

출제율 61%

성격 우의적, 풍자적, 비판적 **시대** 조선 후기
주제 송사에 얽힌 비리와 횡포에 대한 풍자

소설

이 작품은 이야기 속에 또 하나의 독립된 송사 이야기를 내포하고 있는 액자형 구조의 송사 소설이다. 송사에서 억울하게 패소한 시골 부자가 형조 관원들에게 엉터리 재판 이야기를 들려줌으로써 송사의 부패상을 풍자하고 있다.

주요 사건과 인물

외화
시골의 부자가 자신의 재산을 탈취하려는 친척을 고발하지만 친척이 뇌물로 관원들을 매수하여 재판에서 이기자, 부자는 형조 관원들을 무안 주기 위해 이야기 하나를 지어 들려줌.

내화
부자는 꾀꼬리와 뻐꾹새, 따오기의 소리 겨룸 송사에서 뇌물을 쓴 따오기가 이긴 이야기를 형조 관원들에게 들려줌.

외화
부자의 이야기를 들은 형조 관원들은 부끄러움을 느낌.

부자의 친척(악한), 따오기
뇌물을 주는 부당한 방법으로 송사에서 이김.

↔

부자, 꾀꼬리, 뻐꾹새
부당한 판결로 송사에서 패함.

핵심장면 ① 시골의 부자와 패악한 친척이 재산 다툼 문제로 송사를 벌이는 부분이다.

옛날 경상도 땅에 한 사람이 있으니, 대대 부자로 1년 추수가 만석에 지나니, 그 사람의 무량대복(無量大福)을 가히 알지라. 『일생 가산이 풍족하여 바랄 것이 없으되, 이웃 사람이 그 덕을 칭송하지 않는 이가 없더라.
_{헤아릴 수 없을 만큼 큰 복}   『 』: 많은 재산과 훌륭한 인품을 지닌 부자와 악한이 극명하게 대비됨

그중 일가에 한 패악무도(悖惡無道)한 놈이 있어 불분동서(不分東西)하고 유리표박(流離漂泊)하여 다니더니,』 일일은 홀연 이르러 구박하여 가로되,
_{부자의 친척(악한)}   _{동서의 방향을 가리지 못할 정도로 어리석게 행동함}   _{일정한 집과 직업이 없이 이곳저곳으로 떠돌아다님}

「너희는 좋이 잘사는구나. 너 잘사는 것이 도시 조상으로부터 물려받은 것 때문이니, 우리 서로 같은 조상의 자손으로 너만 홀로 잘 먹고 잘 입어 부족한 것 없이 지내니 어찌 애닯지
_{『 』: 재물과 부(富)에 관한 관심과, 물질적 가치관이 퍼짐에 따라 윤리 의식이 혼탁해진 당대 현실을 반영하고 있음}
아니하리오. 이제 그 재물을 반을 나누어 주면 무사하려니와 그러지 아니하면 너를 살지 못하게 하리라.』
_{이치에 맞지 않는 이유를 대고 억지를 부림}

하고, 밤이 새도록 광언망설(狂言妄說)을 무수히 하며 심지어 불을 놓으려 하더니, 『동리 사람들이 그 거동을 보고 그놈의 몹쓸 심사를 헤아리매 차마 분함을 이기지 못하여 가만히 주인 부자를 권하여 가로되,
_{이치에 맞지 않고 도의(道義)에 어긋나는 말}   _{『 』: 악한의 행실이 마을 사람들의 공분을 일으킬 만큼 비판받아 마땅함을 나타냄}

「그놈을 그저 두지 말고 관가를 정하거나 감영(監營)에 의송(議送)하거나 하여 다시 이런 일 없게 함이 좋을까 하노라.」 / 하니, 그 부자 이 말을 듣고 옳다 여겨 가로되,
_{백성이 관에 상소(上訴)하는 일}   _{부자의 억울함을 해소하고 악한을 응징하기 위한 수단으로 송사를 권유함}
Link 사건의 전개 ❶

「이놈은 좀처럼 속이지 못할지라. 서울에 올라가 형조(刑曹)를 정하여 후환을 없게 하리라.」

하고, 그놈을 이끌고 함께 서울로 올라오니라. 〈중략〉

「소인은 경상도 아무 고을서 사옵더니, 천행으로 가산이 풍족하오매 자연히 친척의 빈곤한 사람도 많이 구제하옵더니, 소인의 일가 중 한 놈이 있어 본디 허랑무도(虛浪無道)하므로 가산을 탕진하고 동서로 유리(流離)하옵기로 불쌍히 여겨 다시 집도 지어 주며 전답도 사 주어
_{언행이나 상황 따위가 허황하고 착실하지 못하고 도리에 어긋나서 막됨}
아무쪼록 부지하여 살게 하오되, 그놈이 갈수록 고이하여 농사도 아니 하옵고 온갖 노름하기와 술 먹기를 좋아하온대, 그 가산을 지탱하지 못하와 일조에 다 팔아 없이 하옵고, 또 정
_{고이하여}   _{하루아침이라는 뜻으로, 갑작스럽도록 짧은 사이를 이르는 말}

처 없이 다니기를 좋아하옵기로, 이제는 장사질이나 하라 하고 돈을 주면 또 어찌하여 없이 하고 다니며, 혹 1년 만에도 와 재물을 얻어 가옵고 혹 2년 만에도 와 이삼백 냥, 사오백 냥을 물어내기도 무수히 하옵더니, 『요사이는 더구나 흉악한 마음을 먹고 소인을 찾아와 발악을 무수히 하옵고, 꾸짖고 욕하기를 대단히 하오며, 재물과 전답을 반씩 나누어 가지지 아니하면 너를 죽여 없이하리라 하옵고 날마다 싸우며 집에 불을 놓으려 하오니,』 이러한 놈이 천하에 어디 있사오리이까. 차마 견디지 못하와 불원천리(不遠千里)하옵고 억울한 사정을 세세히 말씀드리는 바이니, 엎드려 빌건대 이놈을 각별 처치하와 지방 백성으로 하여금 부지하여 살게 하옴을 천만 바라옵나이다."

> 『 』 관련 한자 성어: 적반하장(賊反荷杖)

천 리 길도 멀다고 여기지 않음

했더라. / 관원이 이 억울한 사정을 자세히 듣고 서리(胥吏)에게 분부하여

"일후 좌기 시(座起時)에 처결하리라."

관아의 우두머리가 출근하여 업무를 시작할 때

> 재산 다툼 문제로 송사를 하게 된 부자와 악한

하고 심문치 못하더니, 여러 날이 되도록 좌기되기만 기다리매, 『시골 부자는 그사이 서리나

송사를 바로 처결하지 않고 시간을 끌어 뇌물을 받고 그것에 맞게 처결함 – 송사에 얽힌 당대의 사회상과 부패상이 드러남

찾아보고 형편이나 알아볼 일이로되, 제 이왕 그르지 아니하게 한 일을 전혀 믿고 아무 사람

자신의 정당함을 믿고 송사에서 당연히 이길 것이라 확신하여 기다림 – 세상 물정에 어둡고 순진함

도 찾아보지 아니하고 그 절통한 심사를 견디지 못하여 그놈 속히 죽기만 기다리고 있는지라.

뼈에 사무치도록 원통한 마음

그놈이 비록 놀기를 즐겨 허랑무도하여 주유사방(周遊四方)하매 문견(聞見)이 너르고 겸하

서술자가 인물과 사건에 대해 논평함   천하를 두루 돌아다니며 구경함   견문, 보고 들음

여 시속 물정 또한 아는지라. 이때 송사에 일변 친구도 찾으며 형조에 청(請) 길을 뚫어 당상

사건의 공정한 해결을 저해하고 부당한 판결을 유도함

(堂上)이며 낭청(郞廳)이며 서리(胥吏), 사령(使令)까지 모두 꼈으니, 자고로 송사는 눈치 있게

잘 돌면 이기지 못할 송사도 아무 탈 없이 이기나니, 이는 이른바 녹피(鹿皮)에 가로왈(曰) 자

부조리한 송사 현실을 비웃

를 씀이라.』 아무튼 좌기(座起) 날을 당하여 당상은 으뜸이 되어 앉고 낭청들은 동서로 죽 벌여

『 』 송사의 과정에서 원칙을 중시하는 부자의 모습과 편법에 능한 악한의 모습이 대비됨

서 앉고 서리 등은 툇마루에서 명을 받드는데, 그 엄숙함이 비할 데 없더라.

사령에게 분부하여 / "양측을 불러들이라."

하고 계하(階下)에 꿇리어 분부하되,

> 사슴 가죽에 쓴 가로왈(曰) 자는 가죽을 잡아당기는 대로 일(日) 자도 되고 왈(曰) 자도 된다는 뜻으로, 사람이 일정한 주견이 없이 남의 말을 좇아 이랬다저랬다 함을 비유적으로 이르는 말

『네 들으라. 부자는 너같이 무지한 놈이 어디 있으리오. 네 자수성가(自手成家)를 하여도 빈

『 』 송사의 결과가 부자의 패소로 귀결됨으로써 당대 사회의 부조리와 부패상을 드러냄

가난한 족속이나 사람

족(貧族)을 살리며 불쌍한 사람을 구휼해야 하거늘, 하물며 너는 조상 때부터 내려오는 가업

을 가지고 대대로 치부하여 만석꾼에 이르니, 족히 흉년에 일읍 백성을 구제할 만도 하건마

재물을 모아 부자가 됨   온 고을

는 어찌 너의 가까운 친척을 구제치 아니하고 송사를 하여 물리치려 하니, 너같이 무도한 놈

이 어디 있으리오. 어느 자손은 잘 먹고 어느 자손은 굶어 죽게 되

었으니 네 마음이 어찌 죄스럽지 아니하랴. 네 행실을 헤아리면 응

당 죄를 캐묻고 유배를 보내야 할 것이로되 십분 안서(安徐)하여

잠시 보류함

송사만 지게 하고 내치나니, 네게는 이런 상덕(上德)이 없는지라.

웃어른에게 받는 은덕

저놈 달라 하는 대로 나누어 주고 친척 간 서로 의를 상하지 말

라." 하며,

"그대로 다짐 받고 끌어 내치라." > 뇌물을 받은 당상의 부당한 판결로 송사에서 패한 부자

Link 사건의 전개 ❷, ❸

Link
출제자 톡 사건의 전개를 파악하라!

❶ 마을 사람들이 부자에게 송사를 권유한 이유는?
악한의 패악무도한 모습에 공분을 느끼고, 부자의 억울함을 해소하고 악한을 응징하기를 바라는 마음에서 송사를 권함.

❷ 송사의 결과는 어떠한가?
마을 사람들이나 부자의 기대와 달리 부자가 패소함.

❸ 이러한 송사의 결과가 의미하는 것은?
민중의 억울함을 해결해 줄 수 있는 유일한 돌파구인 송사마저 재물의 위력에 굴복한 관리들에 의해 부패해 버린 현실을 드러냄.

"옛적에 꾀꼬리와 뻐꾹새와 따오기 세 짐승이 모여 앉아 우는 소리 좋음을 다투되, 여러 날

이 되도록 결단치 못하였더니 일일은 꾀꼬리 이르되,

"우리 서로 싸우지 말고 송사하여 보자." 〈중략〉

"소인 등이 소리 겨룸 하옵더니 능히 그 고하를 판단치 못하오매, 부월(斧鉞)을 무릅쓰고 사
또 전에 송사를 올리오니 명철 처분하옵심을 바라옵나이다."

하되, 황새 정색하고 분부하여 이르되,

"너희 등이 만일 그러할진대 각각 소리를 하여 내게 들린 후 상하를 결단하리라."

하니 꾀꼬리 먼저 날아들어 소리를 한번 곱게 하고 아뢰되,

"소인은 방춘화시(芳春花時) 호시절(好時節)에 이화 도화 만발하고 앞내의 버들빛은 초록장
드리운 듯 뒷내의 버들빛은 유록장(柳綠帳) 드리운 듯, 금빛 같은 이내 몸이 날아들고 떠들
면서 흥에 겨워 청아한 쇄옥성을 춘풍결에 흩날리며 구십춘광(九十春光) 보낼 적에 뉘 아니
아름답게 여기리이까."

황새 한번 들으매 과연 제 말과 같으며 심히 아름다운지라. 그러나 이제 제 소리를 좋다 하
면 따오기에게 청 받은 뇌물을 도로 줄 것이요. 좋지 못하다 한즉 공정치 못한 것이 정체가 손
상할지라. 침음 반향(沈吟半晌)에 제사(題辭)하여 이르되,

"네 들어라. 당시에 운(韻)하되 타기황앵아(打起黃鶯兒)하여 막교지상제(莫敎枝上啼)라 하였
으니 네 소리 비록 아름다우나 애잔하여 쓸데없도다."

꾀꼬리 점즉히 물러 나올새 뻐꾹새 또 들어와 목청을 가다듬고 소리를 묘하게 하여 아뢰되,

"소인은 녹수청산(綠水靑山) 깊은 곳에 만학천봉 기이하고 안개 피어 구름 되며 구름 걷어
다기봉하니 별건곤(別乾坤)이 생겼는데 만장폭포 흘러내려 수정렴을 드리운 듯 송풍은 소슬
하고 오동추야 밝은 달에 섭꺼운 이내 소리 만첩 산중에 가금성이 되오리니 뉘 아니 반겨하
리이까."

황새 듣고 또 제사하여 이르되,

"월낙자규제(月落子規啼)하니 초국천일애(楚國千日愛)라 하였으니, 네 소리 비록 쇄락(灑落)
하나 십분 궁수(窮愁)하니 전정을 생각하면 가히 불쌍하도다."

하니 뻐꾹새 또한 무료하여 물러나거늘, 그제야 따오기 날아들어 소리를 하고자 하되 저보다
나은 소리도 벌써 지고 물러나거늘 어찌할꼬 하며 차마 남부끄러워 입을 열지 못하나 그 황새
에게 약 먹임을 믿고 고개를 낮추어 한번 소리를 주하며 아뢰되,

"소인의 소리는 다만 따옥성이옵고 달리 풀쳐 고하올 일 없사오니 사또 처분만 바라고 있나
이다."

하되, 황새 놈이 그 소리를 문득 듣고 두 무릎을 탕탕 치며 좋아하여 이른 말이,

"쾌재(快哉)며 장재(壯哉)로다. 음아질타(喑啞叱咤)에 천인이 자폐(自斃)함은 옛날 항장군
　　　　　일 따위가 마음먹은 대로 잘되어 만족스럽게 여김　　　화난 감정이 일시에 터져 나와서 큰 소리로 꾸짖음　　자진　　　　　항우
(項將軍)의 위풍이요, 장판교 다리 위에 백만 군병 물리치던 장익덕의 호통이로다. 네 소리
　　　　　　　　　　　　　　　　　　　　　　　　　　　　　　　　장비
가장 웅장하니 짐짓 대장부의 기상이로다."

장하도다 *(above 쾌재며 장재)*

하고 이렇듯 처결하여, 따옥성을 상성으로 처결하여 주오니, 그런
『 』: 부자가 뇌물을 받고 부당한 판결을 내린 형조 관원들에게 일침을 가함
짐승이라도 뇌물을 먹은즉 오결하여 그 꾀꼬리와 뻐꾹새에게 못할
　　　　　　　　　　　　잘못 결정하여
노릇 하였으니 어찌 앙급자손(殃及子孫) 아니 하오리까. 이러하
　　　　　　　자손에게 재앙이 미침
온 짐승들도 물욕에 잠겨 틀린 노릇을 잘 하기로 그놈을 심히 욕하
고 우셨으니, 이제 서울 법관도 여차하오니 소인의 일은 벌써 판이
났으매 부질없는 말하여 쓸데없으니 이제 물러가나이다."
하니 형조 관원(刑曹官員)들이 대답할 말이 없어 가장 부끄러워하더
　　　형조 관원들이 부자의 이야기를 듣고 부끄러움을 느낌 – 부자의 정신적 승리　　　　　**Link** 인물의 의도 ❷, ❸
라.』
▶ 새들의 송사 이야기를 통해 형조 관원들에게 일침을 가하는 부자

Link

출제자 특강 인물의 의도를 파악하라!

❶ 이야기 속 '따오기'와 '황새'는 각각 누구를
빗댄 것인가?
따오기는 뇌물을 준 악한을, 황새는 뇌물을
받고 오판하는 형조 관원들을 빗댄 것임.

❷ 새들의 송사 이야기를 들은 형조 관원들의
반응은?
자신들의 행동에 부끄러움을 느낌.

❸ 부자가 관원들에게 새들의 송사 이야기를
들려준 이유는?
동물의 이야기를 빌려 뇌물에 의해 판결의
내용을 좌지우지하는 부정부패한 관리들을
우회적으로 풍자, 비판하기 위해서

최우선 출제 포인트!

1 송사 소설로서의 서사 구조

구분	외부 이야기	내부 이야기
사건의 발생	부자의 친척(악한)이 부자에게 재물의 절반을 요구하며 행패를 부림.	따오기, 꾀꼬리, 뻐꾹새가 서로 자신의 소리가 좋다고 다툼.
제소	부자가 형조에 송사함.	황새에게 송사를 제기함.
송사의 과정	악한이 형조 관원들에게 뇌물을 줌.	따오기가 황새에게 뇌물을 줌.
송사의 결과	악한이 송사에서 이김.	따오기가 소리 겨룸에서 이김.

2 이 작품의 갈등 양상과 주제 의식

부자		악한
• 많은 재산과 덕을 갖춘 선량한 인물임. • 선의 승리를 믿으나 송사에서 패배함.	←→	• 방탕하고 탐욕스러우며 극악무도한 인물임. • 부당한 방법을 사용하여 송사에서 승리함.

부자		형조 관원
부당한 판결을 내린 형조 관원들에게 일침을 가함.	←→	뇌물을 받고 부당한 판결을 내림.

↓

• 관리의 부정부패, 뇌물 수수, 권력 남용의 현실 비판
• 정의의 실현과 선의 승리를 바라는 민중들의 비판 의식

---

3 우화를 삽입한 이유

이 작품에 삽입된 우화는 부자가 형조 관원들에게 일침의 풍자를 던지고자 지어낸 이야기로, 부자의 현실적 패배에서 정신적 승리라는 반전을 이루기 위한 장치라고 할 수 있다. 또한 작가는 동물의 이야기 속에 인간 사회에서 빚어지는 부당한 행태를 나란히 대치시킴으로써 독자로 하여금 그 부당성을 인식하게 하고, 이를 교정해야 한다는 작가의 주장에 공감하도록 유도하고 있다.

최우선 핵심 Check!

1 다음 내용 중 맞는 것은 ○표를, 틀린 것은 ×표를 하시오.

(1) 당시 조선 사회 송사의 부패한 양상과 씨족 사회의 병폐를 파헤친 풍자 문학이다. (　　)
(2) 부자가 형조 관원들에게 들려주는 이야기는 잘못된 판결을 알리기 위한 새로운 장치에 해당한다. (　　)
(3) 꾀꼬리와 뻐꾹새는 따오기의 뇌물로 인해 송사에서 패했다는 점에서 형조 관원에 대응되는 동물이라고 할 수 있다. (　　)

2 초성 힌트를 보고 빈칸에 들어갈 알맞은 말을 쓰시오.

(1) 억울한 일을 관청에 호소하여 해결하는 것을 주요 내용으로 전개하는 ㅅㅅ 소설이다.
(2) 부자의 이야기인 외부 이야기와 따오기의 소리 겨룸 이야기인 내부 이야기로 구성된 ㅇㅈ식 구조로 되어 있다.

정답 1. (1) ○ (2) ○ (3) × 2. (1) 송사 (2) 액자

45위

전우치전(田禹治傳) | 작자 미상

성격 전기적, 영웅적, 비판적 **시대** 조선 시대
주제 전우치의 빈민 구제와 의로운 행동

소설

이 작품은 조선 시대의 실존 인물이었던 전우치의 생애를 허구화·영웅화한 소설로, 여러 개의 에피소드가 병렬되어 있으며, 전우치의 행적을 통해 사회 혁명 사상을 고취하고 있다.

주요 사건과 인물

발단
전우치는 스승을 만나 신기한 도술을 얻었으나 그것을 숨기고 지냄.

전개
백성의 비참한 모습을 보고 참을 수 없었던 전우치는 도술로써 횡포한 무리를 징벌하고, 억울하고 가난한 백성을 도움.

절정
벼슬을 얻게 된 전우치는 도둑의 반란을 평정하는 공을 세우지만 역적의 혐의를 받고 도망침.

결말
도술로 세상을 희롱하고 다니던 전우치는 서화담에게 굴복하여 그와 함께 산에 들어가 도를 닦음.

전우치		상(임금)
민중의 영웅으로 가난한 백성을 대변함.	↔	무능하고 권세에 눈멀어 있음.

핵심장면 ① 빈민의 처참한 처지를 본 전우치가 천상 선관으로 가장하여 임금에게 나타나 황금 들보를 만들어 바치라고 하는 부분이다.

조선 초에 송경 숭인문 안에 한 선비가 있었으니 성은 전(田)이요, 이름은 우치(禹治)라 했다.

일찍이 높은 스승을 좇아 신선의 도를 배우되, **본래 재질이 표일하고 겸하여 정성이 지극하**
성품이나 기상 따위가 뛰어나게 훌륭함　　　　　　　　**Link 인물의 특징 ❶**
므로 마침내 오묘한 이치를 통하고 신기한 재주를 얻었으니, 소리를 숨기고 자취를 감추어 지
초인적인 능력을 숨기고 지냄
내므로 비록 가까이 노는 이도 알 리 없었다.
▶ 전우치에 대한 소개

이때 남쪽 해안 여러 고을이 여러 해 해적들의 노략을 입은 나머지에 엎친 데 덮쳐 무서운
떼를 지어 사람을 해치거나 재물을 빼앗음　　　관련 한자 성어: 설상가상(雪上加霜)
흉년을 만나니, 그곳 백성의 참혹한 형상을 이루 붓으로 그리지 못했다.
참혹한 상황을 비유적으로 표현함

그러나 조정에 벼슬하는 이들은 권세를 다투기에만 눈이 붉고 가슴이 탈 뿐이요, 백성의 질
혈안이 됨　　　　　　　　　　　　　　　　　　고통
고는 모르는 듯 내버려 두니 **뜻있는 이는 팔을 뽑아내어 통분함이 이를 길 없더니**, 우치 또한
벼슬아치들에 대한 분노가 극에 달함
참다못하여 그윽이 뜻을 결단하고 집을 버리며 세간을 헤치고 천하를 집을 삼고 백성으로 하
여금 몸을 삼으려 하였다.
▶ 백성의 고통을 보고 세상에 나갈 결심을 하는 전우치
Link 인물의 특징 ❷

하루는 몸을 변하여 선관이 되어 머리에 쌍봉금관을 쓰고 몸에 홍포를 입고 허리에 백옥대
선경에서 벼슬하는 신선　　　　두 마리 봉황을 새겨 넣은 금관　　벼슬아치들이 입던 붉은색의 예복　　옥으로 장식한 띠
를 띠고 손에 옥홀을 쥐고 청의동자 한 쌍을 데리고 구름을 타고 안개를 의지하여 바로 대궐
신하가 관복을 입고 손에 가지는 물건　　　　　봄이 시작되는 음력 정월
위에 이르러 공중에 머물러 섰으니, 이때가 춘정월 초이틀이었다.
여러 빛깔로 아롱진 고운 구름

상이 문무백관의 진하를 받으시니, 문득 오색 채운이 만천하고 향풍이 코를 찌르더니, 공중
임금　　모든 신하　　축하 인사　　　　　　　　　　　　　　　도술을 부려 선관으로 가장함 - 전기적 요소
에서 말하여 가로되,

"국왕은 옥황의 칙지를 받으라."
옥황상제　　명령

Link
출제자 특 인물의 특징을 파악하라!

❶ 전우치가 스승을 만나 신기한 재주를 얻을 수 있었던 까닭은?
재질이 출중하고 정성이 지극하였기 때문에

❷ 전우치가 집을 버리고 세상으로 나오게 된 이유는?
백성의 비참한 처지와 벼슬아치들의 행태를 보고 참을 수 없었기 때문에

하거늘, 상이 놀라서 급히 백관을 거느리시고 전에 내리사 분향(焚香)
향을 피우고 처다봄
첨망(瞻望)하니 선관이 오운(五雲) 속에서 이르되,
오색구름
"이제 옥제 천하에 구차한 중 죽은 영혼을 위로하실 양으로 태화궁
을 창건하실새, 인간 각 나라에서 **황금 들보** 하나씩을 만들어 올리
★ 주요 소재　두 기둥 사이를 가로지르는 나무
되, 길이가 오 척이요, 너비는 칠 척이니 춘삼월 망일에 올라가게
음력 보름날

하라."

❯ 선관으로 변신하여 임금에게 황금 들보를 바치라고 하는 전우치

하고, 말을 마치매 하늘로 올라가거늘, 상이 신기히 여기시며 전에 오르사 문무를 모아 의논

하실새 간의대부가 여쭈옵길,
　　　임금에게 잘못을 고치도록 간하는 일을 맡아보던 벼슬

"이제 팔도에 반포하여 금을 모아 천명을 받듦이 옳으리이다."

상이 옳게 여기사 팔도에 금을 모아 바치라 하고, 공인(工人)을 불러 일변 금을 불려 길이와
　　　　　　　　　　　신분이 높은 사람들과 벼슬아치들　　손으로 물건을 만드는 일을 업으로 하는 사람

너비의 치수를 맞추어 지어 내니, 왕공 경사의 집안에 있는 것은 말할 것도 없고 팔도의 금이
　　　　　　　　　　　　　　　　　　　　　　　　　　　　황금 들보를 만들기 위해 전국에서 금을 모음

진(盡)하고 심지어 비녀에 올린 금까지 벗겨 올리니, 상이 기꺼워하사 삼 일 재계하시고 그날
다하여 없어지고　　　　　　　　　　　　　　　　　　　　　　몸과 마음을 깨끗이 함

을 기다려 포진하고 등대하였더니 진시쯤 하여 『상운이 궐내에 자욱하고 향취 진동하며 오운
　　　　자리를 잡음　미리 준비하고 기다림　오전 7~9시　에사롭지 않은 구름

가운데 선관이 청의동자를 좌우에 세우고 구름에 싸였으니 그 형용이 극히 황홀하더라.』
　　　　　　　　　　　　　　　　　　　　　　　　　　　　　　『 』: 비현실적인 분위기 – 전기적 요소

상이 백관을 거느리시고 부복하시니, 그 선관이 전지를 내려 가로되,
　　　　　　　　　　고개를 숙이고 엎드림　　전우치　옥황상제의 명령

"왕이 힘을 다하여 천명을 순종하니 정성이 지극한지라, 나라가 우순풍조하고 국태민안하여
　　　　　　　　　　　　　　　　　　　　　　　　　　　　　비가 때맞추어 알맞게 내리고 바람이 고르게 붊 – 순조로움　나라가 태평하고 백성이 평안함

복조가 무량하리니 경들은 상전을 공경하여 덕을 닦고 지내라."
복　　한없이 많음

말을 마친 우치가 쌍동 제학을 타고 내려와 요구에 황금 들보를 걸어 올려 채운에 싸여 남쪽
　　　　　　　　　　　　　　　　예전에 허리에 차고 다니던 갈고리

땅으로 행하니, 무지개가 하늘에 뻗치고 비바람 소리가 진동하며 오색 채운이 각각 동서로 흩

어지거늘, 상과 제신이 무수히 사례하고 육궁 비빈이 땅에 엎디어 감히 우러러보지 못하더라.
　　　　　　　　　　　　　　　　　　　　비와 빈

이때, 우치는 그 들보를 가져다가 이 나라 안에서는 처치하기가 어려운지라. 그 길로 구름을

의지하여 서공 지방으로 향하여 먼저 들보 절반을 베어 헤쳐 팔아 쌀 십만 석을 사고 다시 배
　　　　　　베트남 남부에 있는 도시　　　　　　　　　　　　　가난한 집

를 마련하여 나눠 싣고 순풍을 타고 가져가 십만 빈호에 알맞게 갈라 주어 당장 굶어 죽는 어

려움에서 건지고 이듬해의 농량과 종자로 쓰게 하니 백성들은 너무나 기쁜 나머지 다만 손을
　　　　　　　농사짓는 동안 먹을 곡식　　　　　　조정에서 얻어 낸 금으로 백성들을 구제함

　　　　　　　Link 당대 사회의 문제 ❶, ❷

마주 잡고 하늘과 같은 큰 덕을 칭사할 뿐이요, 관장들도 또한 기가 막히고 어리둥절하여 어
　　　　　　　　　　　　　칭찬하여 말함　　고을의 우두머리 벼슬

찌된 곡절인지를 몰라 하였다.
이런저런 사정이나 까닭

❯ 황금 들보를 곡식으로 바꾸어 백성들을 구제한 전우치

우치는 이러한 뒤에 한 장의 방을 써서 동구에 붙였는데 그 글에다,

"이번에 곡식을 나누어 줌으로써 혹 나를 칭송하지만 이는 마땅치 아니한지라. 대개 나라는

백성을 뿌리 삼고 부자는 빈민이 만들어 줌이어늘 이제 너희들 양순한 백성과 충실한 임금
　　　　　　　　　　　　　　　　　　　　　　　　　　　　　　　어질고 순함

으로 이렇듯 참혹한 지경에 이르렀건마는 벼슬한 이가 길을 트지
　　　　　　　　　백성들의 빈곤과 굶주림　　　　　벼슬아치들이 백성을 구제하지 않음

아니하고, 가멸한 이가 힘을 내고자 아니함이 과연 천리에 어그러
　　　　　부유한　　　　　　Link 당대 사회의 문제 ❸

져 신인이 공분하는 바이기로 내 하늘을 대신하여 이러저러한 방
　　　신과 사람　　다 같이 느끼는 분노

법으로 이리저리하였으니, 너희들은 모름지기 이 뜻을 깨달아 잠

시 남에게 맡겼던 것이 돌아온 줄로만 알고 나의 힘을 입는 줄로는

알지 말지어다. 더욱이 자청하여 심부름한 내가 무슨 공이 있다 하

리요. 이렇게 말하는 나는 처사 전우치로다."
　　　　　　　　　　　벼슬을 하지 아니하고 초야에 묻혀 살던 선비

하였었다.

❯ 방을 붙여 백성들에게 자신의 뜻을 전하는 전우치

Link
출제자 톡 당대 사회의 문제를 파악하라!

❶ 전우치가 가난한 집 십만 가구에 곡식을 나
누어 줌으로써 그들의 생명을 구했다는 데
에서 알 수 있는 당시 사회 상황은?
수많은 백성이 가난으로 인한 굶주림으로
어렵게 지냈음.

❷ 전우치가 선관으로 변하여 임금에게 황금
들보를 바치라고 한 이유는?
백성들을 구휼하기 위해서

❸ 백성들이 참혹한 지경에 이르렀을 때 '벼슬
한 이'와 '가멸한 이'의 태도는?
벼슬아치들과 부자들은 빈민 구제를 하지
않음.

고전 산문

상이 노하여,

"우치 모역함을 짐작하되 나중을 보려 하였더니, 이제 발각하였으니 빨리 잡아 오라."

하시니, 나졸이 수명하고 일시에 따라 들어 관대를 벗기고 옥계하에 꿇리니, 상이 진노하사 형틀에 올려 매고 수죄하사,

"네 전일 나라를 속이고 도처마다 장난함도 용서치 못할 바이거늘, 이제 또 역률에 들었으며 발병하니 어찌 면하리오." Link 인물의 처지 ❶

하시고, 나졸을 호령하사 한 매에 죽이라 하시니, 집장과 나졸이 힘껏 치나 능히 또 매를 들지 못하고 팔이 아파 치지 못하거늘 우치 아뢰기를,

"신의 전일 죄상은 죽어 마땅하나 금일 일은 억울하오니 용서하옵소서."

하니, 주상이 필경 용서치 아니시리라.

「신이 이제 죽사올진대 평생에 배운 재주를 세상에 전치 못하올지라, 지하에 돌아가오나 원혼이 되리니, 복원 성상은 원을 풀게 하옵소서.」 ▶ 임금에게 자신의 원을 풀게 해 달라고 부탁하는 전우치 Link 인물의 처지 ❷

상이 헤아리시되,

'이놈이 재주 능하다 하니 시험하여 보리라.'

하시고,

"네 무슨 능함이 있기에 이리 보채느뇨?"

「신이 본시 ⌒그림⌒ 그리기를 잘하니 나무를 그리면 나무가 점점 자라고 짐승을 그리면 짐승이 기어가고, 산을 그리면 초록이 나서 자라니 이러므로 명화라 하오니, 이런 그림을 전치 못하옵고 죽사오면 어찌 원통치 않으리까."

상이 생각하시기를,

'이놈을 죽이면 원혼이 되어 괴로움이 있으리라.'

하여, 즉시 맨 것을 끌러 주시고 지필을 내리사 원을 풀라 하시니 우치 지필을 받고 곧 산수를 그리니, 천봉만학과 만장폭포 산상을 좇아 산 밖으로 흐르게 하고 시냇가에 버들을 가지 늘어지게 그리고, 밑에 안장 지은 나귀를 그리고 붓을 던진 후 사은하매, 상이 묻기를,

"너는 방금 죽일 놈이라. 사은함은 무슨 뜻이뇨?"

Link
출제자 콕! 인물의 처지를 파악하라!
❶ 전우치가 조정에 잡혀 온 이유는?
   역적으로 몰렸기 때문에
❷ 조정에 잡혀 온 전우치가 위급한 상황에서 벗어나기 위해 한 행동은?
   임금에게 자신의 원을 풀어 달라고 부탁함.
❸ 전우치가 자신의 능력을 통해 위기를 모면하는 수단은?
   전우치가 그린 그림

우치 말하기를,

"신이 이제 폐하를 하직하옵고 산림으로 들어 여년을 마치고자 하와 주하나이다."

하고, 나귀 등에 올라 산 동구에 들어가니 이윽고 간데없거늘, 상이 대경하여,

"내 이놈의 꾀에 또 속았으니 이를 어찌하리오."

▶ 도술을 부려 위기를 모면하는 전우치

최우선 출제 포인트!

1 도술 모티프의 역할

이 작품에서 도술은 전우치가 여러 문제를 해결하는 열쇠로 사용되고 있다. 즉 주인공으로 하여금 도술이라는 환상적 장치를 통해 문제 상황을 해결하도록 함으로써 독자들에게 즐거움을 제공하고 있다.

2 '전우치'의 도술이 지니는 의미

민중을 위한 영웅적 행위	• 황제에게 황금 들보를 바치라고 하여 그것으로 백성을 도움. • 부정한 관리를 벌하고 불의에 대항하여 약자를 도움. • 조정에 나가 벼슬아치들의 비행을 징벌함.
개인적 욕망을 위한 소인적 행위	• 대의명분 없이 거만한 한량과 기생을 혼냄. • 자기에게 피해를 준 자에게 사사로이 복수를 함. • 상사병에 걸린 친구를 도와주기 위해 수절 과부의 절개를 훼손하려 함.

3 구성상 특징

대부분의 영웅 소설은 영웅의 일대기를 다루면서 사건이 유기적으로 제시된다. 그러나 이 작품은 전우치의 영웅적 활약상이 담긴 단편적 삽화가 나열되는 형식으로 이루어져 있으며, 이런 삽화들 간에 유기적 관련성이 존재하지 않는다. 전우치의 활약상을 다양하게 제시할 수 있는 단순한 구성은 독자의 흥미를 유발하는 장점이 있다.

최우선 핵심 Check!

1 다음 내용 중 맞는 것은 ○표를, 틀린 것은 ×표를 하시오.

(1) 전우치는 당대 지배층에 대해 비판적인 시각을 가지고 있다. (　　)

(2) 전우치가 충을 다함으로써 효를 실천하는 것은 충효라는 유교적 이념을 중시하는 다른 영웅 소설과의 공통점이다. (　　)

(3) 전우치가 옥황상제의 권위를 이용하여 나라의 재산을 취하려 한 것은 위기에 처한 나라를 구하는 다른 영웅 소설과의 차별점이다. (　　)

2 초성 힌트를 보고 빈칸에 들어갈 알맞은 말을 쓰시오.

(1) ㅅㅈ 인물이었던 전우치를 주인공으로 한 고전 소설이다.

(2) 주인공 전우치는 ㄷㅅ (이)라는 환상적 장치를 통해 문제 상황을 해결하고 있다.

3 이 작품에서 '전우치'가 권세에 눈먼 조정을 벌하고, 백성을 구휼하기 위해 임금에게 바치라고 한 것은? (2어절)

정답 **1.** (1) ○ (2) × (3) ○ **2.** (1) 실존 (2) 도술 **3.** 황금 들보

1등급! 〈보기〉!

'전우치'와 관련된 전설과 기록

'전우치'에 대한 공식적인 역사 기록은 남아 있지 않다. 하지만 여러 문집에서 그와 관련한 기록을 찾을 수 있다. 특히 허균은 자신의 문집에서 전우치의 시를 맑고 빼어나다고 평했고, 이수광은 『지봉유설』에서 전우치가 환술과 기예에 능하고 귀신을 잘 부렸다고 평했다. 이 외에도 전우치가 송도 태생의 선비라는 것, 도술에 능했으나 나라에 죄를 짓고 옥사했다는 것과 관련된 기록들을 볼 수 있다.

『어우야담』에는 전우치와 관련된 전설이 실려 있다. 전우치가 신광한의 집에 가서 식사 대접을 받을 때, 도술을 부려 보라는 주인의 부탁에 따라 씹던 밥알을 모조리 나비로 만들어 입을 벌릴 때마다 흰나비가 날아오르도록 했다고 한다. 또 전우치가 감옥에서 죽어 태수가 가매장을 시켰고, 뒤에 친척들이 이 사실을 알고 이장을 하기 위해 무덤을 팠더니 시체는 없고 빈 관만 남아 있었다고 한다.

「전우치전」과 「홍길동전」의 비교 → 우리책 27위(홍길동전)

「전우치전」은 사회의 구조적인 모순을 비판하고 의로운 주인공을 등장시켜 사회 혁명 사상을 고취하려고 했다는 점에서 「홍길동전」과 유사하다. 이러한 점 때문에 「홍길동전」의 작가인 허균이 「전우치전」을 창작했을 것이라고 보거나, 「전우치전」을 「홍길동전」의 아류로 보는 견해도 있다.

그러나 「홍길동전」은 한 인물의 일대기를 체계적으로 서술한 반면, 「전우치전」은 여러 개의 일화가 병렬 형식으로 되어 있어 「홍길동전」에 비해 구성이 미숙하다. 또한 「홍길동전」에는 부조리한 사회 제도와 현실을 개조하려는 인물의 의지와 행동이 나타나 있는 반면, 「전우치전」에는 기존 질서와 왕권에 대한 저항은 나타나 있지만, 현실에 대한 치열한 의식과 대결은 보이지 않는다.

출제비율 61%

46위

숙영낭자전(淑英娘子傳) | 작자 미상

성격 전기적, 도교적, 염정적 **시대** 조선 후기
주제 현실을 초월한 남녀의 사랑

소설

이 작품은 선녀 숙영과 죄를 지어 적강한 선군 사이의 운명적인 사랑을 그린 애정 소설로, 억울하게 죽은 숙영이 옥황상제의 은덕으로 재생하여 선군과 행복한 여생을 보내게 되는 과정이 그려져 있다.

주요 사건과 인물

발단
백상군의 아들 선군은 꿈을 통해 숙영이 자신의 연분임을 알고 상사병에 걸림.

전개
선군은 하늘이 정한 기간 3년을 기다리지 못하고 옥련동에서 숙영을 만나 집으로 데리고 옴.

위기
과거를 보러 갔다가 숙영을 보기 위해 집에 온 선군을 백상군이 외간 남자로 오인하고, 숙영은 매월의 농간으로 누명을 쓰고 자결함.

절정
백상군은 선군과 임 낭자의 혼인을 추진하나, 선군을 통해 한을 풀게 된 숙영이 옥황상제의 도움으로 재생함.

결말
선군, 숙영, 임 낭자는 함께 여생을 행복하게 살다가 같은 날 승천함.

백상군
가문 중심의 유교적 가치관을 중시함.

↔

선군, 숙영
애정과 사랑의 성취를 중시함.

핵심장면 ① 과거에 급제하여 돌아온 선군이 숙영의 죽음을 확인하는 부분이다.

☐ : 주요 인물

『선군이 잠깐 주막에서 조는데 문득 숙영이 몸에 피를 흘리며 방문을 열고 들어와 선군의 곁
『 』: 꿈의 기능 – 악인에 의해 선악이 뒤바뀐 질서를 원래의 위치로 돌려놓는 계기가 됨
에 앉아 슬프게 울며 말하기를,』

"낭군이 입신양명하여 영화롭게 돌아오시니 기쁘기 측량없사오나, 첩은 시운이 불행하여 세
　　　　　　　　　　　　　　　　　　　　　　　　　　　숙영　그때의 운수
상을 버리고 황천객이 되었습니다. 전에 낭군의 편지 사연을 듣사온즉 낭군이 첩에게 향한
　　　　　　죽은 사람을 이르는 말　　　　　　　　　저승과 이승
마음에 감격하오나, 첩은 천생연분이 천박하여 벌써 유명을 달리하였으니 구천의 혼백이라
　　　　　　　　　　　　　　　　　　　　　죽음을 완곡하게 이르는 말　죽은 뒤에 넋이 돌아가는 곳
도 한스럽습니다. 첩이 원혼이 된 사연을 아무쪼록 깨끗이 풀어 주시기를 낭군께 부탁하오
　　　　모함을 받고 자결한 억울함
니, 낭군은 소홀히 여기지 마시고 억울한 누명을 벗겨 주시면, 죽은 혼백이라도 깨끗한 귀신
　　　　　　　　　　　　　　　　죽은 숙영이 선군의 꿈에 나온 이유 – 자신의 한을 풀어달라고 호소함
이 될까 합니다."

하고 간데없었다. 선군이 놀라 깨어 보니 온몸에 식은땀이 나고 심신이 떨려 진정할 수가 없
　　　　　　　Link 인물의 심리 ❶
었다. 〈중략〉
　　　　　　　　　　　　　　　　　　　　　　　▶ 선군의 꿈에 나타난 숙영
　　　　　　　　　　　　　　　　　　　　　　　　　　백상군. 선군의 아버지
선군이 능히 참지 못하여 일장통곡하다가, 급히 정당(正堂)에 와서 그 곡절을 물으니 백 공
　　　　　　　　　　　　　　　　　　　　　한 구획 내에 지은 여러 채의 집 가운데 가장 주된 집채　이런저런 사정이나 까닭
이 오열하여 이르되,

『"너 간 지 오륙일 된 후, 일일은 낭자의 형영(形影)이 없기로 우리 부처(夫妻) 고이 여겨 제
『 』: 숙영의 죽음에 대한 내막을 감추고자 함　숙영　형체와 그림자. 모습을 뜻함　　　백상군과 정 부인　고이하게 여겨
방에 가 본즉 저 모양으로 누웠음에 불승(不勝) 대경(大驚)하여 그 곡절을 알 길 없어 헤아리
　　　　　　　　　　　　　　　　　　크게 놀람을 이기지 못함
매 이 필연 어느 놈이 선군이 없는 줄 알고 들어가 겁탈하려다가 칼로 낭자를 찔러 죽였는가
하여 칼을 빼려 하였으나, 중인(衆人)도 능히 빼지 못하고 시체를 움직일 길 없어 염습하지
　　　　　　　　　　　　　　　　　　무사람　　　　　　　　시신을 씻긴 뒤 수의를 갈아입히고 염포로 묶는 일
못하고 그저 두어 너를 기다렸고, 네게 알게 아니함은 네 듣고 놀라
병이 날까 염려함이오, 임녀와 성혼코자 함은 네가 낭자의 죽음을
　　　　　　　　Link 인물의 심리 ❷
알지라도 마음을 위로할까 생각하여 그러함이니, 너는 모름지기 상
(傷)치 말고 염습할 도리를 생각하라."』
　슬퍼하지

Link
출제자 **콕!** 인물의 심리를 파악하라!

❶ 꿈을 꾸고 난 후 선군의 심리는?
깜짝 놀라 심신이 떨려 진정할 수 없음.

❷ 백상군이 숙영의 죽음에 대한 내막을 감춘 이유는?
선군의 상심이 두려워서

선군이 그 말을 듣고 의사(意思) 막연하여 어찌할 줄 모르고 침음(沈吟)하다가 빈소에 들어
_{막막한 심정} _{근심에 잠겨 신음함}
가 대성통곡하다가 홀연 분기대발(憤氣大發)하여 이에 모든 노비를 일시에 결박하여 앉히니
_{분한 생각이나 기운이 크게 일어남}
매월이도 그중에 든지라. 선군이 소매를 걷고 빈소에 들어가 이불을 헤치고 본즉 낭자의 용모
와 일신이 산 사람 같아서 조금도 변함이 없는지라. 선군이 부축하여 말하기를, _{비현실적인 현상}

"백선군이 이르렀으니 이 칼이 빠지면 원수를 갚아 원혼을 위로하리라."

하고 칼을 빼니 그 칼이 문득 빠지며,『그 구멍에서 청조(靑鳥) 하나 나오며, _{★ 주요 소재}
_{♪ 백선군이 칼을 빼자 파란 새가 나와 범인을 일러 주고 사라짐}

"매월일레. 매월일레. 매월일레." / 세 번 울고 날아가더니 또 청조 하나 나오며,
_{매월이 범인임을 직접적으로 알려 줌}

"매월일레. 매월일레. 매월일레."

하고 세 번 울고 날아가거늘,』그제야 선군이 매월의 소행인 줄 알고, 불승분노하여 급히 와당
_{분노를 이기지 못함}
에 나와 형구(形具)를 갖추어 모든 노복을 차례로 장문하나 간악한 년이 빨리 자백하지 않다가
_{형벌을 가하거나 고문을 하는 데에 쓰는 여러 가지 기구} _{곤장을 치며 신문함} _{매월}
일백 장에 이르는 철석같은 혈육인들 어찌 견디리오. 그 살이 터지고 유혈이 낭자한지라,
_{곤장을 세는 단위}
저도 하릴없이 낱낱이 승복하며, 우는 말이,
_{죄를 스스로 고백하며}

"상공이 여차여차(如此如此)하시기로 소비(小婢) 마침 원통한 마음이 있던 차, 때를 타 감히
_{숙영의 정절을 의심하여 매월에게 감시하도록 하니} _{매월} _{숙영을 시기하는 마음} _{Link 인물의 의도 ❶}
간계를 행함이나 동모(同謀)하던 놈은 돌이로소이다."
_{간사한 꾀} _{어떤 일을 함께 꾀함}

하거늘 선군이 노기충천(怒氣衝天)하여 돌이를 또 장문하니 돌이 매월의 돈을 받고 그 지휘대
_{성이 하늘을 찌를 듯이 머리끝까지 치받쳐 있음} _{Link 인물의 의도 ❷}
로 행한 죄밖에 다른 죄가 없노라 승복하거늘, 선군이 이에 칼을 들고 나아가 매월의 목을 베
인 후 배를 가르고 간을 내여 낭자의 시체 옆에 놓고 두어 줄 제문을 읽으니, 제문에 가로되,

"성인(聖人)도 세유(世遊)하고, 숙녀(淑女)도 봉참(逢讒)함은 고왕금래(古往今來)의 비비유지
_{세상을 떠돌아다님} _{남을 헐뜯어서 죄가 있는 것처럼 꾸며 윗사람에게 고하여 바치는 일을 당함} _{예전과 지금} _{흔히 있는 현상}
(比比有之)라 하니, 낭자 같은 지원극통한 일이 어디 다시 있으리오. 오호(嗚呼)라, 도무지
_{지극히 원통함} _{탄식하는 소리}
선군의 탓이니 수원수구(誰怨誰咎)하리오. 오늘날 매월의 원수는 갚았거니와 낭자의 화용월태
_{남을 원망하거나 탓하지 않음} _{아름다운 여인의 얼굴과 맵시}

(花容月態)를 어디가 다시 보리오. 다만 선군이 죽어 지하에 가 낭자를
따를 것이니 부모에게 불효 되나, 나의 처지 불구(不久)하리로다."
_{오래지 아니함}

하고 읽기를 마치매 시체를 어루만지며 한바탕 통곡한 후 돌이를 본
_{죄인을 지방이나 섬으로 보내 정해진 기간 동안 그 지역 내에서 감시를 받으며 생활하게 하던 형벌}
읍에 보내어 절도(絕島)에 정배(定配)하니라. ▶숙영의 원수를 갚은 선군
_{육지에서 아주 멀리 떨어져 있는 외딴 섬}

핵심장면 ② 옥황상제의 은덕으로 재생한 숙영이 선군과의 연분을 잇게 되는 부분이다.

이때 선군과 정혼한 임 진사 집에서는 숙영 낭자가 회생하였다는 소문을 듣고 납폐를 돌려
_{혼인할 때에, 정혼의 증거로 신부에게 보내는 예물}
보내고 다른 곳에 구혼하려고 하자, 임 낭자가 그 기색을 알고 부모에게 말씀드리기를,

"여자로서 한번 혼사를 정하고 예물을 받은 이상 그 집 사람이 분명하옵니다. 백선군도 도령
이 상처한 줄 알고 부모님께서 그와의 정혼을 허락하셨는데, 이제 숙영 낭자가 다시 살아났
_{아내가 죽음}
으니 국법에도 양처(兩妻)를 두지 못하게 되어 있으므로 결혼할 의사는 두지 않습니다.『저의
_{일부일처제에 따라 임 낭자는 선군과 결혼할 수 없음}

정리로는 맹세코 다른 가문으로는 시집을 가지 않을 것이니 더 이상 혼담은 꺼내지도 마십

시오." 「」: 선군 외에 다른 사람과 결혼하지 않겠다는 의지를 드러냄

Link 인물의 의도 ❸

하였다. 임 진사 부부가 딸의 이런 말을 듣고 어이가 없어 딸의 말을 무시하고 다른 가문에서

신랑감을 널리 구하려고 하였다. 그러자 임 낭자가 다시 부모에게, 다른 곳으로 시집가지 않겠다는 말

"전에도 말씀드렸지만, 소녀의 혼사로 이렇게 걱정을 시켜 드리게 된 것은 소녀의 팔자가 기 팔자가 사납고 복이 없음

박한 탓이오니, 비록 여자라도 말은 천금같이 중하매 이미 금석같이 마음을 먹은 대로 평생 운명론적 사고관   쇠붙이와 돌이라는 뜻으로, 매우 굳고 단단한 것을 비유적으로 이르는 말

토록 시집가지 않고 부모님 슬하에서 부모님을 모시고 일생을 편안히 지내는 것이 원이옵니

다. 그러니 『또 더 이상 혼사를 의논하시지 말기를 바라는 것이 비록 불효가 될지라도 차라리

한 지아비를 좇아서 죽은 이비(二妃)의 자취를 따르고자 하오니 부모님은 이제 저의 혼사 일 「」: 혼사를 더 강요한다면 자결하겠다는 외지를 내비침   순(舜)임금의 두 아내. 순임금이 죽자 강에 빠져 죽음

은 단념하시고 소녀를 그냥 내버려 두십시오.』"

하고 굳은 의지를 밝혔다. 임 진사 부부가 이 말을 듣고 도저히 그 뜻을 돌릴 수 없을 것 같아

비록 더 이상 의논은 하지 않았으나 여전히 근심이 아닐 수 없었다. **Link** 인물의 심리 ❶

❭ 다른 곳으로 시집가지 않겠다는 뜻을 밝히는 임 낭자

임 진사가 하루는 백 공에게 며느리 숙영 낭자가 다시 살아났음을 축하해 주고 오겠다고 하고

서 백 공을 찾아갔다. 백 공이 임 진사를 반갑게 맞아 서로 마주 앉았다. 임 진사가 백 공에게,

"예로부터 한번 죽은 사람은 다시는 태어날 수 없다고 했는데, 백 형의 며느리가 다시 살아 백상군

난 것은 예나 지금이나 정말로 희한한 일입니다. 백 형의 복 받음을 축하드립니다. 그런데

저는 산 자식을 죽이게 생겼으니 똑같은 사람끼리 화복(禍福)이 어찌 이렇게 불평등하단 말 딸을 시집보내지 못하는 괴로움을 토로함   재화(災禍)와 복록(福祿)을 아울러 이르는 말

입니까?"

하고 처연하게 말했다. 백 공이 깜짝 놀라서 그 연고를 물으니 임 진사가 자기 여식의 그간 사 애달프고 구슬픔   일의 까닭

정을 하나하나 말했다. 그러자 말을 다 들은 백 공이 칭찬하면서, 임 낭자

"과연 아름다운 마음씨로군요. 그 규수의 절개가 그렇게도 굳거늘, 그런 숙녀의 일생을 우리 임 낭자의 절개를 높이 평가함   **Link** 인물의 심리 ❷

선군 때문에 망친대서야 되겠습니까. 우리 음덕에 허물됨이 적지 않을 것이니 이 일을 어찌 조상의 덕

하면 좋을까요?"

하고 말했다. 이때에 아버지를 곁에서 모시고 있던 선군이 다 듣고 있다가 임 진사에게,

"귀 소저의 금옥 같은 말씀을 들사오니 고인(古人)이 부끄럽지 않으나, 사정인즉 난처하옵니

Link

출제자 특강 인물의 심리를 파악하라!

❶ 임 진사 부부가 근심하는 까닭은?
숙영이 살아 돌아옴으로써 선군과의 정혼이 깨졌음에도 임 낭자가 다른 곳에 시집을 가지 않으려 하기 때문에

❷ 임 낭자에 대한 백 공의 생각은?
절개를 지키려는 임 낭자를 높게 평가함.

❸ 선군이 임 진사에게 죄송함과 송구스러움을 느낀 이유는?
자신 때문에 임 낭자가 결혼을 할 수 없게 되어서

다. 국법에 아내가 있고 취처함을 다스리는 율이 있으니 의논할 것 장가들어 아내를 얻음   법

이 안 되고, 거사가 양 처를 두는 법이 있으나, 귀 소저가 어찌 남

의 부실(副室)이 되겠습니까? 형세가 이렇고 보니 이 모두 우리 탓 첩

이라 죄스럽고 송구스러울 따름입니다."

Link 인물의 심리 ❸

하고 공손히 말했다.

임 진사가 탄식하면서,

"법에 양 처를 두어도 무방하다고 할진대 설사 부실이 된들 어찌

사양하겠소마는, <u>이미 없는 일</u>을 더 이상 의논하여 무엇하겠는가.”
_{다른 방도가 없음}
하고 다른 얘기를 하다가 돌아갔다.

▶임 낭자의 딱한 사정을 알게 된 선군

<u>차설</u>, 선군이 숙영 낭자의 침소에 들어가서 임 낭자의 사정을 전하고 낭자의 뜻을 넌지시 물
_{각설. 화제를 돌려 다른 이야기를 꺼낼 때 첫머리에 쓰는 말}
어보았더니, 숙영 낭자가 임 낭자를 <u>가상하게</u> 여기고,
_{착하고 기특하게}

“임 규수의 일념이 그러하여 세상을 등질 지경까지 가게 한다면, 우리는 그 낭자에게 크나큰

죄를 짓게 되는 것입니다. 생각하기에 쉬운 방법이 있을 듯합니다. 낭군은 제 생각만 하지
_{한결같은 마음}
말고 그 같은 여자의 불행을 구해 주셔야 합니다.” / 하고 말했다. 〈중략〉

▶임 낭자의 사정을 딱하게 여기는 숙영

주상이 선군의 <u>상소문</u>을 보시고 칭찬하여,
_{임금에게 올린 글}

“숙영 낭자의 일은 천고에 드문 일이니 정렬부인의 <u>직첩</u>을 내리라.” / 하시고,
_{조정에서 내리는 벼슬아치의 임명장}

“임 낭자의 <u>절개</u> 또한 아름다우니, 특별히 백선군과 <u>결혼케 하라</u>.”
_{정조와 지조를 굳게 지킨 부인에게 내리던 칭호} _{갈등의 해결}
하고 숙렬부인의 직첩을 내리셨다.

백선군은 <u>사은(謝恩)</u>하고 다시 휴가를 얻어 바삐 집으로 돌아와서 이 사연을 임 진사 댁에
_{받은 은혜에 대하여 감사히 여겨 사례함}
알렸다. 임 진사 댁에서는 생각 밖의 일이라 기뻐하고 감격하여 택일 성례하니 신부의 화용월
태가 가히 숙녀 <u>가인</u>이었다. 『신부 임 낭자는 선군을 따라 시댁으로 들어와 시부모님을 효로써
_{아름다운 사람} _{『 』: 행복한 결말}
모시고 낭군을 공손하게 받들면서 숙영 낭자와 더불어 서로 친구처럼 한시도 떨어지지 않고

지내게 되었다.』

▶임금의 허락을 받아 임 낭자를 부인으로 맞이한 선군

최우선 출제 포인트!

1 '선군'이 꾼 '꿈'의 내용과 역할

- 선군은 꿈을 통해 자신의 배필이 숙영임을 알게 됨.
- 선군은 꿈을 통해 숙영이 억울하게 죽은 이유를 알게 됨.

- 옥황상제의 뜻을 현실 세계에 전해 줌.
- 초현실적 세계와 현실 세계를 이어 주는 역할을 함.
- 사건 해결의 실마리를 제공하고 선악의 질서를 바로잡는 역할을 함.

2 '숙영'의 죽음과 재생의 의미

숙영의 죽음	• 하늘이 정한 3년 기한을 어긴 죄를 용서받는 절차임. • 비극적 사랑을 축복받는 사랑으로 승화시키는 계기임.
숙영의 재생	통과 의례를 거쳐 새로운 모습으로 태어나는 것을 상징함.

3 당시 사회의 가치관 변화

- 입신양명을 중시함.
- 효를 중시함.
- 가부장적 권위를 중시함.
- 가문의 명예, 체면을 중시함.

→

- 남녀 간의 애정을 중시함.
- 인간의 본능적 욕구를 긍정함.
- 유교적 가치관에서 탈피함.
- 가부장적 권위가 약화됨.

최우선 핵심 Check!

1 다음 내용 중 맞는 것은 ○표를, 틀린 것은 ×표를 하시오.

(1) 천상계의 선관과 선녀가 인간 세상으로 귀양 온 후 겪게 되는 재회, 열애, 결혼, 사별, 재생, 승천 등의 이야기로 이루어져 있다. (   )

(2) 백상군은 가부장적 질서와 가문의 명예를 중요하게 생각하는 가치관의 소유자이다. (   )

(3) 주인공의 행동을 희화화하여 부정적 면모를 부각하고 있다. (   )

2 초성 힌트를 보고 빈칸에 들어갈 알맞은 말을 쓰시오.

(1) 선군은 자식으로의 도리보다 부인과의 ㅇㅈ 을/를 중시하는 태도를 보인다.

(2) 봉건 사회의 규범과 유교적 도리에 맞선 주인공의 ㅅㄹ 에 대한 욕구가 그 이면을 이루고 있다.

3 사건을 해결해 주는 열쇠이면서, 작품의 비현실성과 전기성을 보여 주는 소재는? (2음절)

정답 1. (1) ○ (2) ○ (3) × 2. (1) 애정 (2) 사랑 3. 청조

47위 출제율 61%

열녀함양박씨전(烈女咸陽朴氏傳) | 박지원

성격 풍자적, 비판적 **시대** 조선 후기
주제 개가 금지 풍속에 대한 비판

소설

이 작품은 남편을 따라 죽은 함양 박씨와 벼슬한 두 아들을 둔 과부의 이야기를 통해 지나치게 절개를 중시하고, 개가한 과부의 자식이 벼슬에 나아갈 수 없는 현실을 비판하고 있는 한문 소설이다.

주요 사건과 인물

기	승	전	결
수절을 미덕으로 여기는 풍속과 절의를 지킨다는 명목으로 목숨을 버리는 일에 대한 비판	고독과 정욕을 참기 위해 밤마다 동전을 굴리면서 아들 형제를 키운 과부의 이야기	남편이 죽자 장례를 치르고 며느리의 도리를 다하여 시부모를 섬기다가 남편의 대상 날 약을 먹고 죽은 함양 박씨의 이야기	함양 박씨의 순절에 대한 평가와 그녀의 짧은 삶에 대한 애도

벼슬한 두 아들을 둔 과부
남편을 일찍 여의고 고독과 정욕을 참기 위해 동전을 굴림.

함양 박씨
남편이 죽자 초상을 치르고 삼년상이 끝나는 날 약을 먹고 자결함.

←→

사회(개가를 금지함.)
• 과부에게 수절을 강요하는 풍속
• 개가한 과부의 자식은 벼슬을 막음.

전문

제나라 사람이 말하기를 "열녀(烈女)는 두 사내를 섬기지 않는다."라고 하였다. 이는 『시경(詩經)』의 「백주(伯舟)」 편과 같은 뜻이다. 그런데 우리나라의 국전에는 "개가한 여자의 자손에게는 벼슬을 주지 말라."라고 하였으니 이 법이 어찌 저 모든 평민들을 위해서 만든 것이겠는가?
 절개가 곧은 여자 나라의 법전 결혼하였던 여자가 남편과 사별하거나 이혼하여 다른 남자와 결혼함 과부의 개가를 금지하던 것은 사대부들만 지켜야 할 윤리였음

그럼에도 불구하고 우리나라가 시작된 이래 4백 년 동안 백성들은 벌써 오랫동안 교화(敎化)에 젖어서 여자들이 귀천을 가리지 않고 집안의 높낮음도 가리지 않으면서, 절개를 지키지 않는 과부가 없게 되었다.
가르치고 이끌어서 좋은 방향으로 나아가게 함 상하 계층을 막론하고 여자들이 수절하는 것이 풍속으로 자리 잡음

▶ 우리나라의 열녀 풍속

그리하여 밭집의 젊은 아낙네나 뒷골목의 청상과부들은 부모가 억지로 개가시키려는 것도 아니고 자손의 벼슬길이 막히는 것도 아니건만, 그들은 '과부의 몸을 지키며 늙어 가는 것만으로는 수절했다고 말할 만한 게 없다.'라는 생각에서 가끔 광명한 햇빛을 싫어하고 남편을 따라 저승길 걷기를 원하여 불과 물에 몸을 던지거나 독주를 마시거나 끈으로 목을 졸라매면서도 마치 극락이라도 밟는 것처럼 여긴다. 그들이 열렬하기는 열렬하지만 어찌 너무 지나치다고 하지 않겠는가?
민가 젊어서 남편을 잃고 홀로된 여자 일반 백성을 일컬음 죽은 남편을 따라 죽는 것을 진정한 수절이라고 여김 정절을 지킨다는 명분에 따라 목숨을 버리는 일의 문제점 비판

Link 반영된 사회상 ❶

▶ 우리나라의 열녀 풍속의 문제점

옛날 어떤 형제가 높은 벼슬을 하고 있었는데 장차 어떤 사람의 벼슬길을 막으려고 하면서 그 어머니에게 말씀을 드렸다. 그 어머니가

"무슨 잘못이 있기에 그의 벼슬길을 막으려는 것이냐?" / 하고 묻자 그 아들이,

"그의 선조 중에 과부가 있었는데 바깥소문이 몹시 시끄럽더군요."
집 밖이나 집단 밖에서 사람들의 입에 오르내리며 떠도는 말 「 」: 과부로서 행실이 올바르지 않았다는 통임

Link 반영된 사회상 ❷

하고 대답했다. 어머니가 깜짝 놀라며,

"그런 규방(閨房)의 숨은 일을 어떻게 안단 말이냐?"
부녀자가 거처하는 방

하고 물었더니, 아들이

"예에, 그저 풍문(風聞)으로 들었습니다."
바람처럼 떠도는 소문

하고 대답하였다. 그래서 어머니가 말하였다.

Link

출제자 특강 반영된 사회상을 파악하라!

❶ 남편을 따라 자결하는 것을 '마치 극락이라도 밟는 것처럼 여긴다.'라는 것을 통해 알 수 있는 당대의 사회상은?
과부들이 수절을 위해 자결하는 것을 영예롭게 여김.

❷ 높은 벼슬에 있는 형제가 '어떤 사람'의 벼슬길을 막고려 한 이유는?
그 사람의 선조인 과부의 행실이 올바르지 않다는 소문을 들어서

"바람은 소리만 나지 형태가 없어서 눈으로 살펴도 보이지 않고 손을 벌려 잡아도 얻을 수가 없다. 저 공중에서 일어나 만물을 흔들리게 하니 어찌 이런 <u>형체 없는 일로써 남을 흔들리는 가운데에 두고 평을 할 수 있단 말이냐?</u> 게다가 너희들도 과부의 자식이니, 과부의 자식으
<small>근거 없는 소문으로 남을 모함하는 것을 비판함</small>
로서 어찌 과부를 논할 수 있겠느냐? 잠깐만 기다려라. 내가 너희들에게 보여 줄 게 있다."
<small>형제의 어머니가 과부임을 알 수 있음</small>
<small>➤아들들의 행동을 비판하는 과부</small>
어머니가 품속에서 동전 한 닢을 꺼내 보이면서 물었다.
<small>★ 주요 소재</small>

"이 돈에 윤곽이 있느냐?" / "없습니다."
<small>욕망을 절제하기 위한 수단, 지속적인 수절을 위한 자기 확인의 매개물</small>
"그럼 글자는 있느냐?" / "보이지 않습니다."

어머니가 눈물을 흘리면서 말했다.

"이게 바로 네 어미가 죽음을 참게 한 부적이다. 내가 이것을 십 년 동안이나 문질러서 다 닳아 없어졌구나. 대개 사람의 혈기는 음양에 뿌리를 두고 정욕은 혈기에 심어졌으며, <u>사상은</u>
<small>Link 인물의 태도 ❷</small>
<u>고독에서 생겨나고 슬픔은 사상에서 나는 법이 아니냐.</u> 이제 과부란 고독에 살며 슬픔으로
<small>인간의 본성</small>
<small>고독한 처지에 있으면 생각이 많아지고, 복잡한 생각으로 인해 슬픔을 느끼게 된다는 뜻</small>
선 지극할 것이 아니냐. 그런데 혈기는 때를 따라 왕성한즉 어찌 과부라고 해서 정욕이 없겠
느냐? 가물가물한 등잔불이 내 그림자를 조상(弔喪)하는 듯이 <u>고독한 밤은 새지도 않더구</u>
<small>고독으로 인한 외로움이 컸음을 보여 줌</small>
<u>나.</u> 또는 『저 처마 끝에 빗방울이 뚝뚝 떨어질 때나 창가에 비치는 달이 흰빛을 흘리는 밤, 오
<small>조문. 남의 죽음에 대하여 슬퍼하는 뜻을 드러내어 상주를 위문함</small>
동잎 하나가 뜰에 흩날릴 때나 외기러기가 먼 하늘에서 우는 밤, 멀리서 닭 우는 소리도 없
<small>『 』 외로운 밤의 혈기를 억누르기가 힘들었다는 말</small>
고 어떤 종년은 코를 깊이 고는데 가물가물 졸음도 오지 않는 <u>그런 깊은 밤에 누구에게 나의</u>
<u>고충을 하소연하겠느냐?</u> 내가 그때마다 이 동전을 꺼내어 굴리기 시작했단다. 방 안을 두루
<small>정욕을 참기 힘든 외로운 밤</small>
돌아다니며 둥근 놈이 잘 달리다가도, 모퉁이를 만나면 그만 멈추었지. 그러면 내 이를 찾아
서 다시 굴렸는데, 밤마다 대여섯 번씩 굴리고 나면 먼동이 트곤 했단다. 십 년이 지나는 동
<small>동전</small>
안에 그 동전을 굴리는 숫자가 줄어들었고 다시 십 년 뒤에는 닷새 밤을 걸러 한 번 굴리기
도 하고, 혹은 열흘 밤을 지나 한 번씩 굴리기도 하다가 혈기가 이미 쇠약해진 뒤부터야 이
동전을 다시 굴리지 않게 되었단다. 그런데도 이 동전을 열 겹이나 싸서 이십 년 남짓 되는
오늘까지 간직한 까닭은 <u>그 공을 잊지 않으려고 하기 때문이며 가끔은 이것으로써 스스로</u>
<u>깨우치기도 한다."</u>
<small>외로움과 정욕을 인내했던 의지와 정신력을 잊지 않기 위함</small>
<small>젊은 시절의 고통을 이겨 낸 흔적을 보면서 스스로 경계함</small>
이 말을 마치자 모자가 서로 껴안고 울었다. 군자들이 이 이야기를 듣고

Link
출제자 톡 **인물의 태도를 파악하라!**
❶ 과부가 두 아들의 행동을 막은 이유는?
근거 없는 소문으로 '어떤 사람을 평가하고' 있기 때문에
❷ 윤곽과 글자가 다 닳아 없어진 '동전'을 통해 알 수 있는 것은?
과부인 어머니가 동전을 굴리는 일이 많았다는 것으로, 정욕을 억누르기가 쉽지 않음을 나타냄.
❸ 두 아들을 둔 과부에 대한 서술자의 태도는?
과부의 수절은 당연시하면서 정작 절개를 지키기 위한 과부의 괴로움은 전해지지 않는 것을 안타까워함.

"이야말로 '열녀'라고 말할 수 있겠구나." / 라고 하였다.
<small>➤동전을 굴리면서 정욕을 참은 과부의 이야기</small>
아아 슬프다. 이처럼 괴롭게 절개를 지킨 과부들이 이 세상에 없지
<small>편집자적 논평 – 지나치게 과부의 절개를 강조하는 현실 비판</small>
않건마는 당시에 그의 소문이 드러나지 않고 그 이름조차 인멸되어
<small>자취도 없이 모두 없어져</small>
후세에 전해지지 않은 까닭은 어째서인가? 과부가 절개를 지키는 것
은 온 나라 누구나가 하는 일이기 때문에 한 번 죽지 않고서는 과부
<small>Link 인물의 태도 ❸</small>
<small>지나치게 절개를 강조하다 보니 과부가 절개를 지키는 것을 당연시하게 됨</small>
의 집에서 뛰어난 절개가 드러나지 않게 되어서이다.
<small>➤과부의 절개가 드러나지 않는 이유</small>
일찍이 내가 안의(安義) 고을을 다스리기 시작한 그 이듬해인 계축년
<small>정조 17년(1793년)</small>

모월 모일이었다. 밤이 장차 샐 즈음에 내가 어렴풋이 잠이 깨어 들으니 청사 앞에서 몇 사람
이 소곤거리는 소리가 들렸다. 그러다가 슬퍼 탄식하는 소리도 들렸다. 아마 무슨 급한 일이
_{관청의 건물을 두루 이르는 말}
생겼는데도 내 잠을 깨울까 봐 두려워하는 것 같았다. / 내가 그제야 소리를 높여,

"닭이 울었느냐?" / 하고 물었더니 곁에 있던 사람이,

"벌써 서너 번이나 울었습니다." / 했다.

"그런데 바깥에 무슨 일이 생겼느냐?"

"예에, 통인(通引) 박상효의 조카딸이 함양으로 시집가서 일찍 과부가 되었답니다. 지아비의
_{지방 수령 밑에서 심부름을 하던 사람}
삼년상이 끝나는 날 바로 약을 먹어 죽게 되었기로 그 집에서 급하게 연락이 와서 구해 달라
하나 상효가 오늘 숙직 당번이므로 황공해하면서 마음대로 가지 못하고 있었습니다."
_{위엄이나 지위 따위에 눌리어 두려워하면서}   **Link** 인물의 처지 ❶
나는 / "빨리 가 보라." / 하고 명령하였다. 날이 저물 무렵에,

"함양 과부가 살아났느냐?" / 하고 곁에 있던 사람에게 묻자,

"들은즉 벌써 죽었답니다." / 하고 대답하였다. 나는 서글프게 탄식하면서,

"아아 모질구나, 이 사람이여." / 하고는 여러 아전들을 불러다 물었다.
_{함양 박씨의 죽음을 애도하고 안타까워함}   ▶남편의 삼년상이 끝나자 자결한 함양 박씨
"함양에 열녀가 났는데, 그가 애초에 안의 사람이라고 했지. 그 열녀의 나이가 올해 몇이며,
함양 누구의 집으로 시집을 갔으며, 어릴 때부터의 행실이 어떠했는가? 너희들 중에 잘 아
는 이가 있느냐?" / 여러 아전들이 한숨을 쉬면서 말하였다.

"박씨의 집안은 대대로 이 고을 아전이었는데 그 아비의 이름은 상일(相一)이었습니다. 그가
_{조선 시대에 지방 관아에 딸렸던 하급 관원}
일찍이 죽은 뒤로는 이 외동딸만 남았는데 그 어미도 또한 일찍 죽었습니다. 그래서 어려서
부터 할아비, 할미의 손에서 자라났는데 효도를 다했습니다. 그러다가 나이 열아홉이 되자
함양 임술증에게 시집가서 그의 아내가 되었지요. 술증도 또한 대대로 함양의 아전이었는데
일찍부터 몸이 여위고 약했습니다. 그래서 그와 한 번 초례(醮禮)를 치르고 돌아간 지 반년
_{전통으로 치르는 혼례식}
이 채 못 되어 죽었습니다. 박씨는 그 남편의 초상을 치르면서 예법대로 다하고 시부모를 섬
기는 데에도 며느리의 도리를 다하였습니다. 그래서 두 고을의 친척과 이웃들 가운데 그 어
     Link 인물의 처지 ❷   _{박씨의 절의가 죽음을 통해서 드러났다고 생각함}
진 태도를 칭찬하지 않는 사람이 없었는데, 이제 정말 그 행실이 드러난 것입니다." ▶함양 박씨의
                                        Link 인물의 처지 ❸   삶과 행실
그중 한 늙은 아전이 감격하여 이렇게 말하였다.

"그 여자가 시집가기 몇 달 전에 어느 사람이 말하길 '술증의 병이
골수에 들어 살길이 없는데 어찌 혼인날을 물리지 않느냐.'라고 했
답니다. 그래서 그 할아비와 할미가 그 여자에게 가만히 알렸더니,
그 여자는 묵묵히 아무런 대답도 하지 않았답니다. 혼인날이 다가
_{혼담이 오간 상대를 두고 다른 사람을 구하면 절의에 흠을 남길 수 있기 때문에}
와 색시의 집에서 사람을 보내어 술증을 보니 술증이 비록 아름다
운 모습이었지만 폐병으로 기침을 하며, 마치 버섯이 서 있는 듯,
그림자가 걸어 다니는 것 같았답니다. 색시 집에서 크게 두려
_{기력이 다한 모습. 죽음을 앞두고 있음을 암시함}

위하며 다른 중매쟁이를 부르려 했더니, 그 여자가 얼굴빛을 가다듬고 '지난번에 마름질한

^{옷감이나 재목 따위를 치수에 맞도록 재거나 자르는 일}

옷은 누구의 몸에 맞게 한 것이며 또 누구의 옷이라고 불렀습니까? 저는 처음 지은 옷을 지

^{박씨가 결혼 예물로 만든 남편의 옷}

키렵니다.' 하기에 그 집에서는 그의 뜻을 알아차리고 원래 잡았던 혼인날에 사위를 맞아들

^{남편 될 사람이 병약하다고 해서 혼사를 깨지 않겠다는 뜻}

였습니다. 비록 혼인을 했다지만 실은 빈 옷을 지켰을 뿐이랍니다."

> 함양 박씨의 혼인 과정

^{남편이 병약해서 제대로 된 혼인 생활이 애초부터 불가능했음을 드러냄}

얼마 뒤에 함양 군수 윤광석이 밤중에 기이한 꿈을 꾸고 감격하여 「열부전(烈婦傳)」을 지었

다. 산청 현감 이면제도 또한 그를 위하여 전(傳)을 지어 주었다. 거창에 사는 신도향은 글을

^{함양 박씨}

쓰는 선비였는데, 박씨를 위하여 그 절의(節義)를 서술하였다. 그는 처음부터 끝까지 마음이

한결같았으니 어찌 스스로 "이다지 나이 어린 과부로서 오래도록 이 세상에 머문다면 친척들

에게 동정을 입기도 하겠지만 이웃 사람들의 망령된 생각도 면치 못할지니, 빨리 이 몸이 없

^{뭇사람들의 입에 오르내림으로써 명예를 더럽힐 수 있음}

어지는 게 낫겠다."라고 생각하지 않았으랴?

아아, 슬프다. 그가 처음 상복을 입고도 죽음을 참은 것은 장례를 지내야 했기 때문이었고,

장례를 끝낸 뒤에도 죽음을 참은 것은 소상(小祥)이 있기 때문이었다. 소상을 끝낸 뒤에도 죽

^{사람이 죽은 지 일 년 만에 지내는 제사}

음을 참은 것은 대상(大祥)이 있기 때문이었다. 이제 대상도 다 끝나서 상기(喪期)를 마치자,

^{사람이 죽은 지 두 해 만에 지내는 제사} ^{죽은 이를 제사 지내는 기간}

지아비가 죽은 것과 같은 날 같은 시각에 죽어 그 처음의 뜻을 이루었으니 어찌 열부가 아니겠

^{겉으로는 죽은 함양 박씨를 기리고 있지만 속으로는 지나칠 정도로 절개를 지키고자 한 박씨와 이런 행동을 칭송하는 당대의 현실을 풍자, 비판하고 있음}

는가?

> 함양 박씨의 삶에 대한 애도

최우선 **출제 포인트!**

1 '과부'와 '함양 박씨'의 이야기를 통해 드러내고자 한 것

두 아들을 둔 과부	• 개가한 여자의 자식에게 벼슬을 주지 않고, 과부에게 수절을 강요하는 현실을 비판함. • 수절의 어려움을 밝힘.
함양 박씨	• 함양 박씨의 평소 행실에 드러난 덕을 기림. • 정절을 지킨다는 명목으로 목숨을 버리는 것을 영예롭게 보는 우리나라 열녀 풍속의 문제점을 비판함.

2 구성상 특징

이 작품은 동전을 굴리며 정욕을 이겨 낸 과부의 이야기를 중심으로 열녀 풍속이 지닌 문제점을 비판하는 부분과, 함양 박씨의 삶과 죽음에 관련된 이야기를 중심으로 절개를 지키기 위해 목숨을 버리는 행위를 칭송하는 당대 현실을 비판하는 부분으로 구성되어 있다.

두 아들을 둔 과부	함양 박씨
두 아들을 둔 과부가 동전을 굴리며 혈기를 억누름. → 인간이 지닌 본성을 억누르는 사회 현실을 비판함.	함양 박씨가 남편의 삼년상을 끝내고 자결함. → 절개를 지키기 위해 자결하는 세태를 비판함.

최우선 **핵심 Check!**

1 다음 내용 중 맞는 것은 ○표를, 틀린 것은 ×표를 하시오.

(1) 대화를 통해 인물의 행실을 요약적으로 전달하고 있다. (   )

(2) 함양 박씨는 조선 사회 지배층의 사상을 답습하지 않고자 노력했기에 죽음을 맞이하였다. (   )

(3) 관리나 선비가 쓴 글은 열녀 함양 박씨의 삶을 긍정적으로 평가하여 당시 사회 규범을 강화하려는 의도를 담고 있다. (   )

2 초성 힌트를 보고 빈칸에 들어갈 알맞은 말을 쓰시오.

(1) 함양 박씨가 죽은 남편의 뒤를 따르기 위해 약을 먹고 ㅈㅇ (으)로써 세상에 그에 대한 이야기가 드러나게 되었다.

(2) 글쓴이는 과부에게 수절을 강요하는 사회적 분위기에 대해 ㅂㅍㅈ 인 태도를 보이고 있다.

정답 1. (1) ○ (2) × (3) ○ 2. (1) 죽음 (2) 비판적

하생의 기이한 만남에 관한 이야기

하생기우전(何生奇遇傳) | 신광한

성격 염정적, 전기적, 유교적 **시대** 조선 초기
주제 혼사 장애 극복을 통한 사랑의 성취와 입신양명의 실현

소설

이 작품은 하생이라는 선비가 죽은 여인의 혼령을 만나 사랑에 빠지고, 그녀가 살아나 두 사람이 혼인을 하게 되는 과정이 흥미롭게 제시된 명혼 소설이다.

주요 사건과 인물

 기
불우한 어린 시절을 보낸 하생이 점쟁이를 찾아가 점을 치고 점괘에 따라 한 여인을 만남.

 승
하생은 죽은 여인과 인연을 맺고 부부가 될 것을 약속함.

 전
여인이 다시 살아났지만 여인의 부모가 하생의 집안이 미천하다며 두 사람의 혼인을 반대함.

 결
여인의 설득으로 부모님의 허락을 받아 두 사람은 혼인을 하고 행복한 여생을 보냄.

하생		여인
점쟁이의 도움으로 여인을 만남.	여인 부모의 반대를 극복하고 사랑을 성취함.	아버지의 죗값으로 죽었다가 하생의 도움으로 환생함.

핵심장면 ① 하생이 죽은 여인과 만나 부부가 될 것을 약속하는 부분이다.

　　새벽녘이 되자 여인이 하생의 팔을 베고 누운 채, 크게 흐느끼며 울었다. 하생이 놀라 말하기를, / "이제 막 좋은 인연을 맺었는데 갑자기 이러는 것은 무슨 까닭입니까?"
하였다. 여인이 말하기를,
　　"이곳은 사실 인간 세상이 아닙니다. 첩은 바로 시중(侍中) 아무개의 딸이온데, 죽어 이곳에
〔비판의 대상(고위 관리) – 하생의 가난함과 대비됨〕　〔문하부의 우두머리 관직〕　〔명혼 소설의 특징 – 죽은 이의 화신〕
묻힌 지 사흘이 지났습니다. 우리 아버지께서 오래 요직을 차지하고 계시면서 사소한 원한
　　　　　　　　　　　　　　　　　　　〔중요한 직책이나 지위〕
까지도 복수를 하여 사람을 매우 많이 해쳤기 때문에, 애초에 아들 다섯과 딸 하나를 두셨는
　　　　〔여인이 죽게 된 원인 – 아버지의 죄를 대신 받음〕　**Link 인물의 처지 ①**
데 다섯 오빠들은 아버지보다 먼저 요절하였고 제가 홀로 곁에서 모시고 있다가 지금 또 이
　〔『 』: 인과응보(因果應報) 사상이 반영됨〕　〔젊은 나이에 죽음〕
렇게 되었습니다. 어제 옥황상제께서 저를 부르시어 명하시기를 "네 애비가 큰 옥사를 심리
　　　〔죽었습니다〕　　　　　　　　　　　　　　　　　　　〔 : 여인이 다시 살아날 수 있었던 이유〕
하여 죄 없는 사람 수십 명을 완전히 살려 주었으니, 지난날 남을 중상하여 해쳤던 죄를 용
〔고위 관리가 갖추어야 할 덕목을 간접적으로 제시함 – 덕치(德治)〕　〔근거 없는 말로 남을 헐뜯어 명예나 지위를 손상시킴〕
서받을 수 있게 되었다. 다섯 아들은 죽은 지가 이미 오래되어 어찌할 수가 없고 너를 다시
　　　Link 인물의 처지 ①
인간 세상으로 돌려보내야 되겠다." 하셨습니다. 저는 절을 하고 물러나왔습니다. 기한이 오
늘까지인데, 이 기한을 넘기면 다시 살아날 가망이 없습니다. 오늘 낭군을 만나게 된 것도
　　　〔금기 모티프: 전설에서는 비극의 매개가 되지만 이 소설에서는 위기감을 고조시킴〕　　　　〔관련 한자 성어: 천생연분(天生緣分)〕
역시 운명인가 봅니다. 영원히 좋은 사이가 되어 평생 낭군을 모시며 뒷바라지하고자 하는
　　　　　　　　　　〔관련 한자 성어: 백년해로(百年偕老)〕　〔하생이 인정이 많은 사람임을 알 수 있음〕　　**Link 인물의 처지 ②**
데, 낭군께서는 허락해 주시겠습니까?" / 하였다. 하생도 울먹이며 말하기를,
　　　　　　　　　　　　　　　　　　　　　　　　　➤ 여인과 인연을 맺은 후 여인의 사연을 듣게 된 하생
　　"그 말이 사실이라면 응당 목숨을 걸고 그렇게 하겠습니다."
　　　〔정의감이 강한 하생의 인물됨이 드러남〕　★ 주요 소재
하였다. 여인이 이에 베갯머리에서 금척(金尺) 하나를 꺼내 주며 말하기를,
　　　　　　　　　　　　　〔금으로 만든 자 – 하생의 시련의 매개물, 여인이 집으로 보내는 메시지, 환생의 매개, 여인의 신분 상징〕

Link
출제자 특강 인물의 처지를 파악하라!
❶ 여인이 처해 있는 상황은?
아버지의 죗값을 치르기 위해 대신 죽었다가 옥황상제가 살아나도록 함.
❷ 죽은 여인이 바라고 있는 것은?
가약을 맺어 하생과의 사랑을 이어 나가고 싶음.

　　"낭군께서는 이것을 가지고 가서 국도의 저잣거리 큰 절 앞에 있는
　　　　　　　　　　　　　　　　　〔가게가 죽 늘어서 있는 거리〕
하마석(下馬石) 위에다 올려놓으십시오. 반드시 알아보는 자가 있
〔말을 탈 때 발돋움하기 위해 대문 앞에 놓은 큰 돌〕
을 것입니다. 비록 곤욕을 당하는 일이 있더라도 제 말씀을 잊지
　　　　　　　　　　〔하생이 금척으로 인해 곤욕을 치르게 될 것을 암시함〕
마시기 바랍니다."
하였다. 하생이 그리하겠다고 대답하였다. ➤ 여인의 환생을 돕기 위해 금척을 받은 하생

하생이 문을 나와 몇 걸음 가다가 뒤를 돌아보니, 새로 쓴 무덤만 하나 있었다. 슬픈 마음으
Link 소재의 기능 ❶
　　　　　　　　　　　　　　　★ 주요 소재
　　　　　　　　　　　　하생이 길을 나서자 여인의 집이 무덤으로 바뀜
로 눈물을 닦으며 돌아왔다.

큰 절 앞에 이르니, 과연 네모난 반석이 하나 있었다. 금척을 꺼내 돌 위에 올려놓았다. 지나
　　　　　　넓고 평평한 큰 돌
　　　여인이 말한 하마석
가는 사람들이 눈여겨보지 않았다.

해가 중천에 오를 무렵, 소복 차림을 한 세 여인이 시장을 지나갔는데 뒤에 가던 한 여인이
금척을 발견하고는 반석 주위를 세 번 돌고 돌아갔다.

얼마쯤 지나서 그 여인이 건장한 노복 몇 명을 데리고 와서는 하생을 잡아 묶고 말하기를,
　　　　　　　　　　　　사내종

"이것은 작은아씨 무덤에 순장(殉葬)했던 물건이다. 너는 묘 도둑이로구나."
　　　　　　　　　죽은 사람과 함께 묻음　 Link 소재의 기능 ❷
하였다. 하생은 무덤 속 여인의 부탁도 소중하고 사랑하는 마음도 깊은지라 고개를 숙이고 욕
을 당하면서도 감히 입을 열지 아니했다. 보는 자들이 모두 침을 뱉으며 더럽게 여겼다.
　　　　　　　　　　　　　　　　　　여인의 말대로 하생이 곤욕을 치름

그 집에 이르러 하생을 결박한 채 뜰 아래로 데려갔다. 시중이 오궤(烏几)에 기대어 대청(大廳)
　　　　　　　　　　　　　　　　　여인의 아버지
에 앉아 있고 자리 뒤에는 주렴이 드리워져 있었다. 그 아래에는 시녀들이 수십 명 둘러 모여
있는데, 서로 보려고 밀치면서 말하기를,
　　　　유학(儒學)을 공부하는 선비
"겉모습은 유자(儒者)인데 행실은 도적이구먼."
　　　　　통과 제의 – 하생을 금척을 훔친 묘 도둑으로 생각함
하였다. 시중이 금척을 가져다가 알아보고는 눈물을 흘리며 말하기를,
　　　　　　　　　　　　　　　　　　　　딸에 대한 사랑과 안타까움으로 흘리는 눈물
"과연 내 딸의 무덤에 순장했던 금척이다."
하였다. 주렴 안에서 흑흑 울음소리가 들렸고 시녀들도 모두 얼굴을 가리고 울었다.
　　　　주렴 안에 시중의 부인(여인의 어머니)이 있음

시중이 손을 저어 그치게 하고 하생에게 묻기를,

"너는 무엇하는 사람이며 이 물건은 어디서 났느냐?"
　　　　　　시중의 신중함이 드러남
하였다. 하생이 답하기를,

"저는 태학(太學)의 학생이고 이것은 무덤 안에서 얻었습니다."
　　　과거의 국립 교육 기관　　　　　　자신이 무덤을 파낸 것이 아니라 얻은 것임을 강조함
하였다. 시중이 말하기를,

"자네가 입으로는 시(詩)와 예(禮)를 말하면서 행실은 무덤 속 물건이나 훔치니, 그래도 되는
　　　　　　　　　　　　　　　　관련 한자 성어: 표리부동(表裏不同)
것인가?"

하였다. 하생이 웃으며 말하기를,

"제 결박을 풀고 가까이 가게 해 주십시오. 좋은 소식을 전해 드리겠습니다. 대인께서는
　　　　　　　　　　　　　　　　　죽은 딸을 되살릴 수 있음
　　　　　　　　　　은혜 갚을 것을 생각하셔야지 도리어 화를 내시면 되겠습니까?"
　　　　　　　　　　　　　　　　　상황에 위축되지 않는 하생의 대범한 성품
하였다. 시중이 즉시 결박을 풀고 뜰 위로 오르게 하였다.
　　　　　　　　　　　　　　　　　　▶ 시중의 집으로 오게 된 하생
드디어 지금까지 있었던 일을 모두 말하니, 시중이 부끄러운 얼굴
여인과의 만남에서부터 하마석 위에 금척을 놓게 된 경위
로 한참 있다가 말하기를,

"어찌 이런 일이 있을 수 있단 말인가?"

Link
출제자 특 소재의 기능을 파악하라!

❶ 산 사람과 죽은 사람이 인연을 맺는 비현실
적 공간은?
무덤

❷ 하생이 명혼계와 인간계를 넘나들었음을 보
여 주는 기능을 하는 소재는?
금척

하였다. 비복들도 서로 돌아보며 찬탄하지 않는 이가 없었다. 주렴 안에서 흐느끼며 말하기를,

"일을 헤아리기 어려우니 확인해 보고 죄를 주어도 늦지 않을 것입니다. 서생이 하는 말을 들으니 우리 딸이 살았을 적의 용모 복장과 똑같습니다. 필시 틀림없을 것입니다."

하였다. 시중이,

"그래, 즉시 삼태기와 삽을 준비하고 가마를 갖추어라. 내 직접 가 보겠다."

<small>흙이나 쓰레기, 거름 따위를 담아 나르는 데 쓰는 기구</small>

하였다. 노비 몇 명을 남겨 하생을 지키게 하고 무덤으로 갔다.

<small>아직까지는 하생의 말을 완전히 믿지 않음을 알 수 있음</small>

무덤에 도착해 보니, 무덤은 전과 다름이 없었다. 이에 이상히 생각하며 파 보았다. 여인은

<small>무덤을 파서 금척을 꺼낸 흔적이 없어서</small>

얼굴빛이 살아 있는 것과 같았고 가슴에는 따스한 기운이 조금 있었다. 유모 할미를 시켜 싸안고 수레에 태워 돌아왔다.

의원을 부르지 않고 요동되지 않게 가만히 놓아두었는데, 해가 저물 무렵에 바야흐로 깨어났다. 부모를 보고 가늘게 한 번 흐느끼더니 기운도 안정이 되었다.

<small>죽은 여인이 다시 살아난다는 비현실적 사건 전개 – 전기적 특성</small>

부모가 묻기를,

"네가 죽은 뒤 무슨 이상한 일이 있었더냐?"

<small>여인이 다시 살아난 것을 궁금해함</small>

하니, 여인이 대답하기를,

"저는 꿈인 줄 알았는데 그게 죽음이었습니까? 이상한 일은 없었습니다."

하고, 부끄러워하였다.

<small>하생과의 인연을 말하기 쑥스러워하는 심리가 드러남</small>

▷ 하생의 도움으로 다시 살아난 여인

부모가 굳이 물으니, 여인이 비로소 말을 하는데, 하생이 했던 말과 꼭 들어맞았다. 온 집안 사람들이 무릎을 치며 놀라워하였다. 이렇게 되자 하생에 대한 대우가 퍽 좋아졌다.

며칠 지나 여인이 건강을 회복하였다. 시중이 성대한 잔치를 열어 하생을 위로하고, 이어 집안 형편이며 장가를 들었는지의 여부에 대해서 물었다. 하생은 장가는 아직 들지 않았으며 아

<small>여인과 하생을 혼인시키고자 묻는 것임</small>

버지는 평원 교생(校生)이었는데 이미 오래전에 돌아가셨다고 대답하였다. 시중이 고개를 끄덕이고 안으로 들어가 부인과 의논하기를,

"하생은 용모와 기개로 보아 실로 보통 사람이 아니니, 사위로 삼는 데 있어 망설일 게 없지만 다만 집안이 우리와는 맞지 않고 일도 또한 꿈같이 허탄하니, 이번 일로 해서 그와 혼사

<small>당시에는 혼인할 때 집안의 배경을 고려했음이 드러남</small>　<small>거짓되고 미덥지 아니하니</small>

를 이룬다면 세상 사람들이 괴이하게 여길까 염려되오. 내 생각으로는 많은 답례품을 주어

<small>세상 사람들의 시선을 의식함</small>

서 보답하는 것이 좋겠소." <small>└ : 시중은 하생의 집안과 세상 사람들의 시선을 의식하여 하생과 여인의 혼인을 반대함</small>

하였다. 부인이 말하기를,

"이 일은 대인(大人)께서 알아서 하실 일이니, 부녀자가 어찌 간여할 수 있겠습니까?"

<small>부인은 시중의 의견에 전적으로 따르겠다고 함. 관련 한자 성어: 부창부수(夫唱婦隨)</small>

하였다. 하루는 다시 잔치를 열고 하생을 위안하였는데, 하생에게 원하는 바가 무엇인지를 물으면서 혼인 문제에 대해서는 끝내 한마디도 없었다. 하생은 분한 마음으로 처소로 돌아와서

<small>시중은 자신의 딸을 하생에게 시집보내지 않겠다고 결심함</small>

가슴을 치고 속상해하며 여인이 약속을 저버린 것을 원망하였다. 이어 시를 한 편 지어 여인

<small>여인이 자신과의 약속을 어겼다고 생각하여 배신감을 느낌</small>　<small>여인에 대한 원망과 안타까움을 담은 시</small>

의 유모 할미에게 부탁하여 여인에게 전하게 하였다.

▷ 하생과 여인의 혼인을 반대하는 시중

『비록 흙탕물이 묻어도 옥은 더러워지지 않지만
_{여인과 하생 사이의 가문의 차이를 의미함}

봉황은 자기 둥지를 찾았으니 잡새를 돌아보려 하겠는가.
_{다시 살아나 집으로 돌아간 여인}　　　_{하생을 가리킴}　　Link 삽입 시의 의미 ❶

팔 위의 눈물 자국 아직도 가시지 않았는데,
_{여인과의 추억}

다만 이제는 도리어 꿈속에서나 그대를 보겠구나.』
　　　　　　　Link 삽입 시의 의미 ❷

『 』: 혼사 장애에 부딪힌 하생의 처지와 심리를 드러내 주며, 여인이 부모를 찾아가 혼인 승낙을 받도록 하는 계기가 됨

여인이 하생의 시를 보고 놀라 그동안의 사정을 물어보고 비로소 부모가 하생을 배반할 생각을 하고 있다는 것을 알았다. _{하생과의 혼인을 반대하는 부모의 의중을 알게 됨} 갑자기 몸이 아프다고 하면서 음식을 먹지 않았다. _{하생과 결혼하겠다는 의지를 드러냄} 이에 여인의 부모는 딸의 마음을 알아챘다. 〈중략〉

시중은 눈물을 흘리며 한숨을 내쉬더니 이렇게 말했다.

"내가 진실하지 않고 자애롭지 못해 너를 이 지경에 이르게 했구나! 지금 뉘우친들 무슨 소용이 있겠느냐? 월하노인이 붉은 실을 _{부부의 인연을 맺어 준다는 전설 속의 노인} 발에 묶어 이미 정해진 운명인 터이니 네 뜻대로 해야겠다."
_{하생과 여인의 혼인을 승낙함}

▶ 하생과의 혼인을 승낙받은 여인

Link

출제자 특강 삽입 시의 의미를 파악하라!

❶ '봉황'과 '잡새'가 각각 비유하고 있는 것은?
'봉황'은 명문가의 딸인 여인을, '잡새'는 한미한 가문 출신인 하생을 빗댄 것임.

❷ '다만 이제는 도리어 꿈속에서나 그대를 보겠구나.'라는 구절에 담겨 있는 하생의 정서는?
현실에서는 여인과 만날 수 없음에 대한 안타까움

최우선 출제 포인트!

1 이 작품의 서사 구조

출세 장애	불공정한 인재 선발 과정으로 인해 등용되지 못한 하생이 장래에 자신이 출세 장애를 극복하게 될지 알아보기 위해 점쟁이를 찾아감.
여인과의 만남	점괘에 따라 숲속으로 가서 계집종과 단둘이 사는 여인을 만나 시로 화답하고 인연을 맺음.
여인의 부활	하생이 여인에게 받은 금척을 이용해 여인의 가족을 만나고, 시중이 하생의 말에 따라 무덤을 파헤치자 여인이 다시 살아남.
혼사 장애	시중은 한미한 집안 출신이며 자기 딸과 기이하게 인연을 맺은 하생을 사위로 맞으면 구설에 오를까 봐 두 사람의 혼사를 반대하고, 이를 뒤늦게 안 여인은 부모에게 우회적으로 자신의 의사를 전달함.
행복한 결말	시중의 허락으로 혼인한 하생과 여인이 행복한 여생을 보냄.

2 이 작품의 전기적 특성

전기 소설은 현실적 세계와 초월적 세계가 서로 맞물려 일어나는 사건을 주로 다룬다. 이 작품은 초월적 세계인 '명혼계'와 현실적 세계인 '인간계'라는 이원적 세계에 속한 인물들 사이의 비현실적 결연이 성취되는 전기적 사건이 잘 드러나 있다.

하생은 현실 속에 살아 있는 인물로 인간계에 속해 있고, 여인은 죽어서 명혼계에 속해 있는 인물이다. 이 두 사람이 만나게 되는 '무덤'이라는 공간은 하생이 여인과 결연을 한 명혼계의 공간이면서, 동시에 죽은 여인이 묻힌 인간계의 공간으로서의 이중적 속성을 모두 지니고 있다. 그리고 이 작품의 중요한 소재인 '금척'은 하생이 명혼계와 인간계를 넘나들었음을 보여 주는 기능을 하며 인물들 사이의 비현실적 결연이라는 전기성을 드러내고 있다.

최우선 핵심 Check!

1 다음 내용 중 맞는 것은 ○표를, 틀린 것은 ×표를 하시오.

(1) 부모가 하생과의 결연을 무산시키려 하자 여인은 간접적으로 자신의 의지를 드러내고 있다. （　　）

(2) 여인의 죽음과 관련하여 고위 관리가 갖추어야 할 덕목과 인과응보 사상 등을 드러내고 있다. （　　）

(3) 인간 세상이 아닌 곳에 있는 여인과 인연을 맺었다는 점에서 전기성이 두드러지게 나타난다. （　　）

2 초성 힌트를 보고 빈칸에 들어갈 알맞은 말을 쓰시오.

(1) 'ㄱㅊ'은/는 여인의 부모와 연결하는 매개이자 하생의 시련의 매개로 작용하는 소재이다.

(2) 시중의 부인은 시중의 결정에 부녀자가 나서지 않는다며 당시 사회적 질서였던 ㄴㅅ 중심적 사고를 보이고 있다.

정답 1. (1) ○ (2) ○ (3) ○ 2. (1) 금척 (2) 남성

49위

주생전(周生傳) | 권필

성격 비극적, 사실적 **시대** 조선 중기
주제 운명에 대한 인간의 나약함과 비극적인 사랑

소설

이 작품은 임진왜란 때 이여송 장군의 서기로 따라온 주생으로부터 작가가 직접 들었다는 것으로, 주생이 배도와 선화 사이에서 벌이는 애정의 삼각 구도와 전란으로 인한 이별과 죽음을 비교적 사실적으로 다루고 있다.

주요 사건과 인물

발단
어려서부터 총기가 있던 주생은 시를 잘 지었는데, 번번이 과거에 떨어지자 작은 배를 타고 장사를 다님.

전개
주생이 옛 연인이었던 배도를 다시 만나던 중 노 승상의 딸 선화를 보고 반하여 그녀를 사랑하게 됨.

위기
배도의 협박으로 주생이 선화와 이별하고 배도에게 돌아오지만 얼마 후 배도가 병으로 세상을 떠남.

절정
정처 없이 방랑하던 주생이 친척의 도움으로 선화와 혼약을 함.

결말
임진왜란으로 조선에 파병된 주생은 선화와 소식이 두절되고, 여관에서 만난 '나'에게 자신의 이야기를 들려줌.

배도
주생과의 사랑을 통해 신분 상승을 꿈꾸며, 선화에 대한 질투의 감정을 숨기지 않음.

→

주생
배도와 선화에 대한 사랑으로 갈등함.

←

선화
동생을 가르치러 온 주생과 윤리적 규범을 넘어 사랑에 빠짐.

핵심장면 ①

선화의 동생 국영의 스승 자격으로 선화의 집에서 생활하게 된 주생이, 선화를 만나기 위해 기회를 엿보다 그녀의 방 앞까지 가는 부분이다.

□ : 주요 인물

주생은 선화를 본 후로 배도에 대한 정이 엷어졌다. 응수할 때만은 억지로 웃음도 짓고 즐거
〔선화에게 반하여 배도에 대한 애정이 식음〕
운 체했으나, 마음엔 오직 선화 생각뿐이었다.

하루는 승상 부인이 어린 아들 국영을 불러 말했다.
〔선화의 어머니〕

"네 나이 벌써 열둘이 아니냐. 아직도 취학을 못하고 있으니, 후일 성년이 되면 어떻게 자립
〔스승에게 학문을 배움〕
을 하겠느냐. 내 들은 바로는 배도의 남편인 주생이 글을 잘하는 선비라고 한다. 네 가서 배
우기를 청하는 것이 좋겠구나."

부인의 가법(家法)은 매우 엄했다. 국영은 이 말을 어길 수 없었다. 그날로 책을 챙겨 주생에
〔집안의 법도나 규율〕
게 갔다. 주생은 마음속으로 '이제는 됐구나.' 하고 은근히 기뻐했다. 그러나 거듭 사양하다가
〔선화를 만날 수 있는 계기가 생겼기 때문에〕
마지못한 체하면서 허락했다.

어느 날, 주생은 배도가 출타한 틈을 타 국영에게 조용히 말했다.
〔주생이 선화에게 마음이 있는 것을 들키지 않기 위해서〕
"네 오가면서 글을 배우는 것은 번거로운 일이 아니겠느냐. 네 집에 빈방이 있다면 내가 너
〔 〕: 국영의 학업을 위하는 척하면서 자신의 욕망을 이루고자 함
의 집으로 옮겨 갔으면 한다. 너는 왕래하는 불편을 덜 것이요, 나는 너를 가르치는 데 전력
을 할 수 있을 텐데." / 국영은 넙죽 절을 하면서,
Link 인물의 의도 ❶

"그러하옵기를 진심으로 바랍니다." / 하고 말했다. 〈중략〉

▶ 국영을 가르치는 일을 핑계로 선화의 집에 들어가게 된 주생

주생은 승상 댁으로 옮겨 갔다. 낮이면 국영이와 같이 있고, 저녁이면 집 안의 문이란 문은 빈틈없이 잠가 버리므로 어찌할 도리가 없었다. 갖은 궁리를 다하는 동안, 어느덧 열흘이 지났다. 문득 그는 혼잣말로 중얼거렸다.

Link 인물의 의도 ❷

'내가 이곳에 온 것은 선화를 도모하기 위한 것이었는데, 이 봄이 다
〔선화를 만나 사랑을 이루려는 목적〕

Link

출제자 톡 인물의 의도를 파악하라!

❶ 주생이 국영에게 자신의 거처를 국영의 집으로 옮기겠다고 말한 이유는?
국영을 가르친다는 것을 빌미로 선화에게 접근하려고 함.

❷ 선화의 방으로 뛰어들 계획에 담겨 있는 주생의 의지는?
죽음을 당하는 위험을 감수하고서라도 선화와의 사랑을 이루고자 함.

가도록 만나지 못했구나. 황하(黃河)의 물 맑기를 기다린다면 몇 해나 기다려야 할지. 차라리 어둔 밤에 선화 방으로 뛰어드는 게 낫겠다. 일이 성공하면 귀한 몸이 될 것이요, 실패로 돌아가면 죽임을 당한다 해도 좋다.'

불가능한 상황을 비유함
자신의 욕망을 이루기 위해 무모한 생각마저 각오함
Link 인물의 의도 ❷

이날 저녁따라 달이 없었다. 주생은 여러 겹의 담을 뛰어넘어 선화의 방 앞에 이르렀다. 복도에는 구부러진 큰 기둥이 있는데 염막(簾幕)이 겹겹이 드리워 있었다. 주생은 얼마 동안 동정을 살폈다. 인적이 없었다.

발과 장막을 아울러 이르는 말
Link 인물의 처지 ❶

➤ 선화를 만나기 위해 선화의 방으로 들어가려는 주생

핵심장면 ❷ 선화와 주생은 자신들의 관계를 승상 부인에게 알리겠다는 배도의 협박에 이별하고, 주생으로 인해 병이 든 배도가 죽음을 맞는 부분이다.

하루는 승상 부인이 술자리를 마련해 놓고 배도를 불렀다. 부인은 주생의 학행(學行)을 칭찬했다. 아들 글 가르치는 데 수고를 한다고 치사했다. 그러고는 손수 술을 따라 배도로 하여금 주생에게 잔을 권하게 했다.

학문과 덕행
고맙고 감사하다는 뜻을 표시함

주생은 이날 밤 술에 취해 정신이 없었다. 배도는 혼자 앉았으니 따분하기 이를 데 없었다. 그래서 주생의 주머니를 끌러 보았다. 그녀는 자신이 지은 사(詞)가 먹으로 지워진 것을 보았다. 마음은 자못 언짢았고 괴이한 생각이 들었다. 또한 그 밑에 '안아미사(眼兒眉詞)'를 보니 선화가 한 짓이 분명했다. 그녀는 몹시 화가 치밀었다. 그녀는 이 사를 소매 속에 감춘 다음 주머니를 전처럼 싸매 두었다 앉은 채 아침을 기다렸다. 주생이 술에서 깨어나자 침착하게 물었다.

★ 주요 소재
선화는 배도가 지은 시를 붓으로 까맣게 지우고 그 밑에 '안아미사'를 써 두었음
주생과 선화의 관계를 알게 됨
Link 인물의 처지 ❷

➤ 주생과 선화의 관계를 알게 된 배도

"낭군님은 이곳에서 무작정 유할 건가요? 도대체 돌아오지 않는 것은 무엇 때문입니까?"

국영의 집에 계속 머무름
이유를 알지만 주생이 진실을 말할 기회를 줌

주생은, / "국영이가 공부를 아직 다 마치지 못한 탓이오."

하고 대답했다.

진실을 말하지 않고 핑계를 댐

"그래요? 처의 동생을 가르치는 것이니 불가분 마음을 다해야겠지요."

국영 → 선화를 '처'로 지칭함
주생과 선화의 관계를 알고 주생을 비꼼

주생은 얼굴을 붉히며, / "그게 도대체 무슨 말이오?"

선화와의 관계를 들켜 당황함
들켰음에도 부인하려 함

하고 물었다. 배도는 얼마 동안 말이 없었다. 그럴수록 주생은 당황하여 어찌할 줄을 몰랐다. 고개를 푹 숙이고 방바닥만 응시했다. 배도는 그 사를 꺼내어 주생의 면전에 던지며 말했다.

Link
출제자 특강 인물의 처지를 파악하라!

❶ 주생이 선화를 만나기 위해 반드시 넘어야 하는 장애물은?
담과 염막

❷ 승상 부인이 마련한 술자리에서 배도가 화가 난 까닭은?
주생의 주머니를 끌러 사를 보고 주생과 선화의 관계를 알게 되었기 때문에

❸ 주생이 배도와 함께 그녀의 집으로 돌아간 이유는?
배도가 자신과의 언약을 깬다면 선화와 주생의 관계의 비밀을 지켜주지 않겠다고 했기 때문에

"유장상종(踰墻相從)이요, 찬혈상규(鑽穴相窺)구려. 이 어찌 군자가 할 짓입니까. 난 지금 곧장 들어가 부인께 말씀 올리렵니다."

담을 넘어가 서로 좋아함
구멍을 뚫고 서로 들여다봄
선화와 주생의 관계를 승상 부인에게 알리겠다고 함

배도는 몸을 일으켰다. 주생은 황망히 그녀를 붙잡아 앉히고 사실대로 고백을 했다. 머리를 조아리며 간곡히 빌었다.

"선화는 나와 백년해로를 굳게 언약한 사인데, 어찌 죽을 곳으로 몰아넣는단 말이오."

배도는 마지못해 뜻을 돌리고는,

"그렇다면 곧 저와 같이 돌아갑시다. 그렇지 않으면, 낭군님이 저와의 언약을 어긴 바에야 제가 무어라고 맹세를 지킬 것이오리까." / 하고 말했다.

Link 인물의 처지 ❸

주생은 하는 수 없었다. 부인에게 딴 핑계를 대고 배도의 집으로 돌아갔다. 배도는 선화와의 관계를 알고 난 다음부터 다시는 주생을 선랑(仙郞)이라 부르지 않았다. 마음속에 불평이 끓어올라서였다.
<small>이전에는 주생은 배도를 선아(仙娥, 선녀)라고 부르고, 배도는 주생을 선랑이라고 불렀음</small>

> 주생을 협박하여 함께 집으로 돌아온 배도

주생은 오로지 선화만을 생각했다. 몸은 나날이 여위어 갔다. 끝내는 병을 빙자해 자리에 눕고 말았다. 스무 날이 지나갔다. 돌연 국영이 병으로 죽었다는 전갈이 왔다. 주생은 제물(祭物)을 갖춰 영구 앞에 나아가 전(奠)을 올렸다.
<small>시체를 담은 관   제사 지낼 때 바치는 물건</small>
<small>장례 전 영좌 앞에 간단한 술과 과일을 차려 놓는 예식</small>

선화 역시 주생과 이별한 후 상사의 병이 깊어 기거동작도 남의 손을 빌어야 했다. 문득 주생이 왔다는 소식을 듣고는 병을 무릅쓰고 억지로 일어났다. 담장소복(淡粧素服)을 하고 주렴 안에 혼자 서 있었다.
<small>일상생활에서 몸의 움직임</small>
<small>엷게 화장하고 위아래로 하얗게 차려입음</small>

> 서로를 그리워하다 상사병에 걸린 주생과 선화

주생은 전을 끝냈다. 멀리 선화가 보였다. 눈을 찡긋해 정을 표시했다. 머리를 숙이고 서성거리다 뒤돌아보니, 그녀는 이미 사라져 보이지 않았다.
<small>선화 동생의 상갓집에 가서 선화에게 정을 표시하는 주생</small>

세월은 흘러 몇 달이 지났다. 배도마저 병들어 눕고 말았다. 숨을 거두기 전, 그녀는 주생의 무릎을 베고 눈물을 가득 머금은 채 말했다.

"저는 봉비 하체(葑菲下體)로서 그늘에만 의지하여 살아오다가 아름다운 청춘이 다 가기도 전에 시들 줄을 누가 알았겠습니까. 이제 저는 낭군님과 영원히 이별을 하게 되었으니, 비단옷이며 좋은 관현악기가 소용이 없고, 전날의 소원도 다 그만입니다. 다만 원하옵는 바는, 제가 죽은 후에 낭군님은 선화를 취하여 배필로 삼으시옵소서. 그리고 내 죽은 뒤 시신은 낭군님이 왕래하시는 길가에 묻어 주신다면 죽더라도 산 것같이 여기고, 편안히 눈을 감겠습니다."
<small>순무와 무를 캘 때 잎만 따고 뿌리를 캐지 않았다는 것으로, 새로운 여인을 취하고 옛 부인을 버리는 행위를 비유함</small>

> 죽음을 맞이한 배도

핵심장면 ❸ 주생이 장씨 노인의 도움으로 선화와 혼약을 하고 재회를 기다리나, 임진왜란이 발발해 주생이 조선의 지원군으로 참전하게 되면서 두 사람의 사랑이 다시 장벽에 부딪히는 부분이다.

장씨 노인은 주생이 나날이 여위어 가는 것을 이상스럽게 여겨 까닭을 물었다. 그는 감히 감추지 못해 사실대로 아뢰었다. 장 씨는 이렇게 말했다.
<small>주생의 외가 어른</small>

"너의 마음에 맺힌 한이 있었다면 왜 진작 말하지 않았느냐. 내 안사람과 노 승상과는 동성(同姓)이어서 여러 대 동안 긴밀히 지냈다. 내 너를 위해 힘써 보겠으니 염려하지 마라."
<small>선화의 아버지</small>
<small>같은 성씨, 일가족</small>

Link 인물의 역할 ❶

이런 다짐을 둔 다음 날이었다. 노인은 부인을 시켜 편지를 써, 늙은 하인을 전당으로 보내 혼사를 의논했다.

선화는 주생과 이별한 후 날이면 날마다 자리에 누워 있었다. 그래서 여월 대로 여위어만 갔다. 승상 부인도 선화가 주생을 사모하다 얻은 병인 줄 알고 그녀의 뜻을 이루어 주려 했으나, 이미 주생이 떠나 버려서 어쩔 수가 없었다. 그러던 차에 돌연 노 부인의 편지를 받았다. 온
<small>주생을 그리워하다가 상사병이 듦</small>

집안이 놀라며 기뻐했다. 선화도 누워 있다가 억지로 일어나서 머리도 빗고 세수도 하며 몸단장을 하는 등 전과 같았다. 이해 9월로 혼인날이 정해졌다.

주생은 날마다 포구로 나가 늙은 종이 돌아오기를 기다렸다. 아흐레가 되던 날이었다. 그 늙은 종이 돌아왔다. 정혼의 뜻을 전하고, 더욱이 선화의 편지를 전해 주었다. 주생은 급히 편지를 뜯었다. 분향 냄새가 그윽했다. 편지지에는 눈물 자국이 번져 있었다. 그는 선화의 애원(哀怨)을 가히 짐작하고도 남음이 있었다. 〈중략〉

> 선화와 혼약하여 재회를 기대하는 주생

주생이 편지를 써 놓았으나 전하지 못하고 있을 무렵이었다. 조선이 왜적의 침략을 당했다는 소문이 파다하게 떠돌았다. 마침내 원병을 중국에까지 청해 왔다. 사태는 매우 급박했다. 황제는 조선이 지극히 중국을 섬기므로 불가불 구원을 해야 했고, 또 조선이 무너지면 압록강 서부 지방은 편안할 날이 없을 것임을 간파했다. 그래서 도독(都督) 이여송에게 군대를 통솔하여 적을 무찌르도록 어명을 내렸다. 〈중략〉

이듬해 계사년 봄이었다. 명군은 왜적을 대파하여 경상도로 몰아붙였다. 주생은 밤낮으로 선화를 생각하여 마침내 병이 중해졌다. 그는 종군해 남하할 수 없어 송경(松京)에 머물고 있었다. 이때 나는 때마침 일이 있어 송경에 갔었다. 한 여관에서 주생을 만났다. 그러나 언어가 통하지 않았다. 그래서 글로써 의사를 통했다. 주생은 내가 글을 안다고 후하게 대접해 주었다. 나는 주생에게 병든 내력을 물어보았다. 그러나 그는 근심에 싸여 응답이 없었다.

하루는 비가 주룩주룩 내렸다. 나는 주생과 같이 불을 밝히고 늦도록 이야기를 나누었다.

> 주생과 여관에서 만나 이야기를 나눈 '나'

Link
출제자 특 인물의 역할을 파악하라!
❶ 장씨 노인의 역할은?
　주생과 선화의 혼약을 도와주는 조력자
❷ '나'가 이 글에서 하는 역할은?
　실제로 주생을 만나 그의 이야기를 전해들은 것으로 설정함으로써 이야기의 신빙성을 강화함.

최우선 출제 포인트!

1 이 작품의 문학사적 의의

- 인물, 사건, 배경 등이 사실적으로 제시되어 있음.
- 삼각관계를 중심으로 한 남성의 탐욕과 이기적인 연행, 여성의 애욕과 질투심을 그리고 있음.

→

고전 소설에서 일반적으로 나타나는 비현실적·전기적 요소가 적고, 사실성을 획득하고 있다는 점에서 조선 초기의 소설과 후기 소설의 교량적 역할을 하고 있음.

2 구조상 특징

비극적 결말 구조	액자 소설적 구조
주생과 선화는 어렵게 가약을 맺고 혼인을 눈앞에 둔 상황에서 임진왜란으로 주생이 조선에 파병되어 소식이 끊김.	마지막에 서술자인 '나'가 등장하고 이 이야기가 '전해 들은 이야기'임이 밝혀지면서 현실성이 강화됨.

＋

최우선 핵심 Check!

1 다음 내용 중 맞는 것은 ○표를, 틀린 것은 ×표를 하시오.
(1) 주생, 배도, 선화는 인간의 욕망을 긍정하는 인물들이다. (　　)
(2) 미완성의 종결 수법을 사용하여 비극성과 낭만성을 극대화하고 있다. (　　)
(3) 국영과 배도가 갑자기 죽고, 주생과 선화가 상사의 병에 걸리는 등 인물의 급격한 신변 변화는 작품의 희극성을 강화하기 위한 장치이다. (　　)

2 초성 힌트를 보고 빈칸에 들어갈 알맞은 말을 쓰시오.
(1) 주생과 선화의 사랑은 ㅈㅈ(이)라는 외부적 요인으로 인해 결실을 보지 못한다.
(2) 지난날에 대한 주생의 술회나 고백을 제삼자인 '나'가 기록하는 방식으로 이루어진 ㅇㅈ식 소설 구조이다.

정답 1. (1) × (2) ○ (3) × 2. (1) 전쟁 (2) 액자

성격 풍자적, 해학적, 서민적 **시대** 조선 후기
주제 양반의 허세에 대한 비판과 풍자, 여성에 대한
가부장적 횡포 비판

봉산 탈춤 | 작자 미상

민속극

이 작품은 황해도 봉산 지역에서 연희 되던 민속극으로 7개의 독립된 과장으로 이루어져 있다. 그중 제6과장에서는 양반의 허례허식과 부정부패를, 제7과장에서는 여성들에게 가해지는 남성과 사회의 횡포를 비판하고 풍자하고 있다.

주요 사건과 인물

제6과장 – 양반춤
말뚝이가 양반의 비리와 몰락한 양반들의 생활상을 해학과 풍자로 고발함.

- 말뚝이: 양반 계층에 대한 서민들의 비판 의식을 대변하는 인물
- 양반 삼 형제: 양반 계층의 어리석음과 무능함을 상징하는 인물들

제7과장 – 미얄춤
난리 통에 영감을 찾아 나선 미얄 할멈은 영감의 애첩인 덜머리집과의 삼각관계에 얽혀 죽임을 당함.

- 미얄: 사회와 남성의 횡포로 고통받던 당시 여성을 대표하는 인물
- 영감: 미얄에게 부당한 횡포를 가하는 가부장적 인물

핵심장면 ① 말뚝이가 양반의 허세와 무식을 조롱하고 풍자하는 부분이다.

제6과장 양반춤
연극의 '막(幕)'과 유사한 가면극의 용어

말뚝이 (벙거지를 쓰고 채찍을 들었다. 굿거리장단에 맞추어 양반 삼 형제를 인도하여 등장)
말뚝이의 신분이 마부임을 알 수 있음   보통 행진과 춤의 반주에 쓰임

양반 삼 형제 (말뚝이 뒤를 따라 굿거리장단에 맞추어 점잔을 피우나, 어색하게 춤을 추며 등장. 양반 삼 형제 맏이는 샌님[生員], 둘째는 서방님[書房], 끝은 도련님[道令]이다. 샌님과 서방님은 흰 창옷에
'생원님'의 준말
관을 썼다. 도련님은 남색 쾌자에 복건을 썼다. 『샌님과 서방님은 언청이이며(샌님은 언청이 두 줄, 서
『   』: 신체적 결함을 설정하여 양반을 희화화하고 있음
방님은 한 줄이다.) 부채와 장죽을 가지고 있고, 도련님은 입이 삐뚤어졌고 부채만 가졌다.』 도련님은
양반의 권위 상징
일절 대사는 없으며, 형들과 동작을 같이하면서 형들의 면상을 부채로 때리며 방정맞게 군다.)
신분에 어울리지 않는 우스꽝스러운 행동   ▶ 말뚝이와 양반 삼 형제의 등장

말뚝이 (가운데쯤에 나와서) 쉬이. (음악과 춤 멈춘다.) 양반 나오신다아! 『양반이라고 하니까 노론
재담 시작. 관객의 시선 집중 유도   Link 갈래상의 특징 ❶   양반의 위엄
(老論), 소론(少論), 호조(戶曹), 병조(兵曹), 옥당(玉堂)을 다 지내고 삼정승(三政丞), 육판서
『   』: 영예로운 관직을 지낸 긍정적인 양반의 모습
(六判書)를 다 지낸 퇴로 재상(退老宰相)으로 계신 양반인 줄 아지 마시오. 개잘량이라는 '양'
다리를 개다리와 같이 구부정하게 만든 자그마한 밥상   털이 붙어 있는 채로 무두질하여 다룬 개의 가죽
자에 개다리소반이라는 '반' 자 쓰는 양반이 나오신단 말이오.
언어유희를 통해 양반을 조롱하는 말뚝이

양반들 야아, 이놈, 뭐야아!
양반의 호통

말뚝이 『아, 이 양반들, 어찌 듣는지 모르갔소. 노론, 소론, 호조, 병조, 옥당을 다 지내고 삼정
중의적 표현 ① 사대부 양반 ② 보통 남자를 낮춰 부르는 말
승, 육판서 다 지내고 퇴로 재상으로 계신 이 생원네 삼 형제분이 나오신다고 그리하였소.』
『   』: 말뚝이의 변명

양반들 (합창) 이 생원이라네. (굿거리장단으로 모두 춤을 춘다. 도령은 때때로 형들의 면상을 치며
말뚝이의 조롱을 눈치채지 못함 → 양반의 어리석음   장면을 구분하는 역할을 함
논다. 끝까지 그런 행동을 한다.)   ▶ '양반'의 뜻풀이 재담

Link 출제자 특강 갈래상의 특징을 파악하라!

❶ 관객의 시선 집중을 유도하면서 새로운 재담의 시작을 알리는 기능을 하는 대사는?
"쉬이."

❷ '양반'의 뜻풀이 재담이 끝나는 부분에서 추는 '춤'의 기능은?
각 재담을 구분함.

❸ "여보, 구경하시는 양반들, 말씀 좀 들어 보시오."라는 말뚝이의 대사에서 알 수 있는 탈춤의 특징은?
관객의 극 중 개입이 가능하고, 무대와 객석의 구분이 없음.

Link 갈래상의 특징 ❷   Link 갈래상의 특징 ❸

말뚝이 『쉬이. (반주 그친다.) 여보, 구경하시는 양반들, 말씀 좀 들어
관객의 극 중 개입이 가능하며, 무대와 객석의 구분이 없음
보시오. 짤따란 곰방대로 잡숫지 말고 저 연죽전(煙竹廛)으로 가
관객의 신분 암시: 평민   알록지게 칠한 담배설대
서 돈이 없으면 내게 기별이래도 해서 양칠간죽(洋漆竿竹), 자문
아롱진 무늬가 있는 중국산 대나무, 흔히 담뱃대로 쓰임
죽(自紋竹)을 한 발가옷씩 되는 것을 사다가 육모깍지 희자죽(喜
담뱃대의 한 종류   담뱃대를 만드는 데 쓰는 대나무의 일종
子竹), 오동수복(烏銅壽福) 연변죽을 이리저리 맞추어 가지고 저
백통으로 만든 그릇에 검붉은 구리로 '壽(수)'나 '福(복)' 자를 박은 것
재령(載寧) 나무리 거이 낚시 걸듯 죽 걸어 놓고 잡수시오.』
재령 나무리에서 게를 낚을 때에는 낚시를 줄줄이 걸어 놓는 데서 온 표현   『   』: 관객인 평민들에게 고급 담배를 피우라고 권함 – 양반을 조롱함

양반들　뭐야아! Link 재담 구조 ❶
　　　　양반의 호통

말뚝이　아, 이 양반들, 어찌 듣소. 양반 나오시는데 담배와 훤화(喧譁)를 금하라 그리하였소.
　　　　　　　　양반의 어리석음 희화화.→ 해학성 유발　　　말뚝이의 변명

양반들　(합창) 훤화를 금하였다네. (굿거리장단으로 모두 춤을 춘다.) 〈중략〉
　　　　　　　　　　　　　　　　　　　　　　　　　　　　　　　　▶담배와 훤화 금지 재담
　　　Link 재담 구조 ❸

생원　『네 이놈, 양반을 모시고 나왔으면 새처를 정하는 것이 아니고 어디로 이리 돌아다니느냐?』
　　　『　』양반의 위엄　　　'사처'의 방언. 손님이 길을 가다가 묵는 집

말뚝이　(채찍을 가지고 원을 그으며 한 바퀴 돌면서) 예에, 이마만큼 터를 잡고 참나무 울장을 드문
　　　　특별한 무대 장치가 없는 탈춤의 특성을 알 수 있음　　　　마구간 모양의 새처로, 양반이 가축으로 비하됨
　　　드문 꽂고, 깃을 푸근푸근히 두고, 문을 하늘로 낸 새처를 잡아 났습니다.
　　　　　　　　　　　　　　지붕이 없는

생원　이놈, 뭐야!
　　　　양반의 호통

말뚝이　아, 이 양반, 어찌 듣소. 『자좌오향(子坐午向)에 터를 잡고, 난간 팔자(八字)로 오련각
　　　　　　　　　　　　　　　　정북 방향을 등지고, 정남향을 바라보는 방향　대들보를 다섯 줄로 놓아 넓이가 두 간통 되게 지은 집
　　　(五欄閣)과 입구(口) 자로 집을 짓되, 호박 주초(琥珀柱礎)에 산호(珊瑚) 기둥에 비취 연목(翡
　　　　　　　　　　　　　　　　　　　　　　보석인 호박으로 만든 주춧돌　　　　　　　　비취로 만든 서까래
　　　翠椽木)에 금파(金波) 도리를 걸고 입구 자로 풀어 짓고, 쳐다보니 천판자(天板子)요, 내려다
　　　　서까래를 받치기 위하여 기둥 위에 건너지르는 나무　　　　　　　　　　　　천장을 막은 널빤지
　　　보니 장판방(壯版房)이라. 화문석(花紋席) 칫다 펴고 부벽서(付壁書)를 바라보니 동편에 붙
　　　　　　　　바닥을 장판으로 바른 방　　꽃무늬로 수놓은 돗자리　　　벽에 붙이는 글
　　　은 것이 담박녕정(澹泊寧靜) 네 글자가 분명하고, 서편을 바라보니 백인당중유태화(百忍堂
　　　　　　　　　　욕심이 없어 마음이 깨끗하고 고요함　　　　　　　　　　백 번 참는 집안에 큰 평화가 있다는 뜻
　　　中有泰和)가 완연히 붙어 있고, 남편을 바라보니 인의예지(仁義禮智)가, 북편을 바라보니 효
　　　제충신(孝悌忠信)이 분명하니, 이는 가위 양반의 새처 방이 될 만하고, 문방제구(文房諸具)
　　　　　　　　　　　　　　　　　　　　말 그대로　　　　　　　문방사우, 문맥상 '가구', '세간'이어야 하나, 양반 조롱을 위해 의도적 오용
　　　볼작시면 용장 봉장(龍欌鳳欌), 궤(櫃), 두지, 자개 함롱(函籠), 반닫이, 샛별 같은 놋요강,
　　　　　　　　　　용이나 봉황의 모양을 새긴 옷장　　　　　　　　　상자나 농
　　　놋대야 받쳐 요기 놓고, 양칠간죽, 자문죽을 이리저리 맞춰 놓고,
　　　　　　　　　　　　　　　　　　　　화려한 양반 거처의 전형적인 형태 및 세간『
　　　삼털 같은 칼담배를 저 평양 동푸루 선창에 돼지 똥물에다 축축 축
　　　　　　　　　양반에 대한 조롱　　　　지명. '똥'을 연상시킴
　　　여 났습니다. / 생원　이놈, 뭐야!
　　　　　　　　　　　　　　양반의 호통　　소털처럼 가늘게 썬 고급 담배

말뚝이　아, 이 양반, 어찌 듣소. 쇠털 같은 담배를 꿀물에다 축여 났
　　　　　　　　　　　　　　　　말뚝이의 변명
　　　다 그리하였소.

양반들　(합창) 꿀물에다 축여 났다네. (굿거리장단에 맞춰 일제히 춤춘다.
　　　　　　　　　양반의 안심
　　　한참 추다가 춤과 음악이 끝나고 새처 방으로 들어간 양을 한다.) ▶새처 정하기 재담
　　　　　　　　　　　장면의 전환이 자유로운 탈춤의 특성을 알 수 있음

Link
출제자 특강　재담 구조를 파악하라!

❶ 말뚝이의 조롱에 대한 양반들의 반응은?
화를 냄.

❷ 양반들의 호통을 듣고 난 후 말뚝이가 취한
행동은?
금세 변명을 함.

❸ 말뚝이의 변명을 듣고 화가 풀리는 양반들
의 모습을 통해 비판하고자 한 것은?
누구나 양반이 놀림의 대상이 되고 있다는
것을 알 수 있음에도 양반만 그 사실을 모
른다는 데서 양반들의 무능과 어리석음을
폭로함.

핵심장면 ❷　영감과 미얄, 덜머리집의 갈등을 통해 여성에게 가해지는 남성과 사회의 횡포를 비판하고 있는 부분이다.

제7과장 미얄춤

미얄　(한 손에 부채 들고 한 손에 방울을 들었으며, 굿거리장단에 춤을 추면서 등장하여 악공 앞에 와서 울고
　　　　　　　　미얄의 신분이 무당임을 나타냄
　　　있다.) 아이고, 아이고, 아이고! / 악공　웬 할맘입나?
　　　　　　　　　　　　　　　　　　　　　가면극의 특징 – 악공이 미얄에게 말을 걺

미얄　웬 할맘이라니, 떵꿍 하기에 굿만 여기고 한 거리 놀고 가려고 들어온 할맘일세.
　　　　　　　　장구 소리의 의성어　　　　　　　　　　굿을 하는가 하여 한바탕 놀려고 찾아옴

악공　그러면 한 거리 놀고 갑세. / 미얄　놀든지 말든지 허름한 영감을 잃고 영감을 찾아다니
　　　　　　　　　　　　　　　　　　　　　　　　　　　　가족을 찾아 떠도는 유랑민의 처지임
　　　는 할맘이니 영감을 찾고야 놀갔습네. 〈중략〉

영감　너 오래간만에 만났으니 아해들 말이나 물어보자. 처음 난 문열이 그놈은 어떻게 자랐나?
　　　　　　　　　　　　아이들. 여기서는 미얄과 영감의 자식을 가리킴

미얄   아이고 그놈의 말 맙소. 후유! (한숨 쉰다.)

영감   웬 한숨만 쉬나 어떻게 되었나? 어서 말합세.

미얄   아, 영감 하 빈곤하기에 산으로 나무하러 갔다가 호랑이에게 물려 갔다오.
　　　　미얄이 영감과 이별한 후 자식까지 잃고 힘들게 살아왔음을 보여 줌

영감   무어야, 인제는 자식도 죽이고 아무것도 볼 것이 없으니 너하고 나하고는 영영 헤어지
　　　　　　　　　　　　　미얄이 이제는 아이를 낳을 수 없기 때문에
　　　고 말자. / 미얄   여보 영감, 오래간만에 만나서 어찌 그런 말을 합나.   ❯ 미얄과 헤어지기를 요구하는 영감

영감   듣기 싫다. 자식도 없는데 너와 나와 살 재미가 조금도 없지 않냐.
　　　　자식을 잃고 힘들게 살아온 미얄을 위로해 주지 않고 헤어지자고 함 – 영감에게 부인이란 자식을 낳아 키우는 도구에 불과하다는 태도
미얄   헤어질랴면 헤어집세.
　　　　헤어지자는 영감의 말에 적극적으로 대응함
영감   헤어지는 판에야 더 볼 것이 무엇이 있나. 네년의 행적을 덮어 둘 것 조금도 없다. 여봅
　　　　　　　　　　　　　　　　　　　　　당대 서민층의 언어 중 비속어의 사용이 나타남
　　　쇼 여러분, 내 말 좀 들으시오. (객석을 향해서) 이년의 소행 말씀 좀 들어 보시오. 이년이 영감
　　　관객에게 말을 건넴 – 민속극의 개방성
　　　공경을 어떻게 잘하는지『하로는 앞집 덜풍네 며느리가 나들이를 왔다고 떡을 가지고 왔는데
　　　반어적 표현　　　　　『 』: 관객들에게 미얄이 영감을 제대로 공경하지 않았음을 이야기함
　　　그 떡을 가지고 영감 앞에 와서 이것 하나 잡수시오 하면 내가 먹고 싶어도 저를 먹일 것인
　　　데 이년이 그 떡 그릇은 손에다 쥐고 하는 말이, 영감 앞집 덜풍이네 나들이 떡을 가져온 것
　　　을 먹겠습나 안 먹겠습나? 안 먹겠으면 그만두지 하고 저 혼자 먹으니 대답할 사이가 어디
　　　있습나.』

미얄   (한편에 서 있던 용산 삼개 덜머리집을 가리키며) 이놈의 영감, 저렇게 고운 년을 얻어 두었으니
　　　　　　　　　　　　영감의 첩 – 젊음, 풍요로움, 생산성을 상징함
　　　까 나를 미워라고 흥만 내지. 이별하면 같이 이별하고 미워하면 같이 미워하지.『이년 너하고
　　　나하고 무슨 원수가 있길래 저놈의 영감을 환장을 시켰나. 네년 죽이고 나 죽으면 그만이다.
　　　(달려들어 때린다.) / 덜머리집   아이고, 사람 살리유. (운다.)
　　　　『 』: 미얄과 덜머리집의 갈등 – 처첩 간의 갈등이 발생함
영감   『(미얄을 때리면서) 너 이년, 용산 삼개 덜머리집이 무슨 죄가 있다고 때리느냐. 야 더러운
　　　　『 』: 영감의 가부장적 횡포 – 처를 멸시하고 첩을 두둔하는 영감
　　　년, 구린내 난다.』

미얄   너는 저런 년에게 빠져서 이같이 나를 괄세하니 이제는 나도 너 같은 놈하고 살기가 싫
　　　다. 너하고 나하고 같이 번 세간이니 세간이나 똑같이 노나 가지고 헤어지자. 어서 노나 내
　　　　　　　　　　　　　　조선 후기 여성들의 의식 변화 – 공동 재산 분배를 주장함
　　　라. 〈중략〉　　　　　　　　　　　　　　　　　　　　❯ 이별의 조건으로 세간의 공동 분배를 요구하는 미얄
　　　　　　　　　　　　　　　　　　　　　　　　　용과 봉황의 모양을 새겨 꾸민 옷장
미얄   이놈의 영감 욕심 보게.『박천 두지 돈 삼만 냥 별은 네 가지고, 용장 봉장 궤 두지 자개
　　　　　　　　　　　　『 』: 먹고사는 데 불필요하거나 도움이 되지 않는 것들을 미얄에게 나눠 주려고 함
　　　함롱 반닫이 샛별 같은 놋요강 놋대야 받쳐 너 다 가지고, 죽장망혜 헌 짚세기 만경 청풍 삿
　　　　　　　　　　　　　대지팡이와 짚신이란 뜻으로, 먼 길 떠날 때의 아주 간편한 차림새를 이르는 말　넓은 지면이나 수면에서 불어오는 맑은 바람
　　　부채 이빨 빠진 고리짝 굴뚝 덮은 헌 삿갓, 도낏자루 나를 주고 도끼날은 너 가지니 날 없는
　　　　　　　　　　　　　　　　　　　　　　　　　　　　　　　앞에서 영감은 할미에게 비생산적인 짐승의 새끼를 분배하였음
　　　도낏자루 가진들 무엇하리, 동지섣달 설한풍에 얼어 죽는 수밖에 없구나. 영감, 이렇게 여러
　　　　　　　　　　　　　눈 위로, 또는 눈이 내릴 때에 휘몰아치는 차고 매서운 바람
　　　새끼를 다리고 나 혼자 몸뚱으로 어찌 산단 말입나. 좀 더 줍소.　　　　❯ 부당하게 재산을 분배하는 영감

영감   너 그것 가지고 나가면 똑 굶어 죽기 좋을라.

미얄   이봅소 영감. 어찌 그런 야속한 말을 합나. 어서 더 갈라 줍소.

영감   야 이년 욕심 봐라. 똑같이 갈라 줍쇼? 에잇 이년, 다 부수고 말갔다.
　　　　　　　　　　　　　영감의 극단적인 가부장적 횡포가 나타남
덜머리집   (이때에 덜머리집이 앙큼하게 소리친다.) 영감, 내 말을 들어 보시오. 영감이 날 만날 적에

무어라고 하였소. <u>영감이 말하기를 아즉 미혼이며 순진한 노총각이라고 하며 논밭 열닷 섬</u>
영감이 덜머리집을 첩으로 얻기 위해 거짓말을 하고 재산을 준다고 꾀었음
<u>지기 절반을 준다고 하고 살아오지 않았소.</u> 오늘 보니 본처 할멈을 두고 산다 안 산다 하며

살림을 노느니, <u>나 주려던 논밭 열닷 섬지기 절반 나누어 주고 부수든지 말든지 합소.</u>
덜머리집은 재물 때문에 영감의 첩이 되었음을 알 수 있음

미얄　너 이년 무어야? 논밭 열닷 섬지기 절반을 너에게 달라구? 어림도 없다. 나 줄 것도 없
　　　는데 네년에게 주어? 네년 줄 것 하나도 없다. 영감! 저년에겐 논밭 열닷 섬지기 절반씩이나
　　　준다고 하였지? 어서 내게 똑같이 갈라 줍소.

영감　야 이년 욕심 봐라. 너 줄 것 하나도 없다.

미얄　무어야 줄 것이 없다구? 저년에겐 줄 것이 있구, 나 줄 것은 없다구? 아이구 분해라 너
　　　죽고 나 죽자. (하며 영감에게 달려든다.)

덜머리집　영감, 어서 갈라 줍소. / 영감　너 줄 것도 하나두 없다.

덜머리집　아이구, 분하구 원통해라. 지금까지 속아 살았구나, 영감 죽고 나 죽자. (하며 영감에
　　게 달려든다.)
『 』: 미얄과 덜머리집 모두에게 나누어 줄 재산이 없다는 영감의 말에
두 여자의 분노가 극에 달하고 갈등이 고조됨

영감　(살짝 빠져서 한편 구석에 가서 서 있다. 미얄과 덜머리집은 영감이 살짝 빠져나간 것도 모르고 서로 영감
　　　인 줄 알고 때리다가 미얄이 뒤로 쓰러진다.)

덜머리집　(미얄이 죽는 것을 보고 급히 도망쳐 퇴장한다.)　　▶ 덜머리집과 다투다가 죽는 미얄

최우선　출제 포인트!

1 이 작품의 갈등 구조

・제6과장 양반춤

말뚝이	조롱, 변명 →	양반 삼 형제
・풍자의 주체 ・비판적, 저항적 인물	← 위엄, 호통, 안심	・풍자의 대상 ・무능한 양반의 전형

・제7과장 미얄춤

인물과 환경	난리 통에 미얄과 영감이 헤어져 고난을 겪음.
미얄과 영감	아들이 죽었다는 얘기를 들은 영감은 미얄을 구박하며 헤어지자고 횡포를 부림.
미얄과 덜머리집	영감이 첩을 얻으면서 미얄과 덜머리집 사이에 처첩 간의 갈등이 야기됨.

2 제6과장 양반춤의 재담 구조

양반의 위엄	양반의 권위를 강조하고, 주종 관계를 드러냄.
말뚝이의 조롱	양반의 권위를 무시하고 양반을 풍자함.
양반의 호통	극적 긴장감을 형성함.
말뚝이의 변명	일시적 복종으로 위기를 모면하고 갈등을 해소함.
양반의 안심	양반의 무지를 드러냄.

3 악공 및 춤과 음악의 역할

악공	・등장인물을 소개하고 사건을 진행함. ・극이 연희 되는 동안 필요한 효과음을 냄. ・혼자 등장한 인물의 대화 상대역을 하기도 함.
춤과 음악	・흥겨운 분위기를 조성함. ・등장인물의 심리를 드러냄. ・등장인물의 등장과 퇴장을 알림.

최우선　핵심 Check!

1 다음 내용 중 맞는 것은 ○표를, 틀린 것은 ×표를 하시오.

(1) 「봉산 탈춤」은 여러 과장이 유기적으로 연결되어 있다. 　(　　)
(2) '제6과장'에서는 언어유희를 통해 양반을 희화화하고 있다. 　(　　)
(3) 민속극은 무대 밖의 악공이나 관중의 극 중 참여가 불가능하다.
　　　　　　　　　　　　　　　　　　　　　　　　　　　(　　)

2 초성 힌트를 보고 빈칸에 들어갈 알맞은 말을 쓰시오.

(1) 말뚝이가 양반을 조롱하는 과정에서 관객의 [ㅇㅇ]을/를 유발하고
　　있다.
(2) 재담을 통해 봉건적인 가족 제도와 [ㅇㅂ]의 무능과 허위, 부조리 등을
　　폭로하고 비판하고 있다.

정답 1. (1) × (2) ○ (3) × 2. (1) 웃음 (2) 양반

차마설(借馬說) | 이곡
말을 빌림

성격 교훈적, 경험적, 우의적 **시대** 고려 시대
주제 소유에 대한 성찰과 깨달음

수필

이 글은 말을 빌려 탄 개인적인 경험을 통해 소유에 대한 보편적인 깨달음을 제시하고, 올바른 삶의 태도를 권유하고 있는 한문 수필이다.

내용 전개 방식

체험	→	남의 말을 빌려서 탐.	………	둔마일 때와 준마일 때의 심리가 다름. 자기 소유일 때는 심리 변화가 더 클 것임.

↓

깨달음	→	소유의 의미에 대한 성찰	………	인간이 가진 것은 모두 남에게 빌린 것이므로, 빌린 것을 자신의 소유로 여겨서는 안 됨.

전문

★ 주요 소재

나는 집이 가난해서 말이 없기 때문에 간혹 남의 말을 빌려서 탔다. 그런데 노둔하고 야윈 말
　　　　　　　　말을 빌려 타게 된 이유　　　　　차마(借馬) - 제목과 관계가 있음　　　늙어서 재빠르지 못하고 둔한

을 얻었을 경우에는 『일이 아무리 급해도 감히 채찍을 대지 못한 채 금방이라도 쓰러지고 넘어

질 것처럼 전전긍긍하기 일쑤요, 개천이나 도랑이라도 만나면 또 말에서 내리곤 한다. 그래서
　　　　　　몹시 두려워서 벌벌 떨며 조심함　　　　　　　　　　　　말에서 떨어질 수 있는 위험이 있기 때문

후회하는 일이 거의 없다.』 반면에 발굽이 높고 귀가 쫑긋하며 잘 달리는 준마를 얻었을 경우
　　Link 글쓴이의 체험 ❶　　　　　　　　　　　　　　　　　　　　　빠르게 잘 달리는 말

에는 『의기양양하여 방자하게 채찍을 갈기기도 하고 고삐를 놓기도 하면서 언덕과 골짜기를 모
　　　　　　　어려워하거나 조심스러워하는 태도가 없이 무례하고 건방지게

두 평지로 간주한 채 매우 유쾌하게 질주하곤 한다. 그러나 간혹 위험하게 말에서 떨어지는

환란을 면하지 못한다.』 Link 글쓴이의 체험 ❷　　　▶ 말을 빌려 탔을 때의 대조적 체험
근심과 재앙을 통틀어 이르는 말　　　　　　　　　　　『』: 준마를 빌려 탔을 때의 경험

아, 사람의 감정이라는 것이 어쩌면 이렇게까지 달라지고 뒤바뀔
　　　　　　　　사람의 심리가 외물에 따라 변함 → 개인적 체험이 보편적 깨달음으로 확대

수가 있단 말인가. 남의 물건을 빌려서 잠깐 동안 쓸 때에도 이와 같

은데, 하물며 진짜로 자기가 가지고 있는 경우야 더 말해 무엇하겠
　　　　　　　　자신의 소유물일 경우에는 심리 변화가 더욱 클 것임

는가.　　　　　　　　　　　　　　　　　　　　▶ 자기 소유물일 때의 심리

Link
출제자 특강 **글쓴이의 체험을 파악하라!**

❶ 둔마를 빌려 탔을 때 글쓴이의 경험은?
말에서 떨어져 다칠 위험이 있을 때는 미리 조심하므로 후회하는 일이 거의 없음.

❷ 준마를 빌려 탔을 때 글쓴이의 경험은?
거침없이 달려 간혹 말에서 떨어지는 위험에 처하기도 함.

그렇기는 하지만 사람이 가지고 있는 것 가운데 남에게 빌리지 않은 것이 또 무엇이 있다고
　　　　　　　　　　　　사람의 소유물은 모두 남으로부터 빌린 것임 → 소유의 본질에 대한 깨달음(주제문)

하겠는가. 『임금은 백성으로부터 힘을 빌려서 존귀하고 부유하게 되는 것이요, 신하는 임금으
　Link 글쓴이의 깨달음 ❶　　『』: 사례 열거를 통해 개인적 체험을 사회적 체험으로 일반화함

로부터 권세를 빌려서 총애를 받고 귀한 신분이 되는 것이다. 그리고 자식은 어버이에게서,

지어미는 지아비에게서, 비복(婢僕)은 주인에게서 각각 빌리는 것이 또한 심하고도 많은데,』
　　　　　　　　　계집종과 사내종을 아울러 이르는 말

대부분 자기가 본래 가지고 있는 것처럼 여기기만 할 뿐 끝내 돌이켜 보려고 하지 않는다. 『이
　　　　　　　　　　자기 소유가 아니라 빌린 것임을 깨닫지 못함 → 자기 소유물로만 여기는 세태를 비판

어찌 미혹된 일이 아니겠는가?』 『』: 소유욕에 대한 경계　　　▶ 잘못된 소유 관념에 대한 비판
무엇에 홀려 정신이 차려지지 못하는　　　　　　권력과 부를 의미함

그러다가 혹 잠깐 사이에 그동안 빌렸던 것을 돌려주는 일이 생기게 되면, 『만방(萬邦)의 임
　　포악한 정치를 하여 국민에게 외면을 당한 군주를 이르던 말　　　　　　　　세계의 모든 나라

금도 독부(獨夫)가 되고, 백승(百乘)의 대부(大夫)도 고신(孤臣)이 되는 법인데, 더군다나 미천
　　　　　　　　백 대의 수레　　　　임금의 신임이나 사랑을 받지 못하는 신하

한 자의 경우야 더 말해 무엇하겠는가.』
　　　　　　　　　　『』: 소유의 허망함을 보여 주는 사례 제시

맹자(孟子)가 말하기를 『"오래도록 차용하고서 반환하지 않았으니,
　　　　　　　성현의 말씀을 인용하여 자신의 주장을 뒷받침함

그들이 자기의 소유가 아니라는 것을 어떻게 알았겠는가."』라고 하

였다. 내가 이 말을 접하고서 느껴지는 바가 있기에, 「차마설」을 지
　Link 글쓴이의 깨달음 ❷　　『』: 소유에 대한 잘못된 인식을 지적
　　　　　　　　　　　　　　　　잘못된 소유 의식에 대한 경계

어서 그 뜻을 부연해 보았다.　　　　　　　　　▶ 이 글을 쓴 이유

Link
출제자 특강 **글쓴이의 깨달음을 파악하라!**

❶ 소유의 본질에 대한 글쓴이의 깨달음은?
사람이 가지고 있는 것 가운데 남에게 빌리지 않은 것이 없음.

❷ 맹자의 말을 통해 글쓴이가 뒷받침하고 있는 주장은?
세상 만물은 빌린 것이므로, 자신의 소유로 착각해서는 안 됨.

최우선 출제 포인트!

1 이 글의 구성

사실(개인적, 일상적 경험)	→	의견(경험의 보편화, 일반화)
• 둔마를 빌려 탔을 때는 조심하여 안전함. • 준마를 빌려 탔을 때는 질주하여 위태로움.		• 사람이 가진 것은 모두 남에게 빌린 것임. • 빌린 것을 자기 소유로 여겨서는 안 됨.

소유에 대한 집착 경계, 무소유의 자세 강조

2 글에 사용된 표현 방식

유추의 방식	차마의 개인적 체험을 소유에 대한 보편적 깨달음으로 확대하여 적용함.
대조적 소재 사용	의미상 대조적 관계에 있는 둔마와 준마를 통해, 소유하는 외물이 달라지면 심리도 변화함을 제시함.
사례 제시	• 사람이 가진 것은 모두 빌린 것임을 보여 주는 사례를 제시함. • 소유의 허망함을 보여 주는 사례를 제시함.
성현의 말 인용	맹자의 말을 인용함으로써 주장의 타당성을 획득함.

최우선 핵심 Check!

1 다음 내용 중 맞는 것은 ○표를, 틀린 것은 ×표를 하시오.

(1) '경험(사실) – 깨달음(의견)'의 구조로 내용이 전개되고 있다. ( )

(2) 둔마와 준마의 대조적 소재를 통해, 외물의 차이에 따른 심리 변화를 드러내고 있다. ( )

(3) 삶의 태도에 대한 경계와 권고의 의도를 드러내고 있다. ( )

2 초성 힌트를 보고 빈칸에 들어갈 알맞은 말을 쓰시오.

(1) 개인적 체험에서 얻은 깨달음을 사회적 차원으로 ㅇㅂㅎ 하고 있다.

(2) ㅁㅈ 의 말을 통해 오래도록 빌리고서 그것이 자기의 소유가 아니라는 것을 모르는 사람들에 대한 문제의식을 떠올리고 있다.

정답 1. (1) ○ (2) ○ (3) ○ 2. (1) 일반화 (2) 맹자

1등급! 〈보기〉!

「차마설」과 「무소유」 비교

> 우리들의 소유 관념이 때로는 우리들의 눈을 멀게 한다. 그래서 자기의 분수까지도 돌볼 새 없이 들뜨게 된다. 그러나 우리는 언젠가 한 번은 빈손으로 돌아갈 것이다. 내 이 육신마저 버리고 홀홀히 떠나갈 것이다. 하고많은 물량(物量)일지라도 우리를 어떻게 하지 못할 것이다.
> 크게 버리는 사람만이 크게 얻을 수 있다는 말이 있다. 물건으로 인해 마음을 상하고 있는 사람들은 한 번쯤 생각해 볼 교훈이다. 아무것도 갖지 않을 때 비로소 온 세상을 차지하게 된다는 것은 무소유의 역리(逆理)이니까.
> – 법정, 「무소유」

이 글은 자신의 체험을 바탕으로 소유욕이 가져다주는 비극을 전하고 있는 법정 스님의 수필로, 이곡의 「차마설」에서와 같이 무소유의 자세를 개인적 문제에 한정하지 않고 보편적인 사회 문제로까지 확장하여 서술하고 있다.

맹자의 「진심장구(盡心章句)」

'구가이불귀 오지기비유야(久假而不歸 烏知其非有也)'는 '오래도록 빌리고 돌아가지 않았으니, 어찌 그 자신이 가지고 있는 것이 아님을 알겠는가.'라는 의미이다.

인의(仁義)의 이름을 빌려 오랫동안 사적(私的)인 탐욕을 이루다 보면 자신이 탐욕을 추구하고 있다는 사실을 망각하고 인의를 추구하는 것으로 인식하게 되나, 이는 진정한 의미에서 인의를 추구하는 것이 아님을 경계하면서 참으로 가지고 있는 것이 아님을 말하고 있는 것이다.

「차마설」을 쓴 이곡은 이러한 구절의 의미를 '소유관'에 적용함으로써 소유에 대한 잘못된 인식이 있는 세상 사람들을 경계하고 소유의 허무함에 대해 언급하고 있다.

이옥설(理屋說) | 이규보

성격 경험적, 유추적, 교훈적 **시대** 고려 시대
주제 잘못을 미리 알고 바로 고쳐 나가는 태도

수필

이 글은 글쓴이가 행랑채를 수리하며 오래 방치한 행랑채와 서둘러 수리한 행랑채의 차이를 발견하고 깨달은 교훈을 전달하고 있는 한문 수필이다.

내용 전개 방식

체험
비가 새고 오래 방치한 행랑채보다 서둘러 수리한 행랑채의 수리 경비가 적게 듦.

→

깨달음
• 잘못을 알고도 고치지 않으면 몸이 패망하고, 제때 고치면 다시 착한 사람이 될 수 있음. • 백성에게 해가 되는 것은 때를 놓치지 않고 개혁해야 함.

전문

★★ 중심 소재

집에 오래 지탱할 수 없이 <u>퇴락한 행랑채</u> 세 칸이 있어서 나는 부득이 그것을 수리하게 되었다.
_{낡아서 무너지고 떨어진   대문간에 붙어 있는 집채}
이때 『앞서 그중 두 칸은 비가 샌 지 오래되었는데, 나는 그것을 알고도 어물어물하다가 미
_{」: 사실적 상황 제시(경험)   제때 적절한 조치를 취하지 않음}
처 수리하지 못하였고, 다른 한 칸은 한 번밖에 비를 맞지 않았기 때문에 급히 기와를 갈게 하
_{제때 적절한 조치를 취함}
였다. 그런데 수리하고 보니, 비가 샌 지 오래된 것은 서까래, 추녀, 기둥, 들보가 모두 썩어서
_{마룻대에서 도리 또는 보에 걸쳐 지른 나무   칸과 칸 사이의 두 기둥을 건너지르는 나무}
못 쓰게 되어 경비가 많이 들었고, 한 번밖에 비를 맞지 않은 것은 재목들이 모두 완전하여 다
시 쓸 수 있었기 때문에 경비가 적게 들었다.』   ▶ 퇴락한 행랑채를 수리한 경험

나는 여기에서 이렇게 생각한다. 사람의 몸에 있어서도 역시 마찬가지이다. 『잘못을 알고서
_{경험을 통해 깨달음을 얻음   행랑채 수리 경험에서 '사람의 몸'으로 생각을 확장함 – 깨달음을 통해서 의미를 유추함}
도 곧 고치지 않으면 몸이 패망하는 것이 나무가 썩어서 못 쓰게 되는 것과 같으며, 잘못을 알
_{잘못을 바로 고치는 태도의 필요성}
고 고치기를 꺼려하지 않으면 해(害)를 받지 않고 다시 착한 사람이 될 수 있으니,』 저 집의 재
_{「 」: 글쓴이의 의견 ① – 잘못을 알면서도 고치지 않으면 해가 되고 고치면 착한 사람이 될 수 있음}
목처럼 말끔하게 다시 쓸 수 있는 것이다.   ▶ 삶의 이치도 집의 행랑채와 같음을 깨달음

이뿐만 아니라, 『나라의 정사도 이와 마찬가지다. 백성에게 심한 해가 될 것을 머뭇거리고 개
_{경험에서 얻은 깨달음을 '나라의 정사'로 확장하여 적용함   「 」: 글쓴이의 의견 ② – 때를 놓치지 않고 개혁을 이루는 결단이 필요함}
혁하지 않다가, 백성이 못살게 되고 나라가 위태하게 된 뒤에 갑자기 변경하려 하면, 곧 붙잡
아 일으키기가 어렵다.』 어찌 삼가지 않을 수 있겠는가?   ▶ 시의적절한 정치 개혁의 필요성
_{설의법. 자신과 타인에 대한 경계의 태도}

최우선 **출제 포인트!**

1 잘못을 방치했을 때와 바로 고쳤을 때의 차이점

	오래 방치함.	제때 수리함.
행랑채	수리 경비가 많이 듦.	수리 경비가 적게 듦.
사람	잘못이 몸에 뱀.	다시 착한 사람이 됨.
정치	백성이 못살게 되고 나라가 위태해짐.	쉽게 고칠 수 있음.

2 이 글의 전개 방식

글쓴이는 행랑채를 수리한 경험을 통해서 잘못을 미루지 말고 바로 고쳐야 함을 깨닫는다. 그리고 이 깨달음을 사람의 경우로 유추해서 잘못을 즉시 고쳐야 한다는 교훈을 주고, 다시 이를 정치에 확대·적용하여 백성을 좀먹는 무리에 대한 대처를 미루지 말 것을 강조하고 있다.

최우선 **핵심 Check!**

1 다음 내용 중 맞는 것은 ○표를, 틀린 것은 ✕표를 하시오.

(1) 이 글은 글쓴이가 허구적으로 창작한 것이다. (   )

(2) 바른 삶을 살아가는 자세에 대해 말하고 있다. (   )

(3) 잘못을 알고 그것을 고쳐 나가는 자세의 중요성을 언급하고 있다.
(   )

2 초성 힌트를 보고 빈칸에 들어갈 알맞은 말을 쓰시오.

(1) 전반부에서는 개인의 경험을 예로 들고, 후반부에서는 ㄱㅎ 을/를 전하고 있다.

(2) 퇴락한 행랑채를 수리한 경험을 토대로 '사람의 몸'과 '나라의 정치'에 적용하면서 ㅇㅊ 의 방법을 사용하고 있다.

정답 1. (1) ✕ (2) ○ (3) ○ 2. (1) 교훈 (2) 유추

출제율 72%

53위

흥보가(興甫歌) | 작자 미상

성격 풍자적, 해학적, 교훈적 **시대** 조선 후기
주제 형제지간의 우애와 권선징악

판소리

이 작품은 조선 후기에 널리 불린 판소리의 사설이다. 선하지만 가난한 흥보와 부자이지만 악한 놀보를 통해 조선 후기 사회 현실의 문제점을 해학적, 풍자적으로 폭로하고 있다.

주요 사건과 인물

발단	전개	위기	절정	결말
놀보는 부모의 유산을 독차지하고 흥보 내외를 내쫓음.	흥보는 곡식을 꾸러 놀보의 집에 갔다가 매만 맞고 돌아오고, 가족의 생계를 위해 품팔이를 함.	흥보가 다리가 부러진 제비를 보고 고쳐 주자 제비가 박씨를 물어 옴.	박 속에서 금은보화가 나와 흥보는 부자가 되고, 이를 따라 한 놀보는 패가망신함.	흥보가 놀보에게 재물을 나누어 주고, 놀보가 개과천선하여 형제가 화목하게 삶.

흥보의 아내
선량하나 현실 인식이 빠르고 고난을 이겨 내고자 하는 인물

흥보
선량하고 정직하고 우애와 신의가 있으나 경제적으로 무능한 인물

놀보
탐욕과 심술로 가득 찬 악인으로, 신흥 부농층을 상징하는 인물

핵심장면 ① 흥보가 환자를 빌리러 관청에 갔다가 매품을 팔기로 하고 돈을 받아 오는 부분이다.

[자진모리]
섬세하면서도 명랑하고 차분한 느낌을 주는 장단 *상투를 틀 때 머리에 두르는 그물처럼 생긴 물건*

흥보가 들어간다. 흥보가 들어간다. 『흥보 치레를 볼작시면 편자 떨어진 헌 망건(網巾) 밥풀
꾸미어 모양을 냄 *벌이줄. 물건이 버틸 수 있도록 얽어매는 줄*
관자(貫子) 노당줄을 뒷통나게 졸라매고, 철대 부러진 헌 파립(破笠) 버레줄 총총 매어 조사갓
망건에 달아 당줄을 꿰는 고리 *해어지거나 찢어져 못 쓰게 된 갓* *낚싯줄로 만든 갓끈*
끈 달아 쓰고, 떨어진 헌 베 도포 열두 도막 이은 실띠 고픈 배 눌러 띠고, 한 손에다가는 떨어
진 부채 들고, 또 한 손에다가 곱돌 조대를 들고, 그래도 양반이라고 여덟팔자걸음으로 엇비
대나무나 진흙 등으로 담배통을 만든 담뱃대 *이리저리*
식이 들어간다.』『』: 양반 체면을 차려 구색은 맞추었지만 남루한 차림 ➤ 곡식을 빌리러 가는 상황에 체면을 차리는 흥보

[아니리]

흥보가 들어가며 별안간 걱정이 하나 생겼지. "내가 아모리 궁핍(窮乏)할망정 반남 박씨(潘
흥보에게 어떤 말투를 써야 할지 고민함 → 당시 신분제가 붕괴되고 있음을 엿볼 수 있음
南朴氏) 양반인듸 호방을 보고 허게를 하나, 존경(尊敬)을 할까. 아서라 말은 하되 끝은 짓지
하게. 상대를 낮추는 말투 *존댓말*
말고 웃음으로 얼리는 수밖에 없다." 질청으로 들어가니 호방이 문(門)을 열고 나오다가, "박
아전들이 업무를 보는 곳
생원(朴生員) 들어오시오.", "호방 뵌 지 오래군.", "어찌 오셨소.", "양도(糧道)가 부족(不足)
흥보 *일정한 기간 동안 먹고 살아 갈 양식*
해서 환자 한 섬만 주시면 가을에 착실히 갚을 테니 호방 생각이 어떨는지. 하하하.", "박 생
백성들에게 봄에 꾸어 주고 가을에 이자를 붙여 거두던 곡식 Link 반영된 사회상 ❶
원, 품 하나 팔아 보오.", "돈 생길 품이라면 팔고말고.", "다른 게 아니라, 우리 고을 좌수(座
삯을 받고 하는 일 *지방의 자치 기구인 향청의 우두머리*
首)가 병영 영문(兵營營門)에 잡혔는듸 좌수 대신 가서 곤장(棍杖) 열 대만 맞으면, 한 대에 석
병마절도사가 있던 관아 *당시에 매품팔이와 같은 부조리가 만연하고 민중의 생활이 어려웠음을 확인할 수 있음*
냥씩 서른 냥은 꼽아 논 돈이요. 마삯까지 닷 냥 제시했으니 그 품 하나 팔아 보오.", "돈 생길
★ 주요 소재 Link 반영된 사회상 ❷
품이니 가고말고. 매품 팔러 가는 놈이 말 타고 갈 것 없고 내 발로 다녀올 테니 그 돈 닷 냥을
나를 내여 주지." ➤ 곡식을 빌리는 대신 매품을 팔게 된 흥보

Link
출제자 투지 반영된 사회상을 파악하라!

❶ 양반인 흥보가 호방에게 말을 높일지 말지를 고민하는 것을 통해 알 수 있는 것은?
양반의 권위가 낮아지고 있음.

❷ 흥보에게 매품을 권하는 호방의 말을 통해 알 수 있는 당시의 시대 상황은?
사회적으로 부조리 만연했고, 민중의 생활이 어려웠음.

[중모리]

저 아전(衙前) 거동(擧動)을 보아라. 궤(櫃) 문을 절컥 열고 돈 닷
중앙과 지방의 관아에 속한 구실아치
냥을 내어 주니 흥보가 받아들고, "다녀오리다.", "평안(平安)히 다
녀오오." 박흥보가 좋아라고 질청문 밖에 썩 나서서, "돈 봐라 돈. 돈

봐라 돈 봐. 얼씨구나 돈 돈. 돈 봐라 돈. 이 돈을 눈에 옳게 보면『삼강오륜이 다 보이고, 만일
돈을 못 보면 삼강오륜이 끊어지니 보이는 게 돈밖에 또 있느냐.』떡국집으로 들어가서 떡국
『　』: 물질적 가치와 정신적 가치를 비교함으로써 물질적 가치가 우선시되는 현실 인식을 보여 줌
반 돈 어치를 사서 먹고 막걸릿집으로 들어를 가서 막걸리 서 푼어치를 사서 마시고 어깨를 느
리우고 입을 빼고, "대장부 한 걸음에 엽전 서른닷 냥이 들어간다. 우리 집을 어서 가자." 제
집으로 들어가며,『"여보게 마누라, 집안 어른이 어디 갔다가 집으로 들어오면 우루루루루루
쫓아 나와 영접허는 게 도리가 옳지. 계집이. 이 사람아 당돌히 앉아 있으면서 일어나지 않는
『　』: 모처럼의 가장 역할에 자부심을 드러냄과 동시에 가부장적 면모를 드러냄
것은 웬일인가. 에라 이 사람 요망하다."』   ➤ 매품을 팔기로 하고 집으로 돌아온 흥보

[중중모리]
흥취를 돋우거나 통곡하는 대목에서 많이 쓰는 장단
흥보 마누라 나온다. 흥보 마누라 나온다. "아이고 여보 영감. 영감 오신 줄 내 몰랐소. 어디
돈, 어디 돈허고 돈 봅시다, 돈 봐.",『"놓아두어라 이 사람아. 이 돈 근본(根本)을 자네 아나. 못
『　』: 오랜만에 돈을 얻은 흥보가 돈타령을 하며 기쁨을 드러냄
난 사람도 잘난 돈, 잘난 사람은 더 잘난 돈, 맹상군(孟嘗君)의 수레바퀴처럼 둥글둥글 생긴
제나라 때 사람으로, 재상이 되었을 때 천하의 인재를 초빙하여 식객이 삼천 명에 이르렀다고 함
돈, 생살지권(生殺之權)을 가진 돈, 부귀공명이 붙은 돈, 이놈의 돈아, 아나 돈아, 어디를 갔다
가 이제 오느냐. 얼씨구나 돈 봐. 어 어 어 얼씨구 돈 봐."』   ➤ 돈타령을 하며 기뻐하는 흥보와 흥보의 아내

[아니리]
이 돈 가지고 쌀 팔고 고기 사고 고기 죽을 누그름하게 열한 통이 되게 쑤어 가지고 각기 한
먹기에 좋을 만큼 눅눅하고 묽게
통씩 먹여 놓으니, 모두 식곤증이 나서 앉은 자리에 고자빠기잠을 자는데, 죽 국물이 코끝
나무를 벤 뒤 남은 밑동처럼 꼿꼿이 앉아서 자는 잠
에서 쇠죽 후주죽 내리듯 댕강댕강 떨어지것다. 흥보 마누라가 하는 말이, "여보 영감 그런디
물을 타지 않은 진한 술을 떠내고 재강에 다시 물을 부어 떠낸 술
이 돈이 무슨 돈이오? 어떻게 해서 생겨난 돈인지 좀 압시다.", "이 돈이 다른 돈이 아닐세. 우
리 고을 좌수가 병영 영문에 잡혔는데 대신 가서 곤장 열 대만 맞으면 한 대에 석 냥씩 준다기
돈의 출처 – 매품팔이의 대가임을 밝힘
에 대신 가기로 하고 삯으로 받아 온 돈이제." 흥부 마누라가 깜짝 놀라며, "소중한 가장 매품
팔아 먹고산단 말은 고금천지(古今天地)에 어디서 보았소."   ➤ 돈의 출처를 알게 된 흥보의 아내
예전부터 지금까지의 온 세상

[진양조]
Link 인물의 성격 ❶
"가지 마오 가지 마오, 불쌍한 영감, 가지를 마오. 천불생 무록지인이요 지부장 무명지초(地
하늘은 인연이 없는 사람을 세상에 내놓지 않는다는 뜻   땅은 쓸모없는 풀이 자라게 하지 않음
不長無名之草)라. 하늘이 무너져도 솟아날 궁기가 있는 법이니, 설마한들 죽사리까. 제발 덕
'구멍'의 방언
분에 가지 마오. 병영 영문 곤장 한 대를 맞고 보면 종신(終身) 골병(骨病)이 된답디다. 여보
목숨을 다하기까지의 동안
영감 불쌍한 우리 영감, 가지를 마오."   ➤ 매품 파는 것을 만류하는 흥보의 아내
반복을 통해 흥보 아내의 간절한 마음을 드러냄

[아니리]
흥보 자식들이 저의 어머니 울음소리를 듣고 물소리 들은 거위 모
물을 만난 거위 모양으로, 또 '반가워하며'의 의미
양으로 고개를 들고, "아버지 병영 가시오?", "오냐 병영 간다.", "아
버지 병영 갔다 오실 때 풍안(風眼) 하나 사다 주시오.", "풍안을 무
바람과 티끌을 막으려고 쓰는 안경
엇할래.", "뒷동산에 가서 나무할 때 쓰고 하면 먼지 한 점 안 들고
좋지요."

Link
출제자 특 인물의 성격을 파악하라!
❶ 매품을 팔러 가는 남편을 만류하는 것에서
알 수 있는 흥보 아내의 성격은?
마음이 여리고 남편에 대한 사랑이 지극함.
❷ 매품을 팔러 가는 아버지에게 각시를 사다
달라고 하는 큰아들의 성격은?
아버지의 상황은 고려하지 않은 채 자신의
욕심을 내세우는 모습에서 철이 없음이 드러남.
❸ 매품을 팔기 위해 병영에 당도해서 떨고 서
있는 흥보의 모습을 통해 드러낸 흥보의 성
격은?
소심하고 어수룩함.

흥보 큰아들놈이 나앉으며, "아이구 아버지.", "이 자식아, 너는 왜 또 부르느냐.", "아버지, 병영 갔다 오실 때 나 각씨(閣氏) 하나만 사다 주오!", "각씨는 무엇할래.", "아버지 어머니 재산(財産) 없어 날 못 여워 주니 데리고 막걸리 장사할라요."

각씨, 아내를 달리 이르는 말
Link 인물의 성격 ❷
『 』: 매품을 팔아야 하는 비극적인 상황에서 흥보의 자식들은 돈이 생길 것을 알고 철없는 부탁을 하고 있음
➤ 매품을 팔러 가는 흥보에게 철없는 부탁을 하는 자식들

[중모리]

아침밥을 끓여 먹고 병영 길을 나려간다. 허유허유 나려를 가며 신세(身世) 자탄(自嘆) 울음을 운다. 『아이고 아이고 내 신세야. 어떤 사람 팔자(八字) 좋아 부귀영화(富貴榮華)로 잘 사는

허위허위, 힘에 거워 힘들어하는 모양

『 』: 반복·대구 등으로 운율감이 느껴짐 – 판소리 사설의 특징　　　　　　운명론적 세계관

디 이놈의 신세는 어이하여 이 지경(地境)이 웬말이냐?』 병영 영문 당도하여 치어다보니 대장

각 군영의 대장이 군대를 지휘하는 데에 쓰던 군기

기(大將旗)요 나려 굽어보니 숙정패(肅靜牌)로구나. 심산맹호(深山猛虎) 위엄(威嚴) 같은 용자

사형을 집행할 때 떠들지 못하게 세우던 나무패　　　　　깊은 산 속의 사나운 범. 매우 사나운 위세나 그런 위세를 가진 사람을 이르는 말

(勇字) 붙인 군노 사령(軍奴使令)들이 이리 가고 저리 간다. 『그때에 박흥보는 숫한 사람이라

군사 업무를 맡아보던 관아에서 심부름하던 사내종　　　　순박하고 어수룩함

벌벌벌 떨면서 서 있구나.』 『 』: 흥보의 유약한 성격을 엿볼 수 있음

Link 인물의 성격 ❸
➤ 흥보의 신세 한탄과 매품을 팔 일에 대한 두려움

최우선 출제 포인트!

1 작품에 반영된 사회 상황

흥보는 호방을 만나면 하대를 할까 존대를 할까 고민함.	신분제가 붕괴하면서 양반의 권위가 약화함.
호방이 흥보에게 매품을 팔라고 권유함.	사회적으로 부조리가 만연하고 민중의 생활이 어려움.
흥보가 유교적 덕목들보다 돈을 우선시함.	상품 화폐 경제의 발달로 화폐의 힘이 세짐.

2 판소리 사설로서의 특징

자진모리	환자를 얻으러 병영으로 들어가는 흥보의 모습	한 내용을 길게 나열하거나 극적이고 긴박한 대목을 묘사할 때 주로 쓰임.
중중모리	오랜만에 돈을 얻어 기쁜 나머지 돈타령을 하는 흥보의 모습	흥취를 돋우거나 통곡하는 대목을 연출할 때 많이 쓰임.
진양조	흥보에게 매품팔이를 가지 말라고 만류하는 흥보 아내의 모습	가장 느린 장단으로, 사설의 전개가 느슨하고 애절한 대목에 주로 쓰임.

3 '매품팔이'의 의미

사회적 부패	돈으로 죄를 대신할 정도로 물질주의적 가치관이 팽배해진 사회상과, 법보다 우위에 있는 경제적 가치의 부상을 보여 줌.
생존의 방편	매품을 팔아야 생계를 이을 수 있을 정도로 절박했던 당시 서민들의 궁핍한 생활상을 보여 줌.

최우선 핵심 Check!

1 다음 내용 중 맞는 것은 ○표를, 틀린 것은 ×표를 하시오.

(1) 음성 상징어를 사용하여 생동감을 주고 있다. (　　)

(2) 조선 전기의 사회·경제적 상황을 반영하고 있다. (　　)

(3) 사투리를 사용하여 토속적인 정감을 불러일으키고 있다. (　　)

(4) 일상적 구어와 현재형 시제를 사용하여 현장감을 부여하고 있다. (　　)

2 초성 힌트를 보고 빈칸에 들어갈 알맞은 말을 쓰시오.

(1) 몰락 ㅇㅂ 의 실상과 서민들의 생활상을 사실적으로 드러내고 있다.

(2) 흥보는 자신을 맞이하지 않는 아내를 ㄱㅂㅈㅈ 위계질서를 근거로 질책하고 있다.

(3) 흥보 마누라는 ㅁㅍㅍㅇ 에 대해 부정적으로 생각하고 있다.

정답 1. (1) ○ (2) × (3) (4) ○　2. (1) 양반 (2) 가부장적 (3) 매품팔이

54위 수오재기(守吾齋記) | 정약용

성격 반성적, 성찰적, 교훈적 **시대** 조선 후기
주제 본질적 자아를 지키는 일의 중요성

수필

이 글은 글쓴이의 큰형이 자신의 서재에 붙인 '수오재'라는 이름의 의미를 바탕으로, 세상의 유혹이나 위협에 흔들리지 않고 자신의 본질적 자아를 지키는 것의 중요성을 강조하고 있는 한문 수필이다.

내용 전개 방식

기 (의문 제시) '수오재'라는 이름에 대해 의아해함.

승 (의문 해소) '나'는 잃어버리기 쉬우므로 꼭 지켜야 함을 깨달음.

전 (깨달음의 적용) 깨달음을 자신의 삶('나'를 잃었던 과거와 '나'를 찾은 현재)에 적용함.

결 (깨달음의 기록) 글의 집필 동기를 밝힘.

전문

수오재(守吾齋), 즉 '나를 지키는 집'은 큰형님이 자신의 서재에 붙인 이름이다. 나는 처음 그 이름을 보고 의아하게 여기며, '나와 단단히 맺어져 서로 떠날 수 없기로는 '나'보다 더한 게 없다. 비록 지키지 않는다 한들 '나'가 어디로 갈 것인가. 이상한 이름이다.'라고 생각했다.

장기로 귀양 온 이후 나는 홀로 지내며 생각이 깊어졌는데, 어느 날 갑자기 이러한 의문점에 대해 환히 깨달을 수 있었다. 나는 벌떡 일어나 다음과 같이 말했다.

"천하 만물 중에 지켜야 할 것은 오직 '나'뿐이다. 내 밭을 지고 도망갈 사람이 있겠는가? 그러니 밭은 지킬 필요가 없다. 내 집을 지고 달아날 사람이 있겠는가? 그러니 집은 지킬 필요가 없다. 내 동산의 꽃나무와 과실나무들을 뽑아 갈 수 있겠는가? 나무뿌리는 땅속 깊이 박혀 있다. 내 책을 훔쳐 가서 없애 버릴 수 있겠는가? 성현(聖賢)의 경전은 세상에 널리 퍼져 물과 불처럼 흔한데 누가 능히 없앨 수 있겠는가. 내 옷과 양식을 도둑질하여 나를 궁색하게 만들 수 있겠는가? 천하의 실이 모두 내 옷이 될 수 있고, 천하의 곡식이 모두 내 양식이 될 수 있다. 도둑이 비록 훔쳐 간다 한들 하나둘에 불과할 터, 천하의 모든 옷과 곡식을 다 없앨 수는 없다. 따라서 천하 만물 중에 꼭 지켜야만 하는 것은 없다.

그러나 유독 이 '나'라는 것은 그 성품이 달아나기를 잘하며 출입이 무상하다. 아주 친밀하게 붙어 있어 서로 배반하지 못할 것 같지만 잠시라도 살피지 않으면 어느 곳이든 가지 않는 곳이 없다. 이익으로 유혹하면 떠나가고, 위험과 재앙으로 겁을 주면 떠나가며, 질탕한 음악 소리만 들어도 떠나가고, 미인의 예쁜 얼굴과 요염한 자태만 보아도 떠나간다. 그런데 한번 떠나가면 돌아올 줄 몰라 붙잡아 만류할 수가 없다. 그러므로 천하 만물 중에 잃어버리기 쉬운 것으로는 '나'보다 더한 것이 없다. 그러니 꽁꽁 묶고 자물쇠로 잠가 '나'를 굳게 지켜야 하지 않겠는가?"

나는 '나'를 허투루 간수했다가 '나'를 잃은 사람이다. 어렸을 때는 과거 시험을 좋게 여겨 그 공부에 빠져 있었던 것이 10년이다. 마침내 조정의 벼슬아치가 되어 사모관대에 비단 도포를 입고 백주 대로를 미친 듯 바쁘게 돌아다니며 12년을 보냈다. 그러다 갑자기 상황

Link 출제자 톡! 글쓴이의 체험을 파악하라!

❶ '수오재'라는 이름에 대한 글쓴이의 반응은?
글쓴이는 '나'와는 떨어질 수 없음에도 지키라 한 것에 의아해함.

❷ 글쓴이의 과거의 모습과 현재의 모습은?
과거에는 공부와 벼슬길에 집중하여 '나'를 잃었으나, 현재는 귀양살이를 하며 '나'를 붙잡아 함께함.

이 바뀌어 친척을 버리고 고향을 떠나 한강을 건너고 문경 새재를 넘어 아득한 바닷가 대나무 _{벼슬길에서 쫓겨나 장기로 유배를 옴}

숲이 있는 곳에 이르러서야 멈추게 되었다. 이때 '나'도 땀을 흘리고 숨을 몰아쉬며 허둥지둥
Link 글쓴이의 체험 ❷

내 발뒤꿈치를 좇아 함께 이곳에 오게 되었다. 나는 '나'에게 말했다.
_{현상적 자아와 본질적 자아로 구분하여 서로 대화함 – 자아 성찰}

"너는 무엇 때문에 여기에 왔는가? 여우나 도깨비에게 홀려서 왔는가? 바다의 신이 불러서

왔는가? 너의 가족과 이웃이 소내에 있는데, 어째서 그 본고장으로 돌아가지 않는가?"
_{경기도 남양주시 조안면 능내리 마현 마을. 정약용의 생가가 있는 곳} ▶'나'를 지키지 못한 과거에 대한 반성

그러나 '나'는 멍하니 꼼짝도 하지 않고 돌아갈 줄을 몰랐다. 그 안색을 보니 마치 얽매인 게

있어 돌아가려 해도 돌아갈 수 없는 듯했다. 그래서 '나'를 붙잡아 함께 머무르게 되었다.
_{본질적 자아를 지켜 냄}

이 무렵, 내 둘째 형님 또한 그 '나'를 잃고 남해의 섬으로 가셨는데, 역시 '나'를 붙잡아 함께
_{글쓴이 정약용의 둘째 형인 정약전} _{흑산도로 유배를 감}

그곳에 머무르게 되었다. ▶ 귀양지에서 붙잡은 '나'

유독 내 큰형님만이 '나'를 잃지 않고 편안하게 수오재에 단정히 앉아 계신다. 본디부터 지키
_{글쓴이, 둘째 형님과 대비됨} _{본질적 자아}

는 바가 있어 '나'를 잃지 않으신 때문이 아니겠는가? 이것이야말로 큰형님이 자신의 서재 이

름을 '수오'라고 붙이신 까닭일 것이다. 일찍이 큰형님이 말씀하셨다.
_{본이름 외에 부르는 이름}

"아버지께서 나의 자(字)를 태현(太玄)이라고 하셨다. 나는 홀로 나의 태현을 지키려고 서재
_{심오하고 현명한 이치}

이름을 '수오'라고 하였다."

이는 그 이름 지은 뜻을 말씀하신 것이다.

맹자께서는 말씀하시기를, "무엇을 지키는 것이 큰일인가? 자신을
_{성현의 말을 인용하여 글쓴이의 주장을 강화하는 근거로 삼음}

지키는 것이 큰일이다."라고 하셨는데, 참되도다, 그 말씀이여!
Link 글쓴이의 깨달음 ❷

드디어 내 생각을 써서 큰형님께 보여 드리고 수오재의 기문(記文)
_{뜻을 기록한 문서}

으로 삼는다. ▶ 이 글을 쓴 이유

Link

출제자 특강 글쓴이의 깨달음을 파악하라!

❶ 글쓴이가 천하 만물 중 반드시 지켜야 한다
고 말한 것과 그 이유는?
'나'는 잃어버리기 쉽고 다시 찾기 어려우므
로 '나'를 지켜야 한다고 말함.

❷ 맹자의 말을 통해 글쓴이가 강조하고자 한
것은?
자신을 지키는 것이 중요함.

최우선 출제 포인트!

1 '나'를 지킨다는 것의 의미

글쓴이는 '나'를 본질적 자아와 현상적 자아로 구분하고 있는데, '나'를
지킨다는 것은 현상적 자아가 외부의 유혹과 위협에 흔들리지 않고 본
질적 자아를 지키는 것을 의미한다.

2 글쓴이의 체험과 깨달음

체험	깨달음
• 큰형님이 지은 서재 이름인 '수오재'에 대해 의문을 가짐. • 공부에 힘써 벼슬길에 올랐으나, 결국 귀양을 가게 됨.	→ '나'를 지킨다는 것의 의미를 깨달음.
• '나'는 '나'와 떨어질 수 없는 것이라 여김. • 공부와 벼슬길에서 '나'를 잃었으나, 귀양지에서 '나'를 찾음.	본질적 자아와 현상적 자아가 친밀하게 결합된 것 같지만, 본질적 자아는 위협과 유혹에 약하여 잃어버리기 쉬우므로 단단히 지켜야 함.

최우선 핵심 Check!

1 다음 내용 중 맞는 것은 ○표를, 틀린 것은 ×표를 하시오.

(1) 구체적 사례를 들어 작가의 생각을 뒷받침하고 있다. (　　)

(2) 인물 간의 갈등을 통해 글쓴이의 처지를 부각하고 있다. (　　)

(3) 장기로 오기 전 공간에서의 삶은 글쓴이에게 반성적 성찰의 대상이다.
(　　)

(4) 글쓴이의 형제 중 '나'를 지킨 것은 둘째 형님이다. (　　)

2 초성 힌트를 보고 빈칸에 들어갈 알맞은 말을 쓰시오.

(1) '천하 만물'과 '나'를 ㄷㅈ 하여 지켜야 할 대상을 강조하고 있다.

(2) 글쓴이는 귀양지에서 ㅅㅇㅈ 의 의미를 깨닫고, 자신의 삶을 반성하는
모습을 보인다.

정답 1. (1) ○ (2) × (3) ○ (4) × 2. (1) 대조 (2) 수오재

일야구도하기
(一夜九渡河記) | 박지원

출제율 65%

55위

성격 체험적, 사색적, 교훈적 **시대** 조선 후기
주제 바깥 사물(외물)에 현혹되지 않는 삶의 자세.
마음을 다스리는 일의 중요성

수필

이 글은 글쓴이가 청나라에 다녀온 경험을 쓴 『열하일기』에 실려 있는 기행 수필로, 밤중에 한 강을 아홉 번
건넌 경험을 통해 깨달은 삶의 이치가 담겨 있다.

내용 전개 방식

 기
마음의 상태에 따라 물소리가 다르게 들림.

 승
낮에는 보이는 것에 대한 두려움, 밤에는 소리에 대한 두려움 때문에 물소리가 다르게 들림.

 전
이목에 구애됨이 없는 자세를 통해서 두려움을 극복함.

 결
인생의 길을 걸을 때도 외물에 현혹되는 것을 경계해야 함을 강조함.

전문

『강물은 두 산 사이에서 쏟아져 나와, 바윗돌과 부딪치며 거세게 다툰다. 그 화들짝 놀란 듯한
「 」: 강물의 세찬 기세 – 다양한 수사법으로 강물 소리를 역동적으로 표현함
파도, 분노를 일으키는 듯한 물결, 슬피 원망하는 듯한 여울은 내달아 부딪치고 휘말려 곤두
강이나 바다의 바닥이 얕거나 폭이 좁아 물살이 세게 흐르는 곳
박질치며 울부짖고 고함치는 듯하여, 항상 만리장성을 쳐부술 듯한 기세를 지니고 있다.』『만
대의 전차(電車), 만 마리의 전투 기병대, 만 수레의 전투 대포, 만 개의 전투 북으로도, 무너
「 」: 전쟁터를 방불케 하는, 강물의 요란한 물소리
져 내려앉고 터져 나오며 짓누르는 저 강물의 소리를 비유하기에 부족하다.』

백사장에는 거대한 바윗돌이 우뚝하게 늘어서 있고, 강둑에는 버드나무들이 어두컴컴하여
흡사 물귀신들이 다투어 나와 잘난 체 뽐내는 듯하고, 좌우에서 이무기들이 사람을 낚아채려
전설상의 동물로 뿔이 없는 용. 여러 해 묵은 큰 구렁이를 이름
고 애쓰는 듯하다.

어떤 이가, "이곳은 옛 전쟁터이기 때문에 강물 소리가 그런 것이다."라고 한다. 그러나 이
★★ 중심 소재
물소리가 거센 이유에 대한 세상 사람들의 생각
는 그런 까닭이 아니다. 무릇 강물 소리란 듣는 사람이 어떻게 듣느냐에 달려 있을 뿐이다.
물소리는 듣는 이의 마음에 따라 달라진다는 글쓴이의 생각을 강조함
『내가 사는 연암협(燕巖峽) 산중에는 집 앞에 큰 개울이 있다. 해마다 여름철이 되어 소낙비
황해도 금천에 있는 두메산골로 글쓴이가 은거했던 곳
가 한차례 지나가면 개울물이 갑자기 불어서 언제나 수레 소리, 말 달리는 소리, 대포 소리,
「 」: 글쓴이의 경험 – 깨달음의 근거 제시
북소리를 듣게 되어 마침내는 아주 귀에 탈이 생길 지경이었다.

나는 예전에 방문을 닫고 누워서 그 소리를 다른 비슷한 소리들에 견주어 보며 들은 적이 있
었다. 솔숲에 바람이 불 때 나는 듯한 소리, 이는 계곡물 소리를 청아하게 들은 경우다. 산이
Link 글쓴이의 체험 ❶
갈라지고 언덕이 무너지는 듯한 소리, 이는 흥분해서 들은 경우다. 개구리 떼가 다투어 우는
듯한 소리, 이는 우쭐해서 들은 경우다. 만 개의 축(筑)이 연거푸 울리는 듯한 소리, 이는 분노
비파
하면서 들은 경우다.

순식간에 천둥 번개가 치는 듯한 소리, 이는 깜짝 놀라서 들은 경우다. 찻물이 때론 약하게
때론 세게 끓는 듯한 소리, 이는 운치 있게 들은 경우다. 거문고의
낮고 높은 가락이 잘 어우려져 나는 듯한 소리, 이는 슬퍼하면서 들
은 경우다. 한지를 바른 창문이 바람에 우는 듯한 소리, 이는 혹시
누가 왔나 하면서 들은 경우다. 그런데 이는 모두 소리를 올바로 들
Link 글쓴이의 깨달음 ❶
선입견은 사물의 본질을 파악하는 데 방해가 됨
은 것이 아니요, 다만 마음속에 가상(假想)한 바에 따라 귀가 소리를

Link

출제자 특 **글쓴이의 체험을 파악하라!**

❶ 글쓴이가 연암협에서 들은 물소리가 각각
달랐던 이유는?
물소리를 듣는 마음이 각각 달랐기 때문에
(다른 비슷한 소리에 견주어 보며 들었기 때
문에)

❷ 이 글의 집필 동기가 된 글쓴이의 체험은?
한밤중에 강물을 아홉 번 건넌 것

지어낸 것일 뿐이다.

▶ 강물 소리는 듣는 사람의 마음에 따라 다르게 들림

　오늘 나는 한밤중에 한 가닥 강물을 이리저리 아홉 번이나 건넜다. 강물은 장성 밖의 변방에
'일야 구도하기'라는 제목을 붙인 이유　　　Link 글쓴이의 체험 ❷　　　만리장성
서 흘러들어와 장성을 뚫고 유하(楡河)와 조하(潮河), 황화진천(黃花鎭川) 등 여러 가닥의 강
물이 한군데 모여 밀운성(密雲城) 아래를 지나서 백하(白河)가 된다. 나는 어제 배로 백하를
　　　　　열하성의 경조운에 있는 지명　　　　　　　　발해만으로 흐르는 강
건넜는데, 백하가 바로 이 강의 하류였다.

　내가 처음 요동에 들어섰을 때 바야흐로 한여름이라 뙤약볕 속을 가는데, 갑자기 큰 강이 앞
　　　　중국 요하의 동쪽 지방　　　　　　　계절적·시간적 배경
을 가로막으면서 시뻘건 물결이 산더미같이 일어나 끝이 보이지 않았다. 이는 아마 천 리 너
머 먼 지역에 폭우가 내린 까닭이다.

　강물을 건널 적에 사람들이 모두 고개를 쳐들고 하늘을 향해 속으로 기도를 드리나 보다 하
　　　　　　　　　　　　물을 보는 것에 대한 두려움 때문에
였다. 한참 뒤에야 알았지만, 강을 건너는 사람이 물을 살펴보면 물이 소용돌이치고 용솟음치
니, 『몸은 물을 거슬러 올라가는 듯하고 눈길은 물살을 따라 흘러가는 듯하여, 곧 어지럼증이
『　』: 낮에 사람들이 물을 건널 때 하늘을 보는 이유
나서 물에 빠지게 된다.』 그러니 저 사람들이 고개를 쳐든 것은 하늘에 기도를 드리는 것이 아
니요, 물을 외면하고 보지 않으려는 짓일 뿐이었다. 어느 겨를에 경각에 달린 생명을 위하여
기도를 드릴 경황인들 있을 것이랴.

　이토록 위험하다 보니 물소리를 듣지 못하고, 『모두들 말하기를 '요동의 벌판은 넓고 편편하
　　　　　　　　　　　　　　　　　　　　　　　　　　　　　물건의 표면이 높낮이가 없어 매우 평평하고 너르기
기 때문에 물소리가 요란하게 나지 않는다.'라고 한다.』 이는 강을 몰라서 하는 말이다. 요하가
　　　　　　　　　『　』: 현상의 본질을 제대로 파악하지 못한 태도
소리를 내지 않은 적이 없건만, 단지 밤중에 건너지 않았기 때문이다. 낮에는 물을 살펴볼 수
있으므로 눈은 오직 위험한 데만 쏠려, 한창 벌벌 떨면서 눈으로 보는 것을 걱정하고 있는 판
　　　　　　낮에는 거친 물살에 시선을 빼앗겨 물소리를 미처 듣지 못함
인데, 어찌 귀에 소리가 다시 들리겠는가?　　　　　　　　　　　　　　　▶ 낮에 강을 건널 때와 밤에 강을 건널 때의
　　　　　　　　　　　　　　　　　　　　　　　　　　　　　　　　　상황 - 대조적

　오늘 나는 밤중에 물을 건너는지라 눈으로는 위험을 볼 수 없으니 그 위험은 오로지 듣는 데
　　　　　　　　　　밤에는 눈에 보이는 것이 없어, 물소리에 온 정신이 집중됨
만 쏠려 귀가 바야흐로 무서워 부들부들 떨면서 그 걱정을 이기지 못하게 되었다.

　나는 마침내 이제 도(道)를 깨달았도다! 마음에 잡된 생각을 끊은 사람, 곧 마음에 선입견
　　　　　　　　　　　　　바깥 사물에 현혹되지 않는 삶의 필요성
을 품지 않는 사람은 육신의 귀와 눈이 탈이 되지 않거니와, 귀와 눈을 믿는 사람일수록 보
　　　　　　　선입견을 품지 않는 사람은 바깥 사물에 현혹되지 않음
고 듣는 것을 더 상세하게 살피게 되어 그것이 결국 더욱 병폐를 만들어 낸다는 사실을.
　　　　　　귀와 눈에 집착하는 사람은 본질을 놓치게 됨　　　　　　　Link 글쓴이의 깨달음 ❷

　방금 내 마부인 창대가 말에게 발이 밟혀서 뒤따라오는 수레에 그를 태웠다. 나는 하는 수
없이 말의 고삐를 늦추어 혼자 말을 타고 강물에 들어갔다. 무릎을 굽혀 발을 모으고 안장 위

Link

출제자 (특) 글쓴이의 깨달음을 파악하라!

❶ 글쓴이가 생각한, 사람들이 바른 소리를 듣
지 못하는 까닭은?
마음속에 어떤 소리라고 이미 설정해 놓고
귀가 그렇게 듣기 때문에(선입견에 좌우됨.)

❷ 강을 건넌 후, 글쓴이가 깨달은 '도'의 내용
은?
선입견을 품거나, 귀와 눈에 집착하면 본질
을 놓치게 됨.(외부에 현혹되지 않는 삶의
태도의 중요성)

에 앉았으니, 한 번만 까딱 곤두박질치면 그대로 강바닥이다. 강물
　　　　　　　　　관련 한자 성어: 명재경각(命在頃刻), 풍전등화(風前燈火), 누란지위(累卵之危)
을 땅으로 생각하고, 강물을 옷이라 생각하며, 강물을 내 몸이라 생
각하고, 강물을 내 성품과 기질이라고 생각하며, 마음속으로 까짓것
　　　　　　　　　　　물아일체(物我一體)의 경지
한 번 떨어지기를 각오했다. 그랬더니 내 귓속에는 강물 소리가 드디
　　　　　　　　　　　　　　　　　죽음에 대한 두려움에서 벗어남
어 없어져 무릇 아홉 번이나 강물을 건너는데도 아무런 근심이 없었
　　　　　　　　　　이목(耳目)에 현혹되지 않음
다. 마치 안석 위에 앉거나 누워서 지내는 듯하였다.
　　　벽에 세워 놓고 앉을 때 몸을 기대는 방석　　　　　▶ 귀와 눈에 현혹되지 않음으로써 두려움을 극복함

『옛적에 우(禹)임금이 강을 건너는데, 황룡(黃龍)이 배를 등에 업는 바람에 몹시 위험하였다.
  ────────
  중국 하나라의 시조
그러나 죽고 사는 문제에 대한 판단이 먼저 마음속에 분명해지자, 그의 앞에서는 용인지 도마
       ─────────────────
       생사에 연연하지 않고 마음을 다스림
뱀붙이든 대소를 논할 것이 못 되었다.』
           『 』: 고사를 인용하여 설득력을 강화함
  소리와 빛깔이란 나의 외부에 있는 사물이다. 이러한 외부의 사물이 항상 귀와 눈에 누를 끼
              ──────
              외물(外物)
쳐서, 사람이 올바르게 보고 듣지 못하게 만든다.『더구나 한세상 인생살이를 하면서 겪는 그
            ─────────────────   『
            본질을 제대로 파악하지 못하게 함   『 』: 강을 건너며 얻은 깨달음이 인생살이로 확장됨
험하고 위태함은 강물보다 훨씬 심하여, 보고 듣는 것이 문득문득 병폐를 만듦에 있어서랴.』
                                        ───────────────────────────────────────
                                        병통과 폐단을 아울러 이르는 말로, 어떤 일로 인해 나타나는 부정적인 경향이나 현상
  내가 장차 연암협 산골짝으로 돌아가 다시 앞 시냇물 소리를 들으면서 이를 시험해 보리라.
                                          ──────────────────────────────────
                                          감각에 현혹되지 않으면 사물의 본질을 파악할 수 있는 것
또한, 자기만 유익하게 하는 처신에 밝고, 자신의 총명만을 믿는 사람에게 이를 가지고 경고
                                   ──────────
                                   글쓴이의 집필 의도
하노라.
                                              ❯ 바깥 사물에 현혹되는 이들에 대한 경계

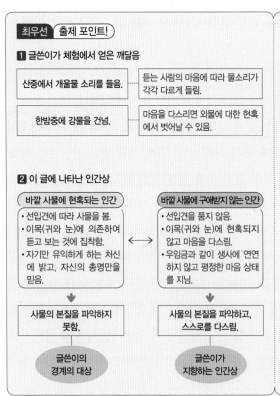

최우선 **출제 포인트!**

1 글쓴이가 체험에서 얻은 깨달음

산중에서 개울물 소리를 들음.	듣는 사람의 마음에 따라 물소리가 각각 다르게 들림.
한밤중에 강물을 건넘.	마음을 다스리면 외물에 대한 현혹에서 벗어날 수 있음.

2 이 글에 나타난 인간상

바깥 사물에 현혹되는 인간	바깥 사물에 구애받지 않는 인간
• 선입견에 따라 사물을 봄. • 이목(귀와 눈)에 의존하여 듣고 보는 것에 집착함. • 자기만 유익하게 하는 처신에 밝고, 자신의 총명함을 믿음.	• 선입견을 품지 않음. • 이목(귀와 눈)에 현혹되지 않고 마음을 다스림. • 우임금과 같이 생사에 연연하지 않고 평정한 마음 상태를 지님.
↓	↓
사물의 본질을 파악하지 못함.	사물의 본질을 파악하고, 스스로를 다스림.
↓	↓
글쓴이의 경계의 대상	글쓴이가 지향하는 인간상

3 표현상 특징

경험 + 깨달음	자신의 경험에서 깨달은 삶의 이치를 제시함.
다양한 사례 제시	듣는 이의 마음가짐에 따라 소리가 다르게 들리는 다양한 사례를 제시함.
대조적 상황 제시	낮에 강 건널 때와 밤에 강 건널 때의 상황을 대조함.
고사 인용	우임금의 고사 등을 인용하여 설득력을 강화함.

최우선 **핵심 Check!**

1 다음 내용 중 맞는 것은 ○표를, 틀린 것은 ×표를 하시오.

(1) 비유적 표현을 통해 대상으로부터 느낀 상념을 표현하고 있다.
( )
(2) 설의적 표현을 사용하여 강과 관련된 자신의 생각을 강조하고 있다.
( )
(3) 글쓴이는 물소리와 관련된 자신의 경험을 시간의 흐름에 따라 차례대로 언급하였다.
( )

2 초성 힌트를 보고 빈칸에 들어갈 알맞은 말을 쓰시오.

(1) 강을 건넌 후의 ㄱㅇ이/가 자신의 깨달음에 미친 영향을 제시하고 있다.
(2) 글쓴이는 듣는 사람의 ㅁㅇ에 따라 물소리가 다르게 들린다고 여기고 있다.

출제율 65%

56위

고구려의 시조 '동명 성왕'의 이름

주몽 신화(朱蒙神話) | 작자 미상

성격 신화적, 서사적, 영웅적 **시대** 상고 시대
주제 고구려의 건국 과정

설화

이 작품은 비정상적인 출생과 비범한 능력 때문에 시련을 겪던 주몽이 시련을 딛고 일어서서 고구려의 시조가 되는 과정을 보여 주는 건국 신화이다.

내용 전개 방식

기	승	전	결
천신의 아들인 해모수와 강물의 신인 하백의 딸 유화의 결합으로 주몽이 태어남.	알에서 태어난 주몽은 뛰어난 능력을 발휘하고 특히 활을 매우 잘 쏨.	금와왕의 아들들이 주몽을 시기하여 죽이려고 하자, 주몽의 어머니는 주몽으로 하여금 몸을 피하여 큰일을 도모하게 함.	주몽은 하늘의 도움으로 위기를 극복하고 고구려를 건국함.

핵심장면 ① 비정상적 출생과 출중한 능력 때문에 주위의 시기를 받아 주몽이 시련을 겪는 부분이다.

금와왕은 해모수의 부인임을 알고 별궁(別宮)에 두었는데, 『유화의 품으로 햇빛이 밝게 비치
동부여의 왕   유화   천신의 아들   특별히 따로 지은 궁전   강물의 신인 하백의 딸   하늘과의 연관성을 보여 줌

었다. 그로 인해 유화는 임신을 했으며 신작(神雀) 4년 계해(癸亥) 하사월(夏四月)에 주몽(朱
태어나자마자 비범한 모습을 보임

蒙)을 낳았다. 그 울음소리가 매우 크고 기골이 영웅다웠으며 기이했다.』
『 』: '햇빛'은 '하늘'을 지칭하는 것으로 햇빛을 받아 출생한 주몽이 하늘의 자식임을 의미함   ★ 주요 소재

유화가 주몽을 낳을 때의 일이다. 왼편 겨드랑이로 알을 하나 낳았는데 크기가 닷 되들이만
난생 설화 – 주몽의 신이한 탄생, 주몽의 신성성 부각

하였다. 금와왕이 이를 괴이히 여겨 말하되,
Link 인물의 특징 ❶

"사람이 새알을 낳는 것은 상서롭지 못하다."

하고 사람을 시켜 이 알을 마구간에 버렸으나 여러 말들이 밟지 않았다. 또 깊은 산에 버렸으
『 』: 기아 모티프 – 온갖 짐승이 주몽의 탄생을 돕는 것을 통해 주몽의 신성성을 부각시킴

나 모든 짐승이 보호했다. 구름 낀 날에도 그 알 위에는 언제나 햇빛이 있었다.』 그리하여 왕이
주몽과 하늘의 연관성   **Link** 인물의 특징 ❷

알을 가져다가 그 어미에게 돌려주었다. 마침내 껍질을 깨고 한 사내아이가 나왔는데, 한 달
유화   새로운 세계의 도래 상징 – 주몽이 새로운 국가를 건설할 것임을 상징함

이 못 되어 말을 정확하게 하였다. 아이는 어머니에게,
신화에서 나타나는 영웅의 비범함   ★ 주요 소재

"파리들이 눈을 물어서 잠을 잘 수가 없으니 어머니는 나를 위해 활과 화살을 만들어 주십시오."

라고 하였다. 이에 갈대로 활과 화살을 만들어 주자 이것으로 물레 위의 파리를 쏘았는데, 쏘는

족족 맞혔다. 부여에서 활 잘 쏘는 사람을 주몽이라 했으므로 그의 이름을 주몽이라 불렀다.
주몽의 탁월한 능력   '주몽'이라는 이름의 유래   **Link** 인물의 특징 ❸

나이가 많아지자 재능이 다 갖추어졌다.   ➤ 주몽의 신이한 탄생과 비범한 능력

금와왕에게 아들 일곱이 있었는데 항상 주몽과 함께 놀며 사냥하였다. 왕자와 종자 40여 명

이 사슴 한 마리를 겨우 잡는 동안에 주몽은 사슴을 쏘아 잡은 것이 아주 많았다. 왕자들이 이
금와왕의 아들들이 주몽을 미워하게 되는 계기

를 질투하여 주몽을 나무에 묶어 놓고 사슴을 빼앗아 갔는데 주몽은 나무를 뽑아 버리고 돌아

왔다. 부여 왕의 맏아들 대소(帶素)가 왕에게 말하되,
주몽에게 시련을 주는 존재

Link
출제자 톡! 인물의 특징을 파악하라!

❶ 주몽의 비정상적인 출생에 해당하는 내용은?
알의 형태로 태어남.

❷ 금와왕이 버린 알을 새와 짐승이 보호하는 것을 통해 알 수 있는 것은?
주몽이 매우 신성한 존재임을 암시함.

❸ 주몽이라는 이름의 뜻은?
활을 잘 쏘는 사람

『"주몽은 신통하고 용맹한 장사여서 눈길이 남다르니 만약 일찍 죽
『 』: 대소가 주몽을 시기함 – 이후 주몽이 겪게 될 고난과 시련을 암시함

이지 않으면 반드시 후환이 있을 것입니다."』   ➤ 대소의 시기

왕은 주몽에게 말을 기르게 하여 그 뜻을 시험해 보고자 했다. 주

몽은 속으로 한을 품고 어머니에게 이르되,

"저는 천제의 손자로 태어나 다른 사람을 위해 말을 먹이고 있으니

사는 것이 죽는 것만 못합니다. 남쪽 땅으로 가서 나라를 세우고자 하나 어머니가 계시기에 감히 마음대로 못 하겠습니다."

하였다. 그 어머니가 말하되,

"이는 내가 밤낮으로 걱정하던 바다. 내가 듣기로 먼 길을 가는 사람은 모름지기 좋은 말이 있어야 한다고 했으니 내가 말을 골라 주겠다."

하고는 말 기르는 데로 가서 긴 채찍으로 말을 마구 때렸다. 여러 말들이 놀라 달리는데 그중에 붉은 말 한 마리가 두 길이나 되는 난간을 뛰어넘었다. 주몽은 그 말이 준마임을 알고 <u>몰래 말의 혀뿌리에 바늘을 찔러 놓으니</u> 그 말은 혀가 아파 물과 풀을 먹지 못하고 점점 야위었다.
<small>좋은 말을 얻기 위한 주몽의 계책</small>
왕이 목마장을 순행하다가 여러 말이 모두 살찐 것을 보고 크게 기뻐하며 상으로 야윈 말을 주몽에게 주었다. 주몽이 이를 얻어 바늘을 뽑고 더욱 잘 먹였다.

❯ 주몽의 지혜

핵심장면 ② 주몽이 하늘의 도움을 받아 자신을 추격하던 병사들을 뿌리치고 남쪽 졸본에 이르러 고구려를 세우는 부분이다.

주몽은 오이(烏伊), 마리(摩離), 협보(陜父) 등 세 사람과 같이 남쪽으로 가서 압록강 동북쪽
<small>주몽을 돕는 조력자</small>
에 있는 개사수(蓋斯水)에 이르렀다. 하지만 건널 배가 없었다. 부여의 병사들이 쫓아오는 것
<small>위기와 시련</small> <small>Link 소재의 의미 ❶</small>
이 걱정되어 채찍으로 하늘을 가리키며 말하되,

"나는 천제의 손자요, 하백의 외손으로 지금 난을 피해 여기에 이르렀으니 황천후토(皇天后
<small>주몽의 고귀한 혈통 – 영웅의 일대기적 특성</small>   <small>하늘의 신과 땅의 신</small>
土)는 나를 불쌍히 여겨 급히 배와 다리를 보내소서." <small>Link 소재의 의미 ❷</small>
                                                     <small>★ 주요 소재</small>   <small>전기적 요소</small>
하며 활로써 물을 쳤다. 『이에 <u>물고기와 자라들</u>이 떠올라 다리를 만들어 건널 수 있었다. 곧 추
<small>주몽이 위기와 시련을 극복할 수 있도록 돕는 조력자</small>   <small>Link 소재의 의미 ❸</small>
격하던 병사들이 이르렀지만 물고기와 자라의 다리가 없어지면서 다리로 올라섰던 자가 모두
물에 빠져 죽었다.』 『 』: 어별성교(魚鼈成橋) 화소 – 물의 신 하백의 혈통인
                          주몽의 신성성이 부각됨   ❯ 건국을 위한 탈출에 성공한 주몽

주몽이 어머니와 이별할 때 차마 떨어지지 못하니 그 어머니가 말하되,

"너는 어미를 염려하지 말라."

하고는 오곡의 씨앗을 싸서 주었다. 하지만 주몽이 생이별하는 마음이 간절하여 그만 보리 씨
<small>유화는 땅을 풍부하게 하는 신의 성격을 지니고 있음</small>
앗을 잊어버리고 왔다. 주몽이 큰 나무 아래서 쉬고 있을 때 비둘기 한 쌍이 날아왔다. 주몽은,

"응당 이것은 신모(神母)께서 보리씨를 보내는 것이리라."
<small>주몽의 어머니인 유화를 가리킴</small>
라고 말하고는 활을 당겨 이를 쏘아 한 번에 잡아서 목구멍을 열고
보리씨를 꺼낸 다음 비둘기에게 물을 뿜으니 비둘기가 다시 살아나
                                        <small>전기적 요소</small>
서 날아갔다. 이에 주몽은 띠자리 위에 앉아 임금과 신하의 위계를
                          <small>띠풀을 엮어 만든 방석으로, 지위의 높고 낮음을 표시하는 도구</small>
정한 뒤 나라를 세웠다.

❯ 어려움을 극복하고 나라를 세운 주몽

Link
출제자 톡 소재의 의미를 파악하라!

❶ '개사수'의 상징적 의미는?
병사들에게 쫓기던 주몽이 개사수에 가로막혀 죽음의 위기에 맞닥뜨리고 있으므로, 개사수는 장애물을 상징한다고 볼 수 있음.

❷ 위기에 처한 주몽이 스스로 '천제의 손자요, 하백의 외손'이라고 말한 이유는?
자신의 고귀한 혈통을 밝혀 시련을 극복하기 위해

❸ '물고기'와 '자라'의 주된 역할은?
위기 상황에 주인공 주몽을 돕는 조력자

1 '주몽'이라는 영웅의 일대기 구조

고귀한 혈통	천제의 아들인 해모수와 강물의 신 하백의 딸인 유화 사이에서 태어남.
비정상적인 출생	유화가 햇빛을 받고 잉태하여 낳은 알에서 태어남.
기아와 구출	금와왕이 알의 형태로 태어난 주몽을 버리자 새와 짐승들이 알을 보살펴 줌.
비범한 능력	골격과 외모가 영특하고 기이하며, 백발백중하는 활 솜씨를 갖춤.
고난과 시련	금와왕의 아들들이 천대하고 죽이려 하자 도망하여 개사수에 이르나 배가 없어 길이 막힘.
위기의 극복과 위업 성취	물고기와 자라의 도움으로 탈출에 성공하고 졸본에 이르러 고구려를 건국함.

2 '알'에서 태어난 '주몽'의 신화적 상징성

유화의 품으로 햇빛이 비쳐 유화가 잉태하여 알을 낳음.	주몽이 태양의 정기와 하늘의 기운을 받았음을 의미함.
알 자체가 하나의 생명체이면서 다시 태어나는 것을 전제함.	주몽이 새로운 세계(국가)를 건설할 것임을 상징함.
금와왕이 알을 버리지만 새와 짐승이 그 알을 보호함.	주몽이 매우 신성한 존재임을 암시함.

3 '해모수'와 '유화'의 결합이 지니는 의미

천제의 아들 해모수와 물을 다스리는 하백의 딸 유화의 결합은 천신(天神)과 수신(水神)의 결합을 의미한다. 이 둘의 결합으로 인한 유화의 임신과 출산에 얽힌 고난은 새로운 세계의 탄생이 힘겨움을 상징적으로 보여 준다. 또한 이는 고구려 건국의 의미가 천손에 의한 신성성과 농업신의 자손으로서 국가의 풍요를 지니고 있음을 드러내는 것이기도 하다. 아울러 해모수와 유화의 결합으로 인해 탄생한 주몽이 활쏘기와 말타기에 능했다는 것, 물이 농사를 지을 때 매우 중요한 것이라는 점을 고려하면, 주몽이 유목 민족과 농경 민족을 모두 아우르는 지도자였음을 알 수 있다.

4 '유화'의 역할

이 작품에서 유화는 주몽 다음으로 비중이 높은 인물이다. 유화는 남편과 헤어지거나 금와왕의 궁정에 갇히는 등 시련을 겪으면서도 아들 주몽을 지켜낸다. 게다가 주몽이 영웅적 인물로 성장하는 데 훌륭한 조력자 역할을 한다. 이전까지의 건국 신화에서는 강인함과 뛰어난 능력으로 최고의 지위에 오르는 남성에 비해, 여성은 협력하고 인내하는 보조자의 역할에 국한되어 있었다. 그러나 이 작품에서 유화는 슬기롭고 인내심이 강하며 강인한 여성으로서의 면모를 보여 주고 있다.

1 다음 내용 중 맞는 것은 ○표를, 틀린 것은 ×표를 하시오.

(1) 전승되는 자연물의 유래를 구체적으로 설명하고 있다. ( )

(2) 실존했던 인물을 해학적으로 묘사하여 제시하고 있다. ( )

(3) 금와왕이 알을 내다 버렸을 때 새나 짐승이 알을 보호한 것은 알 속에 잠재된 생명이 고귀한 존재임을 의미하고 있다. ( )

2 초성 힌트를 보고 빈칸에 들어갈 알맞은 말을 쓰시오.

(1) 주몽이라는 ○○적 인물의 출생과 행적을 일대기 형식으로 서술하고 있다.

(2) 주몽의 건국과 관련된 사건들이 ㅅㄱ의 흐름에 따라 서술되어 있다.

정답 1. (1) × (2) × (3) ○ 2. (1) 영웅 (2) 시간

「주몽 신화」와 「단군 신화」 → 우리책 144위(단군 신화)

		주몽 신화	단군 신화
공통점		• '천제 – 해모수 – 주몽', '환인 – 환웅 – 단군'이라는 삼대기 구조를 보임. • 하늘과 땅의 결합으로 국가가 탄생함. • 새로운 국가를 건설한 건국 시조(고구려, 고조선)를 대상으로 함.	
차이점	탄생	고주몽 – 난생(卵生)	단군 – 태생(胎生)
	토템	드러나지 않음.	곰과 호랑이의 토템
	시련과 갈등	건국을 위한 투쟁 과정이 있음.	건국을 위한 투쟁 과정이 없음.

김현이 호랑이에게 감동하다
김현감호(金現感虎) | 작자 미상

성격 불교적, 전기적　**시대** 상고 시대
주제 자기희생의 고귀한 사랑

설화

이 작품은 호랑이 처녀가 김현과 부부의 인연을 맺은 후에, 오빠들의 죗값과 김현의 출세를 위해 희생을 하여 김현에게 감동을 준다는 내용의 설화이다.

내용 전개 방식

발단	전개	위기	절정	결말
호랑이 처녀가 김현의 정성스러운 탑돌이에 감응하여 그와 인연을 맺음.	김현이 호랑이 처녀의 집으로 따라가서 처녀의 정체가 밝혀짐.	호랑이 처녀는 오빠들 대신 하늘의 징계를 받고 김현을 출세시킬 계획을 세움.	김현이 호랑이 처녀를 잡고 그 공으로 높은 벼슬에 오름.	김현은 절을 지어 호랑이 처녀의 은혜에 보답함.

전문

신라 풍속에 해마다 음력 2월이 되면, 초팔일로부터 15일까지 서울의 남자와 여자들은 흥륜
매달 초하룻날부터 헤아려 여덟째 되는 날
사(興輪寺)의 전탑(殿塔)을 다투어 돎으로써 그것을 복회(福會)로 삼았다.
탑돌이. 소원과 복을 비는 발원 의식　　　Link 반영된 사회상 ❶, ❷

원성왕 때에 낭군 김현(金現)이 밤이 깊도록 홀로 탑을 돌면서 쉬지 않았다.

그때 한 처녀가 또한 염불을 하면서 따라 돌았으므로 서로 정이 움직여 눈을 주었다. 〈중략〉
▶ 김현이 탑돌이를 하다 처녀를 만나 정을 나눔
처녀가 돌아가려 하자 김현이 따라가니 처녀는 사양하고 거절했으나 김현은 억지로 따라갔

다. 가서 서산 기슭에 이르러 한 초가에 들어가니 늙은 할미가 그 처녀에게 물었다.

"함께 온 이가 누구냐?"

처녀는 사실대로 말했다.

늙은 할미는 말했다.

"비록 좋은 일이지만 안 한 것보다 못하다. 그러나 이미 저지른 일이니 나무랄 수도 없다. 구
관련 속담: 쏘아 놓은 살이요 엎질러진 물이다
석진 곳에 숨겨 두어라. 네 형제가 나쁜 짓을 할까 두렵다."
처녀가 김현을 자기 집에 따라오지 못하게 막은 이유
처녀는 김현을 이끌고 가서 구석진 곳에 숨겼다.

조금 뒤에 세 마리의 범이 으르렁거리면서 오더니 사람의 말을 지어 말했다.
처녀의 형제가 호랑이인 것을 통해 처녀도 호랑이임을 알 수 있음
"집 안에 비린내가 나는구나! 요깃거리에 어찌 다행이 아닐꼬?"
시장기를 겨우 면할 정도로 조금 먹을 수 있는 것
늙은 할미와 처녀는 꾸짖었다.

"너희 코가 잘못이지 무슨 미친 소리냐?"

그때 하늘에서 외쳤다.
악을 벌하고 운명을 결정하는 절대자. 초월적 존재
"너희들이 생명을 즐겨 해침이 너무 많다. 마땅히 한 놈을 죽여서
한 사람을 벌하여 백 사람을 경계하고, 살생성인의 결말을 이끌어 내기 위한 인과적 장치
악을 징계하겠다."

세 짐승은 그 소리를 듣자 모두 근심하는 기색이었다. 처녀는 말했다.
Link 반영된 사회상 ❸
"세 분 오빠가 멀리 피해 가서 스스로 징계하겠다면 제가 그 벌을
살신성인의 자세
대신 받겠습니다."

모두 기뻐하며 고개를 숙이고 꼬리를 치면서 도망해 가 버렸다.

처녀는 들어와 김현에게 말했다.

"처음에 저는 낭군이 우리 집에 오시는 것이 부끄러워 짐짓 사양하고 거절했으나 이제는 숨
자신의 정체가 탄로 날까 봐
김없이 감히 진심을 말하겠습니다. 또한 저와 낭군은 비록 같은 유는 아니지만 하룻저녁을
처녀가 호랑이라는 사실   *인간과 다른 동물이 부부의 인연을 맺었음을 밝히는 부분으로, 많은 설화와 소설에 등장하는 내용임*
함께 했으니 부부의 의를 맺은 것입니다. 이제 세 오빠의 악은 하늘이 이미 미워하시니 우리
집안의 재앙을 제가 혼자 당하려 하는데, 보통 사람의 손에 죽는 것이 어찌 낭군의 칼날에
죽어서 은덕을 갚는 것과 같겠습니까? 『제가 내일 시가에 들어가 심히 사람들을 해치면 나라
「 」:호랑이인 자신과 부부의 연을 맺은 김현에게 보답하기 위해 생각해 낸 계책
사람이 나를 어찌할 수 없으므로, 임금께서 반드시 높은 벼슬로써 사람을 모집하여 나를 잡
호랑이를 잡으면 높은 벼슬을 주겠다고 할 것임
게 할 것입니다. 그때 낭군은 겁내지 말고 나를 쫓아 성 북쪽의 숲속까지 오시면 나는 낭군
을 기다리고 있겠습니다.』

    ▶ 밝혀진 호랑이 처녀의 정체와 계획

"사람과 사람끼리 관계함은 인륜의 도리지만 다른 유와 관계함은 대개 떳떳한 일이 아니요.
인간과 호랑이가 부부의 연을 맺은 것
그러나 이미 잘 지냈으니 진실로 하늘이 준 다행이 많은데, 어찌 차마 배필의 죽음을 팔아서
한 세상의 벼슬을 바랄 수 있겠소?"

"낭군께서는 그런 말을 하지 마십시오. 『이제 제가 일찍 죽음은 대개 하늘의 명령이며, 또한
첫 번째 이익
제 소원입니다. 낭군의 경사요, 우리 일족의 복이며, 나라 사람들의 기쁨입니다. 제가 한 번
두 번째 이익   *세 번째 이익*   *네 번째 이익*   *다섯 번째 이익*
죽음으로써 다섯 가지 이익이 갖추어지는데, 어찌 그것을 어길 수 있겠습니까? 다만 저를
위하여 절을 지어 불경을 강(講)하여 좋은 과보(果寶)를 얻는 데 도움이 되게 해 주신다면,
공덕에 따라 얻게 되는 보배로운 결과
낭군의 은혜는 이보다 더 큰 것이 없겠습니다.』
「 」:자신이 죽음으로써 얻게 되는 다섯 가지 이로움을 들어 김현을 설득하는 호랑이 처녀
마침내 서로 울면서 작별했다.

다음 날 과연 사나운 범이 성안으로 들어와서 사람들을 해침이 심하니, 감히 당해 낼 수 없
었다. 원성왕이 이 소식을 듣고 영을 내려 말했다.

"범을 잡는 사람은 2급의 벼슬을 주겠다."

김현이 대궐로 나아가 아뢰었다. / "소신이 그 일을 해내겠습니다."

왕은 이에 벼슬부터 먼저 주어 그를 격려했다.

김현이 칼을 쥐고 숲속으로 들어가니, 범은 변하여 낭자가 되어 반가이 웃으면서 말했다.
    Link 갈래상의 특징 ❶
"어젯밤에 저와 마음 깊이 정을 맺던 일을 낭군은 잊지 마십시오. 오늘 내 발톱에 상처를 입
전설임을 보여 주는 증거물
은 사람은 모두 흥륜사의 장을 그 상처에 바르고 그 절의 나발 소리를 들으면 나을 것입니다."
종교적 신성성에 바탕을 둔 민간요법
낭자는 김현이 찼던 칼을 뽑아 스스로 목을 찔러 넘어지니 곧 범이었다. / 김현은 숲에서 나
  Link 갈래상의 특징 ❶
와 거짓 핑계로 말했다.

"내가 지금 범을 쉽사리 잡았다."

그러나 그 사유는 숨기고 말하지 않았다. 다만 시키는 대로 상처를
치료하니 그 상처가 모두 나았다. 지금도 민간에서는 범에게 입은
흥륜사의 장을 상처에 바르고 그 절의 나발 소리를 들으라고 한 것
상처에는 또한 그 방법을 쓴다.
설화의 내용이 사실임을 증명하는 근거

    ▶ 스스로 목숨을 끊은 호랑이 처녀

김현은 벼슬하자 서천(西川) 가에 절을 지어 호원사(虎願寺)라 이
경상북도 경주에 있던 절 – 전설임을 보여 주는 증거물. 이 설화가 사원 연기 설화임을 알려 줌

Link
출제자 톡! 갈래상의 특징을 파악하라!

❶ 이 작품을 변신형 설화로 분류할 수 있는 근
거는?
호랑이가 인간으로 변했기 때문에

❷ 이 작품을 전설로 분류하는 이유는?
'흥륜사', '호원사' 등 구체적인 증거물이 있
기 때문에

❸ '호원사'를 통해 알 수 있는 것은?
이 작품이 사원 연기 설화임을 알려 줌.

름하고, 상시 범망경(梵網經)을 강하여 범의 저승길을 인도하고, 또한 범이 제 몸을 죽여 자기를 성공하게 한 은혜에 보답했다. 「김현이 죽을 때에 지나간 일의 이상함에 깊이 감동하여 이에 붓으로 적어 전기를 만들었으므로 세상에서는 그때 비로소 듣고 알게 되었다. 그래서 그 글 이름을 「논호림(論虎林)」이라 했는데 지금까지 일컬어 온다.」

Link 갈래상의 특징 ❷, ❸ 　「 」: 이 글을 쓰게 된 동기

▶호원사를 지어 호랑이 처녀의 넋을 위로한 김현

최우선 **출제 포인트!**

❶ 구성상 특징

인과 법칙에 따른 소설적 구성	
호랑이 처녀가 김현의 정성스러운 탑돌이에 감동함.	호랑이 처녀가 김현과 부부의 인연을 맺음.
호랑이 처녀가 현생에서의 죄를 씻고 자신을 받아 준 김현에게 보은함.	스스로 죽음을 선택함.

이 작품은 정제된 구성과 필연적 인과 관계를 바탕으로 하는 현대적 서사 구성 방식에 가까운 짜임새를 갖추고 있다. 무엇보다 이러한 구성이 단순히 일화를 나열하거나 축약하여 서술하는 것이 아니라 인과적으로 연결되어 있다는 점에 그 의의가 있다.

❷ '호랑이 처녀'가 '다섯 가지 이로움'을 들어 '김현'을 설득한 의도

첫 번째 이로움	하늘의 명령을 따름.
두 번째 이로움	호랑이 처녀의 소원을 이룸.
세 번째 이로움	김현의 경사임.
네 번째 이로움	호랑이 일족의 복임.
다섯 번째 이로움	나라 사람들의 기쁨임.

호랑이 처녀가 내세운 다섯 가지 이로움은 호랑이 처녀 개인의 이로움이 아니라 자신의 형제와 일족, 김현, 국가의 이로움이다. 그럼에도 호랑이 처녀는 김현에게 자신의 과보(果報)를 위해 사후에 절을 짓고 강을 해 달라고만 부탁을 한다. 이는 자신의 몸을 희생하여 세상의 이로움을 얻고자 하는 호랑이 처녀의 살신성인(殺身成仁) 정신을 보여 준다.

❸ 사원 연기 설화로서의 특징

'호원사'의 창건 내력은 이 작품이 사원 연기 설화(寺院緣起說話)임을 보여 준다. 사원 연기 설화는 절의 창건 내력에 더해 불교적 세계관과 합치되는 교훈적 메시지를 내포하고 있는 경우가 많은데, 이는 불교적 세계의 건설을 목적으로 하는 전승자의 의도가 개입된 것으로 볼 수 있다. 이 작품에서는 '호랑이 처녀의 보은(報恩)'이 교훈적 메시지라고 할 수 있다.

최우선 **핵심 Check!**

1 다음 내용 중 맞는 것은 ○표를, 틀린 것은 ×표를 하시오.
(1) 김현이 사람들에게 치료법을 알려 준 것은 민간 치료의 유래담으로 볼 수 있다. (　　)
(2) 호랑이 처녀는 사람을 해친 죄로 하늘의 징계를 받게 된다. (　　)

2 초성 힌트를 보고 빈칸에 들어갈 알맞은 말을 쓰시오.
(1) 호랑이가 인간으로 변하는 ㅂㅅㅎ 설화에 해당한다.
(2) 호원사의 창건 내력을 설명하기 위한 ㅅㅇ 연기 설화로서의 특징을 보인다.

3 호랑이 처녀의 행동과 태도에 적절한 한자 성어는?

정답 1. (1) ○ (2) × 2. (1) 변신형 (2) 사원 3. 살신성인(殺身成仁)

▶ **1등급! 〈보기〉!**

「김현감호」에 대한 일연의 평가

짐승도 어질기가 그와 같은데, 지금 사람으로서 오히려 짐승만도 못한 자가 있으니 이는 어찌된 일인가? 이 사적의 처음과 끝을 자세히 보건대, 탑을 돌 때 사람을 감동시켰고, 하늘에서 외쳐서 악을 징계하려 하자 스스로 그것을 대신했으며, 신기한 약방문 — 호랑이 발톱에 상처를 입은 사람은 흥륜사 간장을 상처에 바르고 그 절의 나발 소리를 들으면 낫는다는 처방 — 을 전함으로써 사람을 구하고, 절을 세워 불계(佛戒)를 강하게 했던 것이다. 이것은 오직 짐승의 본성이 어질기 때문만으로 그런 것이 아니라 부처가 사물에 접응하는 것이 다방면이어서, 김현이 정성껏 탑을 도는 데 감동하여 이익을 주어 보답하고자 했을 뿐이다. 그때에 복을 받은 것이 당연한 일이다. 찬(讚)해 말한다.

　산속에서 세 오빠 악한 짓 견딜 수 없어
　꽃다운 입에선 대신 죽겠노라 한마디
　의리의 소중함 몇 가지로 들어 죽음도 가벼이
　수풀 아래서 몸을 내놓았네 떨어지는 꽃처럼

출제율 64%

58위

엽전을 달리 이르는 말

공방전(孔方傳) | 임춘

성격 풍자적, 비판적, 우의적 　**시대** 고려 시대
주제 돈을 우선시하는 세태 비판 및 돈에 대한 물욕
경계

〈가전체〉

이 작품은 돈(엽전)을 의인화하여 재물을 욕심내는 세태와 돈의 폐단을 비판하는 전기 형식의 가전체이다.

내용 전개

도입	전개	비평
공방이 등장하게 된 배경	공방의 생김새 및 정계 진출, 공방의 탐욕과 폐해 및 탄핵, 공방이 죽은 뒤 제자들의 성쇠(盛衰)	공방에 대한 사신의 평가

핵심장면 ① 　공방의 가계와 행적에 대해 서술하고 있는 부분이다.

★★ 중심 소재　　구멍으로 엽전을 꿰어 꾸미로 만들기 때문에, 자를 '꿸 관' 자를 써서 관지라고 함

공방(孔方)의 자는 관지(貫之)다. 그의 선조는 옛날에 수양산에 은거하여 동굴에서 살았는
　　　　　　　　　　　　　　　　　　　　　　　　　　　　　　　　　　　역사적으로 아직 돈이 유통되지 않았음
데, 일찍 세상으로 나왔지만 쓰이지 못했다. 비로소 황제(黃帝) 때에 조금씩 쓰였으나, 성질이
　　　　　　　　　　　　　　　　　　　　　중국의 고대 전설상의 제왕
강경하여 세상일에 매우 단련되지 못했다. 황제가 관상을 보는 사람을 불러 그를 살피게 하
화폐가 널리 통용되지 않았음
니, 관상 보는 사람이 자세히 보고 천천히 말하기를 "산야(山野)에서 이루어졌기 때문에 거칠
어서 사용할 수 없지만, 만약 임금님의 쇠를 녹이는 용광로에서 갈고 닦으면 그 자질은 점점
　　　　　　　　　　　　　　　　　　　　　　　　　　　　　　　　돈의 주조 과정
드러나게 될 것입니다. 임금이란 사람을 사용할 수 있는 그릇이 되도록 만드는 자리이니, 임
　　　　　　　　　　　　　돈을 유통시킬 것을 피력함
금님께서 완고한 구리와 함께 버리지 마십시오."라고 했다. 이로부터 세상에 나타나게 되었
　　　　　　　　　　　　　　　　　　　　　　　　　　세상에 돈이 유통되기 시작함
다. 이후 난리를 피하여, 강가의 숯 화로로 이사를 해 가족을 이루고 살았다. 　▶ 공방의 가계 내력과 출현 배경

공방의 아버지인 천(泉)은 주나라의 태재(太宰)로, 나라의 세금을 담당했다. 공방의 사람됨
　　　　　　　　　　　　　　　　　　　　　겉은 둥글둥글하여 원만해 보이지만 속은 모가 나고 약함 – 돈의 이중성
은 겉은 둥그렇고 가운데는 네모나며, 세상의 변화에 잘 대응했다. 공방은 한나라에서 벼슬하
　　　　　　　　　　　Link 인물의 성격 ❶　　　　　　　　　　　처세에 능함
여 홍려경(鴻臚卿)이 되었다. 당시에 오나라 임금인 비(濞)가 교만하고 참람하여 권력을 마음
외국에서 온 사신을 접대하는 관직　　　　　　　　　　　분수에 넘쳐 너무 지나침
대로 행사했는데, 공방이 비를 도와 이익을 취했다. 호제(虎帝) 때에 나라가 텅 비고 창고가
텅 비게 되었는데, 호제가 이를 걱정하여 공방을 부민후(富民侯)로 임명했다. 그 무리인 염철
　　　　　　　　　　　　　　　　　　　　백성을 풍요롭게 하는 벼슬이라는 뜻　국가가 전매하는 소금과 철을 담당하는 관료
승(鹽鐵丞) 근(僅)과 함께 조정에 있었는데, 근이 항상 공방을 가형(家兄)이라고 부르고 이름
을 부르지 않았다. 공방은 성질이 탐욕스럽고 염치가 없었는데, 이미 국가의 재산을 총괄하면
원금과 이자　　　　　　　　　　　　　　　　Link 인물의 성격 ❷
서 자모(子母)의 경중을 저울질하는 것을 좋아했다. 공방은 국가를 이롭게 하는 것에는 도자
　　　　　　　　재산 관리에 능함
기와 철을 주조하는 것만 있는 것이 아니라면서, 백성들과 함께 조그만 이익을 다투고, 물가
를 올리고 내리고, 곡식을 천대하고, 화폐를 귀중하게 여겼다. 그리하여 백성들이 근본을 버
사농공상의 끄트머리인 상　　　　　　　　　　　생산적인 일보다 돈을 만드는 일에 사람들을 매달리게 하여 생산을 방해함 – 돈의 폐해　　　농업
리고 끝을 좇도록 하고, 농사짓는 것을 방해했다. 당시에 간관들이 자주 상소를 올려 공방을
　　　　　　　　　　　　　　　　　　　　　　　　임금의 잘못을 간(諫)하고 백관(百官)의 비행을 규탄하던 벼슬아치
비판했지만, 호제가 이를 받아들이지 않았다. 공방은 교묘하게 권세 있는 귀족들을 섬겨, 그
집을 드나들면서 권세를 부리고 관직을 팔아 관직을 올리고 내리는
　　　　　　　　　　　　　　　　　　　　　매관매직(賣官賣職)이 성행함
것이 그의 손바닥 안에 있었다. 공경들이 절개를 꺾고 공방을 섬기
　　　　　　　　　　　　　　　　　삼공(三公)과 구경(九卿)을 아울러 이르는 말
니, 곡식을 쌓고 뇌물을 거두어 문권과 서류가 산과 같이 쌓여 가히
셀 수가 없었다. 공방은 사람을 대하고 물건을 대할 때 현인과 불초
　　　　　　　　　　　　　　　　　　　　　　　　　　　못나고 어리석은
한 것을 가리지 않고, 비록 시장 사람이라고 하더라도 재산이 많으
어질고 총명하여 성인에 다음가는 사람　　　　　　이해관계에 따라 사람을 사귐 – 공방의 속물근성을 엿볼 수 있음

Link

출제자 톡 인물의 성격을 파악하라!

❶ 생김새를 통해 알 수 있는 공방의 성격은?
　겉과 속이 다른 이중적 성격(돈의 긍정적 기
　능과 부정적 기능)

❷ 공방의 성질과 그 성질이 의미하는 바는?
　공방은 욕심이 많고 몰염치한데, 이는 돈에
　욕심이 많은 사람들을 우의적으로 비판하는
　것임

면 그와 사귀었으니, 소위 시장 바닥 사귐이란 이런 것을 말한다. 〈중략〉　　　　　▶ 공방의 외양과 정계 진출

원제(元帝)가 즉위하자 공우(貢禹)가 글을 올려 "공방이 오랫동안 바쁜 업무에 매달려 『농사
　中国 전한(前漢)의 제11대 황제　　　임금의 잘못을 간하는 벼슬에 올라 어진 사람을 등용하고 간사한 사람을 물리쳤다고 함
의 중요한 근본에는 힘쓰지 않고 다만 전매의 이익에만 힘을 썼습니다.』 그리하여 나라를 좀먹
　　　　　　　　　　　　　　　　　　　　　　　　　　　　　　『 』: 돈의 폐해
고 백성들에게 해를 입혀 공사가 모두 피곤하게 되었으며, 뇌물이 난무하고 공적인 일도 청탁
이 있어야만 처리됩니다. '지고 또 탄다. 그러면 도둑이 온다.'라고 한 『주역(周易)』의 명확한
　　　　　　　　　　　　부승지구(負乘之寇): 소인이 군자의 자리에 있으면 도둑이 자리를 빼앗으려 한다는 뜻
가르침도 있으니, 바라건대 공방의 관직을 파면해 탐욕과 비루함을 징계하십시오."라고 했다.
그때 마침 권력을 잡은 사람 중 곡량학(穀梁學)으로 관료가 된 사람이 있었는데, 변방에 대한
대비책을 세우는 데 군비가 부족했기 때문에 공방의 일을 미워하여 공우의 편을 들었다. 그러
　　　　　　　　공방이 백성들로 하여금 농사짓지 않고 장사만 하게 만들어 경제를 파탄 냈다고 생각함
자 원제가 공우의 요청을 받아들였다. 그리하여 공방은 관직에서 쫓겨났다.　　　▶ 탄핵을 받고 쫓겨난 공방

핵심장면 ② 사신이 공방에 대해 평가하는 부분이다.

사신(史臣)은 다음과 같이 논평한다.
인물의 풍행과 행적에 대해서 평가하고 작가의 의식을 대변하는 역할을 함
"다른 사람의 신하가 된 사람이 두 마음을 품고 큰 이익을 좇는다면 이 사람은 과연 충신인
가? 공방이 때를 잘 만나고 좋은 주인을 만나 정신을 모아서 정중한 약속을 맺었고, 생각지
도 못한 많은 사랑을 받았다. 당연히 이로운 일을 생기게 하고 해로운 것을 제거하여 은덕을
갚아야 하지만, 비(濞)를 도와 권력을 마음대로 하고 마침내 자신의 무리들을 심었다. 공방
의 이러한 행동은 충신은 경계 바깥의 사귐은 없다는 말에 위배되는 것이다.『공방이 죽고 그
　　　　　　　　　　　　　　　　　공방에 대한 부정적인 평가　　　　『 』: 돈을 없애지 않은 후환과 폐단
의 무리들이 다시 송나라에서 기용되어 권력자에게 아부하고 올바른 사람들을 모함했었다.
비록 길고 짧은 이치가 하늘에 있다고 해도 원제(元帝)가 공우(貢禹)의 말을 받아들여 한꺼
번에 공방의 무리들을 죽였다면, 뒷날의 근심을 모두 없앨 수 있었을 것이다. 다만 공방의
무리들을 억제하기만 하여 후세까지 그 폐단을 미치게 했으니, 어찌 일보다 말이 앞서는 사
　　　　　　　　　　　　　　　화폐를 없애야 한다는 작가의 주장이 드러남
람은 항상 믿지 못할까를 근심하지 않겠는가?"　　　▶ 공방에 대한 사신의 평가와 돈을 없애지 않은 후환과 폐단

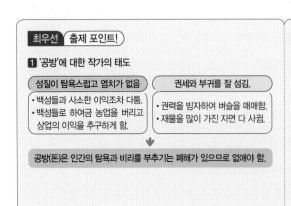

최우선 출제 포인트!

1 '공방'에 대한 작가의 태도

성질이 탐욕스럽고 염치가 없음	권세와 부귀를 잘 섬김.
• 백성들과 사소한 이익조차 다툼. • 백성들로 하여금 농업을 버리고 상업의 이익을 추구하게 함.	• 권력을 빙자하여 벼슬을 매매함. • 재물을 많이 가진 자면 다 사귐.

⬇

공방(돈)은 인간의 탐욕과 비리를 부추기는 폐해가 있으므로 없애야 함.

최우선 핵심 Check!

1 다음 내용 중 맞는 것은 ○표를, 틀린 것은 ×표를 하시오.
(1) 공방의 아버지와 아들을 등장시켜 가계를 형상화하고 돈의 내력을 서술하고 있다.　　　　　　　　　　(　)
(2) 공방이 시장 사람이라도 재산이 많으면 사귀었다는 데서 공방의 물질 중심적 사고를 알 수 있다.　　　(　)

2 초성 힌트를 보고 빈칸에 들어갈 알맞은 말을 쓰시오.
(1) ㄷ 을/를 의인화하여 지은 가전체이다.
(2) ㅅㅅ 의 논평을 통해 공방에 대한 비판적 시선을 드러내고 있다.

정답 1. (1) ○ (2) ○ 2. (1) 돈 (2) 사신

하회 별신굿 탈놀이 | 작자 미상

성격 풍자적, 비판적, 해학적 **시대** 조선 후기
주제 양반의 위선과 허례허식 풍자

민속극

이 작품은 경상북도 안동의 하회 마을에서 전승되어 온 우리나라의 대표적인 전통 가면극으로, 하층민들의 삶의 어려움과 양반에 대한 거침없는 풍자가 직설적인 언어와 재담을 통해 드러나 있다.

주요 사건과 인물

발단
양반과 선비가 등장함.

전개
양반과 선비가 부네, 지체, 학식을 두고 다툼.

전환
양반과 선비가 할미를 괄시함.

결말
양반과 선비가 우랑(쇠불알)을 차지하기 위해 다툼.

양반
겉으로는 점잖은 체하나 실제로는 여색을 밝히는 위선적인 인물

선비
양반과 마찬가지로 여색을 밝히는 위선적인 인물

초랭이
남의 이야기와 행동에 관심이 많아 잘 끼어들고 참견과 비판을 잘하는 인물

부네
자신의 욕망에 충실한 모습을 보이는 인물

핵심장면
부네와 다정스런 모습을 보이는 선비를 못마땅해하는 양반 앞에서 초랭이가 순종하는 척하며 뒤에서는 양반을 웃음거리로 만드는 부분이다.

『초랭이 이메야, 이놈아야. 니는 와 맨날 비틀비틀 그노, 이놈아야.

<small>『 』: 방언과 비속어를 사용하여 생동감, 현장감을 줌</small>

이메 까부지 마라 이놈아야, 니는 와 촐랑촐랑 그노, 이놈아야. (촐랑거리는 흉내를 내다 넘어진다.) 아이쿠, 아이구 궁디야, 아구야.

<small>초랭이의 성격을 드러냄</small> <small>극 중 이메의 면모를 드러내는 모습</small>
<small>'엉덩이'의 사투리</small>

초랭이 에이, 등신아. (머리를 쥐어박고 일으켜 준다.) 이메야, 아까 중놈하고 부네하고 요래요래 춤추다가 내가 나오끼네 중놈이 부네를 차고 저짜로 도망갔잖나.

<small>중과 부네의 관계를 짐작할 수 있음</small>

이메 머라꼬, 아이구 우습데이……. (웃음)』

➤ 부네의 꽃신을 발견하고 이메와 대화하는 초랭이

양반 야야, 초랭아. 이놈 거기서 촐랑대지만 말고 저기 가서 부네나 찾아오너라.

<small>여색을 밝히는 양반의 모습</small>

이 말에 초랭이는 '야.' 하고 부네를 데리러 쫓아다니지만 어느새 부네는 양반 뒤에 와 있다. 선비는 몹시 언짢아한다.

<small>양반에 대한 질투를 드러냄</small>

초랭이 부네 여 왔잔니껴. / 부네는 양반의 귀에다 대고 '복' 한다.

<small>부네가 자신이 왔음을 알리는 신호</small>

양반 아이쿠, 깜짝이야. 귀청 떨어질라. 오냐, 부네라!

➤ 중과 사라졌다가 양반에게 온 부네

다시 초랭이는 관중들과 함께 부산을 떨고 선비는 연신 못마땅한 표정을 짓는다. 부네는 양반의 어깨를 주무르다 말고 양반의 머리에서 이를 잡는 시늉을 한다. 초랭이가 이를 보고

<small>관객의 극 중 참여</small>

<small>양반에게 수작을 걸며 양반을 조롱함</small>

초랭이 헤헤, 양반도 이가 다 있니껴?

<small>양반에 대한 조롱과 야유</small>

양반과 선비가 모두 일어난다. 선비는 일어나면서 "에끼 고얀지고."라며 심경을 토로한다.

<small>양반과 부네의 행동을 비난함. 양반에 대한 질투심의 표출</small>

<small>국화꽃이 피는 가을이라는 뜻으로, 음력 9월을 이르는 말</small> <small>'감기'의 높임말</small>

양반 오냐, 부네라, 어흠, 국추 단풍에 지체후 만강하옵시며 보동댁이 감환이 들어 자동 양반문안드리오. / 부네 보―옥. 〈중략〉

<small>'기체후'가 변화된 말. 몸과 마음의 형편이라는 뜻으로, 웃어른께 올리는 편지에서 문안할 때 쓰는 말</small>

<small>양반의 수작을 허락한다는 의미</small>

선비는 못마땅한 표정을 지으며 안절부절못한다.

양반 얘, 부네야, 그래 우리 춤이나 한번 추고 놀아 보자. ➤ 부네에게 수작을 거는 양반

(굿거리)

상쇠의 가락에 맞춰 양반, 선비, 부네, 초랭이가 어울려 '노는 춤'을 추며 마당은 곧 흥에 넘친다. 그러
_{두레패나 농악대 따위에서 꽹과리를 치면서 전체를 지휘하는 사람}
나 양반과 선비는 부네를 사이에 두고 서로 차지하려고 하여 춤은 두 사람이 부네와 같이 춤추려는 내용
_{체면은 생각하지 않고 여색을 밝히며 부네를 사이에 두고 싸움을 벌이는 양반과 선비}
으로 이어져 간다. 부네는 요염한 춤을 추며 양반과 선비 사이를 왔다 갔다 하며 두 사람의 심경을 고조
_{부네는 양반과 선비의 위선적인 면모를 드러내고 부각하는 역할을 함} Link 인물의 역할 ❶
한다. 『이것을 간파한 초랭이는 양반과 선비를 싸움 붙이려는 계략을 꾸민다. 우선 양반에게로 가 무언가
_{부네를 사이에 두고 양반과 선비의 갈등이 고조되고 있음을 눈치챔} _{부네를 독차지할 방법}
를 얘기한다. 이에 양반은 초랭이가 시키는 대로 선비에게로 가 그를 데리고 그 무언가를 얘기하면 선비
_{선비를 따돌리기 위한 의도적인 행동}
는 관중석에서 누군가를 찾기 시작한다. 이를 기회로 양반은 부네와 춤을 계속 추게 된다. 관중 속에서
_{선비의 질투심을 고조시키는 행동}
열심히 무언가를 찾던 선비는 부네와 어울려 춤추는 양반을 보고는 '속았다.'라는 생각에 노발대발하여
양반을 부른다.』『 』: 초랭이가 양반과 선비를 싸움 붙이며 조롱함 ➤ 부네를 사이에 두고 다툼을 벌이는 양반과 선비

선비 여보게 양반…….

이를 신호로 상쇠는 가락을 멈춘다.
_{장면이나 사건의 전환을 암시함}

『**선비** 여보게 양반, 자네가 감히 내 앞에서 이럴 수가 있는가?
_{거짓으로 자신을 따돌리고 부네와 어울려 논 것에 대한 질책}
양반 허허, 무엇이 어째? 그대는 내한테 이럴 수가 있단 말인가?』
『 』: 겉으로는 점잖은 체하며 부네를 차지하기 위해 신경전을 벌임 – 위선적인 모습
선비 아니, 그라마 그대는 진정 내한테 그럴 수가 있는가?
★ 주요 소재
양반 허허, 뭣이 어째? 그러면 자네 지체가 나만 하단 말인가?
_{어떤 집안이나 개인이 사회에서 차지하고 있는 신분이나 지위}
선비 아니 그래, 그대 지체가 내보다 낮단 말인가? / **양반** 암, 낮고말고.
⌣ 언어유희
선비 그래, 낮긴 뭐가 나아. / **양반** 나는 사대부(士大夫)의 자손일세.
『 』: 양반과 선비의 지체 자랑. 언어유희를 통해 양반들의 허례허식과 무식함을 폭로함
선비 아니 뭐라꼬, 사대부? 나는 팔대부(八大夫)의 자손일세. Link 인물의 역할 ❷, ❸
'사대부'의 '사(士)'와 발음이 같은 숫자 '사(四)'를 끌어와 그 두 배인 '팔(八)'을 붙임으로써 자신의 지체가 높음을 자랑함 – 언어유희
양반 아니, 팔대부? 그래, 팔대부는 뭐로?

Link
출제자 족집 ❶ 인물의 역할을 파악하라!

❶ 양반과 선비가 다투게 되는 원인을 제공하
는 인물은?
부네
❷ 이 작품에서 주된 비판의 대상은?
양반과 선비
❸ 양반과 선비의 대화가 웃음을 유발하는 이
유는?
언어유희를 통해 양반과 선비의 무지와 허
례허식이 폭로되고 있기 때문에
❹ 이 작품에서 초랭이의 역할은?
'육경'의 의미를 엉터리로 제시하는 언어유
희를 통해 웃음을 유발하고, 이러한 초랭이
의 언어유희에 동조하는 양반의 모습을 보
여 줌으로써 신분은 다르지만 세 사람이 차
이가 없는 인간임을 드러내어 신분 질서 사
회의 허구성을 폭로함.

선비 팔대부는 사대부의 갑절이지.

양반 뭐가 어째, 어흠, 우리 할뱀은 문하시중(門下侍中)을 지내셨
_{정사를 총괄하던 문하부의 으뜸 벼슬}
거든.

선비 아, 문하시중. 그까지 꺼…… 우리 할뱀은 바로 문상시대(門上
_{'문하시중'보다 높고 크다는 뜻으로 한 말이나, 선비가 관직명도 제대로 모르고 있음이 드러남 – 언어유희}
侍大)인걸. / **양반** 아니 뭐, 문상시대? 그건 또 머로?
Link 인물의 역할 ❷, ❸
선비 에헴, 문하(門下)보다는 문상(門上)이 높고 시중(侍中)보다는
시대(侍大)가 더 크다 이 말일세.

양반 허허, 그것참 빌 꼬라지 다 보겠네. 그래, 지체만 높으면 제일
_{말도 안 되는 선비의 말을 인정하는 양반의 어리석은 모습}
인가? / **선비** 에헴, 그라만 또 머가 있단 말인가?

★ 주요 소재 『논어』, 『맹자』, 『중용』, 『대학』의 네 경전과 『시경』, 『서경』, 『주역』의 세 경서를 이르는 말

양반 학식이 있어야지, 학식이. 나는 사서삼경(四書三經)을 다 읽었다네.
'사서삼경'에서 '사(四)'의 배수인 '팔(八)', '삼(三)'의 배수인 '육(六)'을 붙임으로써 학식이 높음을 자랑함 – 언어유희

선비 뭐 그까짓 사서삼경 가지고. 어흠, 나는 팔서육경(八書六經)을 다 읽었네.
Link 인물의 역할 ❷, ❸　　　▶ 지체와 학식을 자랑하는 양반과 선비

양반 아니, 뭐? 팔서육경? 도대체 팔서는 어디에 있으며 그래 대관절 육경은 또 뭔가?

초랭이는 여태까지 두 사람의 얘기를 귀담아듣다가 잽싸게 끼어든다.

불교 경전 중의 하나
초랭이 헤헤헤, 난도 아는 육경 그것도 모르니껴. 팔만대장경, 중의 바라경, 봉사의 앤경, 약
'경'만 붙여 육경이라 함 – 양반을 조롱하기 위한 언어유희
국의 길경, 처녀의 월경, 머슴의 새경 말이시더……. **Link** 인물의 역할 ❹
도라지　　　　　머슴이 주인에게서 한 해 동안 일한 대가로 받는 돈이나 물건

고수는 육경을 한 소절마다 장단을 쳐 준다. 초랭이는 '머슴의 새경'을 더욱 강조하여 자신의 새경에
강조의 효과　　　　　　　　　　　　　　　　　　양반에 대한 불만을 간접적으로 표현함
못마땅함을 보인다.

선비 그래, 이것도 아는 육경을 양반이라카는 자네가 모른단 말인가?』 『양반과 선비의 학식 자랑 – 언어유희
초랭이의 말을 그대로 믿어 자신의 무식함을 스스로 폭로함　　　　를 통해 양반의 학식의 허구성을 드러냄

양반 여보게 선비, 우리 싸워 봤자 피장파장이꺼네 저짜 있는 부네나 불러 춤이나 추고 노시더.
서로 낫고 못함이 없음

선비 (잠시 생각하다가) 암, 좋지 좋아.

이어 양반과 선비가 동시에 '애, 부네야.' 하고 부네를 부르면 상쇠는 자진모리 가락으로 마당을 이끈
빠른 속도의 장단
다. 이제는 양반, 선비가 부네를 두고 다툼하는 춤이 아니라 서로 어울리는 화합의 '노는 춤'을 춘다.
갈등을 봉합하고 인물들이 서로 어울리게 하는 기능을 함
▶ 화해를 하는 양반과 선비

최우선 (**출제 포인트!**)

1 이 작품에 사용된 언어유희

'사대부'의 '사(士)'를 '사(四)'로 바꿈. 사대부(士大夫) → 팔대부(八大夫)	
'문하시중'의 '하(下)'를 '상(上)'으로, '중(中)'을 '대(大)'로 바꿈. 문하시중(門下侍中) → 문상시대(門上侍大)	언어유희를 활 용한 해학적 재 담을 통해, 양반 과 선비의 무지 와 허위허식을 풍자함.
'사서삼경'의 '사(四)'를 '팔(八)'로, '삼(三)'을 '육 (六)'으로 바꿈. 사서삼경(四書三經) → 팔서육경(八書六經)	
'사서삼경(四書三經)'의 뜻과 상관없이 '경(經)' 만 바꾸어 '팔만대장경, 중의 바라경, 봉사의 앤 경, 약국의 길경, 처녀의 월경, 머슴의 새경'이라 고 열거함.	

2 '양반'과 '선비'의 대립

부네를 차지하기 위한 대립	겉으로는 도덕군자인 척하나 속으로는 젊은 여자 를 탐하는 위선적인 인물임을 드러냄.
가문과 학식에 대한 대립	신분과 벼슬, 학문에 대한 명칭조차 알지 못하는 사람들이 양반 행세를 하는 것에 대해 비판하고 풍자함.

최우선 (**핵심 Check!**)

1 다음 내용 중 맞는 것은 ○표를, 틀린 것은 ×표를 하시오.

(1) '하회'는 안동의 하회 마을을 가리키는 것으로, 작품의 연행 공간을 말해 준다. (　　)

(2) 초랭이는 양반과 선비보다 신분은 낮지만, 학식이 뛰어난 평민을 대표하는 인물이다. (　　)

(3) 여러 공간에서 벌어지는 상황이 동시에 나타나고 있다. (　　)

(4) 장단을 통해 음악적 효과를 배가하고 양반과 선비의 행동을 희화화하고 있다. (　　)

2 초성 힌트를 보고 빈칸에 들어갈 알맞은 말을 쓰시오.

(1) ㅂㄴ 을/를 둘러싼 양반과 선비의 다툼을 보여 주면서 양반과 선비의 위선적 모습을 풍자하고 있다.

(2) 극 중 인물이 갈등을 멈추고 다 같이 ㅊ 을/를 추는 것은 마을 사람들이 모두 즐기는 대동적 축제의 성격을 보여 준다.

(3) 인물이 ㅌ 을/를 쓰고 등장하는 것은 풍자의 주체로서 극 중 역할을 수행하는 민중의 모습이 직접 드러나지 않게 하여 더욱 자유롭게 풍자의 목소리를 낼 수 있기 때문이다.

정답 1. (1) ○ (2) × (3) × (4) ○ 2. (1) 부네 (2) 춤 (3) 탈

고전 산문 **219**

출제 최우선 작품

출제율 64%

60위

지하국에 사는 대적을 물리치고 공주들을 구한 이야기

지하국 대적 퇴치 설화 | 작자 미상

성격 전기적, 비현실적 **시대** 상고 시대
주제 선과 악의 대결에서 선이 이루는 승리

설화

이 작품은 약자인 주인공이 지하국에 사는 강자인 대적을 물리치고 행복을 쟁취한다는 설화로 어떤 고난이나 시련이 있어도 이를 극복할 수 있다는 의식이 반영되어 있다.

주요 사건과 인물

발단
왕의 세 공주가 마귀에게 납치를 당하자 한 무사가 세 공주를 구하기 위해 수년간 천하 구석구석을 찾아다녔지만 마귀의 소굴을 찾지 못함.

전개
어느 날 무사의 꿈에 백발노인이 나타나 지하국으로 가는 통로를 알려주지만, 부하들이 도중에 포기하여 무사 혼자 지하국으로 내려감.

위기
무사는 물을 길으러 나온 공주에게 자신의 존재를 알리고, 공주들의 도움을 받아 마귀의 집에 들어감.

절정
공주들의 계략으로 마귀를 죽이지만, 부하들에게 배신을 당한 무사는 노인에게 지하국을 탈출할 방법을 물음.

결말
무사는 백발노인의 도움으로 말을 타고 지상으로 올라와 부하들을 처벌하고 막내 공주와 혼인함.

마귀
어둠의 세계인 지하국에서 공주들을 납치하는 인물

↔

공주들
마귀를 퇴치하는 데 결정적인 역할을 하는 인물

백발노인
무사가 처한 문제 상황에 대한 해결책을 제시하는 인물

+

무사
나라의 은혜에 보답하기 위해 지하국에서 공주를 구출하는 인물

↔

부하들
무사의 공을 가로채기 위해 무사를 지하국에 가두는 위선적인 인물

핵심장면 ① 무사가 마귀에게 납치된 공주들을 구하기 위해 지하국으로 들어가는 부분이다.

□ : 주요 인물

옛날, 지하국에는 마귀가 살고 있어서 가끔 이 세상에 나타나 어지럽히거나 예쁜 여자를 납치하는 것을 일삼았다. _{대립적인 공간의 설정: 지하국 ↔ 지상(이 세상)} 어느 때는 마귀가 나타나 왕의 세 공주를 한 번에 납치해 간 사건이 있었다. _{마귀와 무사의 대립을 유발하는 중심 사건} 그래서 왕은 모든 신하에게 명해 마귀를 잡아오도록 묘책을 강구하게 하였다. 그러나 아무도 대책을 말하는 사람은 없었다. 얼마간 지나서 한 무사가 "임금님, 저의 집안은 대대로 _{「 」: 무사는 충의 가치를 실현하는 인물임을 알 수 있음} 나라의 녹봉을 받고 있습니다. 이번에 제가 몸을 바쳐 나라의 은혜에 조금이라도 보답을 하려 _{벼슬아치에게 일 년 또는 계절 단위로 나누어 주던 금품} _{무사가 공주들을 구출하려는 이유} 고 합니다. 그러므로 저에게 마귀 퇴치를 위한 중임을 맡겨 주십시오. 반드시 공주님을 구해 **Link** 사건의 전개 ❶ _{중대한 임무} 오겠습니다."라고 말하므로 왕은 기뻐서 이를 허락했다. 그리고 왕은 "누구든지 공주를 구해 오는 자에게는 내가 지극히 귀여워하는 딸을 줄 것이다."라고 말했다. _{공주를 구하면 신분 상승의 기회를 얻을 수 있음}

무사는 몇 명의 부하를 데리고 당장 마귀의 소굴을 찾아 나섰다. 그는 수년간 천하의 구석구석을 찾아 헤매었으나 마귀의 소굴이 어디에 있는지 찾을 수 없었다. 어느 날 그는 피곤하여 _{지하국은 지상과 단절되어 있어 쉽게 찾을 수 없는 곳임} 산기슭에 누워 바위를 베개 삼아 잠시 꿈을 꾸게 되었다. 『꿈에서 한 백발노인이 나타나 "나는 _{문제 해결의 조력자} 산신령이다. 네가 찾고 있는 마귀의 소굴은 이 산 저쪽 너머 산속에 있다. 그곳에서 너는 이상 **Link** 사건의 전개 파악 ❷ 한 커다란 바위를 발견할 것이다. 그것을 치우면 바위 밑에 겨우 한 사람이 드나들 수 있는 구멍이 있다. 그 구멍을 통해서 내려가면 점점 넓어져 드디어 별세상이 나올 것이다. 그 세상이 말하자면 마귀의 세계인 것이다."라는 말을 남기고 사라졌다.』 그는 가르침대로 산을 넘어 마 _{「 」: 사건의 우연성과 비현실성을 보여 줌} _{지하국} 귀가 있는 산까지 왔다. 무사는 부하들에게 명해서 튼튼한 밧줄을 만들게 하고 바구니를 짜도록 했다. 그리고 부하들에게 "누가 이 바구니에 타서 놈의 사정을 살피고 오겠는가."라고 말했지만 한 사람도 응하지 않았다. _{지하 세계에 대한 두려움 때문에}

❯ 공주들을 구하기 위해 지하국으로 들어가려는 무사

Link

출제자 **톡!** 사건의 전개를 파악하라!

❶ 무사가 공주를 구해 오겠다고 자청한 이유는?
집안 대대로 나라의 녹봉을 먹은 은혜에 조금이라도 보답하기 위해서

❷ 사건 진행 과정에서 백발노인의 역할은?
지하국을 찾는 방법을 알려 주는 등 무사가 곤경에 빠졌을 때 도움을 줌.

핵심장면 ② 무사가 공주의 도움으로 마귀의 집으로 들어가는 부분이다.

잠시 후에 한 아름다운 여인이 머리에 물 항아리를 이고 우물에 물을 길으러 오는 것이었다.
마귀에게 잡혀 있던 공주
자세히 보니 그것은 틀림없이 공주 중의 한 사람이었다. 공주가 항아리에 물을 길어 들어 올
리려고 하는 순간에 무사는 나뭇잎을 한 주먹 따서 훌훌 떨어뜨렸다. 공주가 "얄궂은 바람."
자신의 존재를 공주에게 알리기 위해서
하면서 다시 새 물을 채워 이고 가려고 하자 무사는 또 나뭇잎을 떨어뜨렸다. 공주가 "이상한
일이다. 오늘은 바람도 없는데." 하면서 위를 바라보았는데, 그곳에 한 사람이 있어 깜짝 놀라
며 "당신은 이 세상 사람입니까? 어떻게 이런 마귀의 세상에 들어오게 된 것입니까." 하고 물
었다. 무사는 나무에서 내려와 지금까지의 사정을 말했다. 그러자 공주는 "마귀의 집에는 사
자초지종(自初至終)   마귀의 집에 들어가기 위한 첫 번째 난관
나운 문지기가 많이 있습니다. 어떻게 마귀의 집으로 들어갈 수 있을까요." 하고 슬퍼했다. 무
사는 대답하기를 "제가 젊을 때 어느 무사로부터 약간의 술법을 배운 적이 있습니다. 그럼 제
가 지금 수박으로 변할 테니 재주껏 하십시오."라고 말하고 열 발자국 정도 물러서 공중으로
문지기를 속이기 위해 무사가 도술을 부려 수박으로 변함   전기적 요소
날아 세 번 공중제비를 하니 수박이 되었다. 공주는 그것을 치마에 싸서 거침없이 집 안에까
마귀에게서 벗어나기 위한 공주의 용기
지 들어가 그것을 찬장에 얹어 놓았다. 문지기는 공주의 치마를 조사했지만 수박이었기에 의
심 없이 통과시켰던 것이다. 그런데 빈틈없는 마귀는 "어쩐지 사람 냄새가 난다. 어찌 된 것이
냐." 하고 말하며 코를 실죽실죽 하더니 드디어 크게 노하며 공주들을 불러 세우더니 꾸짖었
다. 그렇지만 공주들은 태연한 얼굴로 "그럴 리 없습니다. 병중이라 그러신 게죠."라고 시치미
마귀의 질책에 대한 공주들의 재치 있는 임기응변
를 뗐다. 마귀는 그때 마침 몸이 좋지 않았다. 공주들은 독한 술을 몇 병이고 빚어 놓고 마귀
사건의 우연성   탈출을 위해 인내를 갖고 계획을 짬
의 병이 낫기를 일각이 여삼추처럼 생각하며 기다리고 있었다. 〈중략〉 ▶공주의 도움으로 지하국에 들어온 무사

"오늘은 너희가 나를 위해 잔치를 베풀어 주었으니 그 대신 나는 그대들에게 소원을 들어주
공주들이 잔치를 베풀어 준 것에 대한 보답으로 소원을 들어주겠다고 말함
지." 하고 말했다. 공주들은 이때 반가워하며 "우리에게는 별다른 소원이 없습니다만 다만 하
나 알고 싶은 게 있습니다. 『주인님은 이 세상에서 제일 강한 분이시니 죽는 일은 없겠지요?』"
「 」: 기분을 고취시켜 약점을 알아내려고 함
라고 물었다. 그러자 마귀는 기분이 좋은 나머지 입을 열어 "나라고 죽지 않겠냐. 나의 겨드랑
이 밑에 두 장씩 비늘이 있다. 그것을 떼 버리면 나의 목숨은 없다. 그러나 이것을 떼는 놈은
칭찬에 고취된 마귀는 자신의 약점을 말함   Link 소재의 의미 ❶   자만감을 드러냄
이 세상에는 없다. 하하하." 하고는 크게 코를 골며 깊은 잠에 빠졌다. 공주들은 좋은 기회를
놓칠세라 평소 지니고 있던 장도칼을 뽑았다. 그런데 순간 칼이 '징징' 하고 울리기 시작했다.
긴장감이 고조됨
공주들은 외발로 칼을 밟으면서 꾸짖었다. 그러자 장도칼이 울리는 것이 멈췄다. 『공주들은 마
「 」: 마귀를 죽이기 위한 공주들의 노력과 용기
귀의 좌우 겨드랑이에서 넉 장의 비늘을 베어냈다. 그러자 마귀의
목이 즉시 몸에서 떨어져 천장에 붙었는가 하면 다시 몸에 붙으려고
했다. 이때 한 공주가 준비해 둔 재를 재빨리 벤 자리에 뿌렸더니 머
마귀의 생명이 되살아나는 것을 막는 수단
리가 끝내 몸에 붙을 수가 없게 되어 몸과 머리가 서로 떨어져 나동
그라졌다. 그러자 마귀는 죽었다.』 ▶지혜를 발휘하여 마귀를 처치하는 공주들
Link 소재의 의미 ❷

Link
출제자 툭! 소재의 의미를 파악하라!
❶ 공주들이 알아낸 마귀의 약점에 해당하는
소재는?
마귀 겨드랑이 밑의 비늘
❷ 마귀의 생명이 되살아나는 것을 막는 역할
을 하는 소재는?
재

　　공주들은 무사와 함께 구멍 밑으로 며칠에 걸쳐 왔다. 바구니는 약속한 대로 그곳에 내려져 있었는데 '먼저 공주들을 구출하지 않으면 안 된다.'라고 생각해서 무사는 공주들을 한 사람 한 사람씩 그 바구니에 태우고 줄을 흔들었다. 위에서 기다리던 부하들은 기뻐서 줄을 끌어올 렸다. 그런데 세 공주를 모두 태워 올라간 바구니는 내려오지 않았다. 그뿐 아니라 부하들은 줄 대신에 큰 바위를 굴러 떨어뜨렸다. 그리고 부하들은 공주들을 데리고 고국으로 돌아가 왕 의 앞에 섰다. 왕은 대단히 기뻐 잔치를 열었다. 왕은 부하들이 공주들을 구해 온 것으로 믿은 것이다.

> 부하들이 무사의 공을 가로채기 위해 무사를 지하국에 가둠

> 공주들은 구출되고 부하들에게 배신 당한 무사

　　벼락 치듯 굴러떨어지는 바위 소리에 놀라며 재빨리 몸을 피한 무사는 목숨만은 구할 수 있 었지만 지상으로 올라갈 방법을 찾지 못했다. 무사는 부하들의 농간에 속은 것을 후회했지만 소용이 없어 그저 슬퍼하고 있었는데 『그전의 노인이 재차 나타나서는 한 필의 말을 주면서

> 남을 속이거나 남의 일을 그르치게 하려는 간사한 꾀

> 백발노인

"이 말을 타면 지상으로 갈 수 있다."라고 했다. 그가 그 말을 타고

> Link 갈래의 특징 ❶

한 번 채찍으로 치니 말은 단숨에 새와 같이 날아 그를 지상으로 보 냈다.』「 」: 사건의 우연성과 비현실성

Link
출제자 톡 갈래의 특징을 파악하라!

❶ 백발노인의 도움으로 지하국을 탈출한 사건 에서 알 수 있는 고전 소설의 특징은?
사건의 우연성과 비현실성

❷ 이 글의 결말에 나타난 고전 소설의 특징은?
권선징악, 행복한 결말

　　지상으로 나온 무사는 배신한 부하들을 처단하고 막내 공주와 혼

> 권선징악

인하여 행복하게 지냈다고 한다.

> 행복한 결말

> 백발노인의 도움으로 지하국을 탈출하고 공주와 결혼한 무사

Link 갈래의 특징 ❷

최우선 출제 포인트!

1 대립적 서사 공간

지하국 세계	지상 세계
• 마귀가 공주들을 납치해 가는 공간 • 부하들에게 있어 두려움의 공간 • 무사에게 신분 상승의 기회를 제공하는 공간	• 임금이 공주들의 무사 귀환을 기원하는 공간 • 무사가 공주와 결혼하여 행복하게 사는 공간

2 문제 해결의 방식

무사의 직접 해결	마귀의 거처에 들어가기 위해 공주의 물 항아리 위에 나뭇잎을 계속 떨어뜨림.
비현실적인 인물의 개입	마귀의 소굴을 찾지 못하는 무사에게 백발노인이 지하국으로 가는 방법을 알려줌.
공주의 재치와 도움	사람 냄새가 난다는 마귀의 의심을 공주들의 재치로 모면하고, 칭찬으로 마귀의 약점을 알아냄.

최우선 핵심 Check!

1 다음 내용 중 맞는 것은 ○표를, 틀린 것은 ×표를 하시오.
(1) 무사는 직접 마귀를 없애는 영웅적인 모습을 보이고 있다. (　　)
(2) 공주들은 마귀를 물리치기 위해 계획적으로 행동하고 있다. (　　)
(3) 백발노인은 이야기의 환상성을 조성하는 인물로, 무사가 지하국을 탈출하는 데 도움을 주고 있다. (　　)

2 다음 중 빈칸에 들어갈 알맞은 소재를 찾아 쓰시오.

비늘	나뭇잎	독한 술

(1) 무사는 물 항아리에 (　　)을/를 계속 떨어뜨려 공주에게 자신의 존 재를 알리고 있다.
(2) 공주는 마귀가 (　　)을/를 마시고 기분을 좋게 하여 스스로 자신의 약점을 말하게 하고 있다.
(3) (　　)은/는 마귀가 지닌 특별한 힘의 원천으로 마귀의 생명과 관련 이 있다.

정답 1. (1) × (2) ○ (3) ○ 2. (1) 나뭇잎 (2) 독한 술 (3) 비늘

조신의 꿈 | 작자 미상

성격 불교적, 교훈적 **시대** 상고 시대
주제 인생무상과 불도에의 정진

설화

이 작품은 조신이라는 인물이 태수 김흔의 딸과의 결합을 남몰래 소원하다가 꿈속 체험을 통해 세속적 욕망의 덧없음을 깨닫게 된다는 내용의 설화이다.

내용 전개

외화	내화	외화
조신이 김흔의 딸을 사랑하여 부부가 되기를 원하다가 꿈을 꾸게 됨.	부부는 오십여 년의 세월 동안 가난 속에서 고통스러운 삶을 살아감.	조신은 꿈에서 깨어 정토사를 세우고 수행을 함.
세속적 욕망을 제시함.	세속적 생활의 고통을 제시함.	세속적 욕망의 무상함을 깨달음.

전문

옛날 신라 시대 때, 세달사(世達寺) ─ 지금의 흥교사(興教寺)다. ─ 의 장원이 명주(溟洲) 날
리군(捺李郡)에 있었다. ─『지리지』를 살펴보면, 명주에 날리군은 없고 다만 날성군(捺城郡)
이 있는데, 본래 날생군(捺生郡)으로 지금의 영월(寧越)이다. 또 우수주(牛首州) 영현(領縣)에
날령군(捺靈郡)이 있는데, 본래는 날이군(捺已郡)으로 지금의 강주(剛州)다. 우수주는 지금의
춘주(春州)다. 그러므로 여기서 말한 날리군이 어느 것인지 알 수 없다. ─ 본사(本寺)에서는
승려 조신(調信)을 보내 장원을 맡아 관리하게 했다.
▶세달사의 장원을 맡아 관리하게 된 조신

조신은 장원에 이르러 태수 김흔(金昕)의 딸을 깊이 연모하게 되었다. 여러 번 낙산사의 관음
보살 앞에 나가 남몰래 인연을 맺게 해 달라고 빌었으나 몇 년 뒤 그 여자에게 배필이 생겼다.
Link 인물의 상황 ❶
조신은 다시 관음 앞에 나아가 관음보살이 자기의 뜻을 이루어 주지 않았다고 원망하며 날이
저물도록 슬피 울었다. 그렇게 그리워하다 지쳐 얼마 뒤 선잠이 들었다. 꿈에 갑자기 김씨의
딸이 기쁜 모습으로 문으로 들어오더니, 활짝 웃으면서 말했다.
Link 인물의 상황 ❷

"저는 일찍이 스님의 얼굴을 본 뒤로 사모하게 되어 한순간도 잊은 적이 없었습니다. 부모의
명을 어기지 못해 억지로 다른 사람의 아내가 되었지만, 이제 같은 무덤에 묻힐 벗이 되고
싶어서 왔습니다."
▶꿈속에서 자신의 소원을 이루게 된 조신

조신은 기뻐서 어쩔 줄 모르며 함께 고향으로 돌아가 사십여 년을 살면서 자식 다섯을 두
었다. 그러나『집이라곤 네 벽뿐이요, 콩잎이나 명아줏국 같은 변변한 끼니도 댈 수 없어 마침
내 실의에 찬 나머지 가족들을 이끌고 사방으로 다니면서 입에 풀칠을 하게 되었다. 이렇게
십 년 동안 초야를 떠돌아다니다 보니 옷은 메추라기가 매달린 것처럼 너덜너덜해지고 백 번
이나 기워 입어 몸도 가리지 못할 정도였다.』〈중략〉 부인은 눈물을
씻더니 갑자기 말했다.
▶소원을 이루었으나 고통이 따르는 생활을 하는 조신 부부

"내가 처음 당신을 만났을 때는 얼굴도 아름답고 꽃다운 나이에 옷
차림도 깨끗했습니다. 한 가지 맛있는 음식이라도 당신과 나누어
먹었고, 몇 자 되는 따뜻한 옷감이 있으면 당신과 함께 해 입었습
니다. 집을 나와 함께 산 오십 년 동안 정분은 가까워졌고 은혜와

Link

출제자 특강 **인물의 상황을 파악하라!**

❶ 조신이 관음보살에게 남몰래 빈 소원은?
자신이 깊이 연모하는 태수의 딸과 인연을
맺고 싶음.

❷ 조신의 세속적 욕망의 성취 과정은?
김흔의 딸을 그리워하다가 선잠이 들고 꿈
속에서 그녀와 부부의 인연을 맺음.

❸ 꿈속에서 조신 부부의 상황은?
극심한 가난으로 비참하게 살고 있음.

사랑은 깊었으니 두터운 인연이라고 할 수 있습니다. 그러나 몇 년 이래로 **쇠약해져 병이** 날로 더욱 심해지고 굶주림과 추위도 날로 더해 오는데, **결방살이에 하찮은 음식조차 빌어먹**지 못하여 이 집 저 집에서 구걸하며 다니는 부끄러움은 산과같이 무겁습니다. 아이들이 추위에 떨고 굶주려도 돌봐 줄 수가 없는데, 어느 겨를에 사랑의 싹을 틔워 부부의 정을 즐기겠습니까? 젊은 날의 고왔던 얼굴과 아름다운 웃음도 풀잎 위의 이슬이 되었고, 지초와 난초 같은 약속도 회오리바람에 날리는 버들 솜이 되었습니다. 『당신은 내가 있어서 근심만 쌓이고, 나는 당신 때문에 근심거리만 많아지니, 곰곰이 생각해 보면 옛날의 기쁨이 바로 근심의 시작이었던 것입니다.』 당신이나 나나 어째서 이 지경이 되었는지요. 『여러 마리의 새가 함께 굶주리는 것보다는 짝 잃은 난새가 거울을 보면서 짝을 그리워하는 것이 낫지 않겠습니까? 힘들면 버리고 편안하면 친해지는 것은 인정상 차마 할 수 없는 일입니다만 가고 멈추는 것 역시 사람의 마음대로 되는 것이 아니고, 헤어지고 만나는 데도 운명이 있는 것입니다. 이 말에 따라 이만 헤어지기로 합시다.”』

조신이 이 말을 듣고 기뻐하여 각기 아이를 둘씩 나누어 데리고 떠나려 하는데 아내가 말했다. “저는 고향으로 향할 것이니 당신은 남쪽으로 가십시오.” / 그리하여 조신은 이별을 하고 길을 가다가 꿈에서 깨어났는데 희미한 등불이 어른거리고 밤이 깊어만 가고 있었다.

『아침이 되자 수염과 머리카락이 모두 하얗게 세어 있었다. 조신은 망연자실하여 세상일에 전혀 뜻이 없어졌다. 고달프게 사는 것도 이미 싫어졌고 마치 백 년 동안의 괴로움을 맛본 것 같아 세속을 탐하는 마음도 얼음 녹듯 사라졌다.』 그는 부끄러운 마음으로 부처님의 얼굴을 바라보며 깊이 참회하는 마음이 끝이 없었다. 돌아오는 길에 해현으로 가서 아이를 묻었던 곳을 파 보았더니 **돌미륵**이 나왔다. 물로 깨끗이 씻어서 가까운 절에 모시고 서울로 돌아와 장원을 관리하는 직책을 사임하고 개인 재산을 털어 **정토사(淨土寺)**를 짓고서 수행했다. 그 후에 아무도 조신의 종적을 알지 못했다.

▶ 조신의 깨달음과 정토사 건립

최우선 (출제 포인트!)

1 '조신'의 가치관의 변모 과정

| · 김흔의 딸을 좋아하여 부부의 인연을 맺고 싶어 함. · 세속적 욕망을 추구함. | 꿈 세속적 생활의 고통을 겪음. | 세속적 욕망이 덧없음을 깨닫고 세속적 욕망을 초탈함. |

2 이 작품을 전설로 볼 수 있는 근거

· 구체적인 사찰의 이름, 지명, 인명이 나타난다.
· 꿈에서 깨어난 조신이 꿈속에서 죽은 자식을 묻은 곳을 파 보니 '돌미륵'이 나온다.
· 조신이 '정토사'라는 절을 세우게 된 내력을 밝히고 있다.

최우선 (핵심 Check!)

1 다음 내용 중 맞는 것은 ○표를, 틀린 것은 ×표를 하시오.

(1) 정토사라는 절이 세워진 배경을 다루고 있다는 점에서 사찰 연기 설화에 해당한다. ( )
(2) 꿈은 조신이 현실에서 이루지 못한 김흔의 딸과의 인연에 대한 욕망을 이루게 되는 통로라 할 수 있다. ( )

2 초성 힌트를 보고 빈칸에 들어갈 알맞은 말을 쓰시오.

(1) '현실 – 꿈 – 현실'의 환몽 구조를 취하고 있으면서, 꿈이 내화가 되고 현실이 외화가 되는 ㅇㅈ 식 구성을 띠고 있다.
(2) ㄷㅁㄹ은/는 조신이 꿈에서 겪은 사건이 실제로 일어난 일이라는 믿음을 주는 요소에 해당한다.

정답 1. (1) ○ (2) ○ 2. (1) 액자 (2) 돌미륵

'국'은 '누룩'을, '순'은 '군물을 타지 아니한 진국의 술'을 뜻함

국순전(麴醇傳) | 임춘

성격 풍자적, 교훈적, 우의적 **시대** 고려 시대
주제 간사한 벼슬아치에 대한 풍자

 62위 출제율 60%

가전체

이 작품은 술을 의인화하여 당시의 정치 현실을 풍자하고 술로 인한 패가망신을 경계하고 있는 가전체이다.

출제 최우선 작품

내용 전개 방식

도입
국순과 국순의 집안 내력 소개 및 국순 아버지 주의 행적과 죽음

전개
국순의 성품과 행적, 국순의 정계 진출과 전횡, 국순의 사직과 죽음

논평
국순에 대한 사신의 부정적 평가

전문

국순(麴醇)의 자(字)는 자후(子厚)이다. 그 조상은 농서(隴西) 사람이다. 90대조(代祖)인 모
　　　'술'을 의인화함　　　원래 이름을 대신해서 부르는 이름　　　　　　진·한 시대 군(郡) 이름　　　　　　'보리'를 의인화한 말
(牟)가 후직(后稷)을 도와 뭇 백성들을 먹인 공로가 있었다. 『시경(詩經)』에서,
　　　주왕조(周王朝)의 전설적 시조, 농경신(農耕神)으로, 오곡(五穀)의 신임　　유학 오경의 하나로, 중국에서 가장 오래된 시집

"우리에게 밀과 보리를 주었구나."

라고 한 구절은 이러한 사실을 말하는 것이다. 모는 처음에는 숨어서 벼슬하지 않고서,
　　　　　　　　　　'순'의 선조인 '모'가 백성의 삶에 긍정적인 영향을 미친 것

"나는 반드시 농사를 지어 먹고살 것이다."
　　　　　관직에 오르지 않고 살겠다는 의지를 드러냄
라고 하면서 시골에서 살았다. 〈중략〉

점점 모의 맑은 덕(德)이 알려지면서, 임금님은 모의 마을에 정문(旌門)을 세워 주었다. 그
　　　원구단(圓丘壇). 천자나 국왕이 하늘에 제사를 지내던 곳　　　　　　충신, 효자, 열녀들을 표창하기 위하여 그 집 앞에 세우던 붉은 문
뒤 모는 임금을 따라 원구(圓丘)에 제사한 공으로 중산후(中山侯)에 봉해졌다. 식읍(食邑)은 일
　　　　　　　　제주(祭酒 - 제사에 쓰는 술)로 쓰인 공　　　　　　　　　　　공신에게 특별 보상으로 주는 영지(領地)
만 호(一萬戶)이고, 식실봉(食實封)은 오천 호(五千戶)요, 성(姓)은 국씨(麴氏)라 하사했다. 모
　　　　식읍(食邑) 수여에서 실제로 지급한 호(戶)
의 5세손은 성왕(成王)을 도와 사직(社稷)을 제 책임으로 삼아 얼큰한 태평성대(太平聖代)를 이
　　　　　　　　　나라 또는 조정을 이르는 말　　　　　　　당대에 음주가 성행했음을 의미함
룩했다. 그러나 강왕(康王)이 위(位)에 오르자 점차로 박대를 받아 금고(禁錮)에 처해졌다. 그
　　　　　　　　　　　　　　　　　　　　　　　　　　　금주령이 내려졌음을 의미함　　Link 우의적 의미 ❶
리하여 모의 5세손의 후손들 중에서 유명한 사람이 없어졌고, 모두 민간에 숨어 살게 되었다.
　　　　　　　　　　　　　　　　　　　　　　　금주령으로 인해 밀주가 나타남을 의미함 ▶국순의 선조와 집안 내력

위(魏)나라 초기에 이르러 순(醇)의 아비 주(酎)가 세상에 이름이 알려져서, 상서랑(尙書郞)
　　　　　　　　　　　　　　　　　'진한 술'을 의인화함
서막(徐邈)과 더불어 서로 친하여 그를 조정에 끌어들여 말할 때마다 주(酎)가 입에서 떠나지
위나라의 지독한 애주가
않았다. 마침 어떤 사람이 임금께 아뢰기를,

"막이 주와 함께 사사로이 사귀어, 점점 난리의 계제(階梯)를 만들고 있습니다."
　　　　　　　　　　　　　　난리가 일어날 조짐
하므로, 위에서 노하여 막을 불러 힐문(詰問)하니, 막이 머리를 조아리며 사죄하기를,
　　　　　　임금　　　　　　　　　　　트집을 잡아 따져 물음

"신이 주를 따르는 것은 그가 성인(聖人)의 덕이 있삽기에 수시로 그 덕을 마시었습니다."

하니, 위에서 그를 책망(責望)하였다. 그 후에 진(晉)이 선양(禪讓)을 받게 되자, 세상이 어지
　　　　　　　　　잘못을 꾸짖거나 나무라며 못마땅하게 여김　　　　　　임금의 자리를 물려줌
러울 줄을 알고 다시 벼슬할 뜻이 없어 유영(劉伶)·완적(阮籍)의 무리와 더불어 대숲에서 놀며
　　　　　　　　　　　　　　　　　　중국 위나라 말기의 죽림칠현(竹林七賢)을 일컬음
일생을 마쳤다.
　　　　　　　　　　　　　　　　　　　　　　　　　　　　　　　　　　　▶아버지 '주'의 행적

순은 기국(器局)과 도량(度量)이 크고 깊어, 『출렁대고 넘실거림이 만경(萬頃)의 물결과 같아 『 』: 술잔에 담긴 술의 모습 묘사
　　　　사람의 재능과 도량　　　사물을 너그럽게 용납하여 처리할 수 있는 넓은 마음과 깊은 생각
맑게 하여도 맑아지지 않고, 뒤흔들어도 흐려지지 않으며,』 자못 기운을 사람에게 더해 주었
　　　　　　　　　　변하지 않는 성품　　　　　　　　　　　　　　　　　　술기운
다. 일찍이 섭법사(葉法師)에게 나아가 온종일 담론하였는데, 자리에 있던 사람 모두가 절도
　　　　　　『태평광기』의 「섭법선(葉法善)」 설화에 나오는 인물　　　　　　　　　　　까무러쳐 넘어짐

고전 산문 **225**

(絶倒)하게 되어, 드디어 유명해져 호(號)를 국 처사(麴處士)라 하였는데, 공경(公卿)·대부(大夫)·신선(神仙)·방사(方士) 들로부터 머슴·목동·오랑캐·외국 사람에 이르기까지 그 향기로운 이름을 맛보는 자는 모두 그를 흠모(欽慕)하였으며, 성대한 모임이 있을 때마다 순이 오지 아니하면 모두 다 추연(楸然)하여 말하기를, / "국 처사가 없으면 즐겁지 않다." **Link** 우의적 의미 ❷

하니, 그가 세상에서 사랑받음이 이와 같았다.

> **벼슬을 하지 않고 은거하는 선비**
> **신선의 술법을 닦는 사람**
> **사람들이 술을 좋아하였음**
> **처량하고 슬픔**
> **술이 화기애애한 분위기를 만들어 주기 때문에**
> **높은 벼슬아치**

➤ 국순의 성품과 행적

태위(太衛) 산도(山濤)가 감식(鑑識)이 있었는데, 일찍이 순을 보고,

"어떤 늙은 할미가 이렇게 훌륭한 아이를 낳았는가? 천하의 창생(蒼生)을 장차 잘못되게 할 자는 바로 이 아이가 틀림없다."

Link 우의적 의미 ❸, ❹

> **죽림칠현의 한 사람**
> **사물의 가치나 진위 따위를 알아냄**
> **세상의 모든 사람 = 백성**
> **국순이 간신이 될 것 – 술의 폐해가 생길 것**

하였다. 공부(公府)에서 불러 청주종사(靑州從事)를 삼았으나, 마땅한 벼슬자리가 아니므로 고쳐 평원독우(平原督郵)를 시켰다. 얼마 뒤에 탄식하기를,

> **좋은 술. 여기서는 높은 벼슬을 의미함**
> **질이 안 좋은 술**

『"내가 쌀 닷 말 때문에 허리를 굽혀 향리(鄕里) 소아(小兒)에게 절하지 않으리니, 마땅히 술 단지와 도마 사이에 서서 담론할 뿐이로다."』

> 『 』: 중국의 도연명이 감독관의 순시를 거부하고 「귀거래사」를 지은 뒤 낙향한 일화를 인용함 → 벼슬에서 물러나겠다는 의미
> **이야기를 주고받으며 논의함**

하였다. 그때 관상을 잘 보는 자가 있었는데 그에게 말하기를,

『"그대 얼굴이 자줏빛을 띠어, 뒤에 반드시 귀하게 되어 천종록(千鍾祿)을 누리게 될 것이니 마땅히 좋은 자리를 기다려 벼슬에 나아가라."』

> 『 』: 순이 높은 벼슬에 오를 것이라 예언함
> **높은 벼슬**

하였다. 진(陳)나라 후주(後主) 때에 좋은 집의 자식들을 주객 원외랑(主客員外郞)으로 임명했다. 당시 임금이 순의 사람됨을 남달리 여겨, 장차 크게 쓸 뜻이 있었다. 금구(金甌)로 덮어 순을 뽑아서 광록대부 예빈경(光祿大夫禮賓卿)으로 임명하고, 작을 올려 공(公)으로 삼았다. 무릇 군신(君臣)의 회의에는 반드시 순을 시켜 짐작(斟酌)하게 하였는데, 그 진퇴(進退)와 수작(酬酌)이 조용히 뜻에 맞는지라, 임금이 순의 의견을 널리 수용하면서,

> **쇠나 금으로 만든 사발**
> **재상으로 임명하여**
> **술을 따르게**
> **술잔을 서로 주고받음**

"경(卿)이야말로 이른바 곧음 그것이오, 맑음 그대로여서 내 마음을 열어 주고 내 마음을 질편하게 하는 자로다."

> **임금이 술의 이중성 중에서 술의 장점을 말함**

➤ 국순의 정계 진출과 권세

하였다. 순이 권세를 얻고 일을 맡게 되자, 어진 이와 사귀고 손님을 대접함이며, 늙은이를 봉양하여 술·고기를 줌이며, 귀신에게 고사하고 종묘(宗廟)에 제사함을 모두 순이 주장하였다.

> **임금이 술을 좋아함**
> **제사를 지낼 때 술이 쓰임**

위에서 일찍이 밤에 잔치할 때도 오직 그와 궁인(宮人)만이 모실 수 있었고, 아무리 근신(近臣)이라도 참예하지 못하였다. 『이로부터 위에서 곤드레만드레 취하여 정사를 폐하는데도, 순은 입에 재갈을 물린 듯 말을 하지 못하므로 예법(禮法)의 선비들은 그를 미워함이 원수 같았으나, 위에서 매양 그를 보호하였다. 순은 또 돈을 거둬들여 재산 모으기를 좋아하니, 시론(時論)이 그를 더럽게 여겼다.』 위에서 묻기를,

> **임금을 가까이에서 모시던 신하**
> **나아가 뵙지**
> 『 』: 임금의 비위만 맞추는 간신이 임금을 망치는 상황을 보여 줌(비판적 의식)
> **잘못을 고치도록 간언하지 않음**
> **한 시대의 여론**

"경(卿)은 무슨 버릇이 있느냐." / 하니, 대답하기를,

Link

출제자 특강 우의적 의미를 파악하라!

❶ 강왕 때 국순이 박대를 받고 금고에 처해진 것에서 알 수 있는 당시의 사회 상황은?
금주령이 내려져 더 이상 술을 마시지 못하게 되었음.

❷ "국 처사가 없으면 즐겁지 않다."라는 말의 의미는?
술이 없으면 흥이 생기지 않음.

❸ 국순에 대한 긍정적인 태도가 담긴 2어절의 말은?
훌륭한 아이

❹ 국순에 대한 부정적인 태도가 담긴 5어절의 말은?
창생(蒼生)을 장차 잘못되게 할 자

"옛날에 두예(杜預)는 『좌전(左傳)』을 좋아하는 벽(癖)이 있었고, 왕제(王濟)는 말[馬]을 좋아

노나라 좌구명이 공자의 『춘추』를 해설한 책

중국 진(晉)의 학자이자 정치가   버릇   중국 서진 때 학자

하는 벽이 있었으며, 신(臣)은 돈을 좋아하는 벽이 있나이다."

▶국순에 대한 임금의 총애와 국순의 전횡

하니, 위에서 크게 웃고 사랑함이 더욱 깊었다. 일찍이 임금님 앞에서 주대(奏對)할 때, 순이

군주가 지녀야 할 분별력을 잃음   임금의 물음에 대답하여 아룀

본래 입에 냄새가 있으므로 임금이 싫어하여 말하기를,

"경이 나이 늙고 기운이 없어 내 조정의 벼슬을 감당치 못하는가."

하였다. 순이 드디어 관(冠)을 벗고 사죄하기를,

벼슬에서 사직하고

"신이 벼슬을 받고 사양하지 않으면 마침내 망신할 염려가 있사오니, 제발 신을 사제(私第)

에 돌려주시면 신은 족히 그 분수를 알겠나이다."

개인 소유의 집

하였다. 위에서 신하들에게 명하여 순을 부축하여 나왔더니, 집에 돌아와 갑자기 병들어 하루

저녁에 죽었다. 아들은 없고, 족제(族弟) 청(淸)이, 뒤에 당(唐)나라에 벼슬하여 벼슬이 내공봉

성과 본이 같은 사람들 가운데 유복친 안에 들지 않는 같은 항렬의 아우뻘이 남자

(內供奉)에 이르렀고, 자손이 다시금 중국에서 번성하였다.

▶국순의 사직과 죽음

사신(使臣)이 말하기를,

"국씨의 선조는 백성에게 공로가 있었고, 청백(淸白)을 자손에게 끼쳐 창(鬯)이 주(周)나라

모(牟)   울창주(鬱鬯酒), 튤립을 넣어서 빚은, 향기 나는 술

에 있는 것과 같아 향기로운 덕이 하느님에게까지 이르렀으니, 가히 제 할아버지의 기풍이

있다 하겠다. 『순(醇)이 설병(挈瓶)의 지혜로 독 들창에서 일어나서 일찍 금구(金甌)의 선발

손에 든 작은 병   깨진 항아리로 창을 낼 정도의 가난한 집   나라의 선발에 뽑혀서

에 뽑혀 술 단지와 도마에 서서 담론하면서도 옳고 그름을 변론하지 못하고, 왕실이 미란(迷

조정에 진출함   임금께 간언하지 않음   정신이 혼미하여 어지러움

亂)하여 엎어져도 붙들지 못하여 마침내 천하의 웃음거리가 되었으니, 거원(巨源)의 말이 족

『　』: 순에 대한 사신의 비판적인 평가   산도의 자(字). 국순이 간신이 될 것을 이야기했던 사람

히 믿을 만한 것이 있도다." / 하였다.

▶국순에 대한 사신의 논평

● 청주종사(靑州從事)를 삼았으나 ~ 평원독우(平原督郵)를 시켰다.: 진 환공(晉桓公)의 하인들이 좋은 술을 청주종사(靑州從事), 나쁜 술을 평원독우(平原
督郵)라 했는데, 청주에 제현(齊縣), 평원에 격현(鬲縣)이 있어서, 좋은 술은 배꼽[臍(제)]까지 내려가고 나쁜 술은 가슴[鬲(격)]에서 오르내린다고 하면서
臍=齊, 鬲=膈으로 음이 같아 그렇게 불렀음.

● 금구(金甌)로 덮어 순을 뽑아서: 재상을 임명하는 일로, 당나라 현종이 재상을 선정하여 그 이름을 책상 위에 써 놓고 금구로 가려 신하에게 맞히게 한 고사
에서 유래됨.

| 최우선 | 출제 포인트! |

1 이 작품의 주제 의식

술	이로움	막힌 것을 열어 주고 맺힌 것을 풀어 줌.	→	사람들이 지나치게 술에 탐닉하는 것을 경계함.
	해로움	인간을 방탕하게 하고 사람을 망신시킴.		
국순	공(功)	성품이 맑고 도량이 넓으며 사람들의 기운을 더해 줌.	→	향락에 빠진 임금과 이를 따르는 간사한 벼슬아치들을 풍자함.
	과(過)	임금의 마음을 혼미하게 하고, 임금에게 아첨만 일삼으며 간언하지 않음.		

| 최우선 | 핵심 Check! |

1 다음 내용 중 맞는 것은 ○표를, 틀린 것은 ×표를 하시오.

(1) 시대적 배경을 언급하여 사건의 전개에 사실성을 부여하고 있다.
(　　)

(2) 작가인 임춘이 당시 사회에 대해 가졌던 불만이 녹아 있다고 볼 수 있다.
(　　)

(3) 술의 양면성, 바람직한 신하의 도리와 올바른 인재 등용 방식의 필요성을 말하고 있다.
(　　)

2 초성 힌트를 보고 빈칸에 들어갈 알맞은 말을 쓰시오.

(1) '도입 – 전개 – ㄴㅍ'의 전(傳) 형식으로 구성되었다.

(2) '술'을 ㅇㅇㅎ한 가전체로, 술의 내력과 부패하고 타락한 신하의 모습을 보여 주고 있다.

정답 1. (1) × (2) ○ (3) ○ 2. (1) 논평 (2) 의인화

박 넝쿨로 둘러싸인 누추한 집에 대한 기록

포화옥기(匏花屋記) | 이학규

성격 성찰적, 교훈적, 설득적 **시대** 조선 후기
주제 주어진 삶에 만족하며 살아가는 삶

수필

이 글은 지극히 불행한 삶을 살던 글쓴이가 나그네에게 들은 이야기 속의 어떤 노비를 통해, 견디기 힘든 상황을 견딜 수 있게 하는 깨달음을 얻게 되었다는 내용의 수필이다.

내용 전개

예화		의견
자신이 사는 집에 대한 불만이 있던 '나'가 서울에서 온 나그네에게서 여관집의 노비 이야기를 듣게 됨.	→	유배지에서의 삶을 여관 중의 여관에 머무는 것으로 여길 때 삶의 번뇌가 없어짐을 깨달음.

전문

낙하생(洛下生)이 사는 집은 높이가 한 길이 못 되고, 너비는 아홉 자가 못 된다. 인사를 하
〔글쓴이의 호〕   약 2.4m 또는 3m에 해당함   〔Link 인물의 태도 ❶〕
려고 하면 갓이 천장에 닿고, 잠을 자려고 하면 무릎을 구부려야 한다. 한여름에 햇볕이 내리
            〔매우 협소한 집임을 알 수 있음〕   〔여름철에 더위를 막을 수 없음〕
쬐면 창문이 뜨겁게 달아오른다. 그래서 둘러친 담장 밑에 박을 10여 개 심었더니, 넝쿨이 자
                                    〔한여름의 더위를 막기 위해〕
라 집을 가려 주었다. 그러자 우거진 그늘 때문에 모기와 파리 떼들이 어두운 곳에서 서식하
〔박 넝쿨에 둘러싸인 집으로, '포화옥'을 나타냄〕   〔햇볕이 주는 고통에서 벗어났으나 또 다른 고통이 찾아옴〕
고, 뱀들이 서늘한 곳에 웅크리고 있었다. 어두운 밤에 자주 일어나 등촉을 들고 마당을 살펴
                                                        〔등불과 촛불〕
보았다. 가만히 있으면 가려움 때문에 긁느라 지치고, 이리저리 움직이면 쏘아 대는 것이
     〔Link 인물의 태도 ❶〕   〔갈증으로 물을 많이 마시고 음식을 많이 먹으나 몸은 여위고 오줌의 양이 많아지는 병〕
두렵다. 이를 걱정하고 신경 쓰느라 병이 생겼으니, 소갈증이 심해지고 가슴도 막힌 듯 답답
     〔Link 인물의 태도 ❷〕   〔자신의 환경에 만족하지 못하여 고통스러움〕
했다. 찾아오는 손님에게 이러한 사정을 자세히 말하곤 했다.   ▶자신이 사는 집에 대한 불만이 가득한 '나'

서울에서 온 어떤 나그네가 내 말을 듣고 위로를 하였다. 그리고 자신이 예전에 몸소 겪었던
     〔'나'에게 깨달음을 주는 인물〕
일을 말해 주었다.

"저는 어려서 집이 가난하여 장사를 했습지요. 『영남 땅의 나루터, 정자, 역정(驛亭), 여관 그
                                        〔역참에 마련되어 있는 정자를 이르던 말〕
                                『   』전국을 돌아다니며 장사를 함
리고 궁벽한 고을의 작은 주막들에 이르기까지 제 발길이 닿지 않는 곳이 없었답니다.』 무더
운 여름철에 여행객과 나그네들이 한곳에 모이게 된답니다. 『수령과 보좌 관원이 먼저 내실
                                                        몸채 곁에 딸려 있는 집채   『   』신분에 따라 잠자리에 차별이 생김
을 차지한 채 서늘하게 지내고, 바람 부는 곁채와 시원한 평상은 아전과 역졸(役卒)들이 차
                                                        중앙과 지방의 관아에 속한 구실아치   관원이 부리던 하인
지하지요. 오직 뜨거운 구들과 뜨뜻한 침상에는 벽을 뚫고 관솔불이 비쳐 들고 대자리를 깎
                                            송진이 많이 엉긴. 소나무의 가지나 옹이에 붙인 불
아 빈대를 쫓아내는 곳만이 남게 되지요. 그곳만은 어느 누구도 다투지 않으며, 우리네 같은
                        뜨겁고 빈대가 들끓는 아주 나쁜 자리   낮은 지위(신분)의 사람들
사람들이 이틀 밤을 묵고 지내는 곳이랍니다.』 / 『밤이 깊어 사람들 열기로 후끈 달아오르면
                                                『   』잠들기에 열악한 환경임
마치 가마솥에서 밥이 뜸 들듯 한답니다. 게다가 고약한 액취가 나는 사람, 방귀 뀌는 사람,
                                        체질적으로 겨드랑이에서 나는 고약한 냄새
드르렁드르렁 코를 고는 사람, 이를 빠빠 가는 사람, 옴에 걸려 벽을
                                        움진드기가 기생하여 일으키는 전염 피부병
긁어 대는 사람, 잠꼬대를 하며 욕하는 사람 등등 갖가지 모습을 연
출하니 이루 다 열거할 수 없을 정도랍니다. 이리저리 뒤척거리다가
도저히 견디지 못한 사람은 옷가지를 집어 들고 돗자리를 끼고서 부
엌 바닥이나 방앗간, 외양간이나 마구간 등을 찾아다니면서 잠자리
를 네댓 번씩 옮깁니다.』   ▶지위(신분)에 따라 잠자리가 정해지는 여관집

그런데 여관집의 노비를 보면 이와 다릅지요. 때가 잔뜩 낀 지저분
                            〔'나'와 대비되는 존재〕   〔불편해하는 여행객들〕   〔여관집 노비의 삶〕

Link

출제자 톡! 인물의 태도를 파악하라!

❶ '나'가 걱정하고 신경 쓰고 있는 것은?
   열악한 주거 환경

❷ 자신이 사는 집에 대한 '나'의 태도는?
   사는 집에 대한 불만이 많아 고통스러움.

❸ 자신의 삶에 대한 여관집 노비의 태도는?
   열악한 환경에서 살면서도 자신의 삶을 운명으로 받아들이고 불평하지 않음.

❹ 이 세상에 대한 나그네의 인식은?
   이 세상 자체가 잠시 몸을 의탁하는 여관과 같음.

한 얼굴을 하고 부지런히 소나 말처럼 분주히 오가며 일을 하지요. 지나다니는 사람들에게 빌붙어 아침저녁을 해결하니, 『버려진 음식도 달게 먹는답니다. 그 사람은 취하여 배부르면
＿＿＿＿＿＿＿＿＿＿＿＿＿＿＿＿＿＿＿＿＿＿＿＿＿＿＿＿＿＿＿＿＿＿＿＿＿『』: 열악한 삶을 불평하지 않고 만족하며 사는 노비의 모습
눕자마자 잠이 들지요. 우리네들이 예전에 견디지 못하는 것을 그 사람은 편안하게 여기니,
━━ Link 인물의 태도 ❸
마치 쌀쌀한 날씨 속에서 선선한 방에서 잠자듯 한답니다. 그의 모습을 살펴보면 옷은 다 해지
＿＿＿＿＿＿＿＿＿＿＿＿＿＿＿＿＿＿＿＿＿＿＿＿＿＿＿＿호강을 하지 못하고 천하게 살지만 건강하게 장수하며 산다는 의미임
고 여기저기 꿰매었지만 살결은 튼실하고, 특별한 재앙을 겪지 않고 천수를 누리고 있지요.

　이것은 다른 이유 때문이 아니랍니다. 그 사람은 자기가 사는 곳을 여관으로 생각하며, 지
　　　　　　　　　　　　　　　　　　　　　자기가 사는 곳을 잠깐 머물다가 가는 여관으로 생각함
금의 삶을 본래 정해진 운명이라고 여깁니다. 온갖 걱정과 근심으로 자기 마음을 상하게 하
＿＿＿＿＿＿＿＿＿＿＿＿＿＿＿＿＿＿＿＿＿＿＿＿＿＿＿＿＿＿＿＿＿＿＿＿
주어진 삶에 만족하며 살아감　　　　　　　　　　마음에 병이 없이 사는 노비의 삶 – '나'의 삶과 대비됨
는 일도 없고, 끙끙거리며 탄식하느라 기운을 허하게 하는 일도 없지요. 그래서 재앙을 특별
히 겪지 않고 천수를 누릴 사람이랍니다.
　　　　　　　　　　　　　　　　　▶노비가 천수를 누리는 이유

　또 이런 말도 있습지요. 지금 이 세상은 살아 있는 사람을 봉양하고 죽은 사람을 장사 지
　　　　　　　　　　　　　　　　　　　　　　　　　나그네의 인생관
내는 여관 같은 곳입니다. 그리고 이 여관은 하룻밤이나 이틀을 묵고 가는 곳입니다. 지금
＿＿＿＿＿＿＿＿＿＿＿＿＿＿＿＿＿＿＿＿＿＿＿＿＿＿＿＿＿＿
이 세상에서 영원히 살 수 없음을 비유적으로 나타냄　　　Link 인물의 태도 ❹
그대는 이러한 여관에 몸을 기탁해 사는 데다가, 다시 또 멀리 떠나와 궁벽한 골짜기에 몸을
　　　　　★ 주요 소재　　　　　　유배지로 와'　　　　세상살이와 동떨어진 삶
숨기고 있습니다. 이것은 여관 중의 여관에 머물고 있는 셈이지요.
＿＿＿＿＿＿＿＿＿＿＿＿＿＿＿＿＿＿＿＿＿＿＿　　　　　▶여관과도 같은 세상과 인생
　　　이 세상이 잠시 머물다 가는 하나의 여관이라면 '나'가 세상살이와 동떨어져 사는 유배지는 '여관 중의 여관'이라는 말
　저 여관집의 노비는 일자무식한 사람입니다. 다만 그는 여관을 여관으로 여기면서, 음식
　　　　　　　글쓴이와 대조되는 사람　　　　　　　　　　실제 여관　　비유적 의미의 여관 – 잠시 머물다 가는 곳
도 잘 먹고 하루하루를 지내니, 추위와 더위도 그를 해치지 못하고 질병도 해를 입히지 못한
＿＿＿＿＿＿＿＿＿＿
운명으로 받아들이니
답니다. 그대는 도를 지키고 운명에 순종하며, 소박하고 솔직한 태도로 행하는 분입니다. 그
런데 여관 중의 여관에서 지내면서도 여관을 여관으로 생각하지 않으십니다. 자기 스스로
＿＿＿＿＿＿＿＿　　　　　　　　　　　　　　　　　　＿＿＿＿＿＿＿＿＿＿
글쓴이의 집을 말함　　　　　　　　　　　　　　　잠시 거쳐 가는 곳으로 여기지 않음
화를 돋우고 들볶아 원기를 손상시키니, 병이 생겨 거의 죽을 지경에 이르렀습니다. 『그대가
배우기를 바라는 것은 옛날 성현의 말씀인데도, 오히려 여관집의 노비가 하는 것처럼도 하
＿＿＿＿＿＿＿＿＿＿＿＿＿＿＿＿＿＿＿＿
운명에 순응하며 사는 삶의 태도를 지닌 노비
지 못하는구려."』: 성현의 도를 좇으면서도 여관집 노비의 깨달음에도 미치지 못하는 '나'를 질타함
　　　　　　　　　　　　　　★★ 중심 소재
이에 그 말을 서술하여 벽에 적고 '포화옥기(匏花屋記)'라 하였다.
＿＿＿＿＿＿＿＿＿＿＿＿＿＿＿＿＿＿＿＿＿＿＿＿＿＿＿＿＿＿＿＿＿＿＿＿▶여관집 노비 이야기를 듣고 얻은 깨달음을 글로 남긴 '나'
'포'는 박, '화'는 꽃, '옥'은 집을 뜻하므로, 박 넝쿨로 둘러싸인 집에 대한 기록이라는 뜻

최우선 출제 포인트!

1 인물들의 삶의 자세

'나'	집에 불만이 있다가 서울 나그네가 들려주는 이야기를 듣고 현실을 담담하게 수용하는 태도를 지니게 됨.
서울 나그네	현재 삶을 본래 정해진 운명으로 여기라고 '나'를 설득함.
여관집 노비	주어진 자기 삶에 불평하지 않고 만족하며 삶.

2 '여관 중의 여관'의 의미

여관	→	여관 중의 여관
잠시 머물다가 가는 이 세상		'나'가 세상과 동떨어져 살아 가는 곳

최우선 핵심 Check!

1 다음 내용 중 맞는 것은 ○표를, 틀린 것은 ×표를 하시오.

[1] '내가 사는 집'은 '나'가 자연 속에서 소박한 삶을 추구하며 살아가는 공간이라는 점에서 이상적인 공간으로 볼 수 있다. （　　）

[2] 나그네는 '나'가 옛 성현의 말씀을 배우기를 바라면서도 여관을 여관으로 생각하지 않고 있음을 지적하면서 비판하고 있다. （　　）

[3] '나'가 현실에 만족하지 못하는 모습과 '여관집의 노비'가 현실에 만족하며 살아가는 모습을 대비하고 있다. （　　）

2 이 글에서 '포화옥(匏花屋)'이 가리키는 대상은? (3어절)

정답 1. [1] × [2] ○ [3] ○ 2. 여관 중의 여관

출제율 60%

64위

병자호란 때 남한산성에서 항전하던 당시의 상황에 대한 기록

산성일기(山城日記) | 작자 미상

성격 사실적, 객관적, 체험적 **시대** 조선 후기
주제 병자호란의 치욕과 남한산성에서의 항쟁

수필

이 글은 조선 인조 때 어느 궁녀가 쓴 일기체 수필로, 병자호란 당시 남한산성에서의 정황이 사실적이고 간결한 문체로 기록되어 있다.

내용 전개

도입부
청 태조 누르하치가 명으로부터 용호 장군의 관직을 얻고, 인조가 남한산성으로 피란 가는 과정을 설명함.

중심부
병자년(1636년) 전쟁 시작부터 정축년(1637년) 임금이 세자와 함께 삼전도에서 청에게 치욕적인 항복을 하기까지의 일을 기록함.

종결부
전쟁 종결 후 3년간의 일을 짧게 요약함.

핵심장면 ① 임금이 남한산성으로 피신한 후 항전의 과정을 날짜별로 소개한 부분이다.

Link 서술상의 특징 ①
<u>14일</u> 오후에 대가가 어찌할 겨를도 없이 급하게 남대문을 나서 강화도로 향하는데 적장 마
임금을 가리킴
부대가 수백 기를 거느리고 이미 홍제원에 다다랐다. 임금이 도로 들어오시어 남문에 <u>전좌하</u>
적이 한양까지 침범한 매우 다급한 상황   임금이 나와 앉음
시니 상하가 마음이 급하여 허둥지둥하고 성중에 곡소리가 하늘에 사무쳤다.
벼슬아치들은 위아래 할 것 없이 정신이 없음   전란을 당한 비참한 모습
　　이조 판서 최명길이 자청하여 적장에게 나아가서 만나 보는 사이에 훈련대장 신경진을 모화
병자호란 당시 화친을 주장하고 항서를 써서 청나라에 항복함   조선 시대에, 중국 사신을 영접하던 곳
관에 출진하게 하고, 대가는 <u>수구문</u>으로 나와서 남한산성으로 들어가셨다. 〈중략〉
싸움터로 나아감   광희문   전쟁이 발발하자 남한산성으로 피신하는 임금
<u>24일</u> 큰비가 내리니 성첩을 지키던 군사가 모두 옷을 적시어 얼어 죽은 사람이 많았다. 그
　　Link 서술상의 특징 ①, ②   당시의 어려운 전황을 생생하게 표현. 관련 한자 성어: 설상가상(雪上加霜)
러자 임금께서 세자와 함께 뜰 가운데 서서 이렇게 하늘에 비셨다.

　『"오늘날 이에 이르기는 우리 부자(父子)가 죄를 이음이요, 성안의 군사와 백성에게 무슨 죄
『 』 임금의 애민 정신이 엿보임   임금(인조)과 세자
가 있겠습니까? 하느님은 우리 부자에게 죄를 내리시고 원컨대 만민을 살리소서."』

　　여러 신하들이 들어가시기를 청했으나 허락하지 않으셨다. 얼마 후에 비가 그치고 기후가
차지 않으니 성안의 사람들 중 <u>감읍(感泣)</u>하지 않는 사람이 없었다. ▶군사들이 얼어 죽자 하늘에 비는 왕과 세자
절망적인 상황이 고조됨   감격하여 목메어 욺
<u>25일</u>에 날씨가 매우 추웠다. 조정에서 적진에 사신 보내기를 청하니 임금이 말씀하셨다.
　　Link 서술상의 특징 ②, ③
"우리나라가 늘 화친으로 저들에게 속았으니 이제 또 사신을 보내면 욕될 줄 안다. 그렇지만
모든 의논이 이러하니, 지금이 <u>세시</u>이므로 술과 고기를 보내고, 은합에 과일을 담아서 두터
당시 조정의 의견이 화친하는 것으로 모임   섣달   명절에 선물하는 물건
운 정을 보인 후에, 이로 말미암아 만나서 이야기하여 기색을 살피리라."
▶적진에 세찬을 보내 기색을 살피려 함
<u>26일</u> 이경직과 김신국이 술과 고기를 은합에 넣어 적진에 갔다. 그러자 적장이 말하였다.

　『"군영은 날마다 소를 잡고 보물이 산같이 쌓였는데 이것을 무엇에 쓰리오? 너희 나라 군신이

Link
출제자 톡! 서술상의 특징을 파악하라!

❶ 문단의 앞부분에 날짜를 기재하면서 기록을 이어 가는 것을 통해 알 수 있는 것은?
그날그날 있었던 일을 일지의 형식을 통해 서술함.

❷ 날씨에 대한 묘사가 주는 효과는?
상황을 현실감 있게 보여 주고, 비극적인 상황을 극대화함.

❸ 날짜별로 그날 있었던 일의 핵심적인 사항을 기록하는 글쓴이의 태도는?
간략하고 사실적으로 서술하고 있으며 객관적인 자세를 취하고 있음.

돌구멍에서 굶은 지가 오래니 가히 스스로 쓰는 것이 옳으리라."
남한산성에 갇혀서   『 』 인조가 화친의 뜻으로 보낸 세찬을 거절함 – 조선을 업신여김
그러고는 결국 받지 않고 도로 보냈다. ▶조선에서 보낸 세찬을 거절하는 적장

<u>27일</u> 날마다 성안에서 구원하러 오는 군사가 다 모이지 못했으므
로 <u>양근</u>에 퇴진하여 뒤에 오는 군사를 기다리고, 먼저 <u>영장(營將)</u> 권
지금의 경기도 양평   조선 시대에 둔, 각 진영(鎭營)의 으뜸 벼슬
정길에게 군사를 거느리게 하여 검단산성(黔丹山城)에 이르러 봉화
전남 순천 검단산 정상부에 있는 산성
를 들어 서로 응하였다. ▶퇴진하여 지원병을 청함

<u>28일</u>에 체찰사 김류가 친히 장사를 거느리고 북성에 가서 싸움을
지방에 군란이 있을 때 임금을 대신하여 그곳에 가서 일반 군무를 맡아보던 임시 벼슬

재촉하였다. 이때에 도적이 포 쏘는 소리를 듣고는 거짓으로 물러나며 군사와 우마만을 놓고
소와 말
가니, 이는 우리 군사를 유인하는 꾀였다. 김류가 그것을 헤아리지 못하고 군사를 독촉하여
Link 당시의 상황 ❶   김류가 적의 유인에 넘어감
내려가서 치라고 했다. 그러나 산 위에 있는 군사들은 그 꾀를 알고 내려가지 않았다. 이에 김
류가 병방 비장 유호에게 환도를 주어 내려가지 않는 이를 어지럽게 마구 찌르도록 하였다.
지방의 군사와 관련된 사무를 관장하는 무관 벼슬   칼
그러자 군사들은 내려가도 죽고 내려가지 않아도 죽겠으므로 내려가 적진에 있는 우마들을 잡
관련 한자 성어: 진퇴양난(進退兩難)
았다. 적들은 이 모습을 본 체도 않으며 군사들이 모두 내려오기를 기다렸다. 그러더니 한순
간 복병이 사방에서 내닫고, 물러갔던 적병이 몰려 나와서 잠깐 사이 우리 군사를 다 죽였다.
적을 기습하기 위하여 적이 지날 만한 길목에 군사를 숨김. 또는 그 군사
접전할 때, 김류가 화약을 빼앗아 두었다가 많이 주지 않았으며 겨우 달라기를 기다려서 주었
김류가 화약을 아까워하며 많이 주지 않음
다. 그런데 일이 이렇게 급해지자 군사들은 화약을 미처 청하지도 못한 채, 조총으로 서로 치
다가 결국 당하지를 못하였다. 패한 군사들은 산길로 오르기 시작했다. 그러나 산길이 급하여
오르기가 어려웠으므로 모두 죽기에 이르렀다.   ▶ 적의 꾀에 넘어가 패전한 김류

　　김류가 전군이 패하는 모양을 보고 비로소 초관에게 명하여 기를 휘둘러 군사를 퇴각시켰
100명으로 편성된 1초(哨)를 통솔하던 무관   뒤로 물러감. 패하여 후퇴함
다. 그러나 군사가 금방 죽을 때를 당하여 기를 어찌 보며, 기를 본들 어찌 달아날 수 있겠는
가. 그럼에도 불구하고 김류가 초관을 베어 죽이니 사람마다 원통하다고 하였다.

　　김류가 스스로 싸워 패하고 탓할 곳이 없으니 핑계를 댔다.

　　"북진 대장 원두표가 제때에 구원하지 않은 탓이다."
Link 당시의 상황 ❷
그러고는 장차 큰 죄를 주려고 하니 좌상 홍서봉이 말하였다.

　　　　　　　　　　　　　　　　"으뜸 장수가 패하고 버금 장수에게 죄를 전가함은 마땅치 않다."
　　　　　　　　　　　　　　　　　　　　　　으뜸의 바로 아래
　　　　　　　　　　　　　　김류는 마지못하여 대궐에 가서 대죄하고, 원두표의 중군에게는
　　　　　　　　　　　　　　　　　　　　　　　죄인이 처벌을 기다림
　　　　　　　　　　　　곤장 여든을 쳤다. / 건장한 군사와 날래고 용맹스러운 무사가 모두

体府(체부)에 모였다. 그런데 이 싸움에서 3백여 명이 죽은 것이다.
체찰사가 지방에 나가 일을 보던 관아
김류는 실상을 고하기를 꺼려 사십여 명이 죽었다고 하였다. 그러자
인심이 이를 더욱 납득하지 못하고, 여러 군사들이 싸울 뜻을 잃었
인심이 동요하고 사기가 떨어짐
다. 결국 조정에서는 화친하기로 결단하였다. Link 당시의 상황 ❸
　　　　　　　　　　　　　　　　　　▶ 김류의 부정한 처사와 민심의 동요로 화친을 결정함

Link
출제자 톡! 당시의 상황을 파악하라!
❶ 김류가 부성에 가서 싸움을 재촉하자 적들
이 취한 조치는?
우리 군사를 유인하기 위해 거짓으로 물러
나며 군사와 우마만을 놓고 감.
❷ 적에게 크게 패한 후 김류가 한 일은?
자신의 잘못된 판단으로 크게 패했음에도
자신의 잘못을 다른 사람에게 떠넘김.
❸ 김류의 불합리한 처사로 인해 발생한 일은?
인심이 동요하고 여러 군사들이 싸울 뜻을
잃자 조정에서 화친을 결정함.

핵심장면 ② 임금(인조)이 청의(靑衣)를 입고 나가 청나라 황제 앞에서 세 번 절하고 아홉 번 머리를 조아리는 예를 행하는 부분이다.

　　30일에 햇빛이 없었다. 『임금이 세자와 함께 청의(靑衣)를 입으시고 서문으로 따라 나가실
　　참혹한 분위기를 더함   청나라의 푸른 옷   『』임금이 청나라 옷을 입고
때, 성에 가득 찬 사람들이 통곡하여 보내니 성안의 곡소리가 하늘에 사무쳤다.』   죄인들이 출입하는 서문
　　　　　　　민족의 비극적 상황이 드러남   으로 나가는 상황
　　한(汗)은 삼전(參田) 남녘에 구층으로 단(壇)을 만든 후 단 위에 장막을 두르고 황양산을 받
　　청 태종   지금의 송파   흙이나 돌로 쌓아 올린 터   의장으로 쓰던 누런색의 양산
쳤다. 단 위에는 용문석을 깔고 용문석 위에 수놓은 비단으로 만든 교룡요를 폈다. 그 위에는
　　　　　　용의 무늬를 수놓은 왕골 돗자리
누런 비단 차일을 높이 치고 뜰에 황양산 셋을 세웠다. 정병 수만 명은 키가 크고 건장하기가
　　　　　　햇볕을 가리기 위하여 치는 포장
거의 비슷한 사람으로 가려 뽑아 각각 수놓은 비단옷과 갑옷을 다섯 벌 껴입고 있었다.
　　　　　　　　　　　　　　　　　　　　　　　　　　　　　　▶ 임금의 화의를 받는 한(청 태종)

한이 황금 걸상 위에 걸터앉아 바야흐로 활을 타며 여러 장수들에게 활을 쏘게 하더니 활쏘기를 멈추고 전하로 하여금 걸어서 들어가게 하였다. 백 보를 걸어 들어가서서 삼공육경(三公六卿)과 함께 뜰 안의 진흙 위에서 배례하시려 할 때였다. 신하들이 돗자리 깔기를 청하는데
<small>삼정승과 육조 판서</small>
<small>절하는 예(禮). 또는 절하여 예를 표함</small>
임금께서,

"황제 앞에서 어찌 감히 스스로를 높이리오." / 하고 말씀하셨다.

이렇게 세 번 절하고 아홉 번 머리를 조아리는 예를 행하지사, 저들이 인도하여 단에 오르셔서 서향하여 제왕 오른쪽에 앉으시게 하였다. 한이 남향하여 앉아서 술과 안주를 베풀어 놓고
<small>삼배구고두례(三拜九叩頭禮)</small>
군악을 움직이려고 할 때였다. 힌은 전하께 돈피(豚皮) 갖옷 두 벌을 드리고, 대신·육경·승지
<small>돼지의 가죽</small> <small>모피로 안을 댄 옷</small>
에게는 각각 한 벌씩 주었다. 임금이 그중 한 벌을 입으시고 뜰에서 세 번 절하여 사례하시니,
대신들이 또한 차례로 네 번 절하여 사례하였다. 〈중략〉 <small>➤굴욕적으로 항복하는 임금</small>

[초8일]에 『임금이 세자의 행차를 보내려고 창릉 길가에 나가시더니 말을 멈추라고 하신 후에
<small>「 」: 세자와 빈궁, 대군 부부가 청나라에 볼모로 잡혀가기 전 인조가 들러 위로함</small>
세자의 막차에 이르셨다. 임금과 빈궁, 대군의 부인은 막차에 드시고 세자는 밖에 계시니 여러 신하가 절하며 하직하였다.』

세자가 봉림 대군과 함께 떠나셨다. 이때 빈궁의 시비(侍婢)는 여섯, 대군 부인의 시비는 넷
<small>곁에서 시중을 드는 계집종</small>
이 따랐다. / 백하 상하가 일시에 울부짖으니 임금이 또한 눈물을 금치 못하셨다.

적이 큰길로 행군할 때 우리나라 사람 수백을 먼저 행군하게 하고 두 오랑캐가 좇아 종일토록 그렇게 하였다. 훗날 심양 시장에 팔린 사람만 해도 66만에다가 또 몽고에 떨구어진 자는 그 수에 넣지 않았으니 그 수가 많음을 가히 알 수 있었다.

이날 임금이 그 참혹한 형상을 차마 보지 못하시겠던지, 큰길을 거치지 않고 산을 의지하여
오셔서 새문으로 환궁하셨다.
<small>대길로 돌아옴</small>
<small>'서대문(돈의문)'의 다른 이름. 남대문, 동대문 따위보다 늦게 새로 지었다는 뜻으로 이름</small>
<small>➤볼모로 잡혀가는 세자, 대군 등과 백성들</small>

최우선 출제 포인트!

1 이 글의 사료적 가치와 문학적 가치

사료적 가치	• 통상적인 일기와 달리 객관적인 시각을 유지하며 역사적 사실과 그 이면새를 서술함. • 병자호란이라는 역사적 사실에 대해 한글로 기록한 유일한 작품임. • 역사적 사실에 입각하여 비극적 상황을 객관적으로 전달함.
문학적 가치	• 병자호란에 대처하는 다양한 사람들의 모습과 갈등을 소설과 같은 구성으로 그려 냄. • 박진감 있는 서술을 통해 독자로 하여금 굴욕적인 역사에 대한 분노와 울분을 느끼게 함.

최우선 핵심 Check!

1 다음 내용 중 맞는 것은 ○표를, 틀린 것은 ×표를 하시오.

(1) 공간의 이동에 따라 사건 전개를 보여 주고 있다. (   )
(2) 당시 날씨를 생생하게 묘사하여 현실감이 두드러진다. (   )

2 초성 힌트를 보고 빈칸에 들어갈 알맞은 말을 쓰시오.

(1) ㅂㅈㅎㄹ 중 남한산성에서의 항쟁과 화친의 과정을 사실적으로 기록한 일기이다.
(2) 당시의 권력을 장악한 '김류'에 대한 ㅂㅈㅈ인 시각이 두드러진다는 점에서 객관적 서술 이면에 드러나는 글쓴이의 의식을 엿볼 수 있다.

정답 1. (1) × (2) ○ 2. (1) 병자호란 (2) 부정적

65위

심청가(沈淸歌) | 작자 미상

성격 교훈적, 해학적, 전기적 **시대** 조선 후기
주제 부모에 대한 효

판소리

이 작품은 판소리 다섯 마당 가운데 하나로, 효녀 심청이 눈먼 아버지를 위해 제물로 팔려가 아버지의 눈을 뜨게 하고 황후가 된다는 이야기를 통해 유교의 효(孝) 사상을 강조함과 동시에 불교의 인과응보(因果應報) 사상을 드러내고 있다.

주요 사건과 인물

발단	전개	위기	절정	결말
심청의 어머니가 심청을 낳다가 죽자 심 봉사는 젖동냥을 하여 심청을 키움.	공양미 삼백 석을 시주하면 눈을 뜰 수 있다는 말을 들은 심 봉사가 이 사실을 심청에게 말함.	심청은 남경 상인에게 공양미 삼백 석을 받는 대가로 인당수의 제물이 됨.	심 봉사는 뺑덕이네를 만나 가산을 탕진하고, 인당수에 빠졌던 심청은 상제의 명으로 다시 살아나 황후가 됨.	심청은 맹인 잔치를 열어 아버지와 만나고, 눈을 뜨게 된 심 봉사는 심청과 더불어 행복하게 살았음.

심청	심 봉사	뺑덕이네
하늘이 내린 효녀로 아버지의 개안을 위해 자신의 몸을 제물로 바침.	심청의 아버지로 심청이 팔려 간 후 뺑덕이네에게 빠져 가산을 탕진함.	심 봉사의 후처로 탐욕스럽고 심술궂으며 신의가 없음.

핵심장면 ① 심 봉사가 갓난아이인 심청을 위해 젖 동냥하러 다니는 부분이다.

[자진모리]

> 심 봉사는 앞이 보이지 않기 때문에

『우물가 두리박 소리 얼른 듣고 나설 제 한 품에 아해를 안고 한 품에 지팽이 흩어 짚고 더듬
『♪ 심 봉사가 심청을 업고 우물가에 나가 젖동냥을 함   측은한 상황 묘사
더듬 우물가에 찾어가서,

　여보시오 부인님네 초칠 안에 어미 잃고 기허(氣虛)하여 죽게 되니 이 애 젖 좀 먹여 주오.
　　　　　　　　　　　　　　　기력이 허약하여   Link 인물의 처지 ❶
『우물가에 오신 부인 철석(鐵石)인들 아니 주며 도척인들 아니 주랴, 젖을 많이 먹여 주며, 한
　　　쇠와 돌로, 여기서는 인정이 없는 사람을 가리킴   『♪ 심 봉사의 안타까운 처지를 강조하는 표현
부인이 하는 말이, 여보시오 봉사님. 예. 이 댁에도 아해가 있고 저 집에도 아해가 있으니 자
조자조 다니시면 내 자식 못 먹인들 차마 그 애를 굶기리까. 심 봉사 좋아라고, 허허 감사하고
　　　　　　　　　　　　오래 살고 복을 누리며 건강하고 평안함   심청
수복강녕허옵소서. 이 집 저 집 다닐 적에 삼베 질삼 허노라고 히히하하 웃음소리 얼른 듣고
　　　　　　　　　아이를 위해 열심히 젖동냥하러 다님
들어가, 여보시오 부인님네 인사는 아니오나 이 애 젖 좀 먹여 주오. 오뉴월 뙤약볕에 김매고
쉬는 부인 더듬더듬 찾어가서, 여보시오 부인님네 이 애 젖 좀 먹여 주오. 『젖 있는 부인들은
　　　　　　　　　　　　　　　　　　　　　　　　　　　　　　『♪ 부인들이 각자의 형편대로 심 봉사를 도와줌
젖을 많이 먹여 주고 젖 없난 부인들은 돈돈씩 채워 주고 돈 없난 부인들은 쌀되씩 떠 주며,
　　Link 인물의 처지 ❷
암쌀이나 하여 주오, 심 봉사 좋아라고, 허허 감사허오 만수무강하옵소서. 젖을 많이 얻어 먹
곡식이나 밤의 가루로 묽은 죽을 끓일 때 쓰는 쌀
여 집으로 돌아올 제 어덕 밑에 수그려 앉어 아히를 어른다.
　　　　　　　언덕. '가난한 집'을 비유적으로 이르는 말
　　　허허 이 자식이 배가 뺑뺑허구나.
　　　　　　　　　Link 인물의 처지 ❷

> 젖동냥을 하여 심청을 먹이는 심 봉사

[중중모리]

Link

출제자 특강 인물의 처지를 파악하라!

❶ 젖동냥을 하는 심 봉사를 통해 드러나는 그의 처지는?
지팡이를 짚고 더듬거리는 모습을 통해 봉사라는 것과, 초칠 안에 어미를 잃었다는 말을 통해 부인이 죽어 갓난아이의 젖동냥을 하러 다니고 있다는 것을 알 수 있다.

❷ 배가 뺑뺑해졌다는 것을 통해 알 수 있는 것은?
심 봉사가 열심히 젖동냥하러 다니고, 부인들이 각자의 형편에 따라 심 봉사를 도와줌.

둥둥 내 딸이야 허허 둥둥 내 딸이야 이 덕이 뉘 덕이냐 동네 부인의 덕이라 너도 어서 어서 자라나서 너의 모친의 본을 받어 현철허고
　　　　　　　　　　　　　　　　　　　　　　어질고 사리에 밝고
얌전하야 아비 귀염을 보여라. 둥둥 내 딸이야 백미 닷 섬에 뉘 하나,
　　　　　　　　　　　　흰쌀 다섯 섬 속의 뉘 하나처럼 아주 귀한 것을 비유적으로 이르는 말
열 소경 한 막대로구나 둥둥 내 딸 금을 준들 너를 사며 옥을 준들 너
　　　　　　　　　　　　　　　　금이나 옥을 줘도 팔 수 없다는 말 - 심청을 끔찍하게 여기는 심 봉사
를 사랴 어덕 밑에 귀남이 아니냐 슬슬 기어라 둥둥 내 딸이야.

　둥둥 내 딸이야 어허 둥둥 내 딸, 어허 둥둥 내 딸, 어허 둥둥 내

딸, 댕기 끝에는 준주실 옷고름에는 밀화불수(蜜花佛手) 달 가운데는 옥토끼 쥐얌 쥐얌 잘강
_{보석의 일종인 밀화로 부처 손같이 만든 패물}
잘강 엄마 아빠 도리도리 허허 둥둥 내 딸, 서울 가 서울 가 밤 하나 얻어다 두리박 속에 넣었
더니 머리 깜한 세양쥐가 들랑날랑 다 까먹고 다만 한 쪼각 남은 것을 한 쪽은 내가 먹고 한
쪽은 너를 주마, 어르르르.   ➤ 심청을 매우 아끼고 사랑하는 심 봉사

[아니리]
                                              _{높은 소리로 길게 빼는 선율과 도약적인 선율이 많아서 경쾌하고 씩씩한 느낌을 주는 판소리의 '조'}
아해 안고 돌아와 포단 덮어 뉘어 놓고 동냥차로 나가는디 중고조로 나가것다.
              _{이불}
                                                                  ➤ 씩씩하게 젖동냥을 나가는 심 봉사

[중모리]

삼베 전대 외동지이 윈 어깨 들어 내고 동냥자로 나간다. 여름에는 보리농냥 가을이면 나락
_{돈이나 물건을 넣어 허리에 매거나 어깨에 두르기 편하도록 만든 자루}
동냥 어린 아해 암죽차로 쌀 얻고 감을 사서 허유허유 돌아올 제 그때에 심청이난 하날이 도움
이라 일취월장 자라날 제 육칠 세 되어 가니 모친의 기제사(忌祭祀)를 아니 잊고 헐 줄 알고
_{나날이 다달이 자라거나 발전함}   _{해마다 사람이 죽은 날에 지내는 제사}
부친의 공경사를 의법이 허여 가니 무정세월이 이 아니냐.   ➤ 심 봉사의 젖동냥으로 건강하게 자라난 심청
            _{법도에 맞게}

핵심장면 **②**   황후가 된 심청이 맹인들을 위한 잔치를 열어 심 봉사와 상봉하는 장면이다.

[아니리]

이때 심 황후께서는 아무리 기다려도 부친이 오시지 않으니 슬피 탄식 우는 말이,
                                    _{심 봉사}   _{심 봉사를 기다리는 심청의 마음고생이 드러남}

[진양조]
_{황후가 된 심청이 아버지를 보기 위해 맹인들을 초청한 잔치를 엶}
이 잔치를 배설(排設)키는 불상허신 우리 부친 상봉헐가 바랬드니 어찌 이리 못 오신고 당년
        _{연회나 의식에 쓰는 물건을 차려 놓음}
칠십 노환으로 병이 들어서 못 오신가. 부처님으 영검으로 완연히 눈을 뜨져 맹인 중으 빠지
                            _{사람의 기원대로 되는 신기한 징험}
셨나. 내가 영영 죽은 줄 아르시고 애통허시다 이 세상을 떠나셨나. 오시다 무슨 변을 당하셨
는가 오날 잔치 망종(亡終)인디 어이 이리 못 오신고.   ➤ 맹인 잔치에 심 봉사가 오지 않아 탄식하는 심청
          _{어떤 일의 마지막}

[아니리]

이렇듯 탄식허시다 심 황후 예부 상서(禮部尙書)를 또다시 불러,
                              _{예부(禮部)의 가장 높은 벼슬}
"오날도 봉사 거주 성명을 명백히 기록하여 차차 호송허되, 만일 도화동 심 맹인이 계시거든
          _{사는 곳}
별궁으로 모셔 오라."

예부 상서 분부 듣고, 봉사 점고(點考)를 차례로 하여 나려오는디 제일 말석에 앉은 봉사 앞
                _{명부에 일일이 점을 찍어서 사람의 수를 조사함}   _{좌석의 차례에서 가장 마지막}
으로 당도하여,

"여보시오, 당신 성명이 무엇이요."

"내 성명은 심학규요."
          _{심봉사의 이름}
"심 맹인 여기 계신다."

하더니,

"어서 별궁으로 들어가사이다."

"아니·어찌 이러시오."

"우에서 상을 내리실지 벌을 내리실지 모르나 심 맹인을 모셔 오라 하셨으니 어서 들어가사
예부 상서의 윗사람. 여기에서는 심 황후를 가리킴
이다."

『내가 이리될 줄 알았어. 아닌 게 아니라 내가 딸 팔아먹은 죄가 있는디 이 잔치를 배설키는
「 」: 심청이 자신을 위해 공양미 300석에 제물이 되어 죽은 것에 대해 죄책감을 느낌
나를 잡을 양으로 배설헌 것이로구나. 내가 더 살아 무엇허리. 내 지팡이나 잡어 주시오.』
                                              Link 인물의 심리 ❶
별궁으로 들어가,

"심 맹인 대령허였소."

심 황후 살펴볼 제, 백수풍신(白首風神) 늙은 형용 슬픈 근심 가득헌 게 부친 얼골이 은은하
                  머리가 센 늙은이의 점잖은 풍채   사람의 생김새나 모습
나 심 봉사가 딸을 보낸 후 어찌나 울었든지 눈갓이 희여지고 피골이 상접허고 산호 주렴(珊瑚
                                                                    산호를 꿰어 만든 발
株簾)이 앞을 가리어 자세히 보이지 않으니,

"그 봉사 거주를 묻고 처자가 있나 물어보아라."
            아내와 자식   죽은 심청을 생각하며 슬픔이 북받침
심 봉사가 처자 말을 듣더니마는 먼눈에서 눈물이 뚝뚝뚝 떨어지며,
                                      ➤ 예부 상서가 심 봉사를 발견하여 별궁으로 데려감

[중모리]

예 소맹이 아뢰리다. 예 소맹이 아뢰리다. 소맹이 사옵기는, 황주 도화동이 고토(故土)옵고,
맹인이 자기를 낮추어 이르는 말   아이를 낳은 후에 생긴 병   고향 땅
성명은 심학규요. 『을축년 정월달에 산후경(産後痙)으로 상처허고 어미 잃은 딸자식을 강보에
            「 」: 사건의 요약적 제시   포대기
다 싸서 안고 이 집 저 집을 다니면서 동냥젖 얻어 먹여 겨우 겨우 길러 내어 십오 세가 되었
는디, 효성이 출천허여 애비 눈을 띄인다고 남경 장사 선인들게 삼백 석으 몸이 팔려 인당수
            하늘이 내림
제수로 죽은 지가 우금(于今) 삼 년이요, 눈도 뜨지를 못하옵고 자식만 죽었으니 자식 팔아먹
제사에 바치는 물건이나 짐승 지금에 이르기까지 심청이 심 봉사의 개안을 위해 인당수에 몸을 던졌지만 심 봉사는 여전히 맹인임
은 놈을 살려 주어 쓸데 있소. 당장으 목을 끊어 주오.   ➤그간의 사연을 이야기하는 심 봉사

[자진모리]

『심 황후 기가 막혀 산호 주렴 거처 버리고 보선발로 우루루루 부친으 목을 안고,
「 」: 심 봉사를 만난 심청의 기쁘고 반가운 마음이 나타남   Link 인물의 심리 ❷
아이고 아버지,』

심 봉사 깜짝 놀래 『아니 뉘가 날다려 아버지여. 나는 아들도 없고 딸도 없소. 무남독녀 내 딸
            「 」: 죽었다고 생각한 딸이 황후가 됐으리라고는 생각하지 못하였기 때문에 당황함
청이 물으 빠져 죽은 지가 우금 수삼 년이 되었는디 누가 날다려 아버지여.』아이고 아버지, 여
태 눈을 못 뜨셨소. 인당수 깊은 물에 빠져 죽은 청이가 살어서 여기 왔소. 아버지는 눈을 뜨
셔 저를 급히 보옵소서. 심 봉사가 이 말을 듣더니 어쩔 줄을 모르는구나. 에이 아니 청이라니
청이라니 이것이 웬일이냐. 내가 지금 죽어 수궁을 들어왔느냐 내가 지금 꿈을 꾸느냐 죽고
없는 내 딸 청이 이곳이 어데라고 살어오다니 웬 말이냐. 내 딸이면
                                          Link 인물의 심리 ❸
어디 보자. 아이고, 내가 눈이 있어야 내 딸을 보지. 아이고 답답하여
라. 어디 어디 어디 내 딸 좀 보자.

두 눈을 끔쩍 끔쩍 끔쩍허더니 부처님의 도술로 두 눈을 번쩍 떴구나.
극적인 내용으로 주제를 강조함   ➤ 심청을 만나 눈을 뜨게 된 심 봉사
[아니리]

심 봉사 눈 뜬 훈짐에 모도 따라서 눈을 뜨는디,
              어떤 일의 여파나 영향

Link
출제자 톡 인물의 심리를 파악하라!

❶ 예부 상서를 따라 별궁으로 들어가는 심 봉사의 심리는?
자신이 딸 심청을 팔아먹은 죄가 있다고 생각하며 죄책감을 느낌.

❷ 기다리던 심 봉사를 만난 심청의 마음은?
황후의 예를 내려놓고 달려갈 정도로 반가움.

❸ 심청이 살아 있는 것을 알게 된 심 봉사의 기분은?
살아서 다시 딸을 보게 되어 매우 기쁨.

[자진모리]

만좌(滿座) 맹인이 눈을 뜬다. 전라도 순창(淳昌) 담양(潭陽) 새갈모 떼는 소리라. 짝 짝 짝
여러 사람이 가득하게 늘어앉은 자리
심 봉사뿐 아니라 잔치에 온 모든 맹인이 눈을 뜸 → 작품의 주제 의식 강조
칡덩굴 껍질로 짠 섬유

허드니 모도 눈을 떠 버리는구나. 『석 달 동안 큰 잔치으 먼저 나와 참예허고 나려간 맹인들도
『 ♪ ♬ 심 봉사를 시작으로 각지에 있는 봉사들이 눈을 뜸 → 해학적인 내용으로 웃음 유발

저희 집에서 눈을 뜨고 미처 당도 못헌 맹인 중로에서 눈을 뜨고 가다 뜨고 오다 뜨고 서서 뜨
오가는 길의 중간

고 앉어 뜨고 실없이 뜨고 어이없이 뜨고 화내다 뜨고 울다 뜨고 웃다 뜨고 떠 보느라고 뜨고

시원이 뜨고 일허다 뜨고 눈을 비벼 보다 뜨고 지어비금주수(至於飛禽走獸)라도 눈먼 짐생까
날짐승과 길짐승까지도 → 차별하지 않음

지도 모도 다 눈을 떠서 광명 천지(光明天地)가 되었구나.　　　　　▶사람뿐만 아니라 짐승까지 눈을 뜸

최우선 출제 포인트!

1 이 작품의 배경 사상

유교	심청의 효(孝)를 중심으로 이야기가 전개됨.
불교	인과응보 사상. 화주승을 통해 부처의 신통력을 내세워 심 봉사를 개안하고자 함.
도교	옥황상제, 수궁 등이 등장하고 이를 통해 심청이 다시 살아남.
민간 신앙	심청을 제물로 바쳐 제사를 지냄.

2 이 작품에 담겨 있는 상생의 정신

심 봉사가 심청을 위해 젖 동냥을 하러 다니는 대목	자기 자식을 굶기더라도 불쌍한 심청에게 젖을 주는 부인 등 여러 부인들이 각자의 형편대로 힘껏 심 봉사를 도와줌.
심 봉사가 심청을 만나 눈을 뜨게 되는 대목	사람뿐만 아니라 짐승까지 모든 눈먼 존재가 눈을 뜸.

3 이 작품의 주된 미적 범주

이 작품에는 비장미가 두드러진 부분(전반부에서 심청이 죽는 대목)도 있고 골계미가 두드러진 부분(뺑덕이네가 등장하는 부분과 심 봉사가 눈을 뜨는 대목)이 있지만 이 둘이 뒤섞여 있는 경우가 많다. 눈물을 자아내는 상황에서도 해학적인 표현을 사용하여 웃음을 유발하고, 비극적인 상황에서도 인물의 언행 등을 통해 웃음을 유발하는 것은 판소리의 주요 특징이기도 하다.

4 '심청'의 행동이 갖는 양면성

아버지의 눈을 뜨게 하기 위해 자신을 제물로 팖. ⇄ 자식의 희생은 아버지에게 더 큰 아픔이자 슬픔이 될 수 있으므로 효행이 아님.

아버지의 눈을 뜨게 하려고 자신을 희생하였으므로 효행임.

최우선 핵심 Check!

1 다음 내용 중 맞는 것은 ○표를, 틀린 것은 ×표를 하시오.

(1) 당시 서민들의 생활상과 가치관이 반영되어 있다. 　　(　　)
(2) 비장미와 골계미가 어우러진 특징을 보이고 있다. 　　(　　)
(3) 심 봉사가 자신의 거주에 대한 정보를 고하는 대목에서 상호 간의 정체 확인을 지연시킴으로써 서사적 긴장이 풀어지게 하고 있다.
　　　　　　　　　　　　　　　　　　　　　　　　(　　)

2 초성 힌트를 보고 빈칸에 들어갈 알맞은 말을 쓰시오.

(1) 이야기를 심청의 'ㅎ'를 중심으로 전개하여 유교적 주제를 비현실적 요소와 결합하여 풀어내고 있다.
(2) □ㅍㅅㄹ□로서의 음악적 요소가 잘 드러난다.

정답 1. (1) ○ (2) ○ (3) × 2. (1) 효 (2) 판소리

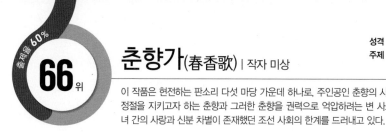

춘향가(春香歌) | 작자 미상

성격 서사적, 해학적, 풍자적 **시대** 조선 후기
주제 신분을 초월한 남녀 간의 사랑, 탐관오리에 대한 저항과 자유 의지 추구

판소리

이 작품은 현전하는 판소리 다섯 마당 가운데 하나로, 주인공 춘향의 사랑과 시련을 그린 판소리 사설이다. 정절을 지키고자 하는 춘향과 그러한 춘향을 권력으로 억압하려는 변 사또의 갈등을 통해 신분을 초월한 남녀 간의 사랑과 신분 차별이 존재했던 조선 사회의 한계를 드러내고 있다.

주요 사건과 인물

발단	전개	위기	절정	결말
남원 부사의 아들 이몽룡은 광한루에서 퇴기 월매의 딸 성춘향을 만나 사랑에 빠짐.	몽룡의 아버지가 한양으로 가게 되어 몽룡은 춘향과 사랑을 맹세하고 헤어짐.	남원으로 부임한 변 사또의 수청을 거절한 춘향은 옥에서 고초를 겪음.	과거에 급제한 몽룡은 암행어사가 되어 남원으로 돌아옴.	변 사또의 생일 잔칫날 몽룡은 어사출두하여 춘향을 구하고 춘향과 백년해로함.

이몽룡	춘향	변 사또
철없는 행동을 했으나 춘향과 약속을 지키는 의리 있는 인물로 거듭남.	이몽룡에 대한 일편단심으로 변 사또의 수청 요구를 거절함.	자신의 요구를 관철하기 위해 부당한 행위를 서슴지 않음.

핵심장면 신임 사또 변학도가 춘향에게 수청을 강요하는 부분이다.

[중모리]
<u>판소리 장단의 하나. 4분의 12 박자의 중간 빠르기임</u>
행수 기생(行首妓生)이 나간다. 행수 기생이 나오는데, 손뼉을 땅땅 두드리며,
<u>관아에 속한 기생의 우두머리</u>
"정절부인 아기씨, 수절 부인 마누라야. 너만 한 정절이 어디가 없으며, 너만 한 수절은 나
<u>절개가 곧은 부인</u>   <u>춘향의 정절을 하찮게 여김</u>
도 있다.『조그마한 너 때문에 육방이 떨고, 각 청 두목이 다 죽어난다.』들어가자. 나오너라."
<u>조선 시대에 승정원 및 각 지방 관아에 둔 여섯 서부</u>   『 』춘향으로 인해 많은 사람들이 피해를 보고 있음을 말함
춘향이 기가 막혀,

"아이고 여보, 행수 형님. 자네는 나와 무슨 원한 있나? 사람을 부르면 고이 부르지, 부젓가
                                                          <u>화로에 꽂아 두고 불덩이를 집거나 불을 헤치는 데 쓰는 쇠로 만든 젓가락</u>
락 윗마디 틀 듯 뱅뱅 틀어 부르는가? 들어가자면 들어가지. 내가 들어가면 영 죽는가?"
<u>비꼬아서</u>   <u>지위가 높고 훌륭한 벼슬</u>
춘향이 나오면서 / "아이고 아이고, 내 신세야. 어떤 사람 팔자 좋아 대광보국숭록대부 고관
                                                <u>정1품의 종친(宗親)·의빈(儀賓)과 문무신(文武臣)에게 주는 벼슬</u>
대작 아내 되어 온갖 복을 누리시고, 또 어떤 사람은 팔자 좋아 만민 백성 중의 아내 되어,
                                                <u>평범한 삶에 대한 부러운 마음</u>
아들 낳고 딸을 낳아 오며 가며 잘 사는데, 나는 무슨 팔자로서 기생의 몸에서 태어나서 불
러오너라, 잡아 오너라, 조심스러워 나는 못 살겠네."『』기생의 딸로 태어난 자신의 처지를 한탄하는 대목

그렁저렁 길을 걸어 관문 앞에 당도한다. / "춘향 대령하였소!" ▶ 행수 기생에 의해 억지로 관청에 오게 된 춘향
<u>그럭저럭</u>
[아니리]
<u>판소리에서, 창을 하는 중간중간에 가락을 붙이지 않고 이야기하듯 엮어 나가는 사설</u>
사또가 영창문(映窓門)을 열고 지그시 내다보더니,
<u>방을 밝게 하기 위하여 방과 마루 사이에 낸 두 쪽의 미닫이</u>
"거 웅골지게 생겼다. 동헌 곁방으로 올라오래라."
                    <u>지방 관아에서 공사를 처리하던 중심 건물</u>
춘향이 올라가 고개를 숙이고 서 있으니, 사또 욕심이 크게 나서,

"게 앉거라. 듣던 말과 과연 같구나.『여인이 아름다우면 물고기가 부끄러워 물속에 들어가고
                                  『 』관련 한자 성어 – 침어낙안(侵漁落雁), 수화폐월(羞花閉月) – 매우 아름다운 미인을 비유적으로 표현한 말
기러기가 놀라서 날아간단 말이 어찌하여 좋은가 하였더니, 달도 부끄러워 구름 속에 숨고,
꽃도 부끄러워 고개를 숙일 만한 미인이로구나. 네 소문이 하도 대단하여 한양과 지방에 유
명키로 내 밀양 서흥 마다하고 서둘러 남원 부사 하였더니, 오히려 늦은 바라. 이미 머리는
올렸으나, 아직 혼인하여 자식을 두지 않았으니 불행 중 다행이다. 그래, 구관 자제가 네 머
                                                                    <u>이몽룡</u>

리를 얻었더니 그 양반 가신 후로 독수공방(獨守空房)했을 리가 있나? 응당 애인이 있을 텐
여자가 남편 없이 혼자 지냄 　　　　　　　　　　　　　　　　　　　　　　마땅히
데, 관속이냐, 건달이냐? 어렵게 생각 말고 바른대로 말하여라. 응?"
지방 관아의 아전과 하인을 통틀어 이르던 말　　　　　　Link 인물의 태도 ❶

춘향이 공손히 여쭈오되,

"소녀 비록 기생의 자식이오나, 기안에 이름을 올리지 않고 일반 백성으로 자랐는데, 구관댁
　　　　　　　　　　　　　　관아에서 기생의 이름을 기록하여 두던 책
도련님이 나이 어린 풍류로 소녀 집을 찾아와서 사랑을 간청하니, 노모가 허락하고 백년가약
　　　　　　　　　　　　　　　　　　　　　　　　　　늙은 어머니. 월매를 이름　　부부가 될 것을 약속함
(百年佳約) 받들기로 단단 맹세하였사온데, 관속, 건달, 애인 말씀 소녀에게는 당치 않소."

"허허허허, 『그거 얼굴을 보고 말 들으니 안과 밖이 다 미인이로구나. 옥안종고다신루(玉顔從
　　　　　　『 』: 일단 칭찬을 하여 구슬리려는 의도　　　　　　　　예로부터 미인에게는 허물이 크다는 말
古多身累)는 구양공(歐陽公)의 글 짝이라. 인물 좋은 여인들이 성설이 없다건만, 저 얼굴 옥
　　　　　　송나라의 문장가
같은데 마음마저 미인이로다.』네 마음 기특하나, 이 도령 어린아이 귀한 집에 장가들고, 대과
　　　　　　　　　　　　　　　　　　　　　　　　　　　　춘향의 믿음을 의심하게 하는 말로 춘향을 유혹함
급제하게 되면 천 리 타향의 잠시 장난이지, 네 생각할 리가 있느냐? 너 또한 옛 책을 읽었다
니『사기』로 이르리라. 옛날에 예양(豫讓)이는 재초부(再醮婦)의 수절이라, 너도 나를 위해 수
　　　　　　　　　　　　　　　　　　다시 시집간 여자
절하게 되면 예양과 일반이 아니겠느냐? 오늘부터 몸단장 곱게 하고 수청 들게 하여라."
진나라 사람으로 처음 섬기던 사람이 아니라 나중에 섬긴 사람을 위해 절개를 지켰음
　　　　　　　　　　　　　　　　　　　　　　　　　　　　❯ 춘향의 정절을 무시하고 수청을 강요하는 변 사또

[중모리]

『"여보 사또님, 들으시오. 춘향의 먹은 마음 사또님과 다르오이다. 올라가신 도련님이 신의
　　　　　　　　　　　　　　　　　　절개를 지키다가. '옥창 형영'은 옥창 앞에 비치는 반딧불을 뜻함
(信義) 없어 안 찾으면 반첩여의 본을 받아 옥창 형영 지키다가, 이 몸이 죽사오면 황릉묘를
　　　　　　중국 한나라의 여류 시인. 성제의 후궁　　　　　　　　　　　　순(舜)임금의 두 비인 아황(娥皇)과 여영(女英)의 사당(祠堂)
찾아가서 이비 혼령 모시옵고, 반죽지의 저문 날에 놀아 볼까 하옵는데, 재초 수절하란 분부
　　순임금의 두 아내인 아황과 여영　　　　반죽 가지. '반죽'은 순임금이 죽자 아황과 여영이 흘린 눈물이 부려져 생겼다는 얼룩무늬 대나무
소녀에게는 당치 않소."』『 』: 고사를 인용하여 자신의 절개를 강조함

[아니리]

『이렇듯 말을 하니, 기특하다 칭찬하고 그만 내보냈으면 관청과 동네에 아무 일이 없어 좋을
『 』: 창자의 주관적 개입
것을, 사또 속으로 괘씸하여 얼러 보면 될 줄 알고 '절' 자로 한번 어르는데,』
　　　　　　　　　○: 같은 음절을 사용한 언어유희
"허, 이런 시절 보소! 기생의 자식이 수절이라니 뉘 아니 요절할꼬? 대부인께서 들으시면 아
주 기절을 하겠구나. 너만 한 년이 자칭 정절이라, 분부 거절키는 샛서방 생각 간절하여, 별
수절을 다하니, 네 죄가 애절하고 절절하구나. 형장 아래 기절하면, 네 청춘이 속절없지. 기
　　　　　　　　　　　　　　　　　　　　　　계속 수청을 거절하면 벌을 내릴 것이라는 의미
생에게 충효가 무엇이며, 정절이 다 무엇이냐?"

춘향도 그 말에 분이 받쳐 죽기를 무릅쓰고 대답한다.

[중모리]

"여보 사또님, 들으시오, 여보 사또님, 들으시오. 충신은 불사이군(不事二君)이요, 열녀불경
　　　　　　　　　　　　　　　　　　　　　　　　　　　두 임금을 섬기지 않음
이부절(烈女不更二夫節)을 사또는 어이 모르시오? 기생에게 충절이
열녀는 두 지아비를 섬기지 않음
없다 하니 낱낱이 아뢰리다. 청주 기생 매월이는 삼충사에 올라 있
　　　　　　　　　　　　　　　　　　백제의 충신인 성충. 흥수, 계백의 충절을 기리기 위해 세운 사당
고, 안동 기생 일지홍이는 살아 열녀문 세워 있고, 선천 기생은 아이
로되 사서삼경 알았으니, 기생에게 충이 없소 열녀가 없소? 대부인
　　　　　　　　　　　　　　　　　기생에게도 신의와 정절이 있음을 역설함
수절이나 소녀 춘향 수절이나 수절은 일반인데, 수절에도 위아래가
　　　　　　　　　　　　　　　　　　　　　　　　　　　　Link 인물의 태도 ❷

Link

출제자 🏆 인물의 태도를 파악하라!

❶ 춘향에 대한 변 사또의 태도는?
　춘향이 절개를 지키지 않으리라 생각함.

❷ '정절'에 대한 춘향의 태도는?
　대부인이나 자신의 수절이 매한가지라고 생
　각하며 '정절'을 신분을 넘어서는 가치관으
　로 여김.

있소? 사또도 국운이 불행하여 도적이 강성하면, 적 아래 무릎을 꿇어 두 임금을 섬기려오?
_{변 사또에게 역지사지를 헤아리도록 함}

마오 마오, 그리 마오. 기생 자식이라고 그리 마오."
_{신분적 차별에 대한 저항}   ❯ 수청을 강요하는 변 사또에게 저항하는 춘향

[아니리]

사또님이 이 말을 들어 놓으니, 오장이 벌컥 뒤집혀서, 미처 통인(通引)을 못 부르고,
_{수령의 잔심부름을 하던 구실아치}

"사령아, 이년 잡아 내려라."

[휘모리]
_{판소리 장단에서, 가장 빠른 속도로 처음부터 휘몰아 부르거나 연주하는 장단}

골방의 수청 통인 우루루루루 나오더니, / "급창(及唱)! 춘향 잡아 내리랍신다!"
_{수령의 명령을 간접으로 받아 큰소리로 전달하는 일을 맡아보던 사내종}

"예이! 사령, 춘향 잡아 내리랍신다." / "예이!"

벌 떼 같은 군로 사령 우루루루 달려들어 춘향의 머리채를 휘휘친친 감아쥐고 길 너른 대뜰 아래 동댕이쳐 내뜨리며, / "춘향 잡아 내렸소!"

[아니리]

"형리(刑吏) 부르라!" / "수기(手記)라, 형리오."
_{지방 관아의 형방에 속한 구실아치}   _{글이나 글씨를 자기 손으로 직접 씀}

"춘향 다짐 사연 분부 시행하라."

형리가 바라보니, 춘향을 형틀에다 덩그렇게 올려 매 놓았구나.

"죽어 마땅한 너는 천한 기생의 몸으로 잠자리가 일정하지 않음은 예부터 전해 내려오는 관습이요, 장랑부이랑처는 본관 사또의 특별한 성의거늘 감히 열녀는 두 지아비를 섬기지 않
_{장씨의 부인이 되었다가, 이씨의 부인이 되는 것, 재가를 이름}

는다는 말로 관장의 엄한 명령을 능멸하여 죄 위에 죄를 더한즉 특별히 엄한 형을 내리라는
_{업신여기어 깔봄}

다짐이시니라."

형리가 춘향에게 붓을 들려 주니 춘향이 붓을 들고 사지를 벌렁벌렁 떨더니, 한 '일' 자 마음 '심' 자를 일심으로 들어 긋고 붓대를 던져 놓으니 형리 붓대 받아 신호를 그린 후에,
_{수절의 뜻을 굽히지 않음 – 이몽룡에 대한 춘향의 일편단심}   **Link** 인물의 심리 ❶

[진양조]
_{판소리 장단 중 가장 느린 속도의 장단}

집장사령(執杖使令) 거동을 보아라. 형장(刑杖) 한 아름을 안아다, 형틀 밑에 좌르르르 펼쳐
_{장형(杖刑)을 집행하는 일을 맡아 하던 사람}   _{죄인을 신문할 때에 쓰던 몽둥이}

놓고 형장을 앉아서 고른다. 이놈 골라 이리 놓고, 저놈 골라 저리 놓더니마는 그중의 등심 좋고 손잡이 좋은 놈 골라 쥐더니마는, / "삼가 아뢰오."

"각별히 매우 쳐라." / "예이."

사또 보시는 데는 번연히 치듯 하고 춘향을 보면서 속말로 말을 한다.
_{분명하게}

"여봐라, 춘향아, 말 듣거라. 어쩔 수가 바이없다. 한두 대만 견디어라. 셋째 번부터는 사정
_{다른 도리가 없음}

을 두마. 꿈쩍꿈쩍 마라. 뼈 부러질라."
                                              Link 인물의 심리 ❷

"매우 치라." / "예이." 〈중략〉   ❯ 수청을 거부하여 곤장을 맞는 춘향

[중모리]

스물 치고 짐작할까. 삼십 대를 매우 치니, 백옥 같은 두 다리에 검은 피만 주루루루루. 『엎드린 형리도 눈물짓고, 이방, 호방도, 눈물짓
_{『 』: 춘향이 매를 맞는 것을 안타까워함}

Link
출제자 **특강** 인물의 심리를 파악하라!

❶ 붓을 들고 '일심'을 쓰는 춘향의 심리는?
긴장과 두려움으로 몸을 떨면서도 한 '일' 자와 마음 '심' 자를 쓰며 자신의 뜻을 굽히지 않겠다는 의지를 드러냄.

❷ 변 사또의 명에 따라 형을 집행하는 집장사령의 심리는?
마음으로는 춘향을 동정하고 있음.

고, 계단 위의 청령(廳令) 급창도 발 툭툭 혀를 찰 때, 매질하던 집장사령도 매를 놓고 돌아서며,

관청의 명령

"못 보겠네. 못 보겠네. 사람의 눈으로는 볼 수가 없네. 이제라도 나가서 밥을 빌어서 먹더

일을 그만두고 싶을 만큼 마음이 좋지 않음

라도 집장사령 노릇을 못 하겠네."』

수십 명이 구경을 하다가, 오입쟁이 하나가 나서더니,

"모지도다, 모지도다. 우리 사또가 모지도다. 저런 매질이 또 있느냐. 집장사령 놈을 눈 익

춘향에 대한 동정과 변 사또에 대한 분노

혀 두었다 삼문 밖을 나면 급살(急煞)을 내리라. 저런 매질이 또 있느냐? 나 돌아간다, 내가

갑자기 닥쳐오는 재액

돌아간다. 떨떨거리고 나는 간다."

▶ 춘향을 동정하는 사람들

최우선 출제 포인트!

1 '변 사또'의 주장과 '춘향'의 반박

변 사또의 주장		춘향의 반박
• 춘향의 신분에 수절은 당치 않음. • 수청을 거부하는 것은 다른 애인이 있기 때문일 것임. • 수청을 거부하면 벌을 내릴 것임.	→	• 자신은 기생이 아니지만, 충절을 지킨 기생들도 있음. • 수절에는 신분의 차이가 없음. • 정절을 지키는 것은 신하가 한 임금에게 충성하는 것과 같음.

2 이 작품에 사용된 표현 방법

"허, 이런 시절 보소! 기생의 자식이 수절이라니 ~ 정절이 다 무엇이냐?"	'절' 자를 각운으로 활용한 언어유희
• 의성어: 땅땅 • 의태어: 우루루루루, 휘휘친친, 벌렁벌렁, 좌르르르르, 주루루루루 등	의성어와 의태어 사용
• 예양(豫讓)이는 재초부(再醮婦)의 수절이라. • 반첩여의 본을 받아 ~ 반죽지의 저문 날에 놀아 볼까 하옵는데	고사의 인용

3 판소리로서의 특징

판소리는 창과 아니리의 교차 반복 구조로 되어 있다. 미적 체험으로 보면 정서적 긴장과 이완을 반복하는 형태를 띠고 있다. 이 작품 역시 창과 아니리의 반복으로 이루어져 있다.

창(중모리) → 긴장	충절을 지킨 기생을 언급하며 변 사또에게 항변함.
아니리 → 이완	변 사또가 춘향을 잡아 내리라고 명령함.
창(휘모리) → 긴장	춘향이 달려든 군로 사령들에 의해 내동댕이쳐짐.
아니리 → 이완	춘향이 형틀에 묶이고, 형리가 춘향의 죄를 열거함.
창(진양조) → 긴장	춘향이 매를 맞으며 억울함을 호소함.

최우선 핵심 Check!

1 다음 내용 중 맞는 것은 ○표를, 틀린 것은 ×표를 하시오.

(1) 창과 아니리가 교차 반복 구조로 되어 있다. ( )

(2) 언어유희에 의한 말하기 방식이 두드러진다. ( )

(3) 외양 묘사를 통해 인물의 성격을 제시하고 있다. ( )

2 초성 힌트를 보고 빈칸에 들어갈 알맞은 말을 쓰시오.

(1) 춘향이 충절을 지킨 기생들을 언급하며 변 사또에게 항변하는 대목에서는 ㅈㅁㄹ 장단을 사용하여 춘향의 내면 심리를 형상화하고 있다.

(2) 변 사또의 명령에 춘향을 잡아 내리는 부분에서는 ㅎㅁㄹ 장단을 사용하여 수청을 거부한 춘향에게 심각한 위기가 닥치게 되는 극적인 상황을 구현하고 있다.

정답 1. (1) ○ (2) ○ (3) × 2. (1) 중모리 (2) 휘모리

꼭두각시놀음 | 작자 미상

성격 풍자적, 해학적, 비판적 **시대** 조선 후기
주제 파계승, 가부장적 가족 제도, 지배 계급의 횡포 풍자

민속극

이 작품은 남사당패와 같은 유랑 예인 집단이나 마을 주민들에 의해 연행되었던 민속 인형극이다. 홍 동지, 박 첨지 따위의 여러 가지 인형을 무대 위에 번갈아 내세우며 무대 뒤에서 조종하고 그 인형의 동작에 맞추어 조종자가 말을 하는 형식으로 이루어진다.

주요 사건과 인물

제2막: 뒷절
뒷절의 상좌들이 박 첨지의 질녀와 놀아나는 것을 보고 박 첨지가 조카 홍 동지를 불러 중을 내쫓음.

파계승
불도를 등한시하고 여색을 탐하는 인물들

제5막: 표 생원
돌모리집을 첩으로 얻은 표 생원이 본처인 꼭두각시를 찾아 나섰다가 오랜만에 해후함.

표 생원
권위주의적인 가부장적 남성

제6막: 매사냥
평안 감사가 새로 부임해 오자마자 매사냥을 하겠다며 포수와 사냥하는 매를 대령하도록 함.

평안 감사
부패하고 무능한 양반 관료

핵심장면 ① 상좌들이 소무당녀와 놀아나는 것을 보고 노한 박 첨지가 홍 동지를 불러 중을 내쫓는 부분이다.

상좌 두 사람이 나와서 바위 위에 앉았는데 산 위에는 소무당녀들이 나물을 캐고 있다. 상좌들이 그것
〔절에서 불도를 닦는 사람〕 〔말을 주고받은 뒤에〕 〔탈춤 등에서 양반, 취발이의 상대역으로 나와 어울리는 젊은 여자〕
을 보고 반하여 두어 수작한 뒤에 합 사인(合四人)이 풍악 소리에 맞추어 신명이 나서 춤을 춘다. 그때 **박**
〔Link 인물의 성격 ❶〕 〔합해서 네 명〕
첨지가 미색 논다는 말을 듣고 나왔다가 상좌들이 소무당을 데리고 춤추는 것을 보고 대경실색하여 상
〔아름다운 여자들이 논다는 말을 듣고 나옴 – 여색을 밝히는 박 첨지의 성격이 드러남〕 〔몹시 놀라 얼굴빛이 하얗게 질려〕
좌를 꾸짖는다. ▶ 소무당과 놀아나는 상좌들

박 첨지 『이 중놈아. 네가 분명히 중이면 산간에서 불도나 할 것이지 속가에 내려와 미색을 데
『 』: 여자와 놀아나는 파계승의 행위 비판
리고 노류장화(路柳墻花)가 될 말이냐? 아마도 내가 생각하니 네가 중이라고 칭하였으나 미
〔길가의 버드나무 줄기와 담장 밑의 꽃이란 뜻으로 기생을 이름〕 〔'노중(老衆)'과 '노중(路中)'의 음의 유사성을 활용한 언어유희〕
색 데리고 춘 춤을 보니 거리 노중만 못하다. 이놈 저리 가거라.』 (춤을 한참 추다가) 어으어으
〔춤을 추며 소무당을 유혹하는 박 첨지〕
여봐라. 어떠만 싶으냐? (웃으며) 나도 늙은 것이 잡것이로군. 늙은 나는 들어가네. (다시 소
〔자신의 행위에 대해 부끄러워함〕
무당을 자세히 보니 자기의 질녀인 고로 기가 막혀서) 늙은 놈이 주책없이 질녀 있는 데서 춤을
추었구나. 그러나 이왕 같이 춤춘 바에 어쩔 수 없다. **이 괘씸한 중놈을 처치하여야 할 터인**
〔누이의 아들〕 〔자신의 조카딸을 탐내었으므로〕 〔Link 인물의 성격 ❷〕
데 늙은 내가 기운이 있어야지. 아마도 생질 조카 홍 동지(洪同知)를 내보내야겠다. (이때 상
〔한자와 한글의 이중적 언어 사용〕
좌들이 소무당녀 때문에 싸움 반 춤 반으로 야단법석하니 박 첨지는 노염이 나서 딘둥이(홍 동지)를
〔불도를 닦는 데 관심이 없고 여색만 탐하는 상좌들, 관련 속담: 중이 염불엔 마음이 없고 잿밥에만 마음 둔다〕
부른다.) 여봐라 딘둥아 딘둥아. / (홍 동지 등장, 박 첨지 퇴장) ▶ 상좌를 꾸짖고 홍 동지를 불러내는 박 첨지

박 첨지 (안에서) 여봐라. 내가 밖에를 나가니 상좌 중놈이 내 딸을 데리고 춤을 추는데 늙은
나는 기운이 없어서 그대로 왔으니 네가 나가서 모두 주릿대를 앵겨라. (상좌들이 각각 소무당
〔주리를 틀어라 – 비속어 사용〕
하나씩을 데리고 양편에 갈라섰고 홍 동지는 그 중간에서 왔다 갔다 한다.) / 홍 동지 어디요.

박 첨지 저편으로. / 홍 동지 (그리 가며) 이리요?

Link
출제자 (특) 인물의 성격을 파악하라!

❶ 박 첨지의 등장 이유를 통해 알 수 있는 박 첨지의 성격은?
미색 논다는 말을 듣고 나온 것을 통해 여색을 밝히는 박 첨지의 성격이 드러남.

❷ 박 첨지가 상좌들을 꾸짖는 이유는?
불도를 닦는 데 관심이 없고, 자신의 조카딸을 탐내어서

박 첨지 그래. (홍 동지는 급히 가서 보느라고 상좌 머리를 자기 머리와
〔홍 동지의 어리숙한 행동 – 해학성〕
부딪쳤다.) ▶ 홍 동지에게 상좌들을 벌할 것을 지시하는 박 첨지

홍 동지 여봐라, 듣거라. 보니 『거리 노중이냐, 보리 망중[芒種]이
〔음력 7월 보름. 승려들이 제를 올려 부처를 공양하는 날〕 〔망종. 보리가 익어 수확하고 벼를 심을 무렵의 절기〕
냐, 칠월 백중이냐, 네가 무슨 중이냐.』 염불엔 마음이 없고 잿밥에
『 』: 음의 유사성을 이용한 언어유희를 통해 타락한 중들을 풍자함
마음이 있어 미색만 데리고 춤만 추는구나. 나도 한식 놀아 보자.

(5인이 무(舞)) 장단을 자주 쳐라. (장단이 빠르면 그에 따라 홍 동지는 춤을 빨리 추다가 머리로 상

좌와 소무당을 때려서 쫓아 보내고 저도 이어서 퇴장.)   ➤ 소무당과 상좌를 쫓아내는 홍 동지

핵심장면 ② 새로운 부인을 얻은 표 생원이 옛 아내인 꼭두각시를 찾아 나섰다가 해후하는 부분이다.

표 생원(表生員) 등장.

표 생원   어디로 갈까, 어디로 갈까? 처음으로 관동 팔경을 구경하면 우리 부인을 만나 볼까,
                                              강원도 동해안의 여덟 명승지   옛 아내인 꼭두각시

관서 팔경을 구경하면 우리 부인을 만나 볼까? 전라도라는 곳에 명승지도 있건마는 어느 곳

명승지가 좋길래 나를 버리고 우리 부인이 구경 갔나. 아서라, 이게 모두 쓸데없는 것이다.

여담은 절간이라니 돌모리집 얻어 데리고 살면서 우리 부인을 잠시 돌아보지 않은 까닭으로
                          새로운 부인   **Link** 반영된 사회상 ❶

구나. 방방곡곡 다 찾아보았으나 종내 만날 수가 없으니 다만 한숨뿐이로다.
                          본부인에 대한 미련으로 꼭두각시를 찾아다님

돌모리집   여보, 영감, 별안간에 그게 무슨 말이오. 그까진 본마누라를 찾으면 무엇한단 말이
                                                                꼭두각시   **Link** 반영된 사회상 ❶

요. 나는 명산대찰(名山大刹) 구경하러 나선 줄 알았더니 인제 보니까 마누라 찾아다녔구려.
        좋은 산과 큰 절

아이고, 속상해. 이 팔자가 왜 이렇게 기막힌가.

표 생원   (화를 내며) 요사스런 계집이로군? 대장부가 아무려든 무슨 잔말이냐?
                                                당시 사회의 남성적인 권위 의식이 드러남   **Link** 반영된 사회상 ❷

돌모리집   그렇지 작은집이란 이러기에 서러워. (돌아선다.) 〈중략〉
                    본부인이 아닌 둘째 부인

꼭두각시   (창) 어허 이게 웬일인가. 이 세상에 나와 보니 인간 이별 만사 중(人間離別萬事中)에
                                                          사람들이 이별하는 많은 일 중에

독수공방이 더욱 슬어. 인간 만사 마련할 제, 이별 빼지 못하였나. 우리 영감 어디 갔노? 여
                  싫어   사람의 모든 일에서 왜 하필 이별을 빼지 못하는지를 한탄함   표 생원

보 영감, 어디로 갔나? 어디로 갔나?

표 생원   어디서 마누라 소리가 나는 듯 나는 듯. (창) 거기 누가 날 찾나? 날 찾을 이 없건마는

Link
출제자 **특강** 반영된 사회상을 파악하라!

❶ 꼭두각시와 돌모리집의 관계를 통해 알 수
   있는 것은?
   당시에 일부다처제가 성행했음을 알 수 있음.
❷ 표 생원의 대사를 통해 알 수 있는 당시 사
   회의 모습은?
   남성 중심적인 가부장적 사회

거 누가 날 찾아?『기산 영수 별건곤(箕山潁水別乾坤)에 소부 허유
                                  기산의 영수에서 문답하던 소부와 허유

가 날 찾나? 채석강(採石江) 명월하(明月下)에 이적선이 날 찾나?
              채석강의 밝은 달 아래에 있던 이태백

상산사호(商山四皓) 늙은이가 바둑 두자고 날 찾나?』   『 』 「춘향전」과 「봉산 탈춤」
        난을 피해 바둑을 두는 늙은이라는 뜻으로 신선을 말함   에도 등장하는 구절 –
                                                                  상투적인 표현 사용

꼭두각시   아이고 이게 웬 소린가? (차차차 표 생원에게 가까이 오면서)

아이고 이게 웬 소린가, 거 영감이요? / 표 생원   거 마누라인가?
                                                  ➤ 꼭두각시와 해후한 표 생원

핵심장면 ③ 평안 감사가 부임해 와서 꿩 사냥을 위해 포수와 매를 대령하게 하는 부분이다.

한양에서 평안 감사가 나서 오백오십 리 내려가 도임(到任) 후에 관속 부려 명령한다.
                                            지방 관리가 임소에 도착함을 이르는 말   불러

평안 감사   너희 고을 풍속이 사냥을 하면 강계(江界) 포수가 일등이라니 불일내(不日內)로 대
                                                                            며칠 내

령시켜라.

관속   네, 일변(一邊) 노문 놓아 대령하겠습니다. (포장(布帳) 갓으로 빙빙 돌아다닌다.) 어 길도
              한편으로 도착 예정일을 미리 알리어   베, 무명 등으로 만든 휘장

참 험하다.『별안간 사냥은 한다고 남을 이렇게 고생을 시키니 관속인지 막걸렌지 고만두어
          『 』 평안 감사의 횡포에 대한 비판과 신세 한탄

야지. 이놈의 팔자는 심부름만 하고 오십 평생을 보내니 화가 나서 못 살겠군.

▶부임하자마자 꿩 사냥 준비를 명령하는 평안 감사

(포수(砲手) 등장.)

포수   어, 어디 가니? / 관속   옳다. 요녀석, 잘 만났다.

포수   오래간만에 만나서 욕이 무슨 욕이냐? / 관속   이놈아, 따지면 무엇하니 큰일 났다.
　　　둘 사이의 친분을 나타냄. 관련 한자 성어: 막역지우(莫逆之友)

포수   무슨 큰일이냐? 나는 큰일 나면 날수록 좋더라.

관속   이놈, 큰일이라니까, 혼인 환갑잔치에 먹을 판이 난 줄 아니?
　　　　　　　　　　　좋은 경사가 나는 줄 아니?

포수   그럼 무엇이란 말이야?

관속   『감사께서 도임 후에 이 고을 백성을 잘 다스릴 생각은 꿈에도 않고 대번에 꿩 사냥이다.』
　　　『　』: 관리의 덕목을 지키지 않는 감사를 비판함

포수   평양 감산지 모기 잡는 망사인지, 그래 도임하면서 꿩 사냥 먼저 다니오는 놈 쭉쭉 그
　　　　　　　　　　　　　　　　　　지배층에 대한 깊은 불신과 비판

모양이로구나. 그런데 무슨 큰일이란 말이냐?

관속   꿩을 못 잡으면 네 목이 간다. 봐라, 그러니까 큰일이지 무엇이냐?
　　　　　　　　　지배층의 횡포가 드러남

포수   이것 잘못 걸렸구나. (관속이 일등 포수와 사냥 잘하는 매를 불러온 후 감사에게 아뢴다.)

관속   아뢰어라, 여쭈어라, 분부대로 강계 일등 포수와 산진이, 수진이, 날진이, 해동청, 보라
　　　　　　　　　　　　　　　　　　　　　　　　　　　▶평안 감사를 비판하는 관속과 포수
매 다 대령했습니다.　　　　　　　　　　　　　　　　매의 종류

평안 감사   오냐, 명일(明日) 아침에 사냥을 떠날 것이니 차착이 없이 다 준비하여라. (사냥을
　　　　　　　　　　내일　　　　　　　　　　　실수
나간다. 포수는 매를 받쳐 들고 총 메고 바랑 지고 개를 데리고 나가며 매방울 소리가 나자 일변(一邊)

꿩을 날린다.) 지금 잡은 게 암꿩이냐, 수꿩이냐?

관속   여봐라, 포수야, 분부하시니 무엇을 잡았느냐? / 포수   장끼로 아뢰옵니다.
　　　　　　　　　　　　　　　　　　　　　　　　　수꿩

평안 감사   그러면 그렇지. 강계의 일등 포수라더니 과연 그럴시 분명하구나. 전후 잡이 돌려
　　　　　　　　　　　　　　　　　　　　　　　　　　　　　　　가마꾼
환택(還宅)하자.　　　　　　　　　　　　　　　　　▶매사냥을 끝내고 돌아가는 평안 감사
집으로 돌아감

이 정도는 공부해 두어야
모든 시험에 대응할 수 있는

고전 산문 127작품

소설 58편 / 수필 45편 / 설화 14편 / 무가 3편 / 가전 3편

판소리 2편 / 민속극 2편

출제 우선순위　출제율 59~30%　**68**위 ~ **194**위

제2부

출제 우선 작품

황월선전(黃月仙傳) | 작자 미상

성격 전기적, 교훈적 **시대** 조선 후기
주제 봉건 가족 제도 속 구성원 간의 갈등과 화해

68위

소설

이 작품은 전실 소생의 자식과 계모 간의 갈등을 통해 봉건적 가족 제도의 문제점을 드러내는 계모형 가정 소설로, 권선징악적 주제를 전달하고 있다.

주요 사건과 인물

발단
황 승상의 부인 김 씨가 월선을 낳고 이후 황 승상은 박 씨를 들여 아들 월성을 얻음.

전개
박 씨의 모함으로 집에서 쫓겨난 월선은 장 진사의 아들 장위와 혼인함.

위기
월선이 누명을 쓴 것을 안 황 승상은 월선을 찾기 위해 월성을 보내고, 월성은 장위의 도움으로 목숨을 구함.

절정
정체를 숨기고 자신의 집을 방문하고 돌아간 월선은 부친에게 이제까지의 사정을 알리는 편지를 보냄.

결말
월선은 박 씨를 용서하고, 월선의 세 아들은 모두 과거에 급제함.

월선
계모 박 씨의 모함으로 죽을 위기에 처하지만, 계모를 용서하고 화해함.

월성
박 씨의 아들. 이복누이인 월선을 위기에서 구해주며, 월선의 남편인 장위의 도움으로 목숨을 구함.

황 승상
박 씨의 계략에 속아 월선을 죽을 위기에 처하게 하는 우유부단하고 판단력이 부족한 인물

박 씨
남편의 재산 분할에 불만을 품어 월선에게 누명을 씌워 죽이려 하지만 실패함.

핵심장면 ① 월선이 계모 박 씨의 음해로 고난을 겪는 부분이다.

전처┬황 승상┬박 씨
　　월선　　　月성

"부친께서 너와 월성에게 각각 재산을 나눠 주셨으니 너는 외당(外堂)에 세간을 차려 노복들
　재산 분배에 대한 박 씨의 불만 → 박 씨가 월선을 음해하는 원인　　　집의 안채와 떨어져 있는, 바깥주인이 거처하는 손님을 접대하는 곳
과 함께 농사지어 먹고 살아라."

하고 쫓아내었다.

월선은 할 수 없어 박 씨가 시키는 대로 외당으로 나갔다.
　　　　　　　월선의 계모

이때는 춘경기(春耕期)인지라, 박 씨가 곡식을 내어 월성에게는 좋은 씨를 주고 월선에게는
　　　　봄철 논밭을 가는 시기　　　　　　　　　　싹이 나지 않을 삶은 씨를 월선에게 주는 박 씨 – 월선을 어려움에 처하게 하고자 하는 의도
삶은 씨를 주었다. ▶ 월선에게 삶은 씨를 준 박 씨

이때 각자 모를 심었는데 월성의 모는 잘 자라고 월선의 모는 썩어서 나지 않고 난데없는 박
　　　　　　　　　　　　　　　　　　　　　　　비현실적 사건 – 전기적 요소
한 포기가 나기 시작하였다. 다른 사람은 이종(移種)했는데 월선의 모만 썩고 없으니 노복들
　　　　　　　　　　　　　　　모종을 옮겨 심음　　박 씨가 월선에게 삶은 씨를 주었기 때문
이 말하였다.

"마님 모와 도련님 모는 잘 되어 이종하였는데 애기씨 모는 나지 않고 박 한 포기가 났으니
　박 씨　　　월성　　　　　　　　　　　　　　　　월선
어찌 애달프지 않겠습니까?"
월선에 대한 연민이 담김

월선이 이 말을 듣고 한숨을 쉬며 노복에게 말하였다.
복이 없음

"내 운명이 박복(薄福)한 게지. 하느님이 이렇게 하신 것을 내가 어찌하리? 너희들 잘못이
　　　　　　　　　　　　　　　현실을 수용하는 운명론적 인식을 보임
아니고 내 탓이니, 박 한 포기라도 잘 키우도록 해라. 심지 않은 박이 난 일은 범상치 않으
현재 상황이 초래된 원인을 남에게 돌리지 않는 월선의 모습
니, 두고 보자."

Link
출제자 툭! 사건의 의미를 이해하라!
❶ 삶은 씨에서 박이 난 사건을 통해 알 수 있는 고전 소설의 특징은?
비현실적인 사건이 일어나는 전기적 요소가 드러남.
❷ 박에서 난 백미를 가난한 사람들에게 나누어 준 사건에서 알 수 있는 월선의 성품은?
다른 사람을 위하는 어진 성품을 지니고 있음

하니, 노복들이 명령대로 하였다.

『논 가운데 난 한 포기 박은 사방으로 자라서 박이 수천 개나 되었
『 』: 비현실적 사건
다. 그렇게 팔구월이 되어 월선이 노복에게 그 박을 따오라 하니, 박
이 수천 동이었다.』계모 박 씨도 추수하여 곳간을 채우니 곡식이 수천
석이 되었다. 월선은 수천 개의 박을 추수하여 곳간에 채웠다. 이를

보고 노복들이 불평하였으나 월선은 불평 한마디 하지 않았다.

> 월선의 논에선 박 한 포기가 자라 수천 개의 박이 됨

월성이 누이의 농사가 실패한 것을 보고 안타까워하며 노복에게 황조 삼십 석을 보내었다.

이복동생인 월성이 어려움에 처한 월선을 도와줌

월선이 동생에게 고마워하며 시비(侍婢)를 불러 박을 따 오게 하여 그 박을 깨어 보니, 그 안

Link 사건의 의미 ❷

에는 백미(白米)가 가득하였다. 월선은 하늘의 뜻인 줄 알고 가난한 백성에게 다 나누어 주니

월선의 성품을 알 수 있음

백성들이 '월선은 하늘이 보낸 사람이 분명하다.' 하며 칭찬하지 않은 이가 없었다.

> 박에서 나온 백미를 가난한 백성에게 나눠 준 월선

핵심장면 ② 계모 박 씨에 의해 누명을 쓰게 된 월선을 황 승상이 죽이려 하고 월성이 이를 만류하는 부분이다.

한이 없는 큰 슬픔

월성이 망극하여 월선의 등에 엎드려져 울며 말하였다.

황 승상   월성   **Link** 주장의 근거 ❶

『"아버님은 잠깐 화를 참으시고 조자의 말을 잠깐 들어 보옵소서. 누이가 어려서부터 바깥출

『 』: 이복누이 월선을 적극적으로 옹호하는 월성의 모습 – 일반적인 계모형 가정 소설과의 차이점   누이(월선)가 결백하다는 증거를 들어 호소함

입이 없었고 노복들도 날마다 보지 못하였으니 외인(外人)의 출입이 없사오니 깊이 생각하

옵소서. 일의 전후 사정을 차차 보옵소서."』

신중히 판단해 달라는 의미

월성이 빌기를 마지아니하였으나, 승상이 깨닫지 못하고 멍하니 서 있었다.

판단력이 부족한 모습

이때에 월성이 하는 행동을 보고 박 씨가 시비 운행을 불러 말하였다.

『"너 남복(男服)을 입고 월선의 방에 있다가 우리가 문밖에 가거든 문을 열치고 달아나라."』

월선과 만난다는 외간인 척하기 위해   『 』: 월선을 모함하려는 박 씨의 계략

운행이 남자의 옷을 입고 월선의 방에 있다가 박 씨가 나오는 것을 보고 거짓 놀라는 체하고

박 씨의 지시대로 잘못을 들켜 도망치는 척 행동함

도망하니, 승상이 그 놈을 보고 뒤를 쫓아갔으나 부질없었다.

이때 박 씨가 거짓 놀라는 체하고 엎드러졌다가 말하였다.

"이런 흉악한 일이 어디 있으리오? 저러하고 무슨 말을 하리오?"

박 씨의 음흉한 모습

이어 월선을 꾸짖어 말하였다.

"무슨 낯으로 타인을 위하는고?"

외간 남자와의 부정한 짓

또 승상에게 말하였다.

"친정에 있을 때도 이런 일은 보지 못하였으니 처분대로 하소서."

황 승상에게 월선에게 벌을 내릴 것을 요구함

이어 박 씨가 집 안으로 들어가니 승상이 한 말도 못 했다.   > 월선을 모함하는 박 씨

박 씨의 계략에 넘어가 상황을 곧이곧대로 믿고 충격에 빠진 모습

월성이 변명하니 승상이 더욱 분하여 말하였다.

"이제 속절없다."

Link
출제자 톡! **주장의 근거를 파악하라!**

❶ 월성이 월선이 결백하다고 주장하기 위해 제시한 근거는?
월선은 어려서부터 바깥출입이 없었고 노복들도 날마다 보지 못하였으며 외인의 출입이 없었음. 즉, 월선이 외간 남자와 정을 통할 수 있는 상황이 아님을 여러 근거를 들어 주장함.

❷ 월선을 죽이려는 승상을 만류하기 위해 월성이 제시한 근거는?
부모와 자식 간의 정에 호소하여 가족 간의 인륜을 근거로 승상의 행동을 만류함.

이어 승상이 칼을 들고 월선을 치려 하니, 월선이 정신이 아득하여

땅에 엎드려져 기절하였다. 월성이 실색(失色)하여 울며 달려들어

놀라서 얼굴빛이 달라짐

월선을 덮쳐 안고 한 손으로 칼을 붙들고 애걸하며 말하였다.

Link 주장의 근거 ❷

"아버님은 잠깐 분노를 참으소서. 저를 보아서라도 누이를 살려 주

옵소서. 어찌 자식의 몸에 칼을 대어 유혈(流血)을 내리오? 누이가

부모와 자식 간의 정에 호소하는 말하기

죽으면 동생인들 어찌 참혹한 것을 보리오? 아버님은 나를 생각하

아버지를 설득하기 위해 상황을 가정하여 말함

여 죽이지 마시고 오늘 밤에 소식 없이 죽이거나 살리거나 하되 남

이 모르게 하옵소서. 또 남이 묻거든 간밤에 죽었다 하고 선산(先山)에 허장(虛葬)하오면 무

거짓으로 장사를 지내는 것

사하리다. 소자에게 맡기시면 멀리 보내리라."

예상되는 상황에 대한 해결책을 제시하여 승상을 설득하려 함

이렇게 말하며 월선을 안으니 오누이의 화목한 거동을 차마 보지 못할 정도였다.

작중 상황에 대한 서술자의 편집자적 논평   ▶월선을 죽이려는 승상과 이를 만류하는 월성

핵심장면 ③ 월선이 남편 장위와 함께 자신이 살던 집을 찾아간 부분이다.

여행길의 부녀자가 묵을 곳   조선 시대에, 종일품 이상 및 기로소의 당상관이 타던 가마

이때 내행 사처를 내당(內堂)으로 정하였거늘 월선이 교자(轎子)에서 내려와 방에 들어가니,

과거 자신이 쓰던 물건으로, 과거 이야기를 이끌어 낼 수 있는 매개체

전의 제 자던 방이었다. 비단 틀을 보고 만지며 슬퍼하더니, 이날 밤에 등촉을 밝히고 물어 말

자신이 살았던 방에 돌아온 월선 – 계모의 박해로 인한 위기를 극복했음을 알 수 있음

하였다.

"부인 댁의 비단 틀을 보니 분명 소저가 있는가 싶으니 한번 구경하사이다."

박 씨의 행동을 떠보기 위한 의도적인 질문

박 씨가 답하여 말하였다.

남의 전처(前妻)를 높여 이르는 말

「"나는 여식이 없고 다만 전실(前室)의 여식 하나가 있었는데 거년 거월(去年去月)에 죽어서

월선을 가리킴   지나간 해의 아무 달

지금까지 눈물로 세월을 보내고 있습니다."」『』: 상대방인 유수 부인(월선)에게 잘 보이기 위해 하는 거짓말

월선이 그 말을 들으니 가슴이 서늘하고 분기탱천(憤氣撐天)하되, 또 물어 말하였다.

박 씨의 거짓말   분한 마음이 하늘을 찌를 듯 격렬하게 북받쳐 오름

"그 소저 나이가 몇이나 되었나이까?"

박 씨가 답하여 말하였다.

"이십 세로소이다."

월선이 말하였다.

"그러하면 나와 동갑이라 더욱 반갑고 슬프도다. 그 소저의 이름은 무엇인가?"

박 씨가 말하였다.

"이름은 월선이로소이다."

월선이 그 말을 하자 하니, 심장이 흘러내리고 눈물이 절로 솟아 화협을 적셨다. 그러나 내

꽃같이 아름다운 얼굴

색하지 않고 말하기를,

"이름을 들으니 귀에 익숙하도다."

하고, 또 물어 말하였다.

"이곳은 어디인가?"

"예주 문촌이로소이다."

Link
출제자 (톡) 인물의 의도를 파악하라!
① 월선이 다른 사람의 이야기를 전하는 방식
으로 자신의 행적을 이야기한 이유는?
박 씨에게 경각심을 주기 위해
② 월선이 자신의 집 벽에 글을 써 붙이고 떠난
이유는?
자신이 살아서 집에 다녀갔다는 사실을 아
버지와 동생에게 알리기 위해

"그러면 황 승상 댁이신가?"

"그러하오이다. 어찌 뭇삽나이까?"

월선이 말하였다.

Link 인물의 의도 ①

「"홍주 땅에 빌어먹는 아이가 있는데 성은 황이요, 이름은 월선이라

『: 다른 사람의 이야기를 전하는 방식으로 자신의 행적을 요약적으로 제시함

하고 예주 문촌 황 승상의 자녀라 하면서 빌어먹으니, 여러 사람

이 다 말하기를, '그런 사대부 집 여자로서 어찌 저 모양이 되었는고? 세상사도 모를 것이로다.' 하였다. 그때에 장 진사라 하는 사람이 그 여자를 데려다가 길러내어, 자부(子婦) 되었
월선의 조력자   며느리
더니 이번 과거에 급제하여 외방(外方)의 유수 되었으니 같이 내려왔다 하였다. 이 댁이 황
서울 밖의 모든 지방   조선 시대에, 수도 이외의 요긴한 곳을 맡아 다스리던 정이품의 외관 벼슬
승상 댁이라 하였는가?」

박 씨가 이 말을 듣고 가슴이 서늘하여 어쩔 줄 몰랐다.   ▶ 박 씨에게 자신의 존재를 알리는 월선
월선이 살아 있다는 것을 알고 자신의 행적(월선을 모함하여 쫓아낸 것)이 들통날 것을 염려함
월선이 끝내 진실을 밝히지 않고 떠나니, 박 씨가 생각하되, '정녕 그리하면 후환이 있을 것
어떤 일로 말미암아 뒷날 생기는 걱정과 근심
이다.' 하고 염려가 무궁(無窮)하였다.
질투나 노여움 따위의 감정이 복받쳐 일어나는 울화
Link 인물의 의도 ❷
월선이 박 씨를 내어 보내고 옛일을 생각하니 꿈같은지라, 심화(心火)를 안정하지 못하고 붓
황 승상   월성
과 먹을 내어 부친과 동생을 생각하며 글을 써 벽에 붙이고, 이날 떠났다.
자신의 서글픈 심정을 밝힌 내용 – 월선이 살아서 집에 다녀갔다는 사실을 아버지와 동생에게 알리려는 의도
이때 승상이 유수 부인이 떠남을 보고 슬퍼하며 말하였다.
월선
"어떤 사람의 따님이 저러한고?"
유수 부인이 자신의 딸 월선이라는 사실을 모름
이어 통곡하니, 월성도 통곡하고 비복(婢僕)들도 슬피 울었다.   ▶ 글을 남기고 떠나는 월선
유수 부인을 보고 난 뒤 월선에 대한 그리움이 커졌기 때문

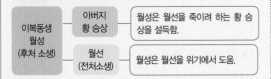

최우선 출제 포인트!

1 계모형 가정 소설의 전개

주인공의 탄생과 친모의 죽음	황 승상의 부인 김 씨는 딸 월선을 낳고 병을 얻어 죽음.
계모의 등장	황 승상은 박 씨를 새로 들여 아들 월성을 낳음.
계모의 구박 및 추방	박 씨는 월선을 박대하다 모함하여 집에서 쫓아냄.
시련 극복과 가정 복귀	월선은 장 진사의 도움을 받아 목숨을 구한 후 자신의 집에 방문함. 추후 가족 관계가 회복됨.

2 기존의 계모형 소설과 다른 인물 관계

이복동생
월성
(후처 소생)

아버지
황 승상 → 월성은 월선을 죽이려 하는 황 승상을 설득함.

월선
(전처소생) → 월성은 월선을 위기에서 도움.

최우선 핵심 Check!

1 다음 내용 중 맞는 것은 ○표를, 틀린 것은 ×표를 하시오.

(1) 승상은 박 씨의 계략을 알고도 모른 체하고 있다. (　)

(2) 전처의 소생 월선과 후처의 소생 월성은 갈등을 겪고 있다. (　)

(3) 박 씨는 월선이 외간 남자와 정을 통했다고 모함하고 있다. (　)

(4) 월선은 자신이 살아서 집에 왔다는 사실을 알리기 위해 벽에 글을 써 붙였다. (　)

2 이 작품에서 인물 간의 갈등을 유발하는 인물은?

3 이 작품에서 월선에 대한 월성과 장 진사의 역할은?

정답 1. (1) × (2) × (3) ○ (4) ○ 2. 박 씨 3. 조력자

양풍(운)전(楊豊(雲)傳) | 작자 미상

성격 전기적, 도교적 **시대** 조선 후기
주제 천륜과 인륜의 가치에 바탕을 둔 권선징악

소설

이 작품은 중국 한나라를 배경으로 전반부에서는 계모와의 갈등으로 인한 고난을, 후반부에서는 양풍의 영웅적 활약을 다루고 있다. 가정 내의 갈등으로 고난을 겪는 주인공이 환상계의 도움으로 이를 극복하면서, 현실계-환상계-현실계가 순환 구조를 이루고 있다.

주요 사건과 인물

발단
양태백은 최씨 부인과의 사이에 딸 채옥, 채란과 아들 풍을 둠. 최씨 부인의 권유로 맞은 첩 송 씨의 간계로 최씨 부인과 삼 남매는 쫓겨남.

전개
최씨 부인이 죽고 삼 남매는 부친을 찾아가지만 채옥이 강제 결혼을 거부해 다시 쫓겨남. 꿈에 나타난 친모를 만나기 위해 채옥 남매는 옥룡선을 찾아감.

위기
고난과 시련을 이겨 내고 친모를 만남. 양풍은 옥제에게 갑주를 하사받고 천왕보살의 도움으로 무예와 병법을 익힘. 이때 한나라를 송나라가 침입함.

절정
양풍은 위기에 처한 천자를 구하고 초왕의 작위를 받음. 양태백은 송 씨로 인해 가산을 탕진하고 눈이 멀게 됨.

결말
양풍을 만난 양태백은 눈을 뜨고 양풍은 송 씨를 처벌함. 양풍은 부마가 되고 부귀를 누림. 죽은 후 혼이 옥룡전에 이르러 모친과 누이를 만나 신선이 됨.

양풍	채옥	최씨 부인	양태백	송 씨
옥제에게 갑옷을 받고 무예를 익혀 송나라의 침입을 물리친 뒤 초왕 작위를 받고 부마가 됨.	삼 남매의 첫째로, 책임감이 강하며 돌아가신 모친을 만나러 옥룡전까지 두 동생을 데려감.	송 씨를 남편에게 소개한 것이 화근이 되어 쫓겨나 객점에서 병이 들어 죽음. 이후 천상에서 삼 남매와 해후함.	첩인 송 씨의 간계로 아내와 삼 남매를 쫓아냄. 송 씨로 인해 패가망신 지경에 이르다가 양풍이 금의 환향하여 형편이 풀림.	악인으로, 최씨 부인과 삼 남매를 시련에 빠트리고 양태백 가정을 망하게 만듦. 양풍에 의해 황제로부터 징벌받아 죽음.

핵심장면 ① 양태백에게 쫓겨난 채옥 남매가 꿈에 나타난 어머니를 만나기 위해 옥룡전으로 가는 장면이다.

☐ : 주요 인물   미처 생각하지 않았던 상황

「채옥 등이 또 불의지경을 당하매 더욱 망극하여 하늘을 우러러 통곡하다가 정신을 차려 생
채옥, 채란, 풍   양태백에 의해 집에서 쫓겨남
각하되, '다시 영산으로 갈밖에 없다.' 하고, 인하여 풍을 이끌고 영산으로 찾아간즉, 할미가
                                                              의지할 곳이 없게 된 현실에, 모친 묘에 가서 슬픔을 토로함
이미 죽었는지라. 흥격이 막혀 모친 묘하에 가 일장통곡하고, 일신이 고달파 잠깐 졸더니 문
최씨 부인   「 」: 공간의 이동을 요약적으로 제시함   꿈 – ① 신이한 분위기 조성 ② 인간계와
득 모친이 곁에 앉으며 왈, "너희 나를 보려 하거든 옥룡전을 찾아오라."   천상계를 매개하는 서사적 장치
                                          천상계에 있음   Link 소재의 의미 ❶, ❷
하거늘, 채옥 등이 놀라 깨어 체읍하다가 생각하매,

'모친 영혼이 아무리 옥룡전을 찾아오라 하신들, 십여 세 여아가 어찌 누만 리를 찾아가리
                                                      '옥룡전'을 '누만 리' 떨어져 있는 멀고 먼 곳으로 설정
오. 차라리 이곳에서 죽어 지하에 가 모친을 뵈옴만 같지 못하다.' – 천상계가 이르기 힘든 곳임을 드러냄

하고 자결코자 하더니, 다시 생각하매,

'나는 죽어 관계치 않거니와, 어린 동생을 어찌 차마 버리리오.'
          동생들을 책임져야 한다는 책임감이 드러남 - 자결을 포기한 이유
하고, 설운 마음을 억제하고 동녘을 바라보니 버들가지 난만한지라. 그것을 취하여 먹은즉 적
          시장기를 겨우 면할 정도로 조금 먹음   버들가지에 많은 꽃이 피어 있음
이 요기되매, 다시 모친 묘에 하직하고 동으로 행하여 가더니, 한곳에 이른즉 산수는 기구하
                옥룡전으로 가기 위해 길을 떠남
고, 송죽은 소슬하여 슬픈 마음을 돕는 곳에 일색이 저물고 인적이 끊인지라.
          서술자가 인물의 심리를 직접적으로 제시함   ▶ 꿈에 나타난 모친의 말을 듣고 옥룡전으로 향하는 채옥 남매
      서로 붙들고 앉았다가 동편을 바라보니 한 누각이 있거늘, 마음에 반가이 여겨 찾아들어 가

니, 사람은 없고 전상(殿上)에 일위 부인이 머리에 화관을 쓰고 몸에
                                        한 부인
황포를 입고 앉았으니, 보기에 가장 거룩한지라. 나아가 재배하니,
          화관과 황포를 통해 일위 부인이 신선임을 알 수 있음 → 초현실적 존재   두 번 절함
부인 왈,
뒤에 언급되는 후토부인임 – 채옥 등의 조력자
      "너희 어떤 사람으로 이 심산에 들어왔느뇨." / 채옥이 대왈,
                        깊은 산   남을 헐뜯어서 죄가 있는 것처럼 꾸며 윗사람에게 고하여 바침
      "소녀 등이 당금 승상 양태백의 자녀러니, 부친이 애첩 송녀의 참소
          「 」: 채옥 등이 그간 겪은 일을 요약적으로 제시함   현재 채옥 등에게 닥친 고난의 원인 – 가정 소설의 성격을 보여 줌

Link

출제자 톡 ❶ 소재의 의미를 파악하라!

❶ 인간계와 천상계를 매개하는 서사적 장치에 해당하는 것은?
채옥 등이 꾼 '꿈'

❷ 채옥 등이 꾼 꿈의 내용은?
꿈속에 나타난 모친이 자신을 보려거든 옥룡전으로 찾아오라고 함.

를 듣고 모친과 소녀 등을 내치시매, 모친은 영산에서 기세(棄世)하사 동해 숭산 옥룡전으로
<small>세상을 버린다는 뜻으로, 웃어른이 돌아가심을 이르는 말</small>
가신고로 소녀 등이 방금 찾아가다가 이곳에 이르렀사오니, 바라건대 부인은 어여삐 여기사
앞길을 가르쳐 주실까 하나이다."
<small>옥룡전에 이를 수 있는 길</small>
　　　　　　　　　　　　　　　　　　　❯ 누각에서 만난 부인에게 옥룡전으로 가는 길을 알려달라 부탁하는 채옥 남매

부인이 듣고 가긍히 여겨 시녀를 불러 음식을 가져오라 하여 주거늘, 채옥 등이 받아먹기를
<small>채옥 남매 등에 대한 부인의 배려</small>
다하매, 부인 왈,

"숭산이 여기서 만 사천 리나 되니 너희 어찌 가려 하는다. 오늘은 이미 저물었으니 이곳에
<small>옥룡전이 있는 공간</small>
서 머물고 명일에 떠나가라." / 채옥 등이 사례 왈,

"죽게 된 인생을 선찬으로 먹이시고, 또 앞길을 가르쳐 주시니, 은혜 태산이 낮사옵거니와,
<small>부인이 베풀어 준 환대에 감사함을 표함. 관련 한자 성어: 백골난망(白骨難忘)</small>
감히 묻잡나니 부인 칭호를 듣고자 하나이다."

부인 왈, / "나는 이 산 지키는 후토부인이노라."
<small>부인의 정체 – 천상계의 인물들이 채옥 남매를 도와줌을 알 수 있음</small>
하고, 인하여 간데없거늘, 채옥 등이 대경하여 살펴본즉, 누각은 없고 나무 아래 바위 밑에 있
<small>비현실적 사건</small>
는지라.　　　　　　　　　　　　　　　　❯ 꿈속에서 후토부인에게 환대를 받고 깨어난 채옥 남매

핵심장면 ② 채옥 남매가 천상계에서 모친을 만나고, 풍이 옥제에게 갑주를 받는 장면이다.

"너희 초로(草露)와 같은 목숨이 나를 이별하고 어찌 살았으며, 수만 리 바다는 어찌 건너 찾
<small>풀잎에 맺힌 이슬</small>　　　　　　　　<small>최씨 부인. 채옥 등의 친모</small>　　　　　<small>어머니로서 채옥 등이 겪었을 고초를 안타까워함</small>
아왔느냐? 나는 인간 세상에서 죄악이 없어 지부왕(地府王)이 옥제(玉帝)께 아뢰, 나의 무
<small>지장보살</small>　　　<small>옥황상제</small>
죄함을 헤아리시고 특별히 동해 일방(一方) 풍속과 교화를 맡기시어 숭산에 옥룡전을 짓고
<small>인간 세상에 죄가 없어 옥제에 의해 선계에서 부활하여 채옥 등과 재회할 수 있었음</small>
정렬부인 직첩을 내려 지키게 하시었다. 나는 이렇듯 영귀(榮貴)하게 되었으나, 너희를 버리
<small>지체가 높고 귀하게</small>
고 왔으니 모자의 정이야 어찌 이승과 저승이 다르리오? 너희를 보고 싶은 마음이 간절하여
<small>모자의 정이, 이승과 저승이 다르지 않으며, 이승에 남은 자식들이 보고 싶어 꿈에 나타났다고 설명함 – 자식을 생각하는 최씨 부인의 사랑이 드러남</small>
두어 번 현몽(現夢)하였더니 너희는 아느냐?"
<small>죽은 사람이나 신령이 꿈에 나타남</small>　**Link** 인물의 의도 ❶

채옥 등이 울며 대답하기를,
　　　　　　　　　　　　　　　　　　　　　<small>모친을 만나고자 하는 소망을 이루었기 때문</small>
"어찌 모르리이까? 모친의 정령(精靈)에 힘입어 얼굴을 다시 뵈오니, 이제 죽어도 여한이 없
나이다." / 부인이 말하기를,
　　　　　　　　　　　　　　　　　　<small>채옥 등에게 음식을 제공하여 기력을 회복하게 함</small>
"너의 지극한 정성에 하늘이 감동하시어 옥제께서 굽어살피시어 천왕보살과 후토부인에게
<small>고난을 이기고 모친을 만나고자 한 정성</small>　　　　　　<small>채옥 등에게 낙화를 주어 선계에 이르는 돌문을 열게 함</small>
지휘하여 우리를 만나 보게 하심이니, 네 어찌 알았으리오?"
　　　　　　　　　　　　　　　　　　　　　　　　　<small>진귀하고 맛이 좋은 음식</small>
하며, 자녀를 데리고 내전에 들어가 그리던 회포와 고생하던 사연을 말하며 슬퍼하고 진찬을
<small>구체적인 행동을 제시하여 재회의 기쁨을 드러냄</small>
먹이며 어루만지며 사랑함이 생시보다 갑절은 더하더라.
　　　　　　　　　　　　　　　　　　　❯ 천상계에서 모친과 상봉한 채옥 남매

Link
출제자 특강 인물의 의도를 파악하라!

❶ 최씨 부인이 채옥 남매의 꿈에 나타난 이유는?
자신은 천상에서 영귀하게 되었으나 이승에 두고 온 어린 자식들을 만나 보고 싶은 마음이 간절하였기 때문

❷ 옥제가 양풍을 인간계로 보내려는 이유는?
인간계로 내려가 부친을 섬기게 하려고

일일은 부인이 이르기를, / "금일 너의 외조부를 뵈올 것이라."
채옥이 말하기를, / "외조부께서 어디 계시나이까?" / 부인 왈,
"우리 부친이 옥제께 벼슬하시매, 오늘 말미를 얻어 이곳에 오시느
<small>채옥의 외조부</small>
니라."
하더니, 이윽고 '오신다' 하거늘, 부인이 대청에 내려와 맞아 전각에

오른 후 자녀에게 일러 뵙게 하니, 최 공이 풍(豊)의 남매를 각별히 무애하고 수일 머물러 이야

기를 나누다가, 도로 옥전(玉殿)에 올라 옥제께 양풍(楊豊)의 말씀을 아뢰니, 옥제 말씀하시되,

『"양태백의 일을 내 일찍이 아느니, 혼암한 죄는 추후 다스리고, 양풍의 효성과 재략이 기특

하니 수년 말미를 주느니, 다시 인간에 가 제 아비를 섬겨 영화를 뵈고 돌아오게 하라."』

하시며, 갑주를 금합에 넣어 내리시거늘, 최 공이 내려와 옥제의 전지를 전하니, 풍의 모자 감

읍하여 배사 한 뒤, 풍이 여쭙되,

"소자 사람의 자식으로 부친을 떠난 지 오래고 또 옥제의 하교(下敎)가 이러하시니, 소자 돌

아감을 청하나이다."

> 옥제의 뜻을 전달받은 양풍

핵심장면 ③ 전장에서 세운 공의 대가로 초왕의 작위를 받은 양풍이 아버지를 만나고자 하는 장면이다.

각설. 천자 도적을 파한 뒤, 문무관을 거느리고 승전고(勝戰鼓)를 울리며 환궁하시니, 만민

의 즐기는 소리 진동하고, 원수를 못내 칭송하더라. 천자 군신의 조하를 받으신 후, 출전제장

(出戰諸將)을 봉작하시니, 원수로 초왕(楚王)을 봉하시고, 그다음 차례로 벼슬을 내리시고, 삼

군에 후하게 상을 내리시니, 양풍이 절하며 아뢰기를,

"신은 본디 이름 없는 장수로 일시촌공(一時寸功)이 있다 하시고 왕작(王爵)을 내리시니 심

히 외람하오니, 폐하는 신의 왕작을 거두시어 신의 마음을 편케 하소서."

상 왈, / "이번 경의 공로(功勞)를 의논하건대 천하를 반분하여도 오히려 가볍고, 하물며 철

통골은 경이 아니면 뉘 능히 대적하였으리오. 적은 왕작으로 만분지일을 표하느니 사양치

말라."

원수가 대답하여 이르기를,

"도적을 파한 것은 폐하의 홍복(洪福)이거늘 어찌 신의 공이라 하오며, 또 임금이 위태하시

매 신하 된 자가 충성을 다함은 떳떳한 일이오니 어찌 공을 일컬으리까?"

상 왈, / "짐이 이미 뜻을 정하였으니 굳이 사양 말라."

> 공을 인정 받아 초왕에 봉해진 양풍

하시고 파조하시니, 초왕이 하릴없이 부중(府中)으로 돌아와 영화를 고(告)할 데 없으매, 슬픔

을 이기지 못하다가 이튿날 조회에 들어가 엎드려 아뢰되,

"신의 아비 계양(桂陽) 땅에 있어 여러 해 천륜지정(天倫之情)이 끊어진지라, 바라건대 신의

소희를 살피시어 부자 상면케 하시면 신의 원을 풀까 하나이다."

상이 들으시고 가로되,

"짐이 국사에 분주하여 잊었도다."

하시고, 즉시 양태백으로 연왕(燕王)을 봉하시고 양풍으로 대사마

대장군 순무어사(大司馬大將軍巡撫御使)를 삼으시고, 수삭 말미를

주시며 가로되,

Link

출제자 톡 인물의 특징을 파악하라!

❶ 양태백의 꿈에 나타난 '한 노인'의 역할은?
양태백이 선악을 제대로 살피지 못한 것에
대한 책임을 묻는 동시에 양태백을 만나기
위해 길을 떠난 양풍과의 만남을 예고함.

❷ 양태백이 뉘우치는 지난 일은?
선악을 제대로 살피지 못하고 송 씨의 말을
들어 처자를 쫓아내 부부간 인륜이나 부자
간 천륜에 어긋나게 행동한 일

"부자가 상면한 후 빨리 돌아와 짐의 기다리는 마음을 저버리지 말라."

하시니, 초왕이 천은을 감축하고, 즉일 발행하였다.
　　　　　　　임금의 은덕
▶ 부친을 만나러 떠나는 양풍

『선시(先時)에 양 공이 송녀의 말을 신청(信聽)하여 처자를 내친 후로 가산이 탕진하고 노복이
『 』: 사건을 요약적으로 제시　　양태백의 첩 송 씨　　믿고 들음

이산하매, 송녀 또한 구박이 태심(太甚)하더니, 일일은 일몽을 얻으니 한 노인이 와 이르되,
흩어짐　　　　　　　　　　　너무 심하더니　　　　　한 자리의 꿈　　　Link 인물의 특징 ❶

"그대 벼슬이 삼공(三公)에 이르러, 요녀(妖女)의 참언을 듣고 처자를 쫓아내어 인륜을 패상
　　　　　　　　　　　　　　　　　첩 송 씨를 가리킴

(敗喪)하니, 이는 그대의 눈으로 사람의 선악을 살피지 못한 연고라."
패망　　　　　　　　선악을 구분 못한 양태백에게 책임을 물음

하고 승상의 눈을 가리키며 이르되,

"그대 아들을 보아야 눈이 뵈리라." ─「심청전」과 유사한 모티프. 나중에 다시 눈을 뜨게 될 것임을 암시
　　　　　　　　　　양풍과의 만남을 예고함

하거늘, 놀라 깨어 눈을 떠 본즉 아모것도 뵈지 아니하거늘, 이후로 신병(身病)이 되매 송녀 더
욱 박대하며 이웃 주막(酒幕) 소년을 통간하니, 공이 짐작하며 지난 일을 뉘우쳐 슬퍼하더라.
양태백의 눈이 멀게 됨　　　　　　　　　　　　　　　　　　　　　Link 인물의 특징 ❷
▶ 송 씨의 박대를 받으며 힘들게 지내는 양태백이 눈까지 잃음

---

1 서사 구조의 특징

| 현실계 | 양태백은 첩인 송 씨의 말을 듣고 본처와 자식들을 내쫓음. |

↓

| 천상계 | 채옥 남매는 천상계의 조력자에게 도움을 받고 선계에 이르러 현실계에서 사별한 최씨 부인과 재회함. |

↓

| 현실계 | 양풍은 옥제의 하교에 따라 현실계로 돌아가서 현실계의 혼란을 바로잡음. |

2 '꿈'의 역할

현실계	천상계
채옥 남매 등이 선량함에도 불구하고 고난을 겪는 공간	현실계의 문제를 비판하며 현실계의 올바른 가치관을 수호하는 공간

↑

꿈
현실계와 천상계를 매개해 주는 장치

---

1 다음 내용 중 맞는 것은 ○표, 틀린 것은 ×표를 하시오.

(1) 채옥 남매는 아버지 양태백과의 갈등으로 집에서 쫓겨난다. (　　)
(2) 천왕보살과 후토부인은 채옥 남매의 조력자이다. (　　)
(3) 양풍은 자신이 현실계로 돌아가 아버지를 만날 것을 알고 있었다. (　　)
(4) 양태백은 첩인 송 씨의 계략으로 인해 눈이 멀게 된다. (　　)

2 초성 힌트를 보고 빈칸에 들어갈 알맞은 말을 쓰시오.

(1) 채옥 남매는 ㄲ 을/를 계기로 천상계로 가게 된다.
(2) 옥제는 양풍에게 ㄱㅈ 을/를 내려, 양풍이 예정된 소임을 수행하게 한다.
(3) 이 작품은 전반부에서는 ㄱㅈ 소설의 성격을, 후반부에서는 ㅇㅇ 소설의 성격을 띠고 있다.

정답 1. (1) × (2) ○ (3) × (4) × 2. (1) 꿈 (2) 갑주 (3) 가정, 영웅

1등급! 〈보기〉!

이 작품은 환상성이 현실성과 교섭하는 '환상의 여로'가 서사를 구성하고 있다. 이 여로는 인간계로부터 멀리 떨어져 있고 여러 난관이 있어 이르기 힘든 천상계를 향해 가는 것으로 인간계와 천상계를 매개하는 서사적 장치를 통해 비롯되고 있다. 여로에서 인물들은 당대 서민들이 복을 기원했던 여러 초현실적 존재들을 만나고 있는데, 이를 통해 정성이 지극하면 소원이 성취된다는 서민들의 믿음을 반영하고 있다. 여로에서 현실성과 교섭하고 있는 환상성은 인물들이 여로에서 마주치게 되는 난관을 극복하는 힘을 얻는 원천으로 기능하고 있다.

(원제) '소설인규옥소선(掃雪因窺玉簫仙)': 눈을
쓸면서 옥소선을 엿보다

옥소선(玉簫仙) | 임방

70위

성격 낭만적, 사실적   **시대** 조선 후기
주제 신분을 초월한 남녀의 사랑

소설

이 작품은 옥소선으로 불리는 기생 자란이 관찰사의 아들과 신분을 초월한 사랑을 성취하고 행복하게 살게
된다는 내용의 애정 소설로, 주체적이고 적극적인 여성 주인공의 면모가 특징적으로 나타난다.

주요 사건과 인물

발단
기생 자란은 관찰사의 아들
과 사랑하는 사이가 되지만,
관찰사의 임기 만료로 도령
은 서울로 떠남.

전개
도령은 자란을 만나기 위해
평양에 도착하지만 새로운
관찰사 아들의 총애를 받는
자란을 만날 수 없게 됨.

위기
도령은 이전에 알고 있던 아
전의 계교로 산속 정자에서
자란을 만나지만 자란은 방
으로 들어감.

절정
자란은 신임 관찰사 아들을
속여 아전의 집에서 도령을
만나 그간의 회포를 품.

결말
자란과 함께 산속에 정착한
도령은 글공부에 매진하여
장원 급제한 후 자란과 부부
가 되어 행복하게 삶.

신임 관찰사 아들
자란과 도령의 사랑을
방해하지만 결국 자란을
포기함.

↔

자란(옥소선)
도령을 사랑하는 기생으
로 도령이 과거에 급제
하게 도움.

도령
구관 관찰사의 아들로
자란과의 사랑을 이루고
행복하게 삶.

←

아전
자란과 도령이 사랑을
이루어내는 데 도움을
주는 인물

핵심장면 ① 자란과의 이별을 의연하게 받아들이던 도령이 자란을 그리워하는 부분이다.

관찰사는 자란을 데리고 가는 것을 걱정하지만 아들의 결정에 따르겠다고 하였었음

『"아버지께선 제가 그깟 기녀 하나와 떨어진다고 해서 상사병이라도 들 거로 생각하십니까?
                         옥소선(자란)
한때 제가 번화한 데 눈을 주긴 했지만, 지금 그 아이를 버리고 서울로 가면 헌신짝 여기듯
이 할 겁니다. 그러니 제가 그 아이에게 연연하여 잊지 못하는 마음을 가질 리 있겠습니까?
                                        자란을 그리워하지 않을 것이라고 장담함
아버지께서는 이 일로 더 이상 염려하지 마십시오."』 『 』: 자란과의 이별을 호쾌하게 받아들임

『관찰사 부부가 매우 기뻐하며 말했다.
     인물의 심리를 직접적으로 제시함
"우리 아이가 진정 대장부로구나."』 『 』: 여인에게 연연하는 모습을 보이지 않기 때문에
        도령   □: 주요 인물
이별의 날이 왔다. 자란은 눈물을 쏟고 목메어 울며 도령의 얼굴을 차마 보지 못했다. 하지
만 도령은 조금도 연연해 하는 기색이 없었다. 관아의 모든 사람들이 그 광경을 보며 도령의
          이별 후에 자란을 그리워할 것이라는 사실을 모르기 때문에   반응이 대비되는 모습을
의연한 모습에 감탄했다.

『그러나 실은 도령이 자란과 오륙 년을 함께 지내며 한시도 떨어져 본 적이 없었던 까닭에 이
    『 』: 도령이 이별할 때 의연한 태도를 보인 원인에 대해 서술자가 개입하여 자신의 생각을 제시함
별이라는 게 도대체 어떤 것인지 알지 못했고, 그래서 호쾌한 말을 내뱉으며 이별을 가볍게
                                    자란과 이별해도 연연하지 않을 것이라는 말
여겼던 것이다.』
                                                    ▶ 자란과 도령의 이별

관찰사는 임무를 마치고 대사헌에 임명되어 조정으로 돌아왔다. 도령은 부모를 따라 서울로
        자란과 도령이 이별하게 된 원인   **Link** 사건의 전개 ❶
돌아온 뒤 차츰 자신이 자란을 그리워하고 있음을 깨닫게 되었다. 그렇지만 감히 내색할 수는
                                             자란을 그리워하지 않을 것이라고 장담했기 때문에
없는 일이었다. / 감시가 다가왔다. 도령은 부친의 명을 받아 친구 몇 사람과 함께 산속에 있
         국자감에서 진사를 뽑던 시험
                                 는 절에 들어가 시험 준비를 했다. 그러던 어느 날 밤이었다. 벗들은
시간의 흐름
                                 모두 잠들었는데, 도령 혼자 잠 못 이루고 뒤척이다 나와 뜰 앞을 서
                                                          자란에 대한 그리움을 불러일으키는 소재
Link
출제자 🔺 **사건의 전개를 파악하라!**   성였다. 때는 바야흐로 한겨울이라 쌓인 눈 위로 달빛이 환했고, 깊
                                                                      계절적 배경
❶ 자란과 도령이 이별하게 된 원인은?   은 산 적막한 밤에 아무런 소리도 들리지 않았다. 도령은 달을 바라
  도령의 아버지가 관찰사의 임무를 마치고   자란을 떠올리게 한 소재
  조정으로 돌아가야 하기 때문에   보다가 문득 자란 생각이 들며 마음이 서글퍼졌다. 한 번만이라도
❷ 도령이 절을 뛰쳐나와 평양으로 향한 까닭   도령의 심리를 직접적으로 제시함
  은?
  자란에 대한 그리움 때문에

254 최우선순 분석편

자란의 얼굴을 보고 싶은 욕망을 억누를 수 없어 마치 실성한 사람처럼 되었다. / 마침내 도령
은 한밤중에 절을 뛰쳐나와 곧장 평양으로 향했다.
　　본질적 욕망을 추구하는 모습　　　　　　　　　　　　　　　　　　　　▶ 자란을 만나러 평양으로 떠나는 도령
　　　　　　　　　　Link 사건의 전개 ❷

핵심장면 ② 　아전의 도움으로 도령이 자란을 만나고, 자란이 꾀를 내어 신임 관찰사의 아들을 속이는 부분이다.

도령이 방법을 묻자 아전은 이렇게 말했다. Link 인물의 특징 ❶
　　　　　　　　　　　자란과 도령이 사랑을 성취하는 데 직접적 도움을 주는 인물
『"지금 눈이 온 뒤라 관아에서는 눈을 치우기 위해 성안에 사는 사람들을 차출하고 있는데,
　　도령이 자란을 만날 수 있게 하는 매개체　　　　　　　　　　　어떤 일을 시키기 위하여 인원을 선발하여 냄
제가 마침 이 일을 담당하고 있습죠. 도련님이 인부들 중에 섞여서 비를 들고 산속 정자로
가 눈을 치우시면 정자에 자란이 있을 테니 그 얼굴을 볼 수 있지 않겠습니까? 이거 말고는
다른 길이 없습니다."』『　』: 도령이 자란을 만날 수 있는 계책을 말하는 아전

도령이 그 꾀를 따라 이른 아침에 인부들과 함께 산속 정자로 들어가 비를 들고 뜰 앞의 눈
을 쓸었다. 신임 관찰사의 아들은 창을 열고 문 곁에 기대앉아 있었고, 자란은 방 안에 있어
　　　　　　　　　　　　도령과 자란의 만남을 가로막았던 장애 공간
보이지 않았다. 다른 인부들은 모두 건장한 사내들이어서 눈 치우는 일을 거뜬히 해내고 있었
지만, 『유독 도령만은 비질하는 것이 서툴러서 일하는 모습이 남들과 썩 달랐다. 관찰사 아들
『　』: 자란이 도령의 모습을 확인하게 되는 원인에 해당함
이 도령의 일하는 꼴을 보고는 깔깔 웃더니 자란을 불러 저 밖에 저것 좀 보라고 했다.』

자란이 방 안에 있다가 부르는 소리를 듣고 나와 앞마루에 섰다. 도령은 쓰고 있던 벙거지의
　　　　　　　　　　　　　　　　　　　　　　　　　　　　　자란에게 자신의 정체를 드러내기 위해서
앞쪽 챙을 걷어 올리고 자란을 올려다보았다. 자란 역시 도령을 한참 동안 뚫어져라 쳐다보았
다. 그러더니 돌연 방으로 들어가 문을 닫고는 그 뒤로 다시 나오지 않았다. 도령은 풀이 죽은
　　　　　　　　　　　　　　　　　도령의 정체를 눈치챔
채 슬픔에 잠겨 아전의 집으로 돌아왔다.　　　　　　　　　　　▶ 자란과 짧은 재회를 하는 도령

자란은 본래 총명한 사람인지라, 단번에 그 사람이 도령임을 알아차렸다. 자란이 말없이 앉
　　　　　　　　　　　　　Link 인물의 특징 ❷
아 눈물을 흘리고 있자 관찰사의 아들이 이상히 여겨 왜 그러냐고 물었다. 자란은 계속 입을
굳게 다물고 있다가 관찰사 아들이 거듭해서 간절히 이유를 묻자 비로소 이렇게 대답했다.

『"저는 천한 사람이온데, 어쩌다 서방님의 넘치는 총애를 받게 되었습니다. 밤에는 비단 이
『　』: 도령을 만나기 위해 아버지 제사를 핑계로 관찰사 아들을 속이려 함
불을 함께 덮고 낮에는 진귀한 음식을 함께 먹으며 저를 잠시도 집에 가지 못하게 하신 지가
벌써 서너 달이 되었네요. 저는 지금 지극한 행복을 누리고 있으니 원망하는 마음이라곤 조
금도 없어요. 다만 한 가지 마음에 걸리는 일이 있답니다. 저는 집이 가난하고 어미가 늙어,
아버지 제삿날만 돌아오면 집에 있으면서 관아에서 이런저런 것들을 빌려다가 간신히 몇 그
릇 음식을 마련해 제사를 올리곤 했어요. 하지만 제가 지금 이곳에 갇힌 몸이 되었으니, 내
일이 아버지 기일(忌日)이건만 집에는 노모 혼자뿐이라 필시 제사 음식을 마련하지 못했을
　　　　　　　　　　　　　　　　　자신이 가야 하는 이유를 언급함

Link
출제자 🔑 인물의 특징을 파악하라!
❶ 자란과 도령이 사랑을 성취하는 데 도움을
　주는 인물은?
　아전
❷ 자란의 성품을 직접적으로 서술한 구절은?
　'자란은 본래 총명한 사람인지라'

거라는 생각이 들어요. 문득 이런 생각을 하다 보니 자연히 슬퍼져
눈물을 흘리게 되었던 거지, 다른 이유가 있었던 건 아니어요."』

관찰사 아들은 자란에게 빠진 지 이미 오래된 터라, 자란의 말을
　　　　　　　　　　　　관찰사 아들이 자란의 말을 의심하지 않은 이유
듣자 측은한 마음이 들어 조금도 의심치 않고 이렇게 말했다.

출제
우선
작품

"그런 사정이 있으면 왜 진작 말하지 않았느냐?"

_{아버지 기일에 제사 음식을 마련하지 못함}

그러고는 즉시 제사 음식을 성대하게 갖추어 자란에게 주며 집에 가서 제사를 지내고 오라고 했다.

▶ 꾀를 내어 관찰사 아들에게서 벗어나는 자란

핵심장면 ③ 함께 도망친 자란과 도령이 깊은 산 속에서 정착하며 살아가다 앞날에 대한 대책을 이야기하는 부분이다.

자란은 도령과 자리를 잡고 살아가던 어느 날 도령에게 이렇게 말했다.

『"당신은 재상 가문의 외아들이건만 한낱 기생에게 빠져 부모를 버리고 달아나 외진 산골에

_{효를 중시하는 모습. 신분 질서에서 벗어나지 못하는 모습 – 유교적 가치관에서 벗어나지 못함}

숨어 살며 집에서는 살았는지 죽었는지조차 알지 못하니, 이보다 더 큰 불효는 없을 것이며

이보다 나쁜 행실은 없는 거예요. 이제 우리가 여기서 늙어 죽을 수는 없는 일이요. 그렇다고

지금 얼굴을 들고 집으로 돌아갈 수도 없는 일이어요. 당신은 앞으로 어찌 살 작정인가요?"』

_{『 』: 자신들의 상황을 환기하며 도령에게 앞으로의 계획에 대해 물음} Link 인물의 의도 ❶

도령이 눈물을 줄줄 흘리며 말했다. / "나는 그게 걱정이지만, 어떡해야 좋을지 모르겠소."

_{자란의 말에 동의함}

자란이 말했다. / "오직 한 가지 방법이 있긴 해요. 그런대로 과거의 허물을 덮는 동시에 새

로운 공을 이룰 수 있어, 위로는 부모님을 다시 모실 수 있고 아래로는 세상에 홀로 나설 수

_{과거 급제}   _{과거 급제 및 입신양명의 당위성}

있는 길인데, 당신이 할 수 있을지 모르겠어요."

도령이 물었다. / "대체 어떤 방법이오?" / 자란이 말했다.

"오직 과거에 급제해서 이름을 떨치는 길 한 가지뿐이어요. 더 말

_{자란이 제시한 해결책 – 유교적 가치관에서 벗어나지 못함} Link 인물의 의도 ❷

씀 안 드려도 무슨 말인지 아시겠지요?"

도령이 몹시 기꺼하며 이렇게 말했다.

"참으로 좋은 계책이오."

▶ 도령에게 과거 급제할 것을 권하는 자란

Link
출제자 특강 인물의 의도를 파악하라!

❶ 자란이 도령에게 앞으로의 계획을 듣기 위해 말한 방식은?
외진 산골에서 늙어 죽을 수도 없고 집으로 돌아갈 수도 없는 자신들의 상황을 환기하며 도령에게 앞으로의 계획을 물음.

❷ 자란이 도령에게 부모에 대한 불효를 덮고 새로운 공을 이룰 방법으로 제안한 것은?
과거에 급제해서 이름을 떨치는 것

최우선 출제 포인트!

1 이 작품에 나타난 가치관

유교적 가치관	• 신분 질서에서 벗어나지 못함. • 부모에 대한 효를 중시함. • 과거 급제 및 입신양명에 대한 의지
근대적 가치관	• 인간의 보편적인 욕망인 사랑을 성취함. • 신분을 초월한 사랑을 성취함.

2 인물의 특징과 서사적 흥미

자란	
• 도령과 함께 도망쳐 외진 산골에 정착하는 과정에서 주도적인 역할을 함. • 도령이 장원 급제할 수 있도록 내조를 함. • 기생의 신분이었지만 후에 정실부인이 됨.	→ 기존의 고전 소설에 등장하는 여자 주인공과 다른 특징으로 인해 서사적 흥미를 높임.

최우선 핵심 Check!

1 다음 내용 중 맞는 것은 ○표를, 틀린 것은 ×표를 하시오.

[1] 도령은 이별의 날 자란과의 비극적인 사랑을 예감하고 있다. (   )

[2] 관찰사 아들은 도령을 만나기 위해 거짓말을 하는 자란을 의심하지 않고 있다. (   )

[3] 도령은 시골 촌가에 정착한 후 자란에게 원망을 드러내고 있다. (   )

2 이별했던 자란과의 사랑을 성취하기 위해 도령을 도운 인물은?

3 다음의 자란이 도령에게 말한 내용과 관계가 깊은 가치관은?

"당신은 재상 가문의 외아들이건만 한낱 기생에게 빠져 부모를 버리고 달아나 외진 산골에 숨어 살며 집에서는 살았는지 죽었는지 알지 못하니, 이보다 더 큰 불효는 없을 것이며 이보다 나쁜 행실은 없는 거예요."

정답 1. [1] × [2] ○ [3] × 2. 아전 3. 유교적 가치관

71위

용문전(龍門傳) | 작자 미상

성격 전기적, 비현실적 **시대** 조선 후기
주제 영웅적 삶과 개인의 선택에 의한 충의 윤리

소설

「소대성전」의 속편 격인 이 작품은 호국의 장수로 전쟁에 나섰던 용문이 전향하여 명나라의 성군 소대성을 섬기게 되는 이야기로, 주인공 용문이 자신을 속박하는 사회의 제도적 질서에서 벗어나는 과정을 형상화하고 있다.

주요 사건과 인물

발단
명가의 자손 용훈은 천축사에 공을 들여 아들 용문을 얻고, 용문은 어린 시절에 연화 도사에게 병법을 배움.

전개
호왕은 천관 도사의 권유에 따라 용문을 자기편으로 만들고, 용문의 활약으로 호국이 연승을 거둠.

위기
연화 도사가 편지를 보내 용문을 명나라로 전향시켜 전세가 역전되자 호왕은 아버지 용훈을 가둠.

절정
연화 도사와 용문이 천관 도사가 이끄는 호군을 격퇴하는 중 호왕은 용문에게 죽임을 당하고, 천관 도사는 풀려남.

결말
아버지 용훈이 풀려나고 용문은 장사왕이 되어 장사국 승상의 딸과 혼인하여 행복하게 삶.

용문
호국에서 태어나 호왕을 섬기다가 전향하여 명나라 노왕을 섬김.

연화 도사
용문의 스승으로 용문에게 병법을 가르쳤으며 용문이 전향하도록 설득함.

소대성(명나라 노왕)
뛰어난 인품과 선정(善政)을 베풀어 용문에게 감명을 주는 인물

호왕(호국 왕)
용문의 배신으로 인한 분노와 소대성에게 패한 부왕의 원수를 갚기 위해 명나라를 침범함.

핵심장면 ① 용문이 연화 도사에게 병법과 무예를 배우고, 어느 날 옥황상제가 보낸 동자로부터 석함을 받는 부분이다.

□ : 주요 인물

<u>연화 도사</u> 왈,
_{용문이 영웅으로 성장하는 데 영향을 끼치는 인물 – 조력자}

『"이 아이 상을 보니 반드시 귀인이 될 것이니, 부자 정리에 떠나보내기 애달프겠지만 천명을
_{용문의 비범한 용모}   _{부자지간의 정보다는 천명을 중시함}

어기지 말고 노인에게 맡기시면 장래 귀히 되리이다."』
_{연화 도사}   _{『 』: 연화 도사가 용문의 미래를 예언하며 용훈을 설득함}

훈이 다시 일어나 절하고 여쭈오되,
_{용훈. 용문의 아버지}

"하찮은 집안에서 태어난 아이를 선생께옵서 귀인이 되게 하옵소서."
_{용문이 연화 도사의 가르침을 받는 것을 허락함}

하며 즉시 <u>용문</u>을 허락하거늘, 도사 용문을 데리고 연화산에 들어가 천문 지리, 육도삼략과
_{중국 주(周)의 태공망이 지은 육도와, 진(秦)의 황석공(黃石公)이 지은 삼략의 병법서}   _{용문이 영웅적 능력을 갖출 수 있도록 도움을 줌}

황석공의 병법을 팔 년을 가르치니, 용문의 지략과 기량이 천지간 영웅 준걸이라. 도사 왈,
_{용문의 비범함, 서술자의 개입}   **Link** 서술상 특징 ❶

"이제는 술법을 배웠으니 대업을 이룰지라. 빨리 돌아가 빛난 재주를 세상에 베풀고 어진 성
_{연화 도사가 용문에게 바라는 것}   _{사건 전개상 소대성을 가리킴}

군을 만나 웅장한 이름을 천추에 전하도록 하라. 성군을 만나지 못할진대 너의 선생을 용납
_{오래고 긴 세월. 또는 먼 미래}   _{용문이 꼭 성군을 만날 것이라는 암시}

하게 말라."

하니 용문이 두 번 절하고 여쭈오되,

"소자 팔 년을 선생 문하에 머물러 높은 재주를 배웠사오니, 어찌 선생의 교훈을 일분이나
_{아주 조금}

어기리이까." / 하고 하직을 아뢰니 도사 왈,

"부디 좋은 때를 잃지 말라." / 하시더라.

용문이 산문 밖에 나와 부모께 뵈오니, 부모가 크게 기뻐 팔 년 그리던 정을 못내 애연하더
_{이별과 수양의 기간}

라. 인하여 용문이 선생 말씀을 낱낱이 여쭈니, 용훈의 부부 연화 도사를 향하여 은혜를 못내
_{용문의 말을 듣고 연화 도사의 은혜에 고마움을 느낌}

칭찬하더라.
▶ 연화 도사에게 병법을 배운 용문

Link

출제자 특징 서술상 특징을 파악하라!

❶ 서술자가 개입하여 인물에 대해 평가하고 있는 구절은?
'용문의 지략과 기량이 천지간 영웅 준걸이라.'

용문이 일일은 강변에 나아가 명랑한 달빛을 따라 배회하더니, 먼
_{사건 전개의 우연성}

데서 크게 불러 왈,

"내 말이 사나와 내 자식을 물어 죽이고 강을 건넜으니, 그 말을 잡
_{용문의 관심을 끌기 위한 말}

아 주면 은혜를 갚으리라."

하거늘, 용문이 그 소리를 듣고 돌아보니 과연 말이 강변에 섰으되, 높기는 칠 척이요 눈은 방
비유적 묘사 ／ 적토마의 외양 묘사
울 같고 몸이 불빛 같더니 진실로 적토마라. 용문이 크게 기뻐하거늘, 그 사람이 가로되,
관우가 탔다는 준마. 매우 빠른 말을 이르는 말 ／ 쉽게만 리를 달림
"이 말을 장군께 드리러 왔나이다. 이 말은 능히 운무를 따르며 한번 채치면 능행만리하고
용문을 찾아온 의도를 밝힘 ／ 적토마의 뛰어난 능력
한번 소리를 한즉 태산과 하해가 뒤늦는 듯하니, 마땅히 장군의 재주를 베풀지라."

하고 말을 마치며 문득 간데없거늘, 심중에 크게 기뻐 즉시 말에 올라 시험할새 적토마 한번
전기적 요소
소리하며 네 굽을 놀리니, 빠르기 살과 나는 제비라도 미치지 못할러라. 한곳에 다다르니 층
화살과 제비보다 바름. 무척 빠름을 강조함 – 과장적 표현
암절벽 상에 흰 동자가 머리에 벽도관을 쓰고, 몸에 청룡포를 입고 암상(巖上)으로 내려와 읍
바위 위로
하여 왈,

『"소자는 천상 옥황상제의 명을 받사와 전장 기계(戰場器械)를 장군에게 전하나이다. 차후에
전쟁에서 쓰는 기구
은혜를 잊지 말으소서."』『 』: 용문이 천상계의 도움을 받는 영웅적 존재임을 알 수 있음

하고 문득 간데없는지라. 용문이 괴이히 여겨 동자가 섰던 곳으로 나아가 보니, 석함(石函)이
Link 소재의 의미 ❶
놓여 있으되 광채 찬란하고 전면에 금자로 새겼으되,『명국 대사마 장군 용문 친집개탁하라』
남을 시키지 아니하고 몸소 열어 보라
하였거늘, 용문이 생각하되, '우리 대대로 호국 사람인데 석함에 명국 대사마 장군이라 하였으
용문이 명나라 대장군이 될 것을 예지하는 글
니, 유유한 천의를 알지 못하거니와 호국 왕상이 천의를 범코자 하기로, 하늘이 나를 호국을
석함에 새겨진 글귀를 의아하게 생각한 이유
배반하고 명국에 돌아가 대장이 되게 하온 일인가, 명국을 내 함몰하고 통합하게 하온 일인지

Link
출제자 특강 소재의 의미를 파악하라!
❶ 석함의 역할은?
용문의 장래를 암시함.
❷ 석함의 금자에서 용문이 의아하게 생각한
글귀는?
'명국 대사마 장군'

장래를 보자.' 하고 강을 향하여 사례하고, 갑주를 갖추고 용천검을
『 』: 석함의 글을 보고 자신의 장래에 대해 궁금해함 ／ 갑옷과 투구 ／ 장수들이 쓰던 보검
들며 말에 올라 산하에 내려와 청수강을 바라보며 말을 채쳐 재주를
Link 소재의 의미 ❶, ❷ ／ 석함에 들어 있던 전장 기계들을 들며
시험하니, 적토마가 한번 솟으며 소리하니 천지가 무너지는 듯하며
적토마와 용천검이 뛰어남을 과장하여 표현
검광은 일월을 희롱하는지라. ▶ 적토마와 갑주, 용천검을 얻은 용문

핵심장면 ② 선생과 서찰을 주고받은 후 용문이 명나라로 전향하는 부분이다.

각설. 설영두가 본진으로 돌아와 선생에게 용문의 답장과 주고받은 말을 낱낱이 고하니, 선
명나라 ／ 연화 도사 ／ 호국 도성이 비었음을 전달함
생이 크게 기뻐해 그 답장을 뜯어보았다.

"호국 대사마 대장군 용문은 선생께 한 통의 서찰을 올리나이다. 선생의 슬하를 떠난 지 이
미 10년이어서 생각지도 못한 선생의 친필을 받아 보니 '안녕하시다' 하여 기쁜 마음 헤아
릴 수가 없사옵니다. 곧장 나아가 그간 찾아뵙지 못한 죄에 대해 질책을 받고자 하오나, 서
찰 가운데 극히 놀라운 말이 있고 호국 장졸의 이목이 있어 마음대로 가지 못하오니, 무정타
명나라로 넘어오라고 회유하는 말 ／ 용문이 연화 선생을 찾아가 뵙지 못하는 이유
마시고 용문이 나아가 뵈올 때까지 기다려 주시옵소서." / 설영두가 다시 아뢰었다.

"방금 '호국 도성이 비었다' 하오니 바삐 이름난 장수를 보내어 저들이 미처 대비하기 전에
용문이 설영두에게 호국의 실정을 알려 줌
습격하소서."

선생이 그 말을 듣자마자 정예병 삼 만을 뽑고서 심회양을 불러 말했다.

"그대는 이리이리하라!"

_{심회양에게 말한 내용은 생략해서 드러낸 말}

심회양이 선생의 명을 듣고 군병 삼 만을 지휘해 호국에 쳐들어가는데 북소리와 함성이 하

늘과 땅을 울리니 도성을 지키던 장수와 군졸 가운데 누가 감히 대적하리오. 북소리 한 번 만

_{명나라 군대의 위세를 과장하여 표현}   _{서술자의 개입}

에 도성을 빼앗고 승전한 소식을 서신으로 보내니, 여러 장수와 군졸의 기뻐하는 소리가 진동

했다. 심회양이 성안의 백성을 모두 안정시키고 위로한 뒤에 여러 장수들에게 "잘 지키라." 하

_{호국의 백성이었음}   _{작가의 주화 주의 반영}

고 군사를 거두어 본국으로 돌아왔다.

각설. 호국의 군사가 허둥지둥 '명나라 장수가 노둔정에 매복했다가 도성을 쳐서 빼앗고 백

_{명나라}

성을 진무한 사연'을 고하니, 호왕이 이 말을 듣고서 몹시 놀라며 크게 화를 내고 재빨리 군사

_{안정시키고 어루만져 달램}

를 총지휘하며 용문을 찾았지만, 산으로 들어간 용문이 어찌 진중에 있으랴. 호왕은 할 수 없

_{서술자의 개입}

이 몸소 징을 쳐 / "적병을 막으라." / 하고 북을 울리며 들어갔다.

이때 용문이 산으로 들어가 달이 뜨기를 기다려 호국을 버리고 말 한 필에 검 하나만을 비껴

_{용문이 호국을 버리고 명나라로 향함}

들고 밤을 틈타 명나라로 갔다. 이러구러 명나라의 지경에 다다랐는데, 산천이 수려하고 인물

들이 모두 비범했으니 진실로 대명이었다.   ▶ 명나라로 넘어온 용문

_{명나라에 대한 용문의 인상}

호왕은 용문이 명나라로 간 것을 알고 더욱 분함을 이기지 못해 점점 싸움을 독려하는데, 서

_{호왕이 명나라를 침입하려는 이유 – 용문의 배신으로 더욱 분노함}

선왕 중달을 선봉으로 삼고 서적왕 호척을 좌장군으로 삼아 정예병 삼 만을 거느리고 바로 그

날 행군해 다시 명나라로 향했다. 이즈음 용문은 명나라에 들어가 노왕 소대성과 설영두에게

_{용문은 이전에 소대성의 인물 됨됨이에 감탄한 적이 있음}

자신이 찾아왔음을 먼저 알렸다. 노왕과 설영두가 이 소식을 듣고 몹시 반가워서 복장을 갖추

_{용문이 명나라를 섬기고자 함}

어 100리 밖까지 나가 영접했다. 서로 만나서 기뻐하고, 곧장 성으로 되돌아와서 선생을 뵈었

_{용문을 귀하게 반기는 모습}

다. 3일을 머문 후에 큰 잔치를 베풀고 술을 취하도록 권하며 즐거워하더니, 선생이 용문에게

말했다.

_{하찮은 일을 하다가}   _{중대한 일을 이루었음}

"이윤은 밭 갈기에 힘쓰다가 은나라 왕인 탕왕을 섬겨 나라를 세우는 대업을 이루었나니, 군

_{고사를 인용하여 용문을 설득함}   **Link** 대화의 의도 ❶

자가 마땅히 어두운 데를 버리고 밝은 데로 돌아가 성군을 섬겨 사직을 받들 것이거늘, 그대

_{군자의 도리를 들어 용문을 설득함}

는 궁벽한 시골의 농부 되기를 어찌 자청하느뇨? 이 늙은이가 8년 동안 가르친 것을 속절없

_{용문은 명나라에서 은둔하며 자연을 즐기며 살 것이라 했음}   _{천명에 따라 능력을 키우게 했음}

이 버리려 하니, 이는 그대 마음대로 할 일이지 내가 관여할 바 아니로다."

『   』용문에게 명나라로 넘어올 것을 은근히 회유함

말을 마친 연화 선생이 장수들의 지휘소로 들어가자, 노왕이 친히 술을 부어 용문에게 권하

며 말했다.

"장군의 생김새를 보니 반드시 대장의 기상이라서, 일찍 공을 세워 이름을 역사에 전하고자

대명의 충신이 되는 것이 마땅하겠지만, 이제 북호를 도와 천지를

_{나라를 배신한다는 기록}

Link

출제자 _{톡!} 대화의 의도를 파악하라!

❶ 연화 도사의 말 중 '어두운 데'와 '밝은 데'가
의미하는 것은?
'어두운 데'는 호국, '밝은 데'는 명나라를 의
미함.

❷ 노왕이 용문에게 말한 의도를 한 문장으로
정리하면?
명나라의 편에 서서 호국을 물리치자.

요란하게 한다면 차라리 고향에 돌아가 농부 되어 더러운 이름을 역

사에 남기지 않는 것만 같지 못할 것이오. 하지만 장군 같은 뛰어난

_{호왕의 신하가 되느니 농부가 되는 것이 나은 것이라는 의미}

재능과 원대한 지략을 지닌 이가 초목과 함께 늙는다면 뉘라서 그대

_{명나라에서 재능을 펼치라는 의미}

를 알아주겠소? 하물며 연화 선생이 비록 세상에 나왔으나 근본은

Link 대화의 의도 ❷

옥경의 선관이요, 그대와는 스승과 제자 사이의 의리를 중하게 여기시니, 장군은 다시 생각
<u>신선</u>
하시오."
> 호국을 버리고 명나라를 섬길 것을 권유하는 노왕

용문이 고개를 숙이고 생각하다가 눈물을 흘리고 즉시 선생 앞에 나아가 투구를 벗고 장막
나라를 배신했다는 자책감과 슬픔
아래 꿇어 말했다.

"제자가 변변하지 못하고 졸렬해 선생의 교훈을 거슬렀사오니, 선생은 저의 죄를 용서해 주

소서. 『'명나라를 섬기라.'고 하시니 그 말씀을 물불이라도 피하지 아니하고 좇을 것이오나,
Link 갈등의 양상 ❶   『 』: 스승을 따라 명나라를 섬기려 노력할 것이나, 역사에는 배신자의 이름으로 남을 것이라는 의미
'충신은 두 임금을 섬기지 않는다.'라는 말씀이 있사오니 역사에 더러운 이름이 전함을 면하
충(忠)을 강조하는 유교적 덕목으로, 용문을 속박하는 제도적 질서에 해당함
지 못할 것이옵니다.』또한 자기 나라 임금을 멸한다면 옛날 위나라 장수 여포의 행실과 다를
주인을 배반한 위나라 여포의 행실과 관련된 고사를 통해 명나라에 협조하는 것을 다시 생각해 달라는 의미임
바 없사오니, 바라옵건대 선생께서는 넓은 마음으로 다시 생각하고 분부해 주시옵소서."

선생은 그 말을 듣고 부끄러워하다가 시간이 조금 지난 후에 분부했다.
용문이 천명(天命)을 따르도록 유도하는 인물
"이 늙은이가 너를 가르쳤거늘 어찌 그만한 일을 모르겠느냐? 한나라의 장량과 한신도 이러
용문이 천명(天命)에 대한 확신을 갖게 하는 고사 – 한나라의 재상 장량이 항우를 섬기고 있는 한신을 찾아가 항우를 버리고 유방을 섬길 것을 설득함
한 일이 있었으니, 다시 그런 말을 하지 마라."

하시니, 용문이 문득 석함의 신기한 글을 생각하고 선생에게 말했다.
'명국 대사마 장군 용문 친집개탁하라' – 용문의 결정에 영향을 미침
"선생의 말씀대로 명나라를 돕겠나이다." **Link** 갈등의 양상 ❷
호국을 등지고 명나라를 섬기는 것이 천명임을 깨달음 – 내적 갈등의 해소
"이제야 네가 흐려진 정신이 맑아지니 이 늙은이의 마음이 즐겁도다. 네가 뛰어난 재주와 원
명나라를 섬기고 사직을 돕겠다는 용문에 대한 평가
대한 지략을 가지고 있으나 하늘의 뜻에 항거하고서 어찌 이름을 세
천명을 따라야 함 – 호국의 편에서 명나라와 싸우는 것은 천명이 아니었음
상에 알리리오. 네 부모가 북쪽에 있으나 호왕이 해치지 못할 것이
다. 명나라가 천명을 받아 조만간 북호를 멸망시키면 그대의 이름이
명나라에 천명(天命)이 있음
온 세상에 떨치리라."
> 명나라를 섬기기로 한 용문
후에 용문은 장사왕이 되어 장사국 승상 장노의 딸을 부인으로 맞아 행복하게 삶

Link
출제자 **특** 갈등의 양상을 파악하라!
❶ 용문을 속박하는 제도적 질서를 드러내는
  말을 찾아 쓰면?
  '충신은 두 임금을 섬기지 않는다.'
❷ 용문이 내적 갈등을 해소하는 방법은?
  호국을 등지고 명나라를 섬기기로 함.

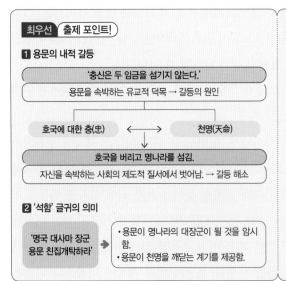

최우선 (출제 포인트!)

1 용문의 내적 갈등

'충신은 두 임금을 섬기지 않는다.'

용문을 속박하는 유교적 덕목 → 갈등의 원인

호국에 대한 충(忠) ←→ 천명(天命)

호국을 버리고 명나라를 섬김.

자신을 속박하는 사회의 제도적 질서에서 벗어남. → 갈등 해소

2 '석함' 글귀의 의미

'명국 대사마 장군
용문 친집개탁하라'
→
• 용문이 명나라의 대장군이 될 것을 암시
  함.
• 용문이 천명을 깨닫는 계기를 제공함.

최우선 (핵심 Check!)

1 다음 내용 중 맞는 것은 ○표를, 틀린 것은 ×표를 하시오.

(1) 작품 중간에 서술자가 사건에 주관적으로 개입하기도 한다. (   )
(2) 용문은 아버지 용훈과 외적 갈등이 심화되어 위기에 처하게 된다.
(   )
(3) 용문은 '충신은 두 임금을 섬기지 않는다'라는 유교적 덕목에 따라 호
국에 남기로 한다. (   )

2 다음 중 설명과 관련 있는 것을 찾아 쓰시오.

| 석함 | 연화 선생 | 소대성 | 적토마 |

(1) 용문이 천명을 따라 대업을 이루는 데 조력자의 역할을 한 인물은?
(2) 용문이 명나라의 장군이 될 것을 암시하는 글귀를 통해 용문이 천명을
  깨닫는 계기를 제공한 것은?

정답 **1.** (1) ○ (2) × (3) × **2.** (1) 연화 선생 (2) 석함

72위

'옥과 구슬의 좋은 인연'을 의미함

옥주호연(玉珠好緣) | 작자 미상

성격 일대기적, 병렬적   **시대** 조선 후기
주제 세 자매와 세 형제의 영웅적 삶

소설

이 작품은 중국 오대 시절, 같은 날 같은 시에 태어난 남녀 세쌍둥이들이 우연히 만나 함께 수련하고 전쟁에서 큰 공을 세우고 혼인하게 된다는 영웅 소설이다.

주요 사건과 인물

발단	전개	위기	절정	결말
최문경은 우왕으로부터 보옥 세 개를 받는 꿈을 꾸고 세 아들 완, 진, 경을 얻음. 유원정은 부처로부터 명주 세 개를 얻는 꿈을 꾸고 세 딸 자주, 벽주, 명주를 얻음.	부모가 규수의 삶을 강요하자 남장을 하고 몰래 집을 떠난 세 자매는 입산수도를 위해 집을 떠난 세 형제와 만나 의형제를 맺고, 진원 도사를 찾아가 가르침을 받음.	삼 형제와 세 자매는 절강 호주 땅 조광윤의 수하로 들어가서 북한(北漢)과 맞서 싸워 큰 공을 세움.	황제로 등극한 조광윤은 6인의 공로를 치하하는 자리에서 삼 형제와 세 자매를 함께 목욕하게 하여 자주, 벽주, 명주가 여자임이 드러남.	황제의 중매로 삼 형제와 세 자매는 혼인하고 금의환향하여 부모과도 상봉한 후 행복하게 살다가 한날한시에 일생을 마침.

유씨 자매(자주, 벽주, 명주)	최 씨 형제(완, 진, 경)
세쌍둥이 자매로, 여장부 기질을 타고났지만, 규수의 삶을 강요하는 부모와 갈등을 빚어 남장을 하고 떠나 자신의 삶을 개척하는 주체적인 인물들	세쌍둥이 형제로, 입산수도를 위해 집을 떠나 유씨 자매와 만나 의형제를 맺고 함께 공을 세우고, 후에 세 자매와 혼인하는 인물들

핵심장면 ①   무예를 배워 입신양명하려는 세 자매가 부모로부터 규수로서의 삶을 강요받아 부모와 대립하고 있는 장면이다.

용모와 안색   몸맵시가 날씬하고 아름다운   보거나 듣거나 하여 깨달아 얻은 지식
삼아(三兒) 점점 자라 십 세에 미치매 『절세한 용색과 선연(嬋妍)한 품성이 비상특이하고 문견
자주, 벽주, 명주 세 자매   ┌『 』: 세 자매의 뛰어난 미모와 재주   평범하지 않고 보통보다 훨씬 뛰어나고
(聞見)이 통하고 민첩하여 시서백가(詩書百家)에 모를 것이 없고 『매양 후원에서 조약돌로 진(陣)
시경(詩經)과 서경(書經) 등 유교에서 말하는 온갖 종류의 서적   집 뒤에 있는 작은 동산이나 정원   군사들의 대오를 배치한 것
을 벌이며 칼 쓰기와 말 달리기를 익히거늘』 왕 씨 알고 가장 민망히 여겨 삼녀를 타이르며 왈,
┌『 』: 세 자매가 무예를 닦는 모습. 당시 남자에게 권하던 덕목   세 자매의 어머니   바깥출입을 하지 않음
"여자의 도(道)는 내행(內行)을 닦으며 방적(紡績)을 힘써 규중 외 나지 아니함이 마땅하거늘
부녀자가 가정에서 가지는 몸가짐이나 행실   실을 뽑아 피륙을 짜 내기까지의 모든 일   ┌깊이 생각하여 자세히 조사하게   **Link** 인물의 특성 ❶
너희는 어찌 외도(外道)를 행하여 고인에게 득죄함을 감심(勘審) 코자 하는가? 우리 팔자 무
바르지 아니한 길이나 노릇. 여기서는 세 자매가 무예를 닦는 것을 가리킴   『 』: 봉건주의적 가치관을 엿볼 수 있음
상하여 너희 셋을 얻으매 비록 여자나 어진 배필을 얻어 우리 사후를 의탁할까 하였더니 이
어떤 것에 몸이나 마음을 의지하여 맡김   **Link** 인물의 특성 ❷
제 너희 조금도 규녀의 행실을 생각지 아니하니 이는 사리에 맞지 않아 남들이 알게 해서는
세 자매가 무예에 힘쓰는 것을 비판하는 말
안 됨이라. 만일 네 부친이 아시면 특별히 대죄할 것이매 내 차라리 죽어 모르고자 하나니
너희 소견은 어떠하뇨?" / 삼 소저 이 말을 듣고 대경 사죄 왈,

"소녀 등이 어찌 부모의 은덕을 모르고 뜻을 거역하리오마는 소녀 등이 규방의 소소한 예절
Link 인물의 특성 ❸
을 지키다가는 부모께 영화를 뵈올 길이 없사온지라. 『옛날에 당 태종의 누이 장원 공주도 평
세 자매가 무예에 힘쓰려는 이유에 해당 – 입신양명하려는 의지를 보임   『 』: 고사를 인용하여 자신들의 정당성을 강조함
생 무예를 배워 천하에 횡행하여 빛난 이름이 지금 유전하오니』 소녀 등도 이 일을 본받아 공
아무 거리낌 없이 제멋대로 행동하여
명을 세워 부모께 현양(顯揚) 코자 하옵고 하물며 방금 천하 크게 어지러우매 소녀의 득시
이름. 지위 따위를 세상에 높이 드러내고자   여자의 도리
지추(得時之秋)이어늘 어찌 한갓 여도를 지키어 세월을 허비하리
기다리던 때를 얻게 된 때
이꼬."

하니 왕 씨 듣기를 마치고 삼녀 의지 굳건하고 정해진 마음이 비속함
격이 낮고 속됨
을 보고 어이없어 다만 탄식뿐이러니 그 후에 삼 소저 또 후원에서
무예를 익힐새 유생이 다다라 보고 대경하여 궁시와 병서를 다 불
세 자매의 아버지, 유원정   활과 화살   병법에 관한 책
지르고 왕 씨를 몹시 꾸짖으며 왈,

『"여자는 그 어미 행사를 본받나니 여아의 행사를 엄하게 단속하는
┌『 』: 봉건주의적 가치관을 지닌 유생의 면모를 알 수 있음

Link

출제자 특강 ❶ 인물의 특성을 파악하라!

❶ 세 자매의 부모에게서 엿볼 수 있는 가치관은?
여성은 규중 일을 하고 남자가 하는 일을 하지 않아야 한다는 봉건주의적 가치관

❷ '팔자 무상하여 딸을 얻은 것을 아쉬워하는 왕 씨의 말에 드러난 인식은?
여아보다는 남아를 선호하는 남아선호사상

❸ 삼 소저의 말을 통해 알 수 있는 무예를 익히는 이유는?
입신양명하여 부모께 현양하고자 함.

일이 없음은 이 어쩐 일이뇨? 일후 다시 이런 일이 있으면 부부지간이라도 결단코 용서치

아니 하리라." _{Link} 인물의 특성 ❶　　　　　　　　　　❯ 무예를 익히고자 하는 세 자매에게 규수로서의 삶을 강요하는 부모

핵심장면 ❷ 유씨 자매와 최씨 형제가 계략을 써서 북한(北漢)과의 전쟁에서 승리하는 장면이다.

화제를 돌려 다른 이야기를 꺼낼 때, 다음 이야기의 첫머리에 쓰는 말
차설. 육 인이 원양성 십 리에 주둔하고 계교를 의논할 새 명주 왈, / "여차여차 하면 어떠하뇨?"
　　　유씨 자매와 최씨 형제　　　　　　　　　　똑같다　　　　　　　　명주가 내놓은 계교를 구체적으로 밝히지 않아 궁금증을 유발

최완이 대희 왈, / "그대 말이 정히 내 뜻과 일반이라."
　　　크게 기뻐하며　　　　　　　　　　적이 주둔하고 있는 공간
하고 명일 이른 아침에 최완과 명주 각각 변복하고 원양성하에 나아가 크게 불러 왈,
　　오늘의 바로 다음 날　　　　남이 알아보지 못하도록 평소와 다르게 옷을 차려입음　_{Link} 인물의 행동 ❶
"아등(我等)이 태수께 고할 말씀이 있노라." / 하니 수성장 장임이 친히 문루에 올라 바라본
　　우리들, 최완과 유명주　　어떤 사실을 알리거나 말할　　　수성군을 통솔하여 산성을 지키던 무관 벼슬
즉 양인(兩人)이 손에 병기 없이 황망한 낯빛으로 성하에 이르렀거늘 장임이 이르되,
　　최완과 명주　　　　　마음이 몹시 급하여 당황하고 허둥지둥하는
"여등(汝等)은 어떤 사람이완대 성에 들고자 하느뇨?" / 양인이 왈,
　　너희들
"아등은 절강에 사는 백성이러니 장군께 고할 말씀이 있으매 문을 열어 주소서."
　　일반 백성으로 위장하였음을 알 수 있음
하거늘 장임이 그 용모 행동거지를 보고 조금도 의심하지 아니하여 즉시 영을 내려 문을 열어

들이니 양인이 천연히 들어와 장하에서 읍고 왈,
　　시치미를 떼어 겉으로는 아무렇지도 않은 듯하게
『아등은 원래 물화를 가지고 태원성에 와 환매하여 자생하더니 대원수 조광윤이 물화를 다
　　　　　　　물품과 재화　　　　　　　　　　　어떤 직업을 가지고 생계를 유지함
앗고 우리로 하여금 호풍령을 지키어 우리 만일 성공치 못하거든 인하여 죽이라 하니 우리

본래 창검과 궁시를 모르거늘 어찌 이 소임을 당하리오. 여러 가지로 생각하고 헤아림에 마

지못하여 장군께 항복하고 고향에 돌아가 부모나 만나 보고자 하여 왔나니 장군은 어여삐

여겨 잔명을 구하심을 바라나이다." 』 『　』: 적장인 장임의 신임을 얻기 위해 거짓 이야기를 하며 항복함
　　얼마 남지 아니한 최잔한 목숨　　　　　　　　　　웃어른이나 임금에게 옳지 못하거나 잘못된 일을 고치도록 말함
하거늘 장임이 청파에 의심치 아니하고 장에 올리고 술을 내와 관대하니 부장 원견이 간(諫) 왈,
　　　　　듣기를 다 마침. 또는 그런 때　　　　　　　　　　친절히 대하거나 정성껏 대접하니
『양진이 상대하매 천만 가지 계교로 진중 허실을 탐지하거늘 장군은 어찌 차인 등을 이같이
　『　』: 부장 원견이 최완과 명주의 이야기가 거짓이 아닌지 살필 것을 청함
믿어 그 진위를 살피지 아니하느뇨. 익히 생각하여 타일 뉘우침이 없게 하소서."
　　　　　　　　　　　　　　　　　　다른 날. 후일을 뜻함
하니 명주 읍 왈, / 『"우리 전혀 장군을 부모같이 바라고 투항하였더니 이제 이렇듯 의심하매
　　　　　　　　　『　』: 원견이 자신들을 의심하자 억울함을 토로하여 장임이 자신들을 의심하지 않도록 유도하는 말
가위 진퇴유곡(進退維谷)이라. 차라리 장군 앞에서 죽어 넋이라도 장군을 의지하리라." 』
　　앞으로 나아갈 수도 뒤로 물러날 수도 없이, 꼼짝할 수 없는 궁지에 몰림. 진퇴양난
하고 말을 마치고 허리춤으로부터 단검을 빼어 자결코자 하거늘 장임이 급히 만류 왈,
　　　　　　　　　　　장임의 신뢰를 얻고자 하는 극적인 행동　_{Link} 인물의 행동 ❷
"원수의 말이 당연하거니와 그러나 그대 사정이 이 같은즉 어찌 다시 의심하리오."
　　　　　　　　　　　　　장임이 명주의 계략에 넘어갔음을 알 수 있음
하고 양인을 머물러 주육으로 정성껏 대접하더니 수일이 지난 후 최유 양인이 장임더러 왈,
　　　　　　　　　술과 고기　　　　　　　　어떤 일의 결과로 생기는 뒷날의 걱정과 근심　　　　　　병사들
"우리 대장 석수신이 조빈의 심복이라. 일을 지체하면 후환이 되리니 사흘 후 장군이 병을
　　　　　　　조광윤　　　　안에서 협력 모반하리라　　　　　　명주와 최완이 장임에게 거짓으로 협력을 제안함
거느려 진을 여차여차 덮치면 아등이 합력 내응하리라."

하고 돌아가려 하더니 장임이 응낙하고 즉시 보내니라.　　❯ 적을 물리치기 위해 거짓 항복을 한 명주와 최완

차설. 양인이 본진에 돌아와 거짓으로 항복한 소유를 이르고 『땅굴을 깊이 판 후 최진과 벽주
　　　명주와 최완　　　　　　　　　　　이유를 밝히고　 『　』: 적을 물리치기 위한 구체적인 전술
는 각각 일천 군마를 거느려 대진 뒤에 매복하고, 최완은 이천 군을 거느려 북군의 의복과 깃
　　　　　　　　　　　상대편의 움직임이나 상태를 살피거나 불시에 공격하려고 일정한 곳에 숨어 있음
발을 같이 하여 원양성 북문 밖에 매복하였다가 삼경 후 복병에게 패한 체하고 북문을 열라 하
　　　　　　　　　　　　　　　　　밤 11시 ~ 새벽 1시

며 급히 들어가 수성장을 베고 나와 장임을 막으라 하고, 최경은 일천을 거느려 땅굴 좌우에 매복하고 차일 야심한 후 대전에서 불을 놓으니 화광이 충천한지라.『장임이 불 일어남을 보고
<small>다음날</small> <small>타는 불의 빛</small> <small>『 』: 명주의 거짓 계략에 넘어간 장임의 모습</small>
최완 등의 내응이라 하여 부장 한양으로 성을 지키오고 스스로 군사를 재촉하여 크게 고함하고 짓쳐 들어가더니』이윽고『장임의 전군이 낱낱이 땅굴에 빠지며 일성 대포 소리에 사면 복병
<small>『 』: 최완 등의 전술로 장임의 군대가 대패함을 알 수 있음</small>
이 일어나니 북군이 불의지변을 만나 사방으로 흩어지며 죽는 자 또한 부지기수라.』장임과 원
<small>뜻밖에 당한 변고</small> <small>너무 많아서 그 수효를 헤아릴 수가 없음</small>
평이 겨우 도망하여 원양성으로 달아나니라. 차시 최완이 본진에 불 일어남을 바라보고 원양
<small>이때</small>
북문에 나아가 대호(大號) 왈, / "우리 북한(北漢) 패군이니 빨리 문을 열라."
<small>큰 소리로</small> <small>장임의 군사인 척 적을 속여 문을 열게 함</small>
하니 한양이 그 진을 살피지 못하고 문을 쾌히 열거늘 최완이 급히 군을 몰아 짓쳐 들어가니
<small>최완이 이끄는 군대가 북군의 의복과 깃발로 위장했기 때문에</small>
한양이 대경하여 대적하다가 최완의 창을 맞아 죽은지라. 최완이 승세하여 서문으로 충돌하여
<small>칼이나 창으로 싸울 때, 칼이나 창이 서로 마주치는 횟수를 세는 단위</small> <small>점차로 쇠하여 기력이나 세력이 다하여</small>
나오니『장임이 자주를 맞아 십여 합을 싸울새 장임의 기운이 쇠진하
<small>『 』: 남장한 자주와 벽주가 적과 싸워 이김 – 여성 영웅의 영웅적 활약이 드러남</small>
여 달아나거늘 문득 벽주 고성 왈, / "장임 적자는 닫지 말라."

하며 활을 한 번 당기어 장임의 어깨를 맞추니 장임이 몸을 번드쳐 말에서 떨어지매 최경이 달려들어 장임을 생포하여 돌아가거늘 원평이 대로하여 말을 놓아 자주로 더불어 교전하여 십여 합에 이르러는 자주의 칼이 번듯하며 원평이 탄 말이 거꾸러지니 원평이 말에서 내려 할 일 없어 항복하는지라.』

<small>▶ 계략을 통해 북한과의 전쟁을 승리로 이끈 유씨 자매와 최씨 형제</small>
<small>Link 인물의 행동 ❸</small>

Link

출제자 (특) 인물의 행동을 파악하라!

❶ 최완과 명주가 원양성으로 간 이유는?
거짓 항복으로 적장 장임을 속여 북한을 물리치기 위해서

❷ 명주가 단검을 빼 자결하려는 행동에 담긴 의도는?
부장 원건이 의심하자, 장임이 자신들을 의심하지 않게 하려는 의도

❸ 벽주와 자주가 적장들을 물리치는 것을 통해 알 수 있는 것은?
여성 영웅의 영웅적인 활약

최우선 출제 포인트!

1 인물들의 가치관 대립

유생, 왕 씨		세 자매(자주, 벽주, 명주)
• 여자는 도를 닦으며 규중 밖에 나서지 말아야 함. • 무예에 힘쓰는 일은 남자가 하는 것임. → 유교적, 봉건적 가치관 지향	↔	여도를 닦는 삶을 거부하고 입신양명하여 공적 영역에 나아가고자 하는 욕망을 드러냄. → 유교적, 봉건적 가치관을 거부한 주체적 삶 지향

2 여성 영웅 소설로서의 특징과 한계

특징	• 여성 영웅이 남성 영웅(최씨 형제)과 동등한 위치에서 비범한 능력을 발휘하여 공적을 세움. → 남녀 영웅의 조화 • 남성 영웅들과 혼인하게 되어 공적인 영역과 사적인 영역에서의 성취를 모두 이루었음.
한계	왕의 명에 따라 남장을 벗거나 혼인을 하게 됨. → 전통적 여성의 제한된 역할에서 벗어나지 못함.

최우선 핵심 Check!

1 이 글의 인물에 대한 설명으로 적절하지 않은 것은?
① 한양은 원양 북문을 개방하여 북군의 승리에 기여하고 있다.
② 유생은 삼 소저의 행동을 단속하지 못한 왕 씨를 책망하고 있다.
③ 왕 씨는 삼 소저가 자신의 기대를 저버린 것에 대해 한탄하고 있다.
④ 장임은 원건의 간언에도 불구하고 명주와 최완을 환대하고 있다.
⑤ 삼 소저는 천하가 어지러움을 제시하며 자신들의 의견을 표출하고 있다.

2 다음 내용 중 맞는 것은 ○표를, 틀린 것은 ×표를 하시오.
(1) 유씨 자매가 무예를 꾸준히 연마하고 있는 것은 입신양명을 위해서이다.
( )
(2) 유씨 부부가 세 자매를 못마땅하게 여긴 것은 남자와 같은 능력을 지니지 못했기 때문이다. ( )
(3) 유씨 자매는 당 태종의 누이 장원 공주를 들어 자신들의 행위에 정당성을 부여하고 있다. ( )
(4) 최완과 명주는 조광윤을 못마땅하게 여겨 장임의 부하로 들어가기 위해 원양성으로 갔다. ( )
(5) 벽주가 한 번 쏜 화살에 장임이 말에서 떨어지는 것을 통해 여성 주인공의 뛰어난 능력을 알 수 있다. ( )

정답 1. ① 2. (1) ○ (2) × (3) ○ (4) × (5) ○

옥단춘전(玉丹春傳) | 작자 미상

성격 교훈적, 경세적 **시대** 조선 후기
주제 신의를 저버린 삶에 대한 경계

소설

이 작품은 평양 기생 옥단춘의 이혈룡에 대한 희생과 신의와 함께, 이혈룡과 김진희라는 친구 사이의 우정과 배신을 다루고 있는 한글 애정 소설이다.

주요 사건과 인물

발단
이혈룡과 김진희는 어린 시절 함께 공부하면서 출세하면 서로 돕기로 굳게 맹세함.

전개
곤궁해진 이혈룡이 평안 감사가 된 김진희를 찾아가자 김진희는 이혈룡을 대동강에 던져 죽이려 함.

위기
이혈룡의 비범함을 알아본 기생 옥단춘이 이혈룡을 구출하고 헌신적으로 뒷바라지함.

절정
암행어사가 된 이혈룡이 김진희를 찾아와 김진희의 죄를 문초하는 과정에서 김진희가 벼락에 맞아 죽음.

결말
이혈룡은 벼슬이 우의정에 이르고 옥단춘은 정덕부인에 봉해져 부귀를 누림.

김진희
가난한 이혈룡이 찾아와 도움을 청하는 것을 괘씸하게 여겨 죽이려 함.

←갈등→

이혈룡
어린 시절의 약속을 잊고 자신을 죽이려 한 김진희에게 배신감을 느낌.

이혈룡
자신의 목숨을 구해 주고 경제적 도움을 준 옥단춘에게 고마움을 느끼며 신의를 지키고자 함.

←사랑→

옥단춘
이혈룡의 비범함을 알아보고, 이혈룡의 목숨을 구하고자 자신의 목숨까지 내놓으려 함.

핵심장면 ① 곤궁한 처지가 된 이혈룡이 어린 시절의 약속을 기억하고 도움을 구하기 위해 평안 감사가 된 김진희를 찾아가는 부분이다.

그날이 되자 대동강변 연광정에 큰 잔치를 베풀고 풍악 소리가 낭자하며, 팔십 명의 기생들
_{평양의 대동강변에 있는 누각}
이 제각기 노래와 춤을 자랑하며, 모인 세도가들의 흥을 돋우어 주고 있었다.
_{□: 주요 인물}　　　　　　　_{정치상의 권세를 휘두르는 사람. 또는 그런 집안}

김 감사는 취흥을 못 이기며 시조 가락으로 농을 하였다.
_{김진희. 이혈룡의 어린 시절 친구}　　　　　　　　　_{실없이 놀리거나 장난으로 하는 말}

『"백구야 펄펄 날지 마라, 너 잡을 내 아니다. 어허 하 수령들네 내 말을 들어 보라. 삼사월
『」: 화려한 잔치 분위기에 어울리지 않는 내용
호시절에, 온갖 잡화 다 피었는데, 세류청청 저 버들과 좌우편의 저 두견아. 슬피 우는 네 소
_{깨끗하고 싱싱하게 푸른 가는 버드나무}
리 들어 보니, 철석간장 안 녹으랴."』
_{굳센 의지나 지조가 있는 마음}　　　　『」: 도움을 청하러 평양까지 온 이혈룡이 자신의 배고픔과 대조되는 김진희의 잔칫상을 접함

하고, 도도한 취흥으로 멋있게 놀고 있었다. 이때 『연광정 밑에서 기진맥진한 빈 배를 움켜잡
_{매우 굶주렸음을 드러냄}
고 그 풍성한 산해진미의 음식을 바라보니 뱃속의 회가 동하였으니 화중지병을 어찌 얻어먹을
_{산과 바다에서 나는 온갖 진귀한 물건으로 차린, 맛이 좋은 음식}　　_{배고픔으로 입맛이 당김}　　_{그림의 떡}　　_{편집자적 논평}
수가 있으랴.』 원망스러운 눈을 대동강으로 돌려서 보니, 『십 리 청강에 오리들은 물결을 따라
『」: 이혈룡의 처지와 대비되는 배경 묘사 – 이혈룡의 처량한 신세를 부각함
둥실둥실 떠서 쌍쌍이 놀고, 백 리 평사에 백구들은 쌍을 지어 한가롭게 놀고 있었다.』
_{모래가 덮인 개펄}

이혈룡은 마침내 결심하고 틈을 타서 연회장으로 접근해 가서 갑자기 큰 소리로 외쳤다.

▶ 연광정으로 다가가는 이혈룡

"평안 감사 김진희야! 너는 여기 와 있는 이혈룡을 몰라보느냐!"

두세 번 외친 뒤에야 취한 김 감사가 알아듣고

"호장, 저놈이 어떤 놈이냐!"

호장이 찔끔하고 뛰어와서 이혈룡의 뺨을 치고 등을 밀며, 상투를 잡아끌고 가서 감사 앞에
_{이혈룡을 함부로 대하는 모습. 김진희의 이혈룡에 대한 태도를 간접적으로 엿볼 수 있음}
꿇어앉혔다. 그러자 김 감사가 노성 대발하고
_{성이 난 목소리}

"네 이놈 들어라. 웬 미친놈이 와, 감히 나를 희롱하느냐!"

이혈룡은 어이가 없어서, 태연한 태도로

"나는 서울 이 정승의 아들 이혈룡이다. 너를 친구라고 먼 길을 찾아왔으나 감사의 영문턱
_{한 달이 조금 넘는 기간}　　　　_{굶주림과 갈증}　　_{감영의 문턱}
이 하도 높아서 성명조차 통기 못하고 달포나 묵느라고 노자도 떨어지고 기갈을 면치 못하
_{기별을 보내어 알게 함}　　　　　_{먼 길을 떠나 오가는 데 드는 비용}

여 전전걸식하고 다니다가, 오늘이야 이 자리에서 너를 보게 되니, 죽어도 한이 없다. 그러
<u>이 집 저 집 돌아다니며 빌어먹음</u>
나 너를 친구라고 찾아왔는데 어찌 이토록 괄시하느냐? 옛날의 친구도 쓸데없고 결의형제
<u>의로써 형제의 관계를 맺음. 또는 그렇게 관계를 맺은 형제</u>
<u>자신에 대한 신의를 저버린 김진희를 비판함</u>
도 쓸데없구나. 내가 네 처지라면 친구 대접을 이렇게는 하지 않을 거다. 그러나 「모든 모욕
을 참고 한 가지 청을 하겠으니, 네 술잔 값도 안 될 돈냥이라도 주면 기갈 중에 신음하는 노
모와 처자를 잠시 먹여 살리겠다.」 <u>」 몰락으로 인해 가족을 부양하기 위해서는 모욕도 감수해야 하는 상황임</u>
<u>Link 인물의 처지 ❶</u>
하고 대성통곡하였다. 그러나 김 감사는 <u>불쾌한 안색으로 묵묵히 말이 없었다.</u> 이혈룡은 다시
<u>이혈룡을 도와줄 의향이 없음을 드러냄</u>
울음 섞인 음성으로 호소하였다.

"이 몹쓸 김진희 놈아, 내가 지금 푼전의 노자가 없으니 멀고 먼 서울 길을 어찌 돌아가랴."
<u>친구 사이의 신의를 저버린 데서 오는 분노 표출</u>　　　<u>푼돈</u>
그러자 김 감사는 <u>노발대발</u>하고 호통을 쳤다.
<u>몹시 노하여 펄펄 뛰며 성을 냄</u>

"이런 미친놈 봤나. 내가 너 같은 미친 거지 놈을 언제 봐서 아는 친구라는 거냐."
<u>안면몰수(顔面沒收), 인면수심(人面獸心)</u>
하고, 대동강의 뱃사공들을 불러서 엄명하였다.
<u>Link 인물의 처지 ❷</u>
"너희들, 이 미친놈을 배에 실어다가 강물 한복판에 던져서 물고기 밥을 만들어라."
<u>목숨까지 빼앗으려는 김진희의 비도덕적 모습이 드러남</u>
"네에잇!"
▶ <u>친구 이혈룡을 외면하고 죽이려고 하는 김진희</u>

사공들이 영을 받고, 이혈룡을 잡아 묶어서 배에 실을 적에 연회장에 있던 기생 옥단춘이 본
<u>관련 한자 성어: 명재경각(命在頃刻)</u>
즉, 의복은 비록 남루하나 얼굴이 비범하므로 가엾게 여기고, 김 감사에게
<u>이혈룡의 인물됨을 알아봄 → 옥단춘의 뛰어난 안목</u>
"소녀 금시로 오한이 나고 몸이 괴로워 견딜 수 없습니다."
<u>이혈룡을 구하기 위해 한 거짓말</u>
하고 거짓 엄살을 하였다.

"그러면 물러가서 약을 써서 빨리 치료하라."

"네, 황송하옵니다."

하고, 물러 나와서 이혈룡을 잡아가는 사공들에게

"사공들 잠깐만 기다려요."
<u>이혈룡을 살리기 위해 급하게 사공을 부름</u>
하고 불렀다. 사공들이 머무르며 왜 그러느냐고 물었다.

"내 이 양반의 몸값을 후히 쳐줄 테니 죽인 듯이 모래를 덮어서 숨겨 두고 오시오."
<u>사공들을 은근한 말로 설득함</u>
하고, 은근한 말로 간청하였다. 이런 유혹을 받은 사공들은 귀가 솔깃해서 서로 얼굴을 쳐다
보며 수군거렸다.

<u>Link</u>
<u>출제자 톡❗ 인물의 처지를 파악하라!</u>
❶ 이혈룡이 김진희를 찾아온 이유는?
어린 시절의 약속을 믿고 가족의 부양을 위한
도움을 받기 위해서

❷ 도움을 청한 이혈룡에 대한 김진희의 반응
은?
이혈룡을 거지 취급하면서 대동강에 빠뜨
려 죽이라고 함.

❸ 이혈룡이 하늘을 보고 방성통곡한 이유는?
옥단춘이 뱃사람들을 매수한 줄 모르고 자
신이 꼼짝없이 대동강 물에 빠져 죽을 것이
라고 생각했기 때문에

"여보게 자네 생각은 어떤가. 내 생각에는 아무리 사또님 영이지만
죄도 없는 사람을 우리 손으로 어찌 죽이겠는가."

"나도 그래. 마침 절개로 유명한 옥단춘 기생 아가씨의 부탁인데다
<u>이혈룡을 죽이지 않는 것이 좋겠다는 판단의 근거</u>
가 활인적덕하고, 큰돈까지 생기는데 죽일 거야 있겠나."
<u>사람의 목숨을 살리어 음덕을 쌓음</u>
하고, 옥단춘에게 <u>눈짓으로 약속하였다.</u> 그리고 이혈룡을 묶은 채 배
<u>이혈룡을 살리자는 옥단춘의 의견에 동의를 표함</u>
에 싣고 대동강에 둥실둥실 젓고 가서 깊은 곳을 향하여 갔다. 「혈룡은
옥단춘이 뱃사공을 매수한 기색을 모르고 있었으므로 속절없이 대」
<u>사건 전개의 필연성</u>

동강 물귀신이 되어 죽는 줄만 알고 하늘을 우러러 방성통곡하였다. <small>큰 소리로 몹시 슬프게 곡을 함</small> **Link** 인물의 처지 ❸

"천지신명은 굽어서 살펴소서. 불쌍한 이혈룡의 목숨을 살려 주십소서. 서울에 남은 노모와
<small>천지의 조화를 주재하는 온갖 신령</small>

처자가 나를 평양에 보낸 후에 이렇게 죽을 줄은 꿈에도 모르고, 오늘 올까 내일 올까 주야
<small>밤낮으로 쉬지 아니하고 연달아</small>

장천 바라는데, 내 팔자가 무슨 죄로 갈수록 이같이 기박합니까?"
<small>운명론적 사고관</small>

하고 통곡하므로, 듣는 사공들도 슬퍼하고, 산천초목까지 슬퍼하는 듯하였다.
<small>산과 내와 풀과 나무라는 뜻으로, 자연을 이르는 말</small> ▶ 사공을 매수하여 이혈룡을 구출하는 기생 옥단춘

핵심장면 ② 암행어사가 된 이혈룡이 일부러 남루한 차림으로 평안 감사 김진희의 잔치에 쳐들어간 부분이다.

이혈룡이 탄식하면서 하는 말이,

"붕우유신(朋友有信) 쓸데없고, 결의형제 쓸데없다. 전에 너와 내가 생사를 같이하자고 태산
<small>벗과 벗 사이의 도리는 믿음에 있음 – 오륜의 하나</small> <small>의로써 형제의 관계를 맺은 사이</small>

같이 맺은 언약 철석같이 믿었더니, 살리기는 고사하고 죄 없이 죽이기를 일삼으니 무심하

고 야속하다. 오륜을 박대하면 앙화가 자손에게까지 미치리라."
<small>지은 죄의 앙갚음으로 받는 재앙</small>
<small>김진희에 대한 저주의 말</small> **Link** 구절의 의미 ❶

하였다. 이혈룡이 대동강의 맑은 물을 바라보며 큰 소리로 한탄하였다.

"대동강 맑은 물아, 너와 내가 무슨 원수로 한 번 죽기도 어려운데 두 번이나 죽이려고 이 모
<small>「 」: 김진희의 그릇된 처사를 비판함</small> <small>이전에 김진희가 이혈룡을 죽이려고 했던 일을 떠올림</small>

양을 시키느냐. 정말로 죽게 되면 가련하고 원통하다."

이때에 옥단춘이 이혈룡의 손을 부여잡고 만경창파 바라보고 애통해하며,
<small>만 이랑의 푸른 물결이라는 뜻으로, 한없이 넓고 넓은 바다를 이르는 말</small> <small>모든 것을 똑똑히 살피는 하느님</small>

"원통하고 가련하다. 죄 없는 우리 목숨 천명을 못다 살고 어복중의 원혼 되니, 명천은 감동
<small>「 」: 예전에 대동강에 빠져 죽을 위기에 처했던 이혈룡과 같은 반응을 보임</small> <small>물에 빠져 죽음을 비유함</small>

하사 무죄한 이 인생을 제발 덕분 살려 주소서."

하고 수없이 통곡하였다. 그때에 물에 던지기를 재촉하는 북소리가 한 번 울렸다. 옥단춘은 ★ 주요 소재
<small>이혈룡과 옥단춘의 죽음을 재촉하는 소리로, 사건 전개에 긴장감을 부여함</small>

더욱 기가 막혀,

"애고애고, 이 일을 어찌할까. 임아 임아 낭군님아. 어찌하면 산단 말이오?"

하고 울부짖자 이혈룡이 옥단춘을 달래며,

"울지 마라 울지 마라, 죄 없으면 사느니라. 울지 말고 진정하여라."
<small>이혈룡은 암행어사 신분을 감추고 있으므로 차분하게 옥단춘을 달램</small> **Link** 구절의 의미 ❷

하고 말했다. 이때 북소리가 두 번째 울렸다. 옥단춘이 또 자지러지게 놀라면서,

"임아 임아 서방님아, 이제는 죽는구려. 살려 주오, 살려 주오. 무죄한 이 소첩을 제발 덕분

살려 주오. 맹세코 아무 죄도 없습니다."

Link

출제자 특강 구절의 의미를 파악하라!

❶ 앙화가 자손에게까지 미칠 것이라며 저주의
말을 퍼붓는 이혈룡의 심리는?
김진희에 대한 원한이 매우 깊음.

❷ 죄 없으면 살게 된다는 이혈룡의 말에 담긴
의미는?
어사의 신분을 감추고 있는 자신이 옥단춘
을 구할 수 있음을 암시함.

❸ 이혈룡에 대한 옥단춘의 사랑을 보여 주는
구절은?
'나만은 자결할 테니 우리 낭군 살려 주소.'

하고 통곡할 때 세 번째 북소리가 들렸다. 그러자 사공들은 황급히

재촉하기를,

"어서 물에 들어가쇼. 일시라도 지체하면 우리 목숨이 죽을 테니

어서 들어가쇼."

하고 성화같이 독촉하였다. 옥단춘이 넋을 잃고 사공들에게 애걸하며,

"여보 사공님들 들어 보소. 당신들도 사람인데 죄 없는 우리 인생을

왜 그리 무고하게 우리를 죽이려 하오. **나만은 자결할 테니 우리 낭군 살려 주소.**

Link 구절의 의미 ❸
죽음을 앞둔 상황에서도 이혈룡을 구하고자 하는 옥단춘의 지극한 사랑을 엿볼 수 있음

하였다. 그러자 사공들이 대답하기를,

"아무리 야속해도 감사님 명령이 지엄하시니 살릴 묘책이 없소이다. 어서 바삐 조처하쇼."

하였다. 옥단춘은 단념하고 하는 수 없어 두 눈을 꼭 감고 치마를 걷어 올려서 머리에 쓰고 이를 박박 갈고 벌벌 떨면서,
김진희에 대한 분노와 죽음에 대한 무서움으로 인한 행동

"애그머니, 나 죽는다!"

한마디 지르고는 풍덩 뛰어들려고 하는 순간이었다. 이혈룡이 깜짝 놀라서 옥단춘의 손을 부여잡고 하는 말이,

"죽어도 같이 죽고 살아도 같이 살자."
옥단춘에 대한 이혈룡의 마음
　❱ 죽음 앞에서 애통해하는 옥단춘을 위로하는 이혈룡

하고 잡아서 옆에 앉히고 저쪽 연광정을 건너다보면서,

『"애들, 서리 역졸들아! 어디 갔느냐?"
역에 속하여 심부름하던 사람

하고 소리치는데 그 소리 천지를 진동할 듯하였다. 그러자 난데없는 역졸들이 벌 떼처럼 내달으며 달과 같은 마패를 일월(日月)같이 치켜들고 우레와 같은 큰 소리를 벽력같이 지르면서,
벼락

"암행어사 출두요! 암행어사 출두요!"
사건이 극적으로 반전되는 계기

하고 두세 번 외치는 소리가 연광정과 대동강을 뒤엎을 듯하였다.』
　❱ 암행어사 신분을 드러내는 이혈룡
『 』「춘향전」의 어사출두 장면과 유사함

최우선 출제 포인트!

1 이 작품의 서사 구조

약속	어린 시절 함께 공부하던 이혈룡과 김진희는 출세하면 서로 돕기로 약속함.
고난	이혈룡이 평안 감사가 된 김진희에게 도움을 청하려고 찾아갔다가 죽을 위기에 처함.
구원	죽을 위기에 처한 이혈룡을 옥단춘이 구해 줌.
응징	암행어사가 된 이혈룡이 김진희를 벌함.

2 이 작품에서 다루고 있는 '신의'

친구 간의 신의	김진희는 경제적 어려움에 처한 이혈룡의 도움을 거절하고 죽이려고까지 함. → 신의를 지키지 않는 김진희를 통해 친구 간의 신의가 중요함을 강조함.
남녀 간의 신의	옥단춘의 도움으로 목숨을 구하고 과거에 급제한 이혈룡이 다시 옥단춘을 구원하여 신의를 지킴. → 옥단춘으로 대표되는 하층민의 신의를 돋보이게 하여 신의의 중요성이라는 주제 의식을 드러냄.

최우선 핵심 Check!

1 다음 내용 중 맞는 것은 ○표를, 틀린 것은 ×표를 하시오.

(1) 외양 묘사를 통하여 인물의 성격 변화를 보여 주고 있다. (　　)

(2) 친구인 이혈룡을 대하는 김진희의 행위에서 우정을 저버리는 부도덕한 모습을 확인할 수 있다. (　　)

2 초성 힌트를 보고 빈칸에 들어갈 알맞은 말을 쓰시오.

(1) ㅇㅎㅇㅅ 모티프를 사용하여 악인을 징계하고 있다는 점에서 권선징악이라는 고전 소설의 전형적인 주제 의식을 드러내고 있다.

(2) 목숨이 위태로운 상황에서도 자신보다 이혈룡을 걱정하는 옥단춘의 모습을 통해 ㅅㅇ 있는 모습을 엿볼 수 있다.

3 이 작품에서 가장 강조하고 있는 유교적 덕목은?

① 신(信)　　　② 충(忠)　　　③ 효(孝)

정답 1. (1) × (2) ○ 2. (1) 암행어사 (2) 신의 3. ①

출제 우선 작품

74위

영영전(英英傳) | 작자 미상

성격 낭만적, 현실적 **시대** 조선 중기
주제 신분적 차이를 극복한 남녀의 사랑

소설

이 작품은 선비 김생과 회산군의 궁녀 영영이 현실의 공간에서 사랑을 이루는 행복한 결말을 그리고 있는 애정 소설로, 「상사동기」, 「회산군전」이라고도 불린다. 우연성과 전기성을 통해 갈등을 해결하는 기존의 고전 소설과는 다르게 개연성을 바탕으로 핵심 사건이 전개되고 있다.

주요 사건과 인물

발단
명나라 선비 김생이 성 밖에서 궁녀 영영을 만나 사랑에 빠짐.

전개
영영이 회산군의 궁녀임을 알게 된 김생이 노파의 도움으로 회산군의 집에 몰래 들어가 영영과 정을 나눔.

위기
영영과 이별한 김생은 과거에 장원 급제하고 삼일유가를 나와 영영의 편지를 받음.

절정
영영에 대한 그리움으로 앓아누운 김생은 친구 이정자의 도움으로 영영과 함께할 수 있게 됨.

결말
김생과 영영은 다시 만나 행복하게 여생을 보냄.

명나라 선비 김생과 회산군의 궁녀 영영의 사랑 ←→ 궁녀의 사랑을 금하던 당시의 폐쇄적 사회 구조

김생
좋은 집안의 자제로 글솜씨와 인품이 뛰어난 선비. 영영을 보고 한눈에 사랑에 빠짐.

영영
회산군의 궁녀로 용모가 뛰어남. 신분적 차이에도 불구하고 김생과 사랑에 빠지는 인물

핵심장면 ①
궁녀라는 신분적 제약으로 인해 사랑하던 김생과 영영이 이별하는 장면이다.

밤이 다 끝나갈 즈음에 새벽닭이 꼬끼오 울며 날 밝기를 재촉하고, 멀리서 파루를 알리는 종
_{시간적 배경 → 두 사람이 헤어질 시간이 다가옴}　_{통행금지를 해제하던}
소리가 은은하게 울려 왔다. 김생이 자리에서 일어나 옷가지를 챙겨 입고 탄식하며 다급히 말
_{□ : 주요 인물}　_{떠날 채비를 하는 김생의 모습}
했다.

"좋은 밤은 괴로울 정도로 짧고 사랑하는 두 마음은 끝이 없는데, 장차 어떻게 이별을 하리
_{영영과 이별하기 싫음을 드러냄. 설의법}
오? 궁궐 문을 한 번 나가면 다시 만나기 어려울 터이니, 이 마음을 어떻게 하리오?"
_{영영의 신분이 궁녀이기 때문에}　**Link** 인물의 처지와 태도 ❶
영영은 이 말을 듣고 울음을 삼키며 흐느끼더니, 고운 손으로 눈물을 흩뿌리면서 말했다.
_{김생과의 이별로 인한 슬픔}

"홍안박명은 옛날부터 있었으니, 비단 미천한 저에게만 그러한 것은 아닙니다. 살아서 이렇
_{얼굴이 아름다운 여자는 팔자가 사납다는 의미}
듯 이별하니, 죽어서도 이렇듯이 원통할 것입니다. 죽고 사는 것은 꽃이 시들고 나뭇잎이 떨
_{김생과의 이별에 대한 원통한 심정 강조}　_{자연의 섭리에 빗대어 이별을 수용함을 드러냄}
어지는 것과 같으니, 굳이 날씨가 추워지기를 기다릴 필요도 없습니다. 낭군은 철석같은 마
_{직유법 – 굳고 단단한 마음}
음을 가진 남아인데, 어찌 소소하게 아녀자를 염려하다가 성정(性情)을 해쳐서야 되겠습니
_{영영을 걱정하는 마음으로 인해 일을 그르쳐서는 안 된다는 의미 – 김생을 염려하는 마음. 설의법}
까? 엎드려 바라건대, 낭군께서는 이별한 뒤에는 제 얼굴을 가슴속에 두어 심려치 마시고,
천금같이 귀중한 몸을 잘 보존하십시오. 또 학업을 계속하여 과거에
급제하고 운로에 올라 평생의 소원을 이루시길 간절히 바라고 또 바
_{구름이 오가는 길. 입신출세를 비유적으로 이르는 말}
라옵니다!"
_{「 」 : 김생이 자신을 잊고 학업에 열중하여 출세하기를 바람 – 영영의 희생적인 태도가 드러남}
Link 인물의 처지와 태도 ❷
이어서 영영은 토끼털로 만든 붓을 뽑고 용 꼬리를 새긴 벼루를 연
_{모두 8구로 이루어졌으며 한 구가 칠언으로 된 율시}
다음, 난봉전을 펼쳐 놓고 칠언율시(七言律詩)를 한 수 지어 이별에
_{한시를 통해 이별의 심정을 나타냄}
부치었다.
> 이별하면서 슬퍼하는 영영과 김생

Link
출제자 특급 인물의 처지와 태도를 파악하라!

❶ 김생이 궁궐 문을 나가면 영영과 다시 만나기 어려운 이유는?
영영이 궁녀의 신분이어서 외부인과의 만남에 제약이 있기 때문에

❷ 김생이 자신을 잊고 학업에 정진하여 벼슬에 오르기를 바란다는 말을 통해 알 수 있는 영영의 태도는?
희생적 태도

핵심장면 ②
김생이 과거에 장원 급제하여 삼일유가를 하던 중 회산군 댁에 가서 영영을 다시 만나게 되는 부분이다.

김생은 머리에 계수나무꽃을 꽂고 손에는 상아로 된 홀을 잡았다. 앞에서는 두 개의 일산이
_{김생이 과거에 장원 급제하였음}　_{조선 시대에 벼슬아치가 손에 쥐던 물건}　_{감사, 유수, 수령들이 부임할 때 받치던 양산}

인도하고 뒤에서는 동자들이 옹위(擁衛)하였으며, 좌우에서는 비단옷을 입은 광대들이 재주를
_{좌우에서 부축하며 지키고 보호함}
부리고 악공들은 온갖 소리를 함께 연주하니, 길거리를 가득 메운 구경꾼들이 김생을 마치 천
상의 신선인 양 바라보았다.

▶ 장원 급제한 김생의 행렬

김생은 얼큰하게 술에 취한지라, 의기(意氣)가 호탕해져 채찍을 잡고 말 위에 걸터앉아 수많
_{기세가 좋은 적극적인 마음}
은 집들을 한번 둘러보았다. 갑자기 『길가의 한 집이 눈에 띄었는데 높고 긴 담장이 백 걸음 정
『 집의 웅장함과 화려함을 통해 회산군의 신분이 매우 높음을 알 수 있음 - 감각적 묘사
도 빙빙 둘러 있었으며, 푸른 기와와 붉은 난간이 사면에서 빛났다. 섬돌과 뜰은 온갖 꽃과 초
_{집채의 앞뒤에 오르내릴 수 있게 놓은 돌층계}
목들로 향기로운 숲을 이루고, 희롱하는 나비와 미친 벌들이 그 사이를 어지러이 날아다녔다.』
김생이 누구의 집이냐고 물으니, 곧 회산군 댁이라고 하였다. 김생은 문득 옛날 일이 생각나
_{궁녀 영영이 사는 곳}   _{회산군의 궁녀인 영영과 몰래 사랑을 나누었던 일}
마음속으로 은근히 기뻐하며, 짐짓 취한 듯 말에서 떨어져 땅에 눕고는 일어나지 않았다. 궁
_{회산군의 집 안으로 들어가기 위해 일부러 말에서 떨어진 것임} Link 인물의 의도 ❶
인(宮人)들이 무슨 일인가 하고 몰려나오자, 구경꾼들이 저자처럼 모여들었다.
_{회산군의 궁에서 일하는 사람들}   _{시장} ▶ 회산군의 집을 발견하고 일부러 술에 취한 척하는 김생

이때 회산군은 죽은 지 이미 3년이나 되었으며, 궁인들은 이제 막 상복(喪服)을 벗은 상태였
_{영영과 김생의 사랑이 이루어질 수 있는 조건으로, 이후 사건 전개의 개연성을 확보함}   _{삼년상이 끝난 상태임}
다. 그동안 부인들은 마음 붙일 곳 없이 홀로 적적하게 살아온 터라, 광대들의 재주가 보고 싶
                                                    Link 인물의 의도 ❷
었다. 그래서 시녀들에게 김생을 부축해서 서쪽 가옥으로 모시고, 죽부인을 베개 삼아 비단
_{김생과 영영이 만나게 되는 계기}
무늬 자리에 누이게 하였다.

▶ 회산군 댁 들어가게 된 김생

Link
출제자 톡! 인물의 의도를 파악하라!

❶ 김생이 회산군 댁 앞에서 취한 행동과 그렇게 행동한 까닭은?
 혹시 영영을 볼 수 있을까 하여 술에 취한 척하며 말에서 떨어짐.

❷ 부인들이 김생을 집 안으로 들인 이유는?
 광대들의 재주가 보고 싶어서

❸ 영영이 김생을 보고 어쩔 줄 몰라 한 이유는?
 김생을 보고 눈물 흘리는 것을 남이 알아챌까 봐 두려워서

이윽고 광대와 악공들이 뜰 가운데 나열하여 일제히 음악을 연주
하면서 온갖 놀이를 다 펼쳐 보였다. 궁중 시녀들은 고운 얼굴에 분
을 바르고 구름처럼 아름다운 머릿결을 드리우고 있었는데, 주렴을
_{구슬을 실에 꿰어 만든 발}
걸고 보는 자가 수십 명이나 되었다. 그러나 영영이라고 하는 시녀
_{수많은 사람 속에서 영영을 찾는 김생의 모습이 드러남}
는 그 가운데 없었다. 자세히 살펴보니, 한 낭자가 나오다가 김생을
_{회산군의 궁녀인 영영}
보고는 다시 들어가서 눈물을 훔치고, 안팎을 들락거리며 어찌할 줄
_{사랑하던 김생을 보고 어찌해야 할지 몰라 마음의 안정을 찾지 못함}
을 모르고 있었다. 『이는 바로 영영이 김생을 보고서 흐르는 눈물을 참지 못하고, 차마 남이 알
『 』: 서술자의 개입 - 서술자가 인물의 내면을 직접적으로 전달함
아챌까 봐 두려워한 것이다.』
                  Link 인물의 의도 ❸   ▶ 김생을 알아보고 눈물을 흘리는 영영

이러한 영영을 바라보고 있는 김생의 마음은 처량하기 그지없었다. 그러나 날은 이미 어두
_{서로 사랑하는 사이지만 영영이 궁녀라서 아는 척할 수 없는 자신들의 처지 때문에}
워지려고 하였다. 김생은 이곳에 더 이상 오래 머물러 있을 수 없다는 것을 알고 기지개를 켜
면서 일어나 주위를 돌아보고는 놀라서 말했다. / "이곳이 어디입니까?"
_{짐짓 놀라는 척 연기하는 김생 - 영영을 만나기 위한 의도적인 행위임}   _{자신이 있는 곳이 회산군 댁임을 몰랐다는 것을 보이기 위한 질문임}
궁중의 늙은 노비인 장획(藏獲)이라는 자가 달려와 아뢰었다.

"회산군 댁입니다."

김생은 더욱 놀라며 말했다.
_{일부러 온 것을 알아채지 않게 하기 위한 과장된 행동임}
"내가 어떻게 해서 이곳에 왔습니까?"

장획이 사실대로 대답하자, 김생은 곧 자리에서 일어나서 나가려고 하였다. 이때 부인이 술
로 인한 김생의 갈증을 염려하여 영영에게 차를 가져오라고 명령하였다. 이로 인해 두 사람은
_{김생과 영영이 가까이 마주하는 계기}   Link 소재의 의미 ❶
서로 가까이 하게 되었으나, 말 한마디도 못하고 단지 눈길만 주고받을 뿐이었다. 영영은 차를
_{궁녀는 궁 밖의 남자와 내외해야 하는 당시의 관습 때문에}

고전 산문 **269**

★ 주요 소재

다 올리고 일어나 안으로 들어가면서 품속에서 편지 한 통을 떨어뜨렸다. 이에 김생은 얼른 편지를 주워서 소매 속에 숨기고 나왔다. 말을 타고 집으로 돌아와 뜯어보니, 그 글에 일렀다.

Link 소재의 의미 ❷   ▶영영과 재회하여 영영의 편지를 받게 된 김생

"박명한 첩 영영은 재배하고 낭군께 사룁니다. 저는 살아서 낭군을 따를 수 없고, 또 그렇다
복이 없고 팔자가 사나운
고 죽을 수도 없었습니다. 그래서 잔해만이 남은 숨을 헐떡이며 아직까지 살아 있습니다. 어
썩거나 타다 남은 뼈   궁녀의 제약된 신분 때문에
                        목숨만 붙어 있을 뿐 힘들게 연명하고 있다는 의미
찌 제가 성의가 없어서 낭군을 그리워하지 않았겠습니까? 하늘은 얼마나 아득하고, 땅은 얼
참되고 정성스러운 마음   『 ┘김생을 매우 그리워했음을 강조함. 설의법   김생과 만날 수 없는 외로움과 그리움을 비유적으로 표현함
마나 막막하던지! 복숭아와 자두나무에 부는 봄바람은 첩을 깊은
                                봄바람이 불어도 궁중 밖을 나가지 못했으며 밤비가 내릴 때도 빈방에 홀로 있었다고 함

Link
출제자 (톡) 소재의 의미를 파악하라!

❶ 김생과 영영이 가까이에서 만날 수 있는 기회를 제공한 것은?
김생의 갈증을 염려한 회산군 부인이 영영에게 차를 내어주고 함.

❷ 김생에 대한 영영의 마음을 전해 주는 매개체는?
편지 한 통

❸ '지는 해, 저녁 하늘, 새벽별, 이지러진 달'의 역할은?
김생에 대한 영영의 그리움과 한을 환기시키는 자연물

궁중에 가두고, 오동에 내리는 밤비는 저를 빈방에 묶어 놓았습니
                                                    Link 비유적 의미 ❶
다. 오래도록 거문고를 타지 않으니 거문고 갑(匣)에는 거미줄이
                                                    상자
△: ① 사랑을 가로막는 장애물 ② 사회적 제약
『 ┘임이 곁에 있지 않아 쓸쓸하고 외롭게 지내 왔음을 표현함
생기고, 화장 거울을 공연히 간직하고 있으니 경대(鏡臺)에는 먼지
                                                    화장대
만 가득합니다. 지는 해와 저녁 하늘은 저의 한을 돋우는데, 새벽
               □: 영영의 그리움과 한을 고조시키는 소재
별과 이지러진 달인들 제 마음을 염려하겠습니까? 누각에 올라 먼
          한쪽이 차지 않은 달   Link 소재의 의미 ❸
곳을 바라보면 구름이 제 눈을 가리고, 창가에 기대어 생각에 잠기
김생을 보고 싶어 하는 마음을 가로막는 장애물
면 수심이 제 꿈을 깨웠습니다.
                                        김생과 연락할 길이 막힌 이유

아아, 낭군이여! 어찌 슬프지 않았겠습니까? 저는 또 불행하게 그사이에 할머니께서 돌아가
돈호법. 영탄법   설의법. 매우 슬펐다는 의미   처음에 영영과 김생을 이어준 인물
시어 편지를 부치고자 하여도 전달할 길이 없었습니다. 헛되이 낭군의 얼굴 그릴 때마다 가
슴과 창자는 끊어지는 듯했습니다. 설령 이 몸이 다시 한번 더 낭군을 뵙는다 해도 꽃다운
단장(斷腸): 몹시 슬퍼서 창자가 끊어지는 듯함   세월이 흘러 늙어버린 자신의 모습에 대한 안타까움
얼굴은 이미 시들어 버렸는데, 낭군께서 어찌 저에게 깊은 사랑을 베풀겠습니까? 모르겠습
                        김생이 늙은 자신을 좋아하지 않을 것이라는 말
니다. 낭군 역시 저를 생각하고 있었는지요? 하늘과 땅이 다 없어진다 해도 저의 한은 끝이
김생의 사랑을 확인을 받고자 함   김생과 맺어지지 못한 것에 대한 한을 강조. 과장적 표현
없을 것입니다. 아아, 어찌하리오! 그저 죽는 길밖에 없는 듯합니다. 종이를 마주하니 처연
한 마음에 이를 바를 알지 못하겠습니다."
탄식의 어조

편지 끝에 다시 칠언 절구(七言絕句) 다섯 수가 씌어 있었다.
               모두 4구로, 한 구가 칠언으로 된 율시

┌삽입 시를 통해 영영의 내면 심리를 함축적으로 표현함
好因緣反是惡緣   좋은 인연이 도리어 나쁜 인연이 되었으나,
              사랑하는 사이   이별로 인해 슬프고 힘든 관계가 됨
不怨郎君只怨天   낭군은 원망스럽지 않고 하늘만 원망스럽네.
                      사랑이 이루어지지 못하는 상황을 원망함
若使舊情猶未絕   만약 옛정이 아직 끊이지 아니하였다면,
他年尋我向黃泉   먼 훗날 황천으로 날 찾아오소서.   ▶ 김생에 대한 그리움이 담긴 영영의 편지
               죽어서야 만날 수 있다는 체념적 정서 – 죽어서라도 김생과 만나고 싶은 절절한 마음

핵심장면 ❸   영영이 남긴 편지를 읽고 상사병에 걸린 김생이 친구의 도움으로 영영을 다시 만나 행복하게 여생을 보내는 부분이다.

김생은 다 읽은 뒤에도 오랫동안 편지를 만지작거리며 차마 손에서 놓지 못하였으며, 영영을
그리는 마음은 예전보다 두 배나 더 간절하였다. 그러나 청조가 오지 않으니 소식을 전하기 어
편지를 읽고 영영에 대한 그리움이 더욱 강해짐   ○: 두 사람을 연결해 주는 매개체
                                        다리에 쪽지를 단 새

렵고, 흰기러기는 오래도록 끊기어 편지를 전할 길도 없었다. **끊어진 거문고 줄은 다시 맬 수** Link 비유적 의미 ❷
가 없고 깨어진 거울은 다시 합칠 수가 없으니, 가슴을 졸이며 근심을 하고 이리저리 뒤척이며
<small>영영과 다시 사랑할 수 없을까 봐 근심하는 김생</small>
잠 못 이룬들 무슨 소용이 있겠는가? 김생은 마침내 몸이 비쩍 마르고 병이 들어 자리에 누워
<small>영영을 만나지 못해 상사병에 걸림</small>
있었다. 그렇게 두어 달이 지나니 김생은 죽은 몸이나 다름없었다.
➤ <small>영영의 편지를 받고 그리움에 병이 드러누운 김생</small>

　마침 김생의 친구 중에 이정자(李正字)라고 하는 이가 문병을 왔다. 정자는 김생이 갑자기
<small>김생과 영영의 사랑이 이루어지도록 도와주는 조력자, 회산군 부인의 조카</small>
병이 난 것을 이상해했다. 병들고 지친 김생은 그의 손을 잡고 모든 이야기를 털어놓았다. 정
자는 모든 이야기를 듣고 놀라며 말했다.

　"자네의 병은 곧 나을 걸세. 회산군 부인은 내겐 고모가 되는 분이라네. 그분은 의리가 있고
<small>김생과 영영이 곧 재회할 것이라 보는 이정자</small>
인정이 많으시네, 또 부인이 소천(所天)을 잃은 후로부터, 가산과 보화를 아끼지 아니하고
<small>신불(神佛)의 일로 돈이나 물건을 기부함</small>　　　<small>아내가 남편을 이르는 말. 회산군을 가리킴</small>
희사(喜捨)와 보시(布施)를 잘하시니, 내 자네를 위하여 애써 보겠네."
<small>불가에 재물을 연보함</small>

　김생은 뜻밖의 말을 듣고 너무 기뻐서 병든 몸인데도 일어나 정자의 손이 으스러져라 꽉 잡
을 정도였다.

　"뜻하지 않게 오늘 모산의 도사를 다시 만났구나."

　김생은 신신부탁하며 정자에게 절까지 하였다.
<small>거듭하여 간곡히 하는 부탁</small>

　이정자는 그날로 부인 앞에 나아가 말했다.

　"얼마 전에 장원 급제한 사람이 문 앞을 지나다가, 말에서 떨어져 정신을 차리지 못한 것을
고모님이 시비에게 명하여 사랑으로 데려간 일이 있사옵니까?" / "있지."

　"그리고 영영에게 명하여 차를 올리게 한 일이 있사옵니까?" / "있네."

　"그 사람은 바로 저의 친구로 김 모라 하는 이옵니다. 그는 재기(才氣)가 범인(凡人)을 지나
<small>재주가 있는 기질</small>　　<small>평범한 사람</small>　　<small>넘어서고</small>
고 풍도(風度)가 속되지 않아, 장차 크게 될 인물이옵니다. 불행하게도 상사의 병이 들어 문
<small>풍채와 태도를 아울러 이르는 말</small>
을 닫고 누워서 신음하고 있은 지 벌써 두 달이 되었다 하더이다. 제가 아침저녁으로 왔다
갔다 하면서 문병하는데, 피부가 파리해지고 목숨이 아침저녁으로 불안하니, 매우 안타까이
여겨 병이 든 이유를 물어본즉 영영으로 인함이라 하옵니다. 영영을 김생에게 주시는 것이
어떻겠습니까?" / 부인은 듣고 나서,
<small>해결책을 제시함</small>

Link
출제자 특강 비유적 의미를 파악하라!

❶ '봄바람'과 '밤비'의 비유적 의미는?
'봄바람'과 '밤비'는 김생과 영영의 사랑을
가로막는 장애물이자, 그들에게 가해지는
사회적인 제약을 의미함.

❷ '끊어진 거문고 줄'과 '깨어진 거울'의 비유
적 의미는?
'끊어진 거문고 줄'과 '깨어진 거울'은 이미
이별한 두 사람의 처지를 의미하는 것으로,
김생은 이별의 상황을 극복하지 못할까봐
걱정하고 있음.

　"내 어찌 영영을 아껴 사람이 죽도록 하겠느냐?"

하였다. 부인은 곧바로 영영을 김생의 집으로 가게 하였다. 그리하
여 꿈에도 그리던 두 사람이 서로 만나게 되니 그 기쁨이야 말할 수
없을 정도였다. 김생은 기운을 차려 다시 깨어나고, 수일 후에는 일
어나게 되었다. 이로부터 김생은 공명(功名)을 사양하고, 영영과 더
<small>행복한 결말</small>
불어 평생을 해로하였다.
➤ <small>재회하여 평생을 해로한 김생과 영영</small>

1 작품의 이야기 구조

우연한 만남	→	사랑	→	이별	→	재회

이 작품은 '만남–이별–재회'의 순환 구조를 통해 신분의 차이가 있는 두 남녀의 사랑을 효과적으로 그려 내고 있다.

2 다른 고전 소설과의 차이점

김생과 영영은 현실의 공간에서 사랑을 이루며, 우연이 아니라 필연적으로 만나고 헤어지도록 구성되어 있음.	→	전기성(傳奇性), 사건 전개의 우연성이 나타나지 않음.	➡	다른 고전 소설들과 달리 뛰어난 구성력과 현실감을 보여 줌.

3 이 작품의 결말

이 작품은 궁녀와 선비의 사랑을 소재로 하고 있다는 점에서 「운영전」에 비견될 만하다. 그러나 이 작품은 운영의 죽음으로 비극적인 결말을 맺는 「운영전」과 달리 궁녀와 선비가 신분상의 차이를 극복하고 사랑을 성취하는 행복한 결말을 보인다.

	영영전	운영전
공통점	• 신분적 차이가 있는 궁녀와 선비가 사랑에 빠짐. • 조력자가 두 남녀의 사랑을 도와줌. • 신분 제도라는 사회적 제약으로 인해 위기를 겪음. • 한시를 삽입하여 인물의 내면 심리를 표현함.	
차이점	• 중세적 신분 질서를 극복하고 두 주인공의 사랑이 이루어짐(행복한 결말). • 순행적 구성	• 중세적 신분 질서를 극복하지 못하고 두 주인공 모두 자살을 택함(비극적 결말). • 액자식 구성

1 다음 내용 중 맞는 것은 ○표를, 틀린 것은 ×표를 하시오.

(1) 전기적 요소를 활용해 긴박한 분위기를 조성하고 있다. ( )
(2) 한시와 편지글을 삽입하여 인물의 정서를 표현하고 있다. ( )
(3) 역순행적 구성을 통해 사건을 입체적으로 구성하고 있다. ( )
(4) 사건 전개의 우연성을 배제하여 개연성을 높이고 있다. ( )
(5) 이정자는 김생과 영영의 사랑이 이루어지게 도와주는 조력자 역할을 하고 있다. ( )

2 '편지 한 통'에 대한 설명으로 맞는 것은 ○표를, 틀린 것은 ×표를 하시오.

(1) 김생이 자신의 마음을 표현하기 위해 영영에게 전달한 것이다. ( )
(2) 재회 후 영영과 김생의 소통을 이루어지게 하는 매개체이다. ( )
(3) 김생에 대한 영영의 사랑과 간절한 그리움, 만남에 대한 염원을 드러내는 소재이다. ( )

3 초성 힌트를 보고 빈칸에 들어갈 알맞은 말을 쓰시오.

(1) 회산군의 궁녀인 영영과 선비인 김생의 [ㅅㅂ]을/를 초월한 사랑을 그린 애정 소설이다.
(2) 조력자들의 도움으로 영영과 김생은 사랑의 장애물을 극복하고 사랑 성취하여 [ㅎㅂ]한 결말을 맞이하게 된다.

정답 1. (1) × (2) ○ (3) × (4) ○ (5) ○ 2. (1) × (2) ○ (3) ○
3. (1) 신분 (2) 행복

75위

흰 학이 그려진 부채
백학선전(白鶴扇傳) | 작자 미상

성격 전기적, 영웅적, 낭만적　**시대** 조선 후기
주제 남녀 간의 신의 있는 사랑

소설

이 작품은 천상 세계에서 죄를 지은 선관과 선녀가 인간 세상에 태어나서 시련을 겪다가 공을 세우고, 부귀영화를 누리다가 다시 천상으로 돌아간다는 내용의 영웅 소설이자 애정 소설이다.

 주요 사건과 인물

발단	전개	위기	절정	결말
천상계의 선관과 선녀가 죄를 지어 인간 세계로 쫓겨나 명나라에서 각각 유백로와 조은하로 태어남.	백로는 길에서 은하를 만나 집안의 보물인 백학선에 백년가약을 맺는 글귀를 써서 주고 훗날을 기약함.	백로와 은하는 혼인하기로 한 약속을 굳게 지키고, 과거에 급제한 백로는 은하를 찾으려 하나 못 찾고 병이 들어 벼슬을 버림.	오랑캐 가달의 침입을 막으려던 백로가 최국양의 계략으로 가달에게 잡혀가지만, 은하가 오랑캐를 물리치고 백로를 구함.	최국양은 처벌을 받고, 백로와 은하는 연왕, 연왕비가 되어 팔순까지 행복하게 살다가 하늘로 올라감.

```
┌─────────────────┐      ┌─────────────────┐  백학선  ┌─────────────────┐      ┌─────────────────┐
│    문 상서      │      │    유백로       │ ↓매개물  │    조은하       │      │    최국양       │
├─────────────────┤ ←──→ ├─────────────────┤  혼인    ├─────────────────┤ ←──→ ├─────────────────┤
│ 유백로를 사위로 │      │ 조은하와 백년가약을 맺│        │ 가달에 잡혀간 유백로를 │      │ 혼사를 거절당하자 조은 │
│ 청하나 거절당함.│      │ 고 끝까지 신의를 지킴.│        │ 구출해 냄.      │      │ 하를 죽이려 함. │
└─────────────────┘      └─────────────────┘          └─────────────────┘      └─────────────────┘
```

핵심장면 ① 유백로는 사위가 되어 달라는 병부 상서 문평진의 청을 거절하고, 별과에 급제하여 남방 순무어사가 되는 부분이다.

　　이때 병부 상서 평진이 유 상서를 보러 왔다가 생의 사람됨을 보고 가장 아름답게 여겨 사위
삼기를 청하거늘 상서가 초봄에 혼인을 허락하고자 하는데 생이 간하기를,

　　『"소자의 마음에 작정하기를 뒷날 입신양명하온 후에 혼인을 정하고자 하오니, 바라건대 부
친은 소자의 진정한 뜻을 이루게 하소서."』

　　상서가 이 말을 듣고 기특하게 여겨 혼인을 허락하지 아니하니라.　▶ 병부 상서의 혼담을 거절하는 유백로

　　차시(此時) 유생이 나이가 십칠 세라. 문장이 뛰어나고 풍채가 좋고 당당하매 보는 사람이
모두 칭찬하니라. 이때에 천자가 별과(別科)를 실시하여 생이 이 소식을 듣고 장중(場中)에 들
어가 시지(試紙)를 펼쳐 붓을 한번 두르매 문불가점(文不加點)이라. 전상에 바치고 기다리더
니 이윽고 이번 장원은 전임 이부 상서 유태종의 아들 백로라 부르거늘, 생이 크게 기뻐 사람
을 헤치고 천자 앞 섬돌로 나아가니 천자가 보시고 어주(御酒)를 하사하시며 말하기를,

　　"네 조상부터 국가에 공이 많은 신하이니 너도 국가의 주석지신(柱石之臣)이 되리니 어찌 기
쁘지 않겠느냐?"

　　하시고 즉시 유백로로 한림학사를 제수하시고 유태종으로 귀주 자사를 임명하사 바삐 부르시
니, 이때 유태종이 집에 있다가 이 소식을 듣고 기뻐하여 즉시 상경하여 한림을 보고 못내 기
뻐하고 대궐 안에 들어가 인사한 후 귀주로 도임하니라. 한림이 또한 표를 올려 선산에 제사
드린 후 모친을 뵈옵고 돌아와 대궐 안에 들어가 인사를 올리니 상이 보시고,

　　"경으로 남방 순무어사(南方巡撫御使)를 맡기니 백성들의 고통과 수령의 선악을 살펴 짐이
믿는 바를 저버리지 말라."

　　하시니 어사가 즉시 하직하고 물러 나와 생각하되, '이제 남방 순무어사가 되었으니 전일 소상
죽림(瀟湘竹林)에서 백학선(白鶴扇)을 준 여인을 찾아 평생 소원을 이루리라.' 하더라.
　　　　　　　　　　　　　　　　　　　　　　　　　　　▶ 어사가 되어 백학선을 준 여인을 찾으려 하는 유백로

이때 조 낭자의 나이가 열다섯이라. 부드러운 태도와 기이한 기질이 진실로 절대가인(絶代
　　　　조은하　　　　　　　　　　　　　　　　　　　　　　　　　　　　　세상에 견줄 만한 사람이 없을 정도로 뛰어나게 아름다운 여인
佳人)이라. 전에 소상 죽림에서 한 소년을 만나 우연히 유자를 주고 백학선을 받아 돌아왔더
　　　　　　　　　　　　　　　유백로
니, 점점 자라 백학선을 내어 본즉 '요조숙녀(窈窕淑女) 군자호구(君子好述)'라 쓰고 그 아래
　　　　　　　　　Link 소재의 의미 ❶　　　행실과 품행이 고운 여인은 군자의 좋은 배필이 된다는 뜻
사주(四柱)를 기록하였거늘, 심중(心中)이 놀라나 이 또한 천생연분이라. 어찌할 길이 없어 마
사람이 태어난 연월일시의 네 간지(干支)　　　마음속
음에 기록하고 말을 내지 아니하더라. 　　　　　　　　　▶유백로가 준 백학선에 담긴 청혼의 뜻을 알고 놀라는 조 낭자

차시 남방 남촌에서 사는 『상서 벼슬 최국양은 당금 임금의 총이 으뜸이오, 서자 하나 있으
　　　　　　　　　　　　　　　　　　　　　현재　　총애
되 인물과 재주, 학문이 뛰어났음에 명사 재상의 딸 둔 자가 구혼할 이 무수하나 마침내 허치
　『　』: 최국양의 권세가 높고 서자 또한 모든 면에서 뛰어나므로 자부심이 강했을 것을 짐작할 수 있음　　　　　　　　　　허락하지
아니하고, 조성로의 여아 천하 경국지색(傾國之色)이란 말을 듣고 매파를 보내어 구혼한대 조
　　　　　조은하의 부친　딸자식　　　　임금이 혹하여 나라가 기울어져도 모를 정도의 미인이라는 뜻으로, 뛰어나게 아름다운 미인을 이르는 말
공이 즉시 허락한지라.

낭자가 이 말을 듣고 크게 놀라 이날로부터 식음을 전폐하고 자리에 누워 일어나지 못하고
　　　　최국양의 청혼을 받아들였다는 말　　　　　　　　　먹고 마시는 것을 모두 끊고
명재경각(命在頃刻)이라. 부모 대경하고 의아하여 여아의 침소에 나아가 조용히 문 왈,
거의 죽게 되어 곧 숨이 끊어질 지경에 이름　　매우 놀라고
"우리 늦게야 너를 얻어 기쁜 마음이 측량없음에, 주야로 기다리는 바는 어진 배필을 얻어
원앙이 짝지어 노는 재미를 볼까 하더니, 이제 무슨 연고로 네 식음을 전폐하고 죽기를 자처
하나뇨? 그 곡절을 듣고자 하노라."
　　　　　　　　　복잡한 사정이나 까닭
낭자 주저하다가 눈물을 흘려 왈,

"소녀 같은 인생이 세상에 살아 무익한 고로 죽어 모르고저 하옵나니, 바라건대 부모는 살피
소서.『소녀 십 세에 외가(外家)에 갔다가 오는 길에 유자를 얻어 가지고 오다가 소상 죽림에
　　　　　『 』: 유백로와의 인연을 부모에게 말함
서 잠깐 쉬더니 한 소년 선비 지나다가 유자를 구하기로 두어 개를 준즉 받아먹은 후 감사의
　　　　　　　　　　유백로
마음으로 백학선(白鶴扇)을 주옵거늘 어린 마음에 아름다이 여겨 받아 두었삽더니, 요사이
본즉 그 글이 백년의 아름다운 약속을 의미하는지라.』그때에 무심히 받은 것을 뉘우치나 이
　　　　　　　　　　백년가약. 혼인 약속
또한 천정연분(天定緣分)이 분명하옵고 또한 그 선비를 보온즉 심상한 사람이 아니오라. 소
　　　　　　하늘이 정하여 준 연분　　　　　　　　　　　　대수롭지 않고 예사로움
녀 이미 그 사람의 신물(信物)을 받았사오니 마땅히 그집 사람이라. 어찌 다른 가문에 유의하
　　　　신표(信標). 뒷날에 보고 증거가 되게 하려고 서로 주고받는 물건　　　　　　다른 가문을 결혼 상대로 생각하지 않을 것임
리잇고. 만일 생전에 백학선 임자를 만나지 못하오면 죽기로써 백학선을 지켜올지라."〈중략〉
　　　　　　　　　　　유백로　　　　　　　　　　　　　약속, 절개　Link 소재의 의미 ❷
낭자 이어 왈,

"충신(忠臣)은 불사이군(不事二君)이오, 열녀(烈女)는 불경이부(不更二夫)라 하오니 소녀는
　　　　　충성스러운 신하는 두 임금을 섬기지 아니함　　　　정절이 굳은 여인은 두 남편을 섬기지 아니함　　　　유백로
결단코 다른 가문을 섬기지 아니할 것이오. 하물며 그 사람을 잠깐
　　　　　　　다른 가문에 시집을 가지 않을 것이라는 의미
보아도 신의를 가진 군자니 무신(無信)할 이 없을 것이오. 또한 백
학선은 세상 보배라, 무단히 남을 주지 아니할까 하나이다."
　　　　　　　　　함부로　　Link 소재의 의미 ❸
하거늘 조 공이 들음에 그 철석같은 마음을 억제치 못할 줄 알고 하
릴없어 이 뜻으로 최국양에게 전한대 최국양이 분노를 이기지 못하
　　　　　　　　　　이어질 사건 전개를 짐작하게 함 – 최국양의 보복으로 조은하의 삶이 평탄하지 않을 것을 암시함
여 장차 해할 뜻을 두더라.
　　　　　　　　　　　　　▶유백로에 대한 은하의 마음을 알고 혼사를 단념하는 조 공과 이에 앙심을 품는 최국양

차설 이때 가달이 강성하여 자주 중원을 침범하거늘 상이 최국양으로 우승상을 삼아 도적을
파하라 하교하시니, 최 승상이 황명을 받자와 경성으로 올라갈새 형주 자사 이관현을 보고 가
만히 부탁하여 왈,

"내 아자로 조성로의 여아와 정혼하였더니 제 무단히 퇴혼하니 그런 무신한 필부 어디 있으
리오. 조그만 일개 미미한 직책으로 감히 대신(大臣)을 희롱함이니 내 마땅히 저의 일문을 살
해할 것이로되, 국사로 올라감에 『그대는 조성로의 일가를 잡다가 엄형 중치(嚴刑重治)하여
만일 허락하거든 용서하고 듣지 아니하거든 대신을 속인 죄로 엄하게 다스려 즉사하게 하고
그 딸은 음행(淫行)으로 다스려 관비로 정속(定屬)케 하라." / 하고 경사(京師)로 가니라.

형주 자사가 즉시 하향현에 명을 내리어 조성로의 일가를 성화같이 잡아 올리라 하니, 하향 현
령 전홍로 아전을 보내어 조성로를 잡아오라 한대, 아전이 조부에 이르러 이 사연을 전하고 아중
(衙中)으로 감을 재촉하거늘, 공이 짐작하고 관차(官差)를 따라 관부에 이르니 현령이 문 왈,

"그대는 이 일을 아는가?" / 공이 생각하되 이 반드시 최국양의 지시인 줄 알고 전후곡절을
자세히 고하니, 현령이 듣기를 다함에 가련히 여겨 왈,

『관문(關文)대로 잡혀 보내면 죽기를 면치 못하리니 내 일시 관원으로 왔다가 애매한 사람을
사지(死地)에 보냄은 도의가 아니라. 하물며 자사(刺史)도 최국양의 부촉(咐囑)을 듣고 인정
을 돌아보지 아니할 것임에 그대는 바삐 돌아가 밤에 도주하여 자취를 멀리 감추라."』
하고 즉시 회답하되 연전에 조성로가 도주하여 없는 줄로 탈보(頉報)하고 조 공을 놓아 보내
니 조 공이 현령의 은덕을 못내 사례하고 급히 집에 돌아가 황금 삼백 냥을 가지고 여아를 더
불어 유생을 찾으려 하고 도로 산 넘고 물 건너 남경으로 향하니라.

▶ 전홍로의 도움으로 죽음을 면하고 남경으로 향하는 조은하

핵심장면 ③ 유백로는 백학선을 준 소녀를 찾지 못해 병이 들고, 마침 외숙인 전홍로가 사정을 듣고 조은하의 소식을 전해 주는 부분이다.

차설, 선시(先時)에 유 어사가 우연히 소상강(瀟湘江)을 지나다가 여랑을 만나 백학선을 주
고 백 년의 약속을 한 후 일편단심이 어느 때 잊지 못하여 사모하는 마음이 간절하나 감히 이
런 사연을 부모께도 고하지 못하고 무정세월을 보내며 헤아리되 그 여자 장성하여 혼인할 때
되었는지라. 그 여자를 찾아 평생 원을 이루고져 하나 부모 명 없이 떠나기 어렵고 또한 몸이
벼슬에 매여 처신하기 극히 어려움에 다만 장우단탄(長吁短歎)으로 추월 춘풍을 허송하더니,
이때를 당하여 천자 특별히 순무사를 명하여 바삐 발행하라 하심에 즉시 하직하고 청주로 향

할새 위연 탄식하여 왈, '오늘날 이 길을 당하니 정히 내 원을 마칠
때로되, 다만 그 여자의 거주를 알지 못함에 장차 어찌하리오.' 하고
청주에 들어가 민정을 살피며 방방곡곡을 찾아다니되 마침내 종적
을 알 길이 없어 쓸쓸한 심사를 이기지 못하여 침식이 불감하여 자나
깨나 잊지 못하더니 이러구러 자연 병이 되어 더욱 심해짐에, 결국

Link
출제자 🔑 인물의 갈등을 파악하라!

❶ 최 승상과 조 공의 갈등 양상은?
• 최 승상이 자신보다 낮은 직책의 조성로가
자신에게 퇴혼한 것을 괘씸하게 생각함.
• 권력을 부당하게 사용하여 혼사 강요를 하
려 함.

❷ 유백로, 조은하의 내적 갈등은?
인연을 맺은 사람과 만날 수 없는 것

실려 하향현에 돌아오니, 현령 전홍로는 어사의 <u>외숙(外叔)</u>이라. 어사의 병세 예사롭지 아니
외삼촌
함을 보고 어사더러 왈,

"네 일찍 등과하여 <u>청운</u>에 올라 <u>물망</u>이 극진하고 하물며 양친이 계시니 이만 즐거움이 없거
높은 지위나 벼슬을 비유적으로 이르는 말   여러 사람이 우러러보는 명성과 인망
늘, 이제 네 병세를 살핀즉 반드시 사람을 <u>오매불망(寤寐不忘)</u>하여 일념에 맺혀 잊지 못하는
상사병
병이니 심중에 걸린 말을 하나도 속이지 말고 자세히 이르라." / 하거늘,

어사는 숙부의 말을 들음에 자기 병증을 짐작하는 줄 알고 속이지 못하여 자초지종을 고한데,
현령이 듣고 대경 왈,

"이러한 술이야 어찌 알았으리오. 과연 『<u>언전</u>에 형주 자사가 나에게 공문을 보내어 조성로의
맺해 전
삼 모녀를 잡아 올리라 하였기로 <u>괴히</u> 여겨 조성로를 불러 그 연고를 물은즉 네 말과 같이
이상야릇이
여차여차하기로 그 <u>정상(情狀)</u>을 불쌍히 여겨 가만히 도망하게 하였더니, 그 후 <u>탐지</u>하여 들
있는 그대로의 사정과 형편   『 』: 조은하 가문이 겪은 일을 요약적으로 제시   소식을 알아내기 위해 더듬어 찾아
은즉 <u>백학선 임자를 찾으려 남경으로 갔다 하더라.</u>"
유백로   조은하의 행방을 유백로에게 전함
하거늘, / 어사가 이 말을 듣고 심사 더욱 산란하여 간장을 찢는 듯한지라. 바삐 남경으로 가
고자 하나 국가 중임을 폐치 못할지라. 『장차 표를 올려 병을 얻었다고 아뢰고, 바로 남경으로
유백로는 현재 순무사 벼슬을 하고 있음   『 』: 유교적 충의보다 남녀 간의 애정을 중요시하는 면모
나아가 그 <u>여랑</u>을 찾을까 하고 <u>계교</u>하더라.』   ▶ 외숙에게 조은하의 소식을 듣고 남경으로 가려는 유백로
서로 견주어 살펴봄

최우선 출제 포인트!

1 '조은하'와 '유백로'의 성격

조은하	유백로와 혼약을 맺기 위해 노력하며, 포로가 된 유백로를 직접 구출하기도 함.	→ 여성 권위 향상과 영웅적 활약을 보여 줌.
유백로	조은하로 인해 상사병에 걸리고, 국가의 중임보다 조은하를 찾는 것을 우선시함.	군신 간 충보다 남녀 간의 신의와 애정을 중시함.

2 '백학선'과 관련된 사건의 의미와 역할

사건	의미와 역할
조은하가 소상 죽림에서 처음 본 소년에게서 백학선을 받음.	조은하와 유백로 사이에 앞으로 일어날 사건을 암시함.
유백로는 백학선에 글귀를 새겨 둠.	조은하를 반려자로 맞이하겠다는 유백로의 강한 의지를 상징함.
조은하가 백학선을 귀하게 간직하며 최국양의 청혼을 거절함.	조은하의 절개를 강조하는 구실을 함.
유백로가 조은하를 다시 만났을 때 백학선을 가졌는지 확인함.	조은하의 정체를 확인하는 기능을 수행함.

최우선 핵심 Check!

1 다음 내용 중 맞는 것은 ○표를, 틀린 것은 ×표를 하시오.

(1) 꿈과 현실을 교차하여 사건을 입체적으로 구성하고 있다. (   )
(2) 남녀 주인공이 혼약을 지키기 위해 고난을 이겨내는 애정 소설의 성격을 지닌다. (   )
(3) 주인공들이 겪고 있는 사건을 특정 소재와 결부시켜 주된 내용을 전개하고 있다. (   )

2 초성 힌트를 보고 빈칸에 들어갈 알맞은 말을 쓰시오.

(1) ㅂㅎㅅ 은/는 남녀 주인공의 사랑의 증표이자 매개물이다.
(2) 충과 같은 유교적 윤리보다 남녀 간의 ㅅㅇ 와 애정을 더 중시하는 가치관이 드러나고 있다.

정답 1. (1) × (2) ○ (3) ○ 2. (1) 백학선 (2) 신의

1등급! 〈보기〉!

제목 '백학선전'의 의미
'백학선'은 흰 학이 그려진 부채를 말하는데, 이는 남자 주인공인 유백로의 집안에 내려오는 귀한 보배로 사건을 이끌어 가는 중심 소재이다. 유백로의 어머니는 백학을 타고 내려온 청의동자의 꿈을 꾼 뒤 아들을 낳았기 때문에 이름을 '유백로'라 지었으므로, 그 이름에서 백학선의 존재를 암시하고 있다.

76위

양산백전(梁山柏傳) | 작자 미상

성격 초현실적, 전기적 **시대** 조선 중기
주제 생사를 초월한 두 남녀의 사랑, 고난 극복을 통한
애정 성취

소설

이 작품은 중국의 「양축 설화」를 수용하여 새롭게 창작한 것으로, 양산백과 추양대가 죽음과 재생을 통하여 애정을 성취한다는 결연담과 양산백의 영웅적 활약상을 그린 국문 소설이다.

주요 사건과 인물

발단
천상에서 죄를 짓고 적강해 명문거족의 집안에 태어난 양산백과 추양대는 13세가 되자 운향서원에서 함께 수학하고 의형제를 맺음.

전개
양산백은 추양대가 남장한 여자임을 확인하고 인연을 맺고자 하나 추양대는 후일을 기약하며 이별하는 글을 남기고 고향으로 돌아감.

위기
추양대는 양산백과의 인연을 아버지에게 고하나 아버지가 이를 반대하고, 추양대가 정혼하였음을 들은 양산백은 상사병에 걸려 죽음.

절정
추양대가 양산백의 무덤에 도착하자 무덤이 갈라져 이에 무덤 속에 뛰어들어 죽지만, 그들의 사연을 들은 옥황상제가 재생을 허락함.

결말
양가 승낙을 받고 추양대와 결혼한 양산백은 서달을 물리쳐 북평후에 오르고, 부귀영화를 누리다 80세에 추양대와 함께 승천함.

추 상서
양산백과 추양대의 결연을 반대함.

↔

양산백, 추양대
삶과 죽음을 뛰어넘어 사랑을 성취하고자 함.

핵심장면 ① 추양대의 정혼을 알게 된 양산백은 슬퍼하며 돌아가고, 추양대는 아버지의 뜻에 따라 심생과 혼사를 치르는 부분이다.

"그대는 대가의 군자를 만나 백년동락(百年同樂) 하려니와 박명한 이내 몸은 낭자로 말미암
〔심생을 가리킴〕 〔추양대를 가리킴〕 〔부부가 되어 한평생을 같이 살며 함께 즐거워함〕 〔추양대와의 혼사 장애로 말미암아 자신은 죽게 될 것임을 말함〕

아 천지간 원혼이 되리니, 그 어찌 가련치 아니하리오." / 소저 듣기를 다하고 덧붙여 왈,
〔추양대〕 □ : 주요 인물

"첩이 어찌 무의무신(無義無信)한 사람이 되리오마는 하늘이 우리를 미워하시어 차생(此生)
〔신용도 의리도 없음〕 〔이승, 지금 사는 세상〕

연분을 빌리게 아니하시니 누구를 한하리오. 첩은 가히 언약을 지키어 죽으려니와 군자는
〔양산백을 가리킴〕

아녀자를 위하여 명을 버림이 만만불가하오니 재삼 생각하소서."

하고, 시비를 명하여 주과(酒果)를 내와 친히 잔을 잡아 권하며 왈,
〔술과 과일을 아울러 이르는 말〕

"낭군은 만수무강하소서. 밤이 이미 깊었으매 오래 수작하면 반드시 부모께 책망을 받으리
〔술잔을 서로 주고받음. 서로 말을 주고받음〕 〔부모에게 간청하여 후당에서 양산백을 만나게 된 것임〕

니, 후일 황천(黃泉)에 가서 만나 보소서." / 하고 눈물이 비 오듯 하며 인하여 일어나 침소
〔저승〕 〔몹시 서운하고 섭섭하게〕

로 돌아가매, 산백이 어린 듯이 바라보다가 하릴없어 창연히 돌아가니라.
〔양산백을 가리킴〕 ▶ 양산백은 추양대가 정혼하였다는 사실에 슬퍼하며 돌아감

차설, 소저 산백을 보낸 후 심신이 산란하여 주야 번민하더니, 일월이 무정하여 길일이 되어
〔위엄이 있고 엄숙한 태도나 차림새〕 〔심생과의 혼례〕

심생이 위의를 차려 홍보 금관에 수안 백마로 추부에 이르니, 추 상서 이리하여 연회를 열어
〔붉은 빛깔의 보자기와 금으로 장식한 관〕

친척 배객을 모아 심생을 맞아 견면지례를 마친 후 신부 폐백함을 재촉하는지라. 소저 이날을
〔손님〕 〔얼굴을 보는 예. 여기서는 혼례를 치렀음을 의미함〕

당하매 이러지도 저러지도 못하는지라, 심중에 생각하되,

'잔명이 아직 죽지 못하였은즉, 부모의 명을 거역하여 불효의 죄를 짓는 것이 어쩔 수 없는
〔얼마 남지 아니한 쇠잔한 목숨〕

일이니, 임시방편으로 예식을 치르고 앞으로의 상황을 보아 일을
〔혼례를 치른 이후 죽겠다는 결심을 함 - 절(節)을 추구함〕

처리하리라.' Link 갈등의 양상 ❶, ❷

Link

출제자 톡 갈등의 양상을 파악하라!

❶ 추양대의 갈등 내용은?
부모에 대한 효(孝)와 남녀 간의 애정을 지키려는 절(節) 사이의 갈등

❷ 갈등 상황에서 추양대의 태도는?
추양대는 부모의 명을 좇아 혼인하여 '효(孝)'를 따르나, 기회를 보아 죽음으로써 '절(節)'을 추구하고자 함.

하여, 마음을 억누르며 약간 단장을 수식하고 신랑을 맞을새 칠보
〔일곱 가지 보배로 눈부시게 빛나는 중에〕

찬연 중에 수색이 가득하매 음력 보름날 밤 밝은 달이 떼구름에 싸
〔근심스런 기색〕 〔떼를 이룬 구름〕

였는 듯, 일지 홍련이 안갯속에 잠겼는 듯, 선녀 자태와 풍화 용모
〔붉은 빛깔의 연꽃〕

짐짓 장부의 간장을 사를러라. ▶ 추양대는 심생과 혼례를 치름

출제 우선 작품

고전 산문 **277**

산백이 병세 더욱 침중하여 황황하더니, 일일은 산백이 부모께 고 왈,
  심각하고 위중하여 갈팡질팡 어쩔 줄 모르게 급하더니
"소자 삼 년 공부하옵기는 입신양명하여 부모를 잘 모시고 문호를 빛내고자 함이러니, 괴이
                        유교에서의 효(孝)의 완성   상사병
한 병이 들어 부모께 불효를 끼치오매 이제 구천지하(九泉地下)에 죄인이 되올지라. 인력으
                      땅속 깊은 밑바닥이란 뜻으로, 죽은 뒤에 넋이 돌아가는 곳을 이르는 말
로 하올 바 아니오니, 다만 바라건대 부모는 불효자를 다시 생각지 말으시고 만수무강하소
서. 추 씨를 다시 보지 못하온 한은 죽어도 풀리지 아니 하올지라. 서찰 일봉을 이뤄 둘 것이
      추양대   ★ 주요 소재
오니, 소자 죽은 후에 서간을 추 씨께 전하여 한을 품고 죽은 것을 알게 하시고 소자의 시신
을 추 씨 왕래하는 길가에 묻어 주시면, 죽은 혼백이라도 추 씨 얼굴을 다시 볼까 하나이다."
하고 말을 마치며 긴 탄식과 한마디 말로 명이 다하니, 상서 부부 대성통곡 왈,
  "우리 부부 만년(晚年)에 너를 두었다가 의외의 정상(情狀)을 당하매, 이제 누구를 바라고 세
                                      딱하거나 가엾은 상태
  상에 일시나 머물리오."
하고 자로 기절하니, 좌우 구하여 인사(禋祀)를 차린 후 택일 안장할새, 망자의 소원을 좇아
  '자주'의 옛말   정결히 하고 제사를 지냄   편안하게 장사 지냄
추 씨 신행하여 가는 길가에 장사하니 이곳은 본디 항림이라 하더라. 〈중략〉 ▶상사병으로 양산백이 죽음
혼인할 때에, 신랑이 신붓집으로 가거나 신부가 신랑 집으로 감
  심생이 소저의 화용월태(花容月態)를 한번 보매 심신이 황홀하여 춘정을 이기지 못하여 정
          아름다운 여인의 얼굴과 맵시를 이르는 말
히 옥수를 이끌어 침상에 나아가고자 하더니, 홀연 공중으로서 붉은 옷을 입고 누른 관을 쓰
  여성의 아름답고 고운 손
며 백옥홀을 쥐고 완연히 나려와 소저의 일신을 옹위하여 심생으로 감히 범치 못하게 하거늘,
        천상계의 초현실적 힘이 추양대의 정절을 지켜 줌 - 양산백과 추양대의 운명적 사랑 강조, 비현실적 요소에 의한 사건의 전환
심생이 정신이 당황하여 갈팡질팡하고 한구석에 앉았더니 날이 밝아 오거늘, 소저 침소로 돌
아가 침석에 누워 생각하되,
  '가련한 낭군은 살아 나를 생각하는가, 죽어 나를 잊었는가. 외로운 이내 몸은 죽기도 임의
      양산백
  로 못하고 낭군도 다시 못 보니 그 아니 설울손가. 아직은 내 몸을 더럽히지 아니하였으나
  필경은 욕을 당할 것이니, 장차 어찌하리오.'
                              입몽
하고 탄식하며 생각하다가 잠깐 눈을 붙인즉, 사몽비몽 간에 산백이 학을 타고 소저의 누운
곳으로 들어오거늘, 소저 반겨 일어나 들입다 붙들고 문(問) 왈,
  "낭군은 어디로조차 오시나뇨. 차세 다시 못 보고 죽을까 하였더니, 이제 상봉하매 죽어도
                    이승
  한이 없을까 하나이다." / 한대, 산백이 눈물 흘리며 왈,
  "나는 그대로 말미암아 지하의 원혼이 되었거니와, 우리 백발 양친에게 불효를 끼치어 죽은
                  산백이 죽었음을 알려 줌
  혼이라도 죄를 면치 못할지라. 그러하나 나 죽을 때에 부친께 청하여 낭자의 신행하여 가는
  길가에 부디 묻어 주시고, 한 봉서를 낭자에게 부쳐 주소서 하였으니, 낭자는 그 서간을 찾
  아보라."
                                    각몽
하며 슬피 울거늘, 소저 그 말을 듣고 또한 체읍하다가 놀라 깨달으니 침상일몽이라. 이에 일
                  눈물을 흘리며 슬피 욺   잠을 자면서 잠깐 꾼 꿈
어나 슬퍼하며 왈,
  "낭군은 남자로되 신(信)을 지키어 능히 죽었거늘, 나는 여자로서 오히려 그저 살았으니, 후
        남녀 간의 신의

일에 무슨 낯으로 양랑을 보리오."
<small>양산백</small>

하더니, 이후로부터 산백이 밤이면 소저와 침석을 한가지로 하여 즐기는지라. 일일은 소저 문 왈,
<small>밤마다 양산백의 환신과 만남</small>

"낭군이 어찌하여 낮이면 종적이 없고 밤이면 오시나뇨." / 산백이 탄식하며 왈,

「"유명의 길이 다르기로 그러하거니와, 미구(未久)에 백주에도 다니며 즐기리라." / 하더라.」
<small>저승과 이승을 아울러 이르는 말</small>　<small>얼마 오래지 아니함</small>　<small>대낮</small>　▶추양대는 양산백의 환신과 만나 정을 나눔

일일은 소저 문득 한 계교를 생각하고 내당에 들어가 모친께 고 왈,
<small>「 」: 시댁에 간다고 하고 양산백을 따르려는 계교를 떠올려 이를 실행하려 함</small>

「"소녀 듣사온즉 부창부수(夫唱婦隨)는 삼종지의(三從之義)에 떳떳한 바라 하거늘, 소녀 군자
<small>남편이 주장하고 아내가 이에 잘 따름. 또는 부부 사이의 그런 도리</small>　<small>예전에, 여자가 따라야 할 세 가지 도리를 이르던 말</small>

와 성례한 지 이미 오래오되 시부모께 현알치 못하였사오니 시댁에 가고자 하나이다."」
<small>찾아가 뵘</small>　**Link** 사건의 전개 ❶, ❷

한대, 상서 부부 대희하여 즉시 엄숙한 차림새로 갖춰 칠보금덩에
<small>크게 기뻐하여</small>　<small>칠보로 호화롭게 꾸민 가마</small>

채의 시녀 옹위하여 시댁으로 보낼새, 소저 하직 왈,
<small>좌우에서 부축하여 지키고 보호함</small>　<small>자애로운 얼굴</small>

"소녀 금일 슬하를 떠나오매 이후 자안(慈顔)을 다시 뵈올 기약이 없
<small>부모에게 자신의 죽음을 암시함</small>

사오니, 바라건대 부모는 만수무강하소서." / 하거늘, 상서 부부 왈,

"네 이제 신행하여 시댁으로 가거늘 어찌 불길한 말을 하여 나의

심사를 어지럽히느뇨." / 하더라.
▶추양대는 양산백을 따르려고 결심하고 부모님께 하직 인사를 함

Link

출제자 틱 사건의 전개를 파악하라!

❶ 추양대가 생각해 낸 계교는?
시부모님을 보러 간다는 것을 핑계로 신행 길을 떠나 양산백이 남긴 서간을 찾아보고 양산백을 따르려 함.

❷ 추양대가 '부창부수'를 언급한 이유는?
표면적으로는 삼생을 따라 시부모를 뵈러 가는 것이 도리임을 말하는 것이지만, 이면 적으로는 양산백을 따르는 것이 도리임을 말함.

최우선 **출제 포인트!**

1 각 모티프의 의미와 역할

모티프	의미와 역할
태몽, 적강	• 남녀 주인공의 연분이나 결연 등의 미래에 대해 예시함. • 남녀 주인공의 비범성을 드러내고 신성성과 결부시킴.
혼사 장애	• 양산백과 추양대의 사랑을 더욱 강렬하게 고취시킴. • 당대 유교 사회의 모순을 지적함으로써 사회의식을 드러냄.
죽음	• 지고지순한 사랑의 극치를 보이며, 통과 의례적 성격을 지님. • 전통적 효의 개념보다 사랑이 우위에 있음을 강조함.
재생	• 남녀 주인공이 지상의 한계를 벗어나 이전의 무기력하고 미숙한 존재에서 강력한 신성한 존재로 변모하게 됨. • 남녀 간의 애정 추구, 자유 의지에 대한 긍정을 보여 줌.
영웅	• 주인공의 비범성과 영웅성을 드러냄. • 사랑의 성취를 재확인시킴.
승천	천상계로의 재편입을 의미함.

2 이 작품의 갈등 양상

추 상서(추양대의 아버지)		추양대
딸에게 자신이 정한 상대와 혼인할 것을 강요함.	←→	자신이 사랑하는 사람과 혼인하고자 함.

효(孝)		절(節)
자식 된 도리로 어버이를 잘 섬겨야 함.	←→	사랑하는 이와의 지조와 정조를 지켜야 함.

봉건 사회		인간 본성
인간의 본성을 억압하는 봉건적 유교 윤리와 도덕규범	←→	애정을 성취하고자 하는 인간의 본성

최우선 **핵심 Check!**

1 다음 내용 중 맞는 것은 ○표를, 틀린 것은 ×표를 하시오.

(1) 구체적인 시대를 언급하여 내용의 사실성을 높이고 있다. (　　)
(2) 장면에 따라 서술자가 교체되며 다양한 관점에서 사건을 해석하고 있다. (　　)
(3) 남녀 주인공인 양산백과 추양대는 초월 세계와 현실 세계를 넘나들며 사랑을 이어가고 있다. (　　)
(4) 양산백의 환신은 추양대와의 대화 중 두 사람이 함께하게 될 것을 암시하고 있다. (　　)

2 초성 힌트를 보고 빈칸에 들어갈 알맞은 말을 쓰시오.

추양대는 아버지의 명에 따라 혼례를 치르면서도, 이후 양산백을 따라 죽을 결심을 하고 있다. 이는 [ㅎ]'보다 애정을 중시하는 근대적 의식을 담고 있음을 나타낸다.

정답 1. (1) × (2) × (3) ○ (4) ○ 2. 효(孝)

77위

'강화'의 다른 이름

강도몽유록(江都夢遊錄) | 작자 미상

소설

이 작품은 병자호란 중 강화도 함락을 소재로 꿈속에서 일어난 이야기를 다룬 몽유록계 한문 소설로, 부녀자
들의 입을 통해 나라를 망친 조신(朝臣)들을 비판하고 있다.

주요 사건과 인물

발단	전개	결말
병자호란 중 강도에서 죽은 수많은 사람의 시신을 거두기 위해 청허 선사가 움막을 짓고 지내던 중 여인들의 혼령이 울분을 토하는 광경을 엿보게 됨.	열다섯 명의 여인들은 하나씩 자신이 겪은 이야기를 하며 남편이었던 관료들을 규탄하거나 허무한 죽음에 대한 한탄 등을 토로함.	이야기가 끝나고 부인들이 한꺼번에 통곡하자 청허 선사는 들킬까 두려워하며 수풀에 숨어서 물러 나오다 잠에서 깨어남.

청허 선사	'꿈'이라는 장치를 통해 부조리한 현실 풍자 및 비판	열다섯 부녀자의 혼령
꿈속에서 여인들의 혼령을 만나 그들의 하소연을 엿들음.	←	전쟁에 임하여 책무와 본분을 다하지 못한 지배층의 허물을 비난함.

핵심장면 ①

청허 선사가 강도에서 죽은 수많은 사람의 시신을 거두어 주기 위해 연미정 기슭에 움막을 짓고 지내다가 어느 날 꿈을 꾸는 부분이다.

☐ : 주요 인물

청허 선사는 손에 석장을 들고 달밤을 소요(逍遙)하고 있었다. 밤중이 되어 바람에 소리가
　　　　　　지팡이　　　　　　　　　　　　이리저리 슬슬 거닐며 돌아다님

들려오는데, 노랫소리 같기도 하고, 울음소리 같기도 했다. 그 노래와 웃음소리, 울음소리는
다 부녀들의 것으로서 한곳에서 들려왔다. 선사는 매우 이상히 여기고 가만가만 다가가 엿보
았다. 그곳에 수많은 부녀자들이 열을 지어 앉아 있었다. 어떤 사람은 얼굴이 쭈글쭈글했고
백발이 성성했다. 또 젊은 여인도 있었는데 삼단 같은 머리 하며 황홀하게 차려입고 있었다.
　　　　　　　　　　　　　　　　　　　　　　숱이 많고 긴 머리
『그들은 한데 있었는데, 비통하기 이를 데가 없었다. 청허 선사는 더욱 이상하게 생각했다. 좀
「 」: 혼령들이 전란 중에 모두 처참하게 죽었음을 드러내 줌
더 나아가 자세히 살펴보았다. 어떤 사람은 두어 발이 넘는 노끈으로 머리를 묶기도 했고, 또
다른 이는 한 자가 넘는 시퍼런 칼날이, 시뻘건 선지피가 엉긴 채 뼈에 박혀 있었다. 또 머리
통이 박살 났는가 하면, 물을 잔뜩 들이키어 배가 불룩한 사람도 숱했다.』 이 끔찍스런 참상은
　　　　　　　　　　　　　　　　　　　　　　　　　　　　　　　　　　　　비참하고 끔찍한 상태나 상황
두 눈 뜨고는 차마 볼 수 없었고, 날카로운 붓으로도 낱낱이 기록할 수 없는 생지옥이었다.
　　　　　　　　　　　　　　　　　　　　　　　　❯ 참혹한 모습을 한 부녀자들의 혼령을 목격한 청허 선사
한 여자가 울먹거리며 말했다.
영의정을 지낸 김류의 부인으로, 강도 검찰사 김경징의 어머니
"종묘사직이 전란을 입어 그 참상은 이루 다 말할 수 없습니다. 슬프외다! 하늘이 무심탄 말
왕실과 나라를 통틀어 이르는 말　　　　　　　　　　　　Link 인물의 비판 대상 ❶　　영의정 김류
인가요. 아니면 요괴의 장난인가요. 구태여 그 이유를 따지고 든다면 바로 우리 낭군의 죄
　　　　　　　　　　　　　　　　　　　　　　　　　　　　재상
이겠지요. 태보(台輔)의 높은 지위며 체부의 중책을 진 사람이 공론
　Link 인물의 비판 대상 ❷　　조선 시대에, 체찰사가 지방에 나가 일을 보던 관아　　강화도
을 무시한 소치입니다. 사정(私情)에 이끌려 편벽되게도 강도의 중
　　　　　　　　　　　개인의 사사로운 정　　검찰사. 국가 대사나 군사상 중대한 일을 검찰함
책을 제 자식에게 맡겼지요. 자식 놈은 중책을 잊고 밤낮 술과 계집
김경징(병자호란 당시 강도 검찰사로서 수비에 소홀했다는 탄핵을 받아 처형됨)
속에 파묻혀 마음껏 향락에 빠졌습니다. 장차 닥쳐올 외적의 침입을
까맣게 잊어버렸으니 어찌 군무(軍務)에 힘쓸 일을 생각이나 하겠습
　　　　　　　　　　　　　　　군사에 관한 일　　　　　Link 인물의 비판 대상 ❷, ❸
니까? 깊은 강, 높은 성 천험(天險)의 요새를 갖고도 이처럼 대사를
　　　　　　　　　'강화도'를 가리킴　　땅의 형세(形勢)가 천연적으로 험함
그르쳤으니, 죽어 마땅하지요. 슬프외다, 이내 죽음이여! 나는 떳떳
강화도를 지키지 못함　　　　　　　　　　　　　　스스로 목숨을 끊어 정절을 지킴

Link

출제자 틀 인물의 비판 대상을 파악하라!

❶ 여인이 슬퍼하는 이유는?
　종묘사직이 전란을 입어 참상이 말할 수 없을 정도이기 때문에

❷ 여인이 전란의 죄인으로 지목한 사람은?
　재상이었던 남편과 강도의 중책(강화도 수비)을 맡았던 아들

❸ '한 여자'의 말을 통해 작가가 드러내고자 한 것은?
　전란 당시 조정 신하들의 불충과 무능을 비판함.

이 자결했다고 자부합니다. 다만 제 자식 놈이 살아 나라를 구하지 못했고 죽어 또한 큰 죄를 지었으니, 이런 오명(汚名)을 어떻게 다 씻어 버리겠어요. 쌓이고 쌓인 원한이 가슴 속속들이 박혀 한때라도 잊을 날이 없군요."

더러워진 이름이나 몡에   Link 인물의 비판 대상 ❷, ❸   ❯ 전란의 참상 이유를 남편과 자식에게 돌리며 한탄하는 여인

핵심장면 ② 열다섯의 혼령 중 마지막 남은 두 혼령이 자신의 이야기를 하는 부분이다.

또 한 부인이 나섰다. 난초 같은 그윽한 기품과 고요한 자태가 눈 속의 송죽 같았다. 양미간을 찌푸리고 붉은 입술을 열어 말했다.

소나무와 대나무   두 눈썹의 사이

"저는 본래 선비의 아내로 낭군을 섬겨온 지 겨우 반년이나 될까요. 강도로 피난을 나왔다가 낭군이 덜컥 역질에 걸렸습니다. 아무리 위험이 닥쳐온들 잠시도 병상 옆을 떠날 수 없어 곁에서 모시고 있었습니다. 『그런데 금수(禽獸) 같은 되놈들이 어찌 가만둘 리가 있겠습니까. 그래서 혼백이 구천에 떨어졌습니다.』 이때 염왕이 말하기를, '광해군(光海君)의 말년에는 조정이 혼탁하여 임금과 신하가 제 신분을 망각하고 광분하였도다. 오직 네 할아비는 지조가 고결하여 이 모두 취한 속에서도 홀로 깨어 있었도다. 또한 강도의 풍우 속에서 모두들 절개를 버리고 삶을 도모하였거늘, 너는 여자의 몸으로 그 욕봄을 부끄럽게 여겨 죽음을 달게 받았도다. 전후 할아비와 손녀의 절개가 어찌 다르리요. 그 할아비에 그 손녀로다. 참으로 아름답고 아름답도다. 이러므로 너는 천당에 들어가서 만세토록 길이 행복을 누리라.' 했습니다. 그러니 비록 젊은 나이에 죽었다고 한들 어찌 한이 되겠습니까. 다만 한스런 것은 백발의 양친과 나이 어린 낭군이 풍진 속에 간신히 살아남은 것입니다. 아침저녁으로 슬프게 우는 소리며 꽃 지는 봄바람 오동나무에 내리는 이슬에 애타게 흐느끼며 눈물 마를 날이 없으니, 이별의 슬픔을 더욱 북돋는군요. 그러니 부모를 여의고 죽은 것은 이른바 불효요, 남편보다 먼저 죽은 것은 현숙하지 못한 것입니다. 나의 지은 죄를 어찌 다 말할 수 있겠습니까."

하고 흐느낀다.   ❯ 정절을 지킨 공으로 천당에 갔지만 부모와 남편보다 먼저 죽었음을 슬퍼하는 여인

모든 부인들은 제각기 슬픔을 이기지 못하여 깊이 탄식하기도 했고, 눈물을 줄줄 흘리기도 했으며, 대성통곡하기도 했다. 글로는 그것을 다 표현할 수 없었다.

조금 시간이 흘렀다. 한 여자가 일어나 사람 속을 왔다 갔다 했다. 그녀는 두 눈동자가 샛별같이 유난히 빛나고 초승달 같은 눈썹이며 삼단 같은 머리는 가히 선녀라 할 만했다. 선사는 매우 이상히 여기며 속으로 생각했다.

아름다운 여인을 묘사할 때 쓰는 상투적 비유

'직녀가 은하에서 내려왔나, 월궁에서 항아가 내려왔나. 만일 직녀라 한다면 견우 낭군을 이별한 뒤에 만나지 못했으니 당연히 슬픔에 싸여 눈물을 흘릴 것이다. 또한 월궁의 항아라면 긴긴 밤 독수공방에서 애타게 그리워한다고 홍안은 늙어 가고 백발이 성성할 터인데, 도무지 이 여자는 복사꽃 아롱진 뺨에 근심 어린 빛이 전혀 없으니 알지 못할 일이로다. 이 또한 괴이한 일이구나.' / 혼자 온갖 궁리를 했으나 알 수 없었다.

❯ 근심이 없어 보이는 아리따운 여인에 대해 궁금해하는 선사

이때 그 여자가 방긋 웃으며 말했다.

"첩은 기생이라, 노래와 춤이 널리 아름답습니다. 뭇 사내들의 경쟁 속에 밤마다 운우지정(雲雨之情)을 즐겨 인생 환락이 극도에 달했습니다. 혼자 곰곰이 생각해 보니 사람에게 가장 _{남녀 간의 정} 귀한 것은 정절입니다. 그래서 하루아침에 마음을 가다듬고, 깊은 규중에 들어가 오래도록 _{부녀가 거처하는 곳} 한 남편을 섬겨 다시는 두 마음을 먹지 않으려고 결심을 했습니다. 그러나 뜻밖에도 난리가 일어나 꽃 같은 청춘이 그만 지고 말았습니다. 사실 오늘 밤 이 높은 회합에 제가 낀다는 것 _{정절을 지키려다 죽은 사대부 여인의 혼령들에 비해 기생이었던 자신은 너무 부족하기 때문에} 은 너무나 과분합니다. 외람되게 숭렬(崇烈)하신 여러분들의 곁에 끼어 다행히도 좋은 말씀 _{분수에 넘치게} _{절개가 높은} 많이 들었습니다. 그 절의 높으심과 성렬(貞烈)의 아름다움은 하늘도 감동하고 사람마다 탄 _{여자의 지조나 절개가 곧고 굳음} 복하지 않을 사람이 없겠습니다. 몸은 비록 죽었지만 죽은 것이 아닙니다. 강도가 함락되고 남한성(南漢城)이 위태로워 상감마마의 욕되심과 국치(國恥)가 임박하였지만, 충신 절사(忠 _{나라의 치욕} _{충성과 절개를 지키는 선비} 臣節士)는 만에 하나도 없었습니다. 다만 부녀자들만이 정절이 늠름하였으니, 이는 참으로 _{정절을 지키다 죽은 부녀자들을 칭송하고 위로함} 영광스런 죽음이옵니다. 그런데 왜 그리 설워하십니까?"
　　　　　　　　　　　　　　　　　　▶ 절의 있는 충신은 없고 부녀자들만 정절을 지켰다고 말하는 기생
　이 말이 끝나자마자, 좌중의 여러 부인들이 일시에 통곡했다. 그 소리는 참담하기 그지없었고 차마 들을 수 없었다. 선사는 혹시나 알아차릴까 두려워 숲 속에 숨어서 몸 둘 바를 모르고 있었다. 날 새 기를 기다려 물러 나오다 별안간 깨어 보니 한 꿈이었다. **Link 작품의 구성 방식 ❷**
　　　　　　　　_{꿈에서 깨어남}　　　　　　　▶ 혼령들의 이야기를 듣고 물러 나오다 꿈에서 깨어나는 선사

출제자 특강 작품의 구성 방식을 파악하라!

❶ 꿈속 이야기의 내용 전개 방식은?
각 혼령이 차례로 자신의 사연을 이야기하는 나열식 전개 방식

❷ 이 작품의 전체적인 구성 방식은?
'현실-꿈-현실'의 환몽 구조, 액자식 구성 방식

최우선 출제 포인트!

1 서술상 특징
• '꿈'이라는 장치를 통해 죽은 자들의 혼령을 불러내어 현실 비판 의식을 드러내고 있다.
• '꿈'을 꾼 사람은 사건을 목격할 뿐 참여하지 않고 있는데, 이런 목격담의 형식은 감추어진 사건의 진상을 드러내려는 작가의 의도가 가장 잘 나타나는 서사적 방법이다.

2 이 작품에 등장하는 여인들의 부류

전란 중에 허무하게 죽어 간 것을 한탄하는 부류
전란에 임하여 관료로서의 책무와 인간적인 본분을 다하지 못한 남편, 자식, 시아버지의 행위를 비난하는 부류
시아버지와 할아버지가 척화를 주장한 공로로 자신들이 하늘 세계에서 선녀로 있게 된 것을 자부하는 부류

→
• 당시 집권층의 잘못을 비판함.
• 집권층의 허물
　- 잘못된 인사 등용
　- 병자호란 때 화의론을 내세워 임금이 항서를 올리는 치욕을 겪게 한 것 등

↓

척화의 대의와 여인의 정절을 높이 평가하는 작가의 관점이 강하게 드러남.

3 '열다섯 번째 혼령'의 역할
다른 혼령들은 모두 사대부가 출신의 여인들이지만, 열다섯 번째 혼령은 기생 출신이다. 그녀는 전란 중에 여인들만이 정절을 지키다 죽었으니 영광스러운 죽음이라며 혼령들을 위로하고, 충성과 절개를 지킨 선비들이 없었다고 꾸짖으며 마무리함으로써 주제 의식을 드러내는 역할을 하고 있다.

최우선 핵심 Check!

1 다음 내용 중 맞는 것은 ○표를, 틀린 것은 ×표를 하시오.
(1) 시간적, 공간적 배경을 작품 속에서 확인할 수 있다. (　　)
(2) 여러 부인의 역사적 사건에 대한 기억을 재구성함으로써 전란의 참상을 극복할 수 있는 현실적인 방안을 제시하고 있다. (　　)
(3) 여인들의 입을 통해 역사적 사건과 인물들에 대한 기억을 재구성으로써 사건의 감추어진 진상을 밝히고 있다. (　　)

2 초성 힌트를 보고 빈칸에 들어갈 알맞은 말을 쓰시오.
(1) ㄲ 속의 사건이라는 문학적 장치를 통해 현실에 대한 비판을 제기하고 있다.
(2) ㅂㅈㅎㄹ을/를 국가적 치욕으로 끝나게 한 집권층의 잘못된 정치를 고발하고 있다.

정답 1. (1) ○ (2) × (3) ○ 2. (1) 꿈 (2) 병자호란

78위

김인향전(金仁香傳) | 작자 미상

성격 전기적, 교훈적 **시대** 조선 후기
주제 계모의 학대로 인한 가정의 비극과 권선징악

소설

이 작품은 「장화홍련전」을 모방한 작품으로 계모가 전처소생을 학대하는 계모형 가정 소설이다. 주인공인 김 인향이 계모의 모함으로 죽임을 당하지만 원혼이 되어 억울함을 풀고 환생하여 부귀공명을 누리게 되는 과정 이 그려져 있다.

 주요 사건과 인물

발단	전개	위기	절정	결말
태종 때 평안도 안주의 좌수 김석곡은 부인 왕 씨와의 사 이에 아들 인형, 딸 인향과 인함 세 남매를 얻었는데, 왕 씨가 죽자 정 씨를 후처로 맞이함.	정 씨는 얼굴은 아름다우나 마음이 고약하여 전처소생 인 삼 남매를 구박하고, 자신 의 자식이 태어나자 삼 남매 를 제거하려 함.	정 씨는 인향을 부정한 여인 으로 모함하고, 이를 믿은 김 좌수가 인향에게 인향을 죽 이라고 명령하여 인향이 죽 고, 인함 또한 언니의 뒤를 따라 자결함.	고을에 인향 자매의 원혼이 나타나 억울함을 호소하자 조정에서 보낸 김두룡이 정 씨의 흉계를 밝혀 악인을 처 단하고 자매의 시신을 안장 해 줌.	인향이 약혼자 유성윤의 꿈 에 나타나 자신이 살아날 방 법을 알려 주고 유성윤이 인 향의 말대로 행하자 인향 자 매가 살아남.

	선인			악인	
인향, 인함	**김두룡**	**유성윤**		**정 씨**	**노파**
계모의 학대로 죽었다 가 환생함.	인향 자매의 사연을 듣 고 흉계를 밝혀 정 씨 와 노파를 처형함.	꿈속 인향의 암시를 따 라 죽은 인향 자매를 살림.	선인의 승리, 권선징악	외모는 아름답지만 마음 이 간악하여 전처소생들 을 없애려 함.	정 씨와 짜고 인향이 잉 태한 것으로 모락함.

핵심장면 ① 정 씨의 모함으로 인향이 외간 남자와 정을 통하여 아이를 뱄다는 소문을 듣고 아버지 김 좌수가 인향을 죽이라고 명하는 부 분이다.

좌수 이리하여 '인향을 잡아 오라.' 하니, 인형이 황망히 들어가니, 이때 인향 소저 인함을 데
_{김석곡, 인형 등의 부친} _{인향의 오라버니} _{마음이 몹시 급하고 당황하여} _{'아가씨'를 한문 투로 이르는 말}
리고 바느질만 하며 모친을 생각하더니, 오라비 인형이 들어오는 양을 보고 반겨 내달으니,
_{돌아가신 어머니를 그리워함}
천만의외에 오라비 불변 안색하고 이르되,
_{뜻밖에} _{얼굴색이 굳어 정색을 하고}

"누이야, 내 말을 들어 보아라. 우리 삼 남매 모친을 일찍 이별하고 슬픔을 금치 못하는 중 에 모친의 경계하시는 말씀이 심중에 맺혀, 계모에게 행여 득죄할까 염려하고 지내더니, 어 _{큰 잘못을 저질러 죄를 얻음} **Link** 인물의 처지 ❶ 찌하여 네가 행실이 부정하여 아이를 배었단 말이 원근에 낭자하여 아버님께서 너를 죽이라 _{멀고 가까운 곳에 왁자지껄하고 시끄러워} 하시고, 나로 하여금 '잡아오라' 하시니, 진실로 실행함이 있느뇨? 네 몸을 본즉 잉태한 모양 **Link** 인물의 처지 ❷ 같으니, 신병으로 그러한지 모르거니와 이런 변이 어디 또 있단 말이냐!" _{몸에 생긴 병}

하고 실성통곡을 하며 이르되,
_{정신에 이상이 생길 정도로 슬프게 통곡함}

"너를 죽이는 것은 차마 보지 못하겠다."

하고 밖으로 나와 좌수 앞에 꿇어앉아,

"한 번만 용서하여 주시면 후일 무슨 일이든지 소자가 담당하오리다."

Link
출제자 톡 인물의 처지를 파악하라!

❶ **삼 남매의 현재 처지는?**
모친이 돌아가시자 아버지가 계모를 들였 고, 계모와 문제가 생길까 염려하며 지냄.

❷ **인향에게 생긴 사건은?**
외간 남자와의 통정으로 임신하였다는 소문 을 들은 아버지가 인향을 죽이라 명함.

❸ **이 작품에서 주인공이 처한 상황을 드러내 는 방식은?**
인물의 대화를 통해 드러내고 있음.

하고 애걸복걸하는 말이,

"후원에 가 인향을 보온즉 신병이 중하였사오니, 이번 한 번만 용 서하여 주시면 후일 무슨 일이 있으면 소자가 담당하겠사오니, 죄 당 많사오나 용서하여 주옵소서. 차마 잡아오지 못하였사오니 그 저 살려 주옵소서." ▶ 인향을 살려 달라고 애원하는 인형

이때 좌수 발연대로하며 일변 춘삼을 불러 왈,
_{왈칵 크게 성을 내며} _{한편}

"후원에 가 인향 소저를 잡아오라."

하니 춘삼이 수명하고 후원 인향당에 들어가 인향을 풍우 같이 잡아온지라.

이때 인향이 정신이 아득하여 어찌할 줄 모르고 병든 몸을 가누지 못하여 따라 나와 부친 앞에 꿇어앉으니, 좌수 진노하여 왈,

"삼 남매를 애지중지하여 사랑하더니, 너의 모친이 기세(棄世) 이후로 더욱 불쌍히 여기어 차차 장성한 후에 유수 댁과 혼례를 하고자 하였더니, 그간에 이 같은 집안이 망할 일이 생하였으니, 세상에 어찌 의관을 하고 출입하리오. 그 말이 읍촌에 자자하여 너로 하여금 용납지 못하게 되었으니, 너를 죽여 종적을 감추리라."

하며 호령이 추상(秋霜)같으니, 인향이 그 말씀을 듣고 땅에 엎어져 혼절하여 어찌 되는 줄 모르다가 식경 후에야 정신을 차려 여쭙되,

"아버님은 어찌 그런 말씀을 하시옵니까? 계모님이 들어오신 후로는 『후원 초당에 있어 형제 의지하고 있사와 계모 시키는 대로 주야 일만 하며, 혹 추호라도 득죄할까 염려하고 일시라도 조심을 극진히 하옵더니, 천만 외에 이런 화를 당하오니 그중에도 몸에 병이 있사와 문밖 출입을 못 하였기에 롱 안의 든 새와 같삽고, 동기간 오래도록 우금(于今) 오 년 동안을 보지 못하였사온데,』하물며 외인을 상대하였사오리까? 또한 여자의 몸으로 실행하여 몸이 이렇듯이 잉태를 할진대 어찌 살기를 바라리오. 천지간 죄인이 어찌 용납하오리까? 죽기는 원통한 바 없사오나 더러운 누명을 입사오니, 철천지한(徹天之恨)이로소이다. 널리 통촉하옵소서."

좌수 더욱 분노하여 왈,

"간악한 뜻을 품을 줄을 어찌 알았으리오. 부모를 속이니, 이는 천지의 대간인(大姦人)이라. 뉘 앞에서 발명코자 하느냐?"

하며 호령이 추상같으니, 인향이 할 일 없어 어미를 부르며 통곡하는지라.

> 인향의 해명을 믿지 않고 추궁하는 김 좌수

정 씨 손뼉을 치며 하는 말이,

"내가 낳은 자식이면 당장에 때려죽일 터이지만, 이내 팔자 기박하여 남의 후취된 연고로 이런 변괴가 있어도 생사 간을 말할 수가 없으니, 좌수의 처분대로 하옵소서. 또한 양반의 자식이 되어서 불효가 되게 하였을 뿐 아니라 집안을 망케 하였으니, 차라리 내가 먼저 죽어 보지 않음이 마땅하다."

하거늘, 좌수 더욱 분기 대발하여 칼로 서안을 치며,

"너를 당장에 죽여 분을 풀 것이로되, 동네가 요란하겠기로 심천동 연못에 넣어 종적을 없이하리라."

하고 인형을 불러 왈,

"네 누이를 데리고 아무도 모르게 심천동 연못 속에 넣고 오라."

> 정 씨의 부추김에 김 인향을 죽이라고 명하는 김 좌수

Link
출제자 특 인물의 성격을 파악하라!

❶ 인향의 소문에 대한 김 좌수의 태도에서 짐작할 수 있는 그의 성격은?
자식의 목숨보다 가문의 명예를 중시함.

❷ 정 씨가 한 말의 의도와 이를 통해 알 수 있는 정 씨의 성격은?
인향의 죄가 죽일 죄임을 언급함으로써 김 좌수의 화를 더욱 부추기고자 하는 교활하고 간악한 인물임.

핵심장면 ② 아버지의 명을 받은 인형이 동생 인향을 심천동 연못으로 데려가자 인향이 따라가며 아버지께 고하는 부분이다.

이때 인향이 오라비를 따라가며 하는 말이,

"아버지는 소녀의 말씀을 다시 들어 보소서. 소녀 전생의 죄악이 지중하여 그러한지, 하늘이

_{매우 악한}   _{더할 수 없이 무거워}

밉게 여겨 그러한지, 천지간의 원악한 귀신이 되오니, 황천에 돌아가도 이 누명을 벗지 못할

_{부정을 저질러 죽임을 당하게 되었기에}   _{저승}

까 하나이다. 세상에 있어서는 인류에 섞이지 못하겠사오니, 이렇듯이 억울한 일이 어디에

있사오리까? 백옥같이 무죄하옵고 수경같이 맑사오니, 부친의 엄명이 이렇듯이 지중하옵시

_{물과 거울}

나, 부친은 널리 통촉하옵소서. 어머님 별세 후에 계모를 맞이했사와도 슬픈 회포를 잊지 못

_{마음속에 품은 생각이나 정}

하옵더니, 천행으로 어진 계모를 만나 일신이 편하옵더니, 계모 친소생을 낳은 후로 마음이

_{계모가 인향 남매를 구박하게 된 이유}

점점 변하여 우리 형제 뒷방에 갇혀 있어 부녀간에 의가 끊어지고 또한 형제간에 생이별을

하고 이와 같이 백 배 애매한 누명을 쓰고 죽게 되오니, 죽은 혼신인들 어찌 완전하오리까?

_{혼령}

어린 동생을 의지하여 지내다가 이제 죽어지면 우리 인함이 배고픈들 뉘가 알리오. 제 경상

_{인함}   _{좋지 못한 몰골}

그 아니 가련한가, 인함이나 어여삐 여기사, 박천 댁 외가로나 보내시면, 제 일신이 편할 것

_{홀로 남은 어린 동생을 챙기는 갸륵함}

이니, 부디 잊지 마옵소서. 소녀는 지하에 가서 어머님 혼신이나 뵈옵고, 이런 말씀이나 낱

낱이 여쭙고, 만일 물으시면 무슨 말로 대답하오리까?"

하며 부친을 돌아보고 눈물이 비 오듯 하여 옷깃을 적시거늘, 옆에서 보는 사람이 뉘 아니 슬

_{편집자적 논평}

퍼하며 뉘 아니 눈물을 흘리리오.

▶ 억울하게 죽임을 당하면서도 막내 인함을 걱정하는 인향

최우선 〈출제 포인트!〉

1 이 작품의 인물 관계

혈연관계 (비극적)	• 인향 – 아버지: 가문의 명예를 위해 자식을 죽임. • 인향 – 인함: 동생 인함이 언니를 좇아 죽음을 선택함.
비혈연 관계 (이중적)	• 계모 – 전처소생: 속으로는 '남'으로 인식하면서 겉으로는 위장된 도리나 윤리적 효로 대응함. • 계모 – 노파: 이익을 위해 공모할 때는 친밀해지나 상호 불리한 입장이 되면 서로 배척함.

2 이 작품의 서술 방식

주로 인형, 김 좌수, 인향, 정 씨 등의 대화로 사건이 전개됨. ➡ 대화의 내용을 통해 인향이 계모인 정 씨에게 모함을 당하고 좌수의 명에 의해서 죽을 위기에 처하는 과정을 서술함.

최우선 〈핵심 Check!〉

1 다음 내용 중 맞는 것은 ○표를, 틀린 것은 ✕표를 하시오.

(1) 인물 간의 대화를 통해 주인공이 처한 상황을 드러내고 있다. (   )

(2) 정 씨는 계모이기 때문에 전처소생인 인향을 함부로 벌하지 못하고 있다. (   )

(3) 김 좌수는 가문의 명예 때문에 자식을 죽이라고 명령할 정도로 가부장적인 인물이다. (   )

2 초성 힌트를 보고 빈칸에 들어갈 알맞은 말을 쓰시오.

(1) 전처의 소생이 계모와 갈등하여 비극적 사건이 발생하고 그로 인한 원한을 해소하는 ㄱㅁ 모티프가 반영되어 있다.

(2) 계모의 학대로 인한 가정의 비극과 ㄱㅅㅈㅇ을/를 주제로 하고 있다.

정답 1. (1) ○ (2) ✕ (3) ○ 2. (1) 계모 (2) 권선징악

▶ **1등급! 〈보기〉!**

「김인향전」과 「장화홍련전」의 차이점 → 우리책 102위(장화홍련전)

• 「장화홍련전」에서 계모는 경제적 욕망과 전처소생만 예뻐하는 남편 때문에 전실 자식을 학대하지만, 「김인향전」에서는 전적으로 계모의 성격적 결함에서 학대가 시작된다.

• 「김인향전」은 계모의 학대로 죽은 주인공이 재생하는 전기 소

설적 구조를 지니고 있으나, 인향의 죽음과 재생을 이끄는 결연 관계가 나타나는 점, 인향의 죽음이 누명을 벗기 위해 스스로 선택한 것이라는 점 등에서 「장화홍련전」과 차별성을 가진다.

• 「장화홍련전」에서의 계모는 박색이지만 「김인향전」에서의 계모는 미인으로 묘사된다.

79위

신유복전(申遺腹傳) | 작자 미상

성격 영웅적, 민족적 **시대** 조선 시대
주제 신유복의 고난 극복과 영웅적인 행적

소설

이 작품은 고아인 신유복이 여주인공 경패의 희생적인 사랑을 통해 고난을 극복하고 영웅이 되기까지의 일대기를 담은 영웅 소설로, 신유복의 활약을 통해 우리 민족의 능력과 위력을 보여 주고 있다.

주요 사건과 인물

발단
천상의 규성 선동인 유복은 죄를 짓고 인간 세상으로 적강하여 전라도 무주 땅 신 진사의 유복자로 태어남.

전개 1
유복은 부모를 잃고 유리걸식하다 상주 목사의 도움으로 호장 이섬의 사위가 되나, 처 가족들의 핍박을 받고 경패와 함께 쫓겨남.

전개 2
유복은 아내 경패의 헌신적 내조와 원강 대사의 도움으로 산속에서 7년간 글과 무예를 닦고 경패와 혼례를 치름.

절정
장원 급제하여 벼슬이 병조 판서에 이른 유복은 명나라의 원병장으로 출전하고 일향 대사의 도움을 받아 국력을 떨침.

결말
유복은 부귀영화를 누리다 만년에 벼슬에서 물러나 낙향하고, 부인과 함께 백일 승천함.

이섬과 처, 두 딸 경옥과 경란, 두 사위 ↔ 경패, 상주 목사, 원강 대사, 일향 대사
유복과 경패를 구박하며 내쫓음. 고난을 겪는 유복을 도와 영웅적 면모를 갖추게 함.

핵심장면 ① 신 원수가 일향 대사를 찾아가 전쟁에 참모로 참여하여 자신을 도와줄 것을 간청하는 장면이다.

신 원수가 대사를 향하여 큰절을 하니 노승이 몸을 굽혀 답례하며 말했다.
신유복 / 일향 대사. 조력자

"손님은 어디 계시며 무슨 일로 산중에 오셨습니까?"

신 원수가 공손하게 대답하였다.

"소생은 조선 사람으로 구원병 장수가 되어 이 땅을 지나가다가 법사의 높으신 이름을 듣잡
명나라의 원병장으로 출전한 신유복 / 불법에 통달하고 언제나 청정한 수행을 닦아 남의 스승이 되어 사람을 교화하는 승려
고 한번 뵈옵고자 하여 찾아왔나이다. 정결한 산중에 더러운 몸이 들어왔더니 존사께옵서
스승. 도사를 높여 이르는 말
잠이 들어 계시기에 이제까지 기다렸습니다."

노승이 신 원수의 말을 듣고 놀라는 체하며 동자를 꾸짖어 말했다.
일향 대사는 신 원수의 방문을 예견하고서도 모른 척하고 있음 / 절에서 심부름하는 아이

"귀한 손님이 오신 지가 오래되었거늘 어찌하여 나를 깨우지 않았느냐?"

동자로 하여금 자리를 마련케 하고 앉았다. 저녁밥을 올리었다. 신 원수가 밥상을 받아 보니, 사치 같은 것은 없고 소담하나 맛이 있었다. 세상에는 없는 음식이었다.
선계(仙界)적 성격이 드러남

밥을 물리고 후식을 먹은 뒤에 주머니에서 원강 대사의 편지를 꺼내 드리며 말했다.
신유복의 스승이자 조력자

「"소생이 구원병 대장으로 왔으나 지략이 부족하옵고 재주가 얕고 짧아서 포악한 도적을 맞
『 』: 신 원수가 일향 대사에 참모가 되어 주기를 간절히 바라는 자신의 소망을 직접 드러냄 / 명나라를 침략한 서번, 가달, 몽고군
당겨 이기지 못하겠나이다. 원강 대사는 소생의 스승이십니다. 사제의 정의를 생각하시고
스승과 제자의 따뜻한 마음과 의리
이곳으로 오던 길에 찾아와 이 편지를 주시면서 법사의 높으신 이름을 일러 주셨습니다. 법
사의 도학을 자세히 들었습니다. 청컨대 선생은 소생의 사정을 특
별히 생각하시어 도적을 치는 데 참모가 되어 주시기를 간절히 바
라옵나이다."」
주모자의 측근에서 활동하는, 지모(智謀)가 뛰어난 사람

▶ 일향 대사에게 참모가 되어 줄 것을 간청하는 신 원수

Link 인물의 성격 ❶

"노승이 산에서 내려가지 않은 지 만 십오 년이나 되는데 무슨 정
신이 있겠소. 원강이 잘못 지시하였구려."

신 원수가 다시 간청하였다.

Link

출제자 특❶ 인물의 성격을 파악하라!

❶ 신 원수가 일향 대사를 찾아간 이유는?
자신의 참모가 되어 전쟁에 참여해 줄 것을 요청하기 위해

❷ 일향 대사는 어떠한 인물로 그려지고 있나?
도학에 능한 인물로, 천문을 보고 앞날을 예견하는 신이한 능력을 지닌 인물임.

❸ 일향 대사는 어떠한 인물 유형에 속하는가?
조력자

「"소생이 잘못 들었을 리가 있겠습니까? 지금 도적이 성하여 중원을 침범하여 위태하게 되었

「┘ 일향 대사가 있는 산 또한 명나라 땅이며, 물과 흙도 명나라 것이므로 전쟁에 참여해야 한다고 설득함

으므로 천자가 깜짝 놀라시어 조선에 구원을 청한 것이옵니다. 만일 도적이 중원을 함몰하

면 명나라 사직은 일조에 망할 것입니다. 선생이 비록 산중에 계시나 이 산은 명나라 땅입니

나라 또는 조정을 이르는 말

다. 물과 흙이 명나라 것일진대 어찌 나라를 내어 버려두시겠습니까?"」

설의적 표현을 통해 전쟁 참여를 독려함

노승이 탄복하였다.

"소신이 어찌 사태가 그런 줄 모르겠소만 첫째는 내 나라를 아끼고, 둘째는 원강의 부탁을

일향 대사가 신 원수를 도우려는 이유

저버리지 못하겠기에 어제 천문을 살펴보았소. 그러했더니 규성(奎星)이 산 어귀에 비치었

이십팔수(二十八宿)의 열다섯째 별자리에 있는 별들. 문운(文運)을 맡은 별로서 이것이 밝으면 천하가 태평하다고 함

기에 귀한 손님이 오실 줄 알았소." Link 인물의 성격 ❷, ❸   ▶ 신 원수의 설득에 탄복한 일향 대사

일향 대사는 신 원수가 올 것을 예상하였음 – 일향 대사의 신이한 능력

핵심장면 ② 원병장으로 출전한 신 원수가 명나라를 침범한 적장 통골을 물리치는 장면이다.

"무지한 도적아. 천자의 자리를 모르고 대국을 침범하니 하늘님이 어찌 무심하겠느냐. 나는

명나라

조선국에서 온 구원 대장이다. 너희들을 씨도 없이 함락시키리라."

신유복   Link 작가 의식 ❶

적장 통골이 이 말을 듣고 말을 내어 몰며 크게 노하였다.

"소국의 어린아이로 감히 대국을 구원하려 한들 나를 저항할쏘냐. 부질없이 기운만 허비하

조선   명나라

지 말고 목숨을 부지하려거든 말에서 내려와 항복하라."

상당히 어렵게 보존하거나 유지하여 나감

신 원수가 크게 웃으며 말을 내달아 싸웠다. 칠십여 합에도 승부가 나지 않았다. 통골이 고

칼이나 창으로 싸울 때, 칼이나 창이 서로 마주치는 횟수를 세는 단위

함치고 달려드는 것을 원수가 철퇴를 들어 통골의 가슴을 치니 통골이 몸을 날려 피하고 다시

싸우니 두 장수의 재주는 서로 맞먹는 적수였다. 칼 빛은 햇빛에 번쩍이고 말굽은 분분하여

서로 우열을 가릴 수 없을 정도로 역량이 비슷함. 관련 한자 성어: 호각(互角)

자웅을 분별치 못할 지경이었다. 진시에서 술시까지 싸우나 그 우열을 가리지 못하였다.

승부, 우열, 강약 따위를 비유적으로 이르는 말   서로 우열을 가리기 힘든 형세. 관련 한자 성어: 백중지세(伯仲之勢)

두 진영의 장졸들이 서로 바라보니 천둥 번개 치는 것 같은 요란한 소리 속에 쌍룡이 여의주

신 원수와 통골의 싸움 장면을 비범하게 묘사함 – 영웅적 면모 부각

를 다투어 서로 희롱하는 것 같으며, 두 범이 먹이를 다투어 태산을 움직이는 듯하였다. 정신

이 아득하여 손에 땀을 쥐게 하는 광경이었다. 일향 대사가 두 장수의 싸움을 보다가 징을 울

려 군을 거두니 두 장수가 각각 본진으로 돌아갔다.   ▶ 서로 우열을 가리지 못한 신 원수와 적장 통골

원수가 물었다.

"선생님은 왜 징을 쳐서 소장을 부르셨습니까?"

"원수의 검술도 비상하오나 적장의 검술도 당대 영웅이니 힘으로 잡을 것이 못 되오. 묘한 계

신 원수와 맞서는 적대자를 뛰어난 능력을 지닌 인물로 설정하여 신 원수의 비범함을 부각함

교가 있소이다."

요리조리 헤아려 보고 생각해 낸 꾀

Link

출제자 Tip! 작가 의식을 파악하라!

❶ 이 장면의 주된 사건은?
신 원수가 구원 대장이 되어 일향 대사와 함
께 명나라를 침범한 적장 통골을 물리침.

❷ 이 장면에서 두드러지게 나타나는 것은?
신 원수의 영웅적 활약상.

❸ 이를 통해 작가가 나타내고자 한 것은?
민족적 자긍심과 우월감, 자주독립 정신.

여러 장졸을 불러 계교를 각각 가르쳤다. 본진 사면에 매복하였다

가 이리이리하라 하였다. 여러 장졸들이 장군 명령을 듣고 각각 진

「   」: 일향 대사의 참모로서의 역할 – 적장을 잡을 계교를 내고 가르침

지로 갔다.

언제든지 적과 싸울 수 있도록 설비 또는 장비를 갖추고 부대를 배치하여 둔 곳

이튿날 적장 통골이 진전에 나와서 크게 외쳤다.

진지(陣地)의 앞

"어제 해결 못 한 싸움을 결단하자."

『원수가 노기등등하여 맞서 싸운 지 오십여 합에 이르러 원수가 거짓으로 패하는 체하고 본
진으로 달아났다. _{통골을 본진으로 끌어들이기 위한 계략} 통골이 승세하여 급히 달려 붙었다. 명나라 진영에 들면서 짙은 안개가 일
어나고 흑운이 일어나 천지를 분별하기 어려웠다. _{유리한 형세나 기회를 탐} _{영웅의 위기 극복을 돕는 조력자의 여건 조성} 좌우 복병이 일시에 일어났다. 원수가 급하
게 말을 몰고 나와 치니 통골이 비록 영웅이라 하더라도 어찌 벗어날 수 있으랴. 통골이 정신 _{적을 기습하기 위하여 적이 지날 만한 길목에 숨긴 군사}
이 아득하여 미처 손을 놀리지 못할 때 원수의 칼이 빛나며 통골의 머리가 땅에 떨어졌다.』 **Link** 작가 의식 ❷, ❸

『 』: 조선의 장수인 신 원수가 구원 대장이 되어 오랑캐 통골을 물리치는 모습을 통해 민족적 우월감을 과시함   ▶ 일향 대사의 도움으로 적장 통골을 물리친 신 원수

최우선 출제 포인트!

1 이 작품의 전체 구조

전반부 – 영웅담	후반부 – 군담
신유복은 유복자로 태어나 유리걸식하고 처가에서 구박을 받지만, 아내 경패의 헌신적 내조로 과거에 급제하여 벼슬이 병조 판서에 이름.	신유복은 구원 대장이 되어 명나라를 침범한 가달, 서번, 몽고 장수들의 항복을 받아 내고, 명 황제로부터 위국공의 책봉을 받아 회군하여 부귀영화를 누림.

인물의 영웅적 면모 부각	민족적 우월감과 자주독립 정신의 표현

2 '신유복'이라는 영웅의 일대기 구조

고귀한 혈통	• 천상의 규성 선동이었던 유복이 죄를 짓고 인간 세상으로 적강함. • 월궁 선녀였던 경패가 옥황상제께 죄를 짓고 인간 세상으로 적강함.
비정상적 출생	신영 부부가 한라산에 백일기도를 드린 후 한라산 선관(仙官)의 현몽을 얻어 유복을 갖게 되고, 태중의 유복은 여섯 달 만에 아버지를 잃고 유복자로 태어남.
탁월한 능력	용모와 상이 비범하여 영웅의 기질을 지녔으며, 이를 상주 목사와 경패가 알아봄.
시련과 고난	어려서 부모를 잃고 유리걸식하다가 상주 목사의 도움으로 호장 이섬의 사위가 되나, 처가에서 멸시와 핍박을 받고 아내 경패와 함께 내쫓겨 극도의 생활고를 겪음.
위기의 극복과 성공	• 경패의 헌신적인 내조와 원강 대사의 도움으로 산속에서 7년간 글과 무예를 익힌 후 장원 급제하고 선정을 베풀어 벼슬이 병조 판서에 이름. • 자신을 핍박한 처가 가족을 용서하고 사위로서 인정을 받음.

3 이 작품의 주된 갈등

• 내면적 갈등

유리걸식하는 유복의 처지	←→	입신양명에 대한 유복의 욕구

• 외면적 갈등

유복, 경패, 상주 목사		처가 식구들
내면적 가치 중시	←→	외면적 가치 중시

유복, 일향 대사		통골, 통각, 벽로, 금강 도사 등
청병 원수와 참모가 되어 명나라를 구원함.	←→	명나라를 침범하여 유복, 일향 대사와 대결함.

최우선 핵심 Check!

1 다음 내용 중 맞는 것은 ○표를, 틀린 것은 ×표를 하시오.

(1) 장면마다 서술자를 달리하여 사건의 전모를 명확히 드러내고 있다. (　　)

(2) 시대적 배경에 대한 설명을 요약하여 사건의 인과 관계를 드러내고 있다. (　　)

(3) 인물의 외양을 과장되게 묘사하여 부정적 인물에 대한 풍자를 드러내고 있다. (　　)

(4) 일향 대사는 신 원수가 자신을 찾아올 것을 예견하고 있었다는 점에서 일향 대사의 신이한 능력을 엿볼 수 있다. (　　)

2 초성 힌트를 보고 빈칸에 들어갈 알맞은 말을 쓰시오.

(1) 명나라에 오랑캐가 침범했을 때 이를 물리칠 수 있도록 신유복에게 도움을 준 일향 대사는 영웅의 주인공을 돕는 [ㅈㄹㅈ]에 해당한다.

(2) 조선의 장수인 신 원수가 구원 대장이 되어 오랑캐 통골을 물리치는 모습을 통해 민족적 [ㅇㅇㄱ]을/를 과시하고 있다.

정답 1. (1) × (2) × (3) × (4) ○ 2. (1) 조력자 (2) 우월감

80위

김학공전(金鶴公傳) | 작자 미상

성격 영웅적, 권선징악적, 설화적 **시대** 조선 후기
주제 노비와 주인 간의 갈등과 주인을 배반한 노비
에 대한 복수

소설

이 작품은 조선 후기 신분제가 동요하던 사회상을 반영하여, 노주(奴主) 간의 갈등과 이에 대한 복수를 통해
권선징악의 주제를 담고 있다.

주요 사건과 인물

 발단
김학공은 어릴 때 아버지를
잃고 어머니, 누이와 외롭게
성장함.

 전개
노복들이 재산을 탈취하려
하자 학공의 어머니는 노비
및 전답 문서를 숨기고 떠남.

 위기
학공은 김동지의 딸 별선과
혼인해서 계도에 살던 중 노
복에게 정체가 발각됨.

 절정
별선은 학공 대신 바다에 던
져지고, 학공은 탈출하여 장
원 급제함.

 결말
학공은 원수를 갚고, 살아 돌
아온 별선과 부귀영화를 누
린 뒤 선계로 돌아감.

김학공	박명선	별선
재상 김태의 아들로, 자신을 배반한 노비에게 복수하여 원수를 갚음.	김학공 집안의 노비로, 그 집안의 재산을 탈취하고자 학공 모자를 죽이려 함.	김학공과 혼인하여 학공을 살리기 위해 자신을 희생함.

출제 우선 작품

핵심장면① 계도에서 자신의 신분을 숨기고 살던 김학공의 정체가 밝혀지는 장면이다.

□ : 주요 인물

이때 **학공**이 모친 슬하를 떠난 지 이미 십여 년이라. 『노비 전답 문서를 매양 의복 속에 넣어
　　　　　　학공은 어린 시절 어머니와 헤어져 계도로 들어왔음　　　　　　어머니가 학공을 위해 숨겨 둔 자산
남이 몰라보게 하였더니, 그 문서를 신부가 알까 염려하여 그윽한 곳에 감추고 종종 가 보더
니,』 동지가 마침 그것을 보고 왈,　『 』: 학공이 자신의 정체를 별선에게도 숨겼음을 알 수 있음
　　학공의 장인인 별선의 아버지

　　"거기다 무엇을 두고 저리 자주 보는고."

하고 즉시 가 보니 전대에 두루마리 뭉치가 있거늘, 가지고 저의 방에 들어가 떼어 보니 하였
　　　　　　　　돈이나 물건을 넣어 매거나 두르기 편하게 만든 자루　　관직명
으되, '강주 홍천부 북면에 사는 김 낭청의 아들 학공'이라 하였거늘, 동지가 대경하여 이르되,
　　　　　　　　　　　학공의 신분　　　　　　　　　　　　　　　　　　매우 놀라서
『"전일에 들으니 김 낭청 댁 종들이 낭청이 죽은 후 집의 가장이 없는 것을 보고 나쁜 마음을
　　　『 』: 동지가 김 낭청의 노비들이 재산을 탈취하고 학공을 죽이려 하였다는 사실을 이미 알고 있음을 알 수 있음
먹어 여러 놈들이 그 집을 탈취하여 가지고 와서 사는지라, 주야로 들으니 그놈들이 말하기
를 그 아들 학공을 잡아 죽여 후환을 없이 하자 하는 말을 들었더니 이리될 줄 어찌 알았으
리오."』

하고 살펴보니 또 한 봉이 있거늘 자세히 보니 하나는 노비 전답 문서라. 동지가 대경하여 **별선**
　　　　　　　　　　　　　　　　　　　　　　　　　　　　　　　　　　　　　학공의 아내
을 불러 왈,

　　"너희 둘을 보지 못하면 눈에 암암하여지더니, 이런 참혹한 일이 어디 있으리오."
　　　　　　　　　　　　　　속이 상하고 시무룩해지더니
하며 전후곡절을 말하니, 별선이 대경하고 낙루하며 왈,
학공이 겪은 일과 학공이 노비 전답 문서를 숨긴 일을 가리킴　　　눈물을 흘리며
　　"이 말이 만일 누설되면 낭군은 목숨을 잃을지라, 이 일을 어찌하면 좋으리이까? 부친은 이
　　　　　　　　　학공을 죽이려 하는 노복들이 주위에 있기 때문
말을 경솔히 누설치 마옵소서."
　　남편의 안위를 걱정하며 비밀을 지킬 것을 당부함
하더라.
　　　　　　　　　　　　　　　　　　　　　　　　　　　　▶동지와 별선이 학공의 정체를 알게 됨

　　이때 학공의 나이는 십팔 세요, 별선의 나이는 십육 세라. 부부가 흥락하여 주야로 즐겁더
　　　　　　　　　　　　중심인물들에 대한 정보　　　　　　　　　　흥에 겨워 즐거워함
니, 일일은 별선이 낭군께 문 왈,
　　　　　　　아버지와 형을 아울러 이르는 말
　　『"낭군은 본디 어디 살아 계시며 부형은 뉘라 하시나이까?"』
　　　『 』: 학공의 신분을 이미 알고 있지만 모르는 척하며 물어봄
　　학공이 대 왈,
　　　　　대답하기를

"조실부모한 고로 알지 못하노라." Link 인물의 의도 ❶
신분을 숨기기 위해 거짓말을 함

하니, 별선이 또 문 왈,

"낭군이 홍천 북면촌에 사시던 김 낭청의 자제가 아니나이까?"
자신이 알고 있는 사실을 직설적으로 이야기함

학공이 변색 대 왈,
놀라움의 심리를 학공의 외양 변화를 통해 드러냄

"이 말이 어인 말인고?"

하니 별선이 대 왈,

"첩에게 감추지 마옵소서."

하고 서의 부친이 하시던 말씀을 자세히 말할 즈음에, 그 모 홍 씨가 딸의 방으로 놀러 오다가
김학공의 장모인 별선의 어머니

창밖에서 들으니 여차여차하거늘, 이 말을 듣고 놀라 천방지방 달려와 호흡을 통치 못하다가
별선과 학공의 대화를 우연히 들음   놀라움의 심리를 홍 씨의 행동을 통해 드러냄

동지에게 왈,

"여아의 방에 갔다가 들으니 저의 내외하는 말이 사위가 홍천부 북면에서 살던 김 낭청의 아

들이라 하니 매우 수상하더이다."

동지가 크게 꾸짖어 왈,

"어디서 부당한 말을 듣고 옮기는가?"
김학공에 대한 말을 옮기는 부인을 질책함

하고 별선을 불러 왈,

"너의 모친이 마침 네 방에 갔다가 너희들이 여차여차하는 말을 듣고 와서 나에게 이르니 어

찌된 말이냐?"

별선이 듣고 망극하여 왈,

"저희의 목숨은 부모님께 달렸사오니 불초한 자식을 보아 각별 조심하여 주옵소서."
정체가 밝혀지면 노복들에 의해 목숨을 잃을 수 있기 때문에

학공이 이 말을 듣고 또 들어와 엎드리며 왈,
장인

"복망 빙부께옵서는 널리 생각하사 이 말을 누설치 마옵소서. 만일 이 말이 누설되오면 불쌍
간절히 바라기를

한 인생이 살기 어렵사오니 깊이 통촉하옵소서."
                          Link 인물의 의도 ❷

하니, 동지가 학공의 손을 잡고 왈,

"장부가 아니로다. 어찌 대장부가 이만한 일을 두려워하리오. 내 어찌 이 말을 누설하리오.
                                                    비밀을 지키겠다고 말하며 학공을 안심시킴

조금도 염려치 말라."

Link
출제자 특강 인물의 의도를 파악하라!

❶ 학공이 자신의 출생 배경에 대해 조실부모
하여 알지 못한다고 거짓말을 한 이유는?
학공은 아내를 포함하여 모든 사람에게 자
신의 정체를 숨기고 싶어 했기 때문임.

❷ 학공이 장인에게 자신의 정체를 누설하지
말아 달라고 간청한 이유는?
정체가 알려지면 계도의 노복들에게 목숨을
잃을 수 있기 때문임.

하니, 학공이 수심을 덜고 방으로 돌아오니라.   ▶홍 씨도 학공의 정체를 알게 됨
                근심하는 마음

수삼 삭이 되도록 아무 일이 없더니, 하루는 홍 씨가 술을 대취하
두서너 달   술에 취해 실수로 말을 전한 홍 씨 - 학공의 신분이 탄로 나는 계기

게 먹고 저의 동류에게 이 말을 하였더니, 차차 옮기어 한 사람이 알
                              관련 속담: 발 없는 말이 천 리 간다

고 두 사람이 알아 촌중에 자자하여, 의논이 분분하여 죽일 묘책을
                          학공의 정체를 알고 노복들이 죽이려고 함

의논하니 학공이 어찌 살기를 바라리오.
                          ▶정체가 밝혀져 위기에 처한 학공
서술자의 개입 - 학공이 목숨을 잃을 위기에 처했음을 드러냄

자사가 들어가며 좌우 산천을 바라보니, 『산도 예 보던 산이오, 물도 예 보던 물이고, 수목도
　김학공　　　　　　　Link 인물의 심리 ❶
예 보던 수목이라.』 슬프다. 옛일을 생각하니 비회를 측량하지 못할러라. 자사가 감색을 불러
　　　　　　　　　└ : 과거와 달라지지 않은 계도의 모습　　　　슬픈 시름을 헤아릴 수 없다　　　　　감관과 색리를 아울러 이르는 말
죽을 위기에 처한 학공을 별선이 대신 구하고 바다에 빠진 일

자사 왈,

"내 이 섬을 구경코자 와 보니, 섬은 절승지요, 또한 폐치 못할 섬이로다. 그러하나 인총(人
　　　계도에 온 진짜 목적을 숨기고 있음　　　　　경치가 빼어나게 좋은 곳　　　　　　　　일정 지역에 사는 사람의 수

叢)이 적으니, 온갖 구실과 전세를 탕감하여 백성이 모여 살게 하도록 나라에 장계했으니 그
　　　　　　　　　세금을 줄여　　　　　　　　왕명을 받고 지방에 나가 있는 신하가 자기 관하의 중요한 일을 왕에게 보고하던 일

리들 알라."

하니, 그곳 백성들이 분부를 듣고 여쭙되,

"태산 같은 덕택으로 안접(安接)하게 해 주옵소서."
　　　　　　　　　　　편안한 마음으로 머물러 살게
하더라. 자사 왈,

"너희들은 하나도 떠나지 말고 안접하라."
　　　　　　　　　학공을 죽이려고 한 노복들
하고, 『물가에 나와 배를 타고 떠나니 그놈들이 손 모아 축수하더라.』 자사가 '원수를 갚을 비계
　　　└ : 자사가 학공이라는 것을 모르고 기뻐하며 축수함　　　　　손을 마주 대고 빎　　　　　　　계략
를 얻으니, 어찌 즐겁지 아니하리오'하고, 육지에 다다르니, 각 읍 군마와 대선이 다 등대했더
　　　　　　　Link 인물의 심리 ❷　　　　　　　　　　　　　　　　　　병력　　　큰 배　　미리 준비하고 기다리더라
라. 자사가 기뻐 즉시 이 뜻으로 천자께 아뢰고, 황 승상과 임 감사에게 서간을 보내고, 도로

회정하여 섬으로 들어가더라.　　　　　　　　　　　　　　　　　❯ 자사가 되어 계도로 돌아온 학공
　돌아오는 길에 올라

　이때 그놈들이 자사의 말씀을 곧이듣고 양양자득(揚揚自得)하여 지내더니, 자사 다시 들어
　　　　　　　　　　　　　　　　　　　　뜻을 이루어 거만하게 잘난 체함
오신다 하거늘 더욱 기뻐하여 강두에 나와 맞으며 좋아하더라.
　　　　　　　　　　　　강가의 나루 근처
　자사가 들어갈 제 군졸더러 분부하여 왈,

"내가 이 섬을 포상하고자 하여 뜻을 나라에 아뢰었더니, 교지에 '다시 들어가 백성을 안무
　　　　　　　　　　　　　　　　　　　　　　　　　　　　　　　어루만져 위로하라
하라' 하시기로 내 다시 왔다. 『별로 분부할 말이 있으니, 너희는 가동주졸(街童走卒) 할 것
　　　　　　　　　　　　└ : 김학공이 일시에 노복들을 잡아들이기 위한 계략　　　길거리에서 노는 철없는 아이들이나 떠도는 사람들
없이 하나도 빠지지 말고 일제히 대령하여 영을 들으라.』

　이놈들이 모두 기뻐하여 남녀노소 가동주졸 할 것 없이 모두 다 모였는지라. 자사 장대에 높
이 올라 방포 일성에 백기를 휘두르니, 억만 군병이 일시에 응답하고 둘러싸는지라. 기치창검
　　　　　　　　　　　　　　　　　　　　　　　　　　　　　　　　　　군대에서 쓰는 깃발, 창, 칼
은 일월을 희롱하고, 고각함성은 천지에 진동하더라.
　해와 달　　　　　　　북을 치고 나발을 부는 소리
　자사가 그제야 완완히 나서며 모인 중에 분부하여 왈,
　　　　　　　　동작이 느리고 더디게
"타동 백성이 이 중에 있거든 좌편으로 앉으라."
　다른 동네
　　　잘못이 있는 노복들만 처벌하고, 무고한 백성들은 희생되지 않도록 조치함

Link
출제자 특강 인물의 심리를 파악하라!
❶ 학공이 계도의 산천을 보고 슬픔을 느낀 이
유는?
아내인 별선과의 즐거웠던 추억이 떠올랐기
때문임.
❷ 축수하는 사람들을 보고 학공이 즐거워한
이유는?
자사가 학공임을 알아채지 못한 노복들에게
복수할 계략을 세웠기 때문에

하고, 또 별선의 아비 내외도 좌편으로 가라 영을 내리시고, 그 남은
　　　　　　　　　　　　　　　　　　　　　　　　　　　　학공의 원수들
수를 살펴보니 부지기수라. 자사가 호통하여 말하기를
　　　　　　헤아릴 수 없을 만큼 많음
"너희들은 나를 모르느냐? 나는 강주 홍천부 북면에서 살던 김 낭
　　　　　　　　　　　　학공이 자신의 정체를 드러냄
청의 아들 학공이다. 너희는 『무슨 원수로 나의 부모 동생을 다 죽
　　　　　　　　　　　　└ : 질문의 방식으로 잘못을 질책함
이고자 하고, 나도 마저 죽이려 했더냐? 애매한 별선이만 죽인 것
　　　　　　　　　　　　　　　　　　　잘못 없이 억울한
을 아느냐?』 내 이제 부모 동생과 별선의 원수를 갚고자 하여 들어
　　　　　학공이 계도에 들어온 진짜 목적

왔으니, 너희는 내 손에 죽어 보라."

그놈들이 이 말을 들으매 대경실색하여 아니 떠는 놈이 없더라. 함정에 든 범이요 그물에 든 고
　　　　　　　　몹시 놀라 하얗게 질려　　　　　　　　　　　　　　　　움짝달싹 못하고 죽을 지경에 빠졌음을 비유적으로 표현
기라 어찌 도망키를 바라리요. 속절없이 학공의 손에 일조에 함몰하나니라.
　　　　　　　　　　　　　　　　단번에 원수를 갚는 학공　　　　▶ 학공이 자신의 정체를 밝히고 원수를 갚음

최우선 (출제 포인트!)

1 작품에 나타난 '노비'와 '주인'의 갈등

	갈등 관계	사건의 양상
1차 갈등	배반한 노복 ↕ 김학공 가족	노복들이 김학공 가문의 재산을 탈취하고자 함.
2차 갈등	강성해진 노복 ↕ 김학공	학공의 정체가 밝혀지자 계도의 노복들이 학공을 죽이려고 함.
3차 갈등	노복 ↕ 권력을 얻은 김학공	장원 급제하여 자사가 된 학공이 노복들에게 복수함.

2 작품에 담긴 사회적 배경

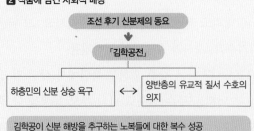

조선 후기 신분제의 동요
↓
「김학공전」

| 하층민의 신분 상승 욕구 | ←→ | 양반층의 유교적 질서 수호의 의지 |

김학공이 신분 해방을 추구하는 노복들에 대한 복수 성공
→ 유교적 신분 사회의 질서 회복 갈망

최우선 (핵심 Check!)

1 이 작품에 대한 설명으로 적절한 것은?
① 전기적 요소를 활용하여 갈등을 해결하고 있다.
② 작품 속의 서술자가 이야기하는 방식을 취하고 있다.
③ 인물 간의 대화를 통해 인물이 처한 상황을 나타내고 있다.

2 다음 내용 중 맞는 것은 ○표를, 틀린 것은 ×표를 하시오.
(1) 학공은 정체를 들키기 전까지는 아내인 별선에게도 노비 전답 문서를
　보여 주지 않았다. 　　　　　　　　　　　　　　　　　　　(　)
(2) 학공은 자신이 김 낭청의 아들인 것이 부끄러워서 정체를 숨기려고 했
　다. 　　　　　　　　　　　　　　　　　　　　　　　　　(　)
(3) 학공은 자신이 계도에 들어가는 진짜 이유를 감색에게 밝히지 않았다.
　　　　　　　　　　　　　　　　　　　　　　　　　　　(　)
(4) 학공은 계도에 있는 모든 백성을 죽임으로써 복수에 성공하였다.
　　　　　　　　　　　　　　　　　　　　　　　　　　　(　)

3 이 작품에서 실수로 학공의 정체를 발설함으로써 학공을 위기에 빠
뜨리는 인물은?

4 이 작품에서 학공과 갈등 관계를 형성하는 인물은?

정답 1. ③ 2. (1) ○ (2) × (3) ○ (4) × 3. 홍 씨 4. 노복(들)

81위

설홍전(薛弘傳) | 작자 미상

성격 전기적, 일대기적 **시대** 조선 후기
주제 운명에 따른 위기를 극복한 설홍의 활약상

소설

이 작품은 명나라를 배경으로 적강한 인물인 설홍이 수많은 고초와 시련을 극복하는 영웅적 활약상을 그리고 있는 영웅 소설이다.

주요 사건과 인물

발단
명나라 때 태어난 설홍은 계모 진 씨에 의해 산중에 버려짐.

전개
산중에서 생활하던 홍은 염라대왕에게 잡혀가지만 무죄가 밝혀져 인간 세상으로 돌아옴.

위기
진 씨가 홍에게 독을 먹여 온몸에 털이 나 짐승처럼 변하지만 꿈에서 노인이 준 약을 먹고 회복함.

절정
홍은 도승을 만나 수학하던 중 왕 승상의 딸을 구출하고 가약을 맺음.

결말
홍은 과거에 장원 급제하고 전장에서 영웅적 활약을 함.

설홍
천상계에서 적강한 인물로, 다수의 시련을 극복하고 대원수로서 활약함.

왕운선(왕 승상의 딸)
천상계의 선녀였다가 적강한 인물로, 설홍에 의해 구출된 후 그의 아내가 됨.

염라대왕
저승의 상제로, 이승의 행위에 관해 판단하여 상벌을 내림.

핵심장면 ① 사자가 홍을 결박하여 염라대왕에게 끌고 가는 장면이다.

□ : 주요 인물

사자 홍사(紅絲)를 내어 □홍□을 결박하여 이끌며 하는 말이,
저승사자 죄인을 묶을 때 쓰는 붉고 굵은 줄

"어서 가자, 바삐 가자."

성화같이 재촉하며 철퇴로 치니, 유혈이 낭자하며 전신을 쓰지 못하게 되었더라.
몹시 급하고 심하게   쇠로 된 몽둥이   피 여기저기 흩어져 어지러우며   지극한 정성으로

설홍이 정신을 잃어 아무리 할 줄을 모르다가 겨우 진정하여 지성으로 빌되, 왕명을 어이하
저승으로 끌려갈 수밖에 없는 처지의 설홍

리오. 사자를 따라서 저 있던 허공 산하를 바라보며 낙루 탄식 왈,
눈물을 흘리며 탄식하며 말하기를

"저 공산명월은 이제 가면 언제 볼꼬. 잔잔한 시냇가에 날아오는 천둥소리 다시 듣기 어렵도
사람 없는 빈산에 외로이 비치는 밝은 달   **Link** 인물의 심리 ❶

다. 봉황은 나를 버리고 어디로 갔는고. 내 소식이 망연하다."
어린 설홍을 도와주던 존재

넘을수록 청산이요, 건널수록 광파(狂波)로다. 다리는 죽장같이 붓고, 눈물이 비 오듯이 흘
저승으로 가는 과정이 고통스러움의 연속임을 나타냄   비유(직유법)를 사용해 고통스러운 상황을 형상화함

러 길을 분별치 못하더라. 그러구러『염라국을 돌아드니 철성(鐵城)을 둘렀는데, 문 지키는 나
Link 인물의 심리 ❷   이승을 떠나 저승에 들어가니

졸들이 장창 대검을 들고 혹좌혹립(或坐或立)하였더라.』『 』: 살벌한 저승의 모습
혹은 앉기도 하고 혹은 서기도 하였더라

그러구러 들어가니, 한 사자 이십 전 여아를 이끌고 오며 쇠뭉치로 치니 유혈이 낭자하거늘,

홍이 대경하여 사자에게 문 왈,
매우 놀라

Link
출제자 톡! 인물의 심리를 파악하라!

❶ 저승으로 잡혀가는 설홍의 심정은?
저승으로 떠나며 이승으로 다시 돌아오는 일이 어렵다고 생각하며 절망함.

❷ 저승으로 가는 길에 설홍이 눈물을 비 오듯이 흘리는 이유는?
저승으로 간다는 슬픔과 저승으로 가는 길이 험난하고 고통스럽기 때문에

"저 아이는 무슨 죄로 저다지 하나이까?"

그 사자 답 왈,

"저 아이는 본래 안남국 궁녀로서 신하를 간통하여 어진 성군을 죽
아이가 이승에서 저지른 행적을 밝힘 → 임금에 대한 지조와 충절을 중시하는 윤리 의식이 엿보임

이고 그 신하를 세우고저 하매 국내가 요란한지라, 가히 세상에 두

지 못할 인물인고로 잡아오나이다." ➤사자가 설홍을 염라국으로 끌고 감

핵심장면 ② 설홍이 염라대왕에게 무죄임을 호소하고 풀려나 설 처사를 만나는 장면이다.

그러구러 들어가니, 철성이 높아 하늘에 닿는 듯하고, 한 궁궐이 있으되 극히 엄숙하더라.
염라국의 엄숙한 분위기를 묘사함

출제 우선 작품

고전 산문 **293**

그 문에 이르러 문틈으로 살펴보니, 염라대왕이 통천관을 쓰고 몸에 곤룡포를 입고 뚜렷이
앉았거늘, 좌우를 둘러보니 홍단령 입은 선관이 무슨 책을 가지고 분주 창황하여 오락가락하
는지라.

그 안으로 들어가니 청령 소리 높이 나며 황건 쓴 나졸들이 왕방울을 둘러차고 맹호같이 달
려들어 설홍을 잡아가거늘, 홍이 혼백이 상천(上天)하고 정신이 탈진하여 죽은 듯이 엎드렸더
니, 전상으로서 염라대왕이 분부를 내리시되,

"설홍아, 들으라. 너는 삼태 선관으로서 상제전 모시는 선녀와 더불어 글 지어 화답한 죄로
지하에 내리어 사십 년을 구류하여 인간으로 쫓아 명국 금릉 땅 앵무동 설희문의 자식이 되
려니와 부모를 조실하고 여러 번 죽어 액을 겪게 하며, 그 선녀는 풍도(酆都)에 보내 십 년을
머무른 후에 명국 소주 땅의 구화동 왕녕의 여식이 되게 함이요, 고생으로 지내기 하늘이 정
한 일이거니와 이는 무엇이뇨. 『천명을 거슬리어 봉황으로 하여금 상제전 진공하는 천도(天
桃)를 입으로 앗아 먹으니,』 상제 알으시고 봉황은 쉰 길 지함에 가두고, 천도 맡은 선관은
멀리 유배를 보내시니, 이는 다 너로 하여 일어난 일이라. 내 문죄코져 너를 앞에 세우니, 죄
상을 바로 아뢰라. 일정 기망하면 네 살을 깎고 뼈를 빼어 바람에 흩어 버리고, 세상의 그림
자도 없게 하리라. 종실직고하라."

호령을 높이 하니, 재상의 선관이 영을 받아 내리니 대하에 황건으로 싼 나졸이 장창 대검을
들고 일시에 달려들어 설홍을 잡아 내려 주살하는 소리 하늘이 무너지는 듯하고 땅이 깨어지
는 듯하더라.

설홍이 정신을 다시 차려 아뢰되,

"소자는 만 번 죽사와도 아깝지 아니하오나, 소자 어찌 천명을 거슬리어 봉황으로 하여금 상
제전 진공하시는 천도를 앗아 먹사오리까. 어린 소견에 생각하오니 바람에 떨어져 물에 빠
지옵고, 잡초에 떨어져 임자 없이 버린 열매를 봉황이 물어다가 주었기로 먹었사오니 그걸
어이 죄라 하오리오. 또한 소자를 이렇게 잡아다가 천정으로 국문하옵시니, 만 번 죽사와도
이밖에는 다시 아뢸 말씀 없사오니, 복걸 대왕은 올바르게 밝혀 통촉하옵시어 가련한 목숨
을 살려 주옵소서. 세상을 보게 하소서."

왕이 설홍의 말을 듣고 다시 분부하되,

"너를 지옥에 가두어 세상을 보지 못하게 할 터이되, 네 말을 들으
니 일리 그러하다. 연이나 세상에 머물면 고생으로 지낼 터이기로
방송하거니와 일후는 다시 그런 허물을 없게 하라."

하며 문밖에 내치니라.

설홍이 죄를 면하고 세상에 나오게 되었으나 갈 바를 알지 못하여
부르짖더니, 이적에 처사 백운을 타고 지내다가 바라보니 설홍이 통

곡하거늘, 처사 일희일비(一喜一悲)하여 백운에 내려 설홍의 손을 잡고 눈물을 흘리며 가로
_{한편으로는 기뻐하고 한편으로는 슬퍼하여}
되,

"너는 나를 모르리라."

홍이 울음을 그치고 여쭈오되,

"소자 어지 존공(尊公)을 아오리까? 존공은 뉘시니까?"
_{설홍이 아버지를 바로 알아보지 못함}

처사 왈,

"나는 너의 부친이라, 너를 버리고 봉래산에 간 지 여러 해라, 네 어찌 알리오. 너는 무슨 일
_{설홍이 아버지와 헤어진 후 여러 해가 지남}
로 이곳에 왔느냐?"

홍이 그제야 부친인 줄 알고 재배하여 왈,
_{두 번 절하며}

"봉래산이 몇 만 리가 되옵기로 한 번 가시고 다시 오실 줄 모르시며 소식이 돈절(頓絕)하시
『　』: 자신을 버리고 간 아버지에 대한 원망 　　　　　　　　　　　　　　　　　　　_{딱 끊어지십니까?}
니까?』소자 부모를 여의고……."

『진 숙인에게 서러움을 당한 말이며, 봉황이 구하던 말이며, 염왕에게 잡히어 왔다가 모면된
_{홍을 학대하고 산에 내다 버린 계모 진 씨}
말을 자세히 고하고』『　』: 설홍에게 일어난 사건들을 요약하여 열거함

"갈 바를 내 알거니와 차역천수(此亦天數)라."
_{이 또한 하늘이 정한 운수라}
▶ 설홍이 아버지를 만남

최우선 출제 포인트!

① '저승'의 의미

| 저승 | • 이승에서 오갈 수 있는 구체적인 공간
• 이승의 행위에 대해 가치 판단을 내리는 공간
• 저승에서의 체험(안남국 궁녀에 대한 처벌)을 통해 윤리 의식을 강조하는 공간 |

② 기존 영웅 소설과의 공통점 및 차이점

| 공통점 | • 전반부에서는 남녀 주인공의 고행담과 결연담이 등장하고, 후반부에는 남자 주인공의 영웅담이 등장함.
• 인물의 일대기적 구성을 취함. |
| 차이점 | • 주인공의 시련이 여러 번 중첩되어 나타남.
• 초월적 세계를 넘나들거나 짐승으로 변하는 등 독특한 시련 과정을 겪음.
• 여주인공의 아버지가 노비에게 피살되는 내용에서 노비와 주인 간의 갈등이 나타남. |

최우선 핵심 Check!

1 다음 내용 중 맞는 것은 ○표를, 틀린 것은 ×표를 하시오.

(1) 저승의 분위기를 구체적으로 묘사하여 인물이 처한 부정적 상황을 실감나게 제시한다. (　　)

(2) 다른 공간에서 동시에 일어난 장면을 서술하여 입체감을 부각한다. (　　)

(3) 현실과 초월적 세계를 넘나들며 사건이 진행된다. (　　)

2 초성 힌트를 보고 빈칸에 들어갈 알맞은 말을 쓰시오.

이 작품은 주인공인 설홍이 현실과 ㅊㅇ적 세계를 넘나들며 수많은 고초와 시련을 ㄱㅂ하는 내용으로 전개되고 있다.

3 설홍으로 하여금 저승으로 잡혀 오게 되는 원인을 제공하는 소재는?

82위

두껍전 | 작자 미상

성격 풍자적, 우의적 시대 조선 후기
주제 조선 후기 신분제의 동요 양상과 당대의 세태
풍자, 장유유서와 권학 사상

소설

이 작품은 동물을 의인화한 우화 소설로, 노루의 잔치에 여우와 두꺼비가 초대되어 서로 윗자리를 차지하려고 다투는 동물의 세계를 통해 조선 후기 신분제의 동요 양상과 계층 간 갈등을 우의적으로 풍자하였다.

주요 사건과 인물

발단	전개	위기	절정	결말
노루가 천자로부터 벼슬을 받고, 백호산군(호랑이)을 제외한 짐승들을 초대하여 잔치를 엶.	짐승들이 서로 상좌를 차지하기 위해 다투고, 두꺼비가 최고 연장자로 뽑혀 상좌에 앉음.	여우가 두꺼비를 골탕 먹이려 하지만 오히려 모욕을 당함.	두꺼비가 여우의 배 속에 병이 있을 것이라 하자, 여우가 그 처방을 물음.	여우와 두꺼비가 이야기를 나누다가 대취하고, 두꺼비가 모두를 대표하여 감사를 표하고 헤어짐.

두꺼비	여우	토끼	장 선생(노루)
잔치 손님. 궤변(詭辯)으로 나이 많음을 인정받아 상좌를 차지함.	잔치 손님. 간사한 꾀로 두꺼비를 골탕 먹이려고 하지만 결국 패함.	잔치 손님. 다툼을 해결하기 위해 새로운 제안을 하는 중재자	잔치의 주인. 천자로부터 벼슬을 받아 자축하는 잔치를 베풂.

핵심장면 ① 장 선생(노루)의 잔치에 초대된 동물들이 서로 나이 많음을 주장하며 상좌를 다투는 장면이다.

『이때 이화 도화 만발하고, 왜철쭉 두견화가 새로이 피고 각색 방초가 드리웠으니 만학천봉에
└ 『 』: 봄의 아름다운 풍경을 묘사   □: 주요 인물   많은 골짜기와 산봉우리
춘홍이 가득하여 경개절승(景槪絕勝)한지라.』 주인 장 선생이 자리를 마련할 새 구름으로 차일
봄꽃   경치가 빼어나게 좋음   잔치를 베푼 노루   햇볕을 가리기 위해 치는 장막
삼고 산세로 병풍 삼고 잔디로 포진하고, 장 선생은 갈건야복(葛巾野服)으로 손님을 기다리더
거칠고 소박한 옷차림
니 동서남북 짐승 손님이 들어올 제,『뿔 긴 사슴이며, 요망한 토끼며, 열없는 승냥이며, 방정
└ 『 』: 잔치에 온 동물들을 열거
맞은 잔나비며, 요괴로운 여우며, 얼룽덜룽 두꺼비며, 까칠한 고슴도치며, 빛 좋은 오소리며,
만신이 미련한 두더지며, 어이없는 수달피』 등이 앞서며 뒤서며 펄펄 뛰어 문이 메게 들어오
니, 주인은 동쪽 계단에 읍하고『객은 서쪽 계단에 올라 상좌를 다투어 좌석의 차례를 결단치
인사하고   윗사람이 앉는 자리   『 』: 서로 상좌를 차지하려고 다투는 동물들 → 기존 신분 질서가 약화된 조선 후기 사회 모습의 반영
못하여 분분 난잡하니 주인은 어찌할 줄을 몰랐다.』 두꺼비는 원래 위엄이 없는지라 어수선하
Link 반영된 사회상 ❶
고 소란스러운 중에 아무 말도 못 하고 목구멍을 벌떡이며 엉금엉금 기어 한 모퉁이에 엎드려

거동만 보더니, 그중에 토끼란 놈이 깡충 뛰어 내달아 눈을 깜짝이며 말하되

"모든 손님은 훤화치 말고 내 말을 잠깐 들어보소." ❯ 잔치에 초대된 동물들이 상좌를 다툼
시끄럽게 떠들지 말고
주인 노루 대답하되 / "무슨 말씀이오니까."
장 선생

Link
출제자 특강 반영된 사회상을 파악하라!

❶ 동물들이 상좌를 다투는 모습이 반영하고 있는 사회상은?
상좌가 정해져 있지 않고 동물들이 서로 차지하려는 모습은, 기존의 신분 제도에 따른 지배 질서가 약화된 조선 후기의 모습이 반영되어 있음.

❷ 상좌에 앉는 사람을 정하기 위해 토끼가 제안한 새로운 질서는?
연치(나이)에 따라 자리를 정하는 것

❸ 동물들이 새로운 질서를 제안하는 모습을 통해 알 수 있는 당대의 사회상은?
신분 제도가 약화되면서, 지배 질서를 세우기 위한 새로운 질서가 대두됨.

토끼 왈

"오늘 잔치에 조용히 좌를 정하여 예법을 정할 것이거늘 한갓 요란
상좌를 차지하기 위해 요란하게 다투는 것을 지적
만 하고 무례하니, 아무리 우리 잔치인들 놀랍지 아니하랴."

노루란 놈이 턱을 끄덕이며 웃어 왈

"말씀이 가장 유리하니 원컨대 선생은 좋은 도리를 가르쳐 좌정케
이치에 맞는 점이 있으니   자리를 잡아 앉게
하소서."

토끼 모든 손님을 돌아보며 가로되

『내 일찍 들으니 '조정은 벼슬이요 향당은 나이'라 하오니 부질없이
조정에서는 벼슬의 서열이 첫째이고 마을에서는 나이의 서열이 첫째라는 뜻. 『맹자』에 나오는 말

Link 반영된 사회상 ❷, ❸

다투지 말고 연치(年齒)를 차려 좌를 정하소서."

『 』: 나이 순서에 따라 자리를 정하자고 제안한 토기

▶ 토끼가 연치에 따라 자리를 정할 것을 제안함

노루가 허리를 수그리고 펄쩍 뛰어 내달아 왈

"내가 나이 많아 허리가 굽었노라. 상좌에 처함이 마땅하다."

자신의 외양을 근거로 삼아 나이 많음을 주장하는 노루

하고, 암탉의 걸음으로 엉금엉금 기어 상좌에 앉으니, 여우란 놈이 생각하되, '저놈이 한갓 허리 굽은 것으로 나이 많은 체하고 상좌에 앉으니, 난들 어찌 무슨 간계로 나이 많은 체 못 하리오.'하고 나룻을 쓰다듬으며 내달아 왈

비윤리적인 행위로 목적을 이루고자 함

『내 나이 많아서 나룻이 세었노라.』 『 』: 노루와 마찬가지로 외양을 근거로 나이 많음을 주장하는 여우

수염

한대, 노루 답 왈

"네 나이 많다 하니 어느 갑자에 났는가. 호패를 올리라."

신분을 증명하는 패. 여우의 주장을 확인하기 위한 수단

하니, 여우 답 왈

『소년 시절에 호방하고 의협심이 있어 주색청루(酒色靑樓)에 다닐 적에 술이 대취하여 오다

의기가 장하여 작은 일에 거리낌이 없고   술과 여자가 있는 장소

가, 대신 가시는 길을 건넜다 하여 호패를 떼여 이때까지 찾지 못하였거니와, 천지개벽한 후

『 』: 호패를 올리라는 요구에 대한 변명을 내세워 상황을 모면하려는 여우

처음에 황하수 치던 시절에 나더러 힘세다 하고 가랫장부 되었으니 내 나이 많지 아니하리

여우가 나이 많음을 드러내기 위해 제시한 근거   자신의 나이가 많다는 뜻

오. 나는 이러하거니 너는 어느 갑자에 났느냐."

노루 답 왈

『천지개벽하고 하늘에 별 박을 때에, 나더러 궁통(窮通)하다 하여 별자리를 분간하여 도수를

『 』: 노루가 나이 많음을 드러내기 위해 제시한 근거   깊이 연구하여 통달하다

정하였으니 내 나이 많지 아니하리오."

하고 둘이 상좌를 다투거늘 두꺼비 곁에 엎드렸다가 생각하되, '저놈들이 서로 거짓말로 나이

많은 체하니 난들 거짓말 못 하리오.'하고 공연히 건넛산을 바라보고 슬피 눈물을 흘리거늘 여

두꺼비의 속마음

우 꾸짖어 왈

시선을 끌기 위해 의도된 행동

"저 흉간한 놈은 무슨 설움이 있기에 남의 잔치에 참례하여 상상치 못한 형상을 뵈느냐."

눈물을 흘리는 두꺼비를 의심하여 꾸짖음   ▶ 서로 나이가 많음을 주장하는 동물들

핵심장면 ② 여우와 두꺼비가 입씨름을 하는 장면이다.

또 여쭈되

"존장이 천지 만물을 무불통지하오니, 글도 아시니이까."

두꺼비   무슨 일이든지 환히 통하여 모르는 것이 없음

두꺼비 왈

"미련한 짐승아. 글을 못 하면 어찌 천자 만고 역대를 이르며 음양 지술을 어찌 알리오."

글을 알고 있음을 강조한 말

하거늘 여우 가로되

"존장은 문학도 거룩하니 풍월을 들으리이다."

아름다운 자연의 경치를 읊은 시

두꺼비 부채로 서안(書案)을 치며 크게 읊어 왈

책상

『대월강우입(待月江隅入)하니 고루석연부(高樓夕烟浮)라.

『 』: 한문 구를 사용하며 유식한 체하는 두꺼비의 모습을 풍자

금일군회중(今日群會中)에 유오대장부(惟吾大丈夫)라.』

솟는 달을 맞아 강가로 들어서니, 높은 누각에 저녁 안개가 이는구나

오늘 모인 뭇사람 가운데, 오직 나만이 대장부로다

▶ 여우 앞에서 유식한 체하는 두꺼비

읽기를 그치니 여우 왈

"존장의 문학이 심상치 아니하거니와, 실없이 묻잡느니 존장의 껍질이 어찌 우둘투둘하시나이까." Link 표현상의 특징 ❶, ❷

두꺼비 답 왈

『"소년에 장안 팔십 명을 밤낮으로 데리고 지내다가, 남의 몸에서 옴이 올라 그리하도다."』
└ 『 』: 껍질이 우둘투둘한 이유   전염 피부병의 하나. 연한 살에서부터 짓무르기 시작하며 몹시 가렵고 헐기도 함

여우 또 문 왈 / "그리하면 눈은 왜 그리 노르시나이까." Link 표현상의 특징 ❶, ❷

『"눈은 보은 현감 갔을 때에 대추 찰떡과 고욤을 많이 먹었더니 열이 성하여 눈이 노르도다."』
└ 『 』: 눈이 노란 이유   고욤나무의 열매로 감보다 맛이 달고 작음

또 물어 왈

"그리하면 등이 굽고 목정이 움츠러졌으니 그는 어찌한 연고입니까." Link 표현상의 특징 ❶, ❷

두꺼비 답 왈

"평안 감사로 갔을 때에 『마침 중추 팔월이라 연광정에 놀음하고 여러 기생을 녹의홍상에 초
음력 8월   평양의 대동강 강가에 있는 누각   곱게 차려입은 젊은 여자의 옷차림
립을 씌워 좌우에 앉히고, 육방 하인을 대하에 세우고 풍악을 갖추고 술에 대취하여 노닐다
└ 등이 굽고 목정이 움츠러진 이유
가, 술김에 정하에 떨어지며 곱사등이 되고 길던 목이 움츠러졌음에, 지금까지 한탄하되 후
└ 『 』: 방탕한 생활에 대한 묘사   등뼈가 굽어 큰 혹같이 불거진 등
회막급이라. 술을 먹다가 종신(終身)을 잘못할 듯하기로 지금은 밀밭 가에도 가지 않느니라.
목숨을 다하기까지의 동안
이른바 소 잃고 외양간 고치는 격이라."

또 문 왈 / "존장의 턱 밑이 왜 벌떡벌떡하시나이까." Link 표현상의 특징 ❶, ❷

두꺼비 답 왈

"너희 놈들이 어른을 몰라보고 말을 함부로 하기에 분을 참노라고
자연 그러하도다." ❯ 외양에 대한 여우의 질문에 재치 있게 대답하는 두꺼비

Link
출제자 톡 ❶ 표현상의 특징을 파악하라!
❶ 여우는 두꺼비의 외양을 어떻게 표현하고
있는가?
여우는 두꺼비의 '껍질', '눈', '등', '목정', '턱'
을 우스꽝스럽게 표현하고 있음.
❷ 여우가 두꺼비의 외양을 우스꽝스럽게 표현
한 이유는?
상대의 외양을 우스꽝스럽게 표현함으로써
자신이 우위를 점하기 위함.

최우선 출제 포인트!

1 작품에 반영된 사회상

이 작품은 의인화한 등장인물의 행태를 통해 조선 후기 사회의 세태를
풍자한 우화 소설이다. 조선 후기에는 굳건했던 기존의 신분 질서가 동
요하면서 새로운 질서가 대두되는 시기였다. 이 작품은 이러한 조선 후
기의 사회 변화 속에서 발생했던 향촌 사회의 계층 간 갈등을 반영하고
있다.

2 작품의 주제 의식

장유유서 (長幼有序)	여러 사람이 모인 자리에서는 나이 많은 어른을 공경 해야 한다는 생각이 담김.
권학(勸學) 사상	어른을 판별할 때 세상 이치를 많이 아는 사람을 어른 으로 판단함. → 지식이 곧 힘이라는 것을 일깨워 줌.

최우선 핵심 Check!

1 다음 내용 중 맞는 것은 ○표를, 틀린 것은 ✕표를 하시오.

(1) 동물을 주인공으로 내세운 우화 소설로 의인화 기법을 사용하고 있다.
( )

(2) 자리다툼 모티프를 사용하여 장유유서 사상을 비판하고 있다.
( )

(3) 등장인물 간의 대화를 통해 이야기가 전개되고 있다. ( )

(4) 두꺼비는 동물들 간의 다툼을 해결하기 위해 새로운 질서를 제시하는
인물이다. ( )

2 여우의 인물 유형으로 가장 적절한 것은?

① 예의 없고 비열한 인물
② 미련스럽고 우직한 인물
③ 인자하고 너그러운 인물

정답 1. (1) ○ (2) ✕ (3) ○ (4) ✕ 2. ①

83위

'강릉추월'이 새겨진 옥퉁소를 매개로 헤어졌던 부자가
상봉하는 이야기

강릉추월전(江陵秋月傳) | 작자 미상

성격 일대기적, 우연적   **시대** 조선 후기
주제 헤어진 가족과의 상봉과 영웅의 위대한 삶

소설

이 작품은 주인공 해선이 옥퉁소와의 인연으로 헤어졌던 부모와 상봉한 뒤, 초인적인 능력으로 우리나라를 넘어 중국의 국난까지 타개하는 모습을 담은 영웅 소설이다.

주요 사건과 인물

발단
신라 시대 강릉 사곡봉에서 선관에게 '강릉추월'이라는 옥퉁소를 받은 이춘백이 황해 감사로서의 일을 마치고 돌아오던 중 수적을 만나 조 부인과 헤어지게 됨.

전개
조 부인은 백운암에 들어가 아들 해선을 낳은 후 설영국에게 양자로 보냄. 해선이 3세 때 수적 장수백에게 납치되면서 그를 친부로 알고 자라 수적 여천추의 딸과 혼인하면서 '강릉추월'을 선물로 받음.

위기
장원 급제하여 황해도 어사가 된 해선이 운남도 도적들에게서 자신의 출생과 관련된 진실을 듣게 되고, 장수백과 여천추의 죄를 묻고 어머니를 찾음.

절정
수적을 만나 표류하다가 중국에 가게 된 이춘백은 촉의 승상이 되어 반란을 일킴. 이에 송나라에서 신라에 구원병을 청하고 해선이 참전하게 되면서 아버지를 만나게 됨.

결말
해선이 가진 옥퉁소를 확인하며 해선이 자기 아들임을 알게 된 이춘백이 송나라에 귀순하고 해선은 송나라의 부마가 되어 금의환향한 뒤 부귀영화를 누림.

해선
수적의 약탈 과정에서 친부모와 헤어지게 됨. 장원 급제 후 자신의 출생에 관한 진실을 알고 친부모를 찾게 됨.

장수백
수적의 우두머리로, 백학산에서 설영국의 수양아들이었던 해선을 납치하여 자신의 아들로 키움.

여천추
해선의 아버지인 이 감사가 탄 배를 약탈하면서 '강릉추월'을 탈취한 후, 해선을 사위로 맞으면서 '강릉추월'을 선물함.

핵심장면 ①   어사로 내려온 해선이 자신의 출생 비밀을 알게 되는 장면이다.

『해선은 바로 길을 떠나 먼저 해주로 들어가면서 여러 읍의 일을 차례차례 남모르게 염탐하
「 」: 장수백의 아들로 자란 해선이 장원 급제하여 어사를 제수 받고 해주로 온 상황임   몰래 남의 사정을 살피고 조사함
였다.』한 주점에 들어가니 어떤 사람들이 술을 먹으면서 서로 걱정하면서 말하였다.
해선 자신이 운남도 도적의 아들이라는 정보를 듣게 되는 공간

"해주는 운남도 도적 때문에 봉물이 마음대로 오가지 못하는구나. 그 놈들을 어찌하여야 잡
예전에, 지방에서 중앙으로 올리던 물품   해선의 친부인 이춘백을 가리킴
을 수 있겠느냐? 세상에 참혹한 일도 있도다. 『모년 모일에 강릉의 이 감사가 벼슬살이를 옮
「 」: 과거 일을 요약적으로 제시
겨 갈 적에 그 놈들에게 재물을 탈취당하고 나는 간신히 살아왔노라.』 그러니 그 놈들을 잡으
운남도 도적들   과거에 이 감사를 모시던 사람
면 만백성에게 적선하는 일일 것이다. 『이번에 급제한 사람이 운남도 도적의 아들이라 하니
착한 일을 많이 함   해선을 가리킴
자세히 알지는 못하지만 도적놈의 자식이 급제해서 무엇을 하겠는가?』"
해선   「 」: 해선에 대한 부정적 인식을 엿볼 수 있음

어사가 들으니 자신에 대한 말인지라, 이에 생각하기를, '운남도 도적이란 말은 내가 아직
해선
듣지 못한 바이지만, 만약 그렇다면 한심한 일이 아닐 수 없도다. 또 강릉 이 감사가 바람과
자신을 도적의 아들이라고 여기는 데서 나온 생각
파도를 만나 배가 뒤집혔다고 하였는데, 저 아전의 말을 들으니 분명한 사실이도다. 이제야
Link 인물의 역할 ❶
생각해보니 옥퉁소는 진정 이 감사의 통소요, 그때 탈취한 것이로구나.'하고, 그들에게 천연덕
옥퉁소가 이 감사의 것이라는 사실을 알게 됨   어사 신분을 감추는 해선의 모습이 드러남
스럽게 물었다.

"그때 이 감사는 죽었는가, 살았는가?"

Link

출제자 (톡) **인물의 역할을 파악하라!**

❶ 해선으로 하여금 자신이 운남도 도적의 아들임을 알게 해 주는 역할을 하는 인물은?
아전

❷ 해선이 자신의 출신을 알게 되는 결정적인 이야기를 한 인물은?
'그 도적', 즉 해선을 납치하여 키웠다고 말하는 장수백

그 아전이 말하였다.

"깨닫지도 못하는 사이에 갑자기 일어난 일이라 자세히 알 수는 없지만, 당시 모시고 있던 하인들 가운데서도 살아온 사람이 몇 아니
이 감사가 죽었을 것이라고 추측하게 함
됩니다."

어사가 들기를 마치고 마음속에 감추어두고는 운남도 도적을 탐문
출생의 비밀을 알게 되는 공간   이 감사의 죽음과 관련한 일을 알아내기 위해

하여 알아내고자 배를 타고 몰래 들어갔다.　　　　　　　　❯ 해선이 옥통소의 주인과 그 주인인 이 감사의 사건을 듣게 됨

『마침 어떤 집 마당에 큰 횃불을 놓고 여럿이 모여 앉아 분주하게 말하는 소리가 들렸다.』어
　『　』: 고전 소설의 우연성
사가 나무 사이에 몸을 숨기고 자세히 들으니『도적들이 훔친 물건을 자랑하면서 점고(點考)하
자신이 운남도에 왔음을 사람들이 알지 못하게 하기 위해　　　　　　　　　　　　　　　명부에 일일이 점을 찍어 가며 사람의 수를 조사함
고 있었다.』　『　』: 자신이 자란 운남도가 도적 소굴임을 알게 되는 계기에 해당

한 사람이 말하였다.

"자네 아들이 이번에 급제하였다는 소문은 있으나 한 달이 지나도록 어찌 도문(到門)하지 아
　　　해선을 뜻함　　　　　　　　　　　　　　　　　　　　　　　　과거에 급제하여 홍패(紅牌)를 받아서 집에 돌아오던 일
니하는고?"

그 도적이 대답하였다.
장수백. 해선을 납치하여 키운 양아버지
"이제 자네는 모르겠는가? 세상에 남의 자식이란 것은 다 거짓 것이라네.『어떤 일 때문에 백
　　　　　　　　　　　　　　　　　　　　　　　　　　　　　　　『　』: 해선이 장수백의 아들로 자란 경위를 요약적으로 드러냄
학산 동구를 지나갈 때 서역국 집 앞에 어떤 아이가 놀고 있었다네. 염탐하여 알아보니 역국
　　　　　　　　　　　　　　　　　　해선
의 수양자라 하더군. 살펴보니 거동이 비범하기에 데려다가 내 자식처럼 길렀으니 저인들
　　　　해선을 가리킴　　　　　　　　납치한 이유: 해선의 비범함을 알아챔　　　　　해선을 납치하여 데려다 기름
어찌 아비가 다른 줄 알리오? 그러나 무슨 마음으로 아직까지 오지 아니하는고? 아마도 남
　　　　　　　Link 인물의 역할 ❷
의 자식은 거짓 것인 듯하니 오지 않은들 어찌하겠는가?"

또 한 도적이 여천추에게 물었다.
　　　　　　해선의 장인
"저 사람은 그러하거니와 만일 오지 아니하면 자네 딸은 어이할꼬?"
　　　　　　　　　　　　　　　　　여천추의 딸이자 해선의 아내
이에 여천추가 말하였다.

"자네는 그런 말 하지 마소. 과거에 급제하여 유가(游街)하다 보면 자연히 더딘 것이라. 부모
　　　　　　　　　　　　　과거 급제자가 광대를 데리고 풍악을 울리면서 시가행진을 벌이고 시험관, 선배 급제자, 친척 등을 찾아보던 일　　　　장수백
와 아내를 두고 어찌 오지 않겠는가. 만일 오지 않더라도 우리 무리에게 무슨 상관이 있겠는
여천추의 딸　　　　　　　　　　　　　　　　　　　　　　　　　　　　해선의 친부인 이 감사
가. 내 딸은 다른 가문에 다시 시집가면 그만이로다. 그러나 가장 분한 것은 황해도 감사의
　　　　　　　　　　　　　　　　　　　　　　★ 주요 소재　　Link 소재의 역할 ❶
짐을 빼앗았을 때에 얻은 강릉추월이라는 옥통소로다. 그것이 기
　　　　　　　　　　　　해선이 아버지인 이춘백을 만나는 데 결정적인 계기가 되는 매개체
이한 보배이기로 깊숙이 감추어두었다가 사위라 여겨 주었더니 이
　　　　　　　　　　　　　사위가 된 해선에게 옥통소를 준 여천추
제 잃고 말았도다."

Link
출제자 특강 소재, 공간의 역할을 파악하라!

❶ 원래 이 감사의 물건이었으나 여천추가 강
탈하여 해선에게 선물한 물건은 무엇이며,
이 물건이 암시하는 바는?
강릉추월이라는 옥통소. 해선이 후에 친아
버지와 만나는 데 결정적인 역할을 할 것임
을 암시함.

❷ 해선이 운남도에서 들은 사실을 확인하기
위해 간 공간으로, 해선으로 하여금 자기 출
신의 근원을 알게 해 주는 공간은?
백학산

『어사가 그 말을 다 듣고 분한 마음이 하늘을 찌를 듯하고 간과 심장
　『　』: 해선의 차분한 성격을 엿볼 수 있음
이 떨리면서 견디지 못할 듯하였으나 모든 일을 어찌 급하게 처리할 수
　　　　　　　　　　　　　　편집자적 논평. 서술자의 개입
있으리오. 먼저 백학산을 찾아가서 서역국에게 자초지종을 물어 보리
　　　　　　　　　　　　　　　　　　　　해선 자신이 서역국의 수양자임을 확인하기 위해
라 하고 즉시 그곳에서 나와 주점으로 돌아갔다.』 Link 공간의 역할 ❷
　　　　　　　　　　　　　　　　　　　❯ 자신의 출생과 이 감사의 죽음과 관련된 진실을 듣게 된 해선

핵심장면 ❷ 해선이 운남도에 다시 들어가서 도적들을 물리치고 장수백과 여천추를 벌하는 장면이다.

『마침내 어사는 해주 군진에서 쓰는 무기와 기치를 앞세우고 인근 읍의 군졸과 합세하여 사
　『　』: 해선이 운남도 도적들을 소탕했음을 알 수 있음　　　예전에. 군대에서 쓰던 깃발
천 명을 거느리고 선문 없이 길을 떠나 깨닫지 못하는 사이에 운남도로 들어갔다. 운남도에
　　　　　　　　어떤 일이 일어나기 전에 미리 알리는 소문　　　　　　　　　　　운남도에 몰래 침입하였음을 알 수 있음
들어가 첩첩이 포위하여 도적을 소탕하고는 우선 장수백과 여천추를 잡아내어 꿇어앉히고 다
른 도적도 차례차례 꿇어앉힌 뒤에 큰 횃불을 사방에 밝히고 형산맹호(荊山猛虎)처럼 앉아 장
　　　　　　　　　　　　　　　　　　　　　　　　　　　　　　　　가시나무 가득한 산의 사나운 범

수백을 형문하였다.』
_{죄인의 정강이를 때리며 캐물음}

"천하대적 장수백아, 너의 죄를 네가 아느냐? 또 나를 아느냐? 보아라."

수백이 머리를 들어서 보니 과연 저의 아들이었다.
_{운남도 도적인 장수백이 해선의 양아버지임을 알 수 있음}

"우리 아들 해선아! 네 부모인 줄 몰라보고 이렇게 하느냐? 내가 무슨 죄가 있어서 자식이

저의 부모에게 이렇게 하느냐?" Link 인물의 언행 ❶

어사가 군사를 호령하여,
_{주릿대나 무기 따위로 쓰던 붉은 칠을 한 몽둥이}

"주장으로 입을 찍으라." 하니,
_{해선의 분한 마음이 드러나는 말}

"이놈 장수백아, 너는 도적질하며 훔치지 못할 것이 없이 파렴치한 짓을 하였으니, 백학산
_{해선을 납치한 일을 뜻함}

동구에 가서 무엇을 도적질하였느냐? 네 죄가 많으니 자세히 아뢰어라."

수백이 그제서야 말하였다.

"일이 이미 발각되었으니 어찌 그럴듯한 말로 속일 수 있겠습니까.『서역국도 남의 자식을 수
Link 인물의 언행 ❶   _{어투의 변화 – 해선을 아들이 아닌 어사로 대하고 있음}   _{해선}

양자로 삼았고 나도 자식이 없어 남의 자식을 수양자로 삼았으니 저와 내가 마찬가지입니

다. 또한 상벌과 공훈으로 말해보더라도 서역국의 아들이 되는 것이나 나의 아들이 되는 것
_{『　』: 자신이 해선을 납치한 잘못된 행위에 대해 자기에게 유리하게 변론함. 관련 한자 성어: 아전인수(我田引水)}

이나 남의 자식이 되는 것은 마찬가지입니다. 제가 그 아이의 성명을 고친 것만 허물이라 할

수 있겠습니까?』 길러준 은혜를 생각하신다면 이다지 괄시할 수 있습니까?"
Link 인물의 언행 ❷   _{업신여겨 하찮게 대함}

어사가 또 호령하여,

"바삐 거행하라."

하니, 그 소리에 역졸과 무사가 한꺼번에 달려들어 형추 사오십 대를 때리고 다시 꿇어앉혔다.

이어서 여천추를 잡아들여 주리를 틀며 물었다.
_{죄인의 두 다리를 한데 묶고 다리 사이에 두 개의 주릿대를 끼워 비트는 형벌}

"강릉추월 옥퉁소를 어디에 가서 도적하였느냐? 배에 실렸던 재물을 탈취하면 되었지 무슨
_{이 감사가 지녔던 물건}

원수를 맺었다고 사람까지 죽였느냐? 천지가 무심치 아니하여 강릉추월 옥퉁소 소리로 나
_{이 감사를 포함한 배에 탄 사람들을 죽인 일을 뜻함}

도 전말을 알게 되었고 모친도 찾았으니, 너의 죄를 생각하면 죽어도 아까울 것이 조금도 없
_{해선 자신이 도적의 아들이 아님을 알게 되고 친어머니를 찾음}

느니라."

여천추가 놀랍고 또 겁이 나서 빌면서 말하였다.

"장인과 사위된 사정만 생각하라. 너는 나의 사위이니 나는 너의 처부모인데 어찌 인정 없이
_{『　』: 해선과 자신과의 관계를 강조하여 죄를 면하고자 하는 의도가 담김}

Link
출제자 특강 인물의 언행을 이해하라!

❶ 해선에게 붙잡혀 온 장수백이 해선을 대하
는 태도가 변화했음을 보여 주는 것은?
어투 변화(반말하다가 존댓말을 사용함.)

❷ 자신의 죄를 고함과 동시에 자신의 행위를
정당화하고 있는 장수백의 행태를 비판하기
에 적절한 한자 성어는?
아전인수(我田引水)

❸ 여천추가 이 감사의 죽음과 해선이 관계없
다고 말한 근본적인 이유는?
해선이 이 감사의 아들임을 모르고 있었기
때문에

이다지 악형을 가하느냐? 사정으로 말할진댄 처부모도 부모이니

모이기는 마찬가지요, 또 이 감사의 재물을 탈취한 것이 너와 무슨

관계가 있기에 이렇게 주리를 트느냐?』 또 옥퉁소를 어찌 네가 임

자라 하느냐? 본임자는 이 감사요 둘째 임자는 나니라. 또 이 감사

죽이기로 네게 무슨 관계가 되느뇨?"
_{해선이 이 감사의 아들임을 모르는 것에서 나온 반응}
Link 인물의 언행 ❸

하니, 어사가 호령하여 말하였다.

"내가 관계가 없으면 이렇듯 하겠느냐? 이 감사는 바로 나의 부친
_{해선이 이 감사가 자신의 친아버지임을 밝힘 → 자기 존재의 근원을 드러낸 말}

이니, 너는 나의 불공대천지원수니라."

이 세상에서 같이 살 수 없을 만큼 원한이 깊게 맺힌 원수를 비유적으로 이르는 말

하고 군사를 호령하여 찢어 죽이라 하니 여천추가 그제야 이 감사 아들인 줄 알고 놀라 허둥거리

놀라서 얼굴빛이 달라져서는

며 실색하고는 아무런 대답 없이 잠자코 죽기만 바랐다.

관련 한자 성어: 대경실색(大驚失色)

▶ 해선이 장수백과 여천추를 벌함

---

1 이동 경로에 따른 해선의 행적

해주	주점에서 이 감사의 죽음에 관한 이야기를 들음.

↓

운남도	도적들의 대화를 통해 자신의 출생과 이 감사의 죽음에 관한 이야기를 들음.

↓

백학산	서역국을 만나 자신의 출생에 대한 진실을 확인하고 친어머니를 만남.

↓

운남도	운남도 도적을 소탕하고 장수백과 여천추를 벌함.

2 친부모와의 이별과 재회가 갖는 의미

해선이 친부모와 헤어지고 장수백의 수양자가 됨.	주인공이 기구한 운명에 처함.
해선이 서역국을 만나 자신의 출생을 확인함.	자기 존재의 근원을 찾기 위해 노력함.
해선이 출생의 진실을 알고 친어머니를 만남.	'도적놈의 자식'이라는 열등한 상황에서 벗어남.
해선이 여천추에게 이 감사가 자신의 친아버지임을 밝힘.	상실했던 정체성을 회복함.

1 이 글에 대한 설명으로 가장 적절한 것은?

① 과장된 상황을 설정하여 해학성을 유발하고 있다.
② 전기적 요소를 활용하여 사건의 환상성을 강화하고 있다.
③ 배경에 대한 묘사를 통해 낭만적 분위기를 형성하고 있다.
④ 서술자가 개입하여 인물의 상황에 대한 생각을 드러내고 있다.
⑤ 초월적 인물을 통해 사건의 진실에 대한 단서를 제공하고 있다.

2 다음 내용 중 맞는 것은 ○표를, 틀린 것은 ×표를 하시오.

(1) 해선은 아전의 말을 통해 자신이 장수백의 자식이 아님을 알게 된다.
( )
(2) 해선은 운남도로 들어가서 비로소 자신의 출생 비밀을 알게 된다.
( )
(3) 백학산은 해선이 자기 존재를 확인하는 공간에 해당한다. ( )
(4) 장수백은 해선에게 길러 준 은혜를 모른다고 나무라고 있다. ( )
(5) '강릉추월 옥통소'는 해선으로 하여금 어머니를 찾게 되는 데 기여하고 있다.
( )

정답 1. ④ 2. (1) × (2) ○ (3) ○ (4) × (5) ○

1등급! 〈보기〉!

신분 회복과 근원 찾기

이 작품은 가족과의 '이별과 만남'이 서사의 핵심을 이룬다. 주인공은 혈육과의 이별로 인해 기구한 운명에 처하지만, 재회의 과정을 통해 열등한 상황에서 벗어나 원래 신분을 회복하게 된다. 또한 주인공의 '친부모 찾기'는 개인 존재의 근원을 찾음으로써 상실했던 자아 정체성을 회복하는 계기가 되며, 이러한 과정에서 특정 소재가 혈육임을 증명하는 신표(信標)로 사용된다.

권익중전(權益重傳) | 작자 미상

성격 전기적, 비현실적, 도교적　**시대** 조선 시대
주제 영웅의 결연담(結緣談)과 무용담(武勇談)

소설

이 작품은 명나라를 배경으로, 전반부에서는 권익중과 이춘화의 애정담을, 후반부에서는 그들의 아들인 권선동의 결연담과 무용담을 담고 있는 독특한 구조의 소설이다.

주요 사건과 인물

발단
명나라 때 권 승상이 화산 천불암에 치성을 드려 익중을 얻고, 익중은 이 승상의 딸 춘화를 본 뒤 상사병이 걸리지만 이 승상의 허락으로 춘화와 혼인을 약속함.

전개
옥낭목이 황제의 힘을 빌려 춘화를 자신의 아들과 혼인시키려 하자 춘화는 자결하여 선녀가 됨. 옥황상제가 만든 허수아비로 인해 익중과 죽은 춘화는 재회하지만 5년 후를 기약하며 이별함.

위기
5년 후 익중은 아들 선동을 집으로 데려오고, 옥 승상의 모해로 이 승상과 권 승상 집안은 대인도에 들어가 살게 됨.

절정
선동이 17세가 되자 원수를 갚기 위해 집을 떠나 어머니가 일러준 대로 적강 선녀의 화신인 세 소저와 혼인한 후 세 소저와 함께 외적과 결탁한 옥 승상을 물리치고 대인도의 왕이 됨.

결말
선동이 어머니 분묘에 가 제를 올리자 춘화가 살아남. 익중과 춘화는 90세까지 행복하게 살고, 선동과 세 소저는 하늘의 선관과 선녀가 됨.

권익중
옥낭목의 계략으로 춘화와의 혼인이 깨지지만, 춘화만을 일편단심 사모함.

이 낭자(이춘화)
익중과의 혼인이 좌절되자 자결하여 천상의 선녀가 됨. 옥황상제의 도움으로 익중과 재회하여 아들 선동을 낳음.

권선동
익중과 춘화의 아들로, 비범한 능력을 지니고 태어남. 역적 옥 승상을 물리치고 대인도의 왕이 됨.

세 소저
적강 선녀로, 선동과 혼인하고 옥 승상과의 전투에서 도술로써 선동을 도움.

옥낭목
춘화가 자결한 계기를 유발하고, 익중을 모함한 인물임. 북 흉노와 대국을 침범하였다가 권선동의 손에 죽음.

핵심장면 ① 옥황상제가 만든 허수아비 우인이 익중의 행세를 하게 되어 익중이 집에서 쫓겨나는 장면이다.

<u>이 낭자</u>는 죽어 천상에 올라가서 선녀가 되었다. 옥황상제께서 이 낭자를 보고,
〔이 승상의 딸 춘화〕　　　　　　　〔비현실적 사건 – 전기적 요소〕　　　　　　　　〔천상계의 개입〕

"너는 인간 세상에서 배필을 만나지 못하고 원통히 죽었으니, 강남 악양루 죽림 속에 가 있
　　　　　　　　　　〔부부로서의 짝〕　　　　　　　　　　　　　　　〔앞날에 대한 예견 – 강남 악양루로 익중이 올 것임을 암시〕

으면 자연 네 배필 <u>익중</u>을 만날 것이다."

라 하시고, 또한 허수아비를 만들어 주시며
　　　　　　　〔가짜 익중 – 우인〕

"이 허수아비의 이름은 우인이며 자태와 얼굴은 익중과 같이 만들었노라." Link 인물의 의도 **❶**
　　　　　　　　　　〔천상계(옥황상제)의 개입으로 진가쟁주(眞假爭主)가 발생함을 알 수 있음〕

라 하였다.

우인이 익중의 집을 찾아가니 승상과 부인이며 위 낭자가 익중인 줄 여겨 반겨하고 서촉 안
〔가짜 익중(허수아비)〕　　　　　　　　　　　　　　　　〔우인의 자태와 얼굴이 익중과 같아서 가족도 진짜 익중인 줄로 앎〕

부를 물으니, 우인이 대강 대답하고 진짜 익중이 오기를 기다렸다.

이때, 권생이 며칠을 돌아다니다가 집으로 돌아와 대문 안에 들어서니, 당상에 어떤 한 사람
　　　　〔권익중〕　　　〔서촉에 다녀옴〕　　　　　　　　　　　　　〔대청 위〕　〔가짜 익중 – 우인〕

이 앉았다 일어났다 하며 화를 내는 것이었다. 익중이 이를 보고

"내가 서촉으로 갈 때에 저러한 귀신이 꿈에 현몽하여 '나는 금강산에 사는 헛개비라는 귀신
　　　　　　　　　　　　　　　〔익중에게 앞으로 벌어질 일을 미리 알려 줌〕

이다. 비 오고 바람 부는 날이면 의탁할 곳이 없다. 내가 들으니 너의 집이 부자라 하니, 모
　　　　　　　　　　　　　　　　〔귀신이 익중의 집으로 가려는 이유〕

월 모일에 너의 집을 찾아가서 너를 쫓아내고 내가 있으리라.' 하면서 오늘 대낮에 들어온다
　　　　　　　　　　　〔익중이 부정적 상황에 빠질 것을 암시함〕

하였거늘, 저놈이 그놈이로다."

라고 짐작하고 중문에 서서 부모를 불렀다. 승상은 부인을 붙들고 기가 막혀 묵묵히 말없이 앉
　　　　　　　　　　　Link 인물의 의도 **❷**　　　〔똑같이 생긴 익중과 우인을 보고 당황스러워하는 모습〕

아 있을 따름이라. 「익중이 들어오니 난형난제(難兄難弟)되어 어느 것이 참 익중이며 어느 것이
　　　　　　　　〔누구를 형이라 하고 누구를 아우라 하기 어렵다는 뜻으로, 두 사물이 비슷하여 낫고 못함을 정하기 어려움을 이름〕

거짓 익중인지 알기 어려웠다. 승상이
「　 」: 익중과 우인을 구별하기 어려움 – 진가쟁주 모티프

"자식이 아비만 못하다 하였으니 아비도 몰라보는구나." / 라 하니, 부인이

"먼저 온 것이 참 익중이 분명하고 나중 온 것이 귀신이 분명하다." / 하고는
<small>부인의 판단 – 우인을 익중이라 생각함</small>　**Link** 인물의 의도 ❸

"어젯밤에 여차여차한 꿈을 꾸었더니 과연 그대로이구나. 승상은 의심치 마소서."
<small>익중의 어머니가 꿈을 근거로 들어 우인을 진짜 익중으로 여김</small>

하였다. 이어서 부인이 하인을 불러

"중문에 들어오는 귀신을 급히 둘러 내쫓아라."
<small>진짜 익중</small>

라고 하였다.

이에 『하인이 벙거지를 둘러쓰고 대문 밖에 쫓아 나가, 복숭아나무의 굵은 가지를 쓱 꺾어 손
<small>『 』: 귀신을 쫓기 위한 행동 묘사 – 익중을 귀신이라 여기기 때문에</small>　　　　<small>당시 주술적인 기운이 있어 귀신과 재앙을 쫓을 수 있다고 여겨졌음</small>
에 쥐고는 아래 종아리를 두드리며, 개떡을 이마 위에 철썩 붙이고 물밥을 등에 얹은 후, 익중
이 당장의 곤욕과 매를 견디지 못할 정도로 신골 물이 콸콸 소리 내며 흘러가듯 두들겨 때렸
<small>심한 모욕</small>　　　　　　　　　<small>익중을 심하게 때림 – 진가쟁주로 인한 익중의 고난</small>
다. 익중이 하는 수 없어 뛰쳐나와 마을 앞 수풀 속에 기대어 앉아서 생각해 보니, 이것이 꿈
인가 생시인가 싶었다.

세상에 이런 허황한 일이 어디 있으리오? 『이것이 다 가짜 익중 때문이나, 소진(蘇秦)과 장의
<small>서술자의 개입 – 익중이 쫓겨난 상황에 대한 평가</small>　　　<small>『 』: 누가 진짜인지 가릴 수 없음을 강조함 – '진가쟁주'에 해당</small>　　　　<small>전국시대의 인물로 언변과 설득력이 뛰어남</small>

Link
출제자 **특강** 인물의 의도를 파악하라!

❶ 서사 전개 과정을 고려할 때, 옥황상제가 허
　수아비로 가짜 익중을 만든 이유는?
　권익중과 이 낭자(이춘향)가 다시 만날 수
　있게 하기 위해서

❷ 익중이 집에 있던 '어떤 한 사람'을 보고 '그
　놈'이라 짐작한 근거는?
　서촉으로 갈 때 꾼 꿈을 근거로 짐작하고
　있음.

❸ 승상의 부인이 먼저 온 이를 참 익중이라 판
　단한 근거는?
　밤에 꾼 꿈을 근거로 판단하고 있음.

(張儀)의 구변으로도 밝힐 길이 없었다.』 다시 들어가 맞아 죽기를 결
<small>말을 잘하는 재주나 솜씨</small>
단하고 한번 진위를 분별해 보리라고 여기다가 돌이켜 생각하여,

『가짜로 들어온 귀신에게 두들겨 맞은 꼴로 변명도 쓸데없겠거니
<small>『 』: 익중의 자포자기의 심정</small>
와, 이제 천하 강산 두루 돌아 구경이나 다한 후에, 강남 명월 악양
<small>이 낭자와 재회할 것임을 예상할 수 있음</small>
루를 구경하고 동정호에 빠져 죽으리라.』
　　　　　　　Link 인물의 의도 ❶
하고는 일어나 길을 나섰다.
　　　　　　　➤ 가짜로 몰려 쫓겨난 후 악양루로 향하는 진짜 익중

핵심장면 ② 익중과 이 낭자가 재회하여 혼례를 치르고 5년 후를 기약하며 이별하는 장면이다.

『익중은 화려한 꽃무늬 금관 모자에 꿈틀거리는 용무늬 새겨 허리띠를 두르고, 낭자는 칠보
<small>『 』: 진가쟁주로 인해 익중과 죽은 이 낭자가 재회하여 혼례를 치름을 알 수 있음</small>　　　　<small>혼례복을 입은 권익중</small>
단장 갖춘 후 녹의홍상을 입고 육례를 치르니, 팔선녀들이 움직이며 작위하고 온갖 악기들 풍
<small>혼례복을 입은 이 낭자(춘화)</small>　　　　<small>우리나라에서 전통적으로 내려오는 혼인의 여섯 가지 예법</small>
악을 울렸다.』 예를 마친 후에 여러 선관들이 익중의 손을 잡고,

"우리는 천상의 선관으로 상제에게 명을 받아 그대에게 예를 이루게 하노라."
<small>익중과 이 낭자의 혼례가 상제의 명에 의해 이루어졌음을 보여 줌 – 천상계의 개입</small>
하고는 이내 구름을 타고 행렬이 사라졌다.
　　　　　　　　　　　　　　➤ 익중과 이 낭자가 혼례를 치름
<small>비현실적 요소</small>

익중이 공중을 향하여 무수히 사례하고 돌아와 낭자와 함께 하룻밤 동침하니, 『깊은 밤에 만
<small>온갖 정과 회포</small>
단정회는 이루 말할 수 없더라.』 익중이 사랑함을 이기지 못하여 낭자의 목을 훌쳐 안고 희희
<small>『 』: 서술자의 개입 – 혼례를 이룬 익중과 이 낭자의 심정을 드러냄</small>　　　　<small>매우 기뻐하고 즐거워함</small>
낙락하여

"바람아, 불어라. 비야, 오너라. 우리 둘이 만났으니 만고여한 풀어진다. 둘이 몸을 뭉치다
<small>오랜 세월 동안 풀지 못하고 남은 원한</small>
동정수에 떨어지거나 말거나 이런 사랑 또 있을까. 우리 둘이 만났으니 태산이 평지되고 하
<small>이 낭자와 오랫동안 해로하기를 바람. 과장적 표현</small>
해가 육지가 되도록 살아 보세."
　　　　　Link 인물의 의도 ❶
하며 즐거운 시간을 보냈다.

닭의 울음소리
계명성이 들리자 낭자가 일어나 앉아 촛불을 밝히고 세 약봉지를 주며 말하기를,
아침이 됨 – 익중과 이 낭자가 헤어져야 하는 시간적 배경 · · · · · · 익중이 어려움에 처할 때마다 도움을 줄 소재

"상제의 명령이 계명성이 들리거든 올라오라 하셨습니다. 천상옥황께서 허수아비를 보내었
익중과 이 낭자가 다시 헤어지게 되는 이유

으니 이 약을 가져다가 한 봉을 대문 안에 떼어 보소서. 푸른 빛 연기가 일어나며 허수아비
첫 번째 약봉지의 역할 – 익중이 집으로 돌아갈 수 있게 도움

가 없어질 것입니다. 또 오 년이 지나 이곳에 와서 오늘 밤 복중에 들어 때가 찬 아이를 데려
오 년 후 아이와 만날 것임을 암시함

가옵소서. 이것이 다 우리가 전생에 지은 죄악이라. 서로 만나 해로할 날이 멀었으니 어찌
Link 인물의 의도 ❷ · · · · · · · · 부부가 한평생 같이 살며 함께 늙음

하오리까?"

익중이 듣기를 다하고 크게 놀라

『"오늘 낭자를 만나 죽어도 같이 죽고 살아도 같이 살자 하였더니 이것이 웬 말이오? 가지 마
『 』: 이 낭자와의 이별을 슬퍼하고 안타까워하는 익중의 심정이 드러남

시오. 못 가오. 기약 없이 못 가나니, 만정의 회포 풀지 못하고 간다는 말이 웬 말이오?"』
Link

출제자 톡! 인물의 의도를 파악하라!

❶ 익중이 과장적 표현을 사용하여 드러내고자 한 것은?
이 낭자와 헤어지지 않고 오랫동안 해로하기를 바람.

❷ 이 낭자가 익중이 어려움을 헤쳐가는 데 도움이 되기를 바라며 익중에게 준 것은?
약 세 봉지

낭자가 다시 위로하여,

"낭군님은 지나치게 슬퍼하지 마시고 때를 기다리옵소서.
때가 되면 다시 만날 수 있음을 암시함

천명을 어이 거역하오리까?"
자신들의 만남과 이별이 하늘의 뜻에 달려 있음을 드러낸 말

하며 이별주를 부어 들고 이별곡을 지었다.
사건 전개상 이별을 안타까워하는 심정과 재회에 ▶ 익중이 이 낭자와 다시 이별함
대한 소망이 담겨 있을 것임을 짐작할 수 있음

최우선 출제 포인트!

1 이 작품의 특징 – 여러 담화 요소의 결합

혼사 장애담	+	간신 모해담	+	진가쟁주담
익중과 이 낭자의 혼인이 옥낭목의 간계로 깨짐.		옥낭목이 권 승상과 이 승상을 모함함.		옥황상제가 만든 허수아비 우인의 등장으로 익중이 집에서 쫓겨남.

2 '진가쟁주'의 이해

진가쟁주	진짜와 가짜가 서로 다툼.

↓

상황	• 옥황상제가 허수아비로 가짜 익중을 만듦. • 가짜 익중으로 인해 진짜 익중이 집에서 쫓겨남.
기능	• 권익중과 가족 간의 갈등을 유발함. • 권익중을 집에서 쫓겨나게 하여 고난을 겪게 함.
의도	이 낭자와 권익중이 만날 수 있게 한 옥황상제의 의도가 담김.

최우선 핵심 Check!

1 다음 내용 중 맞는 것은 ○표를, 틀린 것은 ×표를 하시오.

(1) 옥황상제는 자태와 얼굴이 익중과 같은 우인을 만들었다. (　　)

(2) 위 낭자는 안부를 묻는 말에 대한 우인의 대답 때문에 우인을 반겼다. (　　)

(3) 승상 부인은 자신의 꿈을 근거로 우인을 익중으로 믿었다. (　　)

(4) 익중은 우인의 정체를 밝힌 뒤, 유람 후에 악양루에 가서 죽기로 결심했다. (　　)

(5) 이 낭자는 이별이 천명임을 밝히며 익중을 위로하고 있다. (　　)

2 초성 힌트를 보고 빈칸에 들어갈 알맞은 말을 쓰시오.

옥황상제는 익중이 이 낭자가 만날 수 있게 하려고 허수아비 우인을 익중의 집으로 보내 진짜 익중과 서로 다투는 ㅈㄱㅉㅈ 상황을 만든다.

정답 1. (1) ○ (2) × (3) ○ (4) × (5) ○ 2. 진가쟁주

김진옥전(金振玉傳) | 작자 미상

성격 전기적, 비현실적, 일대기적 **시대** 조선 후기
주제 고난을 극복하고 이룬 남녀 간의 사랑과 영웅의 일생

소설

이 작품은 천상에서 죄를 지은 선관선녀(仙官仙女)가 인간 세상으로 쫓겨 와서 갖은 고초 끝에 행복을 찾고 영화를 누리다가 삶을 마치는 과정을 그린 영웅 소설이면서 적강 소설이다.

주요 사건과 인물

발단	전개	위기	절정	결말
옥황상제의 동자였던 진옥이 선녀와 희롱한 죄로 인간 세상으로 쫓겨와 명나라 김시광의 아들로 태어남.	전란으로 인해 가족과 헤어진 진옥이 화산 도사를 만나 무예와 학문을 익히고, 한 늙은 중의 예언을 듣고 유 승상의 딸을 찾아가 혼인을 약속함.	장원 급제하여 한림학사가 된 진옥이 사위가 되라는 황제의 권유와 유 승상의 반대를 극복하고 유 승상의 딸과 혼인함.	선우와의 전투에서 승리한 진옥이 귀국하던 중 아버지를 만나고 남해 용왕의 부탁으로 용궁을 습격한 적을 물리치느라 회군이 늦어짐. 이때 진옥에게 한을 품고 있던 무양 공주의 참소로 유 부인과 애운이 위기에 처함.	화산 도사가 꿈속에서 유 부인이 위기에 처한 것을 알려 주고, 진옥은 황성으로 달려가서 유 부인을 구함.

김진옥	유 소저(유 부인), 애운	화산 도사	용왕	무양 공주
천상에서 쫓겨난 인물로, 자신의 사랑을 지키고자 하는 영웅적인 면모를 보임.	• 유 소저: 유 승상의 딸이자 김진옥의 아내 • 애운: 김진옥의 아들	김진옥에게 무예와 학문을 가르쳐 주고, 유 부인의 위기를 알려 줌.	김진옥에게 입은 은혜를 갚기 위해 위기에 처한 애운을 도움.	자신과의 혼인을 거부했던 진옥에게 앙심을 품고 간신과 결탁하여 그의 가족을 해치려 함.

핵심장면 ① 수중계에서 김진옥이 환송을 받는 상황과, 지상계에서 아들 애운이 위기에 처하는 상황이 드러난 장면이다.

용왕 왈,
수중계의 인물, 비현실적　　　　　　　△: 김진옥이 용궁에서 받은 신이한 물건들 - 비현실적 기능을 갖춤

"이는 수중의 귀한 보배라. 이 비단으로 옷을 지어 입으면 엄동설한이라도 춥지 않을 것이
　　　　　　　'푸른 머리털'이란 뜻으로 검고 윤이 나는 고운 머리를 이르는 말　　선물 받은 비단의 기능

요, 이 진주를『몸에 두면 칠십이 넘도록 녹발(綠髮)이 장춘(長春)이요, 또 죽은 사람의 입에
　　　　　　　　　　　　　　　　어느 때나 늘 봄빛, 즉 늙지 않음　　후에 진옥의 아내를 살리게 되는 수단이 됨

넣으면 환생하나니, 이는 극한 보배로소이다."
『』: 선물 받은 진주의 기능　　　　　　　　**Link** 인물의 행동 ❶

원수가 사양하다가 받으니, 용왕 왈,
김진옥을 가리킴

"원수는 대국의 신하라. 수부에 들어와 과인의 수부를 보전케 하니, 어찌 천자께 현신을 두
　　　　　　명나라 - 지상계　　　　　　　김진옥이 세운 공을 가리킴　　　　　　　천자에게 김진옥의 공을 알리고자 함

신 치하를 아니하리오."

하고, 글월을 닦아 원수께 부치고, 예단을 봉하여 주니, 원수가 사례하고 받으니, 일광노가 왈,
　　　　편지　　글 따위를 적어　　　예물을 적은 단자(單子)

"이제 이별을 당하니 무엇으로 표하리오."

하고, 일광주(日光珠) 한 낱을 주고, 여동빈은 또 한 낱 부채를 주어 왈,
　　　　　빛이 찬란한 구슬　　　개　　당나라 8선 중 한 명

"이 부채를 한 번 부치면『운무가 자욱하고, 비 올 때에 부치면 꽃나무 가지마다 꽃이 만발하
　　　　　　　　　　　　　　구름과 안개

나니,』이는 큰 보배라. 그대는 잘 간수하라."
『』: 선물 받은 부채의 기능

하고, 두목지는 칼 하나를 주며 왈,
　　　당나라 때 시인

『이 칼자루에 불을 켜면 밤이 낮 같고, 몸에 차면 귀신이 범하지 못할지니』가져가소서."
『』: 선물 받은 칼의 기능

이적선이 또한 금표통(金瓢桶) 하나를 주며 왈,
당나라 때 시인 이백　　금으로 만든 바가지

"이것이 비록 적으나 이 가운데 분로주라 하는 술이 있으니, 천만인이 먹어도 진(盡)치 못하
　　　　　　　　　　　　　　　　　　　　　　　　　　　　분로주의 기능

나니 가져가라."

하니, 원수가 받아 가지고 모든 사람이 이별하고 용왕께 하직하고 부친을 모셔 길을 떠나 황성
　　　　　　　　　　　　　　　　　　　　　　　　　　　　　　　　　　　　　명나라의 수도

으로 향하여 오더라.

<small>이때</small>   ▶ 용왕을 도운 진옥이 기이한 선물들을 받고 황성으로 향함

<u>각설,</u> 차시에 무사가 애운을 물속에 넣으려 잡아가더니, 애운이 통곡 왈,
<small>화제의 전환</small>   <small>김진옥의 아들</small>   <small>위기에 처한 애운의 상황 – 수중계와 대비되는 긴장감을 유발</small>

"우리 모친은 어디 계시고 나는 어디로 데려가노. 우리 모친도 야속하시도다."

하며 슬피 통곡하니, 무사가 잔잉히 여기고 불쌍히 여겨 달래어 왈,
              <small>'자닝히'의 옛말. 애처롭고 불쌍하여 차마 보기 어렵게</small>

"진실로 가련하다. 천자의 명이 급하시니 우리 어찌 거역하리오."
<small>애운의 처지에 대한 무사의 반응</small>

하고, 이끌어 가다가 강수에 던지고 가니, 어찌 가련치 아니하리오.
                      <small>사리가 밝고 또렷한 맑고 푸른 하늘 → 천지신명을 뜻함</small>   <small>편집자적 논평</small>
<u>소소(昭昭)한 창천(蒼天)이 굽어살피실지라.</u>
<small>뒤이어 일어날 사건을 암시해 줌</small>   <small>임금이 내린 명령</small>
    <u>용왕이 그 강의 용신(龍神)에게 칙지를 내리사 물에 들어온 아이를</u>
                <small>용왕이 진옥에게 은혜를 갚기 위해 애운을 살림. 관련 한자 성어: 결초보은(結草報恩)</small>
<u>살리라 하시니,</u> 용신이 오직 칙지를 받자와 물 밖으로 도로 내치니,
                           <small>애운이 위기에서 벗어남</small>   **Link** <small>인물의 행동 ❷</small>
애운이 정신이 아득한 중 물을 무수히 토하고 모친을 부르고 동서로

방황하더라.   ▶ 애운이 용왕의 도움으로 죽을 위기에서 벗어남

Link
출제자 특 인물의 행동을 이해하라!

❶ 용왕이 김진옥에게 비단과 진주를 준 이유는?
김진옥이 수부를 보전하게 하였으므로 이에 보답하기 위해

❷ 수부를 보전해 준 김진옥의 은혜에 보답하기 위해 그의 아들인 애운을 구하는 용왕의 행동과 관련된 적절한 한자 성어는?
결초보은(結草報恩)

핵심장면 ❷   김진옥이 장안에 이르러 위험에 처한 유 부인을 구하는 장면이다.

무사가 달려들어 거상(車上)에 실으려 하니, 난영이 소저를 붙들고 슬피 통곡하여 왈,
             <small>수레 위</small>   <small>유 부인 – 김진옥의 부인</small>   <small>원통하게 죽음</small>

"가련하고 애닯을사, 유 부인 같은 요조숙녀 이렇게 참혹히 원사(冤死)할 줄 꿈에나 생각하
                                   <small>유 부인이 억울하게 죽게 된 상황을 안타까워함</small>
였으리오. 천지신명과 일월성신과 황천후토(皇天后土) 굽어살피옵소서."
             <small>큰 소리로 몹시 슬프게 곡을 함</small>   <small>하늘의 신과 땅의 신</small>
하고, 낭자를 붙들고 방성통곡하며, 남녘을 멀리 바라본들 그림자나 있으리오.
             <small>무양 공주와 함께 유 부인을 죽이려 하는 인물들</small>   <small>도움을 청할 곳이 없음을 드러냄</small>
한참 이렇듯 힐난할 제, 선영과 동한 등의 호령이 추상같아서, '바삐 베라.' 재촉이 성화 같
            <small>트집을 잡아 거북할 만큼 따지고 들</small>   <small>호령 따위가 위엄이 있고 서슬이 푸르러서</small>
으니, 무사가 달려들어서 수레를 재촉하더라.   ▶ 유 부인이 선영과 동한에게 끌려감

『각설, 김 원수가 애운을 데리고 만리강에 다다르니, 강변에 한 척의 배도 없거늘, 가장 민망
    <small>화제 전환</small>   <small>김진옥</small>   <small>배를 구할 수 없는 난처한 상황</small>
하여 사공을 찾으니, 한 사람이 나와 대답 왈,

"어제 예부에서 관리를 보내 만리강에 있는 배 수천 척을 도사공으로 하여금 계명(鷄鳴) 전
    Link <small>인물의 행동 추리 ❶</small>   <small>『 ̄ ̄: 김진옥이 부인을 구할 수 없게</small>
에 다 올려 가게 했사오니, 비록 행차가 바쁘셔도 무가내하로소이다."』 <small>하기 위한 계책에 해당</small>
             <small>스승인 화산 도사가 있는 곳</small>   <small>달리 어찌할 수 없음</small>
원수가 차언을 듣고 앙천 탄식하며 화산을 향하여 배례 왈,
          <small>이 말</small>   <small>하늘을 우러러보며 한탄하여 한숨을 쉼</small>   <small>절하여 예를 표함</small>

"이 강은 길이가 만 리요, 너비가 삼십 리라. 몸에 날개 없으니 어찌 건너리이꼬. 선생은
                                             <small>화산 도사</small>
진옥의 사정을 급히 살피소서."
       <small>유 부인을 다급히 구하러 가는 상황에서 난관에 빠짐 – 긴장감을 고조시킴</small>
하고 무수히 배례하더니, 이때『화산 도사가 천지 산간에서 낭자를 죽이려 하는 거동과, 원수
                      <small>『 ̄ ̄: 화산 도사의 비범한 능력이 드러남</small>   <small>한 척의 작은 배</small>
가 강에 이르러 배가 없어 건너지 못하는 양을 보고 대경하여 급히 조화를 부려 일엽소선을 지
                                 <small>크게 놀라</small>   <small>전기적 요소</small>
휘하여 빨리 강변에 닿으니,』 원수가 대희하여 그 배를 타고 순식간에 강을 건너 남산을 돌아
                      <small>크게 기뻐하며</small>
들어 석교를 지나 정히 종남산을 바라고 말을 짓쳐 들어가며 자세히 살펴보니, 장안 삼거리에
                             <small>다섯 가지 빛깔의 깃발. 주로 군대에서 쓰임</small>   <small>유 부인</small>
무수한 사람이 삼대같이 모여 있는데, 그 가운데 오색 기치를 세우고 한 수레 위에 한 부인을
                   <small>김진옥이 부인이 있는 곳으로 추측한 근거에 해당</small>
달았거늘, 원수가 생각하되,

'이는 반드시 부인이로다.'

하고 금편을 들어 말을 치니, 이 말은 비룡마(飛龍馬)라.

순식간에 살같이 달려 법장(法場)에 다다라 살펴보니, 부인은 기절하였고 무사는 시각을 기
다릴 제, 한 대장이 비룡마를 타고 나는 듯이 달려들어 일진(一陣)을 헤치고 수레를 박차며 낭
자를 안고 슬피 울거늘, 정동한 등이 대경실색하여 어찌할 줄 모르는지라.

원수가 낭자를 보고 기절하였더니, 이윽고 정신을 진정하여 울며 왈,

"부인아! 부인아! 김진옥이 여기 왔나니, 부인은 정신을 수습하옵소서."

하니, 이때 애운이 곁에 앉아 울며 왈,

"한강수에 빠져 죽었던 애운이 여기 왔나이다. 모친은 진정하옵시고 부친을 뵈옵소서."

하고, 얼굴을 한데 대고 뒹굴며 통곡하니, 천지 일월이 무광하고 산천초목이 다 슬퍼하더라.
낭자 어찌 살아나지 못하리오. 원수가 용왕이 주던 진주를 입에 넣으니 오래지 아니하여 호
흡이 통하며 눈을 떠 원수를 보고, 아무 말도 못하고 애운의 손목을
잡고 느끼거늘,『원수가 그 모자의 경상을 보니 가슴이 미어지는 듯
하니 분심이 충천하여 동한 등을 잡아 급히 죽이려 하되, 일반 대관
(大官)을 천자의 명령 없이 자진 처치함이 신자의 도리가 아니라, 십
분 잉분(仍憤)하고 오직 부인을 구호하여 집으로 돌아오니라.』

> 화산 도사의 도움으로 진옥이 유 부인을 구함

Link

출제자 톡 인물의 행동을 추리하라!

❶ 예부에서 전날 만리강에 있는 배를 모두 올려 한 척의 배도 남기지 않은 이유는?
김진옥이 강을 건너지 못하게 하여 부인을 구할 수 없게 하려고

❷ 김진옥이 유 부인을 해치려 한 이들을 죽이지 않은 이유는?
일반 대관을 천자의 명령 없이 처리하는 것은 신하된 자의 도리가 아니라고 생각했기 때문에

Link 인물의 행동 추리 ❷

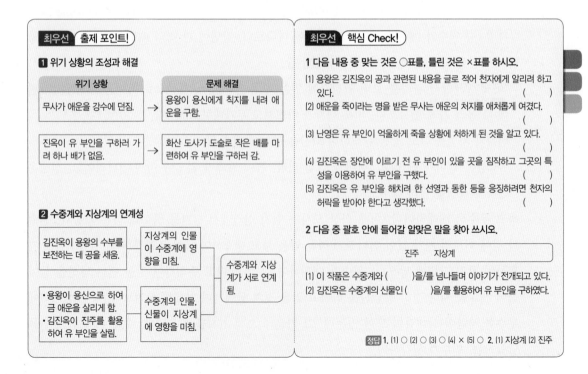

최우선 출제 포인트!

1 위기 상황의 조성과 해결

위기 상황	문제 해결
무사가 애운을 강수에 던짐. →	용왕이 용신에게 최지를 내려 애운을 구함.
진옥이 유 부인을 구하러 가려 하나 배가 없음. →	화산 도사가 도술로 작은 배를 마련하여 유 부인을 구하러 감.

2 수중계와 지상계의 연계성

김진옥이 용왕의 수부를 보전하는 데 공을 세움.	지상계의 인물이 수중계에 영향을 미침.	
• 용왕이 용신으로 하여금 애운을 살리게 함. • 김진옥이 진주를 활용하여 유 부인을 살림.	수중계의 인물, 신물이 지상계에 영향을 미침.	수중계와 지상계가 서로 연계됨.

최우선 핵심 Check!

1 다음 내용 중 맞는 것은 ○표를, 틀린 것은 ×표를 하시오.

(1) 용왕은 김진옥의 공과 관련된 내용을 글로 적어 천자에게 알리려 하고 있다. ( )

(2) 애운을 죽이라는 명을 받은 무사는 애운의 처지를 애처롭게 여겼다. ( )

(3) 난영은 유 부인이 억울하게 죽을 상황에 처하게 된 것을 알고 있다. ( )

(4) 김진옥은 장안에 이르기 전 유 부인이 있을 곳을 짐작하고 그곳의 특성을 이용하여 유 부인을 구했다. ( )

(5) 김진옥은 유 부인을 해치려 한 선영과 동한 등을 응징하려면 천자의 허락을 받아야 한다고 생각했다. ( )

2 다음 중 괄호 안에 들어갈 알맞은 말을 찾아 쓰시오.

진주 지상계

(1) 이 작품은 수중계와 ( )을/를 넘나들며 이야기가 전개되고 있다.

(2) 김진옥은 수중계의 신물인 ( )을/를 활용하여 유 부인을 구하였다.

정답 1. (1) ○ (2) ○ (3) ○ (4) × (5) ○ 2. (1) 지상계 (2) 진주

반씨전(潘氏傳) | 작자 미상

86위

성격 비현실적, 도가적 **시대** 조선 후기
주제 동서 간의 갈등과 권선징악(勸善懲惡)

소설

이 작품은 명나라를 배경으로 위씨 집안의 며느리 반 씨와 동서 간에 벌어지는 가정 내의 갈등을 그린 가정 소설로, 권선징악(勸善懲惡)이라는 주제를 선명하게 보여 주는 특징이 있다.

주요 사건과 인물

발단	전개	위기	절정	결말
채 씨의 모함으로 반 씨의 남편 위윤과 친정아버지가 유배를 가고, 시어머니는 병에 걸려 죽고 두 동서의 박대를 피해 반 씨 모자가 양 부인의 묘막에서 지냄.	채 씨가 반씨 모자를 살해하려 하자 이를 피해 반씨 모자는 친정에 몸을 의탁하고, 위흥은 서왕모(西王母)의 계시를 받아 과거를 보러 감.	두 동서 내외가 장 씨를 사주하여 반 씨를 위험에 빠뜨리나 거북의 도움으로 살아나고 남편과 재회함.	과거에 급제한 위흥이 채 씨, 맹 씨의 죄상을 낱낱이 밝혀냄.	채 씨, 맹 씨는 능지처참을 당하고, 위진, 위준 형제는 북해로 유배를 감. 위흥은 부모를 다시 만나 행복하게 삶.

반 씨	채 씨	맹 씨
위윤의 부인. 위씨 가문의 맏며느리. 어진 성품을 지녔으나 동서 내외들에게 지속적인 시련을 겪음.	위씨 가문의 둘째 며느리로, 남편 위진과 함께 반씨 가족을 모해하고 반 씨 모자를 지속적으로 위협함.	위씨 가문의 셋째 며느리로, 남편 위준, 채씨 내외와 함께 반씨 모자를 지속적으로 위협함.

핵심장면 ① 시어머니 양 부인이 채 씨를 들이지 말라는 유언을 남기고 죽은 후의 장면이다.

위씨 가문의 맏며느리   ┌ 시어머니의 죽음에 대한 반 씨의 충격을 보여 줌

<u>반 씨</u>가 시체를 붙들고 통곡 혼절하니, 흥이 대경하여 수족을 주무르며 약물을 드리오니 이

시어머니 양 부인, 아들의 유배로 화병이 나 죽음   위윤과 반 씨의 아들

윽고 진정하거늘, 흥이 위로 왈,

     "모친은 진정하사 초상을 극진히 하소서."

     흥의 침착한 면모를 엿볼 수 있음   사람의 죽음을 알림. 또는 그런 글

반 씨 망극한 중이나 그 말을 옳게 여겨 치상(治喪)할새, 문중이 모여 <u>채 씨</u>에게 부고를 알릴

어버이나 임금께 상사롭지 못한 일이 생기게 되어 지극히 슬픈   초상을 치름   위씨 가문 둘째 며느리, 반 씨의 동서

것을 의논하니, 위진이 왈,

죽은 양 부인의 둘째 아들로, 채 씨의 남편

     Link 인물의 의도 ❶

     "채 씨가 잘못함이 아니라 모친이 잠깐 노하여 보내 계시니, 무슨 일로 알리지 아니하리오."

     어머니의 유언을 따르지 않고, 자신인 채 씨에게 부고를 알려야 한다고 하는 이유 – 자신의 주장에 정당성을 부여함

Link
출제자 톡 인물의 의도를 파악하라!

❶ 위진이 채 씨를 다시 들이자는 주장에 정당성을 부여하기 내세운 근거는?
채 씨가 집안에서 쫓겨난 것은 채 씨 잘못이 아니라 모친이 잠깐 노한 것임.

하고, 즉시 시비를 불러 왈,

곁에서 시중을 드는 종

     "채 씨의 집에 가 부고를 전하되 상복 입기 전에 오라 하라. 그렇

     채 씨를 가족 구성원으로 인정받게 하려는 의도로, 가권을 차지하려는 욕망이 드러남

     지 않으면 부부의 의를 끊으리라."   ▶ 집에서 쫓겨난 채 씨를 모친상에 부른 위진

핵심장면 ② 양 부인의 초상을 치르며 채 씨를 부른 문제와 장례 주관을 두고 위진과 흥이 대립하는 장면이다.

차설, 위진이 크게 노하여 왈,

화제를 돌려 다른 이야기를 꺼낼 때, 다음 이야기의 첫머리에 쓰는 말

『반 씨는 어떤 사람인데 상중에 시비(是非)를 돋우어 요란하게 하느뇨. 형님이 아니 계시어

     반 씨에 대한 반감이 담김   유배 간 위윤(반 씨의 남편)

내가 주장할 것이니, 두 번 이르지 말라.』 『 : 차남인 위진이 반 씨의 뜻을 무시하고 자신이 장례를

     어떤 일을 책임지고 맡음. 또는 그런 사람   **Link** 인물의 태도 ❶   주관하겠다고 함 – 집안의 권력을 잡으려는 속셈이 담김

하고 노복을 재촉하여 보내니, 흥이 죽은 양 부인의 옆에 엎드려 통곡하더니 큰 소리로 왈,

『숙부는 주장이 되었을 따름이거늘 초상 망극 중에 벌써 할머니의 유언을 저버리시니, 한갓

     『 : 숙부인 위진이 양 부인의 유언을 무시하고 채 씨를 불러들이는 것을 비판하는 흥   채 씨를 들이지 말라고 한 것

아내만 중히 여기사 저다지 노하시니, 소질이 알 바는 아니로되, 금일 문중이 모두 다 공론

     조카가 아저씨를 상대하여 자기를 낮추어 이르는 말

이 여차한데도 구태여 유언을 저버리니, 이는 문중의 뜻에도 맞지 아니하오며 소질의 마음

                                 채 씨를 불러들이려는 위진의 행동이 잘못되었음을 드러내기 위한 근거

에도 불가하나이다.』

반 씨가 꾸짖어 왈, / "너는 조그만 아이라. 어찌 방자히 어른을 시비하리오."

_{꺼리거나 삼가는 태도가 없이 무례하고 건방지게}
_{옳고 그름을 따지는 말다툼을 하느냐}

위진이 크게 노하여 왈,

『"이는 분명 너의 말이 아니라. 누구의 부탁을 듣고, 내 말이 여차여차하거든 너는 대답을 이
_{위흥이 다른 사람, 즉 반 씨의 사주를 받아 자신을 비판하는 것이라 여김 – 반 씨에 대한 부정적 인식을 간접적으로 드러냄}
리이리하라 한 것이 아니더냐. 너에게 기걸한 사람은 극한 요물이라. 너 혼자의 말이라면 어
_{간사하고 간악한 사람}
찌 이러하리오. 내 비록 유약하나 네 말대로 시행할까 보냐."』

하니, 모든 친척이 칭찬 불이하더라.

흥이 숙부의 불측한 심사를 듣고 큰 소리로 왈,
_{자신의 말이 반 씨의 사주를 받은 것이라고 여기는 위진의 생각}
『"아까 소질이 사뢴 바를 어른에게 배운 바라 하시니, 말씀이 옳사오면 따를 것이요, 비록 어
_{위진의 말을 따를 수 없음을 드러냄}
른의 말이라도 부당하오면 따를 이유 없으니, 할머니의 상사를 당하였어도 부친이 삼천 리
_{상례에서 초상난 것을 알림} _{아버지 위윤이 유배 중임을 뜻함}
밖에 계셔 상변(喪變)을 알지 못하시고 발상도 못하오니, 비록 아니 계시나 장자 장손이 발
_{사람이 죽은 사고. 여기서는 양 부인의 죽음을 가리킴}
상함은 예문(禮文)에 당당하옵거늘, 그는 의논치 아니하시니 누구와 더불어 대상하시나니이
_{장자가 없을 시 장손이 대신 상례를 주관함}
까. 금일 문중이 다 모였으니 결정하소서."』
_{『 』: 장남인 아버지가 계시지 않으니 장손인 자신이 장례를 주관하는 것이 마땅하다고 주장하며 문중 결정을 구함}
위진 형제 왈,

"형님이 비록 귀양살이를 하고 있으나 죽지 아니하였고, 미처 부고를 알리지 못하였으나, 조
그만 아이가 알 바가 아니라. 예문에 이상이라는 말이 없으니 불가하니라."
_{위흥을 무시하는 태도} _{Link 인물의 태도 ❷}

모든 사람이 왈,

『"흥이 비록 어리나 소견에 이치가 있어 우리도 생각지 못한 일이거늘, 이 말이 가장 옳은지
_{『 』: 흥의 의견을 따르려는 문중의 입장}
라. 바삐 대상하라."』

위진 형제가 큰 소리로 노하여 왈,
_{자신들 대신에 흥이 대상을 하게 되었기 때문}
"어찌 어린아이의 말로 인하여 상중 대사를 그릇되게 하리오. 우리는 예문대로 하리니 어찌
_{장자인 위윤이 와서 상례를 주관해야 한다는 말 – 흥이 대상하는 것을 거부하는 의도가 담김}
장자를 두고 대상하리오."
_{Link 인물의 태도 ❷} _{▶ 장례를 주관하는 자리를 두고 대립하는 위진 형제와 흥}

하고 일시에 피신하니, 문중이 상의하여 왈,

"상인(喪人)이 이제 우리를 피하니 더 있어 무엇하리오."

하고 상복 입는 것을 보지 아니하고 모두 귀가하니, 흥이 망극하여 실성통곡 왈,
_{위진이 양 부인의 유언을 무시하고 부인 채 씨를 불러들이고 장손인 흥을 밀어내고 자신이 장례를 주관하는 것을 이름}
"우리 집의 가세는 어찌 남과 다른고.『숙부가 불의를 행하여 문중이 따로따로 흩어지니 무슨
_{다른 집안과 달리 집안일도 서로 반목하는 것에 대한 안타까움이 담김}
아름다운 일이 있으리오."』_{『 』: 숙부인 위진의 태도가 '불의'하다고 평가하며, 문중이 모두 돌아간 상황에 대한 실망감을 드러냄}

말을 마치기 전에 채 씨가 이르러 부인의 영위에 곡하고 반 씨를 보며 왈,
_{상가에서 모시는 혼백이나 가주(假主)의 신위}
『"나는 시댁에 득죄하여 본가에 있기로 존고께 통신을 못하니 어찌
_{시어머니를 높여 이르는 말}
부끄럽지 아니하리오. 그대는 지극한 정성을 가지고 어찌 존고의
_{시어머니를 따라 죽지 않았느냐고 비꼬는 말}
뒤를 따르지 아니하고 지금까지 부지하였느뇨. 그 사이 우애가 지
극하여 저 나를 기다렸다 죽으려 하였느뇨. 지금도 참소와 아첨을
_{Link 인물의 태도 ❶} _{시어머니로부터 쫓겨난 것이 반 씨 탓이라고 여김}
존고께 고하리잇고."』_{『 』: 반 씨에 대한 채 씨의 적대적인 모습이 드러남}

Link
출제자 톡톡 인물의 태도를 파악하라!

❶ 반 씨를 대하는 위진과 채 씨의 태도는?
반 씨의 뜻을 무시하거나 곡해하여 반 씨에
대한 반감이 크고 적대하는 태도를 보임.

❷ 흥에 대한 위진의 태도는?
흥이 조그만 아이라 하며 무시하는 태도를
보임.

하고 욕설이 무수하니, 반 씨가 분함을 겨우 참아 다만 대답하지 아니하더라.

채 씨가 흥을 꾸짖어 왈,

"너는 황구소아라. 무슨 일을 아는 척하고 우리를 원수로 지목하니, 네 그러면 우리 일문을
철없이 미숙한 사람을 낮잡아 이르는 말   반씨 모자가 가권을 차지하기 위해서라고 모함하는 말
다 삼킬 줄 아느냐."

흥이 대답치 아니할 뿐이더라. 장례일을 당하니, 부인을 선산에 안장하고 집안을 정리할새
편안하게 장사 지냄
집안 형세가 모두 채 씨와 맹 씨에게 돌아가니, 두 사람이 주야로 남편을 미혹하게 하여 반 씨
무엇에 홀려 정신을 차리지 못하게
모자를 백 가지로 모해하니, 반 씨가 흥을 불러 왈,
반씨 모자가 가권을 잃었음을 알 수 있음   반씨 모자를 집안에서 쫓아내려는 의도

『"우리 모자가 이제 독수(毒手)를 면치 못할지니 미리 화를 피할 곳을 정하라."』
채 씨와 맹 씨가 반씨 모자를 없애려는 수단을 비유적으로 드러낸 말   『 』: 다가올 화를 예측하여 이를 피할 방법을 모색하려 함

하고, 인하여 양 부인 묘소에 초막(草幕)을 짓고 삼년상을
마친 후에, 다시 거취를 정하고자 하여, 이에 약간의 비복을
어디로 가거나 다니거나 하는 움직임   노비 등
거느리고 조상을 모신 사당에 올라 통곡하고 산중으로 들어
마음이 몹시 상하고 슬프지   Link 인물의 의도 ❶
가니, 보는 사람들이 저마다 비창해 하지 않을 이 없더라.
서술자의 개입   ▶ 채 씨와 맹 씨의 모해를 피해 묘소로 피신하는 반씨 모자

Link
출제자 특3 인물의 의도를 이해하라!

❶ 반 씨가 아들 흥을 데리고 산중으로 들어간
이유는?
채 씨와 맹 씨의 독수를 피하기 위해서

최우선 출제 포인트!

1 다른 가정 소설과의 차이점

	기존 가정 소설	반씨전
소재	계모와 전처소생 간의 갈등, 처첩 간의 갈등	여자 동서(同壻) 간의 다툼과 복수
결말	악인의 개과천선 등 결과적 권선징악	악인에 대한 철저한 응징으로 선명한 권선징악

2 인물 간의 갈등

위흥: 기존 가권을 지키려 함.	←→	위진: 가권을 차지하려는 욕망
예문을 근거로 장자인 아버지가 부재한 상황에서 장손인 자신이 발상할 것을 주장하고, 이에 대해 문중 결정을 요청함. → 수직적 위계질서를 중시함.		모친의 유언을 저버리고 채 씨에게 부고를 전함. 장자 위윤이 없는 상황에서 자신이 주상을 하겠다고 함. → 수직적 위계질서에 대한 반기를 듦.

최우선 핵심 Check!

1 다음 내용 중 맞는 것은 ○표를, 틀린 것은 ×표를 하시오.

[1] 위진은 아버지가 귀양 가 있어 어머니와 둘이 지내는 조카 흥을 가엾
게 여기고 있다. ( )
[2] 문중 사람들은 위진을 주장으로 인정하고 양 부인의 상에서 위진으로
하여금 대상을 맡도록 허락했다. ( )
[3] 상을 치른 뒤 반씨 모자는 채 씨와 맹 씨의 위협에서 벗어나기 위해 산
중으로 들어갔다. ( )

2 다음 중 괄호 안에 들어갈 알맞은 말을 찾아 쓰시오.

동서 위진 위흥

[1] 이 작품은 기존 가정 소설과 달리 여자 ( ) 간의 다툼과 복수를
소재로 한다는 특징이 있다.
[2] 집안 형세가 모두 채 씨, 맹 씨에게 돌아가고, 반씨 모자가 집을 떠난
것을 통해 가권이 ( ) 쪽으로 기울었음을 알 수 있다.

정답 1. (1) × (2) × (3) ○ 2. (1) 동서 (2) 위진

서해무릉기(西海武陵記) | 작자 미상

성격 비현실적, 불교적 **시대** 조선 후기
주제 남녀 간의 지고지순한 사랑

소설

이 작품은 주인공이 왜적에게 빼앗긴 신부를 구해 돌아오는 이야기를 그린 소설로, 주인공의 변신, 신부의 납치와 구출 과정, 귀환 및 혼인 성취 과정 등의 사건이 병렬적으로 제시되고 있다.

주요 사건과 인물

발단	전개	위기	절정	결말
15세에 장원 급제하여 한림학사를 제수받은 유연은 최 공의 딸 월혜에게 반해 상사병을 앓게 되고 유연의 부모는 어쩔 수 없이 혼인을 허락함.	혼롓날 밤에 도적 장군이 월혜를 납치해 서해무릉으로 끌고 가고 유연은 부모의 반대에도 불구하고 월혜를 찾아 나섬.	유연은 월혜를 만나게 된다는 부처님의 말을 듣고 월혜를 찾아 떠나고 여승으로 변장하여 염탐하다가 서해무릉에서 월혜를 만나게 됨.	계교를 발휘하여 서해무릉을 빠져나온 유연과 월혜는 천신만고 끝에 집으로 돌아옴.	유연 부친의 반대를 설득하여 혼인을 한 유연과 월혜는 온갖 부귀와 영화를 누리다가 극락세계로 승천함.

부처
유연의 꿈속에 나타나는 초월적 존재. 유연에게 최 씨와 관련된 미래의 일을 알려 줌.

→ 조력자 →

유연(유생)
15세의 이른 나이에 장원 급제한 인물. 아내를 극진히 사랑함.

— 부부 —

최 씨(최월혜)
왜적에게 납치되어 남편인 유연과 헤어지게 됨. 끝까지 절개를 지키는 인물

◄— —►

도적 장군
왜적의 괴수. 최 씨를 납치하여 자신의 아내로 삼으려 함.

핵심장면 ① 유생이 최 씨를 찾기 위해 온갖 고초를 겪으며 유랑하고, 납치된 최 씨가 정절을 지키는 장면이다.

□ : 주요 인물

마침내 일 년이 지났을 때 유생은 강원도 금산사에 이르렀다. 여기서 유생은 부처님에게 빌
　　　　　　　　　　　　　　유연을 가리킴　　공간적 배경　　　　　　　　　　Link 인물의 의도 ❶
어볼 결심을 하고 머리를 깎고 중이 되었다. 이어 부처님에게 나아가 이렇게 빌었다.
　　　　　　　　신분 변화

"소생 유연은 부모님께 근심을 끼치고 길가를 떠도는 나그네가 되었다가 이곳에 이르렀습니
다. 이렇게 노상유객(路上遊客)이 되어 떠도는 이유는 잃어버린 배필을 다시 만나 끊어진 인
　　　　　　나그네　　　　　　　　　　　　　도적 장군에게 납치된 최 씨　　나그네가 되어 길가를 떠도는 행위의 이유를 밝힘
연을 잇기 위해서입니다. 엎드려 바라건대 부처님께서는 대자대비의 은덕을 내리시어 유연
　　　　　　　　　　　　　　　　　　　　　　　넓고 커서 끝이 없는 부처와 보살의 자비
의 정성을 살펴주시기 바라옵니다. 부처님의 은덕으로 최 씨를 만난다면 금은보화를 아끼지
　　　　　　　　　　　　　　　　　　　유연이 원하는 것 − 최 씨와의 재회
않고 절을 중수(重修)하여 부처님에게 공양하겠습니다."
　　　　　　건축물 따위의 낡고 헌것을 손질하여 고침
이렇게 축원하고 절 방으로 돌아와 그 밤을 지낼 때 유생이 한 꿈을 꾸었는데, 꿈속에서 부처님
신적 존재에게 자신의 뜻을 아뢰고 그것이 이루어지기를 바라는 일　　　　　　　　부처님을 만나게 되는 매개체
이 나타나 말하였다.

『"너희 부부의 정성이 이미 하늘에 이르렀으니 장차 하늘의 도움이 있을 것이다. 또 네 아내
『　』꿈의 내용 − 유연이 아내와 재회할 것임을 암시함
는 아직 빙옥(氷玉) 같은 절행을 지키며 살아 있으니 안심하여라. 그러나 네게는 아직 인연
　　　　　　　　지조와 절개를 지켰다는 것을 의미함
이 멀었으니 삼 년이 지나야 만날 수 있으리라. 아내를 찾게 되거든 절을 중수하여라."』

유생이 놀라 잠에서 깨어 보니 남가일몽이었다. 놀랍기도 하고 기쁘기도 하여 다시 절을 올
　　　　　　　　　　　　　　꿈과 같이 헛된 한때의 부귀영화를 이르는 말　　　　　　　아내를 다시 만날 수 있게 된다는 말 때문에
리고 축원을 드린 뒤 유생은 금산사를 떠났다.
　　　　　　　　　　　　　　　　　　　　　　　▶ 꿈에 나타난 부처가 유생과 최 씨의 재회를 암시함

동구 밖에 나오자마자 유생은 곧바로 동네 아낙에게 고깔과 누비 바랑을 만들어 달라 하여
　　　　　　　　　　　　　　　　　　　　　　　　　　　　　승려가 등에 지고 다니는 자루 모양의 큰 주머니
어깨에 걸쳐 메고 구절죽장(九節竹杖)을 짚고 길을 나섰는데 영락없는 스님의 행색이었다.
　　　　　　마디가 아홉인 대나무로 만든, 승려가 짚는 지팡이　　　　　　　　　　겉으로 드러나는 차림이나 태도
『유생이 길을 나선 뒤 팔도강산 방방곡곡과 사해팔방으로 두루 돌아다니며 산속이든 바닷가
『　』최 씨를 찾기 위한 유생의 노력에 대한 서술자의 개입
든 아니 간 곳이 없었다. 고갯마루 남쪽이나 북쪽에 들어가든지 산골짜기에 들어가든지 집집
마다 하나하나 방문하여 탐문하였으니 그가 겪은 천신만고의 고생과 세상사의 모진 고통은 말로
　　　　　　　　　　　　　　　　　　　　　　　유생이 최 씨를 찾는 과정에서 겪은 온갖 역경

표현할 수 없을 정도였다.』 　　　　　　　　　　　　➤ 유생이 최 씨를 찾기 위해 팔도강산을 유랑하며 온갖 고초를 겪음

　　이렇게 길거리를 전전하며 어느덧 이 년의 세월이 지난 어느 봄날이었다. 이때 유생은 장삿
　　　　　　　　　　　　　　　　　　아직 부처가 말한 3년이라는 시간에는 못 미침
배를 따라 아니 간데없이 다녔는데, 아무리 찾아도 최 씨의 거처를 알 수 없었다. 또 기력도 다
하여 겨우 근근이 머리 들 힘밖에 없었다. 이에 하늘을 우러러보며 길이 탄식하여 말하였다.
　　　　최 씨를 찾아 헤매다 지친 유생
　　"아득하고 아득한 하늘이시여! 유연과 최 씨를 낳으시고 어찌 이처럼 서로의 연분을 막으십

니까? 저는 이제 조상과 부모에게 큰 죄를 지은 몸이 되었습니다. 천 가지 만 가지 일을 겪
　　　　　　　　　　　　　　　　　　　　　　[Link] 인물의 의도 ➋
으며 고생한 것은 모두 최 씨를 만나 연분을 잇기 위함이 온데, 천지신명께서는 어찌 이다지
　　　　　　　　　　　　　　　　　　　　　　　　　　　　자신을 돕지 않는 상대(천지신명)를 원망함
무심하시어 끝내 조금의 도움도 주지 않으십니까?"

　　말을 마치고 유생은 정신이 아득해져 선창(船窓)에 기대어 쓰러지고 말았다. 이때 비몽사몽
　　　　　　　　　　　　　　　　　　　　배의 창문
사이에 문득 금산사 부처님이 나타나 이렇게 말하였다.
　　　　　이전에 꿈에 나타났던 부처님이 다시 나타남
　　"네 수액(數厄)이 이제 거의 다 사라졌으므로 머지않아 최 씨를 만날 것이니라. 그러나 최 씨
　　　　운수에 관한 재액
　　의 거처가 깊고 깊으니 신중하게 찾아야 하느니라. 이후 다시 몽조(夢兆)가 있을 것이다."
　　　　　　　　　　　　　　　　　　　　　　　　　꿈에 나타나는 길흉의 징조
　　유생이 깨어나 꿈속의 일을 생각해보니 바로 최 씨를 만날 수 있다는 몽조였다. 이에 마음속

으로 크게 기뻐하고 다시 기운을 차려 최 씨를 찾아 나섰다.
　　　　　　　　　　　　　　　　➤ 꿈에 나타난 부처님의 말씀을 통해 곧 최 씨와 만나게 될 것을 알게 됨
　　　　　　　　　　　　이때 도적 장군이 최 씨를 훔쳐 온 뒤, 그녀가 옥 같은 얼굴에 선녀
　　　　　　　　　　　　　　　　　　　　　　　　　　　　　최 씨의 아름다움을 비유적으로 표현
같은 자태를 지녔음을 보고 만고의 절색이라 여겼다. 이에 크게 기뻐
　　　　　　　　　　　　　　　　세상에 비길 데가 없이 빼어나게 아름다운 여자
하고 즐거워하며 급히 길일을 택하여 혼례를 치르고자 하였으나, 최
　　　　　　　　　　　　　　　　　　　　　　도적 장군의 욕망
씨가 송죽(松竹)처럼 꼿꼿한 마음으로 정절을 지키며 목숨을 지푸라
　　　　　　　　　　최 씨가 죽음을 두려워하지 않고 끝까지 절개를 지키고자 함
기처럼 여겼기 때문에 만약 위력으로 핍박하다가는 아름다운 보옥이
　　　　　　　　　　　　　　　　　　　　　　　　　　○: 아름다운 최 씨를 비유적으로 가리킴
부서지고 향기로운 꽃이 떨어지는 환란이 있을 것 같았다. 이에 장
군은 다만 빨리 세월이 지나 최 씨가 체념하고 마음을 돌릴 때까지

기다리기로 하였다.
　　　　　　　　　　　　　　　　　　➤ 혼인을 원하는 도적 장군과 정절을 지키는 최 씨
　[Link] 인물의 의도 ➌

Link
출제자 톡! **인물의 의도를 이해하라!**

➊ 유생이 머리를 깎고 중이 된 이유는?
　납치 당한 아내 최 씨를 찾게 해 달라고 부
　처님께 빌기 위해서
➋ 유생이 조상과 부모에게 큰 죄를 지었다고
　한 까닭은?
　유생이 부모의 뜻을 거역하고 중의 행색으
　로 세상을 떠돌아다니는 상황이기 때문에
➌ 장군이 빨리 세월이 지나 최 씨가 마음을 돌
　리기를 기다리는 이유는?
　정절을 지키는 최 씨가 체념하고 자신과 혼
　례 치르기를 기대하기 때문에

핵심장면 ➁　서해무릉에서 유생이 여승으로 변장하여 염탐하다가 최 씨와 재회하게 되는 장면이다.
　　　　　　　　　　　　　　　　　　　　미인의 정숙하고 아름다운 걸음걸이를 비유적으로 이르는 말
　　최 씨가 서해무릉에 온 지 수삼 년이 지났으나 몸을 일으켜 연보(蓮步)를 옮김이 없었는데, 이
　　　　　　　　　　　　　　　　　　　　　　　　　　　　　집 밖으로 나가는 일이 없었는데
날은 꿈속 일에 의심이 생겨 한번 나갈 결심을 하였다. 이에 계선이 크게 기뻐하며 하인들에게 채
부처가 나타나 남편이 찾아올 것이라 함　　　　　　　　　　　　　　　　　최 씨의 여종
비를 차리라고 일렀다.

　　계선이 이끄는 대로 따라와 나와 보니, 서쪽으로 강물이 굽돌아 흐르는 곳에 산 우물이 있었
고, 그 앞에 흰옷을 입은 여승이 바랑을 메고 대나무 막대기를 쥐고 표연히 서 있었다. 최 씨
　　　　　　　여승으로 변장한 유생
가 은근히 눈을 들어 살펴보니, 삿갓 밑에 옥 같은 얼굴을 한 여승은 다름이 아니라 바로 자신
　　　　　　　　　　　　　　　　　　　　　　　　　최 씨가 헤어졌던 남편의 모습을 알아봄
의 지아비 유연이었다.

　　최 씨가 보니 낯빛과 용모가 바뀌고 풍채와 신수가 초췌하여 가슴이 찢어지는 듯하였다.『더
　　　　　　　　　最 씨를 찾기 위해 갖은 고생을 했기 때문에

구나 이렇게 머리를 깎고 중이 되는 부끄러움도 무릅쓰고 허다한 풍상(風霜)과 천신만고의 고생을 겪은 것이 모두 자신 때문이었으니, 최 씨의 심정이 오죽하였겠는가?』

> 많이 겪은 세상의 어려움과 고생을 비유적으로 이르는 말
> 『 』: 서술자의 개입

아주 놀라고 무척 기뻐하며 침통해하다 가만히 생각해보니 지금이 오히려 아주 위태로운 상황이었다. 남들이 유생의 정체를 안다면 어찌 될 것인가? 생각이 여기에 미치자 몸과 마음이 어지러워 능히 진정할 수 없었으나, 옆에 계선이 있고 또 좌우의 눈과 귀가 두려워 반갑고 놀라운 기색을 억지로 참으며 어찌할 바를 몰라 하였다.

> 유생의 정체가 탄로 날까 걱정함
> Link 인물의 심리 ❶

> ▶ 유생을 먼저 알아보고 주변 사람들에게 유연의 정체가 탄로 날까 걱정하는 최 씨

Link
출제자 톡! 인물의 심리를 파악하라!

❶ 최 씨가 남편을 보고도 아는 척을 바로 하지 못한 까닭은?
유생의 정체가 탄로 날까 봐 걱정되었기 때문에

❷ 유생이 최 씨를 만난 것이 천만의외라 느낀 이유는?
팔도강산을 돌아다녀도 못 만났는데 그저 대문 밖에 앉아 경치를 구경하다가 최 씨와 만나게 되었기 때문에

한편 유생은 온 나라를 떠돌아다녔어도 끝내 찾지 못하다가 오늘 여기서 최 씨를 만나게 되니 천만의외였다. 그때 유생은 그저 대문 밖에 앉아 좌우로 경치를 구경하고 있었는데 안으로부터 사람 소리가 아스라이 들리더니 한 소저가 아리따운 비단옷을 입고 걸어오고 있었다. 혹시나 하여 여러 번 살펴보니 초췌해진 얼굴과 슬픔에 젖은 모습 때문에 바로 알아보기 어려웠으나 선명하고 참신하며 미려한 그 모습은 완연히 최 씨였다.

> Link 인물의 심리 ❷
> 최 씨
> 헤어졌던 아내의 모습을 알아본 유생

> ▶ 최 씨와 유연의 재회

최우선 출제 포인트!

1 '서해무릉'의 공간적 의미

유연	• 최 씨와 재회하는 공간 • 개인적 소망을 실현하는 공간
최 씨	• 시련의 공간 • 애정을 지켜나가는 공간
도적 장군	욕망을 드러내는 공간

2 이 작품의 혼사 장애담(婚事障礙談) 구조

혼사 예정	최 씨에게 반한 유연이 상사병을 앓게 되자 유연의 부모가 혼인을 허락함.
결연	유연과 최 씨가 결혼을 하게 됨.
혼사 장애 발생	도적 장군이 나타나 최 씨를 납치하여 서해무릉으로 끌고 감.
극복 계기	부처님이 유연에게 현몽하여 최 씨를 만날 수 있다고 함.
시련과 고난 극복	최 씨를 찾아 팔도강산을 누빈 유연과 끝까지 정절을 지킨 최 씨가 함께 서해무릉에서 탈출함.
정식 혼사로 인정	유연의 부모가 반대하였지만 설득을 하여 혼인함.

최우선 핵심 Check!

1 다음 내용 중 맞는 것은 ○표를, 틀린 것은 ×표를 하시오.

(1) 서술자의 개입을 통해 주관적 견해를 드러내고 있다. (　　)

(2) 도적 장군이 최 씨를 납치한 사건으로 인해 유연과 최 씨가 이별하게 되었다. (　　)

(3) 유연은 최 씨와의 재회를 위해 팔도강산을 헤매게 된다. (　　)

2 '서해무릉'의 공간적 의미로 알맞지 않은 것은?

① 최 씨에게는 시련의 공간임.

② 최 씨에게는 애정을 지키는 공간임.

③ 도적 장군에게는 욕망을 드러내는 공간임.

④ 유연에게는 소망을 실현하지 못하는 공간임.

3 이 작품에서 유연의 꿈속에 나타나 미래의 일을 알려 주는 조력자의 역할을 하는 인물은?

정답 1. (1) ○ (2) ○ (3) ○ 2. ④ 3. 부처(님)

석가산폭포기(石假山瀑布記) | 채수

성격 체험적, 교훈적 **시대** 조선 시대
주제 석가산폭포에서 느끼는 즐거움

수필

이 작품은 조선 예종 때 문신 채수가 노년에 별장에 내려가 가산(假山)과 폭포를 만들게 된 경위와 그것을 완성한 후 누리는 즐거움에 관해 쓴 고전 수필이다.

내용 전개 과정

| 석가산 폭포를 짓게 내력 소개: 글쓴이가 노쇠해져 자연을 찾아다닐 수 없게 되어 마음이 허전함. | → | 석가산 폭포에 대한 감탄: 대청 앞에 못을 파고 만든 석가산 폭포를 본 사람들이 감탄함. | → | 석가산 폭포의 진가에 대한 논의 여부: 자연 속 산과 인공 석가산 폭포의 진가 구별은 무의미함. | → | 석가산 폭포가 주는 즐거움: 석가산 폭포를 보며 미각적, 시각적, 청각적 즐거움을 느낌. | → | 석가산 폭포에서 느끼는 소박한 즐거움: 가난한 삶이지만 석가산 폭포를 보며 소박한 즐거움을 느낌. |

전문

『나는 때때로 산수를 찾아 노니는 사람이나 떠돌아다니는 승려들을 만나 자연의 신비함에 대
_{글쓴이 자신} _{자연. 대유법}
해 말하는 것을 특히 좋아한다. 가끔 그들과 토론을 하면 입에 침이 마르도록 떠들어댄다.』세
『 』: 자연에 대한 글쓴이의 애착을 엿볼 수 있음
상 사람들은 나의 이런 고집스런 취미를 비웃었다. 그런데 지금 나이가 많아 다리에 힘이 없
_{세속적 가치관을 지닌 사람들. 글쓴이와 대비됨} _{노쇠하여 더는 자연을 찾아다닐 수가 없게 된 상황 → 석가산 폭포를 만들게 된 이유에 해당}
어지니 어쩔 도리가 없다.

나는 부득이 편하게 노닐 수 있는 방법으로 고금에 이름난 화가들이 그린 산수화를 모아 벽
_{예전과 지금} _{글쓴이가 자연을 감상한 방법}
에 걸어놓고 감상을 하였다. 그러나 이것은 비록 조금은 위로가 되지만 역시 화가들의 훌륭한
기법과 특이한 풍경 외에는 별로 느껴지는 것이 없었다. 벽에 걸린 그림으로는 진실에 가깝게
_{실제 경치를 보지 못했기 때문임} _{실제 자연 경치에서 느낄 수 있는 감흥}
생동하는 맛은 찾아볼 수가 없는 것이다. 그래서 늘 마음이 허전하였다. ▶ 석가산 폭포를 만들게 된 내력
_{생동감 있는 자연을 보지 못하는 것에 대한 아쉬움이 담김}
나는 종남(終南)에 별장을 하나 가지고 있다. 별장의 남쪽 담 밖의 돌 틈에 우물이 솟아올랐
_{전북 김제시 죽산면 종산리 - 구체적 지명 제시}
는데 물맛이 좋고 차가웠다.『나는 대청 앞에 못을 파서 그 물을 가둔 뒤에 연꽃을 심고 연못
_{한옥에서, 몸채의 방과 방 사이에 있는 큰 마루(대청마루)}
가운데에 괴이하게 생긴 돌을 쌓아서 산 모양을 만들었다. 다시 그 돌 틈 사이사이에 소나무,
_{정상적이지 않고 별나며 괴상하게} _{돌로 쌓은 가짜 산 - 석가산}
회양목 등 작은 놈만 골라 심었다.』

그런데 담 밖에서 우물이 솟아나는 곳은 땅보다 석 자가 더 높은 곳이어서 그 물을 대통으로
_{길이 단위의 하나로, 약 30.3cm = 척(尺)} _{쪼개지 않고 짧게 자른 대나무의 토막}
끌어다가 땅에 묻어 내가 만든 돌산 가운데로 솟아 나오게 하였다. 그러자 물이 폭포를 이루
_{석가산} _{인공적으로 만든 폭포}
며 두 개의 계단을 흘러내렸다.』사람들은 담장 밖에서 끌어들인 물인 줄도 모르고 물이 돌산
『 』: 석가산과 폭포를 만드는 과정 _{인공으로 만든 폭포임}
위에서 펑펑 솟아나는 것을 보며 놀랍고 신기함에 감탄하였다. ▶ 석가산 폭포에 대한 사람들의 반응
_{석가산 폭포에 대한 사람들의 반응}
『산을 좋아했던 옛사람들 중에도 돌로 만든 가짜 산을 만든 이가 많았고 또 거기에 폭포를 끌
_{자연을 좋아하고 찾아다닌 사람들}
어들인 이도 더러 있었는데, 집의 뒤쪽이나 옆에 있는 높은 산을 이용하여 산골짜기에서 흐르
_{진짜 산}
는 물을 끌어들인 경우가 많았다. 그러나 나처럼 연못의 한가운데 산을 만들고 사면이 물로
_{돌로 만든 가짜 산}
둘러싸인 곳에 물을 끌어들여 산 위에 폭포를 만든 사람은 없었다.』
『 』: 옛사람들의 가짜 산 조성 방식과 자신의 조성 방식을 비교

작지만 큰 산을 본떴고 남이 하기 어려운 일이지만 손쉽게 만들었다.
_{옛사람들과 다르게 석가산 폭포를 만든 것에 대한 글쓴이의 자부심이 드러남} **Link** 글쓴이의 심리 **❶**

『이 연못은 겨우 너비가 두어 장(丈)이고 깊이도 두어 자밖에 안 되며, 산 높이는 다섯 자이고
『 』: 글쓴이가 만든 석가산과 폭포의 실제 모습 _{길이의 단위로, 약 3미터에 해당}
둘레는 일곱 자이며, 폭포의 높이는 두 자인데 나무들의 크기는 서너 치쯤 되어 마치 높은 산
_{길이의 단위로, 약 3.03cm = 촌(寸)}

을 축소하여 만든 것 같았다. 산골짜기는 그윽하고 폭포가 두어 장 되는 연못을 깊은 바다로 알고 떨어진다. 『이 축소된 자연의 경치는 아무리 산수화에 뛰어난 저 당나라의 정건이나 왕유
『 』: 글쓴이가 만든 석가산과 폭포에 대한 만족감이 드러남 　　　중국 당나라의 시인이자 화가　　중국 당나라 때의 화가로, 산수화를 잘 그렸음
같은 이도 다 그리지 못할 것 같았다.』
　　　Link 글쓴이의 심리 ❷

생각해 보면 어느 것이 가짜이고 어느 것이 진짜인지 구분하지 못하겠다. 『필경 천지와 사람
　　　　　　석가산 폭포　　　　　　실제 산과 폭포　　　　마침내, 결국에는
이 모두 임시로 합친 것인데 무엇 때문에 진가(眞假)를 논하겠는가? 다만 내가 좋아하는 것만
　　　　　　　　　　　　　　　　　진짜와 가짜　　　자신이 만족하는 것이 중요함
취하면 그만인 것이다.』 게다가 이 세상 만물은 입맛에는 맞지만 눈으로 보는 데는 맞지 않는
『 』: 즐거움을 준다면 진짜와 가짜를 구분할 필요가 없음　　자신의 취미나 기호에 따라 좋아하는 것은 다를 수 있음을 드러냄
것이 있고, 보기는 좋은데 듣기는 싫은 것이 있다.　　　　　　　　▶ 석가산 폭포의 진가에 대한 논의는 필요 없음

그런데 『이곳의 붉은 자고 맛있기 때문에 우리 집안과 이웃들이 아침저녁으로 미시니 입맛에
　　　『 』: 미각적 즐거움
맞다고 할 것이고,』 『괴이한 돌과 소나무, 잣나무 사이로 흘러서 두어 자의 절벽 밑으로 떨어지
　　　　　　　『 』: 시각적 즐거움 – 시각적 심상
며 맑은 기운이 푸른 산봉우리에 비쳐 밤낮없이 바라보아도 싫증 나지 않으니 노는 데에도 즐
거움을 준다고 할 수 있다. 또한 『고요한 밤에 잠이 오지 않을 때, 베개를 베고 누워 있으면 쏴
　　　　　　　　　　　　　　『 』: 청각적 즐거움 – 청각적 심상
아 하고 쏟아지는 폭포 소리가 마치 요란한 관현악기 소리 같아서 귀를 즐겁게 한다.』
가난하고 지체가 변변하지 못함　　　　　　　　　　　　　　　　▶ 석가산 폭포가 주는 즐거움
나는 가난하고 벼슬도 한미하여 좋은 진주나 보배, 아름다운 것들로 눈을 즐겁게 하는 것도
　　　　글쓴이 자신의 처지를 드러냄　　　　　　　　　세속적 가치　　　　　　　시각
없고, 기름진 음식으로 입맛을 즐겁게 하는 것도 없으며, 관현악기
세속적 가치　　　　　　　　미각　　　　　　　　세속적 가치
같은 악기의 소리로써 귀를 즐겁게 하는 것도 없다. 그러나 『다만 이
청각　　　　　　　『 』: 글쓴이의 소박한 면모를 엿볼 수 있음
샘물로 이 세 가지의 즐거움을 맛볼 수 있으니 진실로 담박하면서도
석가산 폭포　　　　　　　　　　　　욕심이 없고 마음이 깨끗함
멋이 있다.』 세상의 호걸들은 모두 나의 이 취미를 비웃지만 나는 이
입신양명을 이룬 사람들　　석가산 폭포를 만든 것, 자연에 애착을 갖는 것
것을 좋아하여 이것으로써 저들이 좋아하는 것과 바꾸지 않겠다.
세속적 부귀공명　　　　　　　　　　　▶ 석가산 폭포에서 느끼는 소박한 즐거움

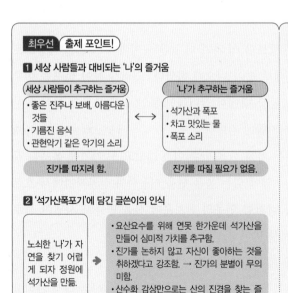

Link
출제자 특강　글쓴이의 심리를 파악하라!

❶ 자신의 조성 방식으로 석가산 폭포를 만든
글쓴이의 심리는?
옛사람들과 다른 방식으로 가짜 산을 만든
것에 대해 자부심을 느낌.

❷ 글쓴이가 당나라 정건이나 왕유를 거론한
이유는?
석가산과 폭포에 대한 만족감을 강조하기
위해

최우선　출제 포인트!

1 세상 사람들과 대비되는 '나'의 즐거움

세상 사람들이 추구하는 즐거움		'나'가 추구하는 즐거움
• 좋은 진주나 보배, 아름다운 것들 • 기름진 음식 • 관현악기 같은 악기의 소리	↔	• 석가산과 폭포 • 차고 맛있는 물 • 폭포 소리
진가를 따지려 함.		진가를 따질 필요가 없음.

2 '석가산폭포기'에 담긴 글쓴이의 인식

| 노쇠한 '나'가 자연을 찾기 어렵게 되자 정원에 석가산을 만듦. | → | • 요산요수를 위해 연못 한가운데 석가산을 만들어 심미적 가치를 추구함.
• 진가를 논하지 않고 자신이 좋아하는 것을 취하겠다고 강조함. → 진가의 분별이 무의미함.
• 산수화 감상만으로는 산의 진경을 찾는 즐거움을 느낄 수 없다고 생각함. |

최우선　핵심 Check!

1 다음 내용 중 맞는 것은 ○표를, 틀린 것은 ×표를 하시오.

(1) 글쓴이는 산수화를 감상하는 것만으로는 산의 진경을 찾는 즐거움을
느낄 수 없다고 생각했다. 　　　　　　　　　　　　　　　(　　)
(2) 글쓴이는 자신이 옛사람들과 같은 방식으로 석가산을 만든 것에 보람
을 느끼고 있다. 　　　　　　　　　　　　　　　　　　　　(　　)
(3) 글쓴이는 자연에 실재하는 산과 인공적으로 만든 석가산의 진가(眞假)
를 구별하는 것에 의미를 두고 있다. 　　　　　　　　　　　(　　)
(4) 글쓴이는 석가산을 만들며 겪은 고충과 깨달음을 진솔하게 적고 있다.
　　　　　　　　　　　　　　　　　　　　　　　　　　　　(　　)

2 다음 중 관련 있는 것끼리 연결하시오.

① 이 곳의 물은 차고 맛있음.　　•　　• ㉠ 시각적 즐거움
② 쏴아 하고 쏟아지는 폭포 소리　•　　• ㉡ 미각적 즐거움
③ 폭포수가 떨어지는 석가산의 모습　•　　• ㉢ 청각적 즐거움

정답 1 (1) ○ (2) × (3) × (4) × 2 ①-㉡, ②-㉢, ③-㉠

석화룡전(石化龍傳) | 작자 미상

성격 전기적 **시대** 조선 후기
주제 현실의 제약을 초월한 남녀 간의 진실한 사랑

소설

이 작품은 주인공 석화룡이 난으로 가족과 헤어지고 수련하여 난을 평정하는 이야기와 죽은 여인과 현실을 초월한 사랑을 이루는 이야기로 이루어져 있다.

주요 사건과 인물

발단	전개	위기	절정	결말
명나라 때 석침의 아들 화룡이 일곱 살에 장사량의 난으로 부모와 헤어지고, 한 노인에게 구출됨.	과거를 보러 가던 화룡은 황 승상의 딸 월계를 만나 하룻밤을 지내고 금잔을 받고 나왔는데, 집이 아니라 무덤이었음.	장원 급제한 뒤 황 승상을 만난 화룡은 그의 집에 머물며 밤마다 월계를 만남. 승천하는 월계의 옷자락을 잡고 함께 천상으로 가 환생 약을 얻어 와 월계를 소생시킴.	화룡은 최 상서의 모함으로 유배를 가고, 월계는 화룡을 찾아 도적 떼를 만나 강물에 투신하나 용왕의 도움으로 구출됨.	누명을 벗은 화룡은 월계와 재회하고, 장사량의 난을 평정하며 잡혀있던 부친과 상봉함. 황제는 화룡을 좌승상 무양후로 봉함.

석화룡	황월계
명관 석침의 아들. 일찍이 부모와 헤어져 고난을 겪다가 장원 급제를 하여 한림학사가 됨. 이후 최 상서의 모함으로 유배를 가지만 이내 누명을 벗고 순무어사가 되어 반군을 격파하고 공을 세움.	황 승상의 딸로 부당한 혼인에 반대하여 자결함. 석화룡을 만나 가연을 맺고 다시 환생함. 석화룡이 유배를 간 사이 수적을 만나 위기를 겪지만, 용왕의 도움으로 다시 살아나고, 석화룡과 해후함.

핵심장면 ① 과거를 보러 상경하던 화룡이 월계를 만나 장원 급제할 것임을 알게 되는 부분이다.

화룡이 기뻐하며 쌀을 내어 줄 때에 잠깐 살펴보니 그 처녀의 인물이 대단히 빼어났더라. 세
□: 주요 인물 / 월계를 가리킴
상의 사람 같지가 않거늘 마음속에 의심하되, / "신선이 산중에 하강하였는가?"
Link 인물의 의도 ❶
하였더니 한참 있다가 방에서 나와 말하되,

"방안에 들어와서 저녁을 드십시오." / 하거늘 화룡이 사양하여 말하기를,

"허기를 면하는 것도 다행이거늘 감히 방에 들어가겠습니까?" / 하니 처녀가 말하기를,
화룡은 밥을 제대로 먹지 못한 상태임 =화룡
"병이 들었는데 찬 곳에서 음식을 드시면 병이 낫지 아니할 것이니 상공은 사양치 마소서."
현재 화룡은 병이 든 상태라는 것을 알 수 있음 ▶ 화룡에게 방에 들 것을 권유하는 월계
화룡이 여러 번 사양하다가 마지 못하는 체하고, 방에 들어가 살펴보니 세간은 많지 아니하나
아주 넉넉하고 깨끗하게 보이거늘 한편으로는 이상하고 또 한편으로는 괴상하더니 그 처녀가
처녀의 행동과 상황에 의아함을 느낌
밥상을 가져오기에 밥을 먹으려 할 때 처녀가 좋은 술을 금잔옥대에 가득 부어 권하며 말하되,
금으로 만든 술잔과 옥으로 만든 술잔 받침
"낭군은 허물하지 마옵소서. 이곳이 사실은 인간의 집이 아니라 무덤입니다. 그리고 나는 사
꾸짖지 말라는 의미 자신이 사람이 아니라 귀신임을 고백 → 고전 소설의 전기성
람이 아니라 이 무덤의 임자입니다. 그대와 전생의 연분이 중하나 남북으로 멀리 떨어져 있
기 때문에 서로 만나 볼 길이 없었더니 천만뜻밖에 이 앞으로 지나가심을 보고 전생의 인연
을 맺고자 하여 과연 첩이 은근하게 공자를 만류하여 발을 무겁게 하고 온몸이 부어서 움직
이지 못하게 하였나이다. 첩이 그렇게 한 것이오니 낭군은 첩의 죄를 용서하소서."
Link 인물의 의도 ❷ 화룡과 만나기 위해 화룡을 병에 걸리게 하여 붙잡은 것에 대해 용서를 구하는 월계
하고 술 석 잔을 권하거늘 화룡이 그 말을 듣고 한편으로는 반갑고
한편으로는 두려워 밥을 다 먹고 상을 물리니 몸의 부었던 기색이
월계가 산 사람이 아니었기 때문에
없어지고 기운이 특별히 씩씩해지거늘 한참 동안 진정하다가 말하
기를,
▶ 월계와의 전생 인연에 대한 이야기를 들은 화룡
"그대와 더불어 인간 세상에 태어났으나 천생연분의 인연이 없거늘
월계와 만나기 전까지 전생의 인연에 대해 화룡은 알지 못함

Link
출제자 Tip 인물의 의도를 이해하라!

❶ 화룡이 처녀를 신선이라 의심한 이유는?
월계가 너무나 아름다워 사람 같지 않았기 때문에

❷ 처녀가 화룡의 발을 무겁게 하고 온몸이 부어서 움직이지 못하게 한 이유는?
화룡과 전생의 인연을 다시 맺기 위해서

평생의 인연이 중하다 하오니 알지 못하겠습니다. 인간 세상의 부모는 뉘시며 연세는 얼마나 되며 성명은 무엇이라 하나이까?"

처녀가 대답하기를 / 「"인간 세상의 부모는 황 승상이요, 어머니는 우강노 강 처사의 따님입니다. 저의 이름은 월게요, 자는 의선이며, 사는 곳은 황성 영분관에서 살았습니다.」 부모는 늦도록 자식이 없다가 늦어서야 저를 낳아 나이가 십팔 세가 되어 구혼할 때 기주 땅에 살고 있는 최 상서의 아들과 정혼하였습니다. 그러나 첩이 생각한즉 마음에 부당하고 또 혼인은 인간의 중대한 일이라서 천정연분이 아니면 부부 사이의 화목한 즐거움이 없을 것이고 또 그로 인하여 집안이 불안할 것이며 또 집안이 불안하면 부모에게 욕이 될 뿐만 아니라 혼인을 거절하지 아니하면 낭군을 만날 길이 없으므로 부모의 슬하를 떠나 죽어서 이곳에 와서 기다리고 있었습니다.「낭군이 오늘 밤 여기서 머물고 가시면 이번 과거에 장원 급제할 것이며 장래에 벼슬이 높아져서 대장군 절월과 승상의 인수를 청춘에 가질 수 있을 것이고 부귀와 영화는 천하에 으뜸이 될 것입니다.」낭군은 저를 귀신이라 생각 마시고 오늘 밤에 혼인의 맹세를 이루어 둔 후 내일 날이 채 밝기 전에 이 앞의 오동나무가 세 번 소리를 내면 날이 새나니 그 소리를 들으시고 급히 나가소서."

❯ 화룡에게 장원 급제할 것임을 알려 주는 월게

핵심장면 ② 황제의 총애를 받는 화룡을 못마땅히 여기던 최 상서가 화룡을 모함하여 유배를 가게 되는 부분이다.

석 시랑은 황제의 총애가 있으므로 마음대로 해치지 못하여 상서는 매일 해칠 꾀를 생각하더니 문득 하나의 묘한 계책을 생각하여 천자에게 아뢰고 관상을 잘 보는 진성인이란 사람을 불러 계교를 가르치되, / "황제가 그대를 불러들이거든 이리이리 대답하라."

하고 당부하여 보내고 황제께 들어가 아뢰되,

"황상께서는 새로 장원 급제한 석화룡을 어떻게 보시기에 사랑하시고 시랑 겸 학사로 대접하시나이까?" / 황제가 말씀하시되,

"화룡은 하늘이 짐에게 주신 바이라. 어찌 대접하지 아니하리요."

상서가 아뢰되, / "관상 잘 보는 진성인의 관상 보는 법은 털끝만큼도 잘못 보는 법이 없더니 그가 화룡의 관상을 보고 크게 의심하기에 소신이 그 까닭을 물으니 진성인이 답하기를, 「천자께서 화룡을 중하게 여기시나 마침내 반역의 마음을 나타낼 것이고 또 그의 부모가 장 사랑에게 벼슬하고 있으니 필경은 호랑이를 길러서 화를 남기는 경우가 될 것이며 십년 내에 국가에 반역하리라.」 합니다."

❯ 황제의 총애를 받는 화룡을 못마땅히 여겨 모함을 꾀하는 최 상서

황상이 진성인을 불러 후원에 들어가 은근히 물으실 때 진성인이 최 상서의 말대로 아뢰니 황제가 크게 의심하여 최 상서에게 다시 물으니 최 상서가 아뢰되,

"황제께서 진성인의 말을 자세히 들어 보셨나이까? 이것은 적지 아니한 근심입니다. 폐하는 빨리 화룡을 멀리 하옵소서."

황제가 깊이 생각에 잠기시니 최 상서가 또 아뢰되,

"화룡을 까닭 없이 죽이지는 못할 것이나 이제 제 한 몸을 용납하지 못 하도록 유배를 하시면 후환이 없을 것입니다."

황제가 오히려 믿지 아니하거늘 최 상서가 또 아뢰되,

"소신이 물러가서 자세히 살펴서 아뢰겠습니다."
_최 상서_

하고 물러 나와 묘한 계책을 생각하여 즉시 상소하되,

『"예부시랑 석화룡은 반역한 죄인 장사랑에게 저의 부모를 보내어 벼슬하게 하고 자신은 태연하게 조정에 벼슬하여 나라의 사정을 알아서 몰래 적과 내통하는 일이 있사오니 이는 지극한 간신입니다. 폐하는 각별히 처치하옵소서."』
『 』: 화룡을 적과 내통한 간신으로 모함함

하였거늘, 황제가 그 상소를 보시고 깊이 생각하시다가,
Link 인물의 태도 ❸
"화룡을 해랑도에 유배하라." 하시더라.

▶ 화룡을 유배 보내는 황제

황제가 최 상서의 계책에 속아 화룡을 유배 보냄

Link

출제자 톡! 인물의 태도를 이해하라!

❶ 최 상서가 매일 화룡을 해칠 꾀를 생각한 이유는?
→ 황제의 총애를 받아 꺼려지고 못마땅했기 때문에

❷ 황제가 화룡을 하늘에서 주셨다고 한 이유는?
→ 하늘의 뜻을 내세워 재주가 뛰어난 화룡에 대한 애정을 드러내기 위해서

❸ 석화룡에 대한 황제의 태도가 변화한 양상과 이유는?
→ 화룡을 총애하여 최 상서와 진성인의 말을 믿지 않다가 최 상서의 상소를 본 후 그 계략에 속아 화룡의 유배를 명함.

● 절월: 출정하는 대장에게 왕이 주던 깃발과 도끼로, 생살권(生殺權)을 상징함.
● 인수: 관청의 관리가 직무상 사용하는 도장에 단 끈.

최우선 **출제 포인트!**

1 작품에 나타나는 전기적 성격

살아 있는 석화룡	
죽은 월게	→ 죽은 월게가 천정연분인 화룡을 자신의 무덤으로 들게 하여 가연을 맺음.

2 결연담과 무용담의 구조

내용상 결연담이 중심을 이루고, 무용담은 뒷부분에 한 번만 등장한다.

결연담	• 석화룡이 과거를 보러 가는 길에 귀신인 월게와 가연을 맺고 금잔을 받아옴. • 장원 급제 후 월게의 아버지인 황 승상 집에 묵으며 월게와 밤마다 만남. • 월게가 승천할 때 함께 천상에 올라간 화룡은 환생약을 구해 월게를 살려냄. • 최 상서의 모함으로 화룡은 유배를 가고, 그를 찾다 월게는 도적을 만나 강물에 투신하나 용왕의 도움으로 구출됨. • 누명을 벗고 순무어사가 되어 여러 마을을 다니다가 황 부인과 상봉함.
무용담	• 장사랑의 난으로 부모와 어릴 때 헤어진 화룡은 한 노인에게 구출되어 학문을 익힘. • 장사랑이 반군을 이끌고 황성에 오자 대원수가 되어 반군을 격파하고 장사랑을 벰.

최우선 **핵심 Check!**

1 다음 내용 중 맞는 것은 ○표를, 틀린 것은 ×표를 하시오.

(1) 화룡은 월게를 보고 신선이 하강한 것으로 의심하였다. (　　)
(2) 월게는 화룡에게 약속을 어긴 것에 대해 용서를 구하였다. (　　)
(3) 화룡은 월게를 만나기 전에 월게와의 인연을 알고 있었다. (　　)
(4) 최 상서는 화룡을 해칠 목적으로 황제를 설득하기 위해 진성인을 이용하였다. (　　)
(5) 황제는 하늘의 뜻을 내세워 화룡에 대한 애정을 드러내었다. (　　)

2 초성 힌트를 보고 빈칸에 들어갈 알맞은 말을 쓰시오.

(1) 월게는 원하지 않는 사람과 ㅈㅎ 을/를 하기 싫어 죽음을 택했다.
(2) 남녀 주인공의 결연 과정에 ㅈㄱㅈ 인 요소가 개입되어 있다.
(3) 이 작품은 내용상 무용담보다 ㄱㅇㄷ 이/가 중심을 이루고 있다.
(4) 최 상서의 모함으로 인해 화룡은 해랑도로 ㅇㅂ 을/를 가게 되었다.

정답 1. (1) ○ (2) × (3) × (4) ○ (5) ○ 2. (1) 정혼 (2) 전기적 (3) 결연담 (4) 유배

90위

설 낭자가 외간 남자와 정을 통했다는 누명을 해결하
고 부부가 행복하게 사는 이야기

설낭자전 | 작자 미상

성격 가정적, 봉건적, 유교적 **시대** 조선 시대
주제 혼사 장애를 극복하는 설 낭자

소설

이 작품은 설 낭자가 이 도령과 혼인하는 과정에서 일어나는 혼사 장애를 해결하고 행복한 결혼 생활을 하게
된다는 내용의 가정 소설로, 사건을 해결하는 과정에서 선과 악의 대립 구도가 명확하게 드러나는 전형적인
권선징악형 소설이다.

주요 사건과 인물

발단	전개	위기	절정	결말
조선 시대 권세가인 병조 판서 이시윤에게 세 아들이 있었는데 셋째 아들 이화정이 배필이 없어 시비들을 전국에 보내 신붓감을 알아봄.	한 시비의 보고로 빼어난 미모와 현명함을 갖춘 설 낭자가 배필로 정해지고, 이 도령과 설 낭자의 혼사가 추진됨.	설 낭자를 시기한 이시윤의 며느리 정 부인과 황 부인이 윤백을 사주해 혼사를 방해하여 설 낭자는 정절을 지키지 않았다는 누명을 쓰게 됨.	김 동지 며느리의 도움을 받아 설 낭자는 누명을 벗게 되고, 일을 꾸민 사람이 정 부인과 황 부인임이 밝혀짐.	설 낭자는 이화정과 혼인하여 화목한 가정을 꾸리며 행복하게 살다가 한날한시에 같이 죽음.

선인			악인	
설 낭자	김 동지 며느리		정 부인, 황 부인	윤백
설 진사의 무남독녀. 뛰어난 미모와 현명함을 갖춘 요조숙녀. 누명을 벗고 이 도령과 백년해로함.	설 낭자의 조력자. 비범한 능력을 지님.		이 판서의 며느리들. 설 낭자를 시기하여 윤백을 사주하여 혼사를 방해함.	이 판서 댁 노복. 정 부인, 황 부인을 도와 설 낭자에게 정절을 지키지 않았다는 누명을 씌움.

핵심장면 ①   윤백의 모함으로 인해 설 낭자가 정절을 지키지 않았다는 누명을 쓰는 장면이다.

윤백이 즉시 일어나서 별당으로 다가가서는, 창문을 두드리며 호통을 쳤다.
_{설 낭자와 이 도령이 첫날밤 합방하는 공간}

"이놈, 이놈, 이 서방아! 내가 여기에 왔느니라. 『연분이 이미 맺어졌고 나라의 법이 삼엄한
_{정 부인, 황 부인의 하수인. 설 낭자를 모함하는 인물}   _{이 병판의 아들 이 도령을 가리킴. → 윤백이 호통치는 대상}   _{『 』: 이 도령이 오해하도록 설 낭자가 자신과 이미 혼인한 사이라고 모함하는 말}

데 혼인이 무엇이냐?"』
   Link 인물의 의도 ❶

윤백이 소리를 지르면서 뛰어들어 병풍을 들이치고 저고리를 찾아 쥐고는 거침없이 뛰어나
_{★ 주요 소재}
_{윤백이 온 목적이자 설 낭자가 누명을 쓰게 되는 원인이 됨}

가니, 이 서방의 거동 보소. 원앙금 비취침에 사람의 이목을 물리치고 단잠을 자고 있었는데,
_{서술자의 개입. 판소리 사설투 문체}   _{원앙을 수놓은 이불. 부부가 함께 덮는 이불}   _{비취색 베개}

『뇌성벽력 같은 소리에 정신이 산란하여 경황없이 일어나더니, 별당 뒷문으로 뛰어나가 대감의
_{윤백의 호통 소리}   _{괴롭거나 바빠 다른 일을 생각할 여유나 흥미가 없이}   _{이 서방의 부친 이 병판}

방에 뛰어들어서는 창황히 아뢰기를,』
_{미처 어찌할 사이 없이 매우 급작스럽게}   _{『 』: 상황의 긴박함을 드러내는 인물의 행동}

"아버님, 잠을 깨옵소서. 밤중에 큰 변이 났으니 잠을 깨옵소서. 어서 다들 잠을 깨옵소서.
_{이 병판을 가리킴}   _{윤백이 별당에 들이닥쳐 저고리를 찾아 도망간 사건을 가리킴}

아버님께서는 무슨 일로 음행 있는 신부를 찾느라 이곳까지 오셨나이까?"
_{설 낭자가 행실이 부정한 여자라고 여김}

라 하니, 대감이 크게 놀라 하인들을 불러 모으되 분기가 치밀어 어찌할 줄 몰랐다. 설 진사
_{설 낭자가 부정한 짓을 했다고 여겼기 때문}

또한 그 소리를 듣고 어찌된 일인지 알 수 없어, 석 자짜리 칼을 손에 들고 별당으로 달려가
_{설 낭자가 정을 통한 남자가 있다는 말}   _{긴장감을 조성하고 있음}

설 낭자에게 물었다.

"너와 내가 한집에서 이십 년을 살았느니라. 너의 행실이 흠잡을 데 없었는데 내가 아무 것
_{설 낭자} _{설 진사}

도 알지 못하니, 너는 바른대로 다 아뢰어라. 너와 내가 한목숨으로 죽기가 두려우냐? 이
_{다른 남자와 정을 통한 일이 있는지 물음}

병판은 세도가 제일인지라 치죄(治罪)하지 못할 것이 없으니 무사하지 못할 것이다. 죽어도
_{정치상의 권세. 또는 그러한 권세를 마구 휘두르는 일}   _{이 병판이 죄를 묻게 되면 죽음을 면하기 어렵다는 말}

무슨 일인지 알고나 죽고 싶다. 죄를 모르고 이리 죽으면 오죽하겠느냐? 바른대로 아뢰어

라."

설 낭자의 거동 보소. 『번개 같은 두 눈을 뜨더니 백옥 같은 손을 들어 구슬 같은 눈물을 닦고
_{서술자의 개입. 판소리 사설투 문체}   _{『 』: 비유적 표현으로 설 낭자의 행동을 묘사함}

단호히 말했다.

"소녀는 이 일에 무죄하옵니다. 하늘이 아시고 귀신이 아옵니다. 오늘 이 지경에 떨어진 것
은 어찌된 일인지 소녀는 알지 못하옵니다. 어찌 죽기를 주저하리이까마는, 『이 자리에서 죽
사오면 죽어도 억울한 원혼이 되어 황천구원(黃泉九原)에 갈 곳이 없사옵니다.』" [Link] 인물의 의도 ❷
하고는 통곡을 그치지 않았다. 설 진사가 그 거동을 보니 차마 더는 추궁하지 못하고, 사랑으
로 돌아와서는 식사를 물리치고 굶어 죽기만 기다렸다.

이 병판 대감과 이 도령은 창황한 중에 장안으로 돌아갔는데, 노하고 놀란 마음을 가라앉히
지 못했다. 이 도령이 그 부친께 나아가더니,

"소자는 강산 구경을 하고 돌아오겠나이다."

라고 고하고는 떠나갔다.

정 부인과 황 부인이 밤낮 모여 앉아 윤백이 돌아오기를 기다리고
있던 차에, 윤백이 돌아와서는 자기가 한 일을 아뢰고 훔쳐 온 저고리
를 내놓았다. 두 부인이 크게 기뻐하며 천금을 상으로 주고, 그 저
고리를 꼭꼭 싸서 농 안에 숨겨 놓고는 대감이 돌아오기를 기다렸다.
> 정 부인, 황 부인의 계략으로 설 낭자가 다른 남자와 정을 통했다는 누명을 씀

<Link>
출제자 특강 인물의 의도를 파악하라!
❶ 윤백이 별당으로 가서 호통을 친 의도는?
일부러 소리를 질러 이 도령의 주의를 끈 후
저고리를 훔치려 한 것, 즉 설 낭자가 부정
한 짓을 했다고 모함하기 위함임.
❷ 설 낭자가 극단적 상황까지 가정하며 이야
기한 의도는?
자신의 억울함을 호소하기 위해

핵심장면 ❷ 설 낭자가 김 동지 며느리의 도움을 받아 누명을 벗게 되는 장면이다.

하인들을 거느린 김 동지 며느리가 정 부인이 있는 방으로 한달음에 뛰어 들어가서는, 설 낭
자의 저고리를 감추어두었던 장롱을 대번 끌어 내려 했다. 정 부인과 황 부인이 놀라,

"네가 어떤 년이기에 이 방에 들어와서 이 장롱을 도적질하느냐? 그 죄가 죄사무석(罪死無
惜)이로다."

호통을 치면서 한사(限死)하고 달려들었으나, 『김 동지 며느리가 그 붙잡는 손을 뿌리치고 따
라온 하인들이 또한 가로막았다. 끝내 김 동지 며느리가 장롱을 든 채 밖으로 뛰어나와서는,
한 주먹으로 장롱을 때려 부수고 저고리를 찾아내었다.』 김 동지 며느리가 그것을 손에 높이
들고 소리쳤다.

"작은 색시, 이것 보오. 작은 색시가 잃어버렸던 저고리가 여기 와 있나이다."
이때 정 부인이 뒤쫓아 나와서는 하인들을 꾸짖고 김 동지 며느리에게 호통을 쳤다.
"그 더러운 년의 저고리가 어찌 내게 있단 말이냐? 대감께 이를 것이라."
그러자 김 동지 며느리가 그 저고리를 들고는 대감의 거처로 들어갔다. 대감 앞에 저고리를
펼쳐 놓고 고하기를,

"우리 작은 색시가 첫날밤에 잃었던 저고리가 어찌하여 정 부인이 거처하는 방의 장롱 안에
있사오니까? 괴이한 일이옵니다.』 정 부인은 이것이 자기 저고리라 하니, 『정 부인과 설 낭자

고전 산문 **321**

를 불러 저고리의 사연을 들어 보시옵소서.』
『 』: 진실을 밝히고자 하는 의도가 담김

하였다. 대감이 듣고는 과연 괴이하다 여기고, 먼저 정 부인을 불러들였다.
김 동지 며느리 말에 일리가 있다고 여김

"이 저고리에 대해 말해 보아라."

"그 저고리의 품마기는 길이가 한 자 한 치옵고 소매와 진동은 이러저러하옵니다."
저고리의 겉모습에 관해 설명함

뒤이어 김 동지 며느리가 설 낭자를 불렀다.

"이 저고리에 죽고 사는 것, 흥하고 망하는 것, 누명을 쓴 것과 결백을 증명할 길이 있사오니
설 낭자에게 저고리가 자신의 것임을 분명히 밝히라고 단단히 이르는 말
정신을 차리고 단단히 말씀하오."

설 낭자가 일어나서는 팔자아미를 숙이면서 가는 목소리를 길게 빼어 옥구슬이 구르는 듯한

소리로 대답하였다.

"영남 여자의 옷은 별다른 것이 없사옵니다. 그러나 소녀가 일곱 살에 이 저고리를 지었을

때, 소녀의 어머니께서 기특하다 여겨 저고리 안에 붉은 실로 '설운설'이라고 소녀의 아명을
겉에서는 보이지 않는 부분에 저고리의 진짜 주인을 알 수 있는 단서가 있음 – 설 낭자 자신의 저고리임을 증명할 결정적 단서
수놓아 새기셨사옵니다. 그것을 보면 모두 알 것이옵니다."

김 동지 며느리가 그 말대로 저고리 안을 뜯어내고 보니, 정말로 붉은 실로 '설운설'이라 새

겨져 있는 것이었다. 대감이 크게 분노하여 맏며느리를 잡아 하옥하고는, 즉시로 설 낭자를
설 낭자의 말이 사실로 확인되며 누명이 벗겨질 것임을 알 수 있음   정 부인   죄인(罪人)을 옥에 가둠
행례하여 별당으로 보내어 거처하게 하였다.
예식을 행함

대감이 이로써 정 부인의 간사함을 알았으나, 어찌하여 일이 그리되었는지는 몰랐다. 대감
정 부인이 설 낭자를 어떻게 모함하였는지 전후 사정은 몰랐다는 말
이 정 부인과 황 부인을 모두 잡아들여서는 자백을 받고자 물었다.
스스로의 죄를 고백함

"너희들이 무슨 일로 내 아들을 시기하여 내 집을 망하게 하려 하였느냐? 그러고도 너희가
이 도령   정 부인과 황 부인의 죄가 매우 큼을 강조한 말
살기를 바랐더냐? 이 불측한 일은 어느 하인에게 시켜서 하였느냐?"
마음이 음흉한

그러나 정 부인도 황 부인도 대답하지 않았다. 이때 김 동지 며느리가 대감 앞에 나섰다.

"그 하인이 누구인지 알아내는 것은 묻지 아니하여도 아옵니다. 대감님네 수청지기 윤백이
주인을 가까이에서 시중들고 심부름하는 노복
라 하는 놈이옵니다. 『정 부인을 잡아 오라고 대감께서 분부할 때, 그놈이 죽을 듯 겁을 내면
『 』: 저고리를 훔친 하인이 윤백임을 지목함 – 김 동지 며느리가 사건을 간파하고 있음을 보여 줌
서 얼굴색이 변하였으니, 그놈의 행동이 아무래도 수상하옵니다."
Link 인물의 역할 ❷

Link
출제자 톡! 소재 및 인물의 역할을 파악하라!
❶ 설 낭자가 누명을 쓰는 계기가 되면서, 동시에 그 누명을 벗게 하는 소재는?
저고리
❷ 설 낭자의 조력자로서, 설 낭자가 모함 받은 사건을 간파하고 이를 밝혀내는 인물은?
김 동지 며느리

대감이 듣고는,

"그 말이 옳다."

하고, 윤백을 곧 잡아내어 주리채에 올려 묶어 놓았다.
➤ 김 동지 며느리의 활약으로 설 낭자가 누명을 벗게 됨

최우선 （출제 포인트!）

1 이 작품의 특징

선인과 악인의 대립을 통해 '권선징악'이라는 정형화된 주제를 드러냄.	선인(설 낭자) ↔ 악인(정 부인, 황 부인) ↓ ↓ 행례 하옥
인물의 행동을 구체적으로 묘사하여 상황의 긴박함을 드러냄.	• 윤백이 소리를 지르면서~창황히 아뢰기를 • 김 동지 며느리가 그 붙잡는 손을~높이 들고 소리쳤다.
비유적 표현을 활용하여 상황을 구체적이고 생생하게 표현함.	• 번개 같은 두 눈을 뜨더니~눈물을 닦고 단호히 말했다. • 설 낭자가 일어나서는~옥구슬이 구르는 듯한 소리로 대답하였다.
조력자를 통해 주인공의 누명이 벗겨짐.	김 동지 며느리의 괴력과 지혜로 설 낭자가 정조를 지키지 않았다는 누명이 벗겨짐.

2 '저고리'의 이동 경로와 사건의 관계

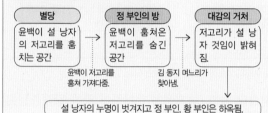

별당 → 정 부인의 방 → 대감의 거처

별당	정 부인의 방	대감의 거처
윤백이 설 낭자의 저고리를 훔치는 공간	윤백이 훔쳐온 저고리를 숨긴 공간	저고리가 설 낭자 것임이 밝혀짐.

윤백이 저고리를 훔쳐 가져다줌.   김 동지 며느리가 찾아냄.

설 낭자의 누명이 벗겨지고 정 부인, 황 부인은 하옥됨.

최우선 （핵심 Check!）

1 다음 내용 중 맞는 것은 ○표를, 틀린 것은 ×표를 하시오.

(1) 윤백은 정 부인과 황 부인의 명을 받아 설 낭자를 모함하고 있다.
( )
(2) 설 낭자의 아버지는 설 낭자의 평소 행실을 근거로 부정한 짓을 저지르지 않았다고 주장한다.
( )
(3) 정 부인은 윤백이 가져온 저고리를 자신의 방에 몰래 숨겨 놓았다.
( )
(4) 저고리 안에 새겨진 '설운설'이라는 수는, 그 저고리의 주인이 설 낭자임을 증명하고 있다.
( )
(5) 대감은 설 낭자가 모함당한 사건의 전말을 파악하고 이 도령을 통해 이를 확인하려 하였다.
( )

2 초성 힌트를 보고 빈칸에 들어갈 알맞은 말을 쓰시오.

(1) 정 부인, 황 부인의 사주를 받은 ㅇㅂ 은/는 설 낭자의 저고리를 훔쳐 온다.
(2) 정절을 지키지 않았다는 누명을 쓴 설 낭자는 ㅈㅇ (이)라는 극단적인 선택을 가정하여 자신의 억울함을 호소하고 있다.

3 이 작품에서 사건의 진실을 밝히는 데 결정적인 역할을 한 인물은?

정답 1. (1) ○ (2) × (3) ○ (4) ○ (5) × 2. (1) 윤백 (2) 죽음 3 김 동지 며느리

91위

송부인전(宋夫人傳) | 작자 미상

성격 애정적, 유교적, 우연적 **시대** 조선 후기
주제 송 부인의 수난과 그 극복

소설

이 작품은 남녀 주인공이 혼사 장애를 극복하고 혼인에 이르는 과정을 그린 애정 소설이다. 많은 시련과 고난을 겪지만 적극적인 태도로 이를 극복하는 송 부인의 삶을 중점적으로 다루고 있다.

주요 사건과 인물

발단
왕창영과 송생은 과거를 보러 가던 길에 동행하게 됨. 이후 두 사람 모두 합격하고 돌아가는 길에 자식을 본 소식을 듣고 서로 혼약을 맺어 주기로 약속함.

전개
그 뒤 송생이 죽고, 왕창명은 과거를 보러 가는 아들 한춘에게 송생과의 언약을 말해 줌. 한춘은 송생의 딸 경패와 ㅣ 인연을 맺고 과거를 부러감.

위기
경패의 어머니가 죽자 외삼촌이 재산을 빼앗고 거부 조중인과 강제 혼인을 맺게 하려 함. 장원 급제 후 경패가 사는 마을로 온 한춘은 경패 아버지 무덤을 찾았다가 경패와 재회함.

절정
혼인날 한춘은 암행어사로 나타나 조중인을 잡아 가두고, 경패와 혼인하나 황명으로 떨어져 지내게 됨. 조중인의 보복으로 송 부인은 모함을 받아 시댁에서 쫓겨나 홀로 아들을 낳지만, 아들이 살인 사건에 휘말림.

결말
한춘이 명사관으로 부임하여 송 부인과 재회하면서 그간의 사실들을 알게 됨. 이에 한춘은 아들 갈웅의 사건을 해결하고 조중인 일당을 모두 잡아들여 벌함.

송경패(송 부인)
소설의 주인공. 갖은 고초를 겪지만 선하고 올곧은 성격으로 고난을 극복하고 가문 내 자신의 확고한 지위를 만들어 감.

왕한춘(왕 시랑)
송 부인의 남편. 부친에게 자신의 혼약에 관한 이야기를 듣고 이를 지키는 책임감 있는 인물. 병부 시랑까지 오름.

조중인
상처한 거부로 경패와의 강제 혼인이 무산되자 부하 녹재를 시켜 편지를 조작하여 송 부인을 모함함.

핵심장면 ① 조중인 일당이 송 부인을 모함하고 편지를 조작하여, 송 부인이 억울한 누명을 쓰는 부분이다.

□ : 주요 인물

『조중인이 무녀를 보내어 요사한 모함을 저질러 놓고, 녹재에게 부탁하여 황성 왕래하는 길
『 』: 조중인이 송 부인을 모함하기 위해 주막을 만들고 왕 진사 댁 하인들을 접대하여 자주 들르게 함   조중인의 하수인
에 주막을 차려 놓게 하였음이라. 지나가는 사람 중 왕 진사 댁 하인이라 하면 억지로라도 데
Link 사건의 의미 ①   송 부인의 시아버지
려와서 술과 고기를 많이 먹이고 밥값을 적게 받으니, 내왕하는 하인들이 어디로 갈 때는 반
드시 녹재의 주막에 들르는 것처럼 되어 어길 때가 없더라.』

무녀가 녹재의 주막으로 돌아와 하는 말이,

"이리이리하여 불을 질러 놓았으니 조만간에 하인이 이리를 지나가리라." 하더라.
         며칠 후 왕 진사 댁 하인이 주막을 지나갈 것임을 예측하는 무녀   ▶ 송 부인을 모함하기 위해 일을 꾸미는 조중인 일당
과연 며칠이 지나매, 소주 왕 진사 댁 하인이 서간을 가지고 가는 중이라. 그가 주막 앞을 지
나가자 녹재가 깜짝 놀라는 척 반기며 오래 못 본 안부를 묻고,『술을 많이 먹이자 하인이 취하
여 편지보를 녹재에게 맡기고는 거꾸러져 잠이 드는지라. 녹재가 편지보를 헤치고 봉한 것을
                                                     녹재가 편지를 조작함
떼어 보니 편지 사연이 과연 그 말이매, 편지를 없애고 다시 글씨를 본떠 써넣되

"안부를 전하노니 집안은 무사하고 공직에 힘쓰라."
        녹재가 조작한 편지의 내용
라는 내용으로 하여 다시 봉하여 편지보에 넣었더라.』이튿날 하인이 떠나려 하여, 편지보를
              『 』: 녹재가 송 부인을 모함하기 위해 하인에게 술을 먹이고 위조한 편지로 바꿔치기함
내어 주니 의심 없이 받아 가지고 올라가더라.   ▶ 왕 진사 댁에서 왕 시랑에게 보내는 편지를 위조하는 녹재
                                          두드러진 데가 없이 평범하게
하인이 황성에 득달하여 서간을 올리되 왕 시랑도 범연히 간과하고, 집안은 무사한 모양이
      목적한 곳에 도달함   왕한춘   녹재가 조작한 편지 내용을 그대로 믿음
라 답장을 봉하여 환송하였더니, 하인이 내려가는 길에 다시 녹재의 집에 찾아들었는지라. 녹
재가 반가워하며 간곡하게 술대접을 하니 하인이 또한 술 힘을 이기지 못하여 대취하매, 녹재
                        글씨의 모양이나 솜씨
가 답장 편지를 또 떼어 없애고 다시 시랑의 필적으로 답장을 위조하여,
           송 부인을 모함하기 위해 답장 편지를 다시 조작함
『집안 괴변을 어찌 일부러 뜻하였으리까마는, 듣자 오매 소자의 처로 인하여 심란한 일이 많
『 』: 녹재가 조작한 답장 내용 – 송 부인에게 누명을 씌움   송경패(송 부인)

사옵니다. 그 전에도 의심할 일이 많사오나 그 허물을 따로 묻지 않은 채 그저 집에 두었삽는데, 필경은 탄로 나게 되었으니 소자의 사람 몰라본 불찰입니다. <u>복중에 무엇이 있다는 말</u>
송 부인의 임신이 왕 시랑과 무관함을 들어 송 부인을 부정한 여인으로 모함함
<u>씀은 더구나 소자는 모르는 일이라.</u> 어찌하여 거짓을 사뢰리까? 소자의 소견에는 그런 더러운 인물은 어찌 잠시라도 집에 두며, 죽어도 죄가 남사오니 내치면 저에게 덕이 될 것이오나 처분대로 하사이다.」하였더라.　　　　　　　　❯ 왕 시랑의 답장을 위조하여 송 부인을 모함하는 녹재

이튿날 하인이 편지를 찾아보고 내려가 왕 진사께 올리니, 진사가 그 사연을 보고 안으로 들어와 <u>오 부인</u>과 의논하였는데, 죽이자 하여도 거지중난(擧止重難)하고 내쳐도 남에게 부끄러
왕 진사의 부인. 송 부인의 시어머니
운지라. 이리저리 생각하다가 마지못하여 즉시 송 부인을 불러 앞에 세우고는 수죄(數罪)하여,
Link 사건의 의미 ❷

「내 집에 들어와 몇 해 아니 되었는데 내가 너를 믿고 내 집안 살림을 맡겼거늘, 요망한 무녀를 통하여 흉측한 태도로 음담패설을 주고받느냐? 네 복중에 있다는 자식에 대해서도 네 남편은 모른다 하니 그것은 어찌된 일이냐?」
「　」 조작된 답장 내용을 믿고 송 부인의 죄를 물으며 질책하는 왕 진사
송 부인이 외간 남자와 정을 통했다고 여기게 하는 편지 내용에 해당

하고는 <u>장 패주의 편지와 왕 시랑의 답장</u>을 던지는지라.　　　　　　❯ 억울한 누명을 쓴 송 부인
송 부인을 모함하기 위해 조작된 편지

핵심장면 ❷ 재회한 송 부인과 왕 시랑이 오해를 풀고 서로의 소회를 푸는 부분이다.

이때 송 부인, <u>명사관</u>이 들어와 <u>갈용</u>의 초사를 받는다는 말에 오가는 말을 듣고자 하여 관문
왕 시랑과 송 부인의 아들　　범죄 사실을 진술하던 말
밖에서 엿보고 있었더라. 바라보니 그 명사관이 다른 이 아니라 자신의 남편 왕 시랑이라. 이
명사관으로 왕 시랑이 부임하며 송 부인과 재회하게 됨
것이 어찌된 일인고 하여, 송 부인이 여광여취(如狂如醉)하여 부지불각(不知不覺) 중에 몸이
매우 기쁘거나 감격하여 미친 듯도 하고 취한 듯도 하다는 뜻으로, 이성을 잃은 상태를 비유적으로 이름　　자기도 모르게
절로 움직여 뜰아래 들어서서는,

「<u>첩</u>은 죄인의 어미옵더니, 사람이 불민(不敏)하여 시댁에서 쫓겨났사오나,「<u>가장</u>은 천 리 밖
송 부인　　갈용　　어리석고 둔하여　　「　」 조작된 편지로 인해 송 부인이 겪은 과거의 사건을 요약적으로 제시함
에 있사왔고, 첩을 불쌍히 생각하기는커녕 인편에 대어 죽여라, 내쫓아라 하오니, 첩이 어디
가서 살며 어찌 시댁이 용납하리니까? 그런 연유로 이 지경이 되었삽는데,」들사오매 명사관
께서 명사를 잘하신다 하오니, 살옥은 차치(且置)하옵고 그 일부터 명사하옵소서.「첩의 무고
내버려 두고 문제 삼지 않음　　　　　　　　　「　」 녹재에 의해 조작된 왕 시랑의 답장에 대해 언급하며 억울함을 드러냄
함을 어찌 보지 못하고, 멀리 있음에도 그리 집안을 자세히 알면서 복중지물(腹中之物)이 자
임신한 아이를 가리킴
기 자식인 줄 어찌 모르며, 첩이 그전부터 수상한 짓을 하는 것을 보았다 하나 무슨 일을 보
셨던고? 첩에게 죄가 설령 있거든 여기서 죽여 주시고, 만일 무죄한 듯하거든 소상히 명사
하와 애매한 누명을 씻어 주옵소서. 복명지신(復命之臣)이 그만 일을 명사치 못 하오면 그
자신에 대한 오해와 억울함을 풀고자 함　　　　황제의 명을 따르는 신하
녹을 자시옵기 어찌 부끄럽지 아니하시리까? 만일 첩의 말을 곧이 아니 들을 터이면, 여기
자신의 누명을 밝히지 못하면 관리 자격이 없다는 의미
증거할 것이 있사오니 이것을 보옵소서.」

하고 송 부인이 품에서 <u>편지 봉투</u>를 내어 앉은 앞에 던지니, 왕 시랑이 상혼실백(傷魂失魄)하
녹재에 의해 조작된 왕 시랑의 답장 편지
여 그것을 아니 보지 못할 터이라. 차차로 펴 보니 한 장은 자신의 답장이라 하나 사연은 전혀
왕 시랑이 조작된 시간의 내용을 처음 보게 됨

알지 못하는 것이라 막측기단하여, 다시 묻고자 하나 하인들 앞에 말하기가 편치 않기에 따로

Link 인물의 행동 ❶

공개적인 장소에서 말할 내용이 아님. 주변을 의식함

분부하여

"심기 불평하니 죄인을 물리라."

하시니 갈용과 송 부인이 함께 물러나오더라. 〈중략〉 ▶ 다시 만난 왕 시랑에게 지난날의 억울함을 토로하는 송 부인

왕 시랑이 대답하기를

"나도 내 죄를 아오이다. 비록 그러하오나 이 일은 알아보고 말 것이니, 그리 염려하지 마소

편지를 쓴 것이 자신이 아니라고 해명함   사건의 진상을 밝히고자 함

서. 편지도 답장도 내 한 바 아니라, 난들 어찌 알았으리오? 이것이 운명사이니, 분명히 괴

상한 용무를 꾸민 놈이 있는 모양이라. 설마 그 놈을 삽지 못하리니

조종인   일을 꾸민 범인을 잡아 사건의 진상을 밝히려는 왕 시랑의 태도

까? 내 사환이 분주하여 오래 근친 못한 탓이로소이다."

라고 하더라. 송 부인이 그 말을 들으니 자신의 발명도 대강 된 듯하

죄나 잘못이 없음을 말하여 밝힘

고, 왕 시랑의 편지에 서운했던 것이 비로소 풀리는지라. 그런 줄 이

제 알았으니 어찌 소회를 서로 풀어놓으며 정다운 이야기가 서로 없

마음에 품고 있는 회포   서술자의 개입

으리오?   ▶ 오해를 풀고 서로의 소회를 푸는 송 부인과 왕 시랑

Link 인물의 행동 ❷

Link

출제자 **특** 🔵 인물의 행동을 이해하라!

❶ 송 부인이 편지 봉투를 던지는 행동과 왕 시랑이 당황하는 행동의 의미는?
송 부인은 자신의 결백을 밝혀줄 증거물을 내어 놓는 동시에 남편 왕 시랑에 대한 원망을 드러냄. 왕 시랑은 자신의 편지가 위조되었음을 깨달음.

❷ 송 부인의 서운함이 풀린 이유는?
자신을 모함한 편지가 왕 시랑이 보낸 것이 아니라는 것을 알게 되었고, 진상을 밝혀 자신의 억울함을 풀어 주겠다는 왕 시랑의 태도를 확인했음을 의미함.

● **거지중난:** 일을 함이 중대하고도 어려움.
● **수죄:** 범죄 행위를 들추어냄.
● **명사관:** 중요한 사건을 조사하는 일을 맡아 하는 관리.
● **살옥:** 살인 사건에 대한 죄를 다스리는 일.
● **상혼실백:** 상심하여 제정신을 잃음.
● **막측기단:** 일의 시작을 헤아려 알지 못함.

최우선 출제 포인트!

1 인물 간의 갈등 양상과 해결 과정

조중인은 녹재를 시켜 왕 진사 댁과 왕 시랑 사이에 오가던 편지의 내용을 조작함. → 조작된 편지 내용으로 인해 시부모에 의해 송 부인은 집에서 쫓겨남. → 명사관으로 왕 시랑이 부임하며 송 부인과 재회함. 송 부인은 자신이 억울하게 쫓겨난 일을 말하고 왕 시랑은 진실을 처음 알게 됨.

송 부인은 홀로 아들 갈용을 낳아 기름. → 아들 갈용이 살인 사건에 휘말리게 됨. →

2 작중 상황과 사회적 배경

송 부인이 받은 모함
• 음담패설을 주고받음.
• 부정(不貞)을 저질러 남의 아이를 가짐.
→ 시부모에 의해 강제로 집에서 쫓겨나는 송 부인

이 작품은 남편이 부재한 상황에서 가족 외부의 인물에 의해 모함을 받게 된 주인공이, 여성의 정절을 중시하는 남성 중심 사회의 현실적 모순에 의해 희생당하는 모습을 다루고 있다. 이 과정에서 주인공은 자신의 억울함을 적극적으로 항변하지 못하고 가정에서 퇴출당해 시련과 고난을 겪게 되지만, 이후 입신양명을 이룬 남편과의 만남에서 적극적인 태도로 오해를 풀고 모함에서 벗어나게 된다.

최우선 핵심 Check!

1 다음 내용 중 맞는 것은 ○표를, 틀린 것은 ×표를 하시오.

(1) 전기적 요소를 통해 비현실적 장면을 부각하고 있다. (   )
(2) 작품 밖 서술자가 사건과 인물의 속마음을 서술하고 있다. (   )
(3) 왕 진사는 송 부인이 정절을 지키지 않은 것으로 생각하고 있다. (   )
(4) 송 부인은 왕 시랑이 편지 내용을 사실로 받아들였다고 생각하여, 왕 시랑에 대한 서운함과 원망의 마음을 드러내고 있다. (   )

2 초성 힌트를 보고 빈칸에 들어갈 알맞은 말을 쓰시오.

(1) 이 작품은 가족이 아닌 ⊙ㅂ 인물의 모해로 여주인공이 남성 중심 사회에서 겪는 시련과 고난을 다루고 있다.
(2) 왕 시랑은 ㅇㅅㅇㅁ을/를 이룬 후 송 부인과 재회하여 그녀가 누명을 쓴 사실을 알게 된다.

정답 1. (1) × (2) ○ (3) ○ (4) ○ 2. (1) 외부 (2) 입신양명

어릴 적 아버지를 잃어 '실부(失父)'라 이름 지어진 주인공이 천자를 구하고
나라에 공을 세워 아버지를 만나고 월왕(越王)이 되는 이야기

월왕전(越王傳) | 작자 미상

성격 우연적, 전기적, 일대기적 **시대** 조선 후기
주제 나라를 위기에서 구출한 영웅의 일대기

소설

이 작품은 어릴 적 부친과 헤어진 유실부가 영웅적 능력을 발휘하여 천자를 구하고 아버지를 만나는 과정이
담긴 전형적인 군담 소설로, 유교적 충효 사상이 잘 드러나 있다.

출제 우선 작품

주요 사건과 인물

발단
송나라 재상 유방의 아들 태사는 문장과 필법이 탁월하여 장 승상의 딸과 혼인 후 장원 급제하였는데, 간신의 천거로 부임 중 마적 호로왕을 만나 장 씨와 헤어짐.

전개
장 씨는 호로왕의 포로가 되었으나 탈출하여 얼마 뒤 아들 실부를 낳고, 실부는 자라서 아버지를 잃게 된 연유를 듣고 복수를 다짐함.

위기
점점 강성하는 마적을 막고자 천자는 태자에게 도성을 맡기고 직접 정벌에 나서지만 크게 패하여 자결할 지경에 이름.

절정
유실부가 나타나 출중한 무공과 병술로 호로왕의 목을 베고 천자를 구하자, 천자는 실부에게 대원수 겸 병마도총사를 제수하고 실부의 아버지를 찾도록 명을 내림.

결말
유실부는 아버지인 유태사를 만나고 천자로부터 '유봉부'라는 이름과 월나라 왕으로 책봉 받음. 월왕은 또다시 쳐들어온 마적을 물리치고 태평성대를 누림.

실부(失父)
마적에게 아버지를 잃고 복수를 다짐하며 살다가 마적과의 전투에서 천자를 구하고 호로왕을 처단함. 후에 아버지를 찾고 '봉부(奉父)'로 개명됨.

+

천자
마적과의 전투에서 위기에 처하나 실부의 도움으로 목숨을 구하고, 실부의 아버지를 찾아주고 실부의 이름을 '봉부(奉父)'로 바꿔 줌.

↔

호로왕
마적의 우두머리로, 남방 현령으로 부임하던 유태사 일행을 공격하고, 이후 천자도 위협함.

핵심장면

마적과의 전투에서 위기에 처한 천자를 유실부가 구하는 장면이다.

□ : 주요 인물

『천자』 가만히 북문을 열고 도망하실새, 길은 없고 다만 산이 가리우니 어찌 행하리오. 적장

천자가 위기에 처한 긴박한 상황을 알 수 있음   관련 한자 성어: 고립무원(孤立無援), 사면초가(四面楚歌)

강공 형제 천자를 쫓아오며 무수히 무찌르니, 『최두와 왕건』 두 사람이 천자를 호위하며 닫더

천자의 부하들

니, 적병이 급함을 보고 칼을 들고 내달아 싸우더니, 일 합이 못 하여 강공은 최두를 베고, 강

칼과 칼 또는 창과 창이 서로 마주치는 횟수

녕은 왕건을 베니, 송 진영에 남은 군사 싸울 마음 없는지라. 강공이 칼을 춤추며 외쳐 왈,

전의를 상실한 송나라 군대의 모습

"송 천자는 죽기를 두리거든 빨리 나와 내 칼을 받으라."

하고 점점 가까와 오니, 천자가 황황망조하여 앙천통곡 왈,

하늘을 우러러보며 소리 높여 슬피 욺

마음이 급하여 허둥지둥하며 어찌할 줄을 모름

"송조 백여 년 기업이 짐에게 이르러 망할 줄 알리오."

송나라가 망하게 된 상황에 대한 천자의 탄식   지난날, 임금이 병마(兵馬)를 통솔하는 장수에게 주던 검

하시고 어찌할 줄 모르시며, 『찼던 인검을 빼어서 자결코자 하시더니,』 천만의외에 한 소년 장수

『 』: 위기감이 최고조에 이른 상황   서술자의 개입. 소년 장수에 대한 궁금증 유발   유실부

가 나는 듯이 내달아 천자를 구하고 적병을 엄살하니, 아지 못하겠어라. 이 어떤 사람인고.

Link 서사적 기능 ❶   무릎의 아래라는 뜻으로, 부모의 곁   갑자기 엄습하여 죽임   ▶ 위기에 처한 천자를 구한 소년 장수

선설, 유실부가 모친 슬하를 떠나 말을 타고 연무대를 찾아 천자가 친히 출정하시는 군중에

앞의 이야기를 하자면 — 뒤에 소년 장수의 내력이 이어짐을 드러낸 말

참여코자 하였더니, 천자가 그 나이 어림을 꺼리사 무용지인(無用之人)으로 내치심을 보고 물

유실부의 나이가 어려 전쟁에 도움이 되지 않으리라 판단하여 내침   더듬어 찾아 알아냄

러나매, 그 향할 바를 아지 못하고 말을 이끌고 초조히 다니며 부친 소식을 탐지하더니, 『한 주

유실부에게 도움을 주는 조력자   명아주대로 만든 지팡이

점을 찾아 밥을 사 먹으며 쉬더니, 문득 백발노인이 갈건야복으로 청려장을 끌고 지나가,

갈건과 베옷이라는 뜻으로, 은사(隱士)나 처사(處士)의 소박한 옷차림을 이르는 말

유생을 보고 급히 들어와 문 왈,

유실부

"그대 아니 유실부인다?"』   『 』: 고전 소설의 특징 – 우연한 사건 전개

Link

출제자 **특!** 서사적 기능을 파악하라!

❶ 글의 흐름으로 볼 때 '소년 장수'의 과거 이력을 알려 주는 표지에 해당하는 것은?
선설

❷ 사건 전개상 백발노인의 역할은?
유실부의 조력자 역할을 함.

유생이 그 노인의 늠름한 거동을 보고 일어 공경 대 왈,

생김새나 태도가 의젓하고 당당한   일어나 공손히 대답하여 말하기를

"과연 그렇소이다." / 노인 왈,

『"내 그대에게 가르칠 말이 있으니, 나와 한가지로 집에 감이 어떠

『 』: 노인이 실부의 조력자가 될 것임을 짐작할 수 있음   **Link** 서사적 기능 ❷

하뇨?"』 〈중략〉

『수 권 서책을 내어놓고 보라 하니, 유생이 일견에 신통한 술법임을 알고 인하여 배우니, 불

과 수년지내(數年之內)에 능히 재주를 통한지라.』 노인이 기뻐 실부에게 일러 왈,

"그대 이제 천지조화 지리를 알았으니, 세상에 나아가 천자의 위태함을 구하고, 꽃다운 이름

을 후세에 전하라."

유생이 이미 도적이 군사를 일으켜 천자가 출정하심을 짐작하였으나, 위태하심을 구하란 말

을 듣고 크게 놀라 문 왈,

『"대인, 이런 산중에 은거하시며 어찌 세상일 알으시니이까?"』

노인이 미소 왈,

"내 자연 알 일이 있기로 알거니와, 사람이 때를 잃음이 불관(不關)하니, 이별이 심히 서운하

나 어찌 면하리오."

하고 행장을 차려 주며 떠남을 재촉하니, 생이 마지못하여 절하며 왈,

"대인의 은혜로 배운 일이 많사올 뿐 아니라 천륜(天倫) 같은 정의(情義)를 졸연히 이별하오

니, 어느 날 다시 만남을 아지 못하리로소이다."

노인이 더욱 기특히 여겨 왈,

"일후 나를 찾고자 하거든, 백학산 백학 도사를 찾으라."

하고, 한가지로 산에 내려 작별하고 문득 간데없는지라. 유생이 신기히 여겨 백학산을 바라보

고 무수히 감사드려 절하며, 길을 찾아 말을 타고 황성(皇城)으로 향하더니 날이 저물매 저녁을

사 먹고 밤이 깊도록 잠을 이루지 못하더니,『홀연 일위 선관(仙官)이 앞에 나와 절하고 왈,

"소제(小弟)는 동해 용왕의 둘째 아들이옵더니, 부왕의 명을 받자와 형장께 당부할 말이 있

기로 왔삽거니와, '지금 천하가 요란하여 명일 신시(申時)에 천자의 위태함을 구할 자는 당

금(當今) 유실부라.' 하시기로 왔사오니, 부디 때를 잃지 말고 아름다운 이름을 후세에 전하

소서."

하거늘, 유생이 이 말을 듣고 무슨 말을 묻고자 하다가 홀연 벽력(霹靂)같은 말소리에 놀라 깨

달으니 꿈이라.』유생이 급히 일어나 마음을 진정치 못하고 날이 새기를 기다려, 다시 말을 타

고 채를 치니 순식간에 오백여 리를 행한지라. 바로 황성으로 향하더니, 문득 공중에서 외쳐

왈,

"장군은 황성으로 가지 말고 남평관 북문 밖으로 가라."

하거늘, 유생이 비로소 신령이 지시함을 짐작하고 말을 달려 남평관

을 찾아가니, 관중에 적병이 웅거하고 산하에 호통 소리 진동하거

늘, 생이 분기를 이기지 못하여 갑주를 떨치고 칼을 춤추며 십만 적

병을 풀 베듯 하여 무인지경(無人之境)같이 하여 들어가니,『적장 강

공과 강녕이 천자를 에워싸고 무수히 꾸짖고 욕하며 항복하라 재촉

하거늘, 유생이 분기 대발하여 쟁룡검을 두르고 짓쳐 들어가니, 장졸의 머리 무수히 떨어지는
지라.

강공과 강녕이 비록 용맹하나 불의지변(不義之變)을 만나매 미처 손을 놀리지 못하여, 쟁룡
검이 이르는 곳에 강공과 강녕의 머리 칼빛을 좇아 떨어지는지라. 호로왕이 몹시 놀라 남은
군사를 이끌고 십 리를 물러 제장을 불러 왈,

『"아까 강공 형제 벤 장수는 천신(天神)이 아니면, 이는 반드시 신장(神將)이로다."』
하고 양장의 죽음을 슬퍼하더라.

유생이 적장의 머리를 칼끝에 꿰어 들고 바로 천자 앞에 나아가 복지(伏地) 주 왈,

"신은 당초 연무대에서 말 달리던 유실부옵더니, 황실의 위태하심을 듣삽고 혈기지분(血氣
之憤)으로 당돌히 전장에 참여하여 다행히 적군을 물리치오나, 천명(天命)을 어기었사오니
군법으로 시행하소서."

차시, 천자가 적진에 싸여 거의 잡히기에 이르매, 하늘을 우러러 통곡하고 자결코자 하시더
니, 난데없는 소년 장수가 나는 듯이 들어와 일 합에 적장을 베고, 좌충우돌하여 화망을 벗겨
줌을 보시고 천심을 진정하사 좌우에게 물어 가라사대,

"저 어떤 장수인고? 필경 천신이 도우심이로다."
하시고 신기히 여기시더니, 오래지 아니하여 그 소년 장수가 적장의 머리를 가지고 엎드리며,
성명이 유실부라 하여 죄를 청함을 보시고, 천심이 기쁘사 친히 내려 그 손목을 잡으시고 타
루(墮淚) 왈,

"저 즈음에 짐이 경의 용맹 있음을 짐작하였으나 그 소년을 아껴 감히 쓰지 못하였더니, 이
제 경이 짐의 어리석음을 생각지 아니하고 짐의 급함을 구하여 송 왕실을 회복하고 사직(社
稷)을 안보케 되니, 그 공을 갚을 바를 아지 못하거니와, 경의 부친은 이름이 무엇이뇨?"
생이 머리를 조아리며 왈,

"신의 아비는 한림학사 유태사요, 조부는 호부 상서 유방이로소이다."

1 다른 고전 소설과의 차이점

대부분의 고전 소설이 시간 순서대로 이야기를 전개해 나가는 데 반해, 이 작품에서는 '선시(先時), 선설(先說), 재설(再說), 차시(此時)' 등의 표지를 사용하여 현재 사건과 관련 있는 과거 사건을 소급하여 제시하는 역순행적 서술 방식을 취하고 있다.

천자를 구한 사람이 '한 소년 장수'로만 언급됨.	→ 선설 →	소년 장수가 '유실부'이며 실부가 백학 도사의 가르침을 받고 선관의 전언을 듣고 천자를 구하러 가는 과거의 일이 제시됨.

2 「월왕전」에서 나타나는 '방각본 소설'의 특징

「월왕전」은 19세기 무렵 민간에서 판각한 방각본 소설로, 상업성을 추구한 결과 주로 오락적 목적의 독서를 하는 독자층을 겨냥하여 다양한 소설적 기법을 구사하고 있다.

전기적(傳奇的) 요소	백학 도사가 문득 사라짐. 유실부가 말을 타고 순식간에 오백 리를 감. 공중에서 남평관으로 향하라는 소리가 들림. → 독자의 흥미 유발
극단적 상황 제시	천자가 쫓기다 인검을 빼어서 자결코자 하는 상황 → 긴박감 조성
이야기의 흐름을 끊는 단절 기법	'아직 못하겠어라. 이 어떤 사람이니고.' → 소년 장수에 대한 독자의 궁금증 유발
압축적인 사건 서술	'(유실부가) 불과 수년지내에 능히 재주를 통한지라.' – 백학 도사를 만난 유실부가 수년 내에 영웅적 활약을 펼칠 수 있는 재주를 획득했음을 압축적으로 전함. → 속도감 있는 사건 전개

1 다음 내용 중 맞는 것은 ○표를, 틀린 것은 ×표를 하시오.

(1) 천자가 도망칠 때 길이 없고 산이 가리운다는 것에서 전기적 요소가 드러난다. ( )

(2) 유실부는 백학 도사와는 현실 세계에서, 용왕의 아들과는 꿈속 세계에서 만나게 된다. ( )

(3) 천자는 위급한 상황에서 유실부가 나타나 자신을 구해주기를 기다리고 있었다. ( )

(4) 유실부는 무예를 닦기 위해 스스로 조력자를 찾아 다니다가 백학산으로 향했다. ( )

2 초성 힌트를 보고 빈칸에 들어갈 알맞은 말을 쓰시오.

(1) 이 작품은 유교적 '충' 사상을 주제로 한 [ㄱㄷ] 소설이다.

(2) '[ㅅㅅ]'은 '앞의 이야기를 하자면'의 뜻으로 해당 이야기가 과거 시점으로 되돌아감을 알리는 표지이다.

(3) 주점에서 우연히 유실부와 백학 도사가 만나고 도사가 유실부를 알아보는 것에서 고전 소설의 [ㅇㅇㅅ]이/가 잘 드러나고 있다.

(4) 유실부에게 신통한 술법을 가르친 [ㅂㅎ ㄷㅅ]는 영웅 군담 소설에서 자주 등장하는 조력자에 해당한다.

정답 1. (1) × (2) ○ (3) × (4) × 2. (1) 군담 (2) 선설 (3) 우연성 (4) 백학 도사

1등급! 〈보기〉!

「월왕전」의 평가

이 작품은 주인공 유실부(월왕)가 부귀공명을 이루어 나가는 것으로 모든 사건이 귀결되고 있다. 이러한 점에서 철저한 유교적 사고방식을 엿볼 수 있다. 군데군데 나타나는 불교와 도교적 색채는 종교적인 깊이보다는 삽화적인 성격을 띠고 있다.
– 한국민족문화대백과사전

이 작품의 전반부는 영웅적 능력을 타고난 아버지의 이야기이고 후반부는 아버지의 복수를 하고 월왕이 되는 아들의 이야기로 되어 있어서 독특하다. 아들의 영웅적 활약상 중의 하나로 아버지의 복수를 설정해두었다고 본다면 이 작품을 영웅 소설의 범주로 포섭할 수 있다.
– 한국현대문학대사전

93위

「이현경전」이라고도 불림

이학사전(李學士傳) | 작자 미상

성격 영웅적, 가정적 **시대** 조선 시대
주제 여성 영웅 현경의 활약과 입신양명

소설

이 작품은 여성에 대한 통념이 있던 시대에 등장한 여성인 현경의 삶과 입신양명을 드러낸 여성 영웅 소설로, 현경은 당대 성 역할에 대한 통념을 뛰어넘어 자아를 실현하는 주체적인 여성상을 보인다.

출제 우선 작품

주요 사건과 인물

발단
명나라 이형도의 딸 현경은 어려서부터 재주와 학식이 뛰어났으며, 남자처럼 출세하기 위해 남장을 하고 생활함. 부모님이 돌아가신 후 현경은 장 시랑의 아들 장연과 친하게 지냄.

전개
장연과 함께 응시한 과거에서 현경은 장원, 장연은 차석으로 급제함. 현경은 장연이 자신이 여자임을 알아챌까 봐 경계함. 이후 선우의 난을 정벌하여 병부상서가 됨.

위기
꿈에 이형도가 나타나 현경이 여성으로 돌아가 장연과 혼인해야 한다고 하지만, 현경은 뜻을 굽히지 않음. 보다 못한 유모가 장연에게 현경이 여자임을 밝히지만, 현경은 끝내 이를 인정하지 않고 고민하다 병이 깊어짐.

절정
태의의 진맥으로 현경이 여자임이 밝혀짐. 천자는 현경의 관직은 거두지만, 청주후 태학사직을 누리게 함. 현경에게 청혼을 거절당한 장연은 상사병에 걸리나, 천자가 계책을 내어 혼인을 도와줌. 현경은 첩의 모해와 시어머니와의 갈등을 겪음.

결말
천자의 중재 및 장연의 사죄와 간청으로 두 사람은 화해함. 6남 1녀를 낳고 80살까지 부귀영화를 누리다가 함께 선계로 돌아감.

이형도
딸의 재능을 알아보나 평범한 여자로서의 삶을 살기를 바람. 남장을 하고 아들로 살겠다는 현경의 결심을 일시적이라 여김.

이현경
스스로 남장을 선택하고 능력을 발휘하여 높은 벼슬에 오름. 여자임이 밝혀진 뒤에도 혼인을 거부하고 자신의 의지대로 살아가고자 함.

장연
어린 시절부터 현경과 친하게 지내다가 현경이 여자임을 알고 청혼함. 거절한 후에도 포기하지 않고 천자의 도움을 받아 현경과 혼인을 함.

천자
현경의 재주를 아끼며, 여자임이 밝혀진 후에도 은혜를 베풂. 현경과 장연의 혼사를 돕고 둘 사이의 갈등도 중재함.

핵심장면 ① 현경이 스스로 남장을 선택하는 장면과 부모를 잃고 장례를 치르는 장면이다.

대명 가정 연간에 청주 땅에 사는 한 사람이 있으니, 성은 이요, 이름은 형도라. 일찍 등과하
_{중국 명나라 세종 때의 연호(1522~1566)}   _{현경의 아버지}
여 벼슬이 이부 시랑에 이르니 이름이 전국에 진동하며, 일남 일녀를 두었으니 여아의 이름은
□: 주요 인물
현경이요, 남아의 이름은 연경이라. 현경이 비록 여자나 뜻은 남자에 지나니, 삼 세부터 글 읽
                                        _{남자보다 나으니}
기를 힘쓰니 재주와 학식이 날로 성취하여 나이 팔구 세에 읽어 보지 못한 글이 없고 통하지
                        _{현경의 비범한 능력}
않는 글이 없어 문장이 일세에 겨룰 이가 없으니, 이공 부부가 비록 그 재주를 사랑하나 너무
활달함을 염려하여 경계 왈,

"네 여자의 몸으로 여자의 도를 닦을 것이어늘, 남자의 일을 행함은 어찌 된 일인가."
                              _{당대의 보편적 성 역할을 따를 것을 권유함}

현경이 공경 대왈,

"사람이 세상에 나매 임금을 충성으로 섬기고 어버이를 효도로 섬겨 공명을 일세에 누리고
_{Link 인물의 이해 ①}   _{현경이 남자들처럼 사회적 성취를 이루고자 함}
이름을 백세에 전하옴이 떳떳하온지라, 소녀가 비록 여자의 몸이오나 뜻은 세상의 용렬한
                                        _{사람이 변변하지 못하고 졸렬한}
남자를 비웃나니, 원컨대 여복을 벗고 남복으로 갈아입고 부모를 모셔 아들의 도를 행코자
                _{자발적으로 남장을 선택하고 사회적 성취를 통해 자아실현을 도모하려는 현경의 모습}
하나이다."

이공이 처음에는 망령되다 꾸짖다가 다시 생각하되,
          _{늙거나 정신이 흐려서 말이나 행동이 정상을 벗어난 데가 있다}

Link

출제자 인물의 성격을 파악하라!

❶ 현경의 인물됨은?
현경이 '공명을 일세에 누리고'자 스스로 남장을 할 것을 선택하는 것으로 보아, 당대의 보편적 여성관에 구애받지 않고 사회적 성취를 이루고자 하는 야심을 가진 인물임.

'제 아직 철이 없고 사리에 어두워 이 같은 뜻을 두니, 아직 저 하고자 하는 바를 좇을 것이요, 이후에 장성하면 제 스스로 부끄럽고
                                        _{현경의 의지를 한때의 치기로 치부함}
창피한 마음이 있어 여자의 도를 행하리라.'

하고 금하지 아니하매, 소저가 이날부터 남복으로 갈아입고 시랑을
                        _{현경}

고전 산문 **331**

모셨으니, 모든 사람이 이르기를 이형도의 자식이라 하여 그 얼굴과 풍채를 사랑하고, 여자가
_{모든 사람은 현경이 남장을 하였음을 모르고 현경의 인물됨을 긍정적으로 여김}
화하여 남자가 됨을 알지 못하더라.
       ❱ 공명을 누리고 자아를 실현하기 위해 스스로 남장을 선택한 현경

    현경이 팔 세에 이르러는 시랑의 부부가 모두 세상을 떠나니, 소저가 노복을 거느려 선산에
                       _{현경의 어린 시절의 고난에 해당}
안장하니, 그 예절을 차리는 것은 어른도 미치지 못하고 애도함이 과도하니, 시랑의 친구들이
_{부모나 조부모가 세상을 떠나서 거상 중에 있는 사람}
조문할새, 어린 상제의 저렇듯 어른스러움을 보고 모두 눈물을 흘리며 왈,
  _{= 현경}

    "이형도는 비록 세상을 버렸으나 팔 세 아들을 두어 상을 치르는 예절이 장성한 열 아들보다
                                        _{부모의 장례에 극진한 예절을 다하는 현경을 칭찬함}
지나니, 시랑이 죽지 않았다." / 하고 칭찬함을 마지 아니하더라.
                                  ❱ 부모를 잃고 그 장례를 극진한 예를 갖춰 치르는 현경

핵심장면 ② 여자임이 드러난 현경에게 장연이 청혼하지만 현경이 이를 거절하는 장면이다.

    장연이 일봉 서찰을 써 청주후의 집에 보내니, 수문자가 차사로 전하여 드린대, 이현경이 받
                                                          _{현경}
아 보고자 하되 오히려 즐겨 뜯어보지 아니하거늘, 연경 공자가 물으니,
                                    _{이현경의 동생}

    "형장이 어찌 즐겨 하지 아니하십니까?" / 이후가 답하지 않고 마지못하여 뜯어보니 하였으되,
                                       _{현경}

「소제 장연은 예의를 갖춰 청주후께 글월을 올리나니 슬프다. 옛날 죽마고우로 지내며 관포
_{「 」: 현경과의 인연을 부각함으로써 자신이 제안한 혼인을 성사시키려 함}   _{현경과 자신의 인연을 언급함}
지기를 맺어 한 부중에 있으며 권권한 뜻으로 백 년이라도 떠나지 아니할까 하였더니, 형이
임금께 올린 진정표를 들으니, 소제의 마음이 무너지는 것 같은지라. 하늘을 우러러 탄식하
_{벼슬에 나갈 수 없음을 적은 글}   _{길고 큰 강과 너른 바다} **Link** 말하기 방식 ❶
나니, 현후의 유화한 기상과 장강대해 같은 능력은 일컫기 어렵거니와 갑옷을 입고 장검을
                            _{여자일 때나 남자일 때나 현경의 능력이 변함없이 뛰어나다고 여긴다는 의미}
춤추며 활을 당기고 말 달림은 예나 지금이나 뛰어난지라. 여차한 재주로 남자가 되지 못
하여 십 년 공업이 하루아침에 티끌이 되었도다. 소제의 벗을 다시 누구에게 의탁하리오. 한
         _{현경의 상황에 대한 장연의 해석}
번 밥을 먹으매 열 번을 헤아리건대, 이 도무지 천명이라 인력으로 미치리오. 다만 어리석은
소회 있으니, 현후가 도요를 읊지 아니하고 소제가 숙녀를 정하지 아니하였으니, 전일 지기
                      _{현경과 장연은 둘 다 혼인하지 않은 상태임}   _{자신과 현경의 인연을 부각함}
를 아껴 버리지 아니하시거든 기러기 전함을 우러러 바라나니 즐겨 허락하시리이까. 장연은
                                      _{현경과 혼인하겠다는 말}   **Link** 말하기 방식 ❶
혼례를 갖추고자 하나이다. 모년 모월 모일에 호부 상서 기주후 장연은 올리노라.」
_{편지를 쓴 목적 – 현경에게 혼인을 청함}
하였더라.
                                       ❱ 여자임이 드러난 현경에게 편지로 청혼한 장면

    이후가 보기를 다하매 눈썹을 찡그리고 탄식 왈,

    "장생은 아름다운 사람이어늘, 어찌 구차함이 이러한고. 나의 뜻을 알지 못하는 까닭이로다."
    _{장연}   _{혼인하지 않고 관리로 사는 것}
    연경 공자가 왈, / "형이 이제는 근본이 탄로되었으니 가히 홀로 늙지 못할지라. 장후를 버
                           _{현경}   _{여자임이 밝혀진 것}   _{장연}
리고 어떤 사람을 얻으려 하십니까? 답장을 잘하여 보내시면 좋을까 하나이다."
                                    _{청혼 승낙을 권유함}

    이후가 웃으며 왈,

    "내 몸이 비록 여자나 황상이 총애하시고 벼슬과 봉록이 떨어지지 아니하였으니, 규중에 잠
        _{여자임이 드러났어도 일반 여성들처럼 지내는 것이 아니라 황제의 총애를 받아 여전히 벼슬과 돈도 있다는 의미}
몰한 사람이 아니라. 이 몸으로 백세를 지내며 보름마다 천자께 조회하여 천자를 뵈옵고, 때
때로 음풍영월하여 종신토록 즐기다가 사후에 묘에 새기기를, '대명 청주후 태학사 이현경
        _{혼인하지 않고 관리로서 자신의 의지대로 살다 죽는 삶을 살기를 원함}
지묘'라 하리니, 어찌 장연의 아내 되기를 원하리오."

하고 붓을 들어 답장을 쓴 후, 장연의 하인에게 내어 주라 하니, 하인이 돌아와 답서를 올린대, 장후가 답장을 뜯어보니 가라사대,

'촌인 이 씨는 공경하여 글월을 장공께 올리나니, 천만의외의 손수 쓴 편지를 보니 한편 두
　　　현경
려웁고 또한 황감하여 답장하기 어려우나, 옛날 동조하던 일을 생각하여 염치를 불고하고
　　　　황송하고 감격하여
회포를 베푸나니, 청컨대 비루한 뜻을 더럽다고 아니하실까 하나이다. 당초에 뜻이 망령되
　　　　　행동이나 성질이 너절하고 더러운　　　　　　　　　　　　　　　　자신이 여자임이 드러난 사실을 말함
어 죄를 사후에 얻고 천하에 비웃음이 되온지라. 이제 깨달으니 낯을 들어 상공을 대하기 부
　　　　　　　　　　　　　　　　　　　　　　　　　　　　　　　　　　　　　　장연
끄럽나이다. 높으신 천자를 보오매 땅을 파고들고자 하되 어찌 못함을 한하옵나니, 옛날 사
귐이 후하다 하나 <u>불과 조정의 일개 서생으로 만나 면목이 있을 뿐이요, 어렸을 때부터 간혹</u>
　　　　　　　　　　　장연이 편지에서 현경과의 인연을 부각한 것에 대한 생각 차이
<u>글월을 화답할 따름이라. 어찌 관포의 지기가 있으리오.</u> 이제 옛날 근본을 들은 후, 일 서간
　　　　　　　　　　　　　　　Link 말하기 방식 ❷
으로 비로소 할 따름이니, 어찌 옛날 사귐으로 인하여 욕설을 구차히 하십니까. 제 종신토록
조정 벼슬로 후직을 지켜 욕됨이 없게 할지라. 남의 집 며느리 되기를 원치 아니하나니, 적
　　　　　　　　　　　　　　　　　혼인을 하지 않고 자신의 의지대로 관리로 살고자 하는 뜻을 전함
은 소견으로 어찌 나를 비웃으리오. 모월 모일에 청주후 태학사 이현경은 올리노라.'

Link

출제자 특 말하기 방식을 파악하라!

❶ 장연의 말하기 방식 및 의도는?
현경과 자신이 '옛날 죽마고우로 지내며 관포지기를 맺'었고, '전일 지기'였음을 언급하며 현경과의 인연을 부각함으로써 자신이 제안한 혼인을 성사시키려 함.

❷ 현경의 말하기 방식 및 의도는?
'어렸을 때부터 간혹 글월을 화답할 따름'이었으니 '어찌 관포의 지기가 있'겠냐며 장연과의 생각 차이를 드러내어 혼인을 거절함.

● 도요: 혼인을 올리기 좋은 시절.

장연이 끝까지 읽어 보고 크게 놀라며 왈,

"이 혼사가 쉬우리라 하였더니, 어찌 여차할 줄을 뜻하였으리오."
　　　　　장연은 현경이 청혼을 승낙할 것이라 예상했음
하더라.

장연의 장형 장협과 차형 장흡과 모든 벗들이 일시에 놀라 가로되,

"여자로서 저러할 줄을 누가 능히 알았으리오."
　　　　　　당대의 여성상에 대한 통념이 드러남　　　▶ 장연의 청혼을 거절한 현경과, 이에 놀란 장연

최우선 출제 포인트!

1 '남장 모티프'의 역할

당대 출세하여 입신양명을 할 수 있는 성별은 남성에 한정되어 있음. → 여성 영웅의 남장 선택	여성이 나라와 가문을 위해 활약하고, 자신의 능력을 공정하게 인정받기 위한 장치	→	여성에게도 남성과 동등한 교육과 기회가 주어진다면 남성 못지않은 능력을 발휘할 수 있다는 의식을 반영
	감추고 있던 여성이라는 비밀이 드러나게 되어 위기 상황을 유발함.	→	독자의 흥미와 긴장감을 유발

최우선 핵심 Check!

1 다음 내용 중 맞는 것은 ○표를, 틀린 것은 ×표를 하시오.

[1] 이부 사랑의 벗들은 성숙한 자세로 장례를 치르는 현경의 모습을 높이 평가하고 있다. 　(　)

[2] 연경은 장연이 현경의 혼인 상대로 적합하다고 여기고 있다. (　)

[3] 장연은 현경과의 인연을 언급하며 현경의 생각이 변하기를 바라고 있다. 　(　)

[4] 현경은 장연과 달리 자신과 장연은 관포지기라 여겨질 정도의 관계가 아니라 생각하고 있다. 　(　)

[5] 장연은 현경이 자신의 청혼을 거절할 것이라 예상하고 있었다. (　)

정답 1. [1] ○ [2] ○ [3] × [4] ○ [5] ×

94위

장백전(張伯傳) | 작자 미상

성격 영웅적 **시대** 조선 후기
주제 장백의 삶을 통한 영웅의 일대기

소설

이 작품은 장 승상의 아들 장백과 딸 장 소저의 기구한 운명을 그린 군담 소설로, 대명 태자를 도와 새로운 질서를 확립해야 한다는 천명을 지니고 태어난 장백의 영웅적인 활약상을 다루고 있다.

주요 사건과 인물

발단
원나라 말년 재상 장충은 늦은 나이에 아들 장백을 얻음. 장백은 일찍 어버이를 여의고 누이(장 소저)와 살게 됨.

전개
장 소저에게 구혼을 거절당한 왕평은 장 소저를 납치하고, 장 소저는 소상강에서 자결하려 하나 아황과 여영의 혼령이 구해 줌. 누이가 자결한 것으로 안 장백은 자신도 자결하려다 실패하고, 철관 도사의 제자가 됨.

위기
장백은 공을 세우러 나왔다가 길에서 이정을 만나 의를 맺고 여러 고을을 함락시킴. 장 소저는 현몽에 따라 주원장과 연분을 맺게 됨. 주원장은 유기와 함께 병사를 일으켜 장안을 공격함.

절정
원 황제는 장백과 싸우다 항복하고, 이 틈에 주원장은 장안을 함락하여 대명 황제가 됨. 황제는 장 소저를 찾아 황후로 맞이함. 유문정과 유기가 장백과 싸우다 패하자, 황제가 직접 정벌하기로 함.

결말
황후는 적장이 장씨라는 소식에 그를 보려 하고, 이에 황제는 잔치를 열어 장백을 청함. 잔치에서 누이가 황후임을 알게 된 장백은 옥새를 바치고, 안남왕에 봉해짐.

장백
대명 태자를 돕는 천명을 지닌 인물. 황제 자리를 놓고 주원장과 대립함.

명 황제
주원장. 명나라를 창건하고 황제가 됨. 장 소저를 황후로 맞이함.

황후(장 소저)
장백의 누이. 도적에게 잡혀가던 중 자결하려 했지만, 조력자의 도움으로 목숨을 건지고 주원장과 연분을 맺어 황후가 됨.

핵심장면 ① 옥새를 가진 장백과 장안을 차지한 주원장이 대립하는 장면이다.

[ ]: 주요 인물   ( ): 명 황제(주원장) 측 장수들

이때 **명** 황제가 **유문정**을 보내시고 날마다 첩서를 기다리시더니 문득 표를 보시고 대경하사
_{주원장}   _{장백과의 전투에}   _{싸움에서 승리한 것을 보고하는 글}   _{크게 놀라시어 – 기대와 달리 싸움에서 패했기 때문}
즉시 승상 **유기**로 대원수를 명하시고 유문정을 도우라 하시니 유 원수가 하직하고 군사를 거
느려 문정의 진에 이르니 문정이 반겨 적세 강성함을 이르고 **장백** 잡기를 의논할 새 유기가 문
_{유문정}   _{적의 세력}   _{주인공}
정더러 말하기를,

"이제 적병이 강성하여 졸연히 피하기 어려우니 이날 밤에 적병이 잠자기를 기다려 그대 삼
_{갑자스럽게}   _{구체적인 전략을 세움 – 밤에 기습 공격을 하기로 함}
만 명을 거느려 적진 우편을 치고 **이덕**으로 삼만 명을 거느려 적진 좌편을 치고, 나는 삼만
명을 거느려 전면을 치면 제 비록 용맹하나 어찌 당하리오?"

하고 약속을 정하고 밤을 기다려 방포일성에 사면으로 엄살하니 적장이 불의지변(不意之變)을
_{대포를 쏘는 소리 – 공격을 알림}   _{별안간 습격하니}   _{뜻밖에 당한 변고}
만나매 장 원수가 대경하여 급히 **이정**을 불러 말하기를,
_{장백}   △:장백 측 장수들

"아까 천문을 보니 수상에 주성이 살기를 띠어 방위를 떠났으매 복병이 올 줄을 알되 어찌
_{적병이 쳐들어올 것을 예상함 – 장백의 비범한 능력을 엿볼 수 있음}
이 같으리오."

하고 『**풍백(風伯)**을 불러 호령하니 풍우대작하며 벽력이 진동하니 명진이 도리어 황급하여 본
_{바람을 주관하는 신}   _{바람이 몹시 불고 비가 많이 쏟아짐} _{벼락}   _{명의 군사들}
진으로 돌아올 새 유 원수가 이덕을 거느리고 제쳐 들어가니 백운단이 맞아 싸워 십 합이 못하
_{비범한 능력. 고전 소설의 전기성}
여 운단이 이덕을 베니 유기가 대로하여 바로 운단을 취하니 이정이 앞을 막아 유기를 치니 유
기가 당치 못하여 본진으로 돌아오니 장백, 이정 등이 일시에 엄살하여 **유문정**을 생금(生擒)
_{산 채로 잡아}
하여 가거늘, 유기가 급히 본진으로 돌아와 관찰하여 머무니라.』 장백이 문정을 잡고 대희하여
_{유문정이 포로가 됨}   _{적장을 사로잡은 것에 몹시 기뻐함}
「『 』: 명나라 장수들과 장백의 장수들의 싸움 장면을 보여 줌
못내 즐기더라.

장백이 장중에서 졸더니 사몽간에 철관 도사가 이르러 말하기를,
_{꿈결에}   _{장백의 스승}

334 최우선순 분석편

"너더러 이른 말을 어찌 잊었느냐? 천자는 곧 주 씨거늘 네 비록 옥새(玉璽)를 얻었으나 천
　　　　　　　　　　　　　　　　　　　주원장이 황제가 되는 것이 천명임　　　　　장백의 계획이 천명에 어긋나는 일임을 환기시켜 줌
명이 네게 있지 아니하거늘 공연히 민심만 소동케 하니 어찌 해를 면하리오? 하물며 황후는
　　　명나라 황제의 부인
너의 누이라 골육상잔(骨肉相殘)함을 알지 못하니 어찌 한심치 않으리오?"
　가까운 혈족끼리 서로 해치고 죽임　　　　　　　　　　　　　　　　　　　　Link 인물의 의도 ❶
하고 간데없는지라.

원수가 그 말을 듣고 심히 괴이히 여겨 생각하되,

'내게 과연 누이가 있더니 도적에게 잡히어 갔다가 욕을 볼까 하여 소상강에 익사한 지 벌써
　　　　　　　　　　　누이가 죽었다고 생각하기 때문에 '황후는 너의 누이'라는 철관 도사의 말에 의구심을 가짐
십 년이라. 이따금 생각하여 사후나 만남을 원하더니 이제 선생의 가르치심이 약차(若此)하
　　　　　　　　　　　　　　　　　　　　　　　　　　　　　　　　　　이와 같으시니
시니 실로 괴이하도다.' / 하였다.
Link 인물의 의도 ❷
군중에 호령하여 군사를 쉬게 하고 문정을 잡아들여 서안을 치며 크게 꾸짖기를,
　　　　　　　　　　　　　　　　　　　　　　책을 얹던 책상
"내 벌써 원 황제를 잡아 항복 받고 옥새를 가졌거늘 네 거짓 황제를 내고 천병을 항거하니
　　　　　　　　　　장백이 옥새를 지니고 있음. 자신이 황제라는 근거를 내세움　　　　　　천자의 군사
어찌 살기를 바라리오?"
Link 인물의 의도 ❸

문정이 노하여 꾸짖기를, /「"우리 황상이 성신문무(聖神文武)하사
　　　　　　　　　　　　　　　　　　　주원장　　글과 무예를 두루 익힌 신성한 몸
먼저 장안에 들어와 추호를 범치 아니하시고 대위(大位)에 오르시며
　　　　　　　　　　　　　　　　　　　　　　　황제의 자리
벌써 국호를 정하시고 장 씨를 취하여 황후를 봉하시니 굳음이 반석
　　　　　　　　　장백의 누이　　　　　　　　　　　　나라의 토대가 반석과 같이 튼튼하거늘
같거늘, 너는 부질없는 군사를 일으켜 만대에 더러운 사람이 되고자
하느냐? 빨리 죽이지 무슨 말을 하나뇨?"
「 」: 주원장의 인물됨과 행적을 들어 장백의 잘못을 지적함
장 원수가 대로하여 즉시 죽이고자 하나 황후가 장 씨란 말을 듣고
선생의 말을 생각하며 노여움을 그치고 아직 진중에 두니라.
'황후는 너의 누이'라는 철관 도사의 말　　　　　　　　❯ 옥새를 가진 장백과 장안을 차지한 주원장의 대립

Link
출제자 특강　인물의 의도를 파악하라!
❶ 꿈에 나타난 철관 도사가 장백을 꾸짖은 이
유는?
장백이 품고 있는 계획이 천명에 어긋나는
일임을 환기시켜 주려고
❷ 철관 도사의 꾸짖음에 장백의 반응은?
누이가 황후가 되었다는 철관 도사의 말을
듣고 누이와 이별하게 된 사연을 떠올리며
그 말에 의구심을 품음.
❸ 장백이 성포한 문정을 꾸짖은 이유는?
장백 자신이 옥새를 지니고 있음을 근거로
자신의 군대, 즉 천병에 대항하고 거짓 황제
를 내었기 때문에

핵심장면 ②　누이와의 상봉을 계기로 장백이 주원장에게 옥새를 바치는 장면이다.

명제가 맞아 동서로 나누어 앉으니라.

이때 황후가 주렴 사이로 자세히 보니 과연 장백이나 신수가 건장하여 어려서 보던 모습이
　　장 소저(장백의 누이)　　　　　　　　　　　　　　　　　　　　　　장백과 어렸을 때 헤어졌기 때문
변하나 성음(聲音)이 익은지라. 반가운 중 눈물 남을 깨닫지 못하더니 홀연 대풍이 일어나 주
　　　　　　목소리　　　　　　　　　　　　　　　　　　　　　　바람이 불어와 주렴을 걷어 올리니. 고전 소설의 우연성
렴을 거두치니, 장백이 술잔을 받다가 눈결에 황후를 보고 그 얼굴이 누이와 같음을 슬퍼하여
눈물을 흘리거늘 명제 그 연고를 물은대 장백이 탄식하기를,
　　　　　　　　Link 사건의 전개 ❶　　까닭
"우리 서로 적국 되어 천하를 다투매 사정을 이를 바 아니로되「소장이 어려서 양친을 여의
　　　　　　　　　　　　　　　　　　　　　　　　　　「 」: 어린 시절 누이와 헤어지게 된 과정을 요약적으로 제시
고 남매 의지하여 지내더니 동리 노고의 흉계에 빠져 외가로 가더니 중로에 도적을 만나 누
　　　　　　　　　　　　　마을 노파
이를 잃으매 그때 소장의 연유하므로 따르지 못하고 망극한 중 집에 돌아와 살기를 원치 아
　　　　　　　　　　　어리고 약하므로
니하더니, 세월이 여류(如流)하여 지금까지 목숨을 보전하나 매양 누이를 생각하면 서러워
　　　　　　　　　물의 흐름과 같아　　　　　　　　　　　　　　누이에 대한 안타까움
하더니 아까 대풍에 주렴 중 부인을 보매 누이와 방불하기로 자연 비창하도소이다."
　　　　　　　　　　　　　　　　　　　　　장백은 누이가 죽은 줄로만 알고 있음
상이 답을 하기 전에 황후가 이 말 듣고 좌우를 물리고 급히 나와 장백의 손을 잡고 방성대
명나라 황제(주원장)　　　　　　　　　　　　　　남매의 상봉 → 주원장과 장백의 갈등 해소 역할
곡하며 오래도록 말을 못하다가 정신을 차려 말하기를,

출제 우선 작품

고전 산문 **335**

"네가 내 동생 장백이냐? 그 사이 죽었더냐 살았더냐?"

그때 도적에게 잡히어 갈 때에 중로에서 잃고 어찌할 줄 모르더니 소상강 원혼을 면하고 자연 구하는 사람을 만나 부지하던 말이며 전후사를 이르니 장백이 슬퍼하며 희한하게 살아나 이처럼 만남을 신기히 여기고 즉시 계하에 내려 복지하며 옥새를 올려 말하기를,

> 그동안 있었던 일
> 위기 상황에서 조력자를 만나 목숨을 건진 사연을 요약적으로 제시
> 계단을 내려가 땅에 배를 붙이며

"나의 누이가 죽은 줄로 슬퍼하였더니 하늘의 도움을 입어 목숨을 부지하였으나 상이 그 처지를 혐의치 아니하고 황후를 삼으시니 은혜 망극하온지라. 수삼 년 전쟁에 민심을 요란케 하오니 만사무석(萬死無惜)하온지라. 복망 폐하는 진을 걷우사 환궁하심을 바라나이다."

> 장백이 천명을 따름
> 황제가 되려는 욕심에 전쟁을 일으킴
> 만 번 죽어도 아까울 것이 없음
> 엎드려 바라건대

상이 장 원수가 돈수사죄(頓首謝罪)하고 옥새를 올리는 것을 보시고 환희하사 위로하기를,

> 머리가 땅에 닿도록 절하며 용서를 빎

"짐이 이제 제업을 이루었으니 경의 공이 아니면 어찌 이에 이르리오."

> 제업을 이루도록 도와준 것에 고마움을 표함
> ▶ 누이와의 상봉을 계기로 주원장에게 옥새를 바치는 장백

Link

출제자 특강) 사건의 전개를 파악하라!

❶ 장백이 황후를 보고 눈물 흘린 이유는?
자신의 누이가 죽었다고 생각하여 황후의 얼굴이 누이와 같음에도 누이라고 생각지 못했기 때문에

❷ 장백이 명 황제에게 자신이 죽어도 아깝지 않다고 한 이유는?
전쟁을 일으켜 민심을 요란하게 하였기 때문에

최우선 출제 포인트!

1 영웅 소설의 서사 구조

고귀한 혈통	재상의 아들로 태어남.
어린 시절의 고난	어버이를 잃고 누이와 헤어짐.
조력자의 도움	철관 도사의 제자가 됨.
영웅적 활약	원나라 황제를 물리침.
행복한 결말	누이와 상봉, 주원장과의 화해, 안남왕에 봉해짐.

2 인물의 비범한 능력

장백은 천문을 통해 미래를 예측하고, 무공으로 원 황제를 물리치는 등 자신의 능력을 보여 주는데, 이러한 장백의 비범한 능력은 장백의 영웅적 면모를 부각하고 있다.

최우선 핵심 Check!

1 다음 내용 중 맞는 것은 ○표를, 틀린 것은 ×표를 하시오.

(1) 장백은 천문을 통해 적병이 쳐들어올 것을 예상했다. (   )

(2) 장 황후는 과거 어려운 상황에 봉착하였을 때 조력자를 만나 목숨을 건졌다. (   )

(3) 유기는 장백과 황제의 공적을 언급하고 장백의 우세함을 인정하였다. (   )

2 초성 힌트를 보고 빈칸에 들어갈 알맞은 말을 쓰시오.

(1) 이 작품은 ○○ 소설의 서사 구조로 이야기를 전개하고 있다.

(2) 인물 간 대결 상황을 제시하여 ㄱㅈㄱ 을/를 드러내고 있다.

> 정답 1. (1) ○ (2) ○ (3) × 2. (1) 영웅 (2) 긴장감

1등급! 〈보기〉!

'천명(天命)'은 인간에게 내리는 하늘의 명령으로 인간이 임의로 거스를 수 없는 절대적 운명이다. 「장백전」에서 주원장은 대명 건국이라는 천명을, 장백은 황제가 될 사람을 찾아 그를 도와야 하는 천명을 부여받은 인물이다. 자신의 천명을 알고도 장백은 이를 부정하며 주원장과 황제의 자리를 두고 대립하게 되지만, 결국 천명에 따라 주원장과 화합을 이루게 된다. 여기에 남매의 이별과 상봉이라는 작품 내적 장치는 두 인물의 갈등을 해소하는 결정적 역할을 수행하고 있다.

95위

정비전(鄭妃傳) | 작자 미상

성격 영웅적 **시대** 조선 후기
주제 여성 주인공의 영웅적 활약상

이 작품은 여러 고난을 무릅쓰고 국가의 위기를 해결하는 여성 영웅의 활약상을 그리고 있는 영웅 소설이다.

소설

출제 우선 작품

주요 사건과 인물

발단	전개	위기	절정	결말
당나라 재상 정유와 그의 딸 정성모는 권신 양경에 의해 전쟁터로 차출됨.	정성모는 남장을 하고 출전하여 적을 물리치고, 황태자의 고백을 받아들여 태자비가 됨.	양경, 양 귀비는 음모를 꾸미고, 이를 사실로 믿은 황제는 정비에게 사약을 내리지만 태자의 도움으로 빠져나감.	황제는 적국과 내통한 양경에 의해 죽을 위험에 처하지만 정비의 활약으로 난을 평정함.	양경은 능지처참에 처하고 양 귀비는 폐위됨. 정비는 태자비에 올라 행복하게 살아감.

정공(정유)	정비(정성모)	양경	양 귀비
정비의 아버지로서 양경, 양 귀비에 의해 위험에 빠짐.	무예에 능통하고 영웅적인 능력을 지님. ↔	양 귀비와 남매지간으로, 정성모에게 청혼하지만 거절당한 후 정성모와 정유를 위험에 빠트림. +	양경과 함께 정비와 정공을 제거하기 위해 여러 음모를 꾸미지만 결국 처벌을 받음.

핵심장면 ① 정성모가 정비가 된 것을 알고 위기를 느끼는 양경과 양 귀비의 계략이 드러나는 장면이다.

주인공과 대립하는 악인형 인물
차시 <u>양경</u>이 정공의 딸이 죽은 줄 알았더니 천만의외에 그 딸이 태자비가 됨을 보고 심중에
□: 주요 인물   정비(정성모)
분함을 품고 생각하되,

『요망한 정녀가 죽었다고 하고 나를 속였으니 어찌 분하지 아니리오. 태자비라는 위세로 당
「 」: 정비가 자신의 가문을 해칠 것이라 여겨 정비를 모함하려는 양경의 모습
당히 우리 가문을 해할 것이니, 내 먼저 계교를 도모하리라.』

하고, 즉시 양 귀비 궁에 들어가 남매가 비밀스럽게 상의하여 계교를 꾸미더라. 일일은 양 귀
정비(정성모)   정비, 정공을 모함하고자 하는 양경과 양 귀비
비가 태자비 침전에 이르니, 정비 맞아 예를 갖추매, 양 귀비 가로되,
황제(皇帝)를 이르는 말

『황상이 태자비의 바느질 솜씨를 보고자 하사 첩으로 하여금 황룡단(黃龍緞) 한 필을 정비에
「 」: 양 귀비의 계교
게 주어 삼 일 내로 용포(龍袍)를 지어 올리라 하시더이다.』
Link 대화의 의도 ❶
술과 과일
하고 <u>촉금단</u> 한 필을 내어놓으니, 정비가 허리를 굽혀 황상의 명을 받든 후 주과를 내어 양 귀
매우 귀한 비단   용포(龍袍)를 지어 올리라는 명을 실제 황상의 명으로 받아들임
비를 대접하더라. 양 귀비 늦도록 앉았다가 돌아와 즉시 자기 딸 비연 공주를 불러 계교를 가

르치니, 비연이 순순히 응낙하고 즉시 장락전에 이르러 낮 문안을 마치고 황상의 곁에 있다가

문득 양 귀비더러 왈,

Link
출제자 특강 대화의 의도를 파악하라!

❶ 양 귀비가 태자비에게 용포를 지어 올리라고 한 의도는?
태자비가 용포를 만든다면 태자비의 남편인 태자를 황제로 만들고자 한다는 의심을 유발할 수 있기 때문에

❷ 양 귀비가 비연을 꾸짖은 의도는?
비연을 거짓으로 꾸짖음으로써 황상의 궁금증을 유발하기 위해

❸ 양 귀비가 황상에게 태자와 정비에 대해 언급한 의도는?
정비를 취한 후 태자가 변했다는 말을 들은 황상이 정비를 부정적으로 바라볼 수 있기 때문에

『소저가 정비께 갔더니 정비께서 용포를 짓더이다.』
「 」: 양 귀비는 거짓으로 비연을 꾸짖음으로써 황상의 궁금증을 유발하고 있음
양귀비 짐짓 꾸짖어 왈,

"너 같은 어린 애가 무엇을 아노라 잡담을 하나뇨?"
Link 대화의 의도 ❷
황상이 웃으시며 왈,

『비연아! 네 무슨 말을 하다가 어머니에게 <u>책언(責言)</u>을 듣나뇨?
「 」: 양 귀비의 계략대로 되어 감을 알 수 있는 황상의 물음   꾸짖거나 나무라는 말
짐에게 자세히 말하라.』

비연 공주가 황상 앞에 엎드리며 왈,

"소저가 태자궁에 갔삽더니, 정비께서 용포를 지으니, 솜씨가 절
용포는 황제만이 입을 수 있는 옷이므로, 용포를 만들고 있는 정비와 남편인 태자를 의심하는 계기가 됨

묘하더이다."

황상이 다시 물어 왈, / "네 정녕히 보았느냐?"

비연이 고하여 왈,

"황룡단에 구룡(九龍)을 수놓으니 용포가 아니면 무엇이리까?"

황상이 속으로 깊이 생각하시되,

'태자에게 용포가 당치 않거늘 용포를 지어 무엇에 쓰려하는고? 반드시 수상한 뜻이 있음이
<small>황상이 정비와 태자를 의심하게 하려는 양 귀비의 계략이 성공함</small>
로다.'

하시고 좌우를 명하여 태자를 부르라 하시니 양귀비 왈,

"이 일이 비록 의심스러우나, 어린 애의 모호한 말을 어이 믿고 궁중을 요란케 하시리까? 앞
<small>비연 공주</small>
으로 서서히 보아 처치하소서. 『태자의 천성이 어질고 효성 또한 깊더니, 최근 정비를 취한
<small>『 』: 태자를 위하는 체하면서 정비를 모함하는 양 귀비의 치밀한 계략이 드러남</small>
후로 행동이 조금 변하오니, 폐하는 노여움을 참으시고 후일을 보소서.』
<small>Link 대화의 의도 ❸</small>

황상이 양 귀비의 말을 아름답게 여기사 이후로는 양 귀비를 더욱 총애하시고, 태자와 정비
<small>태자와 정비가 수상한 뜻이 있다고 생각했기 때문에</small>
를 보시면 안색에 노기 어리시니, 태자와 정비 황공함을 이기지 못하나 그 연유를 모르고 마
침내 용포를 지어 양 귀비께 드리니, 양 귀비 이를 황상께 드리며 왈,

『폐하께서 정비를 보시고 좋지 않은 기색을 보이시니, 정비는 본디 총명한 인물이라. 그 기
<small>『 』: 정비의 의도를 왜곡하여 전달함 → 황상을 분노하게 하는 원인이 됨</small>
미를 짐작하고 짐짓 용포를 지어 첩에게 보내며 황상께 드리라 하니, 그 허물이 신첩에게 있
는지라. 도리어 황공하여이다.』

황상이 듣기를 마치고 크게 노하사 즉시 용포를 불태워 버리시니, 정비 이 말을 듣고 근심하
<small>진위 확인을 하지 않은 채 양 귀비의 말만 믿고 정비에게 분노함</small>
더라.
<small>양 귀비의 계략과 황상의 생각을 알지 못하고 있는 정비</small>

<small>▶ 정비에 대한 양경, 양 귀비의 모함</small>

핵심장면 ❷ 정비가 비범한 능력으로 양순과 대적하는 장면이다.

차시 정비가 이 시랑 집에서 밤낮으로 무예를 연습하며 황성 소식을 탐지하더니, 문득 비복
<small>정비의 조력자</small>
이 들어와 고하기를,
<small>계집종과 사내종</small>

『황성 소식을 들으니, 육주(六州)의 자사(刺史)가 다 반란을 일으켜 경성을 범하오되, 천자와
<small>『 』: 사면초가(四面楚歌)에 빠진 천자와 태자의 모습이 드러남   중국의 지방 관리</small>
태자가 적진에 싸이어 양식이 끊어진 지 칠 일이나 되었다 하더이다.』

정비 크게 놀라며 왈,

『이는 필경 양경의 소행이라. 어찌 일시라도 지체하리오. 급히 달려가 천자와 동궁을 구하고
<small>『 』: 유교적 관념[忠君]에 따라 천자와 동궁을 구하고자 하는 정비   왕세자</small>
도적을 평정하리라.』

하고 갑옷을 정제하고 말에 오르니, 시랑이 왈,

"노신이 낭랑을 모셔 가 황상과 태자 전하를 뵙고자 하옵나니, 함께 감이 어떠하리까?"
<small>이 시랑   정비</small>
정비 말리며 왈,

"공의 말씀이 당연하나, 첩의 탄 말이 천리마(千里馬)라. 한 번 채를 던지면 빠름이 풍우(風雨)
<small>○: 정비의 영웅적인 면모가 드러나는 표현</small>

같아 만리강산(萬里江山)을 눈앞에 지내나니, 공의 노력(老力)으로 어찌 나의 뒤를 좇으리오? 첩이 마땅히 천자를 뵙는 날에는 공의 충심을 고하리라."

하고 천사보검(天賜寶劍)을 비껴들고 말에 올라 채를 들어 한 번 치니, 그 말이 소리를 벽력같이 지르고 급히 달려 하룻밤 만에 황성 가까이 이르러 바라보니, 평원광야에 수만의 철갑을 입은 군사들이 천자와 태자를 에워쌌으니, 살기등등(殺氣騰騰)하여 급함이 경각(頃刻)에 있는지라. 정비 크게 노하여 소리 질러 왈,

『"너희는 어떤 도적이기에 감히 천자를 범하나뇨? 한칼로 죽여 씨를 없이 하리라."』

하니 적진 중에서 한 장수가 나와 크게 웃으며 왈,

"천자가 덕이 없어 만민이 도탄에 빠지매, 우리가 천명(天命)을 받아 의병을 이루어 어리석은 임금을 없애고 만민을 구하려 하거늘, 너는 어찌 하늘의 때를 모르고 덤비느냐?"

정비 크게 노하여 창을 들어 공중을 찌르며 왈,

"너희 양씨 가문이 대대로 국록을 먹고, 너희 누이 총애를 받으니 은혜가 망극하거늘, 도리어 역당(逆黨)을 모아들여 임금을 해코자 하니, 하늘이 어이 무심하리오. 자고로 임금이 있은 후에 백성이 평안하나니, 군신지의(君臣之義)는 삼강(三綱)의 으뜸이라. 너희가 오륜을 모르니, 일러 무엇하리오."

하고 칼을 들어 급히 치니, 양춘이 크게 노하여 창을 들어 맞아 싸워 몇 합(合)을 겨루지 않는데, 정비 칼을 들어 양춘의 말 다리를 찌르니 양춘이 말에서 떨어지더라.

▶ 정비와 양춘의 대결

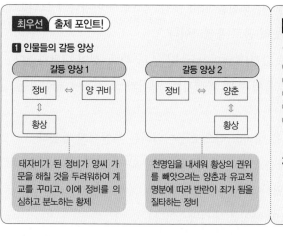

출제 우선 작품

Link
출제자 꿀팁 갈등의 양상을 파악하라!
❶ 정비와 양춘의 갈등 양상은?
유교적 명분인 충군(忠君)을 앞세우는 정비와 반란의 명분을 앞세우는 양춘의 갈등

최우선 출제 포인트!

1 인물들의 갈등 양상

갈등 양상 1	갈등 양상 2
정비 ⇔ 양 귀비	정비 ⇔ 양춘
↕	↕
황상	황상

태자비가 된 정비가 양씨 가문이 해칠 것을 두려워하여 계교를 꾸미고, 이에 정비를 의심하고 분노하는 황제	천명임을 내세워 황상의 권위를 빼앗으려는 양춘과 유교적 명분에 따라 반란이 죄가 됨을 질타하는 정비

최우선 핵심 Check!

1 이 작품에 대한 설명으로 적절한 것은?
① 양 귀비는 비연과 첨예하게 대립하고 있다.
② 정비는 양 귀비를 모함하고자 용포를 짓고 있다.
③ 정비는 평소 황상의 행동에 반감을 품고 있었다.
④ 양 귀비는 정비를 모함하고자 태자를 위하는 체하고 있다.
⑤ 황상은 정비의 바느질 솜씨를 알아보고자 정비에게 직접 용포를 지어 달라고 이야기했다.

2 반란으로 위기에 빠진 황상, 태자의 상황을 드러내기에 적절한 한자 성어는?

정답 1. ④ 2. 사면초가(四面楚歌)

최현전(崔賢傳) | 작자 미상

성격 영웅적, 전기적, 우연적 **시대** 조선 후기
주제 최현의 영웅적 활약상

소설

이 작품은 주인공 최현의 영웅적 일대기를 그린 소설로, 전반부에는 최현의 고행담과 결연 과정이, 후반부에는 최현의 영웅담에 이어 아들 최홍의 영웅담까지 곁들여 가문 소설의 성격을 띠고 있다.

주요 사건과 인물

발단
최윤성과 석 부인은 늦은 나이에 아들 최현을 낳음. 최윤성이 천자의 은총을 받자, 소경과 황윤 무리가 시기하여 최윤성을 기양 보냄.

전개
석 부인이 최현을 데리고 남편을 찾다가 해적에게 재물을 탈취당하고 최현과 헤어지게 됨. 최현은 유 소사에게 구출되어 그의 양자가 되었으나, 유 소사가 죽자 유리걸식하다가 엄 승상의 딸인 월계와 가약을 맺음.

위기
공 도사를 만나 도술을 익힌 최현은 남경 땅에서 완삼의 딸 영애를 만나 혼인함. 그 뒤 장원 급제하고 월계와 만나며, 석 부인도 찾음. 이때 서달이 황제를 칭하고 중원을 침공하자, 대원수가 되어 출전함.

절정
서달왕의 항복을 받고, 서역 땅에 갇혀 있던 아버지를 구출한 뒤 소경과 황윤에게 원수를 갚음. 위왕으로 책봉된 최윤성은 태자를 받들어 태평성대를 누리는데, 소경의 아들 소명이 가달을 충동하여 다시 중원을 침략함.

결말
최현도 아들인 홍으로 하여 금 가달을 격파하고, 가달왕에 책봉되어 일가가 부귀를 누림.

최현
어린 시절 부모와 헤어져 갖은 고생을 하지만 입신양명하는 영웅적 인물

유 소사
벼슬에서 물러나 고향으로 오던 중 울고 있는 어린 최현을 만남. 꿈에서 계시를 얻어 최현을 데려와 양자로 키움.

공 도사(공신술)
삼 년 동안 최현을 찾아다니다가, 최현에게 천사검과 옥갑경을 줌.

핵심장면 ① 수적들에 의해 어머니와 헤어지고 유 소사에게 도움을 받으며 양자가 되는 장면이다.

☐ : 주요 인물

수적들이 **현**의 다리를 잡고 물에 던졌을 때, 풍랑이 현을 휩쓸다가 모래사장으로 내굴렸다.
<small>최현이 수적들에 의해 고난을 겪음</small>　　　　　　　　　<small>사람이 살지 않는 외진 곳</small>
어린 현이 물을 끝없이 토하며 어머니를 부르고 통곡하다가 사방을 둘러보니 무인지경(無人之
<small>어머니와 헤어지고 사람이 없는 곳에 다다름</small>
境)이었다.
　　　　　　　　　　　　　　　　　▶ 수적에 의해 어머니와 헤어지고 혼자 남겨진 최현

『이때 절강 소흥부에 **유 소사**라는 재상이 있었다. 황성에서 벼슬을 하다가 나이가 들어 퇴사
　　　　　　　　　<small>최현의 조력자 ①</small>　　　　　　　　　　　　　　　　<small>벼슬에서 물러남</small>
(退仕)하고 고향으로 돌아오는 중이었는데, 문득 울음소리가 들려왔다. 사공에게 분부하여 그
　　　　　　　　　<small>최현이 어머니를 부르며 통곡하는 소리</small>
울음소리가 나는 곳에 배를 대고 내려와 보니 한 아이가 울고 있었다.』『 」: 고전 소설의 우연성이 드러남
　　　　　　　　　　　　　　　　　　　　　<small>최현</small>

유 소사가 그 아이에게 다가가 물었다. / "네 어찌 된 아이이건대 홀로 이렇게 슬피 우느냐?"

현이 울음을 그치고 올려다보니 한 백발노인이었다. 유 소사가 이어서
　　　　　　　　　　　　　　　　　<small>유 소사</small>

"네 어디에 살고 나이는 몇이며 이름은 무엇이냐?" / 하고 묻자 현이 대답했다.
　　　　<small>최현에 대한 호기심</small>

『"나이는 일곱 살이옵고 성명은 최현이오며, 모친을 따라 부친 적소로 찾아가다가 모친도 없
　『 」: 유 소사의 질문에 따라 최현 이전의 사건을 설명함　　　　　<small>귀양살이 하는 곳</small>　　<small>최현이 모친과 시종을 잃어버렸음</small>
사옵고 시종도 없삽기로 갈 바를 알지 못해 홀로 울었나이다."

소사가 다시금 묻기를 / "부친이 어디로 갔건대 찾아가느냐?" / 라 하니, 현이 대답하였다.

"부친은 벼슬을 하시다가 참소(讒訴)에 들어 유배 가셨기로, 모친과 그 적소에 찾아가는 길
　　　　　　　　　　　　<small>모함 때문에 유배를 간 최현의 부친</small>
이었사옵니다."』
Link 서술상의 특징 ❶

Link

출제자 톡! 서술상의 특징을 파악하라!

❶ 최현이 어머니와 헤어지며 겪은 사건을 서술하는 방식은?
유 소사와의 대화를 통해 이전에 일어난 사건의 정황을 드러내고 있다.

유 소사가 현을 데리고 집으로 돌아와서는 부인에게 말했다.

"간밤에 한 꿈을 얻었는데, 백발노인이 와 이르되 '그대 일생 자식
　　　　　　　<small>양자를 얻을 거이라는 꿈</small>
없음을 서러워하매 양자를 데려왔으니 수양아들로 삼아 잘 기르
　　　　　　　　　　<small>최현</small>
라' 하시기로 이 아이를 데려왔소이다."
　　　　<small>유 소사가 꿈에서 백발노인이 말한 대로 행함</small>

그러자 부인이 말하기를,

"첩도 간밤에 한 꿈을 얻었는데, 하늘에서 칠성(七星)이 떨어져 치마에 싸이거늘 이를 더욱
사랑하였습니다. <u>지금 짐작하옵건대 그 꿈이 허사가 아니옵니다.</u>" / 하였다. ▸유 소사의 양자가 된 최현
_{최현이 고귀한 존재임을 나타냄}
_{유 소사가 최현을 데리고 왔기 때문에}

핵심장면 ② 최현이 도사 공신술로부터 천사옥갑을 얻고, 과거에 베풀었던 선행 덕에 극진한 대접을 받는 장면이다.

"이 칼은 <u>천사검(天賜劍)</u>이요, 이 책은 <u>옥갑경(玉甲經)</u>이라. 성인군자가 가질 만한데, 만일
○: 공신술이 준 귀중한 물건
그대 곧 아니면 가질 사람이 없는 까닭으로, <u>사해를 두루 돌아 이제야 전하노라.</u> 그대는 삼
_{최현} _{천사검과 옥갑경의 주인을 비로소 찾았다는 말}
가 누설하지 말라."

현이 일어나 두 번 절하고, / "소생은 인간의 천한 것이라, 이 두 보배를 어찌 지니리까? 바
_{천사검과 옥갑경}
라노니 <u>존공은 지닐 사람에게 주옵소서.</u>" / 라 하니, 도사가 웃으며 말했다.
_{상대방을 높여서 이르는 말 – 공신술을 가리킴} _{공신술}

"<u>하늘이 그대를 내실 때 대명(大明)을 위하여 내셨도다.</u> 또한 <u>천사옥갑은 그대를 위하여 내</u>
_{최현이 명나라를 위해 큰일을 할 인물임이 드러남} _{천사검과 옥갑경}
신 것이니, 어찌 사양하리오?"

"설령 보배라 한들 내어 쓰지 못하오니 그 어찌 소생이 가질 바이리까? 엎드려 바라건대 존
_{최현이 자신의 능력을 미처 깨닫지 못하고 있음}
공은 가져가시어 제 임자에게 전하옵소서."

"어찌 이같이 고집하는가? 이 두 가지를 가지면 <u>영화(榮華)를 누리며 대국을 편안하게 하고</u>
_{최현이 천사옥갑을 거절하는 것을 꾸짖음} _{최현이 천사옥갑을 가졌을 때 일어날 일}
<u>이름이 사해(四海)에 진동할 것이니,</u> 어찌 사양함이 이같이 심하리오? 이 칼이 비록 서리었
_{둥그렇게 감겨 있으나}
으나 쓸 때를 당하면 자연히 저절로 빠져나와 펼치면 길이가 팔 척이라. 이 두 가지 보배는
_{천사검을 쓸 때 일어나는 일}
서천서역국(西天西域國)에 떨어져서 서기가 천하에 비추었으되 찾아갈 사람이 없어 이 늙은
_{상서로운 기운} _{자신을 낮추어 일컬음}
것이 삼 년을 수고하고 그대를 찾다가, 오늘 여기에 와서 전하는 것이니 부디 잘 간수하라.
_{삼 년 동안 최현을 찾음} _{임금이 관리를 지방에 부임할 때 주는 물건}
멀지 아니하여 <u>상장군의 절월(節鉞)과 대원수의 인신(印信)을 찰 것이니,</u> 그때를 당하면 이
_{최현이 '상장군'이 되고 '대원수'가 될 것이라는 예언}
노인의 말을 생각하리라."

현이 공손히 대답했다.

"정녕 그러하오면 사양할 수 없삽거니와, 미천한 소생을 위하여 여러 세월을 수고하시니 마
음에 황송무지하옵니다. 감히 묻고자 하니, 존공의 거주와 존호(尊號)를 알고 싶습니다."

"나의 이름은 공신술이요, 살기는 공동산에 있으니, 차후에 혹여 급한 일이 있거든 공동산으
_{최현의 조력자 ②}
로 찾아오라. 할 말은 무궁하나 급히 떠나니, <u>그대는 칠 년 전에 갔던 남경 순천부로 찾아가</u>
<u>라.</u>"
_{최현이 할 일을 알려 줌}

도사가 떠나가더니 불과 몇 걸음에 <u>홀연히 사라져 보이지 않아 어디로 가는지 알 수 없었다.</u>
_{고전 소설에 나타나는 전기적 요소} ▸도사 공신술로부터 천사옥갑을 얻은 최현
현이 도사를 이별하고, 천사옥갑을 품에 품고 남경으로 향했다. 현이 여러 날만에 순천부에
_{도사의 말을 따름}
이르러서는 밥을 빌러 한 집에 들어갔는데, 그 <u>주인</u>이 현의 구걸하는 소리를 듣고 불쌍하게
_{최현이 경제적으로 어려움을 겪음} _{최현의 조력자 ③(완삼)}
여겨 가까이 부르고는 물었다.

"그대는 어디 사람이며 어찌 이리 빌어먹는가?"

"가화공참(家禍孔慘)하기로 자연히 걸식하오이다."

집안이 당한 화가 매우 참혹함

주인이 가만히 현을 보다가 다시 물었다.

"그대의 이름과 얼굴이 본 듯하니 알지 못 할 일이라. 그대 혹여 남에게 적선한 일이 있는가?"

주인은 자신과 최현이 구면이라고 생각함

"구걸하는 아이가 어찌 사람을 구제함이 있으리오?"

"칠 년 전에 진주강 모래사장에서 금은보화로 사람을 구제한 일이 없는가? 공자는 숨기지

최현이 7년 전에 상인 완삼을 구했던 일

말고 바로 이르소서."

현이 말했다. / "서촉으로 가려 하던 중 상인 완삼이 파선하고 물가에서 울거늘, 자연히 마

完삼이 최현이 낮익다고 여긴 이유에 해당

음에 측은하여서 약간 물건을 준 일이 있는, 이것을 어찌 구제하였다 하리오?"

<u>Link 인물의 태도 ①</u>

주인이 이 말을 듣고는 크게 놀라고 크게 기뻐하며 현을 붙들고 반기며 말했다.

"공자는 나를 몰라보나이까? 내가 바로 완삼이로소이다. 간밤에 한 꿈을 얻었는데 공자를

만나 은혜를 갚는 꿈이었으나, 내 어찌 공자를 뵈올 줄 알았으리오?"

자신이 겪게 될 일을 미리 꿈을 통해 계시 받음

완삼이 현을 붙잡고 집으로 들어가 못내 반가워하며 처자를 불러 말했다.

"진주강에서 나를 구하던 공자가 이제 오셨으니, 만일 이 공자가 아니었던들 너희들이 순천

완삼이 자신의 가족에게 최현의 선행을 극찬함

부 관비될 것을 어찌 면하였으며, 오늘날 먹고 입는 것이 어찌 군색(窘塞)을 면했으리오? 이

필요한 것이 없거나 모자라 옹색함

제 뵈옵기는 천만몽매(千萬夢寐)의 일이요 하늘이 지시함이라."

완삼이 못내 사례하니 현이 또한 공손히 대답했다.

"작은 것을 주고 큰 인사를 받으니 도리어 민망하오이다."

최현의 겸손한 태도

완삼이 즉시 현의 의복을 갈아입히고는 아침저녁으로 공경을 극진

히 하였다.

▶ 과거 완삼에게 베푼 선행 덕에 극진한 대접을 받는 최현

<u>Link 인물의 태도 ②</u>

Link

출제자 특강 인물의 태도를 파악하라!

❶ 완삼을 구해준 일을 말하는 데서 알 수 있는 최현의 태도는?
자신의 선행을 겸손하게 말하고 있음.

❷ 최현에 대한 완삼의 태도는?
7년 전 상인 완삼을 최현이 구했던 선행에 감사해 하며 보답으로 최현을 극진히 대접함.

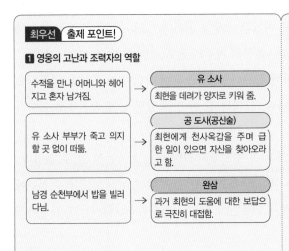

최우선 출제 포인트!

1 영웅의 고난과 조력자의 역할

	유 소사
수적을 만나 어머니와 헤어지고 혼자 남겨짐. →	최현을 데려가 양자로 키워 줌.

	공 도사(공신술)
유 소사 부부가 죽고 의지할 곳 없이 떠돎. →	최현에게 천사옥갑을 주며 급한 일이 있으면 자신을 찾아오라고 함.

	완삼
남경 순천부에서 밥을 빌러 다님. →	과거 최현의 도움에 대한 보답으로 극진히 대접함.

최우선 핵심 Check!

1 다음 내용 중 맞는 것은 ○표를, 틀린 것은 ×표를 하시오.

(1) 대화를 통해 이전에 일어난 사건의 정황을 드러내고 있다. ( )

(2) 서술자가 개입하여 사건에 대해 주관적인 평가를 하고 있다. ( )

(3) 인물의 말과 행동을 통해 인물의 성격과 인품을 드러내고 있다.
( )

(4) 주인공은 고난을 겪지만 조력자의 도움으로 이를 극복하고 있다.
( )

2 초성 힌트를 보고 빈칸에 들어갈 알맞은 말을 쓰시오.

영웅 소설 속 주인공은 새로운 인물들과 ㅇㅁㅈ(으)로 만나며 고난을 극복한다고 했다. 백발노인이 나와 양자를 잘 키우라는 말을 하는 꿈을 꾼 유 소사가 어머니를 잃은 최현을 만난 것에서도 이와 같은 면을 확인할 수 있다.

정답 1. (1) ○ (2) × (3) ○ (4) ○ 2. 운명적

김씨열행록(金氏烈行錄) | 작자 미상

성격 열행적, 윤리적, 유교적 **시대** 조선 후기
주제 가정의 갈등을 극복한 여인의 열행

소설

이 작품은 유교적 행태를 바탕으로 여성인 김 씨가 가정의 갈등을 극복하는 모습을 그려낸 일종의 윤리 소설이다.

주요 사건과 인물

발단
김 씨는 결혼 첫날밤에 신랑 장갑준을 잃고 누명을 씀.

전개
김 씨는 누명을 벗고자 남장을 하고 사건의 진상을 밝힘.

위기
김 씨는 유복자 해룡을 낳고 살아가지만 시아버지를 죽였다는 모함을 받음.

절정
김 씨는 시비의 증언과 황제의 도움으로 모든 문제를 해결함.

결말
황제는 김 씨의 열행을 칭찬하고 해룡을 부마로 삼음.

김 씨
갖은 고난을 겪으면서도 자신에게 닥친 문제를 능동적으로 해결함.

장 시랑
아들의 죽음에 대해 며느리 김 씨를 의심하지만 사건의 전모가 밝혀진 뒤 유 씨를 엄벌에 처함.

유 씨
장 시랑의 후처로 장갑준을 죽이고 자신의 아들로 가문을 이어나가려고 하는 악인임.

핵심장면 1 신랑을 죽였다는 누명을 벗기 위해 김 씨가 남장을 하고 집을 나가 어느 노파에게 사건의 전모를 듣게 되는 장면이다.

이에 신부가 심히 의심하여 짐짓 노파를 위로하고 상급을 더하여 수작을 길게 하다가 『왔던
사람이 누구이며, 밤늦게 왔다가 돌아간 연고를 묻고, 수작은 무엇을 장황히 하였나 하는 것
을 낱낱이 물으니, 노파가 그 도령에겐 차마 기망할 길 없는지라, 길이 탄식하고 조용히 아뢰되,
"노파의 팔자가 기구하여 늦게야 남편을 여의고 자식이 없기로 양자를 들인즉, 『이 자식이 노
모의 뜻을 받지 아니하여 가사를 불고(不顧)하옵고 주색잡기에만 눈을 뜨옵고, 성행(性行)이
불량하여 싸움하기와 사람 치기를 즐기옵는 탓에』 항상 근심하옵더니, 저 안마을 큰 기와집
은 장 시랑 댁이온데, 장 시랑의 전취 부인 연 씨는 천고에 없는 요조숙녀이옵더니, 자제 한
분만 두고 불행히 일찍 상배(喪配)하시고 후취 부인 유 씨 또한 인물이 절등하옵고 재질이
능란하시오나, 다만 전실 자제를 사랑하지 아니하옵기로 시랑이 늘 근심하더니, 전실 자제
의 혼인을 아무 곳 김씨 댁으로 지내옵는데, 그 유씨 부인이 흉계를 품어 『전실 자제를 없애
고 제 소생으로 종가를 삼으려 하여, 혼인날 밤에 신랑을 죽이기 위하여 돈을 많이 주고 자
객을 구한즉,』 불초한 자식이 대답하거늘, 노파가 아무리 만류하여도 듣지 아니하고 그날 밤
에 가서 신랑의 머리를 베어다가 유씨 부인에게 바쳤삽더니, 『그 뒤로 시랑의 행차가 바로 돌
아오시매, 유 씨가 황망공겁(慌忙恐怯)하여 어찌할 줄 모르다가』 그 머리를 곳간 속 쌀독에
넣고 곳간 문을 잠가옵는데, 장 시랑이 돌아오시는 길로 대청에 좌기(坐起)하옵시고 침식을
전폐하신 채 이때까지 그 자리를 옮기지 아니하시니 어찌할 길이 없는지라. 이러므로 유 씨
만 근심할 뿐 아니오라 불초한 자식이 또한 겁을 내어 장차 멀리 도주하려는 뜻을 두고 노파
를 작별하러 왔사온즉, 그 자식의 소행은 죽었사옵건만 자식이라 칭
하던 것이 멀리 간다 하기로 부득이하여 수작하옵나니, 공겁(恐怯)
한 심사와 처량한 심사를 진정하지 못하나이다." **Link** 말하기 방식 ❶

> 남편의 죽음에 대한 전모를 알게 된 김 씨

Link
출제자 특강 말하기 방식을 파악하라!

❶ 노파의 말하기 방식은?
과거의 사건을 제시하며 일의 전모를 밝히면서 자신의 심정을 드러냄.

억지로 마음을 진정하고 그 밤을 지낸 후에 날이 밝자 의복을 <u>정제하고</u> 행장을 수습하여 노
<u>김 씨의 차분한 성격을 엿볼 수 있음</u> <u>정돈하고</u> <u>이동할 때 필요한 준비물</u>
파에게서 떠나 바로 장 시랑 댁을 찾아가 시랑께 뵈옵기를 청하니, 시랑이 병을 핑계하고 손
님 보기를 거절하거늘, <u>백단(百端)</u>으로 아뢰어도 듣지 아니하는지라. 나중에는 아무 동네 아
<u>여러 가지 방법</u>
무 집 자식이 중대한 사단이 있사옵기로 안으로 들어가 뵈옵기를 청하나이다 한즉, 그제야 들
어오라 하거늘, 김 씨가 도령의 복색으로 안으로 들어가서 시랑께 뵈옵고 아뢰기를,
    "과연 제가 남자가 아니오라 <u>궁천지통(窮天之痛)</u>한 죄인 <u>자부(子婦)</u>이옵기로, 상고하여 볼
<u>남장</u> <u>하늘에 사무치는 고통을 받은</u> <u>며느리</u> <u>윗사람에게 알림</u>
    일이 있사와 염치를 불고하옵고 왔사오니 댁의 곳간 문 열쇠를 주시오면 상고하올 일이 있
<u>자신의 정체를 밝힘</u>
    삽나이다."
                                                 ❯ 장 시랑을 찾아와 사건의 전모를 밝히려는 김 씨

    유씨 부인이 이 광경을 보고 <u>혼비백산(魂飛魄散)</u>하여 어찌할 줄 모르나, 또한 곳간 문 열쇠
를 내어놓지 아니할 수 없어 열쇠를 내어놓는지라.

    신부가 열쇠를 가지고 급급히 곳간 문을 열고 쌀독을 헤치고 보니 신랑의 머리가 있는지라.
<u>이를 보매 분하고 놀라운 것이야 어찌 다 형언하리오.</u>
<u>서술자의 개입</u>   ❯ 장갑준의 머리를 찾게 된 김 씨와 장 시랑

최우선 출제 포인트!

1 인물의 특징

김 씨	남장을 하고 장 시랑을 찾아가 사건의 전모를 밝히는 것에서 현실의 제약에 능동적으로 해결하는 모습이 드러남.
노파	노파는 자신의 아들과 관련한 사건의 전모를 밝히는 역할을 함으로써 김 씨의 억울한 누명을 벗겨 줌.

2 구성의 독창성

여주인공 김 씨가 혼인 첫날 밤 괴한이 신랑의 목을 베어 가지고 달아나는 괴변을 당함.	→	누명을 벗겠다는 일념으로 남장을 하고 살인자를 찾아내어 그 누명을 벗는다는 구성
사건의 전말을 알게 된 장 시랑이 후처 유 씨와 그녀의 소생을 방에 가두고 집에 불을 질러 죽임.	→	아들의 머리와 자기의 전답 문서를 며느리인 김 씨에게 보내고 방랑의 길을 떠난다는 구성

최우선 핵심 Check!

1 이 작품의 인물에 대한 설명으로 적절한 것은?
① 노파는 미래에 대한 전망을 제시하며 자신의 의견을 말하고 있다.
② 장 시랑은 문제를 해결하고자 하는 의지를 드러내고 있다.
③ 유 씨는 자신의 죄를 반성하며 침통해 하고 있다.
④ 김 씨는 남장을 수단으로 현실의 제약에 대응하고 있다.
⑤ 김 씨는 유교적 윤리관에 대해 배타적인 태도를 드러내고 있다.

2 다음 내용 중 맞는 것은 ○표를, 틀린 것은 ×표를 하시오.
(1) 김 씨는 사건이 일어난 직후 범인을 짐작하고 있었다. (   )
(2) 김 씨는 노파에게 궁금한 이야기를 듣기 위해 노력하였다. (   )
(3) 장 시랑은 김 씨가 찾아왔다는 말에 적극적으로 만나고자 했다.
                                             (   )

정답 1. ④ 2. (1) × (2) ○ (3) ×

98위

검녀(劍女) | 안석경

성격 교훈적 **시대** 조선 후기
주제 사대부의 허위를 비판

소설

이 작품은 순종적인 여성상을 지향하던 당시의 분위기 속에서 신분은 낮지만 무예가 출중한 여인을 통해 스스로 판단하고 자유롭게 행동하는 주체적 여성상을 그리고 있다.

출제 우선 작품

주요 사건과 인물

발단
재주 있기로 명성이 있던 소응천에게 의지할 곳이 없다면서 한 여인이 찾아오고 자신의 내력을 이야기함.

전개
여인의 주인댁이 권세가에 의해 멸문지화를 당하는 바람에 여인과 주인댁 아가씨는 타향으로 가 숨어 살게 됨.

위기
여인과 주인 아가씨는 남장을 하고 검술을 배워 실력을 기르고 원수를 찾아가 복수에 성공함.

절정
주인 아가씨는 여인에게 훌륭한 선비를 찾아 처첩이 되라는 유언을 남기고 자결하고, 이에 소응천을 찾아옴.

결말
여인은 소응천을 살펴본 결과, 소응천이 큰 그릇이 되지는 못함을 깨닫고 작별을 고함.

여인
주인 아가씨를 모시고 있었으나 주인댁이 화를 입자 주인 아기씨와 함께 남장을 하고 검술을 배워 원수에게 복수함. 아가씨가 죽고 그 유언에 따라 소응천에게 찾아가나 소응천의 능력이 훌륭하지 못하다고 생각하여 그를 떠남.

주인댁 아가씨
자신의 가문이 화를 입자 검술을 배워 가문에 대한 복수에 성공하지만 자결을 택함.

소응천
여인의 이야기를 듣는 인물로, 높은 명성을 지닌 양반이지만 그에 걸맞은 능력은 갖추지 못함.

핵심장면 ① 한 여인이 진사 소응천에게 찾아와 그의 소실이 되기를 청하고, 자신의 과거사를 털어놓는 장면이다. (내화)

　저는 본디 모씨 댁의 종이었습니다. 마침 주인댁의 소저와 같은 해에 태어난 고로 특히 소저의 소꿉 시중을 들게 하였고, 장래 시집갈 적에 교전비로 보내려 했더랍니다. 그런데 나이 겨우 아홉 살 적에 주인댁이 어느 권세가의 손에 멸망을 당해 논밭도 전부 빼앗기고 오직 소저와 유모만이 목숨을 부지해서 타관으로 피신을 했습니다. 그때 따라간 사람은 저 하나뿐이었지요. 『소저는 십 세를 갓 넘기자 저와 의논하여 남장을 하고 멀리 검객을 찾아 떠났지요.』『이년이 지나 비로소 검객을 만나 칼 쓰는 법을 익혔고, 오 년이 지나자 드디어 공중을 날아 왕래할 수 있게 되었습니다.』이에 유명한 도회지로 다니면서 묘기를 팔아 여러 천 냥의 돈을 벌어서 보검 네 자루를 샀지요. 드디어 묘기를 자랑하러 온 사람인 양하고 원수의 집을 찾아갔습니다.

> 원수를 갚고자 권세가 집을 찾아간 주인댁의 소저와 소저의 여자 종

　『달빛을 타고 칼을 휘둘러 칼날이 번득이는 곳에 떨어진 머리가 부지기수였습니다. 원수의 집 안팎식구가 모두 붉은 피를 쏟고 쓰러진 것입니다. 그리고 우리는 하늘을 날고 춤추며 돌아왔지요.』소저는 목욕하고 여복으로 갈아입고 나서 술과 안주를 마련해 가지고 부모의 산소에 가서 복수한 사실을 고했습니다. 그러고는 저에게 이렇게 당부하였답니다.

　"나는 우리 부모님의 아들로 태어나지 못했기 때문에 비록 세상에 살아남더라도 가문을 이을 도리가 없구나. 남장으로 팔 년간 천 리를 횡행하였으니, 비록 남에게 몸을 더럽힌 바 없으나 어찌 규중처자의 행실이라고 하겠느냐? 혼인을 하고 싶어도 배필이 나서지 않을 것이요, 배필이 있다 한들 마음에 드는 남자를 만날 수 있겠느냐? 또한 나의 가문이 대대 독신으로 손이 끊겨서 억지로라도 가까이 댈 수 있는 일가가 없으니 나의 혼주가 되어 줄 분인들 어디 있겠느냐? 나는 여기서 자결하여 죽는 것만 못하다. 너는 나의 한 쌍 보검을 팔아서 나를 이곳에 묻어다오. 죽은 몸이나마 부모의 곁으로 돌아가게 되면 나는 여한이 없겠다. 너

의 처지는 나와 다르니 굳이 나를 따라 죽을 것이 없느니라. 나를 땅에 묻은 다음에 나라 안을 두루 돌아다녀 보아 기사(奇士)를 잘 택하여 그의 처나 첩이 되도록 하여라. 너 역시 기이
_{기이한 선비}
한 포부와 걸출한 기상이 있는데 어찌 평범한 남자에게 일생을 머리 숙이고 고분고분 살겠
_{여인의 뛰어난 능력}
느냐?"
▶ 원수를 갚은 소저와 여인에 대한 소저의 당부

핵심장면 ② 여인이 자신의 내력을 설명한 후 진사 소응천을 떠나는 장면이다. (외화)

저는 그대로 남장을 하고서 삼 년을 돌아다녔습니다. 『들으니 고명한 선비로 선생 같은 분이
_{이름이나 평판이 높은}
없다기에 스스로 결심하고 찾아온 것입니다.』 그런데 선생의 능하신 바를 엿보니 『문장의 잔재
『 』: 여인이 소응천에게 몸을 의탁하고자 찾아온 것을 가리킴   『 』: 소응천의 능력에 대한 비판
주와 천문·역학·산학 및 사주·점·부적·도참 등 잡술뿐이요, 마음을 닦고 몸을 지키는 큰 방
법과 세상을 다스리고 후세에 모범을 보이는 높은 도에는 멀리 미치지 못하십니다.』 그럼에도
기사라는 이름을 듣고 있다니 당치 않습니다. 실상이 없는 이름은 평상시에도 화를 면하기 어
려운데, 하물며 난세를 당해서야 말할 것 있겠습니까? 선생은 이제부터 근신을 해도 안온하게
일생을 마치기 쉽지 않을 것입니다. 『앞으로 산림에 은거하지 마시고 그저 적당하고 평범하게
『 』: 소응천의 은거에 대한 비판
전주 같은 큰 도회지에 살면서 아전 부류의 자제나 가르치며 의식의 충족을 도모하고 달리 포
부를 갖지 않으시면 세상의 화를 면할 수 있으리다.』

Link

출제자 특! 인물의 성격을 파악하라!

❶ 주인댁 아가씨의 인물 유형은?
남장을 수단으로 현실의 제약에 대응하는
모습을 보이지만, 문제를 해결한 후에는 가
부장제의 질서를 따르는 인물

❷ 여인의 인물 유형은?
주인댁 아가씨와 마찬가지로 남장을 수단으
로 현실의 제약에 대응하지만, 남편을 받들
고 살아야 한다는 기존 질서를 거부하고 속
세에서 벗어난 삶을 지향하는 인물

제가 선생이 기사가 못 되는 줄을 알면서도 그냥 모시고 산다면 저
자신이 결심한 바를 저버리는 것이요, 소저의 당부까지 어기는 것입
니다. 저는 내일 새벽에 떠나렵니다. 먼바다와 호젓한 산중에서 노
닐렵니다. 남장을 그대로 두었으니 가뿐히 차려입고 나설 것입니다.
어찌 다시 여자로서 음식을 장만하고 바느질하는 일에 얽매여 살아
가리까? **Link** 인물의 유형 ❷
▶ 높은 명성에 비해 능력을 갖추지 못한 소응천에 대한 비판

최우선 **출제 포인트!**

1 인물의 성격

주인댁 아가씨	남장을 수단으로 현실의 제약에 대응하는 모습을 보이지만, 문제를 해결한 후에는 가부장제의 질서를 따름.	비록 자결을 택하지만, 수년간 검술을 익혀 집안의 원수를 갚고 자신의 소신을 지키는 주체적인 면모도 지님.
여인	주인댁 아가씨와 마찬가지로 남장을 수단으로 현실의 제약에 대응하는 인물임.	순종적인 여성상을 지향하던 당시의 시대 분위기 속에서도 주체적 여성으로서 스스로 판단하고 자유롭게 행동하는 면모를 지님.

2 서술상 특징

• 고전 소설에서는 흔치 않은 '액자식 구성'을 취함.
• 주어진 상황을 적극적으로 해결하는 여성이 드러남.
• 인물에 대한 비판적 태도가 직접적으로 드러남.

최우선 **핵심 Check!**

1 다음 내용 중 맞는 것은 ○표를, 틀린 것은 ×표를 하시오.
⑴ 주인댁 아가씨는 복수를 위해 남장을 하고 검술을 익혔다. (   )
⑵ 주인댁 아가씨는 복수 후 회의감으로 자결을 결심했다. (   )
⑶ 여인은 주인댁 아가씨의 유언을 지키기 위해 소응천을 찾아갔다.
(   )

2 다음 중 작품에 대한 설명으로 적절한 것은?
① 여인과 소응천의 사상이 첨예하게 대립하고 있다.
② 고전 소설에서는 흔치 않은 액자식 구성을 취하고 있다.
③ 인물의 심리와 대비되는 구체적인 배경을 제시하고 있다.
④ 가부장적 가치관을 옹호하는 주인댁 아가씨와 여인의 태도가 잘 드러나고 있다.

정답 1. ⑴ ○ ⑵ × ⑶ ○ 2. ②

심생전(沈生傳) | 이옥

성격 비극적 **시대** 조선 후기
주제 신분의 차이로 인한 남녀의 비극적인 사랑

소설

이 작품은 양반가의 자제 심생이 중인 신분인 소녀의 사랑을 얻기 위해 노력하여 부부의 연을 맺지만, 결국 신분의 벽을 넘지 못하고 비극적인 결말을 맞는다는 내용의 애정 소설이다.

출제 우선 작품

주요 사건과 인물

발단	전개	위기	절정	결말
서울에 사는 선비 심생이 종로로 임금님 행차를 구경하러 갔다가 보자기에 싸여 계집종에게 업혀 가는 소녀를 보고 따라감.	심생은 매일 밤 담장을 넘어 소녀의 방문 앞에서 기다렸지만, 소녀는 심생을 단념시키려고 함.	심생이 30일 동안 변함없이 소녀를 보러 가자, 소녀는 자신의 부모를 설득하고 허락을 받아 두 사람은 인연을 맺음.	심생이 자신의 부모에 의해 산사로 보내지자 소녀는 심생을 그리워하다가 죽고, 소녀의 죽음을 뒤늦게 안 심생은 슬퍼하다가 일찍 죽음.	매화외사는 심생의 이야기가 실재임을 밝히고, 심생에 대해 평을 하며 심생의 일을 적어 『정사(情史)』에 빠진 것을 보충함.

	결연 전			결연 후
심생	교제에 적극적이고 주도적인 태도를 보임.	→	심생	부모에게 소녀의 이야기를 꺼내지도 못한 채 소녀를 두고 떠남.
소녀	교제에 신중하고 소극적인 태도를 보임.		소녀	부모를 설득하여 심생을 사위로 받아들이게 하고, 심생에게 정성을 다함.

핵심장면 ① 심생이 소녀를 기다린 지 30일째 되는 날 심생의 진심을 받아들이고 소녀가 자신의 부모를 설득하는 부분이다.

마침내 내당으로 가더니 부모님을 모시고 왔다. **소녀의 부모는 심생을 보고 깜짝 놀랐다.** **소녀**
_{안주인이 거처하는 방} _{딸의 방에 외간 남자가 있는 것을 보고 놀람} Link 인물의 태도 ❶
가 말했다.

"놀라지 마시고 제 말을 들어 보셔요. 제 나이 열일곱, 그동안 문밖에 나가 본 적이 없었지
_{소녀는 평상시에 몸가짐을 조심하였음}
요. 그러다가 『지난달 처음으로 집을 나서 임금님의 행차를 구경하고 돌아오던 길이었어요.
_{『 』: 자신과 심생 사이의 일을 요약적으로 제시함} _{심생}
소광통교에 이르렀을 때, 불어온 바람에 보자기가 걷혀 올라가 마침 초립을 쓴 낭군 한 분과
_{어린 나이에 관례를 한 사람이 쓰던 갓}
얼굴을 마주치게 되었어요. 그날 밤부터 그분이 **매일 밤 오셔서 뒷문 아래 숨어 기다리신 게**
_{심생에 대한 믿음이 생긴 계기 - 꾸준히 자신의 마음을 표현함}
오늘로 이미 삼십 일이 되었네요. **비가 와도 오고 추워도 오고 문을 잠가 거절해도 또한 오**
셨어요. Link 인물의 태도 ❷
_{소녀에게 반한 심생이 정성을 기울여 구애함}

제가 이리저리 요량해 본 지 오래되었답니다. 『만일 소문이 밖에 퍼져 이웃에서 알게 되었
_{『 』: 부모를 설득하는 근거 ① - 심생이 매일 밤 찾아오는 것을 사람들이 오해할까 염려됨}
다 쳐 보세요. 저녁에 들어와 새벽에 나가니 누군들 낭군이 그저 창밖의 벽에 기대 있기만
했다고 여기겠어요?』 실제로는 아무 일이 없었건만 저는 추악한 이름을 뒤집어써서 개에게
_{정절을 의심받는 누명을 써서}
물린 꿩 신세가 되고 마는 거지요.

저분은 사대부 가문의 낭군으로, 한창나이에 혈기를 진정하지 못하고 벌과 나비가 꽃을 탐
_{심생의 신분} _{심생} _{소녀}
하는 것만 알아 바람과 이슬 맞는 근심을 돌아보지 않으니 얼마 못 가 병이 들지 않겠어요?
_{춥거나 비가 와도 매일 밤 새벽까지 밖에서 기다리므로}
병들면 필시 일어나지 못할 테니, 그리된다면 제가 죽인 건 아니지만 결국 제가 죽인 셈이
_{부모를 설득하는 근거 ② - 심생의 몸이 상하기라도 하면 자신이 해한 셈이 됨}
되지요. 남들이 알지 못하더라도 언젠가는 이에 대한 앙갚음을 당하고 말 거예요.

게다가 저로 말할 것 같으면 중인 집안의 처녀에 지나지 않지요.
_{관련 한자 성어: 경국지색(傾國之色)} _{소녀의 신분 - 심생과 신분 차이가 있음}
절세의 미모를 가진 것도 아니요, 물고기가 숨고 꽃이 부끄러워할
_{관련 한자 성어: 침어낙안(沈魚落雁), 폐월수화(閉月羞花) - 지극히 아름다운 미인을 일컬음}

Link
출제자 톡! 인물의 태도를 파악하라!

❶ 소녀의 부모가 심생을 보고 깜짝 놀란 이유는?
한밤중에 딸의 방에 외간 남자가 있어서

❷ 소녀와의 결연 전 심생의 태도는?
교제에 적극적이고 주도적인 태도를 보임.

만큼 아름다운 얼굴도 아니잖아요. 그렇건만 낭군은 못난 솔개를 보고는 송골매라 여기고
_{심생이 소녀를 귀하게 여겨 줌을 비유함}
『이처럼 제게 지극정성을 다하시니, 이런데도 낭군을 따르지 않는다면 하늘이 저를 미워하고
_{『 』: 부모를 설득하는 근거 ③ - 하늘이 알 정도로 소녀에 대한 심생의 사랑이 지극함}
복이 제게 오지 않을 게 분명해요.』

제 뜻은 결정되었어요. 아버지, 어머니도 걱정 마셔요.『아이! 부모님은 늙어 가시는데 자
_{『 』: 부모를 설득하는 근거 ④ - 사위를 맞으면 부모를 봉양할 수 있게 됨}
식이라곤 저 하나뿐이니, 사위를 맞아 그 사위가 살아 계실 적엔 봉양을 다하고 돌아가신 뒤
엔 제사를 모셔 준다면 더 바랄 게 뭐 있겠어요? 일이 어쩌다 이렇게 되고 말았지만 이것도
하늘의 뜻입니다. 더 말해 무엇 하겠어요?"   ▶심생과의 혼인을 결심한 소녀
_{심생과 후인하기로 마음먹었음을 전달함}
부모는 묵묵히 할 말이 없었고 심생 또한 할 말이 없었다.

『심생은 잠시 후 소녀와 함께 있게 되었으니, 목마르게 원하던 일이었으므로 그 기쁨은 짐작
_{소녀의 부모가 심생과 소녀의 관계를 인정해 줌}　_{소녀와 인연을 맺는 일}
하고도 남음이 있다.』   ▶심생과 소녀의 인연을 허락하는 소녀의 부모
_{『 』: 소녀와 심생이 인연을 맺음}

핵심장면 ② 　부모의 명으로 북한산성에 간 심생이 소녀의 유서를 읽은 뒤, 슬픔에 싸여 살다가 일찍 죽는 부분이다.
_{소녀와 인연을 맺은 일}
심생은 비밀을 깊이 감추었지만, 심생의 집에서는 심생이 밤마다 밖으로 나가서 오래도록
_{집안의 반대를 걱정하는 심생의 소극적인 모습}　_{소녀와의 인연을 집안에 알리지 않았기 때문에 심생의 행동을 의심함}
집에 돌아오지 않는 것을 의심하게 되었다. 마침내 심생은 산사에 가서 공부에 전념하라는 분
_{소녀와 이별하게 되는 계기}
부를 받았다. 심생은 불만스러웠으나 집에서 다그치고 친구들이 이끌자 책을 싸 짊어 메고 북
_{적극적으로 대응하지 못함 → 소녀와의 비극적인 결말의 원인이 됨}
한산성으로 올라갔다.   ▶소녀와의 관계를 밝히지 않고 북한산성으로 들어간 심생

선방에 머문 지 한 달이 가까워 올 즈음, 어떤 이가 찾아와 소녀가 쓴 한글 편지를 전했다.
_{절에 있는 참선하는 방}　　　★ 주요 소재
뜯어보니 이별을 알리는 유서였다. 소녀는 이미 죽었던 것이다. 그 편지 내용은 대략 다음과
_{비극적 결말을 암시함}
같았다.

봄추위가 매서운데 산사에서 공부는 잘되시는지요? 저는 낭군을 잊은 날이 없답니다.

낭군이 가신 뒤 우연히 병을 얻었습니다. 병이 깊어져 약을 먹어도 소용이 없으니, 이제 곧
죽게 될 듯하옵니다. 저처럼 박명한 사람이 살아 무엇하겠는지요. 다만 세 가지 큰 한이 남아
_{Link 인물의 처지 ❶}　　_{심생과의 신분적 한계를 극복하지 못하고 비관적인 모습을 보임}
있어 죽어도 눈을 감지 못할 것 같사옵니다.

저는 무남독녀인지라, 부모님의 사랑을 한껏 받으며 자라났지요. 부모님은 장차 데릴사위를
_{아들이 없는 집안의 외동딸}　　　　　　　　　　　　_{처가에서 데리고 사는 사위}

Link
출제자 특강 인물의 처지를 파악하라!

❶ 유서를 통해 알 수 있는 소녀의 처지는?
　병이 깊어 곧 죽게 될 상황임.

❷ 소녀의 결혼 전 소녀의 부모가 가졌던 바람은?
　늙어서도 의지할 수 있는 중인층 데릴사위를 얻고자 했음.

❸ '세상에 시부모가 알지 못하는 며느리는 없는 법'이라는 말에 담겨 있는 소녀의 심정은?
　신분의 차이로 인해 시부모에게 정식으로 인정을 받지 못한 것에 대한 한

얻어 늘그막에 의지하려는 생각을 가지셨어요. 하온데 뜻하지 않게
_{중인}　　　　　　　　_{Link 인물의 처지 ❷}
좋은 일에 마가 끼어 천한 제가 지체 높은 낭군과 만났으니, 같은 신
_{인연을 만난 것은 좋은 일이지만 장애가 있는 만남임}　　　　_{양반}
분의 사위를 얻어 오순도순 살리라던 꿈은 모두 어그러지게 되었습
니다. 이 일로 인하여 소녀는 시름을 얻어 끝내 병들어 죽기에 이르
러 늙으신 부모님은 이제 영영 기댈 곳이 없어졌으니, 이것이 첫째
_{소녀의 한 ① - 부모의 봉양이 걱정됨}
한이옵니다.

여자가 시집을 가면 계집종이라도 남편과 시부모가 계시지요. 세

상에 시부모가 알지 못하는 며느리는 없는 법이랍니다. 하오나 저는 몇 달이 지나도록 낭군 댁의 늙은 여종 한 사람 본 일이 없사옵니다. 살아서는 부정한 자취요, 죽어서는 돌아갈 곳 없는 혼백이 되리니, 이것이 둘째 한이옵니다.

소녀의 한 ② – 심생의 집에서 며느리로 인정받지 못함
Link 인물의 처지 ❸

아내가 남편을 섬기는 일이란, 음식을 잘해 드리고 옷을 잘 지어 드리는 일일 것입니다. 하오나 낭군의 집에서 낭군께 밥 한 그릇 대접한 일이 없고 옷 한 벌 입혀 드릴 기회가 없었으니, 이것이 셋째 한이옵니다.

소녀의 한 ③ – 정상적인 부부 생활을 하지 못한 것

인연을 맺은 지 오래지 않아 급작스레 이별을 하고 병들어 누워 죽음이 가까워 오건만, 낭군을 뵙고 마지막 작별 인사도 할 수가 없사옵니다. 이런 아녀자의 슬픔이야 말해 무엇하겠사옵니까. 애간장이 끊어지고 뼈가 녹는 듯하옵니다. 연약한 풀은 바람에 따라 흔들리고 꽃은 흙이 된다지만, 아득히 깊은 이 한은 어느 날에야 사라질지요?

심생과의 인연을 다 이루지 못한 소녀의 심정

아아! 창을 사이에 두고 만나던 것도 이것으로 끝이옵니다. 『낭군께서는 미천한 저 때문에 마음 쓰지 마시고 학업에 정진하시어 하루빨리 벼슬길에 오르시기를 바라옵니다. 부디 안녕히 계십시오. 부디 안녕히 계십시오.』

『 』: 심생에 대한 소녀의 걱정과 축원 – 심생을 사랑하는 마음이 드러나 소녀의 죽음을 더욱 안타깝게 함

▶ 유서를 남기고 세상을 떠난 소녀

편지를 본 심생은 울음이 터져 나오는 것을 참을 수 없었다. 그러나 소리 내어 통곡해 본들 이미 어쩔 수 없는 일이었다. 그 뒤 심생은 붓을 던지고 무관에 나아가 벼슬이 금오랑에 이르렀으나 그 또한 일찍 죽고 말았다.

소녀와 사랑을 이루지 못한 괴로움으로 요절함

▶ 소녀의 죽음을 알고 슬퍼하다가 일찍 죽은 심생

최우선 출제 포인트!

1 '심생'과 '소녀'의 사랑이 비극적으로 끝난 이유

유교적 이념이 권위를 가지고 있던 당대에는 남녀의 결연을 한정된 신분 질서의 틀 안에서만 허용했음에도, 심생은 신분을 초월한 애정을 성취하기 위해 노력함.

↓

심생은 소녀의 마음을 움직이는 데는 성공하지만, 부모님께 정식으로 소녀와의 결연을 알리지 못함.

↓

신분 질서의 틀에 대한 도전은 가족 내에서는 물론 사회적으로 인정받기 어려웠기 때문에 심생과 소녀의 사랑은 비극적으로 끝나게 됨.

2 '유서'에 드러난 한(恨)과 기능

• 자신이 일찍 죽어 늙으신 부모님을 봉양하지 못하는 한 • 며느리로서 심생의 집안의 인정을 받지 못하는 한 • 심생과 부부로서 함께 살지 못하는 한

➡ 심생과 소녀의 사랑이 비극적으로 끝나는 것을 알려 주고, 소녀의 한이 신분 차이에 의한 것임을 드러내어 당시 신분제 사회를 우회적으로 비판함.

최우선 핵심 Check!

1 다음 내용 중 맞는 것은 ○표를, 틀린 것은 ×표를 하시오.

(1) 매일 밤 소녀를 기다리는 행동을 통해 소녀에 대한 심생의 지극한 마음을 엿볼 수 있다. ( )

(2) 심생은 자신이 연을 맺은 상대를 부모에게 소개하는 적극적인 모습을 보인다. ( )

(3) 개인의 의지에 따른 결연을 지지하는 자유연애 사상을 읽어 낼 수 있다. ( )

2 초성 힌트를 보고 빈칸에 들어갈 알맞은 말을 쓰시오.

(1) 사대부 가문의 심생과 ㅈㅇ 집안 소녀의 사랑을 담고 있다.

(2) ' ㅇㅅ '은/는 심생과 소녀의 사랑이 비극적으로 끝났음을 알려 주는 소재이다.

정답 1. (1) ○ (2) × (3) ○ 2. (1) 중인 (2) 유서

100위

성격 애상적, 비판적 **시대** 조선 중기
주제 모순된 정치 권력에 대한 비판, 인간사의 부조
리에 대한 회의

원생몽유록(元生夢遊錄) | 임제

소설

이 작품은 원자허라는 인물이 꿈속에서 단종과 사육신을 만나 시를 나누며 비분한 마음을 토로하는 내용의
몽유록계 소설이다. 세조의 왕위 찬탈이라는 실제 사건을 소재로 하여 부조리한 사회 현실에 대한 비판 의식
을 드러내고 있다.

주요 사건과 인물

현실
강직한 선비인 원자허가 책을 읽다가 잠이 듦.

꿈
원자허가 왕(단종)과 여섯 신하(사육신)를 만나 이야기를 나누고 시를 읊음.

현실
원자허가 잠에서 깨어난 후 매월 거사에게 꿈 이야기를 들려주고, 매월 거사는 현실을 비판함.

왕, 여섯 신하
단종과 사육신 – 세조에게 폐위된 단종과 그를 복위시키려다 희생된 충신들

◀▶

새 임금
세조 – 단종에게서 왕위를 찬탈하고 사육신을 죽임.

핵심장면 ① 원자허가 꿈속에서 왕과 여섯 신하를 만나는 부분이다.

☐ : 주요 인물

왕은 다음과 같이 말했다.
_{단종}

"내 일찍부터 경의 꽃다운 지조를 오랫동안 그리워하였소. 오늘 이 아름다운 밤에 우연히 만
_{원자허}   _{단종이 원자허를 만나게 된 이유}
났으니 조금도 의아히 생각 마오."

자허는 그제야 일어서서 은혜에 감사하고 다시금 앉았다. 자리가 정해진 뒤에 그들은 서로
                                                                _{도복에 갖추어서 머리에 쓰던 건}
고금 국가의 흥망을 논하되 흥미진진하여 쉴 새 없었다. 복건 쓴 이는 탄식하면서,
_{예전과 지금을 아울러 이르는 말}   _{생육신 남효온. 「육신전(六臣傳)」을 지어 사육신의 절의를 나타내었음}

"옛날 요(堯), 순(舜)과 우(禹), 탕(湯)은 만고의 죄인인 줄 압니다. 『그들로 말미암아 뒤 세상
_{중국 고대의 임금들 – 왕위를 자식이 아니라 동시대의 가장 뛰어난 자에게 물려줌}   _{『 』: 왕위를 자식에게 물려주지 않은 왕들에게 책임을 전가함}
에 여우처럼 아양 부려 임금의 자리를 뺏은 자 선위를 빙자하고, 신하로서 임금을 치고서도
                                          _{임금 생전에 임금의 자리를 물려줌}
정의를 외쳤으니, 천년을 내려오면서 그의 남은 물결을 헤칠 길이 없사옵니다.』 아아, 이 네

임금이야말로 도적의 시초가 되리다."
                _{왕위 찬탈의 전례가 됨}

했다. 말이 채 끝나기 전에 왕은 얼굴빛을 바로 하고,

"아니요, 경은 이게 무슨 말이요, 네 임금의 덕을 지니고 네 임금의 시대를 만났다면 옳거니

와, 네 임금의 덕이 없을뿐더러 네 임금의 시대가 아니라면 아니 될지니, 저 네 임금이 무슨

허물이 있겠소. 다만 그들을 빙자하는 놈들이 도적이 아니겠소."
                _{세조의 왕위 찬탈을 비판함}

했다. 그는 머리를 조아리고 절하며,

"마음속에 불평이 쌓여서 저도 모르는 사이에 지나치게 분개했사옵니다."

하고 사과했다. 왕은 또, / "너무 지나친 사양은 마오. 오늘은 귀한 손님이 이 자리에 가득히

모였으니, 다른 것을 이야기할 필요는 없겠소. 다만 달은 밝고 바

람이 맑으니, 이러한 아름다운 밤을 어찌 그냥 보내겠소?"

하고 곧 금포를 벗어서 갯마을에 보내어 술을 사 오게 했다. 술이 몇
        _{비단으로 만든 도포나 두루마기}   _{사육신(박팽년, 성삼문, 하위지, 이개, 유성원, 유응부)}

잔 돌자 왕은 그제야 잔을 잡고 흐느껴 울면서 여섯 사람을 돌아보
                        _{Link 인물의 심리 ❶}   _{왕위를 배앗긴 슬픔}

았다.

▶ 꿈속에서 왕(단종)과 여섯 신하(사육신)를 만난 원자허

Link
출제자 인물의 심리를 파악하라!

❶ 왕이 잔을 잡고 흐느껴 운 까닭은?
왕위를 빼앗긴 슬픔 때문에

❷ 신하들에게 남몰래 품은 원한을 풀어 보라
는 왕의 말에 담겨 있는 심리는?
왕 자신이 말하지 못한 원한이 있음을 드
러냄.

"경들은 이제 각기 자기의 뜻을 말하여 남몰래 품은 원한을 풀어 봄이 어떠할꼬."

Link 인물의 심리 ❷

했다. 여섯 사람은

★ 주요 소재

"전하께옵서 먼저 노래를 부르시면 신들이 그 뒤를 이어 볼까 하옵니다."

하고 대답했다. 왕은 수심 겨워 옷깃을 여미고 슬픔을 이기지 못한 채 노래 한 가락을 불렀다.

왕위를 빼앗긴 자신의 상황 때문에   Link 삽입 시의 의미와 기능 ❶, ❸

강물은 울어 옐 제 쉬일 줄을 모르누나 / 기나긴 나의 시름 이 물에 비길까나

죽어서는   단종

살았을 젠 임금이언만 식어서는 고혼뿐을 / 새 임금은 거짓이라 나를 높여 무엇하리

의지할 곳이 없이 떠돌아다니는 외로운 넋   세조를 가리킴   세조가 단종을 내쳤음에도 단종을 떠받드는 체함

고국의 백성들은 국적이 변했고나 / 예닐곱 신하만이 죽음으로 따르누나

단종 복위를 꾀하다가 처형당한 사육신을 말함

오늘 저녁 어인 밤고 강루에 함께 올라 / 찻간 물결 밝은 달은 이내 수심 자아낼 제

강가의 누각

슬픈 노래 한 가락에 천지가 아득코녀

노래가 끝나자 다섯 사람이 각기 함께 절귀를 읊었다. 첫째 자리에 앉은 사람부터 불렀다.

절구(絕句)   박팽년

단종

어린 임금 못 받듦은 내 재주 엷음이라 / 나라 잃고 임금 욕되어 이 몸마저 버렸다오

임금을 보필하지 못한 자신에 대한 한탄   Link 삽입 시의 의미와 기능 ❷, ❸

여태껏 살아 있어 천지도 무색코나 / 때 일찍 못 서둔 한 못내 설워하노라 〈중략〉

세조를 죽일 계획에 차질이 생겨 일을 뒤로 미루었다가 밀고자가 생겨 발각되었음을 후회함

그는 읊기를 다 마치자 자허에게 그 차례를 돌렸다. 자허는 본래 강개한 사람이었으므로 곧 눈물을 흘리며 읊었다.

인물의 성품을 직접적으로 제시함

지난 일 아득하니 누구에게 묻단 말고 / 거친 뫼 솟아 있어 한 웅큼 흙이라니

Link 삽입 시의 의미와 기능 ❷, ❸

원한은 깊을시구 저위새 식어디어 / 영혼은 끊어지고 접동만 우는구나……

옛날 염제의 딸이 바다에 빠져 죽었는데 그 혼이 화해서 새가 되었다 함   단종의 원한을 드러내는 객관적 상관물

고국이 어디메뇨 돌아갈 길이 아득하이 / 강루에 높이 올라 하루를 노닐을 제

구슬픈 이 노래를 몇 가락 불러 보자 / 갈꽃에 이즈러진 달 가을이 쓸쓸코녀

▶ 시를 읊으며 자신의 마음을 표현하는 왕(단종), 다섯 신하, 원자허

읊기가 끝나자 만좌는 모두 흐느껴 울었다. 얼마 되지 않아서 어떤 기이한 사내 하나가 뛰어

모든 좌석에 가득 앉은 사람들   유응부

드는데 그는 씩씩한 무인이었다. 키가 훨씬 크고 용맹이 뛰어났으며, 얼굴은 포갠 대추와 같

사육신 중 유응부만 무인이고, 나머지 다섯 명은 문인이었음   외양 묘사를 통한 성격 제시

고, 눈은 샛별처럼 번쩍인다. 그는 옛날 문천상(文天祥)의 정의에다 진중자(陳仲子)의 맑음을

중국 송나라 말기의 충신   중국 춘추 시대의 청렴한 선비

겸하여 늠름한 위풍은 사람들로 하여금 공경심을 일으키게 했다. 그는 왕의 앞에 나아가 뵌 뒤에 다섯 사람을 돌아보며

"애닯다. 썩은 선비들아, 그대들과 무슨 대사를 꾸몄단 말인가."

실천력 없는 문인들에 대한 비판(성삼문은 유응부의 세조 암살을 만류하였음)

하고 곧 칼을 뽑아 일어서서 춤을 추며 슬피 노래를 부르는데 그 마

무인의 기개

음은 강개하고, 그 소리는 큰 종을 울리는 듯싶었다. 그 노래는 다음

① 우렁참 ② 깨달음 ③ 안타까움(감정 이입)

과 같았다.

바람은 쓸쓸하여 잎 지고 물결 찰 제

시대 상황에 대한 부정적 인식

칼 안고 긴 파람에 북두성은 기울었네

휘파람   단종의 운명 암시

살아서는 충의하고 <u>식어선 굳센 혼을</u> / 내 금량이 어떻더뇨 강 속에 둥근 달이
<small>단종 복위를 위해 노력함</small>
<u>시작이 잘못이라 썩은 선비 책하지 마오</u>
<small>유응부는 다섯 신하의 우유부단함으로 기회를 놓쳤다며 그들을 꾸짖었음</small>

△: 감정 이입의 대상
노래가 끝나기 전에 <u>달</u>은 검고 <u>구름</u>은 슬픈 듯, <u>비</u>는 울며 <u>바람</u>은 트림하듯 했으며, 벼락 치
<small>자연 현상에 감정을 이입함</small>
는 큰 소리에 그들은 모두 깜짝 놀라 흩어졌다. **❯ 문인들을 책망하며 비분강개하는 무인(유응부)**

핵심장면 ② 원자허에게 꿈속 이야기를 들은 매월 거사가 현실을 비판하는 부분이다.

자허도 역시 놀라 깨어 본즉 곧 한바탕의 <u>꿈이었다. 사허의 벗 매월 거사</u>는 이 꿈 이야기를
<small>꿈에서 현실로 돌아옴　　　　　　　　　　김시습. 작가 의식을 대변하는 인물</small>
듣고 통분한 어조로
<small>원통하고 분한</small>
"대저 옛날로부터 임금이 어둡고, 신하가 혼잔하여 마침내 나라를 엎은 자가 많았다. 이제
<small>어리석고 못나서 사리에 어두워</small>
그 임금을 보건대 반드시 현명한 왕이며, 그 여섯 신하도 또한 모두 충의의 선비인데 어찌 이
<small>단종　　　　　　　　　　　　　　　　　　사육신</small>
런 신하와 이런 임금으로서 패망의 화를 입음이 이렇게 참혹할 수 있겠는가. 아아, 이것은 대
<small>단종과 사육신의 죽음을 안타까워함</small>
세가 이렇게 만든 것일까. 그렇다면 이는 불가불 시세에 맡길 수밖에 없을 것이며 또한 이를
하늘에 돌리지 않을 수 없겠다. 『이것을 하늘에 돌린다면 저 <u>착한 이에게 복을 주며, 악한 놈</u>
<small>『 』: 인간사의 부조리에 대한 회의　　　　　　　　　　　　　권선징악</small>
에게 재앙을 주는 게 하늘의 공도(公道)가 아니겠는가. 만일 이를 하늘에 돌리지 못한다면 곧
<small>떳떳하고 당연한 이치　　　　　　　　　　나라와 민족을 위하여 제 몸을 바쳐 일하려는 뜻을 가진 사람</small>
어둡고도 막연하여 이 이치를 상세히 알 수 없이 유유한 이 누리에 한갓 지사의 회포만을 돋
<small>지나간 역사에 대한 애상적 정서</small>
울 뿐이구료.』 / 하였다. **❯ 현실을 비판하는 매월 거사**

최우선 출제 포인트!

■ 등장인물의 특징

원자허	강개한 성품의 선비. 꿈속에서 단종과 사육신을 만나 왕의 폐위와 원통함을 노래함.
왕	단종. 세조에게 왕위를 찬탈당하고 죽은 자신의 처지를 애통해함.
새 임금	세조. 조카인 단종의 왕위를 폐위시키고 왕이 됨.
다섯 선비	사육신 중 박팽년, 성삼문, 하위지, 이개, 유성원. 어린 임금을 제대로 보필하지 못한 것을 한스러워함.
무인	사육신 중 유일한 무인인 유응부. 실천력이 없는 다섯 선비가 단종 복위의 대사를 그르쳤다고 여김.
매월 거사	단종과 사육신의 죽음을 안타까워하며 인간사의 부조리를 한탄함.

❷ '꿈'의 기능

```
              꿈
   ┌──────────────┬──────────────┐
꿈을 통해 현실적 소망(단종과    사회의 부조리와 모순을 우회적
사육신과의 만남)을 성취함.      으로 비판함.
```

❸ '노래'에 담긴 인물의 심정

왕(단종)의 시	왕위를 빼앗긴 것을 슬퍼함.
첫째 자리에 앉은 사람 (박팽년)의 시	임금을 제대로 받들지 못한 것을 서러워함.
원자허의 시	왕위를 잃은 단종의 처지를 슬퍼함.
무인(유응부)의 시	거사에 실패한 것에 비분강개함.

최우선 핵심 Check!

1 다음 내용 중 맞는 것은 ○표를, 틀린 것은 ✕표를 하시오.
(1) 다양한 관점으로 인물의 성격을 입체적으로 조명하고 있다. (　　)
(2) 대화 중 삽입된 노래를 통해 인물들의 심회를 드러내고 있다. (　　)
(3) 매월 거사는 현실에 대한 작가의 생각을 대변하는 인물이다. (　　)

2 초성 힌트를 보고 빈칸에 들어갈 알맞은 말을 쓰시오.
(1) ㄲ 에서 주인공은 현실에서 만날 수 없는 존재들과 대화를 나누고 있다.
(2) 당시 공론화하는 것을 금기로 여기던 ㅅㅈ 의 왕위 찬탈을 비판하고,
　부조리한 현실에 대한 비분강개를 드러내고 있다.

<small>정답 1. (1) ✕ (2) ○ (3) ○ 2. (1) 꿈 (2) 세조</small>

토끼전 | 작자 미상

성격 우화적, 교훈적, 풍자적 **시대** 조선 후기
주제 헛된 욕심에 대한 경계 및 위기 극복의 지혜, 임금에 대한 충성, 어리석고 무능한 집권층에 대한 비판

소설

이 작품은 동물을 의인화한 판소리계 소설로, 자라의 속임수에 넘어가 죽을 위기에 처했던 토끼가 기지를 발휘하여 살아 돌아온다는 내용을 통해 당시의 사회 현실을 날카롭게 풍자하고 있다.

출제 우선 작품

주요 사건과 인물

발단
용왕의 병에 토끼의 간이 약이 된다고 하여 자라가 토끼를 잡으러 육지로 나옴.

전개
자라가 토끼를 감언이설로 유혹하여 용궁으로 데려감.

절정
토끼는 간을 육지에 두고 왔다는 꾀를 내어 위기에서 벗어남.

결말
육지에 도착한 토끼는 자라를 조롱하며 달아나고 자라는 허탈해하며 용궁으로 돌아감.

토끼	간	자라, 용왕
유혹에 쉽게 넘어가지만 위기 상황에서 침착하게 지혜를 발휘함.	⟷	• 자라: 우직하고 충성스러우며 공명심이 강함. • 용왕: 이기적이고 권위적이며 세상 물정에 어둡고 둔함.

핵심장면① 토끼의 간을 구하기 위해 육지에 온 자라가 토끼를 찾아내고, 토끼를 용궁으로 데려가기 위해 감언이설로 꾀는 부분이다.

□ : 주요 인물

토끼 저를 대접하여 청함을 듣고 가장 점잖은 체하며 대답하되,

소부는 자신에게 보위를 물려주겠다는 말을 듣고 영천에 가서 귀를 씻었고, 허유는 그 더러운 물을 소에게 먹일 수 없다며 소를 끌고 감

"그 뉘라서 나를 찾는고. 산이 높고 골이 깊은 이 강산 경개 좋은데, 날 찾는 이 그 뉘신고.
고사리   경치
수양산(首陽山)의 백이숙제(伯夷叔齊)가 고비 캐자 날 찾는가, 소부(巢父) 허유(許由)가 영천
군주에 대한 충성을 지키기 위해 수양산에 들어가 굶어 죽은 형제
수(潁川水)에 귀 씻자고 날 찾는가, 부춘산(富春山) 엄자릉(嚴子陵)이 밭 갈자고 날 찾는가,
왕이 벼슬을 주자 부춘산에 들어가 농사를 지으며 숨어 삶
면산(綿山)의 불탄 잔디 개자추(介子推)가 날 찾는가, 한 천자의 스승 장량(張良)이가 퉁소 불
진문공이 면산에 숨어 있는 그를 찾으려 불을 질렀으나 나오지 않고 타 죽음   장자방. 한나라 고조를 도와 천하를 통일한 한나라의 건국 공신
자 날 찾는가, 상산사호(商山四皓) 벗님네가 바둑 두자 날 찾는가, 굴원(屈原)이가 물에 빠져
중국 진시황 때 난리를 피해 상산에 들어가 숨은 네 사람   자신의 간언이 받아들여지지 않자 멱라수에서 투신자살함
건져 달라 날 찾는가, 시중천자(詩中天子) 이태백(李太白)이 글 짓자고 날 찾는가." 〈중략〉
중국 당나라의 시인
두 귀를 쫑그리고 사족을 자주 놀려 가만히 와서 보니, 둥글넙적 거뭇편편하거늘 고이히 여
                                                    고이하게
겨 주저할 즈음에 자라가 연하여 가까이 오라 부르거늘, 아모커나 그리하라 하고 곁에 가서
서로 절하고 잘 앉은 후에, 『대객(待客)의 초인사로 당수복(唐壽福) 백통(白筒)대와 양초(兩草)
          『 』: 토끼가 자라를 무성의하게 접대함   담뱃대의 종류   담뱃잎의 종류
일초(日草) 금강초(金剛草)며 지권연(紙卷煙)과 여송연(呂宋煙)과 금패 밀화 금강석 물부리는 다
지궐련 – 담뱃잎을 썰어 만든 담배 엽궐련 – 담뱃잎을 썰지 않고 만든 담배   담배를 끼워서 빠는 물건
던져두고 도토리 통에 싸리순이 제격이라.』 자라가 먼저 말을 내되,
토끼가 자라를 은근히 업신여김

『토 공의 성화(聲華)는 들은 지 오랜지라 평생에 한 번 보기를 원하였더니 오늘이 무슨 날인
      세상에 널리 알려진 명성
지 호걸을 상봉하니 어찌하여 서로 보기가 이다지 늦느뇨?"   ▶ 토끼와 자라의 만남
                                                『 』: 자라가 토끼에게 아부함
한즉, 토 선생이 대답하되,

"세상에 나서 사해를 편답(遍踏)하며 인물 구경도 많이 하였으되 그대 같은 박색은 보던 바
              이곳저곳을 널리 돌아다님   자라의 외모를 깎아내림
처음이로다. 『담 구멍을 뚫다가 학치뼈가 빠졌는가 발은 어이 뭉둑하며, 양반 보고 욕하다가
                정강이뼈
상투를 잡혔던가 목은 어이 기다라며, 색주가에 다니다가 한량패에 밟혔던지 등이 어이 넓
                            젊은 여자를 두고 술을 파는 집
적하고, 사면으로 돌아보니 나무 접시 모양이로다.』 그러나 성함은 뉘댁이라 하시오? 아까
          『 』: 토끼가 자라를 놀리며 농담을 던짐 – 토끼의 경박스럽고 잘난 체하는 성격이 드러남
한 말은 다 농담이니 거기 대하여 너무 노여워하지 마시기 바랍니다." / 하거늘, 자라가 그
말을 듣고 마음에 불쾌는 하지마는 마음을 흠뻑 돌려 눅진눅진이 참고 대답하되,
                                        끈기 있게
토끼를 용궁으로 데려가야 해서 불쾌함을 참음   Link 인물의 심리 ❶

"내 성은 별이요, 호는 주부로다. 등이 넓기는 물에 다녀도 가라앉지 아니함이요, 발이 짧은

것은 육지에 다녀도 넘어지지 아니함이요, 목이 긴 것은 먼 데를 살펴봄이요, 몸이 둥근 것

은 행세를 둥글게 함이라. 그러하므로 수중에 영웅이요, 수족(水族)에 어른이라. 세상에 문

무겸전(文武兼全)하기는 나뿐인가 하노라." ▶ 자신을 소개하는 별주부

문서와 부적을 관리하는 조선 시대의 관직 이름 (별[鼈] 주석)
「 」: 자기의 외모에 대한 변명 및 자기 자랑
수족(水族): 물에 사는 생물의 족속
문무겸전(文武兼全): 문식(文識)과 무략(武略)을 다 갖추고 있음

토끼 가로되, / "내가 세상에 나서 만고풍상(萬古風霜)을 다 겪다시피 하였으되 그대 같은

호걸은 이제 처음 보는도다."

만고풍상(萬古風霜): 아주 오랜 세월 동안 겪어 온 많은 고생
별주부를 비꼼

자라 가로되, / "그대 연세가 얼마나 되관대 그다지 경력이 많다 하느뇨?"

토끼 가로되, / "내 연기(年紀)를 알 양이면 육갑을 몇 번이나 지냈는지 모를 터이오. 소년

60년을 일주(一週)로 한 것
대강의 나이

시절에 월궁에 가 계수나무 밑에서 약방아 찧다가 유궁후예(有窮後羿)의 부인이 불로초(不

'달'에 관한 중국의 전설과 고사를 인용하여 자신의 나이 많음을 강조함 – 토끼의 허장성세
달에 산다는 항아의 남편으로, 활을 잘 쏘았음

老草)를 얻으러 왔기로 내가 얻어 주었으니 이로 보면 삼천갑자 동

방삭(東方朔)은 내게 시생(侍生)이오, 팽조(彭祖)의 많은 나이 내게

대하면 구상유취(口尙乳臭)오, 종과 상전이라. 이러한즉 내가 그대

에게 몇십 갑절 할아비 치는 존장(尊長)이 아니신가." ▶ 자신이 나이 많음을 자랑하는 토끼

서왕모의 복숭아를 훔쳐 먹어 장수한 인물
어른을 모시는 사람
칠백여 년을 살았다는 신선
입에서 젖내가 난다는 뜻으로, 말이나 행동이 유치함을 이르는 말
일가친척이 아닌 사람으로서 자기보다 나이가 많은 사람
Link 인물의 심리 ❷

Link
출제자 특 인물의 심리를 파악하라!

❶ 자라가 토끼의 형편 없는 대접과 무시를 참은
이유는?
토끼를 구슬러서 용궁에 데려가야 하기 때
문에.

❷ 나이 자랑을 하는 토끼의 심리는?
자라 앞에서 큰소리치며 허세를 부림.

핵심장면 ❷ 간을 육지에 두고 왔다고 거짓말하여 위기를 모면한 토끼가 육지로 돌아와 자라를 조롱하며 떠나는 부분이다.

밤에 즐겁게 놀고, 이튿날 왕께 하직하고 별주부의 등에 올라 만경창파 큰 바다를 순식간에

용왕
한없이 넓고 넓은 바다
토끼가 간을 가져오도록 회유하기 위해 용왕이 잔치를 베풀어 주었음
용왕을 속이고 육지로 돌아온 토끼

건너와서, 육지에 내려 자라에게 하는 말이,

토끼가

"내 한 번 속은 것도 생각하면 진저리가 나거든 하물며 두 번까지 속을쏘냐. 내 너를 다리뼈

「 」: 자라와 용왕에 대한 토끼의 조롱

를 추려 보낼 것이로되 십분 용서하노니 너의 용왕에게 내 말로 이리 전하여라. 세상 만물이

★★ 중심 소재
아주 충분히

어찌 간을 임의로 꺼내었다 넣었다 하리오. 신출귀몰한 꾀에 너의 미련한 용왕이 잘 속았다

토끼의 거짓말 내용
귀신같이 나타났다가 사라짐

하여라." / 하니, 자라가 하릴없어 뒤통수 툭툭 치고 무료히 회정(回程)하여 들어가니, 용왕

돌아오는 길에 오름

의 병세와 자라의 소식을 다시 전하여 알 일이 없더라. 〈중략〉 ▶ 육지로 돌아온 토끼

편집자적 논평

한참 이리 노닐 적에, 난데없는 독수리가 살 쏘듯이 달려들어 사족을 훔쳐 들고 반공에 높이

매우 빠르게
반공중: 땅으로부터 그리 높지 아니한 허공

나니, 토끼 정신이 또한 위급하도다. / 토끼 스스로 생각하되,

Link 작품의 주제 의식 ❶

'간을 달라 하던 용왕은 좋은 말로 달랬는데, 미련하고 배고픈 이 독수리야 무슨 수로 달래

리오.'

하며 창황망조(蒼黃罔措)하는 중 문득 한 꾀를 얻고 이르되,

너무 급하여 어찌할 수가 없음

"여보 수리 아주머니! 내 말을 잠깐 들어 보오. 아주머니 올 줄 알고 몇몇 달 경영하여 모은

양식 쓸데없어 한이러니, 오늘로써 만남이 늦었으니 어서 바삐 가사이다." / 수리 하는 말이,

"무슨 음식 있노라 감언이설로 날 속이려 하느냐? 내가 수궁 용왕 아니어든 내 어찌 너한테

속을쏜가?" / 토끼 하는 말이,

어리석은 용왕처럼 속지 않겠다는 의미

"여보 아주머니, 토진(吐盡) 하는 정담을 들어 보시오. 사돈도 이리할 사돈이 있고 저리할

마음에서 우러나는 진정한 이야기
실정(實情)을 숨김없이 다 털어놓고 말하는

사돈이 있다 함과 같이 「수부의 왕은 아무리 속여도 다시 못 볼 터이어니와, 우리 터에는 종
종 서로 만날 터이어늘」 어찌 감히 일호라도 속이리오. 건너 말 이 동지가 납제(臘祭) 사냥하

_{한 가닥의 털이라는 뜻으로, 극히 작은 정도를 이르는 말}　　　　　_{납일(臘日)에 한 해 동안 지은 농사 형편과 그 밖의 일들을 여러 신에게 고하는 제사}

느라고 나를 심히 놀래기로 그 원수 갚기를 생각더니, 금년 정이월에 그 집 맏배 병아리 사
십여 수를 둘만 남기고 다 잡아 오고, 제일 긴한 것은 용궁에 있던 의사 주머니가 내게 있으

_{짐승이 새끼를 낳거나 까는 첫째 번, 또는 그 새끼}

니, 아주머니는 생후에 듣도 보도 못한 물건이오니 가지기만 하면 전후 조화가 다 있지마는,

_{용궁의 보배라고 하며, 독수리의 흥미를 자극함}

내게는 다 부당한 물건이요 아주머니한테는 모두 긴요할 것이라. 나와 같이 어서 갑시다. 음
식 도적은 매일 잔치를 한대도 다 못 먹을 것이오, 의사 주머니는 가만히 앉았어도 평생을
잘 견디는 것이니, 이 좋은 보배를 가지고 자손에게까지 전하여 누리면 그 아니 좋을쏜가?"
한즉, 이 미련한 수리가 마음에 솔깃하여, / "아무려나 가 보자."

하고 토끼 처소로 찾아가니, 토끼가 바위 아래로 들어가며 조금만 놓아 달라 하니 수리가 가
로되, / "조금 놓아 주다가 아주 들어가면 어찌하게?" / 토끼 말이,

　　　　　"그리하면 조금만 늦춰 주오." / 하니 수리 생각에

　　　　　'조금 늦춰 주는 데야 어떠하랴?'

하고 한 발로 반만 쥐고 있더니, 토끼가 점점 들어가며 조금 하다가

_{갑자기 세게 잡아당기며}　　　　　　　**Link** 작품의 주제 의식 ❷

톡 채치며 하는 말이,

　　　　　"요것이 의사 주머니지."

_{토끼의 꾀주머니를 의미함}　　　　　　➤ 독수리에게 잡혔으나 꾀를 내어 벗어난 토끼

Link
출제자 **톡** 작품의 주제 의식을 파악하라!
❶ 용왕과 독수리의 상징적 의미는?
　민중을 착취하는 지배 계층
❷ 용왕과 독수리에게서 벗어난 토끼를 통해
　말하고자 하는 것은?
　위험한 상황에 처해도 기지를 발휘하면 살
　아날 수 있음.

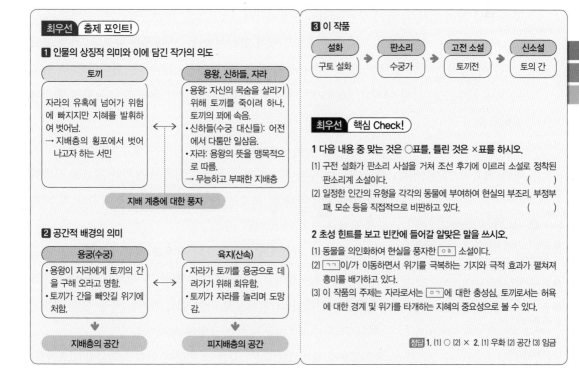

최우선 〈 출제 포인트! 〉

1 인물의 상징적 의미와 이에 담긴 작가의 의도

토끼		용왕, 신하들, 자라
자라의 유혹에 넘어가 위험에 빠지지만 지혜를 발휘하여 벗어남. → 지배층의 횡포에서 벗어나고자 하는 서민	↔	・용왕: 자신의 목숨을 살리기 위해 토끼를 죽이려 하나, 토끼의 꾀에 속음. ・신하들(수궁 대신들): 어전에서 다툼만 일삼음. ・자라: 용왕의 뜻을 맹목적으로 따름. → 무능하고 부패한 지배층

지배 계층에 대한 풍자

2 공간적 배경의 의미

용궁(수궁)		육지(산속)
・용왕이 자라에게 토끼의 간을 구해 오라고 명함. ・토끼가 간을 빼앗길 위기에 처함.	↔	・자라가 토끼를 용궁으로 데려가기 위해 회유함. ・토끼가 자라를 놀리며 도망감.
↓		↓
지배층의 공간		피지배층의 공간

3 이 작품

설화 → 판소리 → 고전 소설 → 신소설
구토 설화 → 수궁가 → 토끼전 → 토의 간

최우선 〈 핵심 Check! 〉

1 다음 내용 중 맞는 것은 ○표를, 틀린 것은 ×표를 하시오.
(1) 구전 설화가 판소리 사설을 거쳐 조선 후기에 이르러 소설로 정착된
　　판소리계 소설이다. 　　　　　　　　　　　　　　　　　　(　　)
(2) 일정한 인간의 유형을 각각의 동물에 부여하여 현실의 부조리, 부정부
　　패, 모순 등을 직접적으로 비판하고 있다. 　　　　　　　　(　　)

2 초성 힌트를 보고 빈칸에 들어갈 알맞은 말을 쓰시오.
(1) 동물을 의인화하여 현실을 풍자한 〔ㅇㅎ〕 소설이다.
(2) 〔ㄱㄱ〕이/가 이동하면서 위기를 극복하는 기지와 극적 효과가 펼쳐져
　　흥미를 배가하고 있다.
(3) 이 작품의 주제는 자라로서는 〔ㅇㅇ〕에 대한 충성심, 토끼로서는 허욕
　　에 대한 경계 및 위기를 타개하는 지혜의 중요성으로 볼 수 있다.

_{**정답** 1. (1) ○ (2) × 2. (1) 우화 (2) 공간 (3) 임금}

장화홍련전(薔花紅蓮傳) | 작자 미상

성격 전기적, 교훈적 **시대** 조선 시대
주제 가족 간의 갈등으로 인한 비극과 권선징악

소설

이 작품은 계모의 학대로 억울하게 죽은 장화와 홍련의 원한을 풀어 주었다는 이야기를 담은 권선징악형 가정 소설이다. 계모와 전처소생 간의 윤리적 갈등과 가장의 무능함 등에서 당대 사회를 바라보는 비판적 의식을 드러내고 있다.

주요 사건과 인물

기
어렸을 때 어머니를 여읜 장화와 홍련이 계모 허 씨의 구박을 받으며 자람.

승
허 씨의 모해로 장화가 못에 빠져 죽고, 홍련은 이상한 꿈을 꾼 뒤 언니가 죽은 것을 알고 자결함.

전
장화와 홍련의 원혼이 부사에게 억울함을 풀어 달라고 호소하고, 부사가 내막을 밝혀 허 씨와 장쇠를 처벌하고 장화와 홍련의 시체를 건져 장례를 치름.

결
새로 부인을 맞아 쌍둥이 자매를 낳은 배 좌수는 아이들의 이름을 장화와 홍련이라 짓고 행복한 여생을 보냄.

장화, 홍련
전형적인 선인으로, 계모의 구박과 모해 때문에 억울하게 죽음.

↔ 선인의 승리(권선징악) ↓

허 씨
전형적인 악인으로, 남편이 장화와 홍련을 아끼는 것을 시기해 장화와 홍련을 모해하여 죽임.

핵심장면 ① 계모 허 씨가 장화를 모해하고, 좌수가 허 씨의 모계에 속아 넘어가는 부분이다.

이때 좌수(장화, 홍련의 아버지 배무룡)는 비록 망처의 유언을 생각하나, 후사(後嗣)(대를 이을 자식(아들))를 아니 돌아볼 수 없는지라, 이에 혼
(■: 주요 인물 / 결혼하지 말고 두 딸을 잘 키우라는 전처의 유언 / Link 인물의 처지 ❶)
처를 두루 구하되 원하는 자 없으매, 부득이 허 씨(許氏)에게로 장가를 드니 그 용모를 말할진
대, 『두 볼은 한 자가 넘고 눈은 통방울 같고 코는 질병 같고 입은 메기 같고 머리털은 돼지털
같고 키는 장승만 하고 소리는 이리 소리 같고 허리는 두 아름이나 되는 것이, 게다가 곰배팔
(꼬부라져 붙어 펴지 못하게 된 팔)
이요 수종다리에 쌍언청이를 겸하였고, 그 주둥이를 썰어 내면 열 사발은 되겠고 얽기는 콩명
(병 때문에 다리가 퉁퉁 부은 상태) (얼굴에 우묵우묵한 마맛자국)
석 같으니, 그 생김새는 차마 바로보기가 어려운 중에 그 심사가 더욱 불량하여 남의 못할 노
(Link 인물의 처지 ❷)
룻은 골라 가며 행하니, 집에 두기 일시가 난감하더라.』 『「」: 허 씨에 대한 서술자의 부정적 태도 – 비유적이고 과장된
(짧은 시간) 표현을 통해 인물의 부정적인 면모를 효과적으로 드러냄

그래도 그것이 계집이라고 그달부터 태기가 있어 연하여 아들 삼 형제를 낳으니, 좌수 그로
(아이를 밴 기미)
말미암아 적이 부지하나 『매양 딸아이와 더불어 죽은 장 부인을 생각하며, 한때라도 두 딸을
(겨우 결혼 생활을 유지해 나가고는 있으나) 『「」: 허 씨가 아들을 낳은 뒤에도 두 딸에 대한 좌수(배무룡)의 사랑은 여전히 깊었음
못 보면 삼추(三秋)같이 여기고, 들어오면 먼저 딸의 방으로 들어가 손을 잡고 눈물을 흘리며
(긴 시간을 비유적으로 이르는 말)
말하기를』

"너희들 형제 깊이 규중에 있으면서, 어미 그리워함을 이 늙은 아비도 매양 슬퍼하노라."
(부녀자가 거처하는 곳) (크게 일어남)
하며 애연히 여기는지라, 허 씨는 그럴수록 시기하는 마음이 대발하여 장화와 홍련을 모해하
(좌수가 딸들을 애틋하게 챙기자 허 씨가 이를 시기함 – 장화와 홍련의 시련이 시작되는 계기)
고자 꾀를 생각하더라. 좌수는 허 씨가 시기함을 짐작하고 허 씨를
(Link 인물의 처지 ❸)
불러 크게 꾸짖어 나무라되

『"우리는 본디 빈곤하게 지내왔으나 전처의 재물이 많으므로 지금
『「」: 전처의 유산 때문에 넉넉하게 사는 것이니 장화와 홍련을 해칠 생각을 하지 말라는 듯
넉넉하게 사는 것이니, 그대의 먹는 것이 다 전처의 재물이라. 그
은혜를 생각하면 크게 감동할 바이거늘, 저 여아들을 심히 괴롭게
(장화와 홍련)
하니 그 무슨 도리뇨? 다시는 그렇게 하지 말라."
(잘못을 뉘우침)
하고 조용히 타이르나, 시랑 같은 그 마음이 어찌 회과함이 있으리오.
(이리와 승냥이) (편집자적 논평)

Link
출제자 특강 인물의 처지를 파악하라!

❶ 좌수가 망처의 유언에도 불구하고 재혼을 한 까닭은?
→ 후사를 이을 아들을 낳기 위해서

❷ 허 씨의 외양 묘사를 통해 알 수 있는 것은?
→ 허 씨가 악인(부정적 인물)임을 알 수 있음.

❸ 허 씨가 장화와 홍련을 해칠 계획을 꾸미게 된 계기는?
→ 어머니를 그리워하는 딸들을 불쌍히 여기며 슬퍼하는 좌수의 모습에 시기하는 마음이 고조되어서

그 후로는 더욱 불측하여 장화 형제를 죽일 뜻을 주야로 생각하더라. 〈중략〉
생각이나 행동 따위가 괘씸하고 엉큼함
➤좌수와 재혼한 뒤 장화와 홍련을 시기하는 허 씨

"너희들이 이렇듯 장성하였으니, 너희 모친이 있었던들 오죽이나 기쁘겠느냐마는 팔자가 기
구하여 허 씨를 만나 구박이 자심하니, 너희들의 슬퍼함을 짐작하겠노라. 이후에 또 이런 연
더욱 심하니
고가 있으면 내 조치하여 너희의 마음을 편케 하리라."
『 』: 허 씨에게 구박을 받는 딸들을 위로함

이때에 흉녀가 창틈으로 이 광경을 엿보고 더욱 분노하여 흉계를 생각하다가 문득 깨닫고,
계모 허 씨   ★ 주요 소재   Link 인물의 처지 ❸
하루는 제 자식 장쇠를 시켜 큰 쥐를 한 마리 잡아 오라 하여 가만히 튀기어 피를 바르고, 낙
장화를 모함하기 위한 흉계 – 인물 간의 갈등을 유발하는 소재
태한 핏덩이 모양으로 만들어 장화가 자는 방에 들어가 이불 밑에 넣고 나와 좌수가 들어오기
를 기다려 이것을 보이려 하더라. 잠시 후에 좌수가 외당에서 들어오므로 허 씨 좌수를 보고
Link 소재의 의미 ❶   사랑. 집의 안채와 떨어져 있는, 바깥주인이 거처하며 손님을 접대하는 곳
정색하며 혀를 차는지라, 좌수는 괴이쩍게 여겨 그 연고를 물은즉, 허 씨가 하는 말이
괴이한 느낌이 있게
"가중에 불측한 변이 있으나 낭군이 반드시 첩의 모해라 하실 듯하기에 처음에는 발설치 못
집안   말을 내어 남이 알게 하지
하였거니와, 낭군은 친아버이라 나면 이르고 들면 반기는 정을 자식들은 전혀 모르고 부정
한 일이 많으매, 내 또한 친어미 아닌 고로 짐작만 하고 잠잠하였더니, 오늘은 늦도록 기동
몸을 일으켜 움직이지
치 아니하기에 몸이 불편한가 하여 들어가 보니, 과연 낙태를 하고 누웠다가 첩을 보고 미처
장화를 모함할 근거에 바드림
수습치 못하여 황망하기로 첩의 마음에 놀라움이 크나, 저와 나만 알고 있거니와 우리는 대
대로 양반이라 이런 일이 누설되면 무슨 면목으로 세상을 살리오?"
하고, 매우 말이 많더라.
➤장화를 모함하는 허 씨

좌수는 크게 놀라 이에 부인의 손을 이끌고 딸아이의 방으로 들어가 이불을 들치고 보니, 이
때 장화 형제는 잠이 깊이 들었는지라, 허 씨가 그 피 묻은 쥐를 가지고 여러 가지로 날뛰거늘
장화가 낙태를 했다고 모함하기 위해 조작한 증거물   Link 소재의 의미 ❷
용렬한 좌수는 그 흉계를 모르고 매우 놀라며 이르기를
변변치 못하고 졸렬한
"이 일을 장차 어찌하리오?"
하며 애를 쓰니, 이때 흉녀가 하는 말이
"이 일이 매우 중난하니 이 일을 남이 모르게 죽여 흔적을 없이하면, 남은 이런 줄을 모르고
중대하고도 어려우니
첩이 심하여 애매한 전실 자식을 모해하여 죽였다고 할 것이요, 남이 이 일을 알면 부끄러움
전처가 낳은 자식
을 면치 못하리니, 차라리 첩이 먼저 죽어 모르는 것이 나을까 하나이다."
하고 거짓 자결하는 체하니, 저 미련한 좌수는 그 흉계를 모르고 급히 달려들어 붙들고 빌며
"그대의 진중한 덕은 내 이미 아는 바이니, 빨리 방법을 가르치면 저 아이를 처치하리라."
무게가 있고 점잖은
하며 울거늘, 흉녀는 이 말을 듣고 / '이제는 원을 이룰 때가 왔다.'
장화와 홍련을 없애는 것
하고, 마음에 기꺼워하면서도 겉으로는 탄식하여 하는 말이

Link
출제자 통 소재의 의미를 파악하라!
❶ 허 씨가 아들 장쇠에게 큰 쥐 한 마리를 잡
아오라고 한 까닭은?
장화를 모함하기 위한 흉계를 꾸미려고
❷ 장화가 낙태를 했다고 모함하기 위해 조작
된 증거물은?
피 묻은 쥐

"내 죽어 모르고자 하였는데, 낭군이 이토록 과념하시니 부득이 참
지나치게 염려하시니
거니와, 저 아이를 죽이지 아니하면 장차로 문호에 화를 면치 못하
『 』: 장화의 낙태 사실이 알려지면 가문에 누가 될 것을 들어 장화를 빨리 처치할 것을 요구함
리니, 기세양난(其勢兩難)이나 빨리 처치하여 이 일이 탄로치 않게
이럴 수도 저럴 수도 없어 그 형세가 딱함
하소서."』/ 하더라.
➤허 씨의 계책에 넘어간 좌수

이때 좌수는 장쇠의 변을 보아 장화가 애매하게 죽은 줄을 깨닫고 한탄하여 슬퍼하더라. 홍
련이 또한 가중사(家中事)를 전연 모르다가 집안이 소란함을 보고 매우 괴이하게 여겨 계모에
게 그 연고를 물으니 흉녀가 말하기를

"네 무슨 괴로운 말을 이토록 하느냐?" / 하고, 자리를 떨치고 일어나더라.

홍련이 이렇듯 박해함을 보고 가슴이 터지는 듯하여, 일신이 떨려 제 방으로 돌아와 언니를
부르며 통곡하다가 어느새 잠이 드니 비몽사몽(非夢似夢) 간에 물속에서 장화가 황룡(黃龍)을
타고 북해(北海)로 향하매 홍련이 내달아 물으려 하는데, 장화는 본 체도 아니하는지라. 홍련
이 울며 묻기를 / "언니는 어찌 나를 본 체도 아니하시고 혼자 어디로 가시나이까?"

하니, 장화 눈물을 뿌리며 대답하되

"이제는 내 몸이 길이 다른지라, 내 옥황상제(玉皇上帝)께 명을 받아 삼신산(三神山)으로 약
을 캐러 가는데, 길이 바쁘기로 정회를 베풀지 못하나, 네 나를 무정하다고 여기지 마라. 내
장차 너를 데려가리라."

하며 수작할 즈음에, 홀연 장화가 탄 용이 소리를 지르므로 홍련이 놀라 깨니, 침상(沈床)의
한낱 꿈이더라. / 기운이 서늘하고 땀이 나서 정신이 아득한지라, 홍련은 이에 부친께 이 사연
을 말씀하며 통곡하여 하는 말이

"오늘을 당하여 소녀의 마음이 무엇을 잃은 듯하여 자연히 슬프오니 언니가 이번에 가서 필
경 연고가 있어 사람의 해를 입었나 보옵니다." / 하고, 실성통곡하니라.

좌수는 딸아이의 말을 듣고 숨통이 막혀 한마디 말도 못하고 다만 눈물만 흘리므로, 흉녀가
곁에 있다가 갑자기 발연변색(勃然變色)하여 나무라되

"어린아이가 무슨 군말을 하여 어른의 마음을 무단히 슬프게 하여, 이렇듯 상심케 하느냐?"
하며 등을 밀어 내치매, 홍련이 울며 나와 생각하되

'내 몽사를 여쭈니 부친은 슬퍼하시며 아무 말도 못하시고, 계모는 낯빛을 바꾸며 이렇듯 구
박을 하니, 이는 반드시 이 가운데 무슨 연고가 있도다.'

하며, 그 허실(虛實)을 알고자 하더라.

하루는 흉녀가 나가고 없기에 장쇠를 불러 달래며 장화의 행방을 탐문하니, 장쇠는 감히 속
이지 못하여 장화의 전후사연을 설파하는지라. 그제야 홍련이 제 언니가 애매하게 죽은 사실
을 알고 깜짝 놀라 기절하였다가 겨우 정신을 차려 언니를 부르며 외치기를

"가련할사 언니여! 불측할사 흉녀로다! 잔인한 우리 언니, 이팔청춘 꽃다운 시절에 망측한
누명을 몸에 싣고 창파에 몸을 던져 천추원혼(千秋怨魂) 되었으니, 뼈에 새긴 이 원한을 어
찌하여 풀어볼꼬? 참혹할사 우리 언니, 가련한 이 동생을 적막한 공방에 외로이 남겨 두고
어디가서 아니 오시는가? 구천(九泉)에 돌아간들 이 동생이 그리워서 피눈물 지으실 제 구

곡간장(九曲肝腸)이 다 녹았으리로다. 예로부터 오늘에 이르도록 이런 억울하고 원통한 일
_{굽이굽이 서린 창자라는 뜻으로, 깊은 마음속 또는 시름이 쌓인 마음속을 비유적으로 이르는 말}
이 또 어디 있으리오? 밝고 밝은 하늘은 살피소서! 소녀 3세에 어미를 잃고 언니를 의지하여
_{하늘이라는 초월적 대상에게 자신의 처지를 하소연함}
지내오는데 이 몸의 죄가 지중하여 모진 목숨이 외로이 남았다가 이런 변을 또 당하니, 언니
_{더할 수 없이 무거워}
와 같이 더러운 욕을 보지 말고, 차라리 이내 몸이 일찍 죽어 외로운 혼백이라도 언니를 따
_{낙태를 했다는 오명을 쓰고 죽게 된 일}   _{장화가 억울하게 죽은 것을 알게 된 홍련이 장화를 따라 자결하려고 함}
라 지하에 놀고자 하나이다." 〈중략〉
▶ 언니 장화의 억울한 죽음을 알게 된 홍련

이때는 오경이라 달빛이 뜰에 가득하고 청풍이 솔솔 불더니, 문득 청조가 날아와 나무에
_{새벽 3시부터 5시 사이}   ★ 주요 소재
장화와 홍련의 만남을 연결해 주는 매개체
앉으며 홍련을 보고 반기는 듯 지저귀므로 홍련이 이르되

"네 비록 날짐승이나 우리 언니의 있는 곳을 가르쳐 주고자 왔느냐?"
_{청조가 자신을 장화가 있는 곳으로 데리고 가려 한다고 생각함}
Link 소재의 기능 ❷
그 청조가 듣고 응하는 듯한지라 홍련이 다시 이르기를
_{전기적 요소}

"네 만일 나를 가르쳐 주려 왔거든 길을 인도하면 너를 따라가리라."
Link 소재의 기능 ❸
하니, 청조는 고개를 조아리며 응하는 듯하기에 홍련이 이르기를

"그러하면 네 잠깐 머물러 있으라. 함께 가자."

하더니, 유서를 벽상에 붙이고 방문을 나오며 일장통곡하여 하는 말이
_{한바탕의 통곡}

"가련하다. 내 신세여! 이제 이 집을 나가면 언제 다시 이 문전을
보리오."

하고 청조를 따라나서니라.

홍련이 집을 빠져나와 수 리를 못 가서 동방이 밝는데, 점점 나아
가니 청산은 중중하고 장송은 울울한데, 백조는 슬피 울어 사람의
_{배경 묘사와 자연물을 통해 홍련의 슬픔을 부각하고 있음}
심회를 돋우더라.
▶ 유서를 써 놓고 청조를 따라가는 홍련

Link
출제자 (특) 소재의 기능을 파악하라!
❶ 홍련이 꾼 '꿈'의 기능은?
   언니인 장화가 변괴를 당했다는 것을 알게
   해 줌.
❷ 홍련이 '청조'를 보고 떠올린 생각은?
   언니가 있는 곳을 알려 주러 왔다고 생각함.
❸ 홍련으로 하여금 언니에게 가고 싶다는 바
   람을 행동으로 옮기도록 돕는 소재는?
   청조

최우선 (출제 포인트!)

1 이 작품에 드러난 문제의식

계모 허 씨와 전처소생인 장화와 홍련의 갈등	→	일부다처제가 빚은 문제
허 씨의 악행에 대한 배 좌수의 대응	→	무능한 가장이 빚은 문제

2 가정 소설로서의 특징
이 작품은 실화에서 착안한 가정 소설이다. 가정 소설은 기존의 가족 구
성원과 재혼 등으로 인해 새롭게 편입된 구성원 간의 갈등이 이야기의
중심이 된다.

기존의 가족 구성원 ←갈등→ 새롭게 편입된 구성원
배 좌수(배무룡), 장화, 홍련 ↔ 허 씨, 세 아들

최우선 (핵심 Check!)

1 다음 내용 중 맞는 것은 ○표를, 틀린 것은 ×표를 하시오.
(1) 계모와 전처소생 간의 갈등을 소재로 한 계모형 가정 소설이다.
( )
(2) 모든 악행을 계모 탓으로 돌려 선악의 대비를 뚜렷이 하고 있다.( )
(3) 가족 구성원 사이의 불화와 무능한 계모를 내세워 봉건적 가족 제도의
   결함을 형상화하고 있다. ( )

2 초성 힌트를 보고 빈칸에 들어갈 알맞은 말을 쓰시오.
(1) 홍련이 [ㄲ]을/를 통해 장화가 변괴를 당한 사건의 전모를 추측하는 것
   은 현실에서 일어날 수 없는 환상적 요소이다.
(2) 서술자가 장화를 모함해서 죽인 계모 허 씨를 흉녀로 표현한 것은
   [ㄱㅅㅈㅇ]의 주제를 드러내는 요소라 할 수 있다.

정답 1. (1) ○ (2) ○ (3) × 2. (1) 꿈 (2) 권선징악

콩쥐팥쥐전 | 작자 미상

성격 전기적, 교훈적, 설화적　**시대** 조선 후기
주제 권선징악

<small>소설</small>

계모형 가정 소설인 이 작품은 크게 전반부와 후반부로 이루어져 있다. 전반부는 주인공인 콩쥐가 계모의 학대를 극복하고 감사와 혼인하기까지의 과정을 그리고 있고, 후반부는 팥쥐에 의해 죽임을 당한 콩쥐가 다시 살아나 복수하는 내용을 담고 있다.

주요 사건과 인물

발단
최만춘과 그 부인 조 씨 사이에 태어난 콩쥐가 일찍 어머니를 여의고 아버지와 살아감.

전개
최만춘이 과부 배 씨를 후실로 맞아들이는데, 계모 배 씨와 이복동생 팥쥐는 콩쥐를 구박함.

위기
갖은 고난을 겪던 콩쥐가 여러 동물들과 천녀의 도움으로 감사와 혼인을 하게 됨.

절정
팥쥐와 계모의 흉계로 콩쥐가 연못에 빠져 죽자, 팥쥐가 콩쥐 행세를 함.

결말
연꽃으로 피어난 콩쥐에 의해 진실이 밝혀져 콩쥐는 부활하고 팥쥐는 처형을 당함.

선(善) – 승리　　　　　악(惡) – 패배
콩쥐　　　　　　　　　계모와 팥쥐

핵심장면 　새 떼와 천녀의 도움으로 쉽게 일을 마친 콩쥐가 외가의 잔치에 가다가 신을 잃어버리고, 그것을 계기로 감사와 혼인을 하게 되는 부분이다.

이때 뒤로부터 감사의 도임하는 행차가 위의를 갖추어 오느라고 '에라 게 들어 섰거라!' 하
<small>지방의 관리가 근무지에 도착함</small>
는 벽제 소리를 지르며 잡인(雜人)을 치우는 바람에, 콩쥐는 허겁지겁 냇물을 뛰어 건너려다
<small>조선 시대 각 지방의 으뜸 벼슬</small>　　　　　　　<small>위엄이 있고 엄숙한 태도나 차림새</small>　<small>□ : 주요 인물</small>
그만 잘못되어 신 한 짝을 물속에 빠뜨리고야 마니라. 그러나 무섭고 다급할 즈음이라 콩쥐는
<small>지위가 높은 사람이 행차할 때 잡인의 통행을 금하는 소리</small>　<small>★ 주요 소재</small>　　　<small>감사와 인연을 맺게 됨</small>
감히 건져 보려고도 하지 못하고서 아까운 생각만을 품은 채로, 외가로 달려가더라. 뒤따른
행차가 그 길을 지나칠새, 감사가 무심히 앞길을 바라보니 이상한 서기(瑞氣)가 눈에 띄는지
　　　　　　　　　　　　　　　　　　　　　　　　　　　　<small>상서로운 기운</small>
라, 하리(下吏)를 지휘하여 그 서기가 떠도는 언저리를 찾아보게 하나, 별다른 것은 없고 다만
<small>관아에 속해 말단 행정 실무에 종사하던 구실아치</small>
개울물 속에 아이 신 한 짝이 있어 그러하다 하기에 감사는 심중에 매우 기이하게 여기어 하
　　　　　　　　　　　　　　　　　　　　　　　　　　　　　　<small>기묘하고 이상함</small>
리로 하여금 그 신짝을 간수토록 일러두고, 도임한 후에 곧이어 감사는 신짝 잃어버린 사람을
　　　　　　　　　　　　　　　　　　　<small>콩쥐와 만나게 될 것을 알 수 있음</small>
찾아서 각처로 사람을 보내더라. 　　　　　　　　　　**❯ 도임하던 중 콩쥐가 잃어버린 신 한 짝을 발견한 감사**

이럴 즈음 콩쥐는 외가에 가서 외삼촌과 외숙모께 절하고 뵈온즉『그때까지 못 오는 줄 알고
　　　　　　　　　　　　　　　　　　　　　　　　　『: 콩쥐를 애처로워하며 친근하게 챙겨줌
섭섭히 생각하고 있던 외삼촌 내외는 매우 기꺼워하며, 어머니가 별세하신 후로 고생살이가
많음을 진심으로 위로하여 좋은 음식을 갖춰 차려 주거늘』홀로 계모인 배 씨의 기색만이 좋
　　　　　　　　　　　　　　　　　<small>마음속으로 은근히 기뻐함</small>　　　　<small>콩쥐에 대한 외삼촌 내외의 대접을 시기하는 배 씨</small>
지 아니하여 콩쥐를 보고 말하였다.

『콩쥐야, 네 짜던 베는 다 짜고 왔느냐? 말리던 겉피도 다 슳어 놓고 왔느냐? 또 집은 어찌
　　　　　　　　　　　　　<small>껍질을 벗기지 않은 피</small>　<small>곡식을 찧어 속꺼풀을 벗기고 깨끗하게 함</small>
하려고 비워 두고 왔느냐? 그 비단옷은 어디서 웬 것을 훔쳐 입었느냐? 응, 어떤 놈이 네 대
　　　　　　　　　　　　　　　<small>도둑질을 한 것은 아닌지 모함함</small>　　<small>혼인 전인 여자의 정절을 모함함</small>
신하여 주더냐?』 『: 콩쥐를 미워하여 헐뜯는 악독한 배 씨의 면모

이렇듯이 계모는 콩쥐를 몰아치며, 남 못 보는 틈틈이 꼬집어 뜯으면서 따져 묻는지라, 콩쥐
　　　　　　　　　　　　　<small>많은 일을 마치고 비단옷을 입고 나타난 콩쥐를 구박하는 계모</small>
는 기가 막히어 할 수 없이 그사이에 겪은 바를 낱낱이 아뢰니라. 그리하여 콩쥐의 얘기를 듣
　　　　　　　　　　　<small>여러 동물과 선녀의 도움을 받은 일</small>
던 계모는 눈알이 다시 삼모은행처럼 변하여지고 얼굴이 청기와처럼 푸르러지니 그 흉악한 속
　　　　　　　　　　　　　　　<small>계모 배 씨의 외양 묘사를 통해 심리를 드러냄</small>
마음이야 어찌 다 알 수 있으리요? 　　　　　　　　　　　　　　**❯ 외가에 온 콩쥐를 꾸짖는 계모**
<small>편집자적 논평</small>

그때는 집 안이 터지도록 손들이 모여 있었는지라, 이 구석 저 구석에서 콩쥐의 불쌍한 이야기를 주고받으니,

"저 새악씨는 어머니가 없으니 그 고생이 오죽할꼬?" / 하는 사람도 있고,
<small>색시. 결혼하지 아니한 젊은 여자 – 콩쥐   콩쥐를 측은하게 여김   음식을 줌</small>

"저 새악씨가 계모한테 구박을 받으면서, 되도록 말없이 공궤하여 나아가니, 부친에게 둘도 없는 효녀렷다." / 하고 칭송하는 이도 있고,
<small>   콩쥐의 효성을 칭찬하는 말</small>

"저렇듯이 고생을 은근히 당하는데도 부친은 전혀 모르는 것 같으니, 어찌하였든 그 부친은 그른 사람이라." / 하는 사람도 있고,
<small>   콩쥐를 측은히 여겨 콩쥐의 고생을 모르는 부친을 비판함</small>

Link 인물의 처지 ❶
Link 인물의 처지 ❷

"이번에 올 때에는 새 떼들이 모여들어 겉피 석 섬을 부리로 슳어 주고, 다시 하늘에서 직녀(織女)가 내려와 베도 짜 주고 올라갔다 하는데, 그런 기이한 일로 미루어 보더라도 저 새악씨는 반드시 귀히 되리라." / 하는 사람도 있고,
Link 인물의 처지 ❸

"저 옷도 직녀가 주고 간 것이라 하는데, 어쩐 까닭에 신 한 짝이 없을까?"
<small>   다음 사건이 전개될 것을 예고</small>

하며 모든 손들의 공론이 분분한데,『이때 마침 관가에서 차사가 나와 동리를 돌아다니며,
<small>   여럿이 의논함   윗사람의 명을 받들고 간 사람   마을</small>

"이 동리에서 신 한 짝을 잃은 사람이 있거든 이리 와서 말하고 찾아가라."
<small>   **Link** 소재의 기능 ❶</small>

하고 외치면서 바로 콩쥐의 외갓집 문전에 이르더니,』잔치에 모인 손들께까지 일일이 그 신을 신겨 보이더라.
<small>   『 』: 고전 소설의 우연성</small>

이때 배 씨는 속으로 생각하되,

'저 신짝은 분명히 콩쥐년이 잃어버린 것인데, 그 옷과 한가지로 신발도 천녀(天女)가 주고
<small>   차사가 찾는 인물이 콩쥐임을 짐작함</small>
간 것이 틀림없은즉, 조년에게 무슨 별다른 일이 있을 것이오. 또한 관가에서 저렇듯이 신 임자를 찾으니 필시 후히 상을 내릴 것이라.'

하고 관차(官差) 앞으로 썩 나서며 큰소리로 말했다. 〈중략〉   ▶ 신 한 짝의 주인을 찾으러 온 관차
<small>관아에서 파견하던 아전</small>

관차가 그 말을 듣고 물어보되,

"그러면 잃어버린 곳은 어디며, 어떻게 하다가 잃어버렸단 말이오? 이 신짝은 내가 얻은 바도 아니고, 이번에 새로 도임하는 감사 사또께서 노중에서 얻으신지라, 신 임자 찾아서 관
<small>   오가던 길에서</small>
가로 데려오라는 분부가 계시옵기로 만일 당신이 잃어버린 것이 틀림없으면 이리 나와 신어 보시오."

하고 신짝을 내놓은지라.

Link
출제자 톡 인물의 처지를 파악하라!

❶ 사람들이 콩쥐를 효녀라고 칭송한 이유는?
계모에게 온갖 구박을 받으면서도 부모를 잘 봉양해서

❷ 콩쥐의 처지에 대한 콩쥐 아버지의 인식은?
자기 딸이 계모로 인해 고생을 하는 것을 전혀 모르고 있음.

❸ 콩쥐가 외가의 잔치에 갈 수 있도록 도움을 준 이들은?
새 떼와 직녀

배 씨가 이 말을 듣고 버럭 화를 내며 뇌까리기를,
<small>   아무렇게나 되는대로 마구 지껄임</small>

"아니 관차님네 내 말 좀 들어 보오! 내 것 잃고 내가 찾아가는데 신어 보기는 무엇을 신어 보란 말이오? 신어 보지 않으면 내 것이 아닐까 보아 그러시오? 어제 신을 사서 신고 이 집 잔치에 참례하
<small>   예식, 제사, 전쟁 따위에 참여함</small>
려 오다가 저 건너 벌판에서 잃어버렸소. 그래도 내 말을 못 믿겠소? 여러 말 마시고 어서 이리 주시오."

하며 신짝을 잡아 뺏으려 하니, 관차가 그러하는 모양을 보고는 어이없어 주저하다가, 배 씨의 발을 내어놓게 하고 신겨 본즉 큰 발은 중턱도 들어 놓이지 아니하매, 관차는 <u>무엄(無嚴)</u>한 짓을 크게 나무라며 다른 사람들로 하여금 차례로 신어 보게 하니라. ▶콩쥐의 신을 자기 것이라고 우기는 배 씨

<small>삼가거나 어려워함이 없이 아주 무례함</small>

이윽고 발에 맞는 사람이 없는지라 관차들이 다른 곳으로 옮겨 가려 하는데, **콩쥐는 천연스럽게 아는 체도 아니하며 구경만 하고 있는지라** 손님으로 와 있던 어느 노부인(老夫人)이 당상에 올라앉아 있다가 관차를 불러 이르기를,

<small>사람들 앞으로 나서지 못하는 콩쥐의 소극적인 태도</small>　　　　<small>콩쥐를 대신해서 기회를 만들어 주는 인물</small>

　　"그 신발을 잃은 사람을 어찌하여 관가에서 찾는지는 모르되, 이 가운데 콩쥐라 하는 새악씨가 그 신짝을 잃고 찾으려 하나 부끄러워 차마 말씀을 아뢰지 못하는 듯하니, 신 임자를 찾아서 주고 가시오. 그 새악씨는 생전에 처음으로 얻은 신이라 합니다."

관차는 그 말을 듣고 콩쥐를 불러내어 신을 신어 보게 하니, 콩쥐는 부끄러워 낯을 붉히며 간신히 발을 내밀어 얌전히 발부리를 신짝 안에 들여놓으매, <u>살며시 쏙 들어가 맞는 것이 의심할 바 없는 콩쥐의 신이렷다.</u> 〈중략〉

<small>신 한 짝이 콩쥐의 것임이 밝혀짐</small>　　　▶콩쥐가 신의 임자임이 드러남

그래서 감사는,

"어떤 처자이기에 신짝에서 그토록 서기가 생기는가?"

<small>감사가 콩쥐를 찾은 이유 – 감사와 콩쥐의 인연이 상서로움을 암시함</small>　　**Link** 소재의 기능 ❷

하고 자세한 <u>연유</u>를 그 외삼촌에게 물었으나 외숙 되는 사람도 서기가 난 까닭에 대해서는 뭐라 대답할 수 없었으므로 결국 콩쥐로 하여금 친히 대답하도록 하였다.

<small>일의 까닭</small>

Link

출제자 특강 소재의 기능을 파악하라!

❶ 관차가 찾고 있는 것은?
　감사가 주운 신 한 짝의 주인

❷ 감사가 '신'의 주인을 찾으려고 한 이유는?
　신에 서기가 서려 있는 까닭을 알고 싶어서

❸ 콩쥐가 잃어버린 '신 한 짝'의 기능은?
　콩쥐와 감사의 혼인을 매개하는 수단이 됨.

　　　　　콩쥐는 모친의 상사를 당한 일로부터 시작하여 계모 배 씨가 들어온 이후에 있었던 그동안의 일을 낱낱이 아뢰었다. 감사는 놀라는 한편 기뻐하며 이윽고 그 외숙에게 콩쥐와 혼인할 뜻을 밝히고 그 의사를 물었다.

Link 소재의 기능 ❸　　　　　▶감사와 혼인하게 된 콩쥐

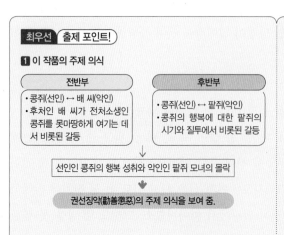

최우선 출제 포인트!

1 이 작품의 주제 의식

전반부
• 콩쥐(선인) ↔ 배 씨(악인) • 후처인 배 씨가 전처소생인 콩쥐를 못마땅하게 여기는 데서 비롯된 갈등

후반부
• 콩쥐(선인) ↔ 팥쥐(악인) • 콩쥐의 행복에 대한 팥쥐의 시기와 질투에서 비롯된 갈등

↓

선인인 콩쥐의 행복 성취와 악인인 팥쥐 모녀의 몰락

권선징악(勸善懲惡)의 주제 의식을 보여 줌.

최우선 핵심 Check!

1 다음 내용 중 맞는 것은 ○표를, 틀린 것은 ×표를 하시오.

(1) 여주인공의 고행과 무용담을 엮은 영웅 소설이다. 　　(　)

(2) 계모와 전처소생 간의 갈등을 주된 내용으로 하는 계모형 소설이다.
　　　　　　　　　　　　　　　　　　　　　　　　　　(　)

(3) 배 씨는 자신의 악행이 탄로가 날까 두려워 관가에서 찾는 신 한 짝의 주인이 자기라고 거짓말을 하였다. 　　(　)

2 초성 힌트를 보고 빈칸에 들어갈 알맞은 말을 쓰시오.

(1) ㅋㅈ은/는 선한 인물로서 새 떼와 직녀의 도움을 받고 있다.

(2) 콩쥐가 ㅅ을/를 매개로 감사와 혼인하기까지는 서양 작품 「신데렐라」와 매우 유사한 서사 구조를 이루고 있다.

정답 1. (1) × (2) ○ (3) × 2. (1) 콩쥐 (2) 신

104위

유광억전(柳光億傳) | 이옥

성격 비판적, 경세적 **시대** 조선 후기
주제 부정을 일삼는 타락한 세태 비판, 선비의
올바른 태도

소설

이 작품은 지위가 낮아 과거에 대한 뜻을 버리고, 그 대신 과거 시험지의 답안을 파는 일을 하는 유광억이라는
인물의 일화를 통해 세상에 팔지 못할 물건이 없게 된 세태를 비판하고 있는 고전 소설이다.

주요 사건과 전개

도입
이익만을 추구하는 세태를 비판함.

전개
유광억이 돈을 받고 과거 시험지의 답안을 대신
써 주는 일을 하다가 들통이 나자 지레 겁을 먹고
자결함.

논평
유광억과 당시의 세태에 대해 비판함.

서울의 대갓집
광억은 주인 대감에게 극진한 대접을 받
으며 그의 아들을 급제를 도움.

→

과장
광억이 의뢰인들을 위해 쓴 답안이 제출
되고, 경시관이 광억이 쓴 답안을 골라냄.

→

강
광억은 자신이 잡혀가면 죽을 것이라고
판단하고 자살함.

전문

천하가 버글거리며 온통 이익을 위하여 오고 이익을 위하여 간다. 세상이 이익을 숭상함이
_{끓어오르는 물처럼 야단스러운 모습을 비유함} _{놓여 소중히 여김}
오래되었다. 그러나 이익을 위하여 사는 사람은 반드시 이익 때문에 죽는다. 그렇기 때문에
_{이익을 좇는 세태를 비판함 – 글의 논지} _{이익을 추구하는 세태가 이어짐}
군자는 '이익'이라는 말을 입에 걸지 않으나, 소인은 이익을 위하여 죽기까지 한다.

서울은 장인바치와 장사치들이 모이는 곳이다. 수많은 가게들에 물품들이 별처럼 벌여 있고
_{장인(匠人)을 낮잡아 이르는 말}
바둑판처럼 펼쳐 있다. 어떤 이는 남에게 손으로 품을 팔아먹는 사람이 있고, 어깨와 등을 파
_{가게가 매우 흔함 – 비유적 표현} _{막일꾼} _{짐꾼}
는 사람도 있거니와, 뒷간 치는 사람, 칼을 갈아서 소 잡는 사람, 얼굴을 꾸며 몸을 파는 사람
_{백성} _{기생}
도 있으니, 세상에서 사고파는 것이 이처럼 극도에 달하고 있다.
Link 반영된 시대상 ❶

외사씨(外史氏)는 말한다.
_{정사(正史) 이외의 역사를 기록하는 사람. 작가 이옥의 별칭}
"벌거숭이 나라에는 실과 비단을 파는 저자가 없고, 산짐승을 잡아 날고기로 먹던 시대에는
솥을 파는 이가 없었던 것이다. 수요가 있어야만 파는 자가 생기는 것이다. 큰 대장장이의
_{수요·공급 이론. 뒤에 따르는 일에 대한 비판을 하기 위한 근거가 됨} _{가게}
문 앞에서는 칼이나 망치를 선전하지 못하고, 힘써 농사짓는 집에는 쌀 행상이 지나가면서
도 소리치지 않는다. 자기에게 없는 다음에라야 남에게서 구하는 것이다."➤이익만을 추구하는 세태 비판

유광억(柳光億)은 영남 합천군 사람이다. 시를 대강 할 줄 알았으며 과체(科體)를 잘한다고
_{: 주요 인물} _{과거 시험에 사용되는 시 짓는 법}
남쪽 지방에 소문이 났으나, 그의 집이 가난하고 지체는 미천하였다. 그 당시 시골에서는 과
_{유광억이 과거를 보지 않는 이유}
거 글을 팔아 생계를 삼는 자가 많았는데, 광억도 그것으로 이득을 취하였다. ➤유광억에 대한 소개
_{돈을 벌기 위해 과거 시험용 글을 팔았음} **Link** 반영된 시대상 ❷

그는 일찍이 영남 향시(鄕試)에 합격하여 장차 서울로 과거 보러 가는데, 부인들이 타는 수
_{지방에서 실시하던 과거의 초시}
레로 길에서 맞이하는 사람이 있었다. 당도해 보니 붉은 문이 여러 겹이고 화려한 집이 수십
_{매우 부유한 집안임을 알 수 있음}
채인데, 얼굴이 희고 수염이 성긴 서사꾼 몇 사람이 바야흐로 종이
_{글을 베껴 적는 사람}
를 펼쳐 놓고 광억이 글을 쓰면 깨끗하게 옮겨 적을 준비를 하고 있
었다.

광억에게는 그 집 안채에 숙소를 정해 두고 매일 다섯 번 진수성
찬을 바치며, 과거 시험지와 같은 종이에 시를 써 줄 것을 요구하였

Link

출제자 **특** 반영된 시대상을 파악하라!

❶ 작가가 비판하고 있는 당시의 사회상은?
못 파는 것이나 돈을 주고 못 사는 것이 없
고, 이익만을 추구함.

❷ 유광억이 한 일을 통해 알 수 있는 당시의
세태는?
돈을 벌기 위해 과거 시험용 글(예상 논제에
대한 답을 쓴 글)을 파는 사람들이 있었음.

다. 주인 대감은 서너 번씩 광억을 보러 와서 경의를 표하되, 마치 아들이 부모를 봉양하는 듯

_{아들 대신 답안을 써 주기를 부탁하며 광억을 극진히 대접함}

하였다. 이윽고 주인의 아들이 과거를 치렀는데 예상대로 광억의 글로 진사에 올랐다. 이에

주인은 광억에게 말 한 필과 종 한 사람을 주어 집으로 보냈다. 『이후 이만 냥을 가지고 광억을

_{Link 인물의 의도 ❷} _{♪ 광억의 대리 답안이 유명해져 청탁이 일어남}

찾아온 사람도 있었고, 그가 빌렸던 고을의 환곡(還穀)을 미리 갚은 감사(監司)도 있었다.』

_{조선 시대에 곡식을 사창에 저장하였다가 백성들에게 봄에 곡식을 꾸어 주고 가을에 이자를 붙여 거두던 일} _{▶ 과거 시험의 답안을 대신 써 주는 일을 하는 유광억}

광억의 문사(文詞)는 격이 별로 높은 것이 아니고, 다만 잔재주를 부리는 것이 장기인데, 이

_{서술자의 평가 – 광억에 대한 부정적인 태도가 드러남}

로써 과거 글에 득의하였던 것이다. 광억은 이미 늙었는데도 나라 안에 더욱 소문이 났다.

_{과거 시험용 글을 써 주는 사람으로 유명세를 얻음}

어느 날 경시관(京試官)이 경상 감사를 만난 자리에서,

_{각 도에서 과거를 치를 때 서울에서 파견하던 시험관}

"영남의 인재 가운데 누가 제일입니까?" / 라고 물었다.

"유광억이라는 사람이 있습니다." / 라고 감사가 답하였다.

"이번에 내가 반드시 장원으로 뽑겠소." / 라고 시관이 말했다.

"당신이 그렇게 골라낼 수 있을까요?" / 라고 감사가 말했다. 시관은 자신하듯,

_{유광억의 글을 어떻게 알아볼 수 있는지 의문 제기}

"능히 할 수 있습니다." / 라고 말했다.

마침내 서로 논란하다가 광억의 글을 알아내느냐, 못하느냐로 내기를 하게 되었다.

_{▶ 유광억을 두고 내기를 하는 경시관과 감사}

경시관이 이윽고 과장에 올라 시제(詩題)를 내는데 '영남 시월에 중구회(重九會)를 여니, 남

_{과거를 보는 장소} _{과거 시험의 주제}

쪽과 북쪽의 기후가 같지 않음을 탄식한다.'라는 것이었다. 조금 있다가 답안 하나가 들어왔는

데 그 글에,

중양절 놀이가 또한 중음달에 펼쳐지니,

_{음력 9월 9일}

북쪽에서 오신 손 남쪽 데운 술 억지로 먹고 취하였네.

라고 하였다. 시관이 그것을 읽고 말하였다.

"이것은 광억의 솜씨가 틀림없다."

하며, 주묵(朱墨)으로 비점(批點)을 마구 쳐서 이하(二下)의 등급을 매겨 장원으로 뽑았다. 또

_{붉은 먹} _{시문의 잘된 곳을 찍는 점}

어떤 답안이 있어 자못 작법에 합치되므로 이등으로 하였고, 또 한 답안을 얻어 삼등으로 삼

았는데, 봉한 부분을 떼어 보니 광억의 이름은 없었다. 몰래 조사해

보니 『모두 광억이 남이 건넨 돈의 많고 적음을 가려 선후를 차등 있

_{♪ 받은 돈의 액수에 따라 답안의 내용을 다르게 써 줌}

게 한 것이었다.』

_{Link 인물의 의도 ❸} _{▶ 유광억의 글을 모두 찾아낸 경시관}

시관은 그 사실을 알았으나, 감사가 글을 보는 자신의 안목을 믿지

않을 것을 염려하여 광억의 공초(供招)를 얻어 증거로 삼으려고 합

_{죄인이 범죄 사실을 진술하던 일}

천군에 이관(移關)하여 광억을 잡아서 보내도록 하였다. 그러나 실

_{관할을 옮김} _{Link 인물의 의도 ❹}

상 옥사(獄事)를 일으킬 뜻이 있었던 것은 아니었다.

_{범죄를 다스림}

광억이 군수에게 잡혀 장차 압송되기 직전에 지레 두려워하면서,

_{어떤 일이 일어나기 전에 미리}

'나는 과적(科賊)이라, 가더라도 역시 죽을 것이니, 가지 않는 것만

_{과거에 부정행위를 하는 사람}

Link

출제자 톡 인물의 의도를 파악하라!

❶ 주인 대감이 부모를 봉양하듯 광억에게 경의를 표한 이유는?
아들의 과거 급제를 위해 대리 답안을 받으려고

❷ 사람들이 유광억에게 돈을 주거나 환곡을 갚아 준 이유는?
유광억이 주인 대감의 아들을 과거에 급제시킨 일을 듣고 유광억의 대리 답안을 얻기 위해

❸ 광억이 과체에 매우 능했음을 알려 주는 것은?
대가의 액수에 따라 답안의 수준을 조절할 수 있음.

❹ 경시관이 광억을 체포한 이유는?
감사와의 내기에서 이기기 위해 광억의 진술을 받으려고

같지 못하다.'고 여겨, 밤에 친척들과 더불어 마음껏 술을 마시고 이내 몰래 강에 투신하여 죽었다. 시관은 이를 듣고 애석해하였다. 광억의 재능을 아까워하지 않는 이가 없었지만, 군자는 "광억이 죽어 없어지는 것이 마땅하다."라고 말하였다.

> 광억이 저지른 일에 대해 죗값을 치르는 것을 마땅히 여김

❯ 강에 투신하여 죽은 유광억

매화외사(梅花外史)는 말한다.

> 이옥의 시문집으로 여기서는 작가 이옥의 논평을 가리킴

"세상에 팔 수 없는 것이 없다. 몸을 팔아 남의 종이 되는 자도 있고, 미세한 터럭과 형체 없는 꿈까지도 모두 사고팔 수 있으나 아직 그 마음을 파는 자는 있지 않았다. 아마도 모든 사물은 다 팔 수 있지만 마음은 팔 수 없는 것이 아니겠는가? 하지만 유광억과 같은 자는 그 마음까지 팔아버린 자가 아닌가? 아! 누가 알았으랴, 천하의 파는 것 중에서 지극히 천한 매매를 글 읽는 자가 하였다는 사실을. 법전(法典)에는 '주는 것과 받는 것이 죄가 같다.'라고 하였다."

> 털, 아주 작거나 사소한 것을 비유적으로 이름

> 이익을 위해 부도덕한 행위를 한 사람

> 부정한 방법으로 과거를 치른 사람뿐만 아니라 부탁을 들어준 광억에게도 죄가 있음을 강조함

❯ 유광억의 죽음에 대한 매화외사의 논평

최우선 〈 출제 포인트! 〉

1 이 작품에서 비판하고 있는 대상

유광억	돈을 받고 과거 시험의 답안을 대신 써 줌.

↓ 확장

사회 현실	글 읽는 자가 이익을 위해 시험 답안마저 사고팖.

2 '유광억'의 죽음에 대한 평가

경시관, 많은 사람들	➡	처벌이 두려워 자결한 유광억의 재주를 안타깝게 여김.

군자, 매화외사	➡	유광억이 이익을 위해 부도덕한 행위를 저질렀기 때문에 죽음에 이르게 된 것은 마땅함.

3 기존의 '전'과 다른 점

'전(傳)'은 한 인물의 일생을 시간 순서에 따라 서술하는 서사 양식이다. 전의 구조는 초기에 '도입 – 전개 – 논평'의 단계로 정형화되어 있었다. 도입부에서 인물의 가계나 성장 과정을 제시하고, 전개부에서 인물의 업적이나 잘못을 열거하며, 논평부에서 작가의 견해, 평가, 교훈 등을 제시하는 것이 일반적이었다.

그러나 이 작품의 도입부에서는 주인공의 집안 내력과 성장 환경 대신 매매 행위가 만연한 세태에 관한 서술과 논평을 제시하여 전형적인 전의 구조에 변화를 주고 있다. 전개부에서는 주인공의 그릇된 행위를 몇 개의 사건을 들어 제시하고 있는데, 부도덕한 주인공을 설정한 것으로 보아 전에 등장하는 주인공의 범위가 확장된 것을 알 수 있다. 논평부에서는 기존의 일반적인 전과 같이 주인공의 옳으냐 그르냐를 따져 부정을 일삼는 세태를 비판하고 있다.

최우선 〈 핵심 Check! 〉

1 다음 내용 중 맞는 것은 ○표를, 틀린 것은 ×표를 하시오.

(1) 구체적인 일화를 활용해 인물의 특성을 드러내고 있다. ( )

(2) 비극적 상황을 희극적으로 과장하여 해학성을 나타내고 있다.( )

(3) '외사씨'와 '매화외사'는 모두 작가 이옥의 별호로, 작가는 작품의 앞뒤에 세태와 유광억에 대한 논평을 덧붙이고 있다. ( )

2 초성 힌트를 보고 빈칸에 들어갈 알맞은 말을 쓰시오.

(1) 당시에는 부정한 방법으로 ㄱㄱ 시험을 치르는 사람이 많았음을 알 수 있다.

(2) 작가는 부정한 방법으로 과거를 치른 사람뿐만 아니라 부탁을 들어준 유광억에게도 ㅈ이/가 있음을 강조한다.

정답 1. (1) ○ (2) × (3) ○ 2. (1) 과거 (2) 죄

장풍운전(張豐雲傳) | 작자 미상

성격 영웅적, 가정적 **시대** 조선 후기
주제 장풍운의 고난 극복과 영웅적 활약

소설

이 작품은 주인공 장풍운이 어린 시절 도둑의 난리로 부모와 헤어져 갖은 고생을 하다가 조력자를 만나 고난을 극복하고 위업을 성취한다는 내용의 영웅 소설이다.

주요 사건과 인물

발단
어려서부터 시서에 능통하고 말타기와 활쏘기를 좋아했던 장풍운이 도적의 난리로 부모와 헤어져 갖은 고생을 힘.

전개
풍운의 사람됨을 알아본 이운경이 풍운을 집으로 데려가 양육하고, 부인 호 씨의 반대를 무릅쓰고 풍운과 경패(이 부인)를 혼인시킴.

위기
이운경이 죽은 후 경패의 계모 호 씨의 박대를 받던 풍운은 처남 경운만을 데리고 가출하여 이 부인과도 헤어짐.

절정
한림학사가 된 풍운이 가족과 상봉하지만 황제의 주선으로 결혼한 유 씨의 질투로 이 부인이 죽을 위기에 빠짐.

결말
토번을 물리치고 돌아온 풍운이 모든 진상을 밝혀 유 씨는 벌을 받아 죽고, 풍운은 부인들, 자식들과 부귀영화를 누림.

왕 부인
장풍운의 둘째 부인으로, 옥에 갇힌 이 부인을 걱정하고, 경운을 풍운에게 보내 이 부인의 목숨을 구할 수 있도록 도움을 줌.

→ 조력 →

이 부인(이경패)
장풍운의 첫째 부인으로, 장풍운의 사랑을 독차지하다가 유 씨의 계교로 죽을 위기에 처함.

← 모함 ←

유 씨
황제의 주선으로 장풍운과 결혼을 하지만, 질투가 심해 이 부인을 음해하여 죽을 위험에 빠뜨렸다가 벌을 받고 죽음.

핵심장면 ① 장풍운의 사랑을 받는 이 부인을 질투하던 유 씨가 토번을 진압하기 위해 장풍운이 집을 비운 사이 이 부인을 모해하여 죽을 위험에 빠뜨리는 부분이다.

[주요 인물]

유 씨가 좌승상 **장풍운**이 대원수가 되어 출정한 틈을 타 **이 부인**을 모해하려 하여 한 계교를
<small>모함하여 해를 끼치고자</small>
<small>장풍운의 첫 번째 부인 이경패</small>

생각해 내고 시비 난향을 불러 조용히 물었다. **Link** 사건의 전개 ❶
<small>자기의 손이나 발처럼 마음대로 부리는 사람을 비유적으로 이르는 말</small>

"너는 나의 수족과 같으니, 나의 계교를 맡아서 해내려느냐?"
<small>이 부인이 외간 남자와 정을 통하고 있다는 모함</small>

"소비가 어찌 부인의 명을 불속인들 피하리까?" / 유 씨가 매우 기뻐하며 물었다.
<small>매우 고통스러운 지경을 비유적으로 이르는 말</small> <small>유 씨의 심리가 직접적으로 드러남</small>

"바깥문 출입 단속을 누가 책임지고 맡아 하느냐?"
<small>이 부인의 시비</small>

"수문장은 강공철인데, 운향의 지아비이나이다."
<small>각 궁궐이나 성의 문을 지키던 무관 벼슬</small> <small>남편</small>

유 씨가 계교를 이르고 당부했다. / "이리이리하되 삼가 누설치 말라!"
<small>▶ 이 부인을 모해하고자 계교를 꾸며 지시하는 유 씨</small>

난향이 웃고 이날부터 금은을 나누어 주며 운향과 더불어 사귐이 심히 은근하니, 오래지 아
<small>강공철을 이용하기 위해 그의 아내인 운향에게 접근함</small>

니하여 두 사람의 정이 동기간 같았고, 행동거지와 목소리까지 서로 방불하여 구별하기가 어
<small>형제자매 사이</small> <small>이후 공철이 난향을 자신의 아내인 운향에게 착각하게 되는 이유</small>

려웠다. 유 씨가 기뻐하여 계교 행하기를 재촉하니, 난향이 응낙하고 운향의 침소에 가서 담소
Link 사건의 전개 ❷ <small>웃고 즐기면서 이야기함</small>

하다가 물었다. / "요사이 강 무사는 어디 갔는가?"
<small>강공철</small>

"응당 해야 할 일이 많기로 오지 못하더니, 오늘은 마침 틈을 내어 올 것이네."
<small>「 」 운향은 이 부인을 모해하는 데 자신과 남편이 이용당하는 것을 모르고 있음</small>

난향이 이 말에 대답하지 않고 다른 말만 하다가 돌아와서 그 사실을 유 씨에게 알렸다. 유
<small>자신의 음모가 들통날까 봐</small>

씨가 난향에게 다시금 당부하여 '이리이리하라.' 하고, 날이 저물기

를 기다려 이 부인께 전갈했다.

"승상이 출정하신 후 궁중이 쓸쓸하고 고요하니, 시비 운향을 보내
<small>장풍운</small> <small>싸움터에 나감</small>

주시면 아름다운 말도 나누고 노닐며 경치를 구경하고자 하나이다."
<small>운향을 빼돌리고 이 부인 혼자 남게 하려는 의도</small>

이 부인은 정숙하고 기품 있는 여자인지라 유 씨의 간계를 모르고
<small>이 부인의 성품을 직접적으로 제시함</small>

즉시 운향을 보내 주었다. 유 씨는 흔쾌히 정성껏 운향을 대접하고

Link

출제자 [톡!] 사건의 전개를 파악하라!

❶ 장풍운이 집을 비운 사이에 유 씨가 모해하려 한 인물은?
이 부인

❷ 난향이 재물을 이용하면서까지 운향과 가까워지려고 한 이유는?
수문장을 책임지는 강공철의 부인인 운향과 친해져서 이 부인을 모함하려는 유 씨의 지시를 받았기 때문에

머무르게 하고는 돌려보내지 아니하니, 운향은 공철이 온다고 했으므로 민망했다. 유 씨는 짐짓
_{시간을 끌기 위해} _{일부러}
운향을 아니 보내고 난향에게 눈짓을 하니, 난향이 즉시 운향 침소에 가서 살림 도구 및 이부
_{난향이 운향인 척하고 공철을 정당으로 보내기 위해}
자리와 베개 등을 다 옮기고 불을 끄고 앉아 있었다. 밤이 깊어지자 공철이 오는데, 난향이 운
향인 체하고 더디 옴을 원망하며 물었다.

"위왕 어르신께서 몸이 불편하시므로 부인과 두 낭자가 다 내당에 머무시나이다. 그래서 정
_{장풍운의 부친} _{이 부인} _{원철의 딸 황해와 왕공렬의 딸 부용} _{이 부인이 거처하는 곳}
당이 비었는지라 나는 정당에 거처하겠으니, 당신도 나를 따라 정당에 가서 머묾이 어떠하
겠소?" / 공철이 응낙하지 않고 도리어 물었다.

"비록 그러하나, 어찌 정당에 들어간단 말이오?" / "밤이 깊고 사람이 없으니 의심 마소서."
_{남녀가 내외하던 당시의 시대상을 알 수 있음}
공철의 소매를 이끌어 바로 이 부인 침소에 들어갔다. 이때 밤이 깊었으니, 시비가 다 자고
정당이 고요했다. 공철이 의심하지 않고 난향의 음성이 운향과 서로 비슷하므로 속은 바가 되
어 매우 위험한 지경에 처하니, 어찌 비참하고 끔찍하지 아니하랴.
_{편집자적 논평}
난향이 공철을 인도하여 안방에 딸린 작은 방에 앉히고 말했다.
_{이 부인이 공철과 놀아난 것으로 꾸미려는 것임을 알 수 있음}
"여기 누워 있으면 내 불을 켜오리다."

난향이 이러하고는 곧장 유씨 부인 침소로 돌아와 운향을 위로하며 말했다.

"부인을 모시고 평안히 지냈는가?" / 유 씨가 이어서 말했다.

"밤이 깊고 이 부인께서 외로이 계시니, 내 몸소 가서 위로하리라."
_{이 부인의 방으로 옮겨 가려는 핑계}
그리고는 등촉을 밝히고 정당에 이르렀다. 공철이 불빛을 보고 놀라 몸을 피하여 따로 곁붙
은 방에 숨었다. 유 씨가 방문을 열고 침실에 두른 휘장을 걷어 올리며 말했다.

"부인은 잠을 들어 계시나이까?"

그리하며 유 씨가 협방 문을 밀치니, 공철이 놀라 내닫다가 유 씨와 마주쳤으나 밀치고 달아
_{곁방: 안방에 딸린 작은 방}
났다. 이에 유 씨가 거짓으로 얼굴빛을 달리하며 물러섰다. 이 부인은 아무것도 모르고 잠결
에 몸을 일으키며 말했다. / "어찌 이리 떠들썩한가?"

유 씨가 버럭 성을 내며 꾸짖었다.
_{정렬부인. 조선 시대에, 정조와 지조를 굳게 지킨 부인에게 내리던 칭호}
"이 음탕하고 방탕한 계집아! 너는 좌승상의 정실부인이요, 직첩이 정렬에 있거늘, 어찌 이
_{조정에서 내리는 벼슬아치의 임명장}
런 음란한 짓을 한단 말이냐?" / 시비를 시켜 서둘러 이 부인을 결박 짓게 했다.
_{곁에서 시중을 드는 계집종}
이 부인이 미처 깨닫지도 못하는 사이 이 지경에 처하니 놀랍고 분함을 이기지 못하나, 일이
되어 가는 형세가 어찌 된 것인지 알지 못하여 심신을 가다듬지 못했다.

이즈음에 공철이 도망하여 중문으로 나왔다. 그러나 문을 지키는 군사가 이왕 난향과 약속
이 있었는지라 칼을 들어서 공철을 베니, 어찌 가련치 아니하랴. ▶유 씨의 계략으로 위기에 처한 이 부인
_{편집자적 논평 – 공철이 억울하게 죽고 이 부인의 결백을 밝혀 줄 사람이 없는 것에 대한 안타까움}

핵심장면 ② 왕 부인이 경운을 시켜 보낸 편지를 본 풍운이 급히 돌아와 모든 진상을 밝히고 이 부인을 구하는 부분이다.
_{옥에 갇힌 사람을 맡아 지키던 사람}
옥섬이 받아 가지고 옥졸에게 인정(人情)을 쓰고, 이 부인을 뵙기를 청하여 편지와 옷 보자
_{왕 부인의 시비} _{물질적인 것으로 선심을 쓰고}

기를 자란에게 주고 <u>왕 부인</u> 말씀을 전했다. 이 부인이 정신을 차려 <u>서간</u>을 떼어 보니, 다음과
장풍운의 둘째 부인. 감옥에 있는 이 부인을 보살펴 줌 / 편지
같이 씌어 있었다.

"소첩 왕 씨는 두어 자를 올리나이다. 조물주가 시기하고 귀신이 돕지 않아 <u>변란</u>이 규문(閨
사람의 힘으로 피할 수 없는 큰 일이 일어나 어지러움
門)에 미쳐 부인의 <u>빙옥</u> 같은 절개에 천고에도 없을 누명을 씌우니, 이는 부인의 액운일 뿐
부녀자가 거처하는 곳 / 맑고 깨끗하여 아무 티가 없음을 비유적으로 이르는 말
아니라 또 첩의 일이기도 한지라 어찌 매우 끔찍한 일이 아니겠사옵니까? 천도(天道)가 비
이 부인이 당한 일을 자신이 당한 것처럼 생각하는 왕 부인　Link 인물의 태도 ❶
록 높으시나 살피심이 대수롭지 아니하시니, 승상이 곧 오시면 옳고 그름이 분간될 것이옵
하늘이 도와주지 않고 있으니　Link 인물의 태도 ❷
니다. 하니 바라건대 귀한 몸을 소중히 여기소서."
장풍운이 돌아오면 시비가 가려질 것이므로 건강에 유의할 것을 당부함
이 부인이 다 읽고 난 후 눈물이 물 흐르듯 하여 능히 말을 이루지 못하다가 심회를 진성하
직유법, 과장된 표현
여 답서를 써서 보내었는데 그 편지에 다음과 같이 씌어 있었다.

『죄인 이 씨는 삼가 답서를 올리나이다. 첩의 죄가 중하고 허물이 깊어 다섯 살에 자모(慈母)
『 』: 자신의 삶의 역경과 결백함을 밝히고 동생을 부탁함 / 어머니
를 잃고 계모의 사랑을 받지 못하여 의지와 기개를 펴지 못하다가, 열여섯 살에 승상의 아내
가 된 지 여섯 달 만에 부친을 여의었사옵니다. 그래서 이 한 몸 고향을 떠나 정처 없이 떠돌
Link 인물의 태도 ❸
다가 단원사 승당에서 <u>천행</u>으로 시어머니를 만나 서로 의지했고, 또 승상과 부인을 만나매
하늘의 행운
다시는 환란이 없을까 했사옵니다. 한데 지금 생각지도 못했던 <u>변고</u>를 겪으니 <u>천지일월</u>(天
근심과 재앙을 통틀어 이르는 말　자신이 누명을 쓴 일을 가리킴　신과 같은 존재
地日月)만이 증명하실 바이지, 잘못이 없음을 다시 밝힐 길이 없어 대강 기록하나이다. 바
자신의 결백함을 밝힐 방법이 없다고 생각함　Link 인물의 태도 ❹
라건대 부인은 첩을 생각지 말고, 다만 제 동생을 거두어 은혜를 베풀어 주시면 지하에 가도
경운
눈을 감을까 하나이다.』
▶ 옥에서 왕 부인과 편지를 주고받은 이 부인

왕 부인이 다 읽은 후에 눈물을 주룩주룩 흘리다가 문득 한 계책을 생각하고 경운을 불러 말
했다. / "이제 공자의 누님이 겪어야 할 환난이 목전에 있는지라, 승상께서 빨리 오시면 옳고
이 부인　근심과 재난
그름이 가려질 것이오. 생각건대 승상이 타시던 준마가 있으니 밤낮을 가리지 아니하고 가
서 승상을 모셔 오면, 화가 변하여 복이 되리라."〈중략〉
왕 부인이 생각한 계책의 내용. 관련 한자 성어: 전화위복(轉禍爲福)

차설. 좌승상이 행군한 지 여러 날 만에 하북(河北)에 이르러 한 번 북을 쳐 도적을 물리치고
★ 주요 소재　공간 변화 – 장풍운이 하북에 도착함
황성으로 향하고자 했다. 이날 밤 <u>꿈</u>에 금산사 부처가 장막에 와서 좌승상에게 말했다.
앞으로 일어날 일을 암시하는 역할을 함

"부인의 생사가 급하니 빨리 구하라!" / 이렇게 말하고는 온데간데없었다. 좌승상이 마음속
으로 놀라 근심에 잠겼다.

Link
출제자 독 인물의 태도를 파악하라!
❶ 옥에 갇힌 이 부인에 대한 왕 부인의 태도는?
자신의 일과 같이 안쓰럽게 여기고 걱정함.
❷ 왕 부인이 승상이 돌아오기를 고대한 이유는?
장풍운이 돌아오면 옳고 그름을 가려 이 부
인을 구하리라 생각하기 때문에
❸ 왕 부인과 이 부인의 편지 중 자신의 지난
삶에 대한 회한이 드러나 있는 것은?
이 부인의 편지
❹ 자신의 미래에 대한 이 부인의 태도는?
자신의 결백함을 밝힐 길이 없다고 생각함.

문득 "경운 공자가 왔다." 알리자, 좌승상이 크게 놀라서 바삐 불
러들이라 했다. 경운이 들어와 아무 말도 못 하고 기절하는지라 붙
들어 구호하며 까닭을 물으니, 경운이 서간을 드리며 그간의 사정을
알렸다. 좌승상이 유 씨의 소행으로 짐작하고 부원수에게 "뒤를 따
경운이 전달한 서간을 통해 이 부인 모해 사건의 가해자가 유 씨일 것이라 짐작함
르라." 명하고, 밤낮을 가리지 않고 바삐 경성으로 향하여 갔다.
▶ 이 부인을 구하기 위해 경성으로 향하는 장풍운
차설. 이 부인이 옥동자를 낳으니, 왕 부인이 기뻐하여 금은을 옥
다시 공간이 바뀜 – 이 부인이 감옥에서 아이를 낳음
졸에게 주어 아이를 낳은 사실이 외부에 알려지지 못하도록 했다.
이 부인이 임신한 것을 안 천자가 아이를 낳을 때까지 처형을 미루고 옥에 가두기 때문에

그런데도 유 씨가 이를 알고 부왕에게 남을 시켜 천자께 아뢰게 하니, 천자가 이 부인을 처형
　　　　　　이 부인이 아이를 낳은 것을 알고
하도록 윤허하셨다. 왕 부인이 소식을 듣고 이 부인과 함께 죽고자 했다. 법관이 삼로(三路)에
　　　임금이 허락함
서 이 부인을 수레에 올리니, 왕 부인은 통곡했다. 이 부인이 자란에게 아이를 맡기고 까무러
치니, 옥졸이 차마 죽이지 못했다.

> 죽을 위기에 처한 이 부인

　　이때 좌승상이 말을 달려 수많은 사람의 무리를 헤치고 형을 집행하는 관리에게 가서 전후
　　　　　　　　참수하는, 머리를 베는
사연을 이르며 "참하는 시간을 늦추라." 하고는, 바로 입궐하여 벌줄 것을 청했다. 천자가 크
　　　자신이 모해 사건을 직접 처리하기 위해 이 부인의 형 집행을 지연시킴
게 놀라셨지만 먼저 먼 길 갔다 온 것을 위로하시고, 다음으로 옥사(獄事)를 말씀하였다. 좌승
　　　　　　　　　　　　　　　　　　　　　　　반역, 살인 따위의 크고 중대한 범죄를 다스림. 또는 그 사건
상이 싸움에 나가 이겨 공을 세운 경위를 아뢰고는, 옥사에 관한 자신의 의견을 개진했다.

　　"금일 옥사는 저의 집안의 사사로운 일이오니 스스로 맡아서 처리하게 해 주소서."
　　　　　　　　　　　　　개인적인
　　천자가 이를 윤허하였다. 좌승상이 본가(本家)로 돌아와 양 부인을 뵌 후, 형구(形具)를 차려
　　　　　　　　　　　　　　　　　　　　　　　　　　장풍운의 모친
놓고 모든 시비를 죄주려 하니, 엄한 형벌 아래서 쥐 같은 무리들이 어찌 죄를 감출 수가 있으
랴. 불하일장(不下一杖), 곧 한 대도 때리기 전에 이미 난향 등이 잘못을 낱낱이 순순히 자백
　　　　편집자적 논평
　　　죄를 순순히 자백하므로 매를 한 대도 때리지 아니함
했다. 좌승상이 글을 올려 옥사를 뒤집고, 유 씨를 그 수레에서 사형에 처하고, 난향 등을 능
　　　　　　　　　　　　　　　　　　　　　　　　관련 한자 성어: 사필귀정(事必歸正)
지처참한 후, 이 부인을 구호했다.

> 모든 진상을 밝히고 이 부인을 구한 장풍운

최우선 〈출제 포인트!〉

1 공간적 배경에 따른 주요 사건

공간	주요 사건
정당	이 부인이 거처하는 공간으로, 이 부인을 모해하려는 유 씨의 계교에 빠져 공철이 억울하게 희생됨.
옥	왕 부인이 시비 옥섬을 통해 이 부인을 도움.
하북	장풍운은 경운이 전달한 서간으로 인해 모해 사건의 가해자를 짐작함.
삼로	장풍운은 모해 사건을 자신이 처리하기 위해 이 부인의 형 집행을 지연시킴.
궁궐	천자는 장풍운의 청을 들어 가족의 문제를 그가 직접 해결하도록 허락함.
본가	장풍운이 형구를 차려놓고 모든 시비를 벌하려 하니 한 대도 치기 전에 난향 등이 자백함.

2 이 작품의 주요 갈등

갈등의 계기	갈등의 전개	갈등의 해소
장풍운은 첫 번째 부인인 이 부인을 고려하여 다른 부인을 맞이하려 하지 않지만 천자의 권유로 어쩔 수 없이 유 씨와 혼인함.	유 씨는 장풍운의 사랑을 받는 이 부인을 질투하여, 장풍운이 집을 비운 사이 이 부인을 모해하여 죽을 위기에 처하게 함.	전쟁에 나갔던 장풍운이 급히 돌아와 진상을 밝히고 유 씨에 의해 누명을 쓰고 죽을 날을 기다리던 이 부인을 구출함.

최우선 〈핵심 Check!〉

1 다음 내용 중 맞는 것은 ○표를, 틀린 것은 ×표를 하시오.

(1) 시간의 흐름에 따라 사건이 진행되고 있다. 　　　　　(　　　)

(2) 서술자가 인물의 성격을 직접적으로 제시하고 있다. 　　(　　　)

(3) 서술자가 개입하여 배경 공간의 환상적 분위기를 묘사하고 있다.
　　　　　　　　　　　　　　　　　　　　　　　　　　(　　　)

(4) 요약적 진술을 통해 사건의 결말을 압축적으로 제시하고 있다.
　　　　　　　　　　　　　　　　　　　　　　　　　　(　　　)

(5) 장풍운은 하북에서 가족 문제를 그가 직접 해결하도록 천자에 청하고 있다. 　　　　　　　　　　　　　　　　　　(　　　)

2 초성 힌트를 보고 빈칸에 들어갈 알맞은 말을 쓰시오.

(1) ㅈㄷ은/는 이 부인이 거처하는 공간으로, 이곳에서 공철은 이 부인을 모해하려는 유 씨의 계교에 빠져 억울하게 희생되었다.

(2) ㅇㅎ은/는 이 부인을 모해하는 데 자신과 남편이 이용당하는 것을 모르고 있었다.

(3) 장풍운은 ㄱ을/를 통해 이 부인이 위기에 빠진 것을 먼저 듣고, 경운의 서간으로 확인하게 되었다.

정답 1. (1) ○ (2) ○ (3) × (4) ○ (5) × 2. (1) 정당 (2) 운향 (3) 꿈

106위

인간이 성(땅)에 떨어졌다가 용이 되어 승천하다

낙성비룡(洛城飛龍) | 작자 미상

성격 비판적, 풍자적, 우화적 **시대** 조선 후기
주제 비범한 인물의 수난과 극복의 영웅적 일대기

소설

이 작품은 중국 명나라를 배경으로 하여 고아로 자란 주인공이 정승이 되기까지의 영웅적 일생을 다룬 고전 소설이다.

주요 사건과 인물

발단	전개	위기	절정	결말
명나라의 선비 이주현은 하늘에서 찬란한 큰 별이 떨어졌다가 용이 되어 승천하는 태몽을 아내와 동시에 꾸고 아들 경모(아명: 경작)를 얻음.	경작은 3세에 부모를 잃고 갖은 고난을 겪다가 경작의 비범함을 알아본 양 승상의 둘째 딸 경주와 혼인함.	장모는 게으르게 생활하는 경작을 미워하고, 양 승상이 죽자 장모의 구박으로 집을 나온 경작은 청운사에서 학업에 정진함.	경작은 과거에 나가 장원 급제를 하고 이때 번왕 남곽이 침입해 오자 병부 상서 대원수가 되어 적을 물리침.	남편을 기다리다 병이 든 경주는 집에 돌아온 경작의 지극한 간호로 회복되고, 벼슬이 높아진 경직은 백성을 잘 돌봄.

이경작(이경모)	양 승상	한 씨	양경주
천부적 재능을 타고났다기보다는 꾸준히 학업에 정진함으로써 능력을 키움.	이경작의 인물됨을 알아보고 사위로 삼아 공부를 도움.	경작의 장모. 게으른 경작을 미워하고 구박함.	경작을 지극정성으로 따르며, 집 나간 경작을 기다리다 병에 걸림.

핵심장면 이경작이 신묘한 병법으로 번왕을 물리친 후 고향으로 돌아오는 길에 동서 설인수를 만나 자신이 대원수임을 밝히는 부분이다.

이때 태수 설인수는 원수(元帥)를 가까이에서 모셨으되, 원수는 설인수인 줄 아나 인수는
[이경작과 동서 관계]
□: 주요 인물
경작이 원수가 되었음을 생각지 못하더라. 원수가 아는 체하고자 하되, 군영(軍營)이 요란하
[이경작이 예전과 많이 달라졌음을 짐작할 수 있음]   [군대가 주둔하는 곳]
여 사사로운 정을 펴지 못하였더니, 이제 번왕 남곽을 평정하고 군영이 고요한데 인수 홀로
모셨더라. 원수가 저의 물러가지 않았음을 보고 시동을 불러 당상으로 청한대, 태수 사양하여
[태수 설인수]   [심부름을 하는 아이]   [대청 위]   [지위가 다르므로]
오르지 않거늘 원수가 친히 이끌고 가로되,

"인수 형이 능히 경모를 모르오?"
[이경작]

"소관(小官)이 정신이 밝지 못하고, 일찍 면식이 없으니 알지 못하겠사옵니다."
[설인수]   [얼굴을 서로 알 정도의 관계]

원수가 잠소(潛笑) 왈,
[가만히 웃음]

"형이 과연 눈이 무디다 하리로다. 옛날 금주에서 소 먹이던 목동이었다가 양 승상의 둘째
[사물을 보고 깨닫는 힘이 약하다] [경작은 3세에 부모를 잃고, 7세 때 유모까지 죽자 남의 집에서 소 먹이는 일을 하고 살았음] [이경작과 설인수의 장인]
사위가 된 이경작을 모르오?"
[원수가 이경작임을 깨닫지 못함]

태수가 생각 밖이라. 깨닫지 못하여 가로되,
[원수가 동서인 경작에 대해 묻는 것이 뜻밖의 일이므로]

"그 사람은 소관의 동서러니, 금주를 떠난 지 벌써 십일 년이옵니다."

"십일 년 못 보던 경작이 곧 나이니 형은 모름지기 의아치 마오."
[원수가 자신이 경작임을 밝힘]

설 태수가 어지러운 듯, 취한 듯하여 오래 말을 못 하더니 이에 자세히 보니 완연한 경작이
[너무 뜻밖이고 믿을 수 없이 놀라운 일이라서]   [뚜렷한]
라. 놀라고 반가움을 이기지 못하여 지위를 잊고 손을 잡아 급히 이르되,
[태수보다 원수가 높은 지위이지만 반가움에 이를 잊음]

"경작 형! 꿈이오? 생시오?"

원수가 웃으며 왈,

"형은 놀라지 마오."

하고 인하여 서로 잔을 들어 유쾌히 술을 마시며 정을 펼새, 태수가 매양 원수의 대덕과 넓은
[풍채와 태도]   [태수는 원수의 인품과 능력을 흠모하였음] [넓고 큰 덕]
도량, 기이한 풍도를 우러렀더니 이날 자리를 나란히 하여 잔을 날리며 별회를 베푸니, 마음
                                                    [서로 헤어져 있었던 기간 동안의 회포를 풀었다는 의미]

370 최우선순 분석편

에 세상일을 가히 헤아리기 어려움을 탄하더라.

잠만 자고 많이 먹는다고 구박을 당하던 동서가 명성이 높은 장군이 되어 나타났으므로

▶ 대원수가 된 경작이 처형인 설인수를 만남

원수가 문 왈,

"외방에 있은 지 벌써 십일 년이라. 처형은 평안하시오?"

자기가 사는 곳 밖의 다른 고장

설인수의 아내로 양 승상의 첫째 딸인 난주를 가리킴

설 태수가 답소(答笑) 왈,

웃음으로 답하며

"나는 비록 약한 남자이나 조강지처를 무단히 버리지 아니하니 몸이 편하여 자녀를 갖추어

지게미와 쌀겨로 끼니를 이을 때의 아내라는 뜻으로, 몹시 가난하고 천할 때에 고생을 함께 겪어 온 아내를 이르는 말

두었거니와, 형은 약한 부인을 무단히 버리고 십일 년에 이르도록 한 번 편지를 부치는 일이

이경작의 아내인 경주

없었소. 이제 몸이 으뜸 벼슬로 부귀 영광이 비길 곳이 없고, 어진 덕과 넓은 덕을 추앙하지

않는 사람이 없으되, 오직 빈방의 약한 부인을 생각하지 아니하니 박덕함이 심하여 장차 약

Link 대화의 의도 ❶

한 부인이 몸을 보존치 못하게 되었으니 가장 어둡고 무심한 장부라. 나는 비록 벼슬이 낮아

경주는 남편인 경작을 기다리다 병이 깊어짐

형을 모시고는 있으나 처자를 편히 거느리니 가히 형보다 낫다고 이르리로다."

Link 대화의 의도 ❷

하고 대소한대, 원수가 또한 웃고 왈,

크게 웃음

"형이 어찌 괴이한 말로써 나를 조롱하오? 가장 가소롭도다. 그러나 금주의 처가는 평안

경작은 아직 부인인 경주가 아픈 사실을 모름

하시오?"

태수 왈,

"집안은 평안하나 형의 부인이 병이 위중하여 속수무책 조석으로 목숨을 빈다 하니 형이 비

손을 묶은 것처럼 어찌할 도리가 없어 꼼짝 못 함

아침, 저녁으로 병이 낫기를

록 몸이 영귀하나 무엇이 즐거우리오?"

지체가 높고 귀함

원수가 듣고 놀라 얼굴을 붉히며 왈,

부인의 병이 깊다는 말에 놀라고 가정을 돌보지 못한 것을 부끄러워함

"과연 형의 말이 옳소?"

"비록 농담이라도 어이 큰 말에 허언을 하리오?"

거짓말

"목숨의 길고 짧음과 부귀빈천은 하늘에 달렸으니 인력으로 어찌하리오?"

"형이 곧 경사(京師)로 가리니, 길이 금주로 지날 것이니 들러 감이 어떠하오?"

나라의 수도

"부모 묘소가 게 있으니 들르지 아니리오?"

"어느 때에 경사로 향할 것이오?"

"백성이 어지러웠으니 서너 달 더 머물러 위로하고 가려 하오."

백성을 생각하는 마음이 드러남

"내 관아가 비록 작으나 수일 후 형을 전송하리니 벼슬이 높다고 사양하지 마오."

예를 갖추어 떠나보냄. 서운하여 잔치를 베풀고 보낸다는 뜻에서 나온 말

원수가 소 왈,

Link
출제자 틈 대화의 의도를 파악하라!

❶ 설 태수가 경작의 부인 이야기를 꺼낸 이유는?
남편이 돌보지 않아 중병이 든 처제가 불쌍하기 때문임.

❷ 설 태수가 원수보다 자기의 삶이 낫다고 말한 이유는?
원수가 아내를 돌보지 않는 것은 잘못된 처신임을 지적하기 위함임.

"본디 음식을 즐기는 사람이라. 주는 것을 사양할 리 있으리오? 먹는 양을 알아서 큼직이 준비하오. 내 당당히 가겠소."

태수가 소 왈,

『 』: 이경작은 원래 음식을 많이 먹던 사람이었기에, 서로 친했던 사이였으므로 설인수가 그 점을 놀리고, 이경작 역시 농담으로 받아들이고 있음

"벼슬이 높으니 이제 그 숱하게 자던 잠과 둔하게 많이 먹던 양을 줄이는 것이 좋을까 하오."

원수가 대소 왈,

출제 우선 작품

고전 산문 371

"급제한 후는 더 많이 먹히더이다."

태수가 소 왈,

"내가 양식이 부족하여 풍성하지 못하니 형의 양에 차게 하려면 필연 죄를 면치 못하리니 올 적에 말총으로 창자를 졸라매고 오오."

"늘릴 수 있을 만큼 늘리고 가겠소."

"그럴진대 아예 오지 말라 할 것이오."

"국법이 본래 나 같은 사람을 각 도에서 영접하고 진치하고 공경히고 관대하라 하였으니 적게 못할 것이오."

두 사람이 대소하고 설 태수 돌아와 부인 난주를 대하여 이 원수의 전후 일을 일일이 전하고 기특히 여김을 마지않으며, 돌아가신 장인의 사람 보는 눈이 뛰어남에 못내 감복하더라.

<small>양 승상의 첫째 딸(양경주의 언니)</small>
<small>장인인 양 승상은 경작이 한낱 소를 치는 가난한 고아임에도 그의 인물됨을 알아보고 사위로 삼았음</small>
❯ 경로로 가는 길에 금주에 들러 경주를 찾아볼 것을 약속하는 경작

최우선 출제 포인트!

1 기존의 영웅 소설과의 비교

공통점	• 중국을 공간적 배경으로 함. • 서술이 진부하고 억지로 중국 고사에 맞추려고 함. • 어려서 부모를 잃고 고생을 하던 주인공이 조력자의 도움으로 위기를 모면했다가 또다시 위기를 맞이하고 극복하여 위업을 달성하게 되는 일대기적 구성을 취함.
차이점	• 등장인물의 말과 행동을 섬세하게 다룸. • 주인공이 한때 먹보, 잠꾸러기의 모습을 보임. • 순우리말 표현을 구사하고 있으며, 한문 고사를 제외한 부분에서 우리말이 지닌 사실성과 산문성을 잘 살려 표현함.

2 '이경작'과 '설인수'가 나눈 대화의 특징

화제	원수가 먹을 음식의 양
대화 태도	태수가 원수를 놀리고 원수도 이를 장난으로 받아들이는 등 격의가 없음.

↓

효과	격의 없는 대화를 통해 인물 간의 친밀감을 드러내 줌.

최우선 핵심 Check!

1 다음 내용 중 맞는 것은 ○표를, 틀린 것은 ×표를 하시오.

(1) 중국을 배경으로 설정하여 사대주의 사상을 엄중하게 풍자하고 있다.
( )
(2) 주인공이 잠꾸러기에다 먹보라는 독특한 면모를 보이고 있다.( )
(3) 이경작과 설인수의 격의 없는 대화를 통해 인물 간의 친밀감을 드러내고 있다.
( )

2 초성 힌트를 보고 빈칸에 들어갈 알맞은 말을 쓰시오.

(1) 양 승상은 [ㅇㄱㅈ]이/가 한낱 소를 치는 가난한 고아임에도 그 비범함을 알아보고 사위로 삼았다.
(2) 어려서 부모님을 모두 잃은 주인공이 대원수가 되기까지의 [ㅇㅇ]적 일대기를 다루고 있다.

정답 1. (1) × (2) ○ (3) ○ 2. (1) 이경작 (2) 영웅

❯ **1등급! 〈보기〉!**

『낙성비룡』과 『소대성전』의 유사성 → 우리책 18위(소대성전)

『낙성비룡』은 주인공 이경작이 어려서 부모를 여의고 갖은 고생을 하다가 영웅이 되는 이야기로 영웅 소설의 기본적 구조를 따르고 있다. 특히 줄거리나 주제, 표현 형식 등 많은 부분이 영웅 소설인 『소대성전』과 유사한데, 주인공의 생애를 중심으로 살펴보면 '이경작'과 '소대성'은 다음과 같은 공통점이 있다.

• 신이한 태몽을 가지고 탄생한다.
• 어려서 부모를 여의고 고생한다.
• 장인의 주인공의 인물됨을 알아보고 사위로 삼는다.
• 한때 잠을 많이 자는 모습을 보인다.
• 장모의 구박으로 처가를 나온다.
• 수련을 거쳐 전쟁에서 공을 세운다.

남쪽 염부주(염라대왕이 다스리는 곳)의 이야기

남염부주지(南炎浮洲志) | 김시습

성격 전기적, 환상적 **시대** 조선 전기
주제 선비가 지녀야 할 바른 자세와 당대 현실에 대한 비판

소설

이 작품은 주인공 박생이 남쪽의 염부주라는 지옥에서 염왕과 대화를 나누는 형식을 통해 작가의 사상과 철학, 이념, 종교관 등을 집약적으로 드러내고 있는 한문 소설이다.

출제 우선 작품

주요 사건과 인물

현실
열심히 공부하였으나 과거에 실패한 박생은 불쾌함을 느낌.

꿈
박생은 꿈속에서 염부주에 이르러 염왕과 사상적인 담론을 벌이고, 염왕이 박생의 능력을 인정하여 왕위를 물려주겠다고 함.

현실
꿈에서 깬 박생은 얼마 뒤 병이 들어 죽고, 그 후 남염부주의 왕이 됨.

박생
경주에 사는 유생으로, 뜻이 높고 강직함. 유교적 사상을 지지함.

문답식 토론
왕은 덕망으로 나라를 다스려야 하며, 백성을 나라의 주체로 여겨야 함을 드러냄.

염왕
남쪽 염부주의 왕으로 박생의 능력을 인정하여 왕위를 물려줌.

핵심장면 ① 박생이 책을 읽다가 잠이 들고, 꿈속에서 염부주라는 곳으로 가 염왕을 만나게 되는 부분이다.

□ : 주요 인물

하루는 박생이 거실에서 등불을 켜고 『주역』을 읽다가 베개를 괴고 얼핏 잠이 들었는데, 홀
유교 경전을 읽는 박생 – 유교적 이념을 지향하는 작가의 가치관 반영 ★ 주요 소재 입몽 내화
연히 한 나라에 이르고 보니 바로 바다 속에 있는 한 섬이었다. Link 소재의 의미와 기능 ❶, ❷
비현실적 공간

『그 땅에는 본디 풀이나 나무가 없고, 모래나 자갈도 없었다. 발에 밟히는 것이라고는 모두
『 」: 남염부주의 모습 묘사 – 지옥 생명이 없는 삭막한 모습
구리가 아니면 쇠였다. 낮에는 사나운 불길이 하늘까지 뻗쳐 땅덩이가 녹아내리는 듯하였고,
Link 소재의 의미와 기능 ❸ 매우 고통스러운 공간임이 드러남
밤에는 싸늘한 바람이 서쪽에서 불어와 사람의 살과 뼈를 에는 듯하니, 장애를 견딜 수가 없
었다.』

바닷가에는 쇠로 된 벼랑이 성처럼 둘러싸여 있었는데, 굳게 잠긴 성문 하나가 덩그렇게 서
폐쇄적이고 억압적인 남염부주의 모습 ① 폐쇄적이고 억압적인 남염부주의 모습 ②
있었다. 문지기는 물어뜯을 것 같은 영악한 자세로 창과 쇠몽둥이를 쥐고, 바깥에서 오는 자
사나운 폐쇄적이고 억압적인 남염부주의 모습 ③
들을 막고 서 있었다.

그 안에 사는 백성들은 쇠로 지은 집에 살고 있었는데, 낮에는 살이 문드러질 듯 뜨겁고 밤
폐쇄적이고 억압된 공간 인간이 견디기 힘든 가혹한 조건
에는 얼어 터질 듯 추워서, 오직 아침저녁에만 꿈틀거리고 웃고 이야기하였다. 별로 괴로워하
그 안의 생활이 익숙해졌기 때문
는 것 같지는 않았다. / 박생이 몹시 놀라서 머뭇거리자 문지기가 그를 불렀다. 박생은 당황하
였지만 명을 어길 수 없어 공손하게 다가갔다. 문지기가 창을 곧추세우고 물었다.

"그대는 어떤 사람이오?" / 박생이 두려워 떨면서 대답하였다.

Link

출제자 특 소재의 의미와 기능 파악하라!

❶ 유교의 경전을 읽다가 잠이 드는 박생의 모습에 반영된 작가의 가치관은?
유교적 이념을 지향함.

❷ 박생을 이승에서 저승으로 이동시키는 매개가 되는 것은?
잠

❸ 성질이 차갑고 딱딱한 것으로, 저승에서 살아가는 이들의 고달픈 삶을 드러내는 장치는?
구리와 쇠

"저는 아무 나라에 사는 아무개인데, 세상 물정을 모르는 선비입니다. 감히 신령하신 나리를 모독하였으니 죄를 받는 것이 마땅하겠
문지기
지만, 너그러이 용서하여 주십시오."

박생이 엎드려 두세 번 절하며 당돌하게 찾아온 것을 사죄하자, 문지기가 말하였다.

"'선비는 위협을 당하여도 굽히지 않는다.'라고 하던데, 그대는 어
유교적 선비의 지조(절개)

고전 산문 **373**

찌 이처럼 비굴하게 구시오? 우리가 이치를 잘 아는 군자를 만나려 한 지가 오래되었소. 우

리 왕께서 그대와 같은 군자를 한번 만나서 동방 사람들에게 한 말씀을 전하려 하신다오. 잠
_{염왕}

깐만 앉아 계시면 내가 곧 우리 왕께 아뢰겠소."

말을 마치자 문지기는 빠른 걸음으로 성안에 들어갔다. 얼마 뒤에 그가 나와서 말하였다.

"왕께서 그대를 편전(便殿)에서 만나시겠다니, 아무쪼록 정직한 말로 대답하시오. 위엄이 두
_{임금이 평상시에 거처하는 궁전} _{박생에게 솔직하게 생각을 말해 달라고 요구함}

렵다고 숨기면 안 되오. 우리나라 백성이 대도(大道)의 요지를 알게 하여 주시오."
_{올바른 길에 대한 중요한 내용} ▶ 꿈에서 남염부주에 도착하여 문지기에게 인도된 박생

핵심장면 ② 박생과 염왕이 정치적 지도자의 자질에 대해 문답식 토론을 하는 부분이다.

박생이 말하였다. / "왕께서는 무슨 인연으로 이 이국에서 왕이 되셨습니까?"
_{남쪽 염부주(염라대왕이 다스리는 곳)의 왕} _{남염부주(저승)}

왕이 말하였다.

"나는 인간 세상에 있을 때에 왕에게 충성을 다하며 힘내어 도적을 토벌하였습니다. 그러고
_{남염부주의 왕이 이승에 있을 때 충신이었음을 알 수 있음}

는 스스로 맹세하기를 '죽은 뒤에도 마땅히 사나운 귀신이 되어 도적을 죽이리라.'라고 하였
_{Link 함축적 의미 ❶}

습니다. 그런데 아직 그 소원이 다 이루어지지 않았고 충성심이 사라지지 않았기 때문에, 이
_{도적을 모두 토벌하지 못함}

흉악한 곳에 와서 왕이 된 것이지요.
「 」: 남염부주의 왕이 된 이유 – 유교적 사상(충)과 불교적 사상(윤회 사상)이 반영됨

지금 이 땅에 살면서 나를 우러러보는 자들은 모두 전생에 부모나 임금을 죽인 간사하고
_{불충과 불효가 만연한 당대의 사회상을 암시함}

흉악한 무리들입니다. 이들은 이곳에 의지해 살면서 나에게 통제를 받아 그릇된 마음을 고
_{남염부주의 공간적 의미 – 망자의 개과천선을 유도하는 공간}

치려 하고 있습니다. 그러나 정직하고 사심이 없는 사람이 아니면 이곳에서 하루도 왕 노릇
_{남염부주의 왕이 될 수 있는 조건 – 군주의 자질}

을 할 수가 없습니다.

내가 들으니 그대는 정직하고도 뜻이 굳어서 인간 세계에 있으면서 지조를 굽히지 않았다
_{△: 염왕이 생각하는 박생의 이미지} _{박생에 대한 세상 사람들의 평가}

고 하니, 참으로 달인(達人)입니다. 그런데도 그 뜻을 세상에 한 번도 펴 보지 못하였으니,
_{널리 사물의 이치에 통달한 사람} _{박생과 같은 인재를 알아주지 않음 – 인재 등용이 제대로 이루어지지 않는 현실 비판}

마치 형산의 옥덩이가 티끌 덮인 벌판에 내버려지고 명월주가 깊은 못에 잠긴 것과도 같습
_{중국의 산 이름. 옥으로 유명함} _{밤에 광채를 받하는 구슬}

니다. 뛰어난 장인을 만나지 못하면 누가 지극한 보물을 알아보겠습니까? 이 어찌 안타깝지
_{남염부주의 왕 자신} _{박생} _{Link 함축적 의미 ❷}

않겠습니까?" 〈중략〉
_{박생이 세상에서 인정받지 못하는 것을 안타까워함} ▶ 남염부주의 왕이 된 내력을 말해 주고 박생의 재능을 인정하는 염왕

그러고는 잔치를 열어 극진히 즐겁게 하여 주었다.

왕이 박생에게 삼한(三韓)이 흥하고 망한 자취를 물었더니, 박생이 하나하나 이야기하였다.
_{삼국 시대 이전에 있었던 나라: 마한. 진한. 변한}

고려가 창업한 이야기에 이르자, 왕이 두세 번이나 탄식하며 서글퍼

하더니 말하였다.

_{Link 함축적 의미 ❸}

"나라를 다스리는 이가 폭력으로 백성을 위협하여서는 안 됩니다.
_{군주} _{군주가 경계해야 할 것}

백성들이 두려워 따르는 것 같지만, 마음속으로는 반역할 뜻을 품

고 있습니다. 날이 가고 달이 가면 커다란 재앙이 일어나게 됩니

다. 덕이 있는 사람은 힘을 가지고 임금 자리에 나아가지 않습니
_{정치적 지도자의 자질 ① – 유교적 덕치주의}

다. 하늘이 비록 임금이 되라고 간곡하게 말하는 것은 아니지만,

그가 올바르게 일하는 모습을 백성에게 보여 줌으로써 백성의 뜻에 의하여 임금이 되게 하
_{정치적 지도자의 자질 ② – 도덕성, 근면성}
니 상제(上帝)의 명은 참으로 엄합니다. 나라는 백성의 나라이고, 명령은 하늘의 명령입니
_{정치적 지도자의 이념 – 민본주의}
다. 그런데 천명이 떠나가고 민심이 떠나간다면, 임금이 비록 제 몸을 보전하려고 하더라도
_{국가 유지의 조건 ①　　국가 유지의 조건 ②}
어찌되겠습니까?『 』: 백성을 폭력으로 다스려서는 안 된다는 점 강조 → 세조의 왕위 찬탈을 풍간함

박생이 또 역대의 제왕들이 불교를 숭상하다가 재앙 입은 이야기를 하자, 왕이 문득 이맛살
_{불교를 비판적으로 보는 작가의 사상을 대변함}
을 찌푸리며 말하였다.

"백성이 임금의 덕을 노래하는데도 큰물과 가뭄이 닥치는 것은 하늘이 임금으로 하여금 근신
_{홍수}
_{임금이 잘해도 재앙이 내리기도 함}　　　　　　　　_{복되고 길한 일이 일어날 조짐이 있는}
하라고 경고하는 것입니다. 백성이 임금을 원망하고 탄식하는데도 상서로운 일이 나타나는
_{임금이 잘못해도 좋은 일이 생기기도 함}
것은 요괴가 임금에게 아첨하여 더욱 교만 방자하게 만드는 것입니다. 제왕들에게 상서로운
일이 나타났다고 해서 백성이 편안해질 수 있겠습니까? 원통하다고 말할 수 있겠습니까?"
_{길한 징조를 선정의 결과라고 오해하는 왕들의 태도 비판}
박생이 말하였다.

"간신이 벌 떼처럼 일어나 큰 난리가 자주 생기는데도 임금이 백성을 위협하고 위엄 부리는
_{관리들에 대한 비판적 인식 → 현실 비판적 태도}
것을 잘한 일로 여겨 명예를 구하려 한다면, 그 나라가 어찌 평안할 수 있겠습니까?』
『 』: 임금이 간신들을 제압하지 않고 오히려 백성들을 억압하는 상황 비판
왕이 한참 있다가 탄식하며 말하였다.

"그대의 말씀이 옳습니다."
_{남염부주의 왕이 박생의 의견에 동의함}
❯ 염왕과 박생이 왕도 정치의 이상에 관한 대화를 나눔

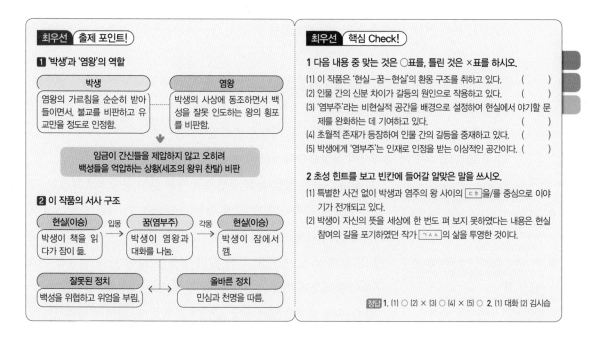

최우선 출제 포인트!

1 '박생'과 '염왕'의 역할

박생	염왕
염왕의 가르침을 순순히 받아들이면서, 불교를 비판하고 유교만을 정도로 인정함.	박생의 사상에 동조하면서 백성을 잘못 인도하는 왕의 횡포를 비판함.

⬇

임금이 간신들을 제압하지 않고 오히려
백성들을 억압하는 상황(세조의 왕위 찬탈) 비판

2 이 작품의 서사 구조

현실(이승) → (입몽) → 꿈(염부주) → (각몽) → 현실(이승)
박생이 책을 읽다가 잠이 듦. / 박생이 염왕과 대화를 나눔. / 박생이 잠에서 깸.

잘못된 정치 ↔ 올바른 정치
백성을 위협하고 위엄을 부림. / 민심과 천명을 따름.

최우선 핵심 Check!

1 다음 내용 중 맞는 것은 ○표를, 틀린 것은 ×표를 하시오.

(1) 이 작품은 '현실-꿈-현실'의 환몽 구조를 취하고 있다. (　　)

(2) 인물 간의 신분 차이가 갈등의 원인으로 작용하고 있다. (　　)

(3) '염부주'라는 비현실적 공간을 배경으로 설정하여 현실에서 야기할 문제를 완화하는 데 기여하고 있다. (　　)

(4) 초월적 존재가 등장하여 인물 간의 갈등을 중재하고 있다. (　　)

(5) 박생에게 '염부주'는 인재로 인정을 받는 이상적인 공간이다. (　　)

2 초성 힌트를 보고 빈칸에 들어갈 알맞은 말을 쓰시오.

(1) 특별한 사건 없이 박생과 염주의 왕 사이의 ㄷㅎ 을/를 중심으로 이야기가 전개되고 있다.

(2) 박생이 자신의 뜻을 세상에 한 번도 펴 보지 못하였다는 내용은 현실 참여의 길을 포기하였던 작가 ㄱㅅㅅ 의 삶을 투영한 것이다.

정답 1. (1) ○ (2) × (3) ○ (4) × (5) ○ 2. (1) 대화 (2) 김시습

출제 우선 작품

용궁의 잔치에 초대받아 다녀온 이야기

용궁부연록(龍宮赴宴錄) | 김시습

성격 전기적, 환상적 **시대** 조선 전기
주제 용궁에서의 기이한 경험과 인간 세상의 무상감

소설

이 작품은 김시습이 지은 『금오신화』에 실려 있는 몽유 소설로, 주인공이 꿈속에서 용궁으로 초대받아 가서 겪은 일을 주된 내용으로 하며 현실과 용궁의 대조를 통해 인재를 알아주지 않는 현실의 부당함을 비판하려는 의도를 담고 있다.

주요 사건과 인물

발단	전개	위기	절정	결말
뛰어난 문사인 한생은 꿈속에서 용왕의 초대를 받아 용궁으로 감.	용궁에 도착한 한생은 용왕과 세 명의 신하를 만남.	한생은 용왕의 부탁으로 상량문을 짓고 찬사를 받음.	용궁에서 환대를 받은 한생은 용왕에게 귀한 선물을 받고 현실로 돌아옴.	꿈에서 깬 한생은 명산으로 들어가 자취를 감춤.

현실(욕망의 억압)	→	꿈(욕망의 실현)	→	현실(도피)
한생은 능력이 있으면서도 조정에 나아가지 못함.		한생은 용궁에서 능력을 발휘하고 환대를 받음.		한생은 세상을 등짐.

↓

인재를 알아주지 않는 부당한 현실을 폭로

핵심장면 ① 용궁으로 초대된 한생이 용왕과 세 임금을 만나고, 용왕의 딸이 거처할 집의 상량문을 지어 올리는 부분이다.

『개성에 천마산이 있는데, 그 산이 공중에 높이 솟아 가파르므로 '천마산'이라 불리게 되었
_{우리나라를 배경으로 설정함 – 작가의 주체성을 엿볼 수 있음}　　　　　　　　　　　　　　　**Link** 공간적 배경 ❶
다. 그 산 가운데 용추(龍湫)가 있으니 그 이름을 박연(朴淵)이라 하였다. 그 못은 좁으면서도
　_{용소. 폭포수가 떨어지는 바로 밑에 있는 깊은 웅덩이}
깊어서 몇 길이나 되는지 알 수가 없었다. 물이 넘쳐서 폭포가 되었는데, 그 높이가 백여 길은

되어 보였다. 경치가 맑고도 아름다워서 놀러 다니는 스님이나 나그네들이 반드시 이곳을 구

경하였다.』/ 옛날부터 이곳에 용신이 살고 있다는 전설이 전기에 실려 있어서, 나라에서 세시
_{「 」: 공간적 배경 소개}　　　　　　　_{용왕의 존재를 암시함}　　　　　　　　　_{한 해의 절기나 달, 계절에 따른 때}
(歲時)가 되면 커다란 소를 잡아 제사 지내게 하였다.　　　　　　　▶ 공간적 배경 제시
Link 공간적 배경 ❷

　　고려 때 한(韓)씨 성을 가진 서생이 살고 있었는데, 젊어서부터 글을 잘 지어 조정에 이름이
　　　　　　　_{능력은 뛰어나지만 벼슬을 얻지 못한 채 선비로 지내고 있음}　　　　　_{조정에 알려질 정도의 재능이 있으나 등용되지 못함}
알려져서, 문사(文士)로 평판이 나 있었다. 어떤 날, 한생은 방에서 해가 저물도록 편히 쉬고
　　　　　　　　_{한생의 뛰어난 글솜씨 – 사건 전개의 복선 역할}　　　　_{□: 주요 인물}
있었더니, 문득 청삼(靑衫)을 입고 복두(幞頭)를 쓴 관원 두 사람이 공중으로부터 내려와서 뜰
　　　　　　　　　　　　_{└ 내화}　_{남색의 도포}　　　_{머리에 쓰는 관의 일종}　　　　　　　_{전기적 요소}
밑에 엎드렸다.
　　　_{한생을 예우함}
"박연 못의 용왕께서 모셔 오란 분부이십니다." / 한생은 깜짝 놀라 낯빛을 바꾸면서 말했다.
　　　　_{전기적 요소}　　　**Link** 공간적 배경 ❸
"신과 인간 사이에는 길이 막혀 있는데 어찌 통할 수 있겠소? 더구나 용궁은 길이 아득하고
　　_{용왕}　　　　　　　　　　　　　　　　　　　　_{전설에서, 바닷속에 있다고 하는 용왕의 궁전}
물결이 사나우니 어찌 갈 수 있겠소?" / 두 사람은 말하였다.

"준마(駿馬)를 문밖에 준비시켜 두었습니다. 사양하지 마시기 바랍니다."
　_{용궁으로 데려다주는 존재}

Link

출제자 특강 공간적 배경을 파악하라!

❶ '개성'을 공간적 배경으로 설정한 것을 통해 알 수 있는 것은?
　우리나라를 배경으로 한 것을 통해 작가의 주체성을 엿볼 수 있음.

❷ 서사 구조상, 옛날부터 박연 폭포에 용신이 살고 있다는 전설을 통해 암시하는 것은?
　용왕이 존재함.

❸ 한생이 초대를 받아 가게 된 곳은?
　용왕의 초대를 받아 용궁으로 가게 됨.

마침내 그들은 몸을 굽혀 한생의 소매를 잡고 문밖으로 모셨다. 그들이 한생을 부축하여 말 위에 태우니 일산을 쓴 사람이 앞에서 인
_{지체 높은 사람이 행차할 때나 벼슬아치들이 부임할 때 받치던 큰 양산}
도하고 기악(妓樂)이 뒤를 따랐다. 그리고 그 두 사람도 홀(笏)을 손
_{기생과 풍류}　　　　　　　　　　_{조선 시대에 벼슬아치가 임금을 만날 때 손에 쥐던 물건}
에 잡고 따랐다. 미구(未久)에 말이 공중을 향해 나니 말발굽 아래
　　　　　　　_{얼마 오래지 아니함}
구름이 뭉게뭉게 이는 것만 보일 뿐 땅에 있는 것은 보이지 않았다.
　　　　　　　　　　　▶ 용왕의 초대를 받아 용궁으로 가게 된 한생
　잠깐 후에 일행은 벌써 용궁 문밖에 도착했다. 말에서 내려서니 문
　　　　　_{전기적 요소}

지기가 방게, 새우, 자라의 갑옷을 입고 창을 들고 주르르 늘어서 있는데, 한생을 보더니 모두
머리를 숙여 절하고는 교의를 놓고 앉아 쉬기를 청했다. 미리 기다리고 있던 듯했다.

두 사람이 안으로 들어가서 보고하니, 곧 푸른 옷을 입은 두 동자가 나와 한생을 인도했다. 그
는 조용히 걸어 나아가다가 궁문을 쳐다보았다. 현관에 함인지문(含仁之門)이라 씌어 있었다.

그가 문 안에 들어서자 용왕은 절운관(切雲冠)을 쓰고 칼을 차고, 손에 홀을 쥐고 뜰 아래로
내려와서 맞이했다. 그를 이끌고 다시 뜰 위로 해서 궁전으로 올라가 백옥 걸상에 앉기를 청
했다. 한생은 엎드려 굳이 사양하며 말했다.

"어리석은 백성은 초목과 함께 썩을 몸이온데, 어찌 감히 거룩하신 임금님께 외람히 융숭한
대접을 받을 수 있겠습니까?" / 용왕은 말했다.

"오랫동안 선생의 명성을 들어왔습니다만 오늘에야 모시게 되었습니다."

마침내 손을 내밀어 앉기를 청했다. 한생은 세 번 사양한 후 자리에 올랐다. 용왕이 남쪽을
향해 칠보(七寶) 교의에 앉기 전에 문지기가 와서 말씀을 올렸다. / "손님이 오십니다."

용왕은 또 문밖으로 나가서 맞이해 들였다. 세 사람이 붉은 도포를 입고 채색 수레를 타고
나타났다. 위의(威儀)와 종자들로 보아 임금임에 틀림없었다.

용왕은 또 그들을 궁전 위로 인도하여, 동쪽을 향해 앉히고는 말했다.

"마침 인간 세상의 문사 한 분을 모셔 왔습니다. 여러분은 서로 의아히 생각하지 마십시오."
측근 사람에게 명하여 한생을 모셔 오게 했다. 그가 나아가서 인사를 하니 그들도 모두 머리
를 숙이고 답례를 했다. 한생이 윗자리에 앉기를 굳이 사양하니 그들은 말했다.

"선생은 양계(陽界)에 계시고 우리는 음계(陰界)에 사니 매여 있지는 않습니다만, 용왕님은
위엄이 있을 뿐 아니라 사람을 보는 안식도 밝으십니다. 선생은 틀림없이 인간 세계의 문장
대가이실 것입니다. 용왕님의 영이시니 거절하지 마십시오."

세 사람은 한꺼번에 자리에 앉았고, 한생은 몸을 굽혀 올라가서 자리 가에 꿇어앉았다.
용왕은 말하였다. / "편히 앉으십시오."

자리에 앉자 찻잔을 돌린 후에 용왕이 그에게 말했다.

"내 슬하에는 오직 딸이 하나 있어 곧 시집을 보내려 합니다. 그러나 거처가 누추해서 사위
를 맞이할 집도 화촉을 밝힐 만한 방도 없습니다. 그래서 따로 누각을 하나 지을까 하며, 집
이름을 가회각(佳會閣)이라 하기로 했습니다. 장인도 벌써 모았고
목재, 석재도 다 준비했습니다만 다만 없는 것이 상량문(上樑文)입
니다. 『풍문에 들으니, 선생께서는 문명이 삼한(三韓)에 나타났고
재주가 백가(百家)에 으뜸간다 하므로, 특별히 모셔 오게 한 것입
니다. 나를 위해 상량문을 하나 지어 주시면 감사하겠습니다."

말이 채 끝나기도 전에 두 아이가 하나는 푸른 옥돌 벼루와 상강의

반죽으로 만든 붓을 받들고, 다른 하나는 얼음같이 흰 명주 한 폭을 받들어 들어오더니, 꿇어
대나무의 한 종류
앉아서 한생 앞에 놓았다. 한생은 고개를 숙이고 엎드렸다가 일어나더니, 붓에 먹을 찍어 곧
상량문을 써 내려가는데, 그 글씨는 구름과 연기가 서로 얽히는 듯했다.

▶ 용왕의 부탁을 받고 상량문을 써 주는 한생

핵심장면 ② 용궁에서 돌아온 한생이 명산에 들어가 자취를 감추는 부분이다.

한생이 두 번 절하고 작별하였다. 그랬더니 <u>용왕이 산호 쟁반에다 구슬 두 알과 흰 비단 두</u>
한생의 재주에 대한 대가 ─ 용궁에서 보낸 시간이 환상이 아님을 증명하는 증거물
<u>필을 담아서 노잣돈으로 주고,</u> 문밖에 나와서 절하며 헤어졌다. 세 사람도 함께 절하고 하직
하였다. 세 사람은 수레를 타고 곧바로 돌아갔다.

용왕은 다시 두 사자를 시켜 산을 뚫고 물을 헤치는 기구를 가지고 한생을 인도하게 했다.
사자 한 사람이 한생에게 말했다. / "제 등에 업혀 잠시 눈을 감으십시오."

또 한 사자는 기계를 들고 앞길을 인도하는데 마치 몸이 공중으로 날아가는 것 같고 다만 바
람 소리와 물소리가 끊이지 않을 뿐이었다. 이윽고 소리가 그쳐 <u>눈을 떠 보니 자기 집 방이었</u>
꿈에서 현실로 돌아옴 ─ 환몽 구조 **Link** 글의 구조 **❶**
<u>다.</u> 놀라서 얼른 문을 여니 날이 밝아 오고 있었다. 품속에 손을 넣
시간의 경과
어 보니 <u>용왕이 준 구슬과 비단이 들어 있었다.</u> 한생은 이것을 대나
꿈에서 일어난 일이 실제 있었던 일임을 증명함 **Link** 글의 구조 **❷**
무 상자에 깊이 간직하고 남에게 보이지 않았다. 그 뒤 한생은 세상
용궁에서의 일을 간직함
의 <u>명리(名利)를 마음에 두지 않고 명산(名山)으로 들어갔는데,</u> 그
용궁에서 누린 즐거움에 비추어 볼 때 현실 세계에서의 명예나 이익이 허망하게 느껴짐 ─ 도교 사상의 반영
가 어떻게 되었는지는 알 수 없었다고 한다. ▶ 꿈에서 깨어 세상을 등지고 살아간 한생

최우선 **출제 포인트!**

1 구성상 특징

현실		꿈속		현실
외롭고 불우한 한생	→입몽	능력을 인정받는 한생	→각몽	자취를 감추는 한생

2 결말 구조의 특징

용왕의 초대를 받아 즐거운 여행을 하고 돌아온 한생이 세상에 나오자마자 명산으로 들어가 자취를 감춤.	→	• 용궁에서 누린 즐거움을 더는 누릴 수 없다는 것에 절망함. • 현실 세계에서의 명예나 이익이 허망하게 느껴짐.

3 '한생'과 작가와의 유사점

한생	• 능력은 뛰어나지만 벼슬을 얻지 못함. • 꿈속에서 재능을 마음껏 펼치고 능력을 인정받음.
작가 (김시습)	• 생육신으로 떠돌이 생활을 함. • 「용궁부연록」을 통해 내적 욕구를 발산하고 실현함.

최우선 **핵심 Check!**

1 다음 내용 중 맞는 것은 ○표를, 틀린 것은 ×표를 하시오.

(1) 작품에 나오는 인물이나 지명, 시대적 배경이 모두 중국을 중심으로
하여 작가의 사대주의 사상을 확인할 수 있다. ( )

(2) 서술자가 전지적인 위치에서 인물의 대화와 행동을 전달하고 있다.
( )

(3) 한생이 세상의 명리를 마음에 두지 않고 명산으로 들어가 어떻게 되
었는지 알 수 없다는 결말은 세상의 명리가 부질없음을 말해 준다.
( )

2 초성 힌트를 보고 빈칸에 들어갈 알맞은 말을 쓰시오.

(1) 이 작품은 '현실─ㄲ─현실'의 구조를 취하고 있는데, 이러한 구조를
환몽 구조라고 한다.

(2) 작품의 공간적 배경이 되는 ㅇㄱ의 세계는 현실에서 볼 수 없는 상상
의 공간으로 이야기가 전기성을 띠게 한다.

정답 1. (1) × (2) ○ (3) ○ 2. (1) 꿈 (2) 용궁

109위 남궁선생전(南宮先生傳) | 허균

성격 도선적, 서사적 **시대** 조선 중기
주제 욕망에서 벗어난 진정한 삶에 대한 성찰

소설

이 작품은 실존 인물인 남궁두의 이야기를 '전(傳)'의 형식으로 재구성한 소설이다. 재주는 있으나 세상에 쓰임을 받지 못하고 불우한 삶을 살았던 남궁두가 도가에 입문하는 동기와 수련 과정이 구체적으로 나타나 있으며, 말미에 작가의 논평을 통해 작가 의식을 드러내고 있다.

출제 우선 작품

 주요 사건과 인물

발단	전개	절정	결말
뛰어난 능력을 지녔지만 성품이 거만하고 무례하여 주위의 미움을 받았던 남궁두는 어느 날 자신의 첩이 사통하는 현장을 목격하고 활로 쏘아 죽인 일로 붙잡히나 아내의 희생으로 탈출함.	남궁두는 의령의 야암에서 관상을 보는 젊은 중과의 인연으로 무주 치상산에 옮겨 가서 선사를 만나 신선이 되기 위한 수련을 받음.	급히 서두르는 바람에 신태를 이루지 못한 남궁두가 선사의 출처담을 듣고 제신이 선사에게 알현하는 장면을 목도하자 선사는 남궁두에게 가르침을 주고 하산하여 지상선으로 살아갈 것을 명함.	고향으로 돌아와 늙은 종의 주선으로 다시 결혼한 남궁두는 용담으로 옮겨 은거하다가 부안에 사는 허균을 찾아와 지금까지 있었던 일과 선가의 비결을 알려 주고 떠남.

종, 죽은 첩의 아비, 고을 수령과 아전 등	← →	남궁두
남궁두의 거만한 행동에 반감을 갖고 그를 모해하여 악행을 가함.		뛰어난 능력을 지녔으나 불우한 삶을 살았던 인물로, 신선이 되기 위한 수련에 실패하고 결국 범인의 삶을 살아감.

핵심장면 ① 남궁두가 젊은 중의 스승인 선사를 만나 신선이 되기 위한 수련을 받다가 실패하는 부분이다.

"어디서 오시오?" / 하기에, : 주요 인물 **남궁두**는 읍(揖)하고서,
　　　　　　　　　　　　　　　　　　　　　　　　　　공손히 인사하는 예의 하나

"총지(摠持)가 선사(仙師)를 찾아뵈러 왔습니다."
　남궁두의 법명(法名)　초월적 능력의 소유자

했더니, 동자가 동편의 왼쪽 합문을 열어 주었다. 노승이 계시는데 모습은 마른 나무 같았으

며 해진 가사(袈裟)를 입고 나오면서,
　　　　　승려가 장삼 위에, 왼쪽 어깨에서 오른쪽 겨드랑이 밑으로 걸쳐 입는 법의

"화상(和尙)의 풍신이 우람하여 보통 사람 같지 않은데, 무엇 때문에 오셨나?"
　　　　승려를 높여 부르는 말

하였다. 남궁두는 꿇어앉으며,

"어리석고 우둔한 저는 아무런 기예(技藝)가 없습니다. 노사(老師)께서 많은 방술(方術)을 알
　　　　　　　　　　　　　　　　　　　　　　　　　　　　　　　　　　신선의 술법

고 계심을 듣고 세상에서 한 가지의 방술이라도 행하고 싶어서 천 리 먼 길에 스승을 구하고

자 왔습니다. 1년을 지내고야 겨우 찾았습니다. 제자가 되어 배우려 하오니 가르쳐 주소서."

하였다. 장로(長老)가,　　　　　　　　　　　　　　　　　　　　❯ 선사에게 자신을 제자로 받아 줄 것을 청하는 남궁두
　　　　배움이 크고 나이가 많으며 덕이 높은 승려를 높여 이르는 말　　**Link** 사건의 전개 ①

"산야(山野)에서 죽음이 임박해 있는 사람일 뿐인데 무슨 방술이 있겠나."

하자, 「남궁두는 계속 절하며 간절히 애걸했으나 굳게 거절하며 문에서 나오지도 않았다. 남궁
　　　　　　　　　　　　　　　　　　　　　　슬프게 하소연함
두는 처마 아래서 엎드린 채, 새벽이 되도록 애소(哀訴)하였고 아침이 되어도 그만두지 않았
　　　　　　　　　　　　　부처의 좌법으로 좌선할 때 앉는 방법의 하나
으나, 장로는 아무도 없는 것같이 여기며 부좌(趺坐)하고 선정(禪定)에 들어가 돌아보지도 않
　　　　　　　　　　　　　　　　　한마음으로 사물을 생각하여 마음이 하나의 경지에 정지하여 흐트러짐이 없음
은 채 3일을 보냈다. 남궁두가 갈수록 더 정성을 들이자, 장로는 그때에야 그의 정성을 알아보

고는 문을 열어 주며 방으로 들어오도록 해 주었다.」〈중략〉　　❯ 선사로부터 선술 지도를 승낙받은 남궁두
　「　」: 선계 입문을 위한 통과 의례의 시련을 인내심으로 극복하고 선사의 지도를 받게 됨

6년을 지내서 장로가,

"그대에게는 도골(道骨)이 있어 법으로는 마땅히 상승(上昇)할 만하네. 「이 수준에서 내려간
　　　　도(道)의 골상. 골상은 생김새에 나타나는 길흉화복의 상을 이룸　　　신선이 되어 승천함　　「　」: 유명 선인 정도의 경지에 오른 남궁두
다 해도 왕자교(王子喬)·전갱(錢鏗) 정도는 될 것이네. 욕념(慾念)이 비록 동(動)하더라도 오
　　　　중국 주나라 선인(학을 타고 날아다님)　중국 은나라 선인(700살 넘게 살았음)
직 그걸 참아야 하네. 무릇 욕념이란 비록 식색(食色)의 욕념이 아니더라도 일체의 망상(妄
　　　　　　　　　　　　　　　　　　　　　　　식욕과 색욕

想)은 참[眞]에 해로우니 반드시 모든 유(有)를 없애고 고요한 마음으로 단련해야 하네."
참선

Link 사건의 전개 ❷

하였다. 그런 후에 비어 있는 두 번째 집에다 남궁두를 앉히고는, 오르고 내리며 구르고 넘어지는 방법을 가르쳐 주었다. 가르쳐 주는 말마다 자상하고 친절하였다. 남궁두는 가르쳐 주는 바에 의거하여 태연히 앉아 움직이지 않으며, 눈을 감고 내면으로 장로를 보았다. 그런 때에는 춥고 더움, 주림과 배부름을 견디어 낼 수 있었다.   ▶신선이 되기 위해 수련하는 남궁두

하루는 윗잇몸에서 조그마한 오얏 같은 물건이 단물을 혀 위로 흐르게 하는 것을 깨닫고 장
자두
로에게 알리자, 장로는 천천히 빨아 뱃속으로 삼키라 하고는 기뻐하며,
근본이 갖춰졌으니
　　"서주기(黍柱基)가 세워졌으니 화후(火候)를 움직일 수 있네."
　　연단 과정 중 의념의 법칙을 장악하는 것을 일컬음. 연단의 마지막 과정으로 그 성패의 관건이 됨
하면서 곧바로 벽에 삼재경(三才鏡)을 걸고 좌우에 칠성검(七星劍) 두 개를 꽂아 절름발이 걸
천(天)·지(地)·인(人)을 비추는 거울   북두칠성이 새겨져 있는 칼
음을 걸으며 주문을 외어 마귀를 물리치고 도(道)를 이루게 해 달라고 빌었다.

단련한 지 거의 6개월 만에 단전(丹田)이 가득 채워지고 배꼽 아래서 금빛이 나오고 있었다.
　　　　　　　　배꼽 아래로 한 치 다섯 푼 되는 곳. 여기에 힘을 주면 건강과 용기를 얻는다고 함
『남궁두는 도(道)가 이루어짐을 기뻐하다 급히 이루고 싶은 마음이 갑자기 솟아남을 억제할 수
　　　후천(後天)의 마음   「 」: 남궁두는 빨리 신선이 되고 싶은 욕심 때문에 수련을 서두르다 결국 도를 닦는 수련에 실패함
없더니 차녀(姹女)에 불이 붙어 이환(泥丸)이 타오르자 고함을 지르며 뛰어나왔다.』 장로가 지
　　도가에서 말하는 상단전(三丹田)의 하나인 상단전(上丹田)을 가리키는 말로, '뇌'를 지칭함   **Link** 사건의 전개 ❸
팡이로 그의 머리를 치면서, / "슬프다, 크게 이루어지지 못하는구려."
　　　　　　　　　　　　　　　　신태를 이루는 데 실패했음을 의미함
하고는 급히 남궁두를 편안히 앉게 하여 기(氣)를 내리게 하였다.

기는 비록 수그러졌으나 마음이 두근거려 온종일 안정되지 않았다. 장로가 탄식하면서,

"세상에서 드문 사람을 만났기에 가르쳐 주지 않은 것이 없었는데, 업(業)의 가로막음을 제거하지 못하여 끝내 엎질러지고 말았으니 그대의 운명이지, 내 힘으로 어떻게 하겠나."

하고는 이어서 소다(蘇茶)를 마시게 하였다. 7일 만에야 마음이 편안해지고 기에 뜨거움이 오
　　　　　　　회복시키는 차
르지 않았다. 장로가,

Link
출제자 **특** 사건의 전개를 파악하라!

❶ 남궁두가 선사를 찾아온 이유는?
　선사의 제자가 되어 방술을 배우기 위해서

❷ 신선이 되기 위한 수련에서 가장 중요시하고 있는 것은?
　인간의 원초적인 욕망의 억제와 인내력

❸ 남궁두가 신선이 되는 데 실패한 원인은?
　더 빨리 신선이 되고 싶은 욕심에 서두르다가 실패하게 됨. 즉 욕념을 억제하지 못하고 서두른 탓에 실패함.

"그대는 비록 신태(神胎)를 이루지는 못했으나 역시 지상의 신선은 될 수 있을 것이며, 조금만 더 수양한다면 8백 세의 수(壽)를 누릴 수 있을 거네. 그대의 운명에는 당연히 아들을 두도록 되어 있으나 정자가 나오는 길이 이미 막혔으니 복약하여 트이도록 하게나."

하면서 붉은 오동 열매와 같은 환약 두 알을 꺼내 주어 그걸 삼켰다.

▶신태(神胎)에 실패한 남궁두

핵심장면 ❷ 남궁두가 작가 허균을 만나 자신의 이야기를 전해 준 뒤 떠나고, 이에 대해 작가가 논평하는 부분이다.

만력(萬曆) 무신년(1608년, 선조 41) 가을 나는 공주에서 파직을 당하고 부안에서 살았다.
　명나라의 연호　　　　　　　　　　　　　　허균(작가)
『선생이 고부(古阜)로부터 나의 객사(客舍)를 찾아왔다. 그리하여 네 가지 경(經)의 오묘한 뜻
　남궁두　전라북도 정읍　　　　　　　　　　　　　　　　「황정경」「참동계」「도인경」「옥추경」
을 나에게 전해 주시고, 또 그분이 선사 만났던 전말(顚末)에 대한 상세한 이야기를 위에서와
같이 말해 주었다.』「 」: 남궁두의 이야기를 알게 된 내력

선생의 나이는 그해에 여든셋이었으나 얼굴은 마치 마흔예닐곱 살 된 사람과 같았고, 보고
　　　　　　　　　　　　　　　외양 묘사를 통해 남궁두의 도인적 풍모를 제시함

듣는 능력이 조금도 쇠약하지 않았고, 톡 쏘는 눈동자나 검은 머리털이 의젓하여 여윈 학(鶴)과 같았다. 어떨 때는 며칠을 먹지도 않고 잠을 자지도 않으며 『참동계(參同契)』나 『황정경(黃庭經)』을 쉬지 않고 외곤 하였다. 간혹,

"남몰래 해로운 일을 하지 말며, '귀신이 없다.'고 말하지 말게. 착한 일을 행하여 덕을 쌓고, 욕심을 끊고 마음을 단련한다면 상선(上仙)의 극치를 세울 수 있으며, 난새와 학(鶴)이 며칠 사이에 내려와 맞아 줄 것이네." / 하였다.

나는 선생의 음식·거처가 보통 사람과 같음을 보고서 이상하게 여겼더니, 선생은,

"내가 처음에는 비승(飛昇)하리라 여겼는데 빨리 이루고 싶어 하다가 이루지를 못하고 말았네. 우리 스승님께서 이미 지상의 신선은 되었으니 부지런히 수련하면 8백 세의 나이는 기약할 수 있다고 허락하셨네. 『요즘 산중(山中)이 너무 한가하고 적막하여 속세로 내려왔으나 아는 사람 한 사람 없을뿐더러, 가는 곳마다 젊은이들이 나의 늙고 누추함을 멸시하여 인간의 재미라고는 전혀 없네. 사람이 오래도록 보고 싶어 하는 것이란 본래 즐거운 일인데, 쓸쓸하고 즐거움이라고는 없으니 내가 왜 오래 살려고 하겠는가? 이 때문에 속세의 음식을 금하지 않고 아들을 안고 손자를 재롱부리게 하며 여생을 보내다가 승화(乘化)하여 깨끗이 돌아가 하늘이 주신 바에 순종하려네.』 그대야말로 선재(仙才)와 도골(道骨)이 있으니 힘써 행하고 쉬지 않는다면 진선(眞仙)이 되기에 아무런 어려움이 없을 것이네. 우리 스승께서 일찍이 나에게 인내력이 있다고 하셨는데 참아 내지를 못하고 이 지경이 되었네. 인(忍)이라는 글자 하나는 선가(仙家)의 오묘한 비결(祕訣)이니 그대 또한 삼가 지니고 놓치지 말게나."

하였다. 얼마 동안 머무시다가 붙잡는 손을 뿌리치고 떠나갔으니, 사람들은 그가 용담(龍潭)으로 다시 갔다고들 하였다.

허균(許筠)은 논한다.

전해 오는 말에 '우리나라 사람들은 불교는 숭상했어도 도교는 숭상하지 않았다.'고 한다. 신라 시대로부터 조선 시대에 이르기까지 몇 천 년이 지났으나 한 사람도 득도(得道)하여 신선이 되었다는 말을 듣지 못했다고 해서, 과연 전해 오는 말이 과연 징험 되는 것인가? 그러나 내가 보았던 남궁 선생(南宮先生)으로 말한다면 다르다 하겠다. 선생이 스승으로 여겼던 분은 과연 어떤 사람이고, 상(相) 보는 사람에게 알아냈다는 것도 결코 확실히 믿을 만한 것은 못 되며, 말했던 것들도 역시 모두 그렇지만은 않으리라. 요컨대 그림자나 메아리 같은 실체 없는 소리이리라. 다만 선생의 나이와 용모로 본다면 참으로 득도(得道)할 수 있었던 사람이 아닐 것인지. 어찌하여 여든의 나이이고도 그처럼 건강했으랴. 이건 또 도교 숭상하는 일이 실제로 없었다고 결정 내릴 수도 없으리라. 아아, 그거야말로 기이하도다. 『우리나라가 궁벽한 바다 밖 멀리에 있어 뛰어난 은사(隱士)로 선문자(羨門子)나 안기생(安期生)과 같은 분들이 드물었으나 암석의 사이에 그러한 이인(異人)이 있어 여러 천백 년 만에 남궁 선생으로 하여금 만날 수

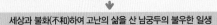

Link
출제자 특강 작가 의식을 파악하라!

❶ '도교 숭상한 일이 실제로 없었다고 결정 내릴 수도 없으리라.'라는 말에 담긴 작가의 생각은?
남궁두의 존재를 근거로 우리나라에서는 도교를 숭상한 일이 없었다는 말에 대한 회의적 시각을 드러냄.

❷ 남궁두에 대한 작가의 감정은?
빨리 이루려는 욕망으로 수련에 실패하지 않았다면 중국의 선인들 못지않은 선인이 될 수 있었을 것이라 하며, 남궁두가 선인이 되지 못한 것에 대해 안타까움과 애석함을 표명함.

있게 하였으니 그 누가 '좁은 지역이니 그러한 인물이 없다.'라고 말하랴. 도(道)에 통달하면 신선이고 도에 몽매하면 범인이다. 전해진 **Link 작가 의식 ❶** 다는 말이 이식(耳食)과 무엇이 다르리오. 선생으로 하여금 빨리 이 듣기만 하고 맛은 안다는 뜻으로, 남의 말을 귀로만 듣고 넘겨짚어 그대로 믿어 버림을 비유적으로 이르는 말 루려던 욕망이 없게 하여 끝내 단련하던 효과를 거둘 수 있게만 했다면 저들 선문자·안기생과 어깨를 맞대고 나란히 맞서기에 무슨 어려움이 있었으랴. 다만 그분이 찾아내지 못하여 다 이루어진 공(功)을 실패하고 말았으니 오호, 애석하도다. ➤ **작가의 논평**
Link 작가 의식 ❷

최우선 (출제 포인트!)

1 이 작품의 서사 구조

인간 세계	선계	인간 세계
살인을 저지른 남궁두는 평소 그에게 반감을 갖고 있던 사람들의 모해로 고초를 겪다가 가까스로 탈출함.	속세를 떠나 중이 된 남궁두는 선사를 만나 신선이 되기 위한 수련을 받으나 빨리 이루고 싶어져 급히 서두르다 실패함.	인간 세상에 다시 돌아온 남궁두는 삶에 흥미를 잃고 범인으로 살아가던 중 허균을 만나 선가의 비결을 알려 주고 떠남.

→ 세상과 불화(不和)하여 고난의 삶을 산 남궁두의 불우한 일생

2 이 작품에 담겨 있는 작가의 인식

이 작품에서 남궁두는 탁월한 능력을 지녔음에도 성격이 거만하고 고집이 세며, 자신만만하고 오만하여 주위 사람들의 배척을 받고 힘겨운 일생을 보내는 불우한 인물로 그려져 있다. 이는 남의 눈을 의식하지 않고 거리낌 없이 행동해 세상과 불화했던 허균 자신의 성격을 반영한 것으로, 남궁두의 좌절을 통해 비범한 인물이 세상에 용납되지 못하는 현실에 대한 작가의 인식을 드러내고 있다.

또한 이 작품에는 신선술과 신선 세계에 대한 작가의 해박한 지식이 드러나 있는데, 이를 통해 작가의 도교 사상에 대한 관심과 이인에 대한 동경을 엿볼 수 있다. 작가의 신선 세계에 대한 동경은 현실과의 불화에 대한 정신적 위안이자 작가의 이상을 신비한 곳에 두어 해결하려는 의도로 볼 수 있다.

3 구성·표현상 특징

- 인물 간의 대화나 인물의 독백 등 극적 제시 방법을 활용하여 사건 전개의 흥미성과 구체성을 높이고 있다.
- '전(傳)'의 양식을 따르고 있으나, 인물이 겪는 시련을 사실적·인과적으로 전개하고 인물의 행적을 소설적으로 재구성하였다.
- 추상적인 이인(異人) 설화나 평면적인 '전' 양식과 달리 사실적·구체적 장면 묘사로 사건을 실감 나게 제시하였다.

최우선 (핵심 Check!)

1 다음 내용 중 맞는 것은 ○표를, 틀린 것은 ✕표를 하시오.

(1) 전기체 소설로 인물의 일대기를 기록하고 행적을 드러내어 후세 사람에게 모범을 보이거나 경계함을 목적으로 한 작품이다. (　　)

(2) 〈핵심 장면 2〉에서는 남궁 선생의 말을 통해 그간의 행적을 요약해 제시하고 있다. (　　)

(3) 마지막 부분에서 작가의 논평을 통해 주인공의 비범성을 강조하고 있다. (　　)

2 초성 힌트를 보고 빈칸에 들어갈 알맞은 말을 쓰시오.

(1) 남궁두의 ㄷㄱ 입문 동기와 과정, 수련 방법 등이 자세하게 제시되어 있다.

(2) 〈핵심 장면 1〉은 전지적 시점에서 서술이 이루어지고 있지만, 〈핵심 장면 2〉는 ㅇㅇㅊ 시점에서 서술이 이루어지고 있다.

정답 1. (1) ○ (2) ○ (3) ○ 2. (1) 도교 (2) 일인칭

110위

다모전(茶母傳) | 송지양

성격 사실적, 비판적 **시대** 조선 후기
주제 인륜을 생각하는 다모의 법 집행

소설

이 작품은 조선 시대에 여성 수사관의 소임을 수행하던 다모를 주인공으로 한 고전 소설이다. 백성의 사정을 먼저 살피고 배려한 다모의 정의로운 행적을 통해 인륜에 바탕을 두고 법을 집행해야 한다는 통치 이념을 제시하고 있다.

 주요 사건과 인물

발단	전개	절정	결말
주인공인 다모를 소개하고 밀주를 엄하게 단속했던 임진년의 시대 상황을 제시함.	다모는 술을 담갔다는 고발이 들어온 양반 댁에 조사를 나갔다가 주인 할머니의 딱한 처지에 술 담근 사실을 덮어 주고, 할머니의 밀주 사실을 아는 사람이 할머니의 시동생인 젊은 생원임을 확인함.	다모는 젊은 생원을 한성부에서 만나 질책하고 이에 다모가 죄를 덮어 준 사실이 밝혀져 주부는 다모에게 곤장 20대의 벌을 주지만, 따로 다모를 불러 의인이라 칭송하며 상금을 내림.	다모는 상으로 받은 돈을 양반 댁의 주인 할머니에게 주며 똑같은 죄를 짓지 말라고 당부한 뒤 떠남.

긍정적 인물			부정적 인물	
주부	다모	↔	생원	아전
법을 지켜 죄는 엄히 다스리지만 의로운 행동은 인정하는 지혜로운 관리	법보다는 인간으로서의 도리를 더 중요한 미덕으로 여겨 할머니의 죄를 덮어 줌.		금전적 이익을 위해 형수를 고발하는 패륜을 저지름.	죄인을 잡아 실적을 올리는 일에만 관심이 있음.

핵심장면 ① 한성부의 다모가 아전과 함께 밀주를 담갔다는 고발이 들어온 집을 찾아가 수사를 하는 부분이다.

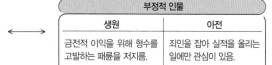

김조이는 한성부의 다모다.
> 조선 시대에, 서울의 행정·사법을 맡아보던 관아
> ❯ 주인공의 신분 소개
조선 시대에 일반 관아에서 차와 술대접 등의 잡일을 맡아 하던 관비, 한성부나 포도청 다모는 수사관 역할을 하기도 했음

임진년(1832년)에 경기와 호서 및 황해 세 곳에 큰 기근이 들어, 한성부에서는 대소(大小)의
> 시간적 배경·공간적 배경

백성들에게 술을 빚지 못하도록 금지령을 내렸다. 이를 어기는 자는 죄의 경중에 가려 유배를
> ★ 주요 소재

보내든지 벌금을 물리든지 했다. 아전으로서 밀주(密酒)를 빚은 자를 일부러 감춰 주고 체포
> 중앙과 지방의 관아에 속한 구실아치   가볍고 무거운 정도

하지 않을 경우, 그 아전에게도 벌을 내리고 용서하지 않았다. 이에 아전들은 죄인을 잡지 못
> Link 반영된 사회상 ❶   관리들이 죄를 숨겨 주지 못하게 하기 위함

할까 걱정하다가 급기야 백성들에게 밀주 빚은 자를 몰래 고해바치게 한 후 벌금의 10분의 2

를 나누어 주었다. 이러한 까닭에 신고하는 자는 아주 많았으며 아전들은 귀신같이 적발할 수

있었다.
> 포상금을 받을 목적으로   자신에게 죄가 돌아올까 염려하였기 때문
> ❯ 큰 기근이 들어 술 담그는 일을 금지했던 당시의 시대 상황
> Link 반영된 사회상 ❷

어느 날 한성부의 아전 하나가 남산 아래 어느 거리의 외진 곳에 몸을 숨기고 있었다. 아전

은 다모를 가까이 부르더니 시내 위로 놓인 다리 끝에서 몇 번째 집을 손가락으로 가리켰다.

"저긴 양반집이라 내가 마음대로 들어가 볼 수가 없거든. 그러니 네가 먼저 안채로 들어가
> Link 반영된 사회상 ❸   안쪽에 있는 집채

쓰레기를 뒤져 보고 술지게미가 있거든 고함을 치거라. 그러면 내가
> 술을 거르고 남은 찌끼에 물을 타서 모주를 짜내고 남은 찌꺼기 → 술을 담갔다는 증거

당장 들어가마."

Link

출제자 Tip 반영된 사회상을 파악하라!

❶ 민간에서 술 담그는 일을 금지한 이유는?
큰 기근으로 먹을 곡식도 부족했기 때문에

❷ 백성들이 밀주 빚은 자를 몰래 고해바친 이유는?
벌금의 10분의 2를 나누어 주었기 때문

❸ 아전이 다모로 하여금 몰래 양반집에 들어가게 한 것을 통해 알 수 있는 당시의 사회상은?
수사를 위한 일이라도 남자는 양반집 안채에 함부로 들어갈 수 없었음을 통해 당시 사회의 신분 제도를 엿볼 수 있음.

다모는 그 말대로 살금살금 까치걸음으로 들어가 집 안을 수색했다.
> 발뒤꿈치를 들고 살살 걷는 걸음

과연 석 되들이쯤 되는 항아리에 새로 늦가을에 담근 술이 들어 있었다.
> ❯ 밀주를 담근 집을 찾아 수사하는 다모

다모가 항아리를 안고 나오는데, 『주인 할머니가 그 모습을 보고는
> 『 』밀주를 담근 것을 들킨 충격 때문에

기겁을 하며 땅에 엎어졌다. 눈이 빛을 잃고 입가에 침을 흘리며 사

지가 마비되고 얼굴이 파래졌다. 기절한 것이었다.』 다모는 항아리를
> 다모의 인간적인 면모 ① - 죄인이라도 사람의 안위를 먼저 생각함

내려놓고는 할머니를 끌어안고 뜨거운 물을 급히 가져다 입안으로 흘려 넣었다. 잠시 후에 할머니가 정신을 차리자 다모가 질책했다.

"나라에서 내린 명령이 어떠한데 양반 신분인 분이 이처럼 법을 어긴단 말입니까?"

할머니는 사죄하며 말했다.

"우리 집 양반이 지병을 앓고 있는데, 술을 못 마시게 된 이후로 음식을 삼키지 못해 병이 더욱 고질이 됐네. 가을부터 겨울까지 며칠씩 밥도 못 짓고 살다가 며칠 전에 마침 쌀 몇 되를 _{오랫동안 앓고 있어 고치기 어려운 병} _{끼니도 때우지 못하는 가난한 형편임} 어디서 얻어 왔어. 노인의 병을 구완할 생각으로 감히 법을 어겨 술을 빚고 말았지만, 어찌 _{술을 담근 이유} 잡힐 줄 생각이나 했겠나. 선한 마음을 가진 보살께서 제발 우리 사정을 불쌍히 보아 주시기 _{다모를 가리킴} 바랄 뿐이네. 이 은혜는 죽어서라도 꼭 갚겠네."

다모는 불쌍한 마음이 들었다. 항아리를 안고 가서 잿더미에 술을 쏟아 버렸다. 그러고는 사 _{다모의 인간적인 면모 ② – 상대방의 어려운 처지에 연민을 느낌} _{술을 버려 증거를 없앰} 발을 하나 손에 들고 문밖으로 나왔다. 아전은 다모를 보고 물었다. / "어찌 됐느냐?" _{밀주를 담갔는지를 물음}

다모는 웃으며 말했다.

"술 담근 걸 잡는 게 문제가 아니라 지금 송장이 나오게 생겼소." _{주인 할머니가 술 담근 것을 덮어 줌}

다모는 곧장 죽 파는 가게로 가서 죽 한 그릇을 산 뒤 다시 양반 댁으로 가서 할머니에게 죽을 건네주었다.

"할머니가 음식도 못 해 잡수신다는 말을 듣고 안타까워 드리는 겁니다." _{다모의 인간적인 면모 ③ – 어려운 이를 도움} **Link 인물의 성격 ❶** 다모는 그렇게 말한 뒤 여기서 몰래 술 담근 걸 누가 또 알고 있느냐고 물었다. _{할머니를 밀고한 사람이 있을 것이기 때문에} ❯ 할머니의 딱한 사정을 듣고 술 담근 죄를 덮어 주는 다모

핵심장면 ② 다모가 한성부 앞에서 할머니를 고자질한 시동생을 만나 질책하는 부분이다.

다모는 손을 쳐들어 생원의 따귀를 때리더니 침을 뱉으며 꾸짖었다.

"네가 양반이냐? 양반이란 자가 형수가 몰래 술을 담갔다고 고자질하고는 포상금을 받아먹 _{가족의 어려움도 외면하는 생원의 비윤리적인 행위를 질책함} 으려 했단 말이냐?"

거리에 있던 모든 사람들이 깜짝 놀라 이들 주변을 빙 둘러서서 구경을 했다. 아전은 성난 목소리로 말했다.

"그 집 주인 할멈의 사주를 받아 나를 속이고 술 빚은 걸 숨겨 주고는 도리어 고발한 사람을 꾸짖어?"

Link
출제자 톡 인물의 성격을 파악하라!

❶ 주인 할머니를 대하는 태도를 통해 알 수 있는 다모의 성격은?
죄를 지었어도 사정이 어려운 사람을 불쌍히 여기는, 인의(人義)를 실천하는 성격

❷ 다모의 잘못을 전해 들은 주부가 성이 난 척한 이유는?
죄를 숨겨 준 일을 용서하면 법 기강이 서지 않기 때문에

❸ 주부가 다모에게 상을 내린 이유는?
남의 어려움을 살필 줄 아는 다모의 인간미와 의로움을 높이 샀기 때문에

아전은 다모를 붙잡아 주부 앞에 가서 다모의 죄를 고해바쳤다. 주 _{한성부 등에 두었던 종6품 벼슬} 부가 심문하자 다모는 사실대로 모두 자백했다. 주부는 성이 난 척 _{실제 화가 난 것은 아님} 하며 말했다.

"술 담근 일을 숨겨 준 죄는 용서하기 어렵다. 곧장 20대를 쳐라!" _{공적으로는 법 기강을 바로 세우기 위해 잘못을 엄격하게 다스림} **Link 인물의 성격 ❷** 저녁 무렵 관청 일이 끝나자 주부는 조용히 다모를 따로 불러 엽전 _{열 냥} 열 꿰미를 주며 말했다.

"네가 숨겨 준 일을 내가 용서해서는 법이 서지 않기에 곤장을 치게 했다만, <u>너는 의인(義人)</u>

<u>이로구나. 참 갸륵하다 여겨 상을 내리는 것이다.</u>" 　　　　　▶ 관청 일이 끝나자 다모의 의로움을 인정하고 상을 내리는 주부

　　　　　　　　　　　　　　　　사적으로는 정의보다 인정을 중시함

　　　　　　　　　　　　　　　　　　　　　Link 인물의 성격 ❸

다모는 돈을 가지고 밤에 남산의 그 양반 댁으로 가서 주인 할머니에게 건넸다.

『"제가 관청에 거짓 보고를 했으니 곤장 맞는 거야 당연한 일입니다만, <u>할머니가 술을 담그지</u>

『 』: 상대를 도와주며 잘못된 행동을 반복하지 않도록 당부하려는 의도　　　상대의 잘못을 오히려 공으로 돌림

<u>않으셨더라면 이 상이 어디서 나왔겠습니까?</u> 그러니 이 상은 할머니께 돌려 드릴게요. 제가

보니 할머니는 겨우내 춥게 지내시는 모양인데, 이 <u>1천 전(錢)</u> 돈으로 반은 땔나무를 사고

　　　　　　　　　　　　　　　　　　동전 1천 개 = 열 냥

반은 쌀을 사시면 추위와 굶주림 없이 겨울을 나시기에 충분할 거예요. <u>다만 앞으로는 절대</u>

<u>술을 담그지 마셔야 합니다.</u>"』　　　　　　　　　　罪를 반복하여 짓지 않기를 당부함

주인 할머니는 한편으로는 부끄러워하고 한편으로는 기뻐하면서 돈을 사양했다.

"다모가 우리 사정을 봐준 덕택에 벌금을 면하게 된 것만도 고마운데, 내가 무슨 낯으로 이

돈을 받는단 말인가?"

할머니가 굳이 사양하며 한참 동안이나 받지 않자 <u>다모는 할머니 앞에 돈을 밀어 두더니 뒤</u>

　　　　　　　　　　　　　　　힘든 처지인 사람들을 애처롭게 여기고 그 마음을 실천에 옮기는, 선하고 정의로운 다모의 성품

<u>도 돌아보지 않고 떠났다.</u>　　　　　　　　　▶ 상금으로 받은 돈을 할머니에게 주고 떠나는 다모

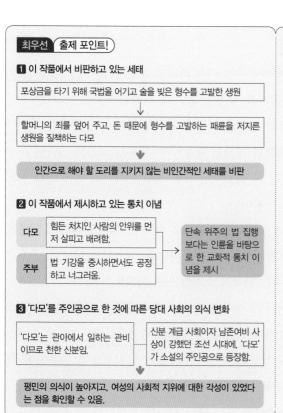

최우선 출제 포인트!

1 이 작품에서 비판하고 있는 세태

포상금을 타기 위해 국법을 어기고 술을 빚은 형수를 고발한 생원

↓

할머니의 죄를 덮어 주고, 돈 때문에 형수를 고발하는 패륜을 저지른 생원을 질책하는 다모

↓

인간으로 해야 할 도리를 지키지 않는 비인간적인 세태를 비판

2 이 작품에서 제시하고 있는 통치 이념

| 다모 | 힘든 처지인 사람의 안위를 먼저 살피고 배려함. | → | 단속 위주의 법 집행보다는 인륜을 바탕으로 한 교화적 통치 이념을 제시 |
| 주부 | 법 기강을 중시하면서도 공정하고 너그러움. | | |

3 '다모'를 주인공으로 한 것에 따른 당대 사회의 의식 변화

| '다모'는 관아에서 일하는 관비이므로 천한 신분임. | 신분 계급 사회이자 남존여비 사상이 강했던 조선 시대에, '다모'가 소설의 주인공으로 등장함. |

↓

평민의 의식이 높아지고, 여성의 사회적 지위에 대한 각성이 있었다는 점을 확인할 수 있음.

최우선 핵심 Check!

1 다음 내용 중 맞는 것은 ○표를, 틀린 것은 ×표를 하시오.

[1] 다모는 양반 댁 할머니가 잘못을 저지른 것을 알고 아전에게 할머니의 죄를 고해바쳤다. (　　)

[2] 밀주 금지 시책에 수반된 포상금을 두고 이권에 개입한 부패한 관리들과 밀고를 일삼는 무리가 결탁하는 등의 당대의 사회적 혼란상이 드러나 있다. (　　)

[3] 주인공인 김조이는 다모의 신분이지만, 선하고 정의로우며 자신의 관점이 분명한 주체적인 인물이다. (　　)

2 초성 힌트를 보고 빈칸에 들어갈 알맞은 말을 쓰시오.

[1] 아전이 다모를 시켜 양반집을 수색하게 한 것은 [ㄴㄴ]의 구별을 엄격히 하는 조선 시대의 유교적 관습에서 비롯된 일이다.

[2] 양반가인데도 몹시 가난하게 그려진 것은, 조선 후기로 오면서 경제적으로 몰락해 궁핍한 처지에 놓인 [ㅇㅂ]들이 많아졌던 당대의 사회적 변화가 투영된 결과이다.

정답 1. [1] × [2] ○ [3] ○ 2. [1] 남녀 [2] 양반

출제 우선 작품

유우춘전(柳遇春傳) | 유득공

성격 비판적, 의지적 **시대** 조선 후기
주제 진정한 가치를 알아주지 않는 현실에 대한 비판

소설

이 작품은 예술가로 사는 삶과 생활인으로 사는 삶 사이에서의 갈등과, 기예를 연마해도 알아주지 않는 당시 세태를 안타까워하는 해금 연주가 유우춘의 심리가 잘 나타나 있는 한문 소설이다.

주요 사건과 인물

도입
'나'는 서기공 앞에서 해금 연주를 했다가 비렁뱅이의 음악과 차이가 없다는 핀잔을 듣고, 서기공은 '나'에게 유우춘과 호궁기에게 가서 해금 연주를 배우라고 권함.

전개
'나'가 유우춘을 찾아가 해금 연주를 잘할 수 있는 방도를 묻자, 유우춘이 예술적 경지에 도달해도 예술성을 인정받지 못하므로 해금을 연주할 필요가 없다고 대답함.

논평
유우춘이 해금 연주를 그만둔 것을 보고, '나'는 진정한 가치를 평가받지 못하는 것이 어찌 해금 연주뿐이겠냐며 안타까워함.

예술가로서의 갈등	유우춘은 자신의 해금 소리를 제대로 알아듣는 이를 위해 연주하고 싶음.
↕	
생활인으로서의 갈등	유우춘은 어머니를 봉양하기 위해 자신의 예술성에 걸맞은 보수를 받고자 함.

→ 기예 연마를 중요시하지 않고 진정한 가치를 알아보지 못하는 당시 사회 비판

핵심장면 ① '나'가 해금의 명인 유우춘을 찾아가 그의 해금 연주를 듣고, 해금 연주를 잘할 수 있는 방도를 묻는 부분이다.

이때 <u>나</u>는 자루에 넣어 가지고 갔던 <u>★★ 중심 소재</u>해금을 보여 주며 말했다.
작품의 서술자이자 관찰자   '나'가 유우춘과 교류할 수 있는 계기를 제공하는 소재

"이 해금은 어떤가? 전에 나는 자네가 연주하는 해금에 뜻을 두어 벌레 소리며 새 소리를 내
                         비렁뱅이들이 쌀을 얻을 때 하는 연주를 가리킴

보려 한 적이 있었지. 그랬더니 남이 듣고는 거지 깡깡이 소리라고 해 몹시 창피했었네. 어
                     서기공 앞에서 연주했다가 핀잔을 들었던 일

떻게 하면 거지 깡깡이 소리가 아니게 할 수 있나?"
어떻게 하면 수준 높은 해금 연주 솜씨를 가질 수 있는지를 물어봄   ▶ 유우춘에게 해금 배우기를 청하는 '나'

<u>우춘은 손뼉을 치며 껄껄 웃더니 말했다.</u>
    유우춘이 거침없는 성격의 소유자임을 간접적으로 제시함

"물정 모르는 말씀이로군요! 『모기가 앵앵거리는 소리며 파리가 잉잉거리는 소리며 온갖 기
                                        열거

술자들이 뚝딱거리는 소리며 선비가 개골개골 글 읽는 소리며 천하의 이 모든 소리는 먹을

것을 구하는 데 그 목적이 있습니다.』 그러니 저의 해금과 거지의 해금 사이에 무슨 차이가
『 』: 세상의 모든 소리는 생계의 수단임   밥을 빌어먹기 위한 것이라는 점에서 똑같음

<u>있겠습니까? 또 제가 해금을 배운 건 노모가 계시기 때문이니, 재주가 묘하지 않다면 무슨</u>
                  유우춘은 어머니를 봉양하기 위해 해금을 연마하여 뛰어난 연주 솜씨를 갖게 된 것임

<u>수로 노모를 모실 수 있겠습니까?</u> 그렇긴 하지만 저의 해금 재주는 거지의 해금 연주가 묘
Link 인물에 대한 정보 ❶   생계를 위한 것이라는 측면에서 우열의 차이 없이 동일함

하지 않은 듯하면서도 묘한 것에 미치지 못합니다.

우선 제 해금과 비렁뱅이의 해금은 그 재료로 보자면 똑같습니다. 해금은 활대에 말총을

매고 말총에 송진을 발라 꺼끌꺼끌하게 합니다. 현악기도 아니요, 관악기도 아니며, 손으로

타는 현악기 소리인 듯도 하고, 입으로 부는 관악기 소리인 듯도 하지요.

저는 <u>해금을 배우기 시작한 지 3년 만에 재주를 이루었는데, 그러</u>
                     탄탄히 기초를 다진 후에 열심히 노력하여 수준 높은 연주 실력을 갖추게 되었음

<u>는 동안 다섯 손가락에 모두 굳은살이 박였습니다.</u> 그런데 <u>기예는</u>
                          Link 인물에 대한 정보 ❷

<u>더욱 높아졌으나 살림이 나아지지 않았으니, 사람들이 갈수록 내 음</u>
         해금 연주 솜씨는 늘었지만 일반 대중은 수준 높은 유우춘의 해금 연주를 이해하지 못함

<u>악을 이해하지 못하게 됐기 때문입니다.</u>

그런데 저 거지는 못 쓰는 해금 하나를 주워다가 몇 달을 다루고

Link
출제자 (꿀)팁 인물에 대한 정보를 파악하라!

❶ 유우춘이 생계를 유지하는 방법은?
유우춘은 해금을 연주하여 받은 대가로 노모를 봉양하고 생계를 유지하는 데 있음.

❷ 유우춘이 해금 연주의 기예를 높이기 위해 열심히 노력했음을 알려 주는 것은?
다섯 손가락에 모두 박힌 굳은살

나면 그 소리를 듣는 사람들이 우르르 모여듭니다. 연주를 마치고 돌아가면 그 뒤를 따라다
　　　　　　　　　일반 백성
니는 자가 수십 명은 되지요. 거지는 그렇게 해서 하루에 쌀 한 말을 얻고 벙어리의 돈까지
거둬 갑니다. 그 이유는 다름이 아니라 그 음악을 이해하는 자가 많기 때문입니다.

　지금 『유우춘의 해금』이라 하면 온 나라 사람들이 모두 압니다. 그러나 그 이름을 듣고 알
　　　　　『 』:해금 솜씨가 뛰어난 것보다는 사람들이 알아들을 정도로만 기술을 연마하는 것이 유리함 - 진정한 예술적 가치를 몰라주는 현실을 우회적으로 비판함
뿐이지 그 해금 소리를 듣고 이해하는 자야 몇 사람이나 되겠습니까?』**Link** 소재의 의미 ❶
　　　　　　　　　　　　　　　　　　　　➤ 자신의 예술적 가치를 알아주는 이가 부족한 현실에 대해 한탄하는 유우춘
　종실이나 대신들이 밤에 악공(樂工)을 부르면 악공들은 저마다 자기 악기를 들고 종종걸음
　　　유우춘의 음악을 제대로 감상할 줄 모르는 사람들
으로 마루에 오릅니다. 불빛이 휘황한 가운데 시종(侍從)은 이리 말하지요.
　　　　　　　　　　　　　　　　임금을 곁에서 모시어 어복(御服)과 어물(御物)에 관한 일을 맡아봄
　‘잘하면 상이 있을 것이다.’

　그러면 악공들은 몸을 굽히며 말합니다.

　‘예이.’

　이에 『현악기가 관악기에 애써 맞추려 하지 않고, 관악기가 현악기에 애써 맞추려 하지 않
　　　　　『 』:진정한 예술가도 없고, 진정한 예술을 이해할 수 있는 감상자도 없는 현실을 개탄함
아도, 소리의 장단과 빠르기가 은은하게 하나로 어우러지지요. 나직이 읊조리는 소리나 음
식을 씹는 소리가 문밖에 들리지 않아 흘끗 곁눈질해 보면 듣던 이는 망연히 책상에 기대 졸
고 있습니다. 그리고 잠시 후 기지개를 켜며 말하지요.

　‘그만해라!’

　악공들은 ‘예이.’ 하고 내려옵니다. 돌아와 생각해 보면 내가 연주하고 내가 듣다 온 것일
뿐입니다.”
　　　　　　　　　　　　　　　　　　　➤ 진정한 연주를 하지 않는 악공들과 예술을 이해하지 못하는 종실과 대신들

핵심장면 ② 유우춘이 ‘나’에게 이해받지 못하는 음악을 하는 예술가의 고뇌를 토로하고, 이후 유우춘이 악공 일을 그만두고 자취를 감추
　　　　　　　자 ‘나’가 진정한 예술을 알아주지 않는 세상을 비판하는 부분이다.
　　　　　　　　　　　　　　　　내시. 조선 시대에, 내시부에 속하여 임금의 시종을 들거나 숙직 따위의 일을 맡아보던 남자
“봄바람이 호탕하게 불어 복사꽃과 버들이 한창 좋을 때 환관이며 궁궐의 시종 별감이나 오
　　　　　　　　　　　　　　　　　　　예전에, 여자들이 나들이할 때에 얼굴을 가리느라고 머리에서부터 길게 내려 쓰던 옷
입쟁이 한량들이 무계 냇가로 가 노니는데, 기녀며 의녀들이 트레머리에다 장의(長衣)를 걸
　기생집을 드나들며 놀고먹는 젊은이들　　　　　　　　　　　가르마를 타지 아니하고 뒤통수의 한복판에다 틀어 붙인 여자의 머리
치고서는 등에 붉은 모직을 얹은 나귀를 타고 끊임없이 이릅니다. 놀이를 하고 가곡을 부르
　　　　　　　　　　　　　　　　　　　　　　　　　　　　　　　　　　　　군악
는가 하면 재담꾼이 섞여 앉아 우스갯소리를 하기도 합니다. 처음에는 ‘요취곡’을 연주하다
　　　　　　　　　　　　　　　　　　　　　　　　　군악이 유희나 풍류를 위한 곡으로 바뀌어 버림
가 가락을 바꾸어 ‘영산회상’을 연주합니다. 그러고는 손을 빠르게 놀려 새로운 곡조를 연주
하는데, 그 소리는 맺혔다가 다시 풀어지고, 막혔다가 다시 열리는 듯하지요. 그러면 봉두난
　　　　　　　　　　　　　　　　　　　　　　머리털이 쑥대강이같이 헙수룩하게 마구 흐트러짐. 또는 그 머리털
발을 한 채 찌그러진 갓에 해진 옷을 걸친 무리들이 머리를 까딱거
리고 눈을 깜빡거리다가 부채로 땅을 치면서 말합니다.

　‘좋구나, 좋아!’

　곡조가 호탕하고 신명 나기 때문이지만, 사실 이 음악이 하잘것없
　　　　　　　　　　　　　　　깊이 있는 예술을 이해하지 못하고 감상하지도 못하는 현실을 비판함
다는 걸 저들은 알 도리가 없지요.　　➤ 악기 연주를 유흥 정도로만 이해하는 사람들

　우리 무리 중에 궁기라는 이가 있습니다. 한가로운 날 만나서 두
　　　유우춘의 연주를 알아듣는 사람

Link
출제자 톡 소재의 의미를 파악하라!

❶ 자신과 비렁뱅이의 해금 연주에 대한 유우
　춘의 생각은?
　자신의 연주는 예술적으로 뛰어나지만 많은
　사람이 듣고 이해할 수 있는 대중성이 부족
　하지만, 비렁뱅이의 해금 연주는 그 소리를
　듣고 이해하는 사람들이 많으므로 깎아내려
　서는 안 된다는 생각을 드러냄.

❷ 유우춘으로 하여금 예술관을 말하게 하여
　작품의 주제 의식을 구현하고 있는 소재는?
　해금

사람이 각자 자루에서 해금을 꺼내 켭니다. 눈길은 푸른 하늘에 던져두고 마음은 손가락 끝에 두어, 연주에 한 치의 실수라도 있으면 껄껄 웃으며 돈 한 푼을 상대방에게 줍니다. 하지만 우리 두 사람이 돈을 주는 일은 그리 많지 않습니다. 그래서 저는 생각했지요.
<u>벌금으로 돈을 주는 일이 많지 않음 – 연주가 훌륭함</u>
'내 해금을 이해하는 사람은 궁기뿐이야.'
<u>관련 한자 성어: 지기지우(知己之友), 지음(知音)</u>
그러나 궁기가 제 해금을 이해하는 건 제 자신이 제 해금을 이해하는 것만큼 정밀하진 않습니다.
<u>자신의 음악을 자신처럼 이해해 주는 사람은 없다고 생각함</u>

지금 그대는 공을 이루기 쉽고 남들이 알아주는 일을 버리고, 공을 이루기 어렵고 남들이 알아주지 않는 일을 배우려 하니, 어리석은 일이 아니겠습니까?"
<u>예술적 경지에 도달해도 예술성을 인정받지 못하는 현실을 개탄함</u>

우춘은 모친이 세상을 뜬 뒤로 자기 일을 버렸고, 그 뒤로는 나를 찾아오지도 않았다. 우춘
<u>어머니를 봉양하기 위해 해금 연주를 했는데, 어머니가 돌아가셨으니 생계를 위해 해금 연주를 하지 않음 – 부정적 세태에 야합하지 않겠다는 의지</u>
은 아마 효자로서 악공의 무리 중에 숨어 지내던 사람일 것이다. <u>우춘이 말한 '기예가 높아질</u>
<u>유우춘을 통해 진정한 가치를 알아보지 못하는 현실을 우회적으로 비판하고 있음</u>
<u>수록 사람들은 이해하지 못한다.'라는 말이 어찌 해금에만 해당되는 말이겠는가.</u> **Link** 소재의 의미 ❷
▶ 진정한 가치를 이해하지 못하는 현실에 대해 개탄하는 '나'

최우선 (출제 포인트!)

1 '유우춘'의 말하기 방식

경험을 제시함으로써 신뢰감을 줌.	'환관이며 궁궐의 시종 별감이나 오입쟁이 한 량들'이 불렀을 때의 경험과 '궁기'라는 친구와 있었던 일을 통해 자신에게 해금을 배우려는 '나'에게 자신의 생각을 드러내고 있음.
설의적인 화법으로 상대에게 충고함.	'지금 그대는 공을 이루기 쉽고 ~ 어리석은 일이 아니겠습니까?'라는 설의적 화법으로 제대로 된 해금 연주를 배우려 온 '나'에게 충고함.
정중한 말투로 상대방을 존중함.	'~ㅂ니다'나 '~지요'와 같은 정중한 말투를 사용하여 상대방을 존중함.
다른 인물의 말을 흉내 내어 현장감을 줌.	'좋구나, 좋아!'라며 경험 속 다른 인물들의 말을 흉내 내어 현장감을 줌.

2 이 작품에서 비판하고 있는 당대 현실

• 예술적 수준이 높아질수록 대중들이 그것을 이해하지 못함.
• 사람들이 해금 연주를 제대로 감상할 줄 모르고 유희와 풍류로밖에 생각하지 않음.

↓

• 모친이 세상을 뜬 뒤 유우춘은 해금 연주를 그만둠.
• '나'는 기예가 높아질수록 그 가치를 알아주는 사람이 없는 것이 해금 연주뿐이겠냐며 안타까워함.

↓

진정한 예술의 가치를 알아주지 않는 현실 비판

최우선 (핵심 Check!)

1 다음 내용 중 맞는 것은 ○표를, 틀린 것은 ×표를 하시오.

(1) 예술가로서 유우춘의 면모를 소개한 후 자신의 음악을 이해하지 못하는 현실에 대한 유우춘의 고뇌를 제시하고 있다. ( )
(2) 유우춘은 백성들이 좋아하는 음악을 깎아내리지 않는 겸손함을 보인다. ( )
(3) 유우춘은 자신의 해금과 비렁뱅이의 해금에 차이가 없다는 이유를 들어 '나'의 음악이 비렁뱅이의 음악보다 못하다고 평가하고 있다. ( )
(4) 유우춘은 자신의 해금 연주를 가장 정밀하게 이해하는 것은 자기 자신이라 생각하고 있다. ( )

2 초성 힌트를 보고 빈칸에 들어갈 알맞은 말을 쓰시오.

(1) 당시 [ㅎㄱ] 연주가로 이름을 떨쳤던 유우춘의 삶을 전기적으로 다루고 있다.
(2) 진정한 예술의 가치를 알아주지 않는 현실을 [ㅂㅍ]하는 유우춘의 말에서 작가의 교훈적 의도를 확인할 수 있다.

정답 1. (1) ○ (2) ○ (3) × (4) ○ 2. (1) 해금 (2) 비판

까치전 | 작자 미상

성격 비판적, 풍자적, 우화적 **시대** 조선 후기
주제 무능한 관리와 부패한 사회상 비판

소설

이 작품은 까치의 죽음에 대한 재판 과정을 보여 주는 송사 소설로, 뇌물과 청탁이 오가고 정의롭지 못한 세력과 탐관오리가 백성을 괴롭히는 사회상을 우화 형식을 빌려 풍자하고 있다.

출제 우선 작품

주요 사건과 인물

발단	전개	위기	절정	결말
까치가 집을 지은 후 벌인 낙성연에 초대받지 못한 비둘기가 나타나 행패를 부리고 까치를 죽임.	암까치가 군수에게 억울함을 호소하나 증인들은 증언을 피하거나 뇌물을 받고 진실을 숨김.	비둘기는 문책만 당한 뒤 풀려나고 암까치는 까치의 원수 갚기를 축원함.	까치의 삼년상이 지난 뒤 할미새는 과거의 행동을 반성하고 암행어사 난춘에게 사건의 전모를 밝힘.	거짓 증언을 한 이들과 비둘기가 벌을 받고, 암까치는 남편의 영혼과 만나 많은 자손을 거느리며 부귀를 누림.

송사 사건

까치 — 힘없는 서민층

비둘기 — 신흥 부호층

진상 / 왜곡

본관 군수 보라매 — 무능하고 부패한 탐관오리

책방 구진, 두민 섬동지 — 거짓 증언을 함.

뇌물

핵심 장면 ①

까치의 잔치에 초대받지 못한 비둘기가 나타나 행패를 부리자 분노한 까치가 비둘기와 다투다가 죽게 되는 부분이다.

☐ : 주요 인물

비둘기가 할미새를 꾸짖어 이르되,

Link 인물의 성격 ❶

"너는 들어라. 나이 칠십이 넘은 것이 소년들과 함께 무엇을 구경하며, 무엇을 먹자고 와서 깔깔대며 끼어 있는고. 아무리 방정맞고 생각 없는 것인들 그런 행실이 어이 있을꼬."

하되, 할미새 무료(無聊)히 물러가니라.
　　　　　　　부끄럽고 열없이　　**Link** 인물의 성격 ❷

또 섬동지(蟾同知) 두꺼비를 꾸짖어 가로되,

"네 모양을 보니 키는 세 치가 못 되고 능히 일보를 뛰지 못하고 한갓 눈만 꺼벅거리며, 파리
　　　　　　길이의 단위. 한 치는 한 자의 10분의 1로 약 3.03cm에 해당함　　　　　『 』: 두꺼비의 외양 묘사
나 잡아먹을 것이어늘 이 잔치에 와서 무슨 면목으로 참견하는고."

하며, 인하여 좌중을 무수히 헐뜯고 욕하니 까치 분노를 이기지 못하여 비둘기를 후려치며 꾸
　　　　　모여 앉은 여러 짐승
짖어 가로되,

"불청객이 자리하여 남의 잔치에 감 놓아라 배 놓아라 분별이 무슨 일인고. 내 음식에 내 술
초대받지 못한 비둘기　　　　남의 잔치에 공연히 간섭하고 나섬을 비유적으로 이르는 말
먹고 이렇듯 헐뜯고 욕하니, 너 같은 심술이 어디 있으며 염치가 바이 없다. 나는 고사하고
　　　　　　　　　　　　　　　　　　　　　　　　아주 전혀
동네 늙은이와 남의 늙은 부인네들 모르고 헐뜯으니, 너 같은 무도한 놈이 어디 있으랴. 고
　　　　　　　　　　　　　　　　　　　　　말과 행동이 도리에 어긋나서 막된　　**Link** 인물의 성격 ❸
서(古書)를 듣지 못하였느냐. 내 집의 노인을 공경하여 그 마음이 다른 집 노인에게 미치게 하라는 성인의 말씀이 있거늘, 전혀 사리를 알지 못하니 너 같은 놈이 어디 있을꼬."

하니 비둘기 이 말 듣고 대로하여 달려들며, 두 발길로 까치를 냅다
　　　　　　　　　　크게 화를 냄
차니, 만장 고목 높은 가지에서 떨어져 즉사하는지라. 이때에 암까치
높이가 만 길이나 되는 키가 큰 나무　　　　　　　그 자리에서 바로 죽음
대성통곡하며 달려들어 비둘기를 쥐어뜯으니, 여러 비금(飛禽)들이
　　　　　　　　　　　　　　　　　　날짐승. 날아다니는 짐승을 통틀어 이르는 말
달려들어 비둘기를 결박하고 인하여 관아에 고발하니라.

➤ 행패 끝에 까치를 죽게 한 비둘기

➤ 초대받지 못한 잔치에 나타나 행패를 부리는 비둘기

Link
출제자 톡! 인물의 성격을 파악하라!

❶ 까치의 잔치에서 비둘기가 한 행동은?
초대받지 못한 잔치에 나타나 다른 짐승들을 헐뜯고 욕함.

❷ 비둘기의 행동에 대한 다른 짐승의 반응을 통해 알 수 있는 것은?
할미새는 비둘기가 함부로 대해도 아무 말 못 하고 물러나는데, 이를 통해 비둘기가 어느 정도 위력이 있는 존재임을 알 수 있음.

❸ 까치가 비난한 비둘기의 성격은?
심술궂고 염치가 없으며 무도하고 사리를 모름.

차시에 두민(頭民) 섬동지의 이름은 두꺼비요, 자는 불록이라. 일찍 육도삼략(六韜三略)과
이때에 / 동네에서 나이 많고 식견이 높은 사람. 촌장 / 본이름 외에 부르는 이름 / 중국의 오래된 병서

손오병서를 능통한지라. 이전 쥐나라와 싸울 적에 다람쥐의 도원수(都元帥) 되어 쥐나라를 파
전쟁이 났을 때 군무를 통괄하던 임시 무관 벼슬

(破)하니, 다람쥐 그 공으로 노직동지(老職同知) 가자(加資)를 주시니, 그러므로 세상이 '섬동
쳐부수어 이기니 / 조선 시대에, 노인에게 특별히 내려 주던 직무가 없는 벼슬 / 정삼품 통정대부 이상의 품계

지'라 하니, 동지의 의사가 창해(滄海) 같아 그른 일도 옳게 하고 옳은 일도 그르게 하더니, 마
넓고 큰 바다 / 수완이 좋음. 두꺼비에 대한 서술자의 부정적인 태도

침 비둘기의 처제가 심야에 찾아가 금백 주옥(金帛珠玉)과 채단(綵緞)을 많이 주며 이르되,
금과 옥, 온갖 비단 → 뇌물 / 장난을 하다가 잘못하여 죽임

"동지님의 창해 같사온 도량으로 이 일을 주선하와 아무쪼록 희살(戲殺)되게 하여 주옵소서."

동지 답 왈, / "유전(有錢)이면 사귀신(使鬼神)이라 하였으니 염려치 말라. 내 들으니 책방
[Link 반영된 사회상 ❶] 돈만 있으면 귀신도 부릴 수 있다 → 황금만능주의 / ▶ 두꺼비에게 뇌물을 주며 위증을 부탁함 / 고을 원의 비서 일을 맡아보던 자

(冊房) 구진과 수청기생 앵무가 총애를 받는다 하니, 금은보패를 드려 좌우에 청촉한 후에
남달리 귀여워하고 사랑함 / 뇌물을 주어 청탁을 하자는 의도

여차여차하자." / 하고 약속을 정하고, / "각청 두목과 제반 관속에게도 뇌물을 쓰고 이리저
[Link 반영된 사회상 ❷] 우두머리 / 관아의 아전과 하인들

리하면 고독단신(孤獨單身) 암까치 어찌할 수 없으리니, 그런즉 희살이 되리라."
도와주는 사람 없이 외로운 처지에 있는 몸 / ▶ 두꺼비가 뇌물을 받고 비둘기가 처벌받지 않도록 계략을 짬

비둘기 기뻐하여 그 말같이 하니라. 섬동지 관령(官令)을 좇아 잡혀가니 연만(年晚) 팔십이
관청의 명령 / 나이가 아주 많음

라. 숨이 차서 배때기를 불룩이며 눈을 껌벅거리고 입을 넙적이며 여짜오되,

"명정지하(明政之下)에 일호(一毫)나 기망(欺罔)하리이까. 본 대로 아뢰리이다."
한 가닥의 털이라는 뜻으로, 극히 작은 정도를 이르는 말 / 남을 속여 넘기기

하되, 군수 보라매 크게 기뻐하며 가까이 앉히고 묻기를,

"너를 보니 나이 많고 점잖은 백성이라, 추호(秋毫)도 숨기지 말고 이실직고(以實直告)하라."
매우 적거나 조금인 것을 비유적으로 이르는 말 / 사실 그대로 고함

섬동지 일어 절하고 다시 여짜오되,

"이 늙은 것이 남의 지극히 원통한 일을 어찌 조금이나 기망하리이까. 저는 근본이 길짐승이
기어 다니는 짐승을 통틀어 이르는 말

오나 나이 많은 연고로 두민(頭民)이라 하와 까치 낙성연에 참예하여 보온즉, 삼천 우족(羽
건물이 완공된 것을 축하하는 잔치 / 날짐승을 통틀어 이르는 말

族)을 다 청하였으되, 오직 비둘기를 청치 아니하였기로 괴이 여겼삽더니, 원근 까치와 비
까치가 비둘기를 좋아하지 않았다고 생각하게 하도록 한 말 / 본디, 본래

둘기가 싫어하는 뜻이 있삽던데 마침 비둘기 지나는 것을 까마귀가 청하여 말석에 참예하고
좌석의 차례에서 맨 끝 자리

이르되, '오늘은 봉황 대군의 국기일(國忌日)인데 풍악이 불가하다.' 하온즉, 까치 취중에 비
임금이나 왕후의 제삿날 / 음악을 연주하며 잔치를 벌이는 것은 옳지 못하다

둘기를 꾸짖어 왈, '남의 잔치에 왔으면 음식이나 주는 대로 먹고 갈 것이어늘 청치 아니한
청하지, 초대하지

데 와서 묻지 아니하는 말을 하는다.' 하되, 모든 객이 그 말이 옳다 하거늘, 비둘기 무료(無
여러 손님

聊)하여 왈, '저놈이 제 잔치에 왔다 하고 날더러 욕하는 것이 구태여 나에게만 하는 것이 아
머리를 삶으면 귀까지 익는다는 뜻으로, 한 가지 일이 잘되면 다른 일도 저절로 이루어짐을 비유적으로 이르는 말 / 빈틈이 없고 굳센

니라, 속담에 '팽두이숙(烹頭耳熟)이라' 하였으니, 제객인들 어찌 부끄럽지 아니하리오. 국

기일에 풍류 연락이 만일 알려지면 중죄를 당할 것이니 돌아감이 옳다.' 하온즉, 결곡한 까
풍치 있게 노는 일 / 잔치를 벌여 즐김 / 무거운 죄 / 앞에 아무것도 없어

치 기분을 이기지 못하여 비둘기에 달려들어 걷어찰 적에 수만 장 높은 가지에 허전(虛前)하
형벌에서, 자기의 의사에 따라 범죄를 실제로 저지른 사람

여 떨어져 죽으니, '나로 인하여 죽는구나.'라 하고 비둘기가 정범(正犯)이 되었나이다."
▶ 두꺼비가 군수에게 거짓 증언을 하여 비둘기를 두둔함

하되, 군수 그 말을 듣고 섬동지를 돌려보낸 후,

"이 일을 어찌할꼬?" / 하니, 책방 구진이 뇌물을 받았던 고로 이때에 아뢰되,

"저도 염탐(廉探)하온즉 비둘기 애매할 시 분명하더이다. 성정이 몹시 급한 까치 조급히 제결에
아무 잘못 없이 꾸중을 듣거나 벌을 받아 억울함 / 성질과 심성

질려 죽고 못 깬 것을 애매한 비둘기로 정범을 삼으니 어찌 원통하고 억울하지 아니하리오?"

말할 적에 앵무새 여짜오되,

"비둘기의 처가 소녀의 사촌이오니, 복원(伏願) 사또님은 헤아려 주시옵소서." / 하며 애걸하
_{엎드려 공손히 원함}

니, 군수 즉시 희살 보장(報狀)을 올린 후, 정범을 잡아들여 국문하니 비둘기 울며 아뢰되,
_{친척 관계임을 내세워 비둘기의 무죄 판결을 간청함} _{상관에게 공식적으로 보고하는 문서} _{중죄인을 말로 물어 조사하는 일}

"제가 근본 충효를 본받고자 하여 사서삼경과 외가서를 많이 보았으니, 족히 육십사괘를 짐
_{『주역(周易)』에서, 팔괘(八卦)를 여덟 번 겹쳐 얻은 64가지의 괘(卦)}
_{유학의 경서(經書)와 『사기(史記)』 이외의 모든 서적을 통틀어 이르는 말}

작하오며 충효를 효칙하옵더니 금년 정월 분에 신수(身數)를 보온즉, '금년 수가 불길하와
_{본받아 법으로 삼았더니}

관재 구설수가 있으니 연락하는 곳에는 가지 말라.' 하는 것을 정녕히 알지 못하옵기로 무심
_{관청에서 비롯되는 시비하거나 헐뜯는 말을 듣게 될 운수}

히 알았삽더니, 까치 낙성연에 우연히 지나옵다가 이 지경을 당하오니, 오는 수는 면하기 어
_{자신이 사건에 연루된 것을 운수 탓으로 돌림}

렵다는 말이 옳사오며, 일 전(前)에 어려운 줄을 알지 못한단 말이 옳사외다. 저 암까치 사리

도 알지 못하고 저를 모함하였사오니, 제 사생은 명찰하신 사또 처분에 있사오니 아뢰올 말
_{죽고 삶} _{사물을 똑똑히 살피는}

씀 없나이다."

Link
출제자 특강 반영된 사회상을 파악하라!

❶ '유전(有錢)이면 사귀신(使鬼神)'이라는 말에 담긴 사고방식은?
돈이면 무엇이든 마음대로 할 수 있다는 황금만능주의적 사고방식

❷ 섬동지가 제안한 송사 해결 방법은?
뇌물을 써서 송사를 해결하려고 함.

❸ 송사 사건을 통해 짐작할 수 있는 당시의 사회상은?
뇌물과 청탁으로 진실을 덮는, 불공정하고 부패한 사회상

하거늘, 군수 청파에, / "감영 회신을 기다려 결처하리라."
_{말을 다 듣고} _{결정하여 조처함}

하고 엄히 가두었더니, 일일은 회답이 왔거늘 형벌을 드디어 결처하

되, 증인들은 방송하고 정범은 곤장 세 대에 방출하거늘, 비둘기 크
_{비둘기가 살인죄를 모면함}

게 기뻐하여 춤추며 하는 말이,
_{실속이 없는 빈말}

"큰 죄를 면키 어렵단 말은 허언이요, 돈이 있으면 귀신도 부린다
_{「 」: 뇌물을 주어 살인 혐의에서 벗어난 비둘기가 이에 대한 만족감을 드러낸 말 – 물질 만능주의적 세태 반영}

는 말이 옳도다." / 하며, 의기양양하여 돌아가는지라.

Link 반영된 사회상 ❸

▶ 비둘기가 살인죄를 모면하고 풀려남

최우선 출제 포인트!

1 동물들의 상징성

까치 부부	지배 계층의 횡포에 시달리는 힘없는 서민층
비둘기	신흥 부호층으로, 관청의 아전들과 결탁하여 서민층을 수탈하는 존재
두꺼비, 구진, 앵무	세력과 돈이 있는 사람들과 결탁하여 이익을 챙기는 지방 관아의 부패한 인물들
보라매	공정하게 사건을 판결하지 못하는 무능한 관리들

2 이 작품에 나타난 송사

	첫 번째 송사	두 번째 송사
재판관	군수(보라매)	암행어사(난춘)
결과	비둘기의 승리(불공정한 재판)	암까치의 승리(공정한 재판)
재판의 의미	뇌물과 청탁으로 서민층이 핍박하는 부조리한 현실의 고발 및 풍자	부정부패한 관리들의 응징과 현명한 관리 출현에 대한 기대 심리 반영

최우선 핵심 Check!

1 다음 내용 중 맞는 것은 ○표를, 틀린 것은 ×표를 하시오.

(1) 까치의 죽음을 둘러싼 섬동지와 암까치의 대립은 빈부 격차가 심화된 현실을 보여 준다. (　　)

(2) 두꺼비는 황금만능주의적 사고방식을 가진 인물로, 실세에 빌붙어 이익을 챙기는 부정적인 인물이다. (　　)

2 초성 힌트를 보고 빈칸에 들어갈 알맞은 말을 쓰시오.

(1) [ㅇㅎ]의 형식을 빌려 관속들이 결탁하여 재물을 탐하던 조선 후기의 사회상을 적나라하게 서술하고 있다.

(2) 까치와 비둘기의 [ㅅㅅ] 과정을 통해 무능한 관리와 부패한 사회상을 비판하고 있다.

정답 1. ⑴ × ⑵ ○ 2. ⑴ 우화 ⑵ 송사

1등급! 〈보기〉!

송사 소설의 특징

백성끼리 분쟁이 있을 때 관청에 호소하여 판결을 구하는 송사를 주요 내용으로 하는 소설을 송사 소설이라고 한다. 이러한 송사 소설은 기존 질서의 회복을 바라거나 부조리한 현실을 고발하려는 성격이 강하게 나타난다.

113위

월영낭자전(月英娘子傳) | 작자 미상

성격 도선적, 교훈적 **시대** 조선 후기
주제 일부다처제가 빚어낸 가정의 비극과 그 극복, 권선징악

소설

이 작품은 남녀의 만남이 전생에서 예정된 것이라는 설정 아래 한 쌍의 남녀가 이합하는 과정을 그린 한글 소설이다. 전반은 여주인공이 혼인하기까지 많은 장애를 겪는 혼사 장애 이야기를 중심으로 전개하고 있으며, 후반은 처와 후처 간의 쟁총담으로 이루어져 있다.

주요 사건과 인물

발단
상서 최현과 호원 부부는 신이한 꿈을 꾸고 각각 아들 희성과 딸 월영을 얻은 후 희성과 월영을 정혼시킴.

전개
간신의 모함으로 부모를 잃은 월영은 고초를 겪다가 경어사 부인의 양녀가 되고, 장원 급제하여 민 씨와 혼인한 희성을 만나 혼인함.

위기
정한의 압력으로 희성은 그의 둘째 딸 정 씨와 혼인하고, 교만 방자한 정 씨는 희성이 집을 비운 사이 호 씨(월영)를 모해함.

절정
호 씨의 목숨이 경각에 달려 있을 때 선관이 나타나 호 씨의 무죄함을 밝히고 정 씨의 간계를 폭로하지 정 씨는 잉태한 채 자결함.

결말
간신들을 참한 천자는 호원의 억울한 죽음을 신원시키고 희성과 호 씨는 천수를 누린 후 함께 하늘에 오름.

정 씨
오만무도하고 시기심이 많은 인물로, 희성의 사랑을 독차지하기 위해 호 씨를 모해함.

←→

호 씨(호월영)
사려 깊고 지혜로우며 정숙한 여인으로, 정 씨에 의해 핍박을 당함.

핵심장면 ① 희성이 발해도 사신의 임무로 집을 비운 틈을 타 정 씨가 호 씨를 음녀로 모함하여 호 씨가 옥에 갇히게 되는 부분이다.

『각설, 이적에 <u>정 씨</u> 대부 원행(遠行)함을 기뻐하여 즉시 <u>호 씨</u>의 필적을 얻어 시녀를 명하여
`ᄂ: 주요 인물`
`남편 희성` `먼 길을 감` `월영`

공부하여 익힌 후에 서간을 만들어 두 부인께 보시게 하니라. / 일일은 호 씨 대부의 근력(筋
『ᄂ: 서술자가 개입하여 앞으로 전개될 사건의 일부 내용을 알려 줌 **Link 인물의 성격 ❶** `간이 상하여 옥의 양쪽 힘줄 사이에 생기는 크고 작은 멍울`

力)을 생각하여 탄식하다가 홀연 몸이 곤하여서 졸더니, 일몽을 얻으니 상서 부부 호 씨의 손
`호 씨에게 안 좋은 일이 생길 것임을 암시하는 현몽`

을 잡고 통곡하시거늘, 놀라 깨달으니 한 꿈이라. 심사 울울하여 후원에 나아가 심신을 위로

하니라. 이때 정 씨와 <u>상서 부인</u>이 취운당에 나아가 보니, <u>호 부인</u>이 또한 없고 인적이 고요한
`최희성의 어머니` `월영`

데, 봉한 서간과 떼어 본 서간이 있거늘, 두 부인이 떼어 본 서간을 보니,
`호 씨가 모함을 당하게 된 증거물 ─ 가짜 편지`

『절강의 고인(故人)은 두 번 절하고 호 낭자 좌하에 올리나니, 건곤(乾坤)이 무심하여 생을
`주로 편지글에서, 받는 사람을 높여 그의 이름이나 호칭 아래 붙여 쓰는 말` `큰 강과 바다를 아울러 이르는 말`

내시고 또한 낭자를 내시니 천정배필(天定配匹)이라. 정(情)이 중하여 태산이 가볍고 하해가
`하늘에서 미리 정해 준 배필` `강과 바다의 깊이를 과장되게 비유적으로 표현함`

얕으며 비할 데 없더니, 요사스런 계집의 참언을 들어 그대를 내치고 요녀를 집에 두었더니,
`거짓으로 꾸며서 남을 헐뜯어 윗사람에게 고하여 바침. 또는 그런 말`

하늘이 살피사 낭자의 애매함을 아시고 부모 후회하사 여자를 내치고 일봉서찰(一封書札)로
`억울함` `겉봉을 봉한 편지 한 장`

낭자를 청하나니, 깊이 생각하여 오기를 바삐 하소서. 낭자의 옛정을 생각하여 연분을 이루

게 하고 백년해로하면 황천에 돌아가도 좋을지라. 재삼 생각하소서. 지필(紙筆)을 임하매 서
`ᄂ: 거짓 편지의 내용 ─ 월영이 희성과 혼인하기`

러운 눈물 솟아나 소회를 다 기록치 못하나이다.』 / 하였더라.
`마음에 품고 있는 회포` `전 간부(姦夫)가 있었고, 이제 그 간부가 지난날의 잘못을 뉘우치고 월영과 재결합하기를 청한다는 내용임`

두 부인이 견필에 대경하여 또 봉한 서간을 떼어 보니, 기서에 왈,
`부친 편지`

"박명한 호 씨는 돈수재배(頓首再拜)하옵고 최장 좌하에 올리옵나니, 첩은 일찍 부모를 여의
`경의를 표한다는 뜻으로 주로 편지의 첫머리나 끝에 씀`

고 혈혈하온 일신을 낭군이 거두어 의탁하였삽더니, 낭군의 신첩 참언을 듣사옵고 첩을 내

치시오매, 간악하온 계집이 신을 지키고자 하오나 낭군이 다시 찾기를 믿지 못하온즉, 부모

제사를 뉘 분별하오리까. 첩이 또한 청춘이라, 공방 독숙이 외로운지라. 이제 낭군은 부모
`혼자서 지내는 것` `최희성`

생시에 정한 언약일러니, 낭군 구박하온 후 첩은 사고무친(四顧無親)하와 갈 곳이 없사옵는
`의지할 만한 사람이 아무도 없음`

고로 <u>최랑</u>을 만나 살거니와, 어찌 낭군의 정회를 일시인들 잊사오리까. 첩의 몸은 이곳에 있
`최희성`

사오나 마음은 전신에 맺혀 일월을 바라보고 혼자 눈물을 흘렸삽더니, 의외의 서찰을 받자와 보니 어찌 탐탐한 정과 첩첩한 심사를 전하오리까. 첩이 낭군의 <u>친찰(親札)</u>을 받자와 일
시나 머무르겠습니까마는, <u>복중에 최 씨의 끼친 혈육이 있으매</u> 불구에 후환을 두려워하니,
호 씨는 임신한 상태임
재삼 바라건대 낭군은 첩을 생각하와 칠월 초칠일로 첩을 단연히 데려가게 하옵시되, 은
하수상 오작교의 견우직녀 만나듯이 고일을 이루게 하며, 그날 황혼 시 자객을 먼저 보내어
일가 상하를 다 죽이고 첩을 곧 데려가시면 죽기로써 은혜를 갚사오리다. 첩이 배반하온 바
가 아니오라 낭군의 <u>불명(不明)</u>하심이오니, 천만번 살피사 데려가심을 고대하나이다.” / 하
였더라.

『 』: 거짓 편지의 내용 ② - 월영이 간부의 내침을 받고 어쩔 수 없이 희성과 살고 있지만 한 번
도 간부를 잊은 적이 없으며, 편지를 받고 가고자 하나 희성의 아이를 밴 상태로 후환이 두려우니
칠월 초칠일 황혼에 자객을 보내 희성 일가를 모두 죽이고 자신을 데려가기를 고대한다는 내용임

▶정 씨의 계략과 가짜 편지의 내용

두 부인이 편지를 읽고 대로하여 왈,

“호 씨 행실이 여차 무쌍하니 그저 두지 못할지라.” / 하고, 즉시 나와 상서를 보고 서간을
드리니, 『상서가 편지를 읽고 호 씨를 대하여 노하여 질책하며 왈,
『 』: 최 상서는 월영이 그간 보여 준 행동이나 태도는 전혀 고려하지 않은 채 단순히 거짓 편지의 내용만 믿고 호 씨를 단죄하려 함
“호녀의 행실이 여차함을 몰랐더니, 과연 불측한 행실이 있도다. 이러한 <u>음녀(淫女)</u>는 나라
믿었던 호 씨의 배신에 실망감을 느낌
에 고하고 법으로써 처치하리라.” / 부인 왈,

“무릇 범사를 경히 못하나니, 아직 하옥하였다가 자객 오기를 기다
이후 정 씨는 거짓 편지의 내용을 믿게 하도록 가짜 자객을 최 상서에게 보냄
려 말과 같이 자객이 오거든 그때에 국법으로 다스림이 늦지 아니
하여이다.” / 상서 그 말을 옳게 여겨, / “즉시 호 씨를 하옥하라.”
Link 인물의 성격 ❸
한대, 호 씨 마침 후원에 나아가 시를 읊다가 서산에 해가 졌는지라.
침소에 돌아와 쉬더니, 문득 하인이 들어와 호 씨를 결박하여 내거
늘, 호 씨 아무런 줄 모르고 발을 끌리며 바로 옥중에 나아가니, 그
모습이 참혹하더라.
서술자의 개입

▶모함을 받아 옥에 갇힌 호 씨

핵심장면 ② 호 씨가 처형당할 위기에 놓였을 때 선관이 나타나 호 씨의 무죄함을 밝히고 정 씨의 간계를 폭로하는 부분이다.

차설. 상서가 호 씨의 <u>생산함</u>을 알고 호 씨의 죄목을 갖추어 천자께 상달하니, 상이 들으시
아이를 낳음
고 노하사 호 씨를 결박하여 계단 아래에 꿇리고 문죄하실새, <u>호 씨가 안색을 불변하고 머리</u>
호 씨는 목숨을 보전하기 위해 거짓 자백을 하고 임신 중임을 들어 형을 연기해 줄 것을 간청한 바 있음
<u>를 조아려 죽임을 원하거늘</u>, 보는 자가 뉘 아니 참혹하게 여기지 아니하리오. 상이 보시고 애
호 씨의 의연한 태도 서술자의 개입
처롭고 불쌍해 차마 보기 어려워 하교하여 말하기를,

“음란한 계집이 감히 집안에 불의를 행하여 <u>강상지죄(綱常之罪)</u>를 지었으니, 너는 일찍 <u>봉초</u>
삼강(三綱)과 오상(五常)의 도덕을 심하게 위반한 죄 죄인을 문초하여 구두로 진술을 받던 일
(捧招)하여 국법을 밝히리라.” / 하신대, 호 씨가 머리를 조아려 다시 절하며 말하기를,

『신첩은 대장군 호랑의 종손이요, 상서 호원의 딸이요, 어미는 경국 장녀 조랑의 손녀이옵더
『 』: 호 씨는 자신이 살아온 내력과 잡혀 오기까지의 사연을 천자에게 말하며 옳고 그름을 밝혀 줄 것을 간청함
니, 첩의 아비와 상서 최현이 <u>지기지우(知己之友)</u>라. 첩이 어려서 최현의 아들과 더불어 결
자기의 속마음을 참되게 알아주는 친구
혼하옵고, 삼 년 후 아비가 참화를 만나 <u>장하(杖下)</u>에 죽사오니, 어미 또한 아비의 뒤를 좇
아버지 호원은 간신의 모함으로 곤문을 받다 죽음 예전에, 곤장으로 매를 맞는 그 자리
아 죽어 선산에 안장하옵고, 비복과 더불어 삼 년을 의지하여 지내오며 부모의 고혼을 위로

하옵더니, 본도 자사 위현이 여차여차하옵거늘 첩이 이리이리하여 두 번을 속이옵고, 변복
_{자사 위현은 월영을 취하기 위해 희성의 필체를 흉내 내 서간을 보내고 납치를 하려 사람을 보내는 등 흉계를 꾸미나 이를 간파한 월영의 꾀에 빠져 실패함}
하여 임안 옛터를 찾아가옵더니 마침 경 어사의 집에 다다라 그 부인이 무자(無子)하옵고 경
어사가 세상을 떠나 고초(苦楚)하옵거늘, 그 부인이 첩을 거두어 양육하옵기를 친녀같이 사
_{괴롭고도 어려움}
랑하는 두터운 은혜를 입어 머문 지 수삼 년 만에 최랑을 만나 약혼을 받들어 예로 청하옵거
_{최희성}
늘, 결혼 후 오래지 않아 골육을 끼치어 동락하오니 첩이 화락하여 안심하옵더니, 천만의외
_{화평하고 즐거움}
의 사죄(死罪)를 당하여 능히 말하여 밝히지 못하여 죽기를 당하오니, 바라옵건대 성상은 옥
_{음행을 범했다는 죽어 마땅한 큰 죄}
석(玉石)을 가리소서."

말을 끝내고 쌍루 흘러 옷깃을 적시는지라. 아뢰는 말을 들은즉, 개개 성덕의 부인이라. 상
_{두 눈에서 흐르는 눈물} _{낱낱}
이 하교하여 말하기를, / "진실로 네 말 같을진대 어찌 음녀라 하리오. 네 원대로 하여 내종을
_{다른 일을 먼저 한 뒤의 차례}
본 후 국법을 행하리라." 〈중략〉

천자가 전좌(殿座)하시고 자사 위현과 경 어사 집의 노비를 불러 호 씨의 일을 물으시니, 두
사람이 호 씨의 아뢰던 말과 추호도 다름이 없더라. 이때 만조백관이 모였는지라, 상이 상서
_{최현}
를 돌아보며 말하기를,

"두 사람의 말이 호 씨의 정절을 일컬으니, 대해(大海) 변하여도 호 씨의 행실은 변치 아니할
_{천자는 호 씨의 말이 사실이며, 호 씨의 정절이 높음을 듣고 호 씨의 결백을 믿게 됨}
지라. 어찌 불의를 행하리오. 경이 참언을 들었도다."
_{최현}
상서가 대답지 못하여, 정국공(鄭國公)이 나아가 아뢰어 말하기를,
_{황후의 부친이자, 정 씨의 부친임}
"전일 호원의 죄를 밝히지 못하온고로 조정을 경계치 못하옵고, 이제 또한 간교한 계집의 죄
_{월영의 아버지} _{호 씨를 가리킴}
를 밝히지 못하옵시면 이로조차 천하의 법령을 세우지 못하옵고, 호 씨의 참언과 간계에 속
으시니 어찌 국법을 안찰(按擦)하옵시며, 전후사는 호 씨의 간계를 깨닫지 못하시나이까?
_{자세히 조사하여 살핌} _{앞뒷일을 볼 때}
성상은 호 씨를 베어 후일 음행녀(淫行女)를 경계하옵소서." _{국법을 들어 호 씨를 죽일 것을 말함 / 정 씨의 편을 들어줌}

이 사람은 황후의 부친이라. 상이 국공의 말을 인하여 좌우 무사로 하여금,
_{임금이 국공의 말에 태도를 바꿈}
"호 씨를 베어 서문에 달아 세상 음행 여자를 징계하리라."
_{Link 사건의 전개 ❶} _{갑자기 어지러워 정신을 잃고 까무러칠 듯하여}
하시니, 무사 일시에 달려들어 호 씨를 잡아내어 올새, 이때를 당하여 혼백이 아뜩하여 앙천
_{하늘을 쳐다보며 몹시 욺}
통곡하니, 산천초목이라도 슬퍼하겠더라.
_{서술자의 개입}
장차 서문 밖에 나아갈새, 전후의 창검이 서리 같고 갖은 취타와 북소리는 우레 같아 사람의
_{관악기와 타악기}
명을 재촉하니, 호 씨가 하늘을 우러러 탄식하여 말하기를,

"유유창천(悠悠蒼天)은 밝히 살피소서."
_{한없이 멀고 푸른 하늘. 주로 원한을 표현할 때 씀}
북소리 두 번 나고 세 번 나기를 고대하더니, 북소리 세 번 나매 문득 대풍(大風)이 일어나고
_{천상계의 개입으로 호 씨는 비로소 위기에서 벗어나게 됨 – 사건 전개의 환상성(도선적 요소)}
천색(天色)이 어두우며 크게 눈과 비가 날려오는지라. 천지가 암흑하여 지척을 분변치 못하
고, 정신이 아득하여 군신이 모두 놀라고 천자 또한 놀라사

"호 씨 죽임을 그치라." / 하시더니, 이윽고 남쪽 땅으로써 향풍(香風)이 일어나며 한 선관
(仙官)이 표연히 천자 앞에 나와 말하기를,

"나는 상제께 명을 받아 호 씨를 구하러 왔노라. 호 씨는 천상(天上) 옥진성(玉眞星)으로서

상제께 득죄하고 적강하였더니, 어찌 무지한 정 씨와 비하리오. 정 씨가 무쌍한 흉계로 시부

모와 천자를 속인들 상제야 어찌 속이리오. 그대 호 씨를 구하고 정 씨를 죄주어 옥석을 가

리면 상제께서 귀히 여기시고, 불연즉 죄를 면치 못하리라."

Link 사건의 전개 ❷, ❸

『상이 대경하여 하교하여, / "금덩을 차려 호 씨를 모시라."』

하고, 사자를 보내어 정 씨를 결박하여 잡아 와 옥석을 구별코자 할

새, 정 씨가 이 기별을 듣고 간계가 나타났으매 피하지 못할 줄 알고

즉시 자결하니, 슬프다! 무심한 사람을 해하려다가 도리어 앙화(殃

禍)를 입으니, 정씨가 잉태한 지 팔삭에 그 어미의 죄로 모자(母子)

가 모두 죽으니, 천도 어찌 무심하리오. 천하 사람이 전파하여 정 씨

의 소행을 불쌍타 하는 사람이 없더라.

❯ 선관이 나타나 호 씨의 결백을 밝히고 이를 들은 정 씨는 자결함

Link

출제자 톡 사건의 전개를 파악하라!

❶ 호 씨가 처한 위기는?
음행의 누명을 쓴 호 씨는 국문을 받고 천자의 명에 따라 참형에 처할 위기에 놓임.

❷ 죽임을 당할 처지에 놓인 호 씨는 어떻게 위기를 극복하는가?
옥황상제의 명을 받은 선관이 나타나 호 씨의 결백을 밝히고 정 씨의 간계를 폭로함.

❸ 호 씨의 위기 극복 과정에서 나타나는 이 작품의 특징은?
천상계의 개입(초월적 힘)으로 사건이 해결됨. 초현실적 사건 전개가 나타남.

최우선 출제 포인트!

1 이 작품의 서사 구조

전반부 - 결연담	후반부 - 쟁총담	후일담
혼사 장애 구조	+ 처와 후처 간의 갈등(쟁총형) 구조	+ 되찾은 화락한 가정과 자손의 번성

2 이 작품의 갈등 양상과 극복의 의미

충신과 간신 간의 갈등	• 간신의 참소로 호원이 역모의 누명을 쓰고 죽자, 호원의 처 또한 자결함. • 후에 천자가 희성으로 하여금 간신들을 능지처참케 하고, 월영의 부모를 신원해 줌으로써 월영이 설원하게 되는 것으로 해결됨. → 간신에 대한 응징과 효 의식 고취
혼사 장애의 갈등	• 희성과 월영의 결연은 간신들의 참소와 월영을 취하려는 자사 위현의 흉계로 위기에 봉착함. • 월영이 위현의 흉계를 지혜로써 극복하고 경 어사 부인과 천상계의 도움으로 끊어진 인연을 이어 희성과의 혼사를 성취하는 것으로 해소됨. → 적극적인 고난 극복 자세와 정렬(貞烈) 의식 강조
처와 후처 간의 갈등	정 씨는 흉계를 꾸며 월영을 음란한 여자로 모해하고, 월영은 옥에 갇혀 죽음의 위기에 처하지만 천상계의 개입으로 문제가 해결됨. → 처첩, 처첩 간의 화목 강조, 권선징악(勸善懲惡)
가장과 가족 구성원 간의 갈등	• 가장인 최현(최 상서)은 제대로 된 판단을 못하고 주변 가족들의 합리적인 의사를 무시한 채 독단적으로 월영을 죽이려 함. • 천자는 가부장권을 잘못 행사한 책임을 물어 최현에게 벌을 내림. → 불합리한 가부장권에 대한 비판 의식

---

3 이 작품에 나타나는 순환 구조의 양상

이 작품에 나타나는 순환 구조는 현실계에서의 순환과 비현실계와 현실계의 순환으로 나눌 수 있다. 현실계에서의 순환은 행운과 고난이 순환되다가 결국 마지막에는 행운으로 끝나는 양상을 보여 준다. 비현실계와 현실계의 순환은 주인공이 천상계의 고귀한 신분이었으나 죄를 짓고 적강하여 지상계로 내려왔다가 다시 천상계로 회귀하는 모습으로 나타난다. 이때 월영과 희성의 일생이 현실계에 속하며, 이들의 전생 신분과 천상계에서의 만남, 월영의 고난 극복 과정에서의 천상계의 개입 등이 비현실계의 성격을 띠고 있다.

최우선 핵심 Check!

1 다음 내용 중 맞는 것은 ○표를, 틀린 것은 ×표를 하시오.

(1) 서술자가 개입하여 앞으로 전개될 사건의 일부 내용을 알려주고 있다. ( )

(2) 여러 처첩 가운데 악인이 선인을 모해하여 갈등을 빚는 쟁총형 구조를 보이고 있다. ( )

(3) 월영의 죽음이 임박했을 때 천상 선관이 황제 앞에 나타나 정 씨가 누명을 쓰게 되었음을 낱낱이 밝히고 있다. ( )

2 초성 힌트를 보고 빈칸에 들어갈 알맞은 말을 쓰시오.

(1) 천상계의 인물이 지상계로 내려오는 ㅈㄱ 모티프를 취하고 있다.

(2) 희성과 혼인한 ㅇㅇ이/가 다른 부인인 정 씨의 시기와 음해로 갈등을 겪는다.

정답 1. (1) ○ (2) ○ (3) × 2. (1) 적강 (2) 월영(호 씨)

윤지경전(尹知敬傳) | 작자 미상

성격 낭만적, 사실적 **시대** 조선 중기
주제 역경을 극복하고 이루어 낸 사랑

소설

이 작품은 윤지경이라는 인물이 부당한 권력에 맞서 사랑하는 여인과의 신의를 지켜 내고 화목한 가정을 이루어 행복한 여생을 보내게 된다는 내용의 애정 소설이다.

주요 사건과 인물

발단
재상 윤현의 아들 지경이 참판 최홍일의 딸 연화와 혼약하였는데, 임금이 지경을 연성 옹주와 혼인시킴.

전개
지경이 계속 연화를 만나자 최홍일과 윤 공이 두 사람을 갈라놓기 위해 연화의 거짓 장례를 치름.

위기
지경이 연화와 다시 만나는 것을 알게 된 임금이 옹주를 박대한 죄를 물어 두 사람을 유배 보냄.

절정
간신들에 의한 반란이 일어나 경빈 박씨가 처형되고 복성군과 연성 옹주가 유배를 가게 됨.

결말
지경은 임금에게 연성 옹주를 풀어 달라고 청하고, 옹주, 연화와 함께 화목한 가정을 이룸.

윤지경
부당한 권력에 맞서 사랑을 쟁취함.

↔

임금, 연성 옹주, 경빈 박씨
권력을 부당하게 행사함.

핵심장면 ①

윤지경이 자신을 연성 옹주와 혼인시키려는 왕에게 자신은 이미 연화와 혼약한 몸임을 이유로 부당함을 강변하는 부분이다.

☐ : 주요 인물

상(上)이 인견(引見)하여 가로되, / "연성 옹주로써 경에게 허혼(許婚)하노라." Link 갈등의 원인 ❶
　임금　　　윗사람이 아랫사람을 불러들여 봄　　　　　　　　　　윤지경　　　　　혼인을 허락함

지경이 땅에 엎드려 가로되,

"신이 의외에 이 같은 하교(下敎)를 듣사오니, 천은(天恩)이 지중(至重)하오나 신이 참판 최
　　최연화　　　　　　윗사람이 아랫사람에게 가르침을 줌　　　임금의 은덕　　　더할 수 없이 귀중함

홍일의 여식을 취하여 행례(行禮)를 끝내고 승패(承牌)하여 이르렀나이다."
연화와 혼인을 하기로 약속하고 예식을 하였음　　　　　　　　　　　Link 갈등의 원인 ❷

희안군이 계하(階下)에 있다가 상께 눈 주어 가로되,

"비록 납폐(納幣) 전안(奠雁)을 하였으나 합궁(合宮) 전이오니, 이제 간택(揀擇)하오나, 상명
혼인할 때에, 신랑과 신부 집이 사주단자의 교환이 끝난 후 정혼이 이루어진 증거로 신랑 집에서 신부집으로 예물을 보냄　　임금·왕자·왕녀의 배우자를 선택함

을 따름이 신자(臣子)의 직분이오니, 거역하지는 못하오리다."
　　　　　　신하　　　　　　　　　　　　Link 갈등의 원인 ❸

상이 화난 얼굴로 가로되,

"너를 사랑하여 부마(駙馬)로 정하였거늘, 어찌 사양하느뇨?"
　　　　　　　임금의 사위

지경이 머리를 땅에 닿아 가로되,

"최녀로 성례함이 없사오면 어찌 감히 초방 은택(椒房恩澤)을 사양하리이까?"
　최홍일의 딸 연화　　　　　　　　　왕비가 거처하는 방이나 궁전 따위를 이르는 말

상이 크게 화가 나서 가로되,

"네 불과 소년 장원하여 세상에 환세(幻世)코자 하여 옹주인 줄을 염이 여김이라, 가장 범람
　　　　　　　　　　　　　　　　후궁에게서 난 딸을 이르는 말　　　　　제 분수에 넘침

하도다." / 지경이 머리를 조아려 가로되,

"신이 어찌 또 감히 기망하여 아뢰리까. 사람마다 초방 은택(椒房恩澤)을 원하옵거든 어찌
염이 여기오며, 신의 나이 어리오되 조정 명사의 무리 연석(宴席)
　　　　　　　　　　　　　　　　　　　　　　　　　잔치를 베푸는 자리
에 모였사오니 불러 물으소서."

상이 변색(變色)하여 가로되,
　　놀라거나 화가 나서 얼굴빛이 달라짐

"합궁 전은 남이라. 옛 증참(證參)이 있으니 성묘조(聖廟朝)에 경
　　　　　　　　　　참고가 될 만한 증거　　　공자(孔子)를 모신 사당
애 공주를 길례(吉禮)하고 합궁 못하여서 죽으니 파혼하고 부마 위
　　　　　　혼례 따위의 경사스러운 예식
를 거두시니, 네 위엄이 성묘(聖廟)에 더하냐?" / 지경이 가로되,

Link

출제자 톡톡 갈등의 원인을 파악하라!

❶ 임금과 희안군이 윤지경에게 요구하고 있는 것은?
연성 옹주와의 혼인

❷ 윤지경이 임금과 갈등을 겪게 되는 이유는?
이미 혼인을 약속한 윤지경이 자신을 부마로 간택한 왕의 부당함에 저항함.

❸ 희안군이 윤지경이 옹주와 혼인해야 함을 주장하면서 든 근거는?
신하의 직분

"신은 그와 다르나이다. 그때 공주 세상을 뜨시고 신은 최 씨 살아 있사오니, 신이 부마 되오면 최 씨 청춘과부 되오리니, 전하의 관대하고 어지신 덕택으로써 신하의 인륜을 차마 어찌 끊으시리이까?"

희안군이 가로되,

"혼수 예물을 거두고 처녀를 다른 데로 보내면 어찌 홀로 늙으리요?"

지경이 노하여 가로되,

"자기가 당초에 소관에게 구혼하다가 최가에 정한 고로 허치 아니하였더니, 일로 혐의를 이어 전하께 천거하여 폐군(弊君) 아부한 죄를 면치 못하리로다. 신하의 자식이 많거늘 고이한 소인의 간사(奸邪) 불계(不計)를 깨닫지 못하시니 전하의 불명(不明)이로소이다."

상이 크게 화가 나서 가로되,

"희안군은 과인의 동생이니 네게 작은 임금이라. 내 앞에서 욕하고 나를 어두운 임금으로 능멸(凌蔑)하니, 자식 못 가르친 죄로 네 아비를 죄 주리라."

지경이 웃으며 가로되,

"전하, 중흥 십구 년에 일월 같사온 성덕이 심산궁곡(深山窮谷)에 미쳤거늘, 유독 소신에게 불명하시고 무거(無據)하신 정사가 이러하시니, 죽어도 항복치 아니하리이다."

> 자신의 사랑을 지키기 위해 임금의 명령에 불복하는 지경

핵심장면 ② 윤지경이 옹주를 멀리하고 밤마다 몰래 담을 넘어 연화와 만난다는 것을 알게 된 경빈 박씨가 임금에게 사실을 고하고 이에 임금이 윤지경을 꾸짖는 부분이다.

최 공이 나와 친히 뜰에 내려 부마를 묶은 밧줄을 끄르고, 손수 이끌어 내실에 들어가 물어 가로되, / "네 언제 이르렀느뇨?"

생이 가로되,

"빙부가 종시 허치 아니하시니, 아내 그리워 견디지 못하와 8월부터 월장할 계교를 내어, 날마다 다녀 스스로 금치 못하다가 오늘 이 욕을 보오니 빙부의 고집 탓이로이다."

공이 애련하여 등을 쓰다듬어 가로되,

"네 어찌 그리 미혹한가. 옹주가 중대하여 자녀를 낳고 살며 옹주를 개유(開諭)하면, 네 부친과 내 주상께 이런 절박한 사연을 고할 것인즉, 주상은 인군(仁君)이시라 허하시리니, 그때 빛나게 해로하기는 생각지 아니하고, 갈수록 『옹주를 박대하며 귀인의 험담을 이르고 복성군을 미워하며, 밤을 타 도망하여 날마다 내 집에 오니,』 옹주가 알면 화가 적지 아니하리니 끝을 어이할꼬." / 부마가 가로되,

"낸들 어찌 모르리이까마는 옹주는 천하 괴물 박색(薄色)이고, 귀인은 간악이 무비(無比)하고, 복성군은 남 헐기 심한데, 홍명화·홍상이 박 빈을 체결(締結)하여 필연 그윽한 흉계를

출제자 특강 인물의 성격을 파악하라!

❶ 연성 옹주의 부마 간택에서 주도적인 역할을 하는 인물은?
희안군

❷ 윤지경의 성격은?
소신이 뚜렷하고 당당함.

❸ 임금과 지경의 대화에 나타난 특징은?
임금은 권위를 앞세우고 있고, 지경은 그 권위에 대항함.

고전 산문 **397**

지을지라, 옹주를 후대하고 그 당에 들었다가 멸문지환(滅門之患)을 면치 못하리니, 아내를
애중하고 옹주를 박대하면 빙부와 부친의 죄가 큰즉 정배(定配)요, 작은즉 삭직(削職)이요,
소저는 귀양밖에 더 가리이까. 싫은 것을 강인하고 그른 것을 어이 견디리이까?"

공이 말이 없다가,

"어찌하든 밤이 깊었으니 들어가 자라." ▶자신을 꾸짖는 최홍일에게 항변하는 지경

생이 사례하고 이후로는 주야 오니, 공과 소저가 민망하여 아무리 간하여도 듣지 아니하더
니, 윤 공이 이를 알고 지경을 불러 대책하고 옹주 궁을 떠나지 못하게 하나, 산 사람을 동여
두지 못하고, 날마다 최 씨에게 가니 옹주 어찌 모르리오. 부마 내당에 들어간 옹주 가로되,

"내 비록 용렬하나 임금의 딸이요, 빙례로 부마의 아내가 되었거늘 업수이 여겨 천대하기 심
하도다. 최 씨를 얻어 고혹(蠱惑)하였으되 태부(太夫)는 두 아내 두는 법이 없거늘 부마 어찌
두 아내 있으리오. 최홍일은 어떠한 사람이기에 부마에게 재취를 주어 주상과 첩을 업수이
여김이 심하뇨." / 지경이 정색하여 가로되,

"내 할 말을 옹주 하시는도다. 일국에 도령이 가득하거늘, 이미 얻은 사람을 내 어찌 조강지
처를 버리고 부귀를 탐하여 옹주와 화락하리오. 옹주 만일 최 씨를 청하여 한 집에서 화목하
기를 황영(皇英)을 본받을진대, 최 씨와 같이 공경하고 화락하려니와, 투기하여 나를 원망한
즉 평생 박명(薄命)을 면치 못하리로다."

옹주 웃으며 가로되,

"당초에 조강지처 있는지 없는지 내 심궁 처녀로 어찌 알리오. 상명(上命)으로 부마의 아내가
되어 나온 지 거년이나, 천대가 태심하여 행로(行路) 보듯 하니, 어찌 통한치 아니하리오."

지경이 웃으며 가로되,

"여염 사람이 부부간에 하사하되 옹주 너무 지극 공경하여 구실 삼아 하루에 두어 번 들어가
앉기로 편치 못하고 꿇어앉으니, 이 밖에 더 공경하리오. 주상이 현명하시니 나를 그르다 아
니하실지라. 본대 간악한 후궁은 두려워 아니하나니, 아내 사랑하는 묘리를 배워다가 가르
치소서."

『 』: 윤지경이 옹주의 불평에 비아냥거리고, 임금의 행동을 비꼼 ▶옹주와 다투는 지경

하고 크게 웃고 소매를 떨치고 나오니, 옹주 종일토록 울더니, 그 후 입궐하여 박 씨더러 일일
이 고하며 설워하니, 박 씨 대로하여 상(上)께 이대로 주하여,

"최 씨를 없이 하고 부마를 죄주어 주오이다." ▶옹주의 하소연에 분노하여 임금에게 고한 경빈 박씨

청하니, 상이 윤지경을 불러 책망하여 가로되,

"네 아낸즉 옹주요, 정처(正妻)란 것이 중하고, 또 여염 필부와 달
라 금지옥엽(金枝玉葉)이거늘, 네 최 씨를 퇴채(退采)하였거늘, 퇴
혼 취하라 한 명을 거역하고 감히 교통하여 좇기를 위법하는가. 네
또 빙모를 간악한 유로 훼방한다 하니, 네 무슨 일로 보았는가. 네

Link
출제자 톡 인물의 의도를 파악하라!

❶ 지경이 최 공 집의 담을 넘은 이유는?
최 공이 둘의 만남을 허락하지 않자 몰래 연
화를 만나려고

❷ 지경이 옹주에게 지적한 문제는?
이미 조강지처를 얻은 자신을 굳이 부마로
선택하고는 옹주와 잘 지내라고 하는 것은
잘못임.

또한 빙자지의 있고 처부모라 하였으니 어버이를 훼방하는 자식이 어디 있으리오."
<small>장인과의 의리　　　　처의 부모로 부모임　　　여기서는 장인과 장모를 가리킴</small>

지경이 머리를 땅에 닿아 사죄하여 가로되,

"하교 이러하시니 황공하여이다. 신이 외람하오나 소회를 세세히 전하리이다. <small>마음속에 품은 생각</small>『참판 최홍일
<small>임금의 명령　　　　　　　　　　　　　　　　　　　　　　　　　　　　　『 』: 연화와의 인연을 말하여 중간에 끼어든 것이 임금과 옹주임을 강조함</small>

과 신의 아비가 서로 언약하여 피차 소신은 최가 사위 될 줄 알고, 최 씨도 소신의 아내 될

줄 아옵더니 전년 춘에 혼인날을 정하와 신이 최가에 가 전안하옵고 배례를 겨우 하온 후,
<small>지난해 봄에　　　　　　　　　　　　　　　　　　　　　　　　혼례를 치르던 중</small>

명패를 급히 받아 신이 합친을 못하고 들어오니, 부마 위를 주시고 연성 옹주를 맡기시니,』
<small>신랑과 신부가 서로 술잔을 주고받으며 부부의 언약을 하는 것</small>

신이 과연 옹주의 탓이 아닌 줄 아오되, 최 씨는 어려서부터 서로 보아 사랑하옵던 마음이

깊었삽고, 옹주로 하와 이제까지 참았사오니 부귀빈천이 다르오나, 원망하옴은 비상지원(飛
<small>　　　　　　　　　　　　　　　　　재산이 많고 지위가 높은 것과 가난하고 천한 것을 아울러 이르는 말　　　　억울한 옥살이를 이르는 말</small>

霜之怨)이 없지 아니하오리이까. 옹주를 대접하고 최 씨를 다른 데 출가하라 하신들 언약이
<small>　　　　　　　　남녀가 함께 자며 즐김　　　　　　　　　　　　　　다른 남자에게 시집을 보내라</small>

깊고 빙채와 교배 합환을 하였으니 어찌 다른 데로 신의를 버리고 갈 생각을 하리이까마는,
<small>　　　　　부부의 언약</small>

엄교는 두려워 홍일이 신을 거절하여 오지 못하게 하오나, 홍일을 속이고 가만히 가서 만나
<small>임금의 엄한 명령　　　　　　　　　　　　　　　　　　　　　　　　몰래 월담하여 연화를 만나던 일</small>

온 일이 있사오나, 옹주 신에게 온 지 겨우 거년에 신정의 뜻을 모르며, 투기하여 신을 준책
<small>　　　　　　　　　　　　　　　　　　　　지난해　　자신(윤지경)　　　　　　　　　　엄엄하게 꾸짖음</small>

하옵다가 또 전하게 고하니 이도 여자의 부덕이라 하시리이까?"
<small>남편의 마음을 올라주고 다른 여자를 질투하고 남편을 책망하고 임금께 고하는 것을 여자의 덕 있는 행실이라고 할 수 있겠냐는 의미</small>

상이 탄식하여 가로되,
<small>임금이나 웃어른에게 잘못된 일에 대하여 직접 간함</small>

"네 나이 어리되 소견이 높아 급암(汲黯)의 직간을 가졌도다. 그러나 옹주는 내 딸이라, 생
<small>　　　　　　　　　　　　　　중국 전한 문제 때 직간을 잘하던 신하</small>

심도 박대치 말라."

하시더라.

<small>▶지경을 꾸짖는 임금과 이에 항변하는 지경</small>

<small>**최우선** 출제 포인트!</small>

1 다른 고전 소설과의 차별성

이 작품은 전기적(傳奇的) 요소가 거의 없는 점, 거침없고 대담한 언행을 통해 개성적인 인물을 창출한 점, 당시의 정치 행태와 유교적 봉건 사회의 질서에 비판적 태도를 보인 점 등에서 참신성이 드러난다.

지경이 옹주를 박대하고 임금을 두려워하지 않음.	유교적 봉건 사회의 일반적인 질서를 거스르는 행동이라 할 수 있음.
'복성군'과 같은 조선 시대 실존 인물이 거론됨.	우리나라의 역사적 상황을 기초로 하여 이야기를 전개하고 있음.
지경이 장모에 대해 험담을 하고 악인으로 칭함.	대담한 행동을 하는 주인공은 다른 고전 소설의 주인공과는 구별되는 개성을 가짐.
지경은 부마의 지위에 뒤따르는 부귀를 탐하지 않고 사랑을 지키려는 열정이 있음.	권선징악이라는 일반적인 고전 소설의 주제와는 차별화된 주제 의식을 부각함.

<small>**최우선** 핵심 Check!</small>

1 다음 내용 중 맞는 것은 ○표를, 틀린 것은 ×표를 하시오.

(1) 윤지경이라는 여성 주인공이 권력에 맞서 자신의 사랑을 지켜 내는 모습을 그린 애정 소설이다. (　　)

(2) '복성군'과 같은 조선 시대 실존 인물이 거론되어 역사적 사실과 허구를 적절히 조화시키고 있다. (　　)

(3) 당시 권세를 부리던 세력과 갈등하며 맞서는 모습을 통해 당시의 제도와 권력에 대한 저항과 비판 의식을 드러내고 있다. (　　)

2 초성 힌트를 보고 빈칸에 들어갈 알맞은 말을 쓰시오.

(1) 시간의 흐름이 ㅅㅎㅈ (으)로 진행되고 있다.

(2) 윤지경은 자신을 ㅂㅁ (으)로 간택한 왕의 부당함에 저항하면서 자신의 사랑을 끝까지 지켜 내려고 하고 있다.

<small>정답 1. (1) × (2) ○ (3) ○ 2. (1) 순행적 (2) 부마</small>

115위

육미당기(六美堂記) | 서유영

성격 영웅적, 도전적 **시대** 조선 후기
주제 신라 태자 김소선의 고난과 승리

소설

이 작품은 신라 태자 김소선의 일대기를 다룬 영웅 소설로, 신라의 태자가 중국에서 용맹을 떨친 후 일본 원정을 하여 항복을 받아 낸다는 이야기를 통해 민족의식을 고취하고 있다.

주요 사건과 인물

발단
신라 태자 김소선이 부왕의 병을 고치기 위해 보타산에 죽순을 구하러 갔다가 이복형 세징의 습격으로 실명하고 바다 가운데 던져져 죽을 위기에 처함.

전개
소선은 백 소부에 의해 구출되고 그의 딸과 정혼하지만, 백 소부가 유배를 가자 집을 나와 방황하다가 퉁소 솜씨 덕택으로 부마가 되고, 백 소저는 남장을 하여 과거에 급제해 한림학사가 됨.

위기
토번이 침략하자 소선은 출정하여 토번 왕을 찾아가지만 적장 찬보에 의해 냉옥에 감금되고, 내원수로 출진한 백 소저에 의해 구출됨.

절정
백 소저의 도움으로 죽음의 위기에서 회생한 소선은 여 공과 함께 토번을 물리치고 백 소저를 둘째 부인으로 삼은 뒤, 설서란을 셋째 부인으로 맞이하고 세 명의 첩을 더 얻음.

결말
백 소저와 함께 왜구의 침략을 물리친 소선이 부왕의 뒤를 이어 왕위에 올라 선정을 베풀고, 인세의 수명을 다한 뒤 보타산에 가서 육 부인과 함께 승천함.

	부인	첩
	옥성 공주	설향
	백 소저	추향
	설서란	춘앵

조력자
백문현(백 소부)
중국 천자
보타산 도사

김세징
(악인) ←→ 김소선
(선인)

핵심장면 ①

백 소저가 김소선의 시에 대한 화답 시를 짓고, 김소선과 백 소저가 서로의 시를 신물로 주고받음으로써 혼약하는 부분이다.

이윽고 백 소부가 백 소저에게 명하여 가로되,
<small>백 소저의 아버지 백문현</small>

"오늘 너를 위해 좋은 배필을 얻었으니 지극한 소원을 이루었도다. 아비의 명을 사양치 말고
<small>김소선</small>

이 시에 화답하여 맹약을 정하라." / 하니, 백 소저가 얼굴에 수줍은 빛을 띠고 오래 주저하
<small>백 소저를 화제로 소선이 지은 시 굳게 맹세한 약속</small>

다가 화선지 한 폭에 오언 절구 두 수를 쓰더라.
<small>한 구가 다섯 글자로 된 절구</small>

『 』: 백 소저의 뛰어난 재능과 강직한 성품이 잘 드러남 → 백 소저와 김소선의 혼약을 확정 짓는 역할을 함

봉황새가 단산(丹山)에서 나왔거늘 / 깃들인 곳 벽오동 아니로다.
<small>□ : 상서로움을 상징하는 상상의 새 → 소선을 봉황새에 비유함 시기를 잘못 만나 현재로서는 그의 뛰어난 자질이 발휘될 수 없음을 안타까워함</small>

날개가 꺾어짐을 탄식지 말지니 / 마침내 하늘에 오름을 보리라. **Link** 삽입 시의 의미 ❶, ❷
<small>가혹한 시련 – 김소선의 실명을 의미함 봉황이 하늘에 오를 것 – 김소선이 영웅호걸이 될 인물임을 암시</small>

△ : 백 소저

무성함은 고송(高松)의 자질이요 / 푸르름은 고죽(孤竹)의 마음이라.
<small>백 소저의 강직하고 지조 있는 성품을 비유적으로 표현함</small>
<small>어떤 시련이 닥치더라도 절개와 지조를 지키고자 함</small>

사랑스럽다, 세한(歲寒)의 절조여! / 바람과 서리에도 굴하지 않네.
<small>극심한 추위 속에서도 변치 않는 지조를 예찬함 고난과 역경</small> **Link** 삽입 시의 의미 ❸, ❹

▶ 백 소저가 화답 시를 지음

백 소부가 여러 번 낭독하다 감탄하여 가로되,

★ 주요 소재
"시의 격이 빼어나고 아름다우니 가히 소선의 시와 더불어 서로 백
<small>앞으로 다가올 불운을 알려줄 복선 구실</small>

중(伯仲)이 될 만하다. 만일 남자였다면 마땅히 장원 급제하리로
<small>재주나 실력, 기술 따위가 서로 비슷하여 낫고 못함이 없음</small>

다. 『그러나 시의 뜻이 스스로 송죽의 절조에 비함은 어찌 된 일이
<small>『 』: 앞으로 백 소저에게 지조와 절개를 시험하는 고난이 닥칠 것임을 암시함 – 복선의 역할</small>

뇨? 후에 시참(詩讖)이 되지 않을까 두렵노라.』
<small>우연히 지은 시가 뒷일과 꼭 맞는 일</small>

이때 김소선은 대면한 백 소저의 용모를 보지는 못하나, 시구를 듣
<small>김소선이 실명하였음을 알 수 있음</small>

고는 그 청아함을 사랑하고 품은 뜻에 감복하여 크게 감탄하더라.
<small>김소선은 백 소저의 시재에 탄복하고 연모의 정을 느끼게 됨</small>

백 소부가 김소선의 시를 화선지에 베껴 백 소저에게 주며 가로되,

『반드시 이 시를 깊이 간직하였다가 후에 신물(信物)을 삼으라."
<small>뒷날을 보고 증거로 남기기 위하여 서로 주고받는 물건</small>

Link

출제자 [톡] 삽입 시의 의미를 파악하라!

❶ 1수의 '봉황새'가 상징하는 것은?
고귀함과 품위를 지닌 김소선

❷ 1수에 담긴 함축적 의미는?
김소선이 비록 현재는 시기를 잘못 만나 뛰어난 자질을 발휘하지 못하고 시련을 겪고 있으나 훗날에는 시련을 극복하고 영웅호걸이 될 것임을 의미함.

❸ 백 소저가 화답 시에서 자신을 빗댄 사물은?
고송, 고죽

❹ 2수에 담긴 함축적 의미는?
어떠한 시련이 닥치더라도 지조와 절개를 지키겠다는 뜻을 밝힘.

하고, 또 소저의 쓴 시를 김소선에게 전하여 가로되,

『 』: 김소선과 백 소저가 이별하였다가 다시 만나 서로의
사랑을 확인하게 될 것임을 짐작할 수 있음

"그대 또한 이 시를 간직하였다가 부귀하게 되면 이 자리의 맹약을 잊지 마시게."

백 소부는 김소선이 후에 부귀하게 될 인물이라 생각함

하니, 소선과 소저가 절하고 명을 받더라.

❯ 김소선과 백 소저가 시를 주고받고 정혼함

핵심장면 ② 배득량과 배연령이 혼인을 강요하나 백 소부는 단호히 거절하고, 이에 화가 난 배연령이 참소하여 백 소부가 위기에 처하는 부분이다.

『"백 소저는 비하건대 아침 해가 부상(扶桑)에 나옴과 연꽃이 푸른 물에 나옴과 같으니 아름

비유를 통해 백 소저의 아름다움을 드러냄

답고 부드러워 백 가지 자태를 갖춘지라, 어찌 감히 세간 여자의 범속함에 비하리이까?"

배득량은 얼굴에 기쁨이 가득하여 이윽토록 말을 못하다가 이에 매파더러 가로되,

혼인을 중매하는 할멈

"그대가 능히 나를 위하여 수고를 아끼지 아니하면 마땅히 천금으로써 보상하리라.』"

『 』: 배득량은 매파의 말을 듣고 백 소저의 아름다움에 마음이 끌려 혼인 중매를 요청함

매파가 가로되,

"노신이 일찍 들은즉, 백 소부가 딸을 매우 사랑하되 장중보옥(掌中寶玉)같이 하여, 아름다

손안에 있는 보배로운 구슬이라는 뜻으로, 귀하고 보배롭게 여기는 존재를 비유적으로 이르는 말

운 사위를 널리 구하되 그 문장과 미모가 반드시 소저와 같기를 바라는 고로 지금껏 소저의

나이가 이미 장성하였거늘 오히려 혼인에 대한 의론이 없다 하니, 이것은 소신이 능히 말할

바 아니로소이다. 상공은 대신(大臣) 중에 중망(重望)이 있는 이를 보내어 말을 잘하면 혹 만

매우 두터운 명성과 인망

에 하나 희망이 있을 것이나, 노신의 생각으로는 능히 백 소부의 마음을 움직이기 어려울까

자신의 힘으로는 혼사를 성사시키기 어려울 것 같다며 배득량의 부탁을 완곡하게 거절함

걱정되나이다."

득량이 웃어 가로되, / 『"우리 집 대인의 부귀가 하늘을 태울 듯하고 조정 대신이 모두 우리

배득량의 아버지 배연령

집을 두려워하니, 진실로 한 번 입을 연즉 저 백 소부가 비록 삼두육비(三頭六臂)를 가졌은

『 』: 배득량은 가문의 권세만 믿고 오만무도한 태도를 보임

들 어찌 따르지 않을 리가 있으리오?"』

머리가 셋, 팔이 여섯이라는 뜻으로, 힘이 엄청나게 센 사람을 이르는 말

Link 인물의 성격 ❶

하고, 백금(白金)으로써 매파를 주어 보내고, 급히 사람을 보내어 석 시랑을 청하니, 시랑은

백 소저의 외삼촌

황망히 명을 받들어 이른지라. 득량이 가로되,

"듣건대 그대의 생질녀는 재모(才貌)가 출중(出衆)하고 덕행을 갖추었다 하니, 나를 위하여

누이의 딸을 이르는 말로, 백 소저를 가리킴

중매하는 수고를 대신함이 어떠하뇨?"

석 시랑은 본래 인품이 용렬(庸劣)하고 또한 배운 것이 없는지라. 오직 세리(勢利)를 좇아 일

변변치 못하고 졸렬함   석 시랑의 인물됨을 직접적으로 제시함   권세와 이익을 아울러 이르는 말

찍 배연령에게 아부하니 그 전후 관직과 자격과 이력이 다 연령의

석 시랑이 배득량의 청을 거절하기 어려운 이유

추천에서 나온지라. 이날에 득량의 말을 듣고는 예를 갖춰 대답하여

Link 인물의 성격 ❷

가로되,

"생질녀의 천재(天才)와 미모는 과연 인간 세상의 사람이 아니라.

선천적으로 타고난, 남보다 훨씬 뛰어난 재주

비록 백 소부는 사위 택함을 신중히 하여 졸연(猝然)히 움직이기

갑작스럽게

어렵고, 이제 들은즉 이미 정혼(定婚)한 곳이 있다 하니 여의히 성

김소선과 정혼함

사시키기 어려울까 두렵나이다."

Link
출제자 특강 인물의 성격을 파악하라!

❶ 배득량의 인물됨과 성격은 어떠한가?
상대가 혼인을 원치 않아도 가문의 권세를 이용해 자신의 욕망을 성취하려는 인물로, 오만 무도한 태도를 보임.

❷ 석 시랑의 인물됨과 성격은 어떠한가?
석 시랑은 권세와 이익을 좇아 권력자에게 아부하여 살아가는 인물로, 인품이 변변하지 못하고 졸렬함.

❸ 백 소부의 인물됨과 성격은 어떠한가?
백 소부는 권세가의 부당한 요구에 굴하지 않는 강직한 성품을 지녔으며, 김소선과의 약속을 중시하는 신의 있는 인물임.

득량이 가로되 / "잘 주선하여 기어이 성사되길 기필(期必)하라."

꼭 이루어지길 기약함

배득량은 백 소저가 정혼한 사실을 알면서도 혼인하기를 원함 – 갈등의 원인　▶배득량은 석 시랑에게 백 소저와의 혼인 중매를 요청함

석 시랑이 응낙하고 곧 몸을 일으켜 백 소부의 집에 이르러 소부와 부인과 더불어 인사를 나

눈 후에 배가의 구혼(求婚)하는 뜻을 소부에게 전하니, 소부가 화를 내어 가로되,

「"우리 집은 본디 선비라. 평소 권문세가(權門勢家)와 더불어 결혼하기를 원치 아니하고, 하

「 」: 권력을 멀리하고 신의를 중시하는 백 소부의 인물됨이 드러남

물며 딸아이의 혼인은 이미 약정한 곳이 있으니, 청컨대 다시 말을 말지어다."」

김소선과 정혼을 약속함

석 시랑이 감히 입을 열지 못하고 무료히 물러 나와, 득량을 찾아가 백 소부의 말을 자세히

부끄럽고 열없이　　　　　　억지로 혼인을 함. 또는 그 혼인

전하니, 득량이 머리를 떨어뜨리고 낙담하여 이윽고 배연령에게 간청하여 세력으로써 늑혼(勒

婚)을 하고자 하더라. / 배연령이 아들을 무척 사랑한 고로 아들이 말하면 따르지 아니하는 것

아버지의 권세를 빌려 억지로 혼사를 성사시키려 함

이 없더니, 이에 석 시랑을 불러 가로되,

서로 사귀어 친하여진 정

"우리 집이 그대의 제부와 더불어 조정에 함께 벼슬하는 정의(情誼)가 있으니, 만일 진진(秦

진(秦)나라와 진(晉)나라 두 나라가 대대로 혼인을 하였다는 사실에서, 우의가 두터운 관계를 비유적으로 이르던 말

晉)의 우호를 맺어 혼인의 친밀함을 맺으면 어찌 아름다운 일이 아니리오? 그대는 나를 위

하여 백 소부에게 말하여 성혼을 기필(期必)하여 좋은 소식을 속히 전할지어다."

석 시랑이 응낙하고 이튿날 다시 백 소부의 집에 이르러 배연령의 말을 전할 제,

"누이의 말을 들은즉 생질녀와 정한 배필은 한 눈 먼 폐인이라 하니, 이제 형이 생질녀의 아

실명한 김소선을 지칭함

름다움과 어짊으로써 반드시 이 사람을 사위로 삼고자 함이 어찌 사려 깊지 못한 일이 아니

: 백 소저를 비유함　　□:김소선을 비유함

리오? 이것은 아름다운 옥을 구덩이에 버리고 상서로운 난새로써 까막까치를 짝함과 같음이

중국 전설에 나오는 상상의 새

니, 깊이 애석하도다.「배연령은 천자의 총애를 입어 위세와 복록을 이루어 그 권세가 두려울

Link 비유적 의미 ❶, ❷

만하거늘, 생질녀의 어짊을 듣고 아들을 위하여 반드시 형으로 더불어 결혼코자 하니 그 호

배연령의 권세에 편승하고자 하는 태도와 권세가인 배연령의 제안을 거절하였을 경우 장차 닥칠 수 있는 고난에 대한 두려움이 드러남

의를 저버리지 못할지라. 바라건대 형은 다시 깊이 헤아려 큰 후회에 이르지 않게 하소서."」

「 」: 배연령의 권세를 부각해 백 소부를 설득함

백 소부가 듣기를 다하더니 갑자기 크게 노하여 가로되,

「"형은 어찌 알지 못하는 말을 내는고? 배연령이 비록 하늘을 태울 만한 기세가 있고, 바다를

「 」: 백 소부는 회유에 굴하지 않고 단호한 어조로 재차 배연령의 제안을 거절함

기울이는 수단이 있다 할지라도 나는 홀로 두려워 아니하도다. 하물며 딸아이는 이미 타문

권력자의 부당한 요구에 굴하지 않는 백 소부의 강직한 성품이 드러남　　　　　　백 소부의 신의 있는 성품

(他門)에 허락하였은즉, 폐인이며 폐인이 아님을 논할 것 없이 이는 형이 간여할 바가 아니

로다."」 Link 인물의 성격 ❸

▶배연령의 혼인 제의를 백 소부가 거절함

Link

출제자 톡! 비유적 의미를 파악하라!

❶ 석 시랑의 말 '이것은 아름다운 옥을 ~ 까막
까치를 짝함과 같음이'에 담긴 비유적 의
미는?
'아름다운 옥', '상서로운 난새'는 백 소저를
빗댄 표현으로 백 소저의 용모와 인품을 치
켜세운 것이고, '구덩이', '까막까치'는 김소
선을 빗댄 것으로 부정적인 대상을 통해 김
소선을 헐뜯은 것임.

❷ 석 시랑이 '이것은 아름다운 옥을 ~ 까막까
치를 짝함과 같음이니'라는 말을 한 이유는?
비유를 통해 백 소저와 김소선의 혼약이 잘
못되었음을 강조하여 백 소부가 마음을 돌
리도록 회유하기 위해

석 시랑이 크게 부끄러워 감히 한 말도 못하고 돌아와 연령을 뵈어

가로되,

"백 소부의 뜻이 이미 굳건하니, 비록 온갖 구실로 설득할지라도

또한 돌이키지 못하리이다."

하거늘 연령이 노하여 꾸짖어 가로되,

"백 소부가 어떤 존재이기에 감히 내 말을 거역하는가?"

배연령의 권위적이고 오만한 성격이 드러남

드디어 공부 좌시랑 황보박을 사주하여 '평장사 백문현이 비밀히

혼인을 거절한 데 앙심을 품고 권세를 이용한 참소를 통해 백 소부를 위기에 빠뜨림

변방의 오랑캐와 체결하여 사직을 위태롭게 꾀한다.' 하니, 천자가

크게 노하여 백 소부를 대리 시옥(大理侍獄)에 내리우고 장차 베고자 하더라.

여러 대신이 글월을 올려 다투어 간하니 천자의 노여움이 비로소 풀려, 소부의 벼슬을 거두
<u>백 소부의 평소 두터운 신망을 짐작할 수 있음</u>
고 내쳐 애주 참군(參軍)을 삼고 즉일에 압송케 하니, 조명(詔命)이 한 번 내리매 만조백관이
　　　　　　<u>군대에 참가함</u>　　　　　　　　　　　　　　　　<u>천자의 명령을 적은 문서</u>
두려워하여 감히 다시 간하지 못하고, 백 소부의 집은 상하가 다 황송하여 통곡함을 마지아니
하더라.

❯ 배연령의 횡포로 백 소부가 위기에 처함

출제 우선 작품

최우선 〔**출제 포인트!**〕

1 이 작품의 서사 구조

효행담	영웅담	애정담
소선의 헌신적인 자기희생을 통한 효성 강조 → 소선이 중국으로 진입하는 인과적인 계기가 됨.	소선이 비범한 능력으로 고난을 극복하고 전쟁에서 승리하는 이야기 → 전쟁은 소선이 능력을 발휘하여 출세하는 계기로써 작용함.	소선이 난관을 극복하고 중국의 육미인과의 사랑을 성취해 나가는 이야기 → 전체 이야기의 중심축으로 전개됨.

(+ 기호는 효행담 + 영웅담 + 애정담 사이에 위치)

2 이 작품의 갈등 양상

형제간의 갈등	• 적자인 소선이 세자에 오르자 형 세징은 소선을 시기하여 소선을 죽이고 세자 자리를 뺏고자 함. → 갈등의 시작 • 세징은 소선이 부왕의 병구완을 위해 보타산에서 구한 죽순을 빼앗고 눈을 멀게 해 바다에 빠뜨림. → 갈등의 심화 • 이후 사실을 알게 된 국왕이 세징을 사형에 처하려 하나 소선이 왕께 간청하여 석방시키고 이에 세징은 회개하여 개과천선함. → 갈등의 해소
혼사 장애의 갈등	• 김소선과 백 소저의 결연 – 권세가의 아들 배득량이 아버지의 세력으로 늑혼을 이루고자 함으로써 갈등이 발생하나 이후 백 소저가 소선을 회생시키고 둘째 부인이 되는 것으로 갈등이 해소됨. • 김소선과 옥성 공주의 결연 – 옥성 공주는 소선과의 교류가 예의범절에 어긋난 행위라 하여 소극적인 태도를 보이지만 천자가 소선을 부마로 간택하면서 갈등이 해소됨. • 김소선과 설서란의 결연 – 서란은 사대부 규방 교육을 받아 소극적인 태도를 보이지만 백 소저가 서란을 옥성 공주에게 셋째 부인으로 천거해 줄 것을 청함으로써 갈등이 해소됨.
사회적 갈등	• 탐관오리의 횡포 – 배연령의 횡포로 백 소부가 귀양을 가고 백 소저는 고초를 겪지만 배연령 집단의 죄상이 드러나 벌을 받고, 백 소부는 관직을 회복함. • 불합리한 사회 제도 – 남성 위주의 유교 사회에서 백 소저가 능력을 발휘하지 못하다가 보타산 도인의 수련을 거쳐 비범한 능력과 힘을 얻고 전쟁에서 공을 세움. • 윤리적 가치관의 혼란 – 가문 및 경제적 몰락으로 인한 설서란의 현실적 고난에서 부패한 사회상이 드러남.

3 백 소저의 화답 시의 의미와 기능

백 소저가 지은 시는 상징을 통해 두 인물의 성격을 드러내는 한편, 서사 전개 차원에서 두 주인공의 결연을 약정하는 역할을 하고 있다.

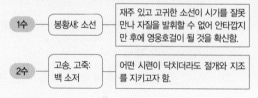

1수	봉황새: 소선	재주 있고 고귀한 소선이 시기를 잘못 만나 자질을 발휘할 수 없어 안타깝지만 후에 영웅호걸이 될 것을 확신함.
2수	고송, 고죽: 백 소저	어떤 시련이 닥치더라도 절개와 지조를 지키고자 함.

최우선 〔**핵심 Check!**〕

1 다음 내용 중 맞는 것은 ○표를, 틀린 것은 ×표를 하시오.

(1) 꿈과 현실을 교차하여 사건의 환상적 면모를 강조하고 있다. (　　)
(2) 공간을 자주 전환하며 이동의 과정을 구체적으로 묘사하고 있다.
(　　)
(3) 서술자가 석 사랑의 성격과 인물됨을 직접적으로 제시하고 있다.
(　　)

2 초성 힌트를 보고 빈칸에 알맞은 들어갈 말을 쓰시오.

(1) 삽입 시를 통해 앞으로 백 소저에게 [ㄱㄴ]이/가 닥칠 것임을 암시하고 있다.
(2) 백 소부는 권력을 멀리하고 [ㅅㅇ]을/를 중시하는 인물됨을 보이고 있다.

3 배연령이 비유한 소재와 인물을 정리할 때 ㉠, ㉡에 들어갈 알맞은 말을 쓰시오.

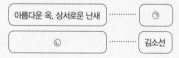

아름다운 옥, 상서로운 난새	·········	㉠
㉡	·········	김소선

정답 1. (1) × (2) × (3) ○　2. (1) 고난 (2) 신의
3. ㉠ 백 소저 ㉡ 구덩이, 까막까치

116위

곽해룡전(郭海龍傳) | 작자 미상

성격 전기적, 영웅적 **시대** 조선 시대
주제 곽해룡의 영웅적인 무용담과 위업 달성

소설

이 작품은 중국 원나라를 배경으로 하여 주인공 곽해룡이 도술로 서번의 침략을 물리치고 승상이 되어 국태민안을 이루는 과정을 그린 국문 소설이다.

주요 사건과 인물

발단
남해 중림사의 관음보살이 점지하여 해룡이 곽 승상의 아들로 태어남.

전개
15세 때 적소검과 갑주를 얻고 신묘한 기술을 터득한 해룡이 서번과 가달의 반란을 물리치고 황제를 구함.

위기
황제가 해룡의 아버지 곽 승상을 위왕에 봉하고 해룡을 승상에 제수함.

절정
간신들의 모함으로 해룡 부자가 위험에 처하고, 곽 승상이 진번에 잡혀감.

결말
해룡이 반역을 꾀한 진번을 치자, 왕은 잘못을 뉘우치고 해룡을 부마로 삼음.

곽 승상
곽해룡의 아버지로, 두 천자에게 정치적 능력을 인정받지만, 간신의 참소로 유배를 당했다가 아들의 도움으로 살아남.

곽해룡
부모의 기자 정성으로 태어난 인물로, 천상의 질서에 따라 도사에게 가르침을 받고 영웅적인 능력을 갖추게 됨.

핵심장면

해룡이 아버지를 구출하고 진번을 물리치기 위해 싸움을 하는 부분이다.

원수가 몸이 곤하여 침석(寢席)에 의지하였더니 비몽사몽간에 한 노승이 와 이르되,

_{곽해룡} _{잠자리} _{해룡의 아버지}

"원수는 무슨 잠을 이리 자느뇨? 승상의 목숨이 경각에 달렸으니 바삐 구하소서."

_{남가일몽(南柯一夢)} _{눈 깜빡할 사이. 또는 아주 짧은 시간} **Link** 인물의 처지 ❶

하거늘, 놀라 깨달으니 한바탕 꿈이라.

_{위험을 예고하고 다음 사건을 진행하게 하는 기능을 함}

즉시 절도사를 청하여 전후 말을 이르고 진번 가는 거리를 물으니 '천여 리라.' 하거늘, 마음이 바빠 급히 말을 몰아 나오니 벌써 동방이 밝고 일색(日色)이 비치는지라. 울적한 회포와 무궁한 화를 이기지 못하여 풍우같이 달려갈새, 벌써 오시(午時)가 되었는지라. 진번에 다다라

_{오전 11시 ~ 오후 1시 사이} **Link** 인물의 처지 ❷

산 위에 올라 보니 어떤 노인을 붉은 줄로 목을 옭아 수레에 싣고 나오니, 명패에 썼으되, '대국 반적 곽충국이라.' 하였거늘, 그제야 부친인 줄 알고 한편 슬프고 분기충천(憤氣衝天)한지

_{해룡의 아버지}

라. 『급히 둔갑을 베풀어 몸을 다섯에 내어 각각 갑주와 장검을 들리고, 육정육갑(六丁六甲)을

_{갑옷과 투구를 아울러 이르는 말} _{둔갑술을 할 때 부르는 신장(神將)의 이름}

외워 천지 풍운을 일으키고 화살과 돌을 날리며 오방신장(五方神將)으로 번진을 습격하여 죽

_{다섯 방위를 지키는 다섯 신}

이고 삼백육십 사천왕을 불러 '좌우에 옹위하라.' 하고 말을 몰아 적소검을 들고』큰 소리로 왈,

_{사왕천(四王天)의 주신(主神)으로 사방을 진호(鎭護)하며 국가를 수호하는 네 신} 『 』: 전기적인 요소 – 고전 소설의 특징

"무도한 역적은 나의 부친을 해(害)치 말라."

Link

출제자 ⭐족보 인물의 처지를 파악하라!

❶ 원수는 자신의 아버지가 위기에 처해 있음을 어떻게 알게 되는가?
꿈속에 한 노승이 나타나 곽 승상의 목숨이 경각에 달려 있음을 알려 줌.

❷ 아버지를 본 원수의 심정은?
처음엔 '노인'이 부친이라는 것을 몰라보다 명패를 보고 부친인 줄 알게 되며 슬프고 화가 치밂.

❸ 아들을 본 곽 승상의 심리는?
아들을 보아 반갑지만 잡혀온 자신을 구하는 상황에서 보니 슬프기도 함.

❹ 곽 승상이 진번에 잡혀간 뒤 그의 아내가 겪은 고초는?
죄인이 되어 궁중의 종이 됨.

하고 좌충우돌하니, 진번 장졸이 사방으로 흩어져 달아나는지라.

원수가 적소검을 날려 좌우 무사를 베고 승상을 구하여 묶인 줄을 끄르고 송림 사이의 절벽 근처에 모셔 앉게 하고, 원수가 땅에 엎드려 통곡하며 왈,

"부친은 정신을 진정하소서. 불초자(不肖子) 해룡이 왔나이다."

하니, 승상이 혼미 중에 해룡이란 말을 듣고 손을 잡고 눈물을 흘려 왈,

"네 해룡이라 하니 반갑기 측량없고 슬프기 무궁하다. 네 어찌 알

Link 인물의 처지 ❸

고 와서 나를 구하며 너의 모친도 평안하시냐? 전후사연을 말하라."

➤ 아버지를 구하고 상봉한 해룡

원수가 여쭈오되, 「부친이 귀양 가신 후 소자가 모친을 뫼시고 있삽더니, 부친을 뵈옵고자 하
『 』: 곽 승상이 잡혀간 뒤의 일들을 요약적으로 제시
여 모친을 하직하옵고 적소로 향하옵다가 두문동에서 두 자사와 시랑을 만나던 말이며, 또 선
곽해룡이 부친에게 한 말을 그대로 인용
생을 만나 술법 배운 말이며, 서번을 파하고 천자의 명을 받아 공문을 가지고 설산도로 가다
부친의 귀양을 풀어 주라는
가 부친 소식을 듣고 진번으로 오다가 절도령에서 꿈꾸던 말이며, 모친이 죄인 되어 궁중의
종이 되었던 말을 세세히 고하니, 승상이 듣기를 다 마치고 목메어 눈물을 흘리며 왈,
Link 인물의 처지 ④
  "내 늦게야 너를 낳아 이다지 장성하여 국가 사직을 안보하고, 또 노부의 죄를 풀어 주고 오
곽 승상은 불전에 시주한 은공으로 뒤늦게 얻은 아들이 곽해룡임
  늘날 화(禍)를 면하게 하니 어찌 하늘이 감동하시고 부처가 지시한 바가 아니리오?"
하며, 귀한 마음을 이기지 못하여 등을 어루만져 왈,
  「지금 진번이 강성하여 토번과 합세하여 철관 도사로 모사(謀士)를 삼고 묵특으로 선봉을
『 』: 현재 상황을 정리하며 해룡에게 조언하는 곽 승상   꾀를 써서 일이 잘 이루어지게 하는 사람   진번의 장수
  삼아 중원을 치고자 하여 나를 달래어 너를 유인하고자 하매, 내 듣지 아니하여 오늘 이 지
  경을 당하였거니와, 적장 묵특은 만고 명장이라, 부디 적을 얕보지 말라.」
하며 못내 반기며 비회(悲懷)를 금치 못하거늘, 원수가 왈,
마음속에 서린 슬픈 시름이나 회포
  "부친은 안심하소서. 소자가 비록 무재(無才)하오나 적장은 두렵지 아니하나이다."
재주가 없음
하고, 칼을 들고 나서며 크게 외쳐 왈,
  "진번왕은 내 칼을 받으라. 금일 너희를 함몰하고 부친의 분(忿)을 씻으리라."
Link 작중 상황 ❶
하고 신장(神將)을 불러내어 함께 달려드니, 「진번왕이 뜻밖에 신장을 만나매 몹시 놀라 한편
『 』: 진번왕이 진영을 정비하여 해룡과의 싸움에 임함
백마를 잡아 피를 사면에 뿌리고 풍백을 불러 풍운을 씻어 버리며, 제장 군졸을 불러 진을 치
여러 장수
게 하고, 좌우에 생사문을 내고 진 앞에 숙정패(肅靜牌)를 내어 꽂고 군호(軍號)를 정제하며
군령을 집행할 때 조용히 만들기 위해서 세우는 나무패
선봉 묵특을 불러 싸움을 돋우거늘, 원수가 살펴보니 굳음이 철통같고 풍운이 절로 그치니 신
Link 작중 상황 ❷
장이 접전치 못하는지라.」 해룡이 마음에 헤오되, '내 술법을 당할 자가 없더니 오늘날 진번에
곤란한 상황에 처한 해룡이 스승인 웅천 도사의 말을 떠올림
이르러 나를 항거하고 신장을 물리치며 팔진도를 벌이니 실로 웅천 도사의 말이 옳도다. 내
재주를 다시 행하리라.' 하고 비를 뿌리니 사면이 다 바다가 되어 물이 넘치는지라. 원수가 몸
을 솟구쳐 공중에 올라 외쳐 왈,
  "너의 조그마한 재주와 용맹으로 어찌 나를 당하리오?"
얕잡아보는 발언을 통해 상대를 도발함
하며 적소검을 드니, 화광이 충천하며 뇌성벽력이 진동하는지라.
천둥소리와 벼락을 아울러 이르는 말   ▶ 아버지를 구출하고 진번을 물리치기 위해 싸우는 해룡
  철관 도사가 대경하여 선봉 묵특으로 나가 싸우라 하니, 묵특이 말을 달려 외쳐 왈,
  "적장 해룡은 헛장담 말고 빨리 항복하라. 너를 진중에 가두었으니 무슨 근심이 있으리오?"
하며 달려들거늘, 「원수가 바라보니 키는 십 척이요, 몸은 맹호 같고 얼굴은 먹을 갈아 부은 듯
『 』: 해룡의 시선을 통해 상대의 외양에 대한 주관적 판단을 드러냄
하고 소리 웅장하여 짐짓 일대호걸이요, 만고 명장이라, 심중에 헤아리되 '철관 도사 신통이 이
당대에 이름을 날린 호걸
러하고 또 적장이 용맹하니 쉽사리 잡지 못할지라. 이제 검술로 잡으리라.' 하고, 「적진을 살펴
이기기 어려운 상대임을 알 수 있음   『 』: 해룡이 적장인 묵특과 만나 싸우면서 종일토록 승부가 나지 않는 상황
본 후에 적소검을 들고 묵특으로 더불어 싸울새 짐짓 적수라. 삼백여 합에 승부를 결치 못하
칼이나 창으로 싸울 때, 칼이나 창이 서로 마주치는 횟수를 세는 단위
고 또한 화살과 돌이 비 오듯 하니 원수가 가장 위급한지라. 가만히 진언을 외워 몸을 삼백에

나눠 적진을 짓치고자 하더니, 적장이 또한 진언을 염하여 삼백 해룡을 막는지라. 종일토록

싸우다가 승부 없고 또한 기갈이 심한지라. 가만히 진언을 염하여 혼백을 감추고 변신하여 깃
　　　　　　　　　　　　　　　　　배고픔과 목마름을 아울러 이르는 말　　　　　　　　　　　도술로 상대를 속인 해룡

Link

출제자 특 작중 상황을 파악하라!

발을 적진에 던지니 완연히 원수라. 적장이 깃발과 싸울 적에 원수

❶ 해룡이 아버지와 상봉한 후 진번과 다시 싸움을 벌인 이유는?
중원을 치고자 하는 진번의 속셈과 자신 때문에 부친이 화를 당한 것을 듣고 진번을 물리치기 위해

는 진 밖에 나와 녹림산으로 돌아오니 승상께서 묻기를,

❷ 해룡의 공격에 대한 진번왕의 대응은?
해룡의 갑작스러운 공격에 당황하시만 곧 정신을 차려 진영을 정비하고 해룡과의 싸움에 임함.

"네 적진을 보니 어떠하더뇨?"

원수가 대답하기를,

❸ 해룡은 진번과의 두 번째 싸움에서 어떤 모습을 보이고 있는가?
예상외로 적장 묵특이 강해 천자의 구원병을 기다려 재대결을 하고자 함.

「소자가 세상에 횡행(橫行)하여 대적할 자가 없더니, 오늘날 묵특
　　　　　　　　　아무 거리낌 없이 제멋대로 행동심
의 검술과 도사의 재주를 보니 실로 뛰어난지라. 천자의 구원병을
　　　　　　　　　　　　　　　　　　　　　　　　　구원병이 오면 다시 싸우고자 함
기다려 싸우고자 하나이다.」 과거와의 대비를 통해 현 상황에 대한
　　　　　　Link 작중 상황 ❸　　　　대처 방법을 결정함

하니, 승상이 염려함을 마지아니하더라. ▶진번의 장수 묵특과 힘겨운 싸움을 벌이는 해룡

최우선 출제 포인트!

1 이 작품의 배경 사상

불교 사상	도교 사상	유교 사상
·주인공 곽해룡이 아버지의 불공에 의해 태어남. ·해룡이 진번과 싸울 때 나한과 사천왕을 부림.	·해룡이 도인을 만나 천문과 지리를 배우고 병서를 얻어 병법을 터득함. ·해룡이 적과의 전투에서 둔갑과 같은 도술을 사용함.	입신양명의 유교적 이상과 공명주의를 근간으로 충효 사상을 고취함.

2 다른 군담 소설과의 차이점

· 영웅의 일생에서 위기는 약화되고 조력자들을 만나는 과정이 강화되어 있다.
· 대부분의 군담 소설의 배경이 명나라인 데 반해 이 작품은 원나라를 배경으로 하고 있다.
· 간신과 반적을 퇴치하는 주인공의 무용과 전기의 묘사가 대부분이며 남녀의 결연담이나 주인공의 후일담은 생략되어 있다.

최우선 핵심 Check!

1 다음 내용 중 맞는 것은 ○표를, 틀린 것은 ×표를 하시오.

(1) 천상에서 지상으로 적강한 곽해룡이 어머니를 찾아가는 탐색 구조로 이루어져 있다. (　　)

(2) 곽 승상에게 그가 귀양 간 후의 일들을 등장인물의 말을 인용하고 서술자가 압축하여 전달하고 있다. (　　)

(3) 해룡이 둔갑술을 발휘하고 풍운을 일으켜 적진에 있는 아버지를 구하는 장면에서 전기적(傳奇的) 요소를 사용하고 있다. (　　)

2 초성 힌트를 보고 빈칸에 들어갈 알맞은 말을 쓰시오.

(1) ㄲ 에서 계시를 얻은 해룡이 부친의 위험을 깨닫고 서둘러 부친을 구하기 위한 여정을 재개한다.

(2) 해룡이 적과의 전투에서 둔갑과 같은 도술을 사용하는 것에서 ㄷㄱ 사상이 반영된 것을 알 수 있다.

정답 1. (1) × (2) ○ (3) ○ 2. (1) 꿈 (2) 도교

세 명의 선비[三士]가 졸지에[橫: 갑작스러울 횡] 저승[黃泉]에 간[入: 들 입] 이야기

삼사횡입황천기(三士橫入黃泉記) | 작자 미상

성격 전기적, 비현실적
시대 조선 후기
주제 행복한 삶을 살고자 했던 당대인들의 행복관

소설

이 작품은 저승사자의 잘못으로 세 선비가 저승에 잡혀간 이야기로, 불교의 환생 설화를 한국적인 행복관과 결부하여 당시 사람들의 행복의 개념과 저승관을 잘 보여 주고 있다.

주요 사건과 인물

발단
세 선비가 백악산의 경치를 구경하다가 곽란으로 인사불성이 됨.

전개
사자들이 세 선비를 지부로 잡아가지만 염왕은 잘못 붙잡혀 온 세 선비를 돌려보내려 함.

위기
세 선비는 자신들이 원하는 곳으로 환생시켜 달라고 함.

절정
염왕은 첫 번째 선비와 두 번째 선비의 소원을 들어주고, 세 번째 선비의 글을 읽음.

결말
염왕은 온갖 복을 다 갖고 싶어 하는 욕심 많은 세 번째 선비를 크게 꾸짖음.

첫 번째, 두 번째 선비
문과나 무과 급제에 대한 소망을 성취하는 인물

세 번째 선비
무병장수하면서 온갖 부귀영화를 모두 누리고 싶어 하는 인물

염왕
첫 번째, 두 번째 선비의 소원은 들어주지만, 세 번째 선비는 욕심이 많다며 꾸짖음.

최 판관
세 선비가 저승에 잘못 잡혀 왔음을 염왕에게 알리는 인물

핵심장면 ① 저승에 잘못 잡혀온 세 선비가 염왕에게 자신들의 소망대로 환생시켜 달라고 말하는 부분이다.

옛날 낙양(洛陽) 동촌에 선비 있으되 『기질이 호탕하여 흘러넘치고 풍채 또한 당당하고 너그
　　　　공간적 배경　　　　　　『　』: 고전 소설의 전형적인 인물 묘사　　　　　　　　업신여겨 깔봄
러워 인색하지 않으며 문장은 이백 두보를 압두하고 필법은 왕조(王趙)를 묘시(藐視)하는지
　　　　　　　　　　　　중국 당나라 때 시인들　　　　　　중국의 유명한 서예가 왕희지와 조맹부
라,』 한가지로 과공(科工)을 힘쓰니 마침 방춘호시절(方春好時節)을 당하여 술과 안주를 가지
　　　　　　과거 시험에 모든 노력을 기울이니　　봄이 한창 좋은 시절
고 백악산에 올라 장안의 도시를 굽어보니 『만학천봉 적적한데 계곡의 시냇물은 잔잔하고 십
　　　　　　　　　　　　　　　　첩첩이 겹쳐진 깊고 큰 골짜기와 수많은 산봉우리　　　『　』: 백악산의 아름다운 경치 묘사 – 예찬적 태도
리 강산 버들잎은 광풍에 흩날리고 꾀꼬리는 구십춘광을 희롱하며 원앙새 비취금은 이리저리
　　　　　　　　　　　　　　　　　　　　　　　봄의 석 달 동안의 화창한 봄 날씨　　　　물총새
왕래하며 각색 초목이 무성한데 푸른 소나무 낙낙하고 푸른 대나무 아름답고 산유자 황양목
　　　　　　　　　　　　　　　　　　　　　　봄에 피는 꽃들 – 배꽃, 복숭아꽃, 진달래　　　회양목
측백 층층 들메나무는 사변에 빽빽하게 늘어서 있고 이화 도화 두견화며 각색 꽃이 자욱한 곳
　　　　　　　　　　　　주위에
에 만장폭포 맑은 물이 이 골 저 골 합류하여 굽이굽이 출렁 흘러가니 별건곤이 여기로다.』
　　　　　　　　　　　　　　　　　　　　　　　　　　　　　　　　　　별천지
　　삼 인이 한가지로 경개를 완상하며 흥취 도도하여 금준미주와 옥반가효를 실컷 취하고 삼
　　세 선비　　　　　경치　　　　　　　　　　　　　금 술병 속의 맛이 좋은 술　▶ 백악산의 경치를 구경하는 세 선비
　음식이 체하여 토하고 설사하는 급성 위장병　　　　　　　　옥쟁반 위의 맛이 좋은 안주
인이 다 곽란(癨亂)하여 인사불성(人事不省)하였더니, 이때 지부(地府) 염라대왕이 날마다 차
　　　　　세 선비가 저승으로 잡혀가게 된 이유　　　　　　　　　저승
사(差使)를 놓아 사람 일천씩 잡아가더니 시절이 태평하여 돌림감기 앓는 어린아이 하나도 없
사람들을 저승에 데려가는 일을 하는 사람
는지라. 사자들이 두루 돌아다니다가 백악산에 올라가매 삼 인이 곽란하여 반생반사(半生半
　　　　　　　　　　　　　　　　　　　　　　　　　　　　　　거의 죽게 되어 죽을지 살지 모르는 지경이 됨
死)하였거늘, 세 놈이 의논하되, '우리들이 왕명을 받아 매일 사람 일천씩 잡아가더니 오늘은
　세 차사　　　　　　　　　 Link 사건의 전개 ❶
지부에 들어갈 경과 거리도 없으니 저 세 놈이 죽진 않았으나 경과 거리야 못 하랴.' 하고 쇄채
　일이 되어 가는 과정을 보여 줄 만한 거리　　　　　　　　　　　　죄인을 문초하여 구두로 진술을 처음 받는 것
로 두드려 지부로 잡아들이어 가니 염라왕 앞에서 최 판관이 초봉초(初捧招)를 받는지라.
　　　　　　　　　　　　　　　　　　　　저승에 올 사람인가 아닌가를 판단하는 일을 하는 저승의 벼슬아치
　　삼 인이 애걸하여 가로되,
　　　　　　　　　　　　억울하게　　　　　　　　　　　　　　　서로 좋게 풂
　　『"우리들이 애매히 잡혀 왔사오니 덕분에 사화(私和)하여 주시면 억
　　『　』: 어려운 문제를 뇌물로 해결할 수 있던 당시의 사회상을 엿볼 수 있음
만 냥 명문(明文)을 하여 드리리이다."』 Link 사건의 전개 ❷
　억만 냥을 주겠다는 증서를 써 드리리다
최 판관이 가로되,
"지부에는 환전(換錢)길도 없고 신편(信便)도 없느니라."
　　　　　증서를 돈으로 바꾸는 일　　　　　믿을 만한 인편

Link
출제자 특강! 사건의 전개를 파악하라!

❶ 차사들이 지부에 들어갈 경과 거리가 없는 이유는?
　시절이 태평하기 때문에

❷ 지부에 잡혀온 세 선비가 제안한 내용은?
　풀어 주면 억만 냥을 주겠다고 함.

하고 염왕 앞에 나아가니 염왕이 가로되,

"지부에는 사생공사(死生公事)가 소중하니 세 놈의 호패를 떼고 거주 성명을 분명히 알아 그
죽고사는 것을 결정하는 공무
름이 없게 하라."

하고 생사치부책을 내어 연조(年條)를 상고하라 하니, 최 판관이 명을 받아 자세히 상고한즉
어떤 해에 어떤 일이 일어났는지를 나타내는 조목   사람이 언제 죽고 언제까지 사는지가 기록되어 있는 명부   서로 견주어 살펴봄

판결이 틀려 십 년 후에 잡아 올 사람을 지레 잡아 왔는지라. 이에 최 판관이 크게 놀라 이대
세 선비가 잘못 잡혀 왔음을 알 수 있음

로 염왕께 아뢰니 염왕이 놀라 가로되,

"세상에도 딤관오리 수제곡법(收財曲法)하는 것을 각별 살피나니 하물며 지부에서 공사(公
재물을 마구 거두어들이고 법을 왜곡함   공적인 업무
事) 그릇하는 말이 그 어찌 되는 말이냐. 『상제(上帝) 염문(廉問)이 지엄하신데 만일 이 일이
먼저 태형을 가하고 죄의 유무를 논하는 것   옥황상제   사정이나 형편 따위를 몰래 물어봄
현탈(顯頉)하면 선태후결(先苔後決)을 즉기시(卽其時)에 날 것이니』이 앞에 염려무궁하매 빨
탈로 나면   즉시   『 』: 허점을 용납하지 않는 지부
세계의 준엄함이 드러남
리 내어 보내라."   ➤ 저승에 잘못 붙잡혀 온 세 선비

하거늘, 삼 인이 이 말을 듣고 대희하여 염왕 앞에 나아가 아뢰되,
인간 세계   크게 기뻐함

『"인간에 조용히 있는 사람을 지악(至惡)한 차사를 보내어 잡아들여 올 제 열나흘 길이오니
『 』: 자신들을 다른 사람으로 환생시켜 달라는 의미
이제 돌아가라 하시니 왕환(往還)이 이십팔 일이라. 그사이 칠일장을 하였을지 구일장을 하
왕복
였을지 석 달 관을 그대로 둘 리는 만무하오매 벌써 장례를 치러 시신이 없을 것이니 혼백을
사후에 영혼과 육체가 분리된다고 보는 생사관이 반영됨
어디에 다가 붙이라 하시니이까."』
Link 작품에 반영된 사회상 ❶

하며, 발악이 비경(非輕)하거늘 염왕이 들으매 언즉시야(言則是也)라. 이에 달래어 가로되,
일이 가볍지 아니하고 중대함   말인즉 옳은지라

"그러하면 아무 재상가의 네 가문과 같은 집에 점지하여 줄 것이니 도로 나가라."
죽은 사람이 다시 살아나는 환생 모티프

Link
출제자 특) 작품에 반영된 사회상을 파악하라!

❶ 이 글에 나타난 당대인들의 생사관은?
사후에 영혼과 육체가 분리된다고 생각함.

❷ 염왕이 세 선비에게 소원을 말하라는 장면
에서 알 수 있는 당대인들의 생사관은?
지부 세계의 존재는 인간계에 개입할 수 있
는 초월적인 능력이 있음.

삼 인이 다시 아뢰되,

『"좋이 있는 사람을 잡아다가 오거라 가거라 하니 응당 그 값이 있
『 』: 피해자로서 자신들의 요구를 관철하고자 하는 당당한 모습
을지라. 소생 등의 원대로 점지하여 주소서."』

염왕이 웃으며 가로되,
Link 작품에 반영된 사회상 ❷
"너희 소원대로 아뢰라."   ➤ 세 선비의 소원대로 점지해 주겠다는 염라대왕
지부 세계의 존재가 인간계에 개입할 수 있는 초월적 능력을 갖추고 있음을 보여 줌

핵심장면 ❷ 염왕이 세 번째 선비의 소원이 적힌 글을 읽는 부분이다.

『다남자즉다구(多男子則多懼)하니 아들 형제 딸 하나에 내외손이 번성하여 각색 자미 즐겨
아들이 많아도 걱정이 많으니   화려한 잔치를 열어 – 이백의 시 문구 인용
하니 곽분양의 백자 천손인들 이에서 더할쏜가. 날마다 개경연(開瓊筵)이라. 화(和)하여 열
자손이 많고 부귀영화를 누렸다는 곽분양보다 팔자가 좋음
친척지정화(悅親戚之情話)하고 서천륜지락사(序天倫之樂事)로다. 비우상이취월(飛羽觴而醉
친척 이웃들과 기쁘게 이야기를 나눔   세상에서 가장 기쁜 일   새 깃 모양 술잔을 날리며 달빛에 취함
月)하니 의가지락(宜家之樂)이 족하도다. 일월성진광음중(日月星辰光陰中)에 부귀인간 유수
부귀한 인간도 수명이 있음
(有數)로, 다만 아끼노라 청천삭출(靑天削出) 빨리 간들 어이하리. 한심할사 건곤(乾坤)이
안타깝다
불로월장재(不老月長在)하니 적막강산금백년(寂寞江山今百年)이라. 어렵고 못 할 일은 장생
달(자연)은 늙지 않아 오래 남아 있음   적막한 강산은 이제 백 년임
불사(長生不死)뿐이로다. 진시황 한무제도 채약구선(採藥求仙)하여 연년익수(延年益壽)하려
막강한 권력을 지닌 제왕도 장생불사할 수 없음
다가 변통무료(變通無聊)하였으니 그야 어찌 바라리오. 지분지명(知分知命)하여 병 없고 성
분수를 알고 운명을 앎

한 몸이 명철보신(明哲保身)하려 하면 더할 것 없사오니 수삼갑자(數三甲子) 누리다가 와석
　　　　　총명하고 사리에 밝아 일을 잘 처리하여 자기 몸을 보존함　　　　　　　　아주 오랫동안　　제 명을 다 살고 편안히 누워서 죽음
종신(臥席終身) 고종명(考終命)이 원이오니 복걸참상교시후(伏乞參商敎是後)에 복망련지긍
　　　　　제명대로 살다가 편안히 죽는 것　　　　　　엎드려 비오니 이 같은 저의 소원 명으로 내리셔서
지(伏望憐之矜之)하시며 애지휼지(愛之恤之)하사 의소원처치(依所願處置)하여 주심을 천만
엎드려 비오니 이를 불쌍히 하고 가련히 여겨　　　　　　　　　소원대로 처리하여
축복하나이다.'」 ⌐세 번째 선비의 소원 – 자손이 번성하고 화목한 가정을 꾸리며 오래도록 건강하게 살 수 있도록 해 주기를 바람

하였거늘, 염왕이 세 번째 소지를 보다 그만두며 대로하여 꾸짖어 가로되,

"이 욕심 많고 무거불측(無據不測)한 놈아. 네 들어라. 내가 『천지개벽 이후로 만물보응(萬物
　　　　　　　　성질이 말할 수 없이 흉측함　　　　　　　　　　　⌐염왕이 할 수 있는 일
報應) 윤회지과(輪廻之窠)와 생사화복(生死禍福) 길흉지권(吉凶之權)을 모두 다 가지고 억만
　　　　다시 태어나 살게 될 곳
창생의 수요장단과 선악 시비를 평균히 조석으로 살리는 터에』 성현 군자라도 하지 못할 일
　　　　　수명이 길고 짧음　　　　　　　　　　　　　　　　세 번째 선비의 소원은 염왕도 들어줄 수 없는 일임
을 모두 다 달라 하니, 그 노릇을 임의로 할 양이면 내 염라대왕은 떼어 놓고 스스로 하리
　　　　　　　　　　　　만약 가능한 것이라면 염왕 자리를 버리고 자신이 그러한 삶을 살겠다는 의미
라." / 하더라.

➤ 세 번째 선비의 소원이 적힌 글을 읽고 화를 내는 염라대왕

최우선 출제 포인트!

1 당대 인간계의 실상과 당대인들의 생사관

"사화하여 주시면 ~ 드리리이다."	돈으로 문제 상황을 해결하려 하는 인간계
상제 염문이 지엄하신데	허점을 용납하지 않는 지부 세계
"벌써 장례를 치러 시신이 없을 것이니"	사후에 영혼과 육체가 분리된다는 생사관
"너희 소원대로 아뢰라."	지부 세계의 존재가 인간계에 개입할 수 있는 초월적 능력을 갖추고 있음.

2 지부와 인간계

지부
- 공사 처리가 엄격함.
- 환전길도 없고 신편도 없고 뇌물이 통하지 않음.
- 생사치부책에 따라 인간의 사생 공사를 결정함.
- 사람이 죽은 뒤 혼백으로 존재하는 곳임.

인간계
- 탐관오리의 잘못을 각별히 살핌.
- 어려운 문제를 뇌물로 해결할 수 있음.
- 육신이 없으면 혼백만으로 존재할 수 없는 곳임.

3 세 선비의 소지에서 추구하는 인생관과 염왕의 반응

첫 번째 선비	과거의 문과에 급제하여 위엄이 천하에 진동함.	양반들이 바라는 보편적인 욕망임. → 염왕은 두 선비의 소원을 들어줌.
두 번째 선비	무과에 급제하여 암행어사가 되어 백성들의 억울함을 풀어 준 후 벼슬길에서 물러남.	
세 번째 선비	• 이름난 가문에서 태어나 효행과 예절을 익혀 부모에게 효도함. • 세상의 영욕을 물리치고 강호지락을 즐기며 한가하게 삶. • 병 없이 살다가 천수를 다하고 죽음.	인간의 보편적인 욕망에 해당함. → 염왕은 선비가 성현 군자도 하지 못할 일을 욕심낸다며 질책함.

최우선 핵심 Check!

1 초성 힌트를 보고 빈칸에 들어갈 말을 쓰시오.

이 작품은 불교의 □ㅇㅎㄱ □을/를 바탕으로 당시 사람들이 추구하던 행복의 개념이 무엇인지를 잘 보여 주는 전기(傳奇) 소설로, 죽음 이후에는 저승으로 가며 다시 인간계에 환생한다는 내세관이 드러나 있다.

2 다음을 통해 알 수 있는 당대인들의 생사관은?

"벌써 장례를 치러 시신이 없을 것이니 혼백을 어디다가 붙이라 하시니이까."

3 다음 소원과 관련 있는 선비는?

이름난 가문에서 태어나 효행과 예절을 익히고 강호지락을 즐기며 한가롭게 살다가 병 없이 천수를 다하다 죽고 싶음.

4 다음 내용 중 맞는 것은 ○표를, 틀린 것은 ×표를 하시오.

(1) 세 선비는 자신들의 실수로 인해 지부로 들어가게 되었다. (　　　)
(2) 차사들은 지부에 들어갈 경과 거리를 만들기 위해 죽지 않은 세 선비를 지부로 데려갔다. (　　　)
(3) 염왕은 공적인 업무를 엄격하게 처리하고자 하였다. (　　　)
(4) 세 번째 선비는 무과에 급제하여 백성들의 억울함을 풀어주고자 하였다. (　　　)

정답 1. 윤회관 2. 사후에는 시신과 영혼이 분리됨.
3. 세 번째 선비 4. (1) × (2) ○ (3) ○ (4) ×

기녀 오유란의 계책에 빠져 절개를 훼손한 양반에 관한 이야기

오유란전(烏有蘭傳) | 작자 미상

성격 비판적, 풍자적　**시대** 조선 후기
주제 양반들의 호색적이고 위선적인 생활 풍자

소설

이 작품은 여자를 멀리하고 학문에 매진하던 양반이 친구의 계략과 기생의 유혹에 넘어가 훼절을 당한다는 해학적인 설정을 통해 양반의 위선적인 생활을 풍자하고 있다.

주요 사건과 인물

발단
평안감사가 된 김생은 이생을 후원 별당에 거처하게 하지만 독서에만 골몰하는 이생을 골려주려 함.

전개
김생이 기생 오유란을 시켜 이생을 유혹하자, 이생은 오유란과 인연을 맺음.

위기
아버지의 병 때문에 서울로 가다가 되돌아온 이생은 오유란이 자결했다는 소식을 듣고 벽서에 눕게 됨

절정
유령으로 가장한 오유란이 이생을 희롱하자 곤욕을 치른 이생은 자신이 속았음을 깨닫고는 공부에 매진함.

결말
평안도 암행어사가 된 이생은 여색을 즐기는 김생에게 복수한 뒤, 김생과 오유란을 모두 용서함.

이생
김생의 친구로, 고지식하고 융통성이 없어 오유란의 계책에 빠져 봉변을 당하지만 김생과 오유란을 용서함.

김생
평안감사로, 오유란과 함께 이생을 속이는 인물

오유란
김생의 지시에 따라 이생을 유혹하고, 이생으로 하여금 자신이 죽은 것으로 착각하게 만들어 이생의 치부를 드러냄.

핵심장면 ① 이생이 오유란의 계교에 빠져 의관을 갖추지 않고 밖에 나서는 부분이다.

☐ : 주요 인물

이생을 계교에 빠지게 해서 죽었다고 한 후로 한두 가지 가련한 마음이 없지는 않았으나, 이
　　　　　　　향락을 모르고 여색을 멀리하는 이생을 골탕 먹이려는 김생의 지시
날 이후부터는 오유란이 수시로 출입하니, 『혹은 낮에도 자며 즐거워하고, 혹은 밤에 술 마시
　　　　　　　　　　　　　　　　　　　　　　　　　향락에 빠져 공부를 멀리함
며 이야기하기에 밤 가는 줄 모르고 도취하니, 즐거움은 미진(未盡)하였고 사랑은 무궁하였
　　　　　　　　　　　　　　　　　　　　　　　　　　　　　　　『 』: 오유란의 계교에 넘어가 향락에 빠져 방탕하게 생활하는 이생
Link 사건의 전개 ❶
다.』 이생은 자득(自得)한 듯이 희언(戲言)을 오유란에게 보내며 말했다.

"낭자의 묘술로 능히 나로 하여금 목숨을 좋이 마치게 하여 주오. 목숨을 좋이 마치는 것은
　　　　오유란의 묘술이 자신의 목숨까지도 마치게 한다고 말하는 이생 – 오유란에게 푹 빠진 이생
오복(五福)의 하나라 감사하여 마지않겠소."
　　　　　　　　　　　　　　　　　　　　　　　❯ 오유란의 계교에 빠진 이생

오유란은 대꾸를 하지 않았다. 오유란은 본시 민첩하고 다정한 사람이었다. 자주 배고프고
　　　　　　　　　　　　　　　　　　　　오유란의 성품을 직접적으로 제시함
목마른가를 물으며 때때로 좋은 음식을 갖다 대접했다. 이생은 이러한 좋은 음식을 가지고 오
　　　　　　행동을 통해 오유란의 성품을 간접적으로 제시함
는 데에 대하여 감탄하면서 말했다.

"거기에도 또한 묘방(妙方)이 있는 것 같은데, 그 묘방은 어떠한 것이오?"
　　　　　　　　　　　　　　　　　　죽은 영혼이 물과 음식을 대접하기 때문에
"토식(討食)이라는 것이지요." / "토식이라 이르는 것은 어떠한 것이오?"
　오유란이 꾸며낸 것　　　　　　　　　　　　　　　'토식'에 호기심을 느낀 이생
"능히 말로 표현할 수 없습니다."

"자세한 이야기는 좋아하지 아니하니, 나로 하여금 한번 보게 해 주는 것이 어떠하오?"

"꼭 보시고 싶고 아시고 싶으면, 택일(擇日)할 필요 없이 오늘 아침에 낭군님과 더불어 같이
가 봅시다."

이생은 좋아하며 관(冠)의 먼지를 털어 쓰고 옷을 떨쳐입고는 곧
　　　　　Link 사건의 전개 ❷　　자신이 귀신이라고 생각하면서도 의관을 갖춰 입는 이생
나서려고 했다. / 때는 오월이라 날씨가 매우 더웠다. 오유란은 옆에

섰다가 침이 튀도록 웃으면서 말했다.

"이같이 더운 날씨에 의관(衣冠)은 무엇 때문에 하십니까?"
　　　　　　　　　　　　　이생을 골탕 먹이려는 의도를 갖고 일부러 비웃음
『큰길에 나서면 여러 사람이 보고 손가락질할 것 아닌가. 내 무뢰
　『 』: 체면을 중시하는 양반의 허례허식

Link

출제자 톡! 사건의 전개를 파악하라!

❶ 오유란의 계교에 빠진 이생의 모습은?
향락에 빠져 공부를 멀리하고 방탕한 생활을 함.

❷ 이생이 의관을 갖추는 이유는?
'토식'을 보러 나서기 위해 늘 해왔던 것처럼 준비함.

배가 아닌 이상 더벅머리에다 관을 쓰지 않는 것이 어찌 옳다고 말할 수 있소?"

Link 작가의 의도 ❶

"낭군님의 불통(不通)함은 어찌하여 그렇게 고지식하십니까? 살았을 때와 죽었을 때의 몸도
_{이생의 인물됨에 대한 평가}
구별하지 못하고 다만 몸가짐의 조심만을 말할 뿐이니, 사람들은 우리를 볼 수 없지마는 우
_{꾸미거나 차려입을 필요가 없다는 주장의 근거}
리는 볼 수 있고, 사람들은 우리의 말을 들을 수 없지마는 우리는 들을 수 있습니다. 소리가

없고 냄새가 없는 것은 하늘이며, 귀신의 도는 공허하고 형체도 없고 자취도 없는 것은 음향

이온데, 낭군님과 저의 처신에 있어서는 돌아보고 꺼리어 할 바가 무엇이 있으며, 꾸미거나
_{공개적인 장소에서 이생을 망신시키려는 계략}
차릴 필요가 무엇이 있어요?"

"사람들은 비록 보지 못한다 할지라도 나로서는 어찌 마음에 부끄럽지 아니하겠소? 그러나

자취가 없다는 말을 들으니 적이 마음이 놓이는군."
_{이생이 의관을 갖추지 않고 나가게 되는 계기에 해당}
이생은 가벼운 홑옷을 입고 오유란의 손을 잡고 문을 나가면서도 자기 몸을 돌아보고는 혹
_{오유란의 권유에 따르면서도 불안해하는 이생의 순진한 모습}
사람들이 알아볼까 두려워하니, 걸음걸이는 인어(人魚)가 해막(海幕)을 엿보는 것과도 같고,
_{이생은 자신을 귀신이라고 믿으면서도 조심스럽게 행동함}
마음은 마치 꾀꼬리의 집이 바람 부는 가지에 걸려 있는 것과 같았다.

❯ 오유란의 계교에 빠져 홑옷으로 외출하는 이생

핵심장면 ❷ 이생이 자신이 김생과 오유란에게 속았음을 깨닫는 부분이다.

즉시 선화당(宣化堂) 대청(大廳) 위를 올라가서 오유란이 물러서며 이생에게 속삭이기를,

"사또가 저기 있으니 낭군님은 이전 이방의 집에서 한 것과 같이 들어가서 사또를 치고 그
_{김생}   _{이생을 골탕 먹이려는 계략}
거동을 보십시오." / 하고 말했다.

"나는 익숙하지 못한데 어찌 마음 놓고 할 수 있을까?"

"일은 그렇게 어렵지 아니합니다. 저는 상하의 분수가 있어서 감히 할 수 없거니와, 낭군님
_{오유란의 신분이 기생이기 때문에}
은 무슨 꺼릴 것이 있겠습니까?"

❯ 이생을 골탕 먹이려는 오유란
_{상하의 신분 차이도 없고, 죽은 몸이라 여기기 때문에}
『이생은 마지못하여 허리를 구부리고 슬금슬금 앞으로 가서 머뭇거리고 서성대면서 보는 것도
『 』: 자신이 죽었다고 믿으면서도 사람들이 자신을 알아볼까 봐 망설이며 우스꽝스러운 행동을 함 - 이생의 소심한 성격
같고 아는 것도 같아서 바로 곧 행동을 취하지 못하고 이상한 눈초리로 살피고 있는데,』 감사가
_{Link 작가의 의도 ❷}   _{김생}
가만히 담뱃대로 이생의 배를 쿡 찌르면서 말했다. / "형장(兄長)은 이 무슨 꼴인가?"
_{감사와 오유란이 꾸민 계교를 폭로하는 행위}   _{이생}
이생은 깜짝 놀라며 털썩 주저앉고는 비로소 자기가 살아 있음을 깨달으니,『취몽(醉夢)이 삼
_{모든 것이 거짓이었음을 깨닫고 상황을 인지함}   『 』: 이생의 깨달음을 자연물에 빗대어 표현함
월 봄날에 깬 것과 같고 훈풍이 한 가닥 불어온 것과 같이 정신이 들었다.』순간 어리둥절하고
_{이생의 당황스러운 모습}
어찌할 바를 몰랐으나 곧 정신을 차려 보니 조금도 의심할 것이 없고, 한 무덤에 자기가 팔렸

음을 비로소 깨달았다. 기운이 탁 풀리고 맥이 없어 어떻게 해야 좋을지 몰랐다.
_{속았다는 것을 깨달은 이생의 모습}

감사는 즉시 관비에게 명하여 옷 한 벌을 가지고 와서 입히게 했

Link
출제자 특강 작가의 의도를 파악하라!

❶ 의관을 갖춰야 한다는 이생을 통해 말하고
자 하는 바는?
양반의 허례허식을 비판하고자 함.

❷ 감사가 담뱃대로 이생의 배를 쿡 찌르게 설
정한 의도는?
이생이 오유란의 계교에 빠졌음을 깨닫게
하기 위함.

다. 이생은 더욱 부끄러움을 이기지 못하였다. 이생은 이튿날 새벽
_{친구 앞에서 선비답지 못한 행동을 했기 때문에}
에 노비를 마련해 가지고 감사도 만나 보지 않고, 오유란도 만나 보
_{자신의 행동에 대한 부끄러움 때문에}
지 않고 밤낮으로 달려 겨우 서울에 도착했다. 부모들은 그의 얼굴

이 해쓱함을 보고 근심하였고, 종들은 그 차림이 초라함을 살피고

의심했다. / 이생은 대답하기에 애를 먹고, 병이 들어 고생을 했기 때문이라고 했다.
<u>기생 오유란에게 조롱을 당한 일을 사실대로 말하지 못함</u>

이생은 정사(精舍)로 물러가 거처하며, 설분(雪憤)에만 뜻을 두고 마음속으로 굳게 맹세하고
<u>자신을 속인 김생과 오유란에 대한 분한 심정을 복수하고자 함</u>
는 열심히 공부를 했다.

➤ 감사와 오유란에게 속은 것을 깨달은 이생

핵심장면 ③ 과거에 급제한 이생이 김생과 재회하는 부분이다.

감사가 기쁜 얼굴로 말했다.
<u>김생</u>

"이 친구가 과거에 급제했다는 소식은 벌써부터 알고 있었지만, 오늘의 암행어사일 줄은 몰
<u>이생이 김생에게 속은 것에 대한 분한 마음을 풀고자 열심히 공부하여 과거에 급제했음을 알 수 있음</u>   <u>이생</u>
랐구나."

이에 감사는 달아났던 넋을 수습하고 옷차림을 바로 한 뒤 통인 하나를 시켜 어사에게 명함
<u>암행어사 출두로 매우 당황해서</u>   <u>곤경에 빠진 상황을 이생과의 옛정에 기대어 해결하고자 함</u>
을 갖다 바치게 했다. 어사는 이를 밀쳐내며 노기 어린 목소리로 말했다.

"나는 본래 너를 모르는데 사또가 명함을 들이려 하는 건 무슨 이유냐?"

<u>어사는 즉시 통인을 결박하고 곤장 삼십 대로 다스리게 했다.</u> 감사는 명함을 내치더라는 소
<u>과거에 자신을 속인 김생을 모른 척하기 위해 통인에게 엉뚱하게 분풀이하는 모습</u>   **Link** 인물의 의도 ❶
식을 듣고 어사를 직접 만나 보고자 했으나 수중에 가진 명함이 더 없었다. 감사는 안으로 뛰

어 들어가 거만한 자세로 서서 어사에게 말했다. / "벗은 평안하오?"

어사가 못 본 척, 못 들은 척하자 감사는 앞으로 다가가 어사의 옷을 잡았다.
<u>과거에 자신을 속인 것이 괴씸하여 복수하기 위해 모른 척함</u>   ➤ 암행어사로 출두한 이생이 김생을 모른 척함

『자네는 진짜 남자로군. 뜻을 굳게 가진 자가 끝내 성공한다는 말 그대로일세. 오늘 내가 곤
『 』: 자신의 행동이 긍정적인 결과를 가져왔음을 강조하여 곤경에 처한 자신의 상황에서 벗어나려 함
경에 빠져 위급한 처지가 된 것이 지난날 자네가 속임 당하던 때 못지않네. 한번 깊이 생각

해 보게. 자네가 순식간에 영예로운 자리에 오른 게 내 한결같은 정성 때문은 아니었는지 말
<u>이생에게 동기 부여를 하고자 했던 자신의 의도를 밝힘</u>
일세. 그렇게 본다면 나는 형을 저버리지 않은 사람이라 할 수 있을 것이네.』

Link 인물의 의도 ❷

어사가 생각에 생각을 거듭하더니 문득 마음이 풀어지며 입에서
<u>감사에 대한 그동안의 마음이 풀렸음을 알 수 있음</u>
저도 모르게 웃음이 피어났다. 어사가 말했다.

"이미 지난 과거고 다 지나간 일이지."
<u>조롱당했던 과거의 일을 지난 일이라고 여김</u>
그러고는 술상을 차려오게 하여 술을 마시며 즐거움을 나눴다. 감
<u>어린 시절 나누었던 우정을 회복함</u>
사는 자기의 속임수가 너무 지나쳤다는 것을 사과하는 한편 어사의

은혜를 입게 된 것에 감사했다.

➤ 우정을 회복한 김생과 이생

Link
출제자 **톡** 인물의 의도를 파악하라!

❶ 어사가 통인을 결박하고 곤장을 때린 이유
는?
과거에 자신을 속인 김생을 모른 척하기 위
해서

❷ 감사가 어사에게 어사가 자신 때문에 영예
로운 자리에 올랐다고 말한 의도는?
자신의 행동이 어사에게 긍정적인 결과를 가
져왔음을 강조하여 곤경에서 벗어나기 위해

핵심장면 ④ 오유란이 이생에게 자신의 잘못을 해명하는 부분이다.

이튿날 날이 밝자 어사가 관아에 나와 앉았다. 어사는 형구를 잔뜩 벌여 놓고 오유란을 결박
<u>이생</u>
하여 섬돌 아래 거적에 엎드리게 한 뒤 집무실 문을 닫고 그 안에서 노기 어린 음성으로 말했다.
<u>오유란을 직접 대면하지 않음</u>
"네 죄를 네가 알렸다! 곤장을 쳐 물고하리라!"
<u>오유란이 이생을 속인 죄</u>
오유란은 낮은 목소리로 간절히 아뢰었다.

"저는 우매하여 무슨 죄를 지었는지 모르겠나이다."

어사가 문을 치며 성난 목소리로 꾸짖었다.

남을 속이거나 비웃으며 놀려
"하찮은 계집이 장부를 속이고 기롱하여 산 사람을 죽었다고 하고 멀쩡한 사람을 귀신이라
이생이 생각하는 오유란의 죄
했으면서 어찌 죄가 없다 하느냐? 어서 죄를 자백해라!" / 오유란은 더욱 애걸하며 말했다.

Link 갈등의 양상 ❶
"어사또께서는 잠깐 문을 열고 저를 한번 보아주시기를 바라옵니다. 한 가지 드릴 말씀이 있습
직접 대면하기를 요청하는 오유란
니다. 소원을 들어주신다면 저는 곧장 아래 귀신이 된다고 해도 원통함이 없을 것이옵니다."
자신의 소원을 들어주기를 간절히 드러냄
어사는 본래 다정한 사람인지라 오유란의 말을 들어 줄 겸 예전의 그 얼굴을 다시 한번 보고
이생의 성품을 직접 제시함
싶은 마음에 문을 열고 잠시 자신의 모습을 보여 주었다. 오유란은 어사를 올려다보고 방긋
문초를 당하는 사람 같지 않게 침착한 모습
웃으며 말했다.

『산 사람을 죽었다고 하긴 했으나 산 사람은 자기가 죽지 않았음을 분간하지 못했고, 멀쩡한
이생   이생의 잘못 ①   이생
사람을 귀신이라고 하긴 했으나 그 사람은 자기가 귀신이 아니라는 걸 깨닫지 못했으니, 속
이생의 잘못 ②
인 자가 잘못이옵니까, 속임을 당한 자가 잘못이옵니까? 그렇게 속이는 자야 더러 있을 수
오유란   이생
있다지만 그렇게 속임 당한 자는 세상에 또 있겠습니까? 게다가 저는 졸개로서 오직 장군의
속임을 당한 이생의 잘못임을 강조한 말   감사 김생의 명령
명령을 따른 것일 뿐이옵니다. 일을 주장한 분이 계시고, 책임을
김생
돌릴 곳이 있는데, 졸개를 굳이 죽이셔야 하겠습니까?"
『 』 속임을 당한 이생과 일을 시킨 김생의 잘못이 크다는 점을 부각하여 자신의 죄를 연쇄시키려는 오유란의 자기변호
어사는 그 말을 듣고 분한 마음이 여전히 없지 않았지만, 사실이
Link 갈등의 양상 ❷
또 그러함을 인정하지 않을 수 없었다.
자신이 어리석어서 오유란에게 속은 것과 이를 시킨 것은   ▶오유란의 해명을 듣고 자신의 잘못을 인정하는 이생
김생임을 인정함

최우선 출제 포인트!

1 작가의 의도

이생
금욕적 절조를 이유로 여색을 멀리하지만 결국은 친구 김생의 계략과 기생 오유란의 유혹에 넘어가 절조를 훼손함.

↓

양반의 호색과 위선적인 생활 풍자

2 갈등의 해결 양상

김생 ↔ 이생 김생의 해명	오유란 ↔ 이생 오유란의 해명
자신의 행동이 이생에게 동기 부여되어 결과적으로는 긍정적인 영향을 줌.	자신은 졸개이며 속임을 당한 이생과 속일 것을 명령한 김생의 잘못이 더 큼.

이생은 김생과 관계를 회복하고, 오유란의 말이 맞음을 인정함. → 대립과 갈등을 극복하고 융화를 지향함.

최우선 핵심 Check!

1 이 작품에서 궁극적으로 풍자하고자 하는 양반의 모습은 무엇인지 쓰시오.

2 다음 내용 중 맞는 것은 ○표를, 틀린 것은 ×표를 하시오.

(1) 김생은 처음부터 이생이 장원 급제할 것을 예상하고 있었다. (   )
(2) 이생은 오유란은 용서하지만 여색을 즐기는 김생은 용서하지 않았다. (   )

정답 1. 양반의 호색적이고 위선적인 생활 2. (1) × (2) ×

▶ 1등급! 〈보기〉!

「배비장전」과의 「오유란전」 → 우리책 33위(배비장전)

	배비장전	오유란전
공통점	• 주변 인물들이 주인공을 속임. • 양반의 위선적인 모습을 폭로하는 주체가 기생임.	
차이점	양반 사회의 모순과 위선을 신랄하게 풍자함.	양반 사회의 모순을 해학적으로 그리며 등장인물 간의 갈등을 극복하고 서로 융화를 추구함.

119위

남쪽[南] 팔난[八難]을 정벌한[征] 이야기

남정팔난기(南征八難記) | 작자 미상

성격 전기적, 비현실적 **시대** 조선 후기
주제 황극의 고난 극복과 영웅적 활약상

소설

이 작품은 송나라를 배경으로 액운을 만난 주인공이 온갖 고초를 겪은 뒤에 부귀영화를 누린다는 내용의 전형적인 군담 소설로, 여성 영웅의 활약상이 두드러지게 나타나 있다.

주요 사건과 인물

발단
송나라의 이부 시랑 황희룡은 신선의 시중을 드는 동자가 와서 절하는 꿈을 꾼 뒤 아들 극을 얻음.

전개
10세 때 부친과 사별한 황극은 주봉진과 남방을 방랑하며 팔난을 겪던 중 현덕무 등과 형제의 결의를 맺음.

위기
황극은 월파를 비롯하여 우연히 만난 영웅호걸들과 힘을 합쳐 남만을 격파하고 고향에 돌아가 모친을 만남.

절정
왕이 죽자 선왕의 서자가 역모를 꾸며 황극을 귀양 보낸 뒤 왕위를 빼앗자 황극은 연왕의 무리와 싸움.

결말
연왕의 반역을 진압한 황극은 월파를 부인으로 맞이하고 자손 대대로 부귀영화를 누림.

주봉진, 현덕무 등
극을 도와 공을 세우고 월파와 이별한 원수를 독려하며 군무(軍務)를 재촉함.

+

월파
금병산 도사의 여제자. 작전과 계책에 능하며, 황극의 조력자 역할을 하는 여성 영웅임.

+

황극(원수)
영웅호걸을 만나 남만의 침입과 연왕의 반역을 물리치고 부귀영화를 누림.

↔

마달, 천봉 도사
황극과 대립하는 인물들. 천봉 도사는 월파가 여성임을 송 진영에 폭로함.

핵심장면
황극을 도와 전세에 참여하는 여성 영웅 월파의 활약이 두드러지는 부분이다.

□ : 주요 인물

원수가 다시 **월파**더러 묻기를,
주인공 황극   여성 영웅으로 황극의 조력자

"그대는 무슨 계교로 가히 도적을 파할꼬? 원컨대 가르침을 듣고자 하노라."
원수가 월파의 능력을 인정하고 있음을 보여 줌   **Link** 인물 간의 관계 ❶

월파가 대답하기를,

『만(蠻)의 장수 **마달**은 용력이 매우 뛰어나고 **천봉 도사**의 신기 비상하니 이는 국가의 큰 걱
남만   황극과 대립하는 인물   마달을 돕는 인물   송나라를 가리킴
정거리라. 이제 만왕(蠻王)이 도성에 온 후로 은택을 베풀어 민심을 수습한다 하니, 만일 민
Link 인물 간의 관계 ❷   송의 도성에 진입하여 우호적인 방법으로 민심을 사고자 하는 남만왕
심이 귀순한다면 이를 소탕하기 어려우니 빨리 도모할지라. 속어(俗語)에 이르기를 '소를 몰
관용구를 인용하여 상황에 대한 대책을 강조함
매 그 앞을 범하지 말라.' 하였으니, 마달이 도성(都城)을 근본으로 삼고 한중에서 군량미를
가장 문제가 될 수 있는 상황을 가정함
조달하여 싸우면 그 세가 가장 클지라. 장차 버려두지 못할 형세니, 원수는 대군(大軍)을 돌
문제 상황에 대한 대책을 제시함
리어 성도를 엄습하여 양식을 끊으면, 마달과 천봉 도사가 비록 재주가 있으나 저희가 어찌
대군을 막으리오? 낭중취물(囊中取物)하듯 하리이다."』『 』전세를 읽고 책략을 제시하는 월파 – 남성 영웅들
주머니의 물건 꺼내듯   못지않은 활약으로 인정받는 여성 영웅의 면모

원수가 묻기를,

"면죽은 누구로 하여금 지키리오?" / 월파가 대답하기를,

"후군장(後軍將) **현덕무**가 아니면 불가하니이다."

원수가 현덕무를 돌아보아 말하기를,

"면죽은 우리의 근본이니 그대 진심(盡心)하여 지키고 소홀함이 없게 하라. 내 성도를 파(破)
면죽을 지키는 것이 중요함을 강조하는 말
하고 만왕 맹세웅을 잡아 돌아오리라."
남만의 왕

Link
출제자 특강 인물 간의 관계를 파악하라!

❶ 주인공인 원수의 조력자 역할을 하는 인물은?
월파

❷ 원수와 대립 관계로, 송의 도성을 침입하고자 하는 인물들은?
마달과 천봉 도사

현덕무가 응낙하니, **봉진**이 말하기를,

"선생은 소임을 정하였소."

월파가 말하기를, / "금월 십오일 밤에 가만히 성도로 진입할 것이
니 누설치 말고 군중(軍中)에 약속을 엄히 하소서."
자신들이 세운 전략이 적에게 들어가지 않도록 군중을 엄히 다스리라는 말

여러 장수가 각각 명령을 듣고 물러나니라.

❯ 마달과 천봉 도사를 파할 책략을 제시하는 월파

이때 송 진영에 몰래 들어온 천봉 도사가 월파의 계략을 듣고 두려움을 느껴 월파의 얼굴 모습을 살펴보니 남장 여인의 모습이더라. 심중에 한 계교를 생각하고,『군중에 돌아와 청풍을 타고 공중에 올라 입으로 기운을 토하니 한 줄 무지개 중천(中天)에 뻗쳤는지라. 도사가 몸에 학창의를 입고 손에 신선의 부채를 들고 그 위에 서서 외치기를,

『송 진영의 장졸은 들으라. 너희 천시를 모르고 외람되게 만군에 항거하니 멸문지화를 면치 못할 것이요, 진중에 여도사(女道士)가 있으니 어찌 대사(大事)가 그르지 아니하리오? 수많은 목숨을 구하려면 일찍이 항복하여 죽기를 면하라. 나는 옛날 기산에서 여섯 차례 위와 싸운 제갈량이니, 너를 위하여 이르는 것이다.』

하고 서쪽으로 향하여 오니, 이때 주봉진이 현덕무와 함께 이 말을 듣고 크게 노하여 활을 쏘니, 활시위가 울림과 동시에 도사의 다리를 맞히니, 도사가 한 소리를 지르고 쥐 숨듯 달아나니라.

❯ 월파가 여성임을 폭로하는 천봉 도사

차설, 월파가 천봉 도사의 말을 듣고 부끄러워하며 장중에 들어와 원수에게 말하기를,

"첩이 과연 서천 촉군 사람의 여자러니,『열 살에 부친이 장사하러 갔다가 남만 도적에게 죽은 바가 되고, 모친이 세상을 뜬 후에 주야로 원수 갚기를 생각하더니, 자허 선생이 불쌍하게 여기사 거두어 슬하에 두사 도학(道學)을 배우더니, 선생이 장군에게 지시하시기로 가친(家親)의 원수를 갚고 산문(山門)에 돌아가 남은 생을 보낼까 하였더니, 조물이 시기하여 본색이 탄로 나매, 이제는 일시라도 진중에 있음이 불가하와 선생을 찾아 산문으로 돌아가오니, 장군은 충성을 다하여 대공을 세우소서."

원수가 크게 놀라 말하기를,

"그대 비록 여자이나 국가 대사를 의논하는 때에 어찌 남녀를 분간하며, 내 이미 선생의 가르치심을 받아 선생으로 섬기거늘, 이제 한갓 조그만 혐의로 대사를 그르게 하리오?『제갈량이 국사를 위하여 혐의를 헤아리지 않고 오(吳)나라에 묘책을 주어 적벽에서 함께 조조의 대군을 물리치니, 그대가 나와 더불어 오·한(漢)의 혐의를 헤지 않고, 자고로 난시를 당하여 입공한 여장사를 이루 헤지 못하리니, 이제 그대 여화위남(女化爲男)하였으나 적을 대하여 흥망을 의논하는 때에 어찌 사소한 일로 대사를 버리리오?" / 월파가 말하기를,

"천한 몸에 혐의를 생각하는 것이 아니라, 국가 대사에 여자가 참예함이 불가하고, 적진에서 알면 중국 대진에 영웅 군자가 없다 하여 웃음을 면치 못할 것이요, 이제는 첩의 몸이 없다 하여도 대사가 다 정하였으니 오래 있음이 불가하여이다."

원수가 굳이 만류하되 월파가 듣지 아니하니, 원수가 손을 잡고 눈물을 흘리기에, 월파가 말하기를,

Link

출제자 (특강) **인물의 의도를 파악하라!**

❶ 월파가 여성임을 알아차린 천봉 도사가 계교를 꾸민 이유는?
월파가 여성임을 폭로하여 송나라 군사를 동요시키기 위해서

❷ 월파가 마달을 무찌를 방안을 원수에게 알려 준 이유는?
남만 도적에게 죽임을 당한 부친의 원수를 갚기 위해서

출제 우선 작품

"천금 귀체를 보중하사 쉬이 성공하시고, 부모를 모셔 즐기게 하소서."

밝기를 기다려 여러 장수와 원수께 하직을 고하고 표연히 나아갈 때, 비단 주머니 셋을 주며

말하기를, / "차례로 쓰소서."

> 월파가 원수를 돕기 위한 지략이 담긴 것

하고 가니, 모두 눈물을 머금고 절하며 이별하더라.

> 자신이 여성임을 밝히고 물러나는 월파

굳건한 월파의 결심을 수용함

원수가 월파를 이별한 후 한 팔을 잃은 듯하여 심사가 처량하여 하거늘, 주봉진과 현덕무가

Link 인물의 심리 ❶

들어와 원수더러 말하기를,

"이제 군무(軍務)가 급하오니 원수는 이미 간 사람을 생각지 마시고 신묘한 기략과 묘책으로

월파와 이별한 원수를 독려하며 군무를 재촉함

적을 무찌를 생각을 하소서."

원수가 말하기를,

"내가 월파의 여색을 탐함이 아니라, 『대사를 의논할 곳이 없더니

『 』: 중국 고사를 인용하여 조력자와의 인연이 다한 데 대한 막막함을 표출함

월파를 만난 후로 복룡이 봉추를 만난 것 같아 서로 진심으로 알더

복룡과 봉추: 초야에 숨어 있는 훌륭한 인재. 「삼국지」의 지략가인 제갈량과 방통을 가리킴

니, 이제 버리고 돌아가시니 유비가 단복을 잃음과 같도다.』"

Link 인물의 심리 ❷

'단복'은 유비의 군사로 「삼국지」에서 단복이 조조로 인해 유비와의 인연을
지속할 수 없게 되자 유비에게 제갈량을 천거하고 떠나게 된 사건을 가리킴

> 월파와의 이별로 막막해하는 원수

Link

출제자 톡! 인물의 심리를 파악하라!

❶ 하직을 고하는 월파의 말을 들은 원수의 심정이 드러난 부분은?
'한 팔을 잃은 듯하여 심사가 처량하여'

❷ '유비가 단복을 잃음과 같도다.'에 담긴 원수의 심리는?
조력자인 월파가 떠나 인연이 끊어지는 것에 대한 막막함

최우선 출제 포인트!

1 황극의 영웅적 일대기 구조

비범한 출생	신선의 시중을 드는 청의동자(靑衣童子)가 와서 절하는 꿈을 꾼 뒤 태어남.
고난과 시련	10세에 부친과 사별한 뒤 팔난을 겪음.
조력자의 도움	남화산 도사의 도움을 받음.
고난의 극복과 성취	영웅호걸들과 힘을 합쳐 남만을 격파하고 연왕의 반역을 진압한 후 부귀영화를 누림.

2 여성 영웅에 대한 당대 인식

월파	•"만의 장수 마달은 ~ 낭중취물하듯 하리이다." •국가 대사에 여자가 참예함이 불가하고	→	•전쟁에서 남성 영웅 못지않은 활약으로 인정받는 여성 영웅의 면모 •여성 영웅일지라도 당대의 보수적인 입장에 얽매일 수밖에 없음을 보여 줌.
황극 (원수)	"그대 비록 여자이나 ~ 어찌 남녀를 분간하며"	→	국가의 대사에 남녀 분별이 불필요하다고 생각함.
천봉 도사	"진중에 여도사가 있으니 ~ 그르지 아니하리오?"	→	여성의 전쟁 참여를 인정하지 않는 보수적인 가치관을 지녔음을 보여 줌.

최우선 핵심 Check!

1 초성 힌트를 보고 빈칸에 들어갈 알맞은 말을 쓰시오.

이 작품은 주인공의 일대기를 중심 구조로 하는 영웅 소설로, 주인공 황극이 온갖 고난을 극복한 뒤 우여곡절 끝에 부귀영화를 누린다는 유교의 ㅇㅅㅇㅁ 사상이 잘 나타나 있다.

2 다음을 통해 알 수 있는 당대 여성에 대한 인식은?

"진중에 여도사(女道士)가 있으니 어찌 대사(大事)가 그르지 아니하리오?"

3 다음 내용 중 맞는 것은 ○표를, 틀린 것은 ×표를 하시오.

(1) 천봉 도사는 월파가 여성임을 폭로하여 송나라 군사를 동요시키려 하였다. (　　)
(2) 월파는 여자인 자신의 정체를 인정하지 않는 사회에 대한 불만으로 전쟁에 참여하였다. (　　)
(3) 원수는 전쟁터에서는 남녀 분별이 필요하지 않다고 생각한다. (　　)
(4) 원수는 월파의 여색을 탐하여 월파와의 헤어짐을 거부하고 있다. (　　)

정답 1. 입신양명 2. 여성의 전쟁 참여를 인정하지 않음.
3. (1) ○ (2) × (3) ○ (4) ×

대관재(大觀齋: 주인공인 심의의 호)가 꿈속에서 겪은
일을 기록한 글[夢遊錄]

대관재몽유록(大觀齋夢遊錄) | 심의

성격 전기적, 비판적 **시대** 조선 중기
주제 권력 중심 사회에 대한 비판, 인생의
허무함

소설

이 작품은 정치 현실에 대한 작가의 불만이 반영된 몽유록 소설로, 주인공이 꿈속에서 높은 벼슬에 올랐다가
탄핵을 받고 현실로 돌아오기까지의 과정이 나타나 있다.

주요 사건과 인물

발단
자신의 뜻을 펼칠 수 없는 현실에 대해 불만을 가진 채 살아가던 심의는 어느 날 꿈을 꿈.

전개
꿈속 문장 왕국에서 심 아무개는 자신의 역량을 마음껏 펼치고 천자의 총애를 받음.

위기
천자로부터 명을 받은 심 아무개는 김시습의 반란을 격퇴하고 큰상을 받음.

절정
자신을 탄핵하는 상소문으로 인해 심 아무개는 천자로부터 대관 선생이라는 호를 받고 고향으로 돌아가라는 명을 받음.

결말
꿈에서 깨어난 심의는 대관재에서 꿈속에서 경험한 괴이한 이야기를 기록함.

심의
문인들로 구성된 이상 세계를 경험한 일을 글로 기록하는 인물

천자
꿈속 이상 세계를 주관하는 인물로 통일 신라 말기의 문장가 최치원임.

김시습
꿈속 세계에서 반란을 일으키는 적장으로 심 아무개에 의해 격퇴당하는 인물

이규보
꿈속 세계에서 문장이 경솔하고 나약하다는 이유로 탄핵을 당하는 인물

핵심장면 ① '나'가 비범한 능력으로 김시습의 반란을 제압하여 천자로부터 벼슬과 상을 받는 부분이다.

☐ : 주요 인물

황제가 변란을 듣고 매우 근심하여 거의 병이 될 지경이었다. 경내의 백성을 다 모으고 무기
_{김시습의 반란을 가리킴}   _{Link 사건의 전개 ❶}
창고의 무기를 다 꺼내어 친정을 하여 토벌하고자 했다. 대제학 이색이 비밀히 아뢰었다.
_{임금이 몸소 정벌함}   _{고려 후기의 문신이자 학자, 고려의 멸망과 함께 은둔함, 성리학 발전에 기여함}

"바라옵건대 벽부학사 심 아무개를 보내어 순리를 거스른 행위를 깨우치게 하시면, 군사들이

피를 흘리지 않고도 스스로 그치게 할 것이니, 옥체를 수고롭게 하지 않으시기 바랍니다."
_{어떤 일이나 사업을 다시 계획함}

천자가 재계하고 장대를 쌓고 나를 대장군에 임명하며 말씀하셨다.
_{통일 신라 말기의 문장가인 최치원}   _{심 아무개}

"장군에게 몇만의 군사를 임의로 쓰게 하노라!" _{Link 사건의 전개 ❶}
                    _{'나'에게 변란 해결을 명함}

나는 명을 듣고 무릎을 쳤으며, 충성심이 우뚝 솟아 나도 모르게 호언장담을 하였다.

"신은 무기란 상스럽지 못한 것이라고 들었기에 쓰기를 원하지 않습니다.『다만 달밤에 휘파
                        _{무보다는 문을 중시하는 관념}   _{「 ♪ : '나'의 비범한 능력 – 시문과 글로 적을 대적함}
람으로 읊조리는 남모르는 방법이 있어 추운 겨울에 우레를 일으키고 더운 여름에 얼음을

만들며, 짐승들을 거두어 희롱하고, 귀신을 삼키고 뱉을 수 있어, 앉아서 만 명의 적을 대적

할 수가 있습니다."
        _{Link 사건의 전개 ❷}
『천자께서는 공경을 거느리고 북쪽 교외로 행차하여 길제사를 베풀어 전별하고는 비단 주머
_{「 ♪ : 천자가 예를 갖추어 '나'를 전송함}   _{먼 길을 떠나는 사람이 가는 길이 편안하기를 빌며 지내는 제사}
니 한 개를 꺼내어 그것을 차게 하시었다.』나는 감사하여 무릎을 꿇고 말하였다.

"전쟁은 신속한 것을 귀하게 여깁니다. 마땅히 난적을 바람이 불면 풀이 쏠리듯이 감화를 시
                              _{적을 신속히 물리치겠다는 의미}
킬 뿐입니다. 어찌 번거롭게 전쟁을 꾀하겠습니까!"   **▶ 천자로부터 김시습의 반란을 제압하라는 명을 받음**

Link

출제자 톡톡 사건의 전개를 파악하라!

❶ 천자가 '나'에게 내린 명령은?
김시습의 반란을 제압할 것.

❷ '나'가 가진 비범한 능력은?
휘파람으로 적을 물리칠 수 있음.(시문과 글로 적을 대적할 수 있음.)

바로 그날 단기로 길을 떠났는데,『다만 첨두노 몇 명만 데리고 밤
                          _붓
                          _{「 ♪ : '토황소격문'을 지어 이름을 높였던 최치원의 일화를 긍정적으로 평가함을 알 수 있음}
낮을 가리지 않고 갔다.』열흘이 채 못 되어 적의 성채로 달려갔더니

무기가 햇빛에 번쩍이며 세 겹으로 에워싸고 있었다.『내가 기를 돌
                                    _{「 ♪ : 휘파람으로 적을 물리침 – 비현실적인 전기적 요소}
우어 입술을 벌리고 한 번 휘파람을 불었더니 적은 용기를 잃었고,

두 번 불었더니 만 명의 기병이 북쪽으로 달아났다. 휘파람 소리가 점점 멀어지자 채색 구름이 자욱하게 가리었고, 난새와 봉이 엇갈리어 날았으며, 바다와 산이 변색하고 천지가 떨리고 흔들렸다. 몇 되지 않은 모든 반적들은 바람에 쓰러지듯이 달아나고 흩어졌다. 적장 김시습은 두 손을 앞으로 묶고 투항하며 말했다.

└ 김시습의 투항을 간단히 표현한 것으로 보아, 작가는 김시습의 능력을 대단한 것이 아니라고 생각함을 알 수 있음

└ 천자는 당시(唐詩)를 매우 좋아하였으나 김시습은 당률(唐律)에 탐닉하는 풍조를 반대하여 반란을 일으킴

"뜻밖에 사단(詞壇)의 노장 심 공께서 오셨구려!"
└ 문인들의 사회. 문단

나는 노고를 걸고 「첩개가」를 불렀다. 천자께서는 크게 기뻐하시고 상을 내리셨으며, 좌우를
└ 노출된 채로 선포하는 포고문. 주로 급하게 전승을 알리는 데 사용함
돌아보며,

"옛날에 긴 휘파람으로 호기를 물리친 일이 있었거늘, 이제 경에게서 그것을 보았노라."
└ 최치원이 격문으로 황소를 물리친 일

하고는, 배식사문 경륜일시 진국공신의 호를 내리게 하고, 안동백에 봉했으며, 몇만의 큰 상을 내리시고 김시습을 폐하여 좌선을 삼았다.
└ 천자가 벼슬과 상을 내림
⟶ 김시습의 반란을 제압하고 천자로부터 큰상을 받음

이로부터 위명이 날로 드러나고 임금의 총애가 더욱 커서 매일 새벽에 출근하여 밤에 들어
└ 위대한 명성
└ 주어진 임무를 성실히 수행함을 드러냄
오며 마음을 다하여 나라의 은혜에 보답하였다. 벼슬한 지 10년에 아들을 낳고 손자를 길러
└ 꿈속에서 부귀영화를 누림 - 현실에서 가지지 못한 것에 대한 아쉬움이 담겨 있음
문벌이 빛났으며, 많은 녹을 받아 집안 재산이 넘쳤다. 공경 중에 누가 명함을 내고 보기를 청
[Link 내용의 흐름 ❶]
└ '나'에게 벼슬자리를 청탁하는 사람
하는 사람이 있으면 번번이 / "신하 된 도리로 사사로이 교제할 수가 없습니다."
└ 청렴결백한 모습
하고는 읍하고 사양했다. 조정에 있으면 모든 일을 맡아보았고 시를 읊었다. 사치가 몸에 배
었지만 나와 같이 청렴하고 검소한 사람이 여러 사람의 논란거리가 되겠는가. 나는 늘 우승상
└ 부유함에 익숙해지고도 청렴과 검소를 기본으로 삼아 사람들의 입에 오르내리지 않음 - 자신의 인품에 대한 자부심
이규보를 허물하여 대궐에 가서 항소하기를,

"이 아무개는 문장이 경솔부박하며 나약하고 뼈대가 없어, 비록 귀신처럼 날래지만 귀하지
└ 이규보에 대한 '나'의 평가
못합니다. 다른 것은 적지 않습니다."

라고 하였더니 천자께서 그 아뢴 것이 옳다 하여 나에게 오거서(五車書)를 내리고 영경연으로
└ 천자가 '나'의 상소문을 수용함
└ 다섯 수레에 실을 만한 책. 많은 장서
특진을 시키시었다.
⟶ 이규보에 대한 항소문을 올리고 특진을 함

[핵심장면 ❷] '나'를 탄핵하는 상소문으로 인해 고향으로 돌아가라는 천자의 명을 받고 꿈이 깨는 부분이다.

며칠이 지나 낮 시강(侍講)을 마치고, 천자께서 정색을 하고 불쾌한 표정으로 소차 하나를
└ 왕이나 동궁 앞에서 학문을 강의하던 일
└ 천자의 소차에 대한 불편한 마음을 통해 드러냄
└ '나'를 탄핵하는 상소문
보라고 하셨는데 바로 한림 선생이 나를 탄핵하는 상소문이었다.

"심 모는 속세의 허물을 벗지 못하여 사사로운 욕심이 너무 지나칩니다. 나머지는 적지 않습
[Link 내용의 흐름 ❷]
└ '나'에 대한 한림 선생의 평가
니다." / 라고 하였다. 천자께서는,

Link
출제자 톡톡! 내용의 흐름을 파악하라!

❶ 현실 세계에서 가지지 못한 것에 대한 아쉬움이 반영된 것은?
자손이 번창하고 문벌이 빛나며, 많은 녹을 받아 집안에 재산이 넘침.

❷ '나'를 탄핵하는 상소문의 주요 내용은?
속세의 허물을 벗지 못하여 사사로운 욕심이 지나침.

"한때의 부질없는 논의를 어찌 마음에 두리오!"
└ '나'를 탄핵하는 상소문에 대한 천자의 평가
하고는 대관 선생이란 호를 내리고 고향에 돌아가라고 하면서 손에
└ 꿈속 내용을 기록한 장소인 '대관재'와 관련됨 - 현실 세계와 꿈속 세계의 관련성을 높이는 장치로 볼 수 있음
술잔을 잡고 나에게 주며 말씀하셨다.

"풀과 나무며 산과 강을 함부로 침범하지 마시오. 조물이 공을 꺼
└ '나'의 삶이 순탄치 않음을 암시함
리는 것이 있습니다. 경의 첩 옥란은 다시 주식(酒食)을 맡게 되어

내 명을 기다리게 되었습니다. 공은 옛날 직분으로 돌아가시오."
_{'나'에게 고향으로 돌아가라고 명령함}

나는 머리를 섬돌에 부딪치고 하직하였는데, 눈물이 옷을 적시었다. 집안 식구를 돌아보아 생각하니 차마 서로 떠날 수가 없었다. 조금 있으니 상국 이색이 등을 쓰다듬으며 협실로 꾀어 들여서 나를 난초 탕에 목욕시키고는 금 칼로 나의 오장육부를 갈라놓고 갈아 놓은 먹물 몇 말을 들어부으며 말했다.
_{『 』: 황제의 명을 수행하여 '나'를 현실 세계로 돌려보내기 위한 행동}
_{'나'를 꿈속에서 현실 세계로 돌려보내는 역할을 하는 인물}
_{'나'가 꿈을 깨게 되는 계기에 해당함}

"40여 년을 기다리면 꼭 여기에 다시 돌아와 함께 부귀를 누릴 것이니 걱정하지 마시오."
_{재회를 약속함}
_{▶'나'를 탄핵하는 상소문으로 인해 집으로 돌아가라는 명을 받음}

배가 칼로 찌르는 듯이 아파 갑자기 깨니, 배가 북처럼 부풀어 올랐고, 『잔등은 가물가물하는데 병든 아내가 곁에 누워 앓는 소리를 할 뿐이었다.』
_{꿈에서 깸(각몽)}
_{영화를 누리지 못하는 현실 – 현실에 대한 불만}
_{『 』: 꿈속 세계와 다른 현실 세계의 궁핍한 모습}

『아! 사람이 세상에 나서 궁달(窮達)은 팔자소관이니 어찌 꿈을 깨는 자가 있을 것인가!』 괴이쩍은 이야기를 드러내어 꿈에 겪었던 일을 적는다. / 가정(嘉靖) 8년 12월 상한에 심의는 대관재에서 쓰다.
_{『 』: 꿈을 깨고 난 뒤 느끼는 허무함}
_{빈궁과 영달}
_{꿈에서 겪은 일}
_{이 글이 환몽 구조임을 알 수 있음}
_{중국 명나라 세종 때의 연호(1522~1566)}
_{글쓴이 자신을 대변하는 서술자}
_{▶꿈에서 깨어나 꿈속에서의 일을 기록함}

Link

출제자 팁! 구조의 특징을 파악하라!

Link 구조의 특징 ❶

❶ '나'가 꿈에서 깨어 현실로 돌아왔음을 드러내는 부분은?
배가 칼로 찌르는 듯이 아파 갑자기 깨니, 배가 북처럼 부풀어 올랐고

❷ 꿈에서 겪었던 일을 적은 행동을 통해 알 수 있는 이 글의 구조는?
환몽 구조

Link 구조의 특징 ❷

최우선 출제 포인트!

1 환몽 구조

현실 세계
벼슬에 오르지 못하고 시대를 한탄하며 지내던 심의가 어느 날 꿈을 꿈.

⬇ 입몽

꿈속 세계
• 천자는 최치원, 수상은 을지문덕, 좌우상은 이규보와 이제현, 대제학은 이색 등 유명한 문인들이 관직을 맡고 있음. • 천자의 총애로 금자광록대부와 벽부학사라는 관직을 맡게 됨. • 비범한 능력으로 김시습의 난을 평정하여 많은 녹을 받아 재산이 넘쳐남. • 우승상 이규보를 비판하여 영경연으로 특진함. • '나'를 탄핵하는 상소문으로 인해 천자는 '나'에게 대관 선생이라는 호를 내리고 고향으로 돌아가라는 명을 내림.

⬇ 각몽

현실 세계
• 꿈을 깨니 병든 아내가 곁에 누워 앓는 소리를 함. • 궁달은 팔자소관이라고 생각함. • 꿈속 세계를 괴이쩍은 이야기하고 생각함. • 꿈속 내용을 대관재에서 기록함.

2 '꿈'의 의미와 역할

꿈
• 문인들로 구성된 이상적 세계 • 성스러운 공간에서의 삶을 형상화

⬇

• 현실을 초월하려는 의지를 드러냄. • 현실 세계에서 이루지 못한 것이 이루어지는 공간 – 불만의 해소 공간

최우선 핵심 Check!

1 초성 힌트를 보고 빈칸에 들어갈 알맞은 말을 쓰시오.

이 작품은 ㄲ 과 현실의 이중 구조로 이루어진 몽유록 소설로, 정치 현실에 불만이 많은 주인공이 꿈속 세계로 들어가 높은 벼슬에 올랐다가 탄핵되어 ㅎㅅ 로 돌아오는 과정이 그려져 있다.

2 다음 내용 중 맞는 것은 ○표를, 틀린 것은 ×표를 하시오.

(1) 천자로부터 '나'의 공을 인정받아 많은 녹을 받았지만 '나'는 청렴하고 검소하게 살았다. ( )
(2) '나'는 김시습을 비판적으로 생각하지만 이규보는 긍정적으로 평가하고 있다. ( )
(3) 심의는 꿈을 깨고 현실로 돌아와서는 인생의 허무함을 느꼈다. ( )

정답 1. 꿈, 현실 2. (1) ○ (2) × (3) ○

▶ 1등급! 〈보기〉!

	몽자류 소설	몽유록 소설
공통점	꿈과 현실의 이중 구조(현실 → 꿈 → 현실)	
차이점	• 현실에 대한 자각이 없고, 현실과는 다른 새로운 삶을 살게 됨. • 현실 자체를 꿈과 같이 무상한 것으로 인식함. • 꿈은 욕망이나 삶이 무상하다는 것을 깨닫는 깨달음의 공간	• 꿈과 현실을 별개의 세계로 인식함. • 서술자가 꿈꾸기 이전의 자신의 동일성과 의식을 유지한 채 꿈속 세계로 나가 일련의 일들을 겪은 뒤 본래의 현실로 귀환하여 그 체험 내용을 서술함. • 꿈은 현실의 불만을 해소하는 공간

121위

박태보전(朴泰輔傳) | 작자 미상

성격 비판적, 사실적, 구체적 **시대** 조선 후기
주제 임금에게 충간을 아끼지 않은 선비 박태보의 높은
지조와 그의 삶

소설

이 작품은 역사적으로 실존한 인물인 조선 후기 문신 박태보를 소재로 한 역사 소설로, 장 희빈 책봉에 반대하여 숙종에게 직간하다 목숨을 잃은 박태보의 삶과 행적을 서술하고 있다.

주요 사건과 인물

발단	전개	위기	절정	결말
박태보는 18세에 이조 판서 이경의 딸과 혼인하고 과거에 장원 급제하여 벼슬길에 오름.	희빈 장씨의 계략에 따라 왕이 중전 인현 왕후의 폐위를 명하자 신하들이 폐위가 불가함을 상소함.	분노한 숙종이 상소인들을 잡아들이자 박태보가 모든 책임을 지고 국문장에 들어가 죽을 각오로 숙종에게 직간함.	숙종은 끝내 중전을 내치고, 가혹한 고문에도 굴복하지 않던 박태보는 형벌을 받은 후유증으로 유배 가던 길에 죽음.	희빈 장씨의 음모를 알게 된 숙종은 잘못을 뉘우쳐 인현 왕후를 복위시키고, 박태보의 죽음을 슬퍼하며 정경 대부로 추증함.

박태보
강직하고 곧은 성격의 충신으로, 중전 폐위의 부당함을 주장하고 숙종에게 직간함. ←→ **숙종**
자신은 잘못이 없다고 주장하며 직간하는 박태보에게 분노하고 형벌을 내림.

핵심장면 ① 다른 신하들의 만류에도 불구하고 상소를 쓴 책임을 지려는 박태보의 모습이 나타나는 장면이다.

도사가 나장을 거느리고 금호문 밖에 나와 크게 소리쳤다. _{박태보: 조선 숙종 때의 문신으로 사간원 정언, 이천 현감, 파주 목사 등을 지냄.}
_{조선 시대에, 의금부에 속하여 죄인을 문초할 때에 매질하는 일과 귀양 가는 죄인을 압송하는 일을 맡아보던 하급 관리}

"집필한 박태보는 어디 있느냐?" / 공이 여러 사람 가운데에서 일어나 말하기를,
_{상소문을 쓴 □: 주요 인물}

"내가 여기 있노라." / 하고 스스로 큰칼을 가져다 쓰고, 망건과 담뱃대를 종에게 주면서,
_{박태보 ──중죄인의 목에 씌우던 형틀}
_{상소문으로 인해 잡혀가는 상황을 피하지 않는 태도가 드러남}

"이것을 가져다 모친께 드려라."
_{효성이 지극한 박태보의 성품을 엿볼 수 있음}

하고 띠와 부채를 소매에 넣는데, 그 몸놀림은 편안하고 얼굴빛이 변하지 않으며 걸음걸이도
_{의연하고 기개 있는 선비의 모습을 엿볼 수 있음}

조용했다. / 이인엽, 조대수, 김몽신 세 사람이 손을 잡고 말했다.
_{박태보와 같은 뜻을 가진 선비들 – 중전 폐위를 반대하는 신하들}

"이 무슨 때인가. 자네 어찌 혼자 담당할까. 우리도 당당히 같이 들어갈 것이라."
_{상소문 작성의 책임을 함께 지려함}

박태보 공이 말하기를,

"자네들이 함께 들어갈 의가 무엇인가. 짓고 쓰기는 다 내가 한 것이라."
Link 인물의 의도 ❶ _{혼자서 모든 책임을 지고자 하는 박태보} ▶ 상소문 작성의 책임을 혼자 지려는 박태보

하니,『세 사람이 한꺼번에 말하기를,
_{사정을 하소연함}『 』: 원정을 통해 훗날을 도모하려는 태도

"원정을 장차 어떻게 하려고 하는가? 제발 서로 의논하세.』
_{혼자 책임을 지려고 하는 태보를 만류하는 말}

하였으나, 박태보 공이 말했다.

"내 원정은 내가 할 것인데 어찌 의논하리오. 차라리 혼자 죽을지언정 어찌 다른 사람과 함
_{박태보의 강직한 성격을 엿볼 수 있음}

께하리오. 내 마음은 이미 정하였으니 자네들은 염려 마시게."
_{굳은 지조를 강조함}

이돈이 소매를 잡고 말했다.

Link
출제자 톡톡 인물의 의도를 파악하라!

❶ 박태보가 상소문 짓고 쓰기를 다 자신이 한 것이라고 말한 이유는?
의(義)를 위해 죽음을 두려워하지 않고 모든 책임을 지기 위해서

❷ 오두인과 이세화가 박태보에게 원정을 잘하여 살 도리를 생각하라고 권유한 이유는?
박태보가 아직 젊고 명망이 있으며 집에 모셔야 할 부모가 있기 때문

"태보야, 어찌 이리 경솔한가?"
_{상소문 작성의 책임을 혼자 감당하려는 박태보에 대한 안타까움이 담김}

박태보 공이 소매를 떨치고 일어나 웃으며 말하기를,
_{의연한 모습을 보이는 박태보 – 침착하고 차분한 성격의 인물임을 알 수 있음}

『남자가 이때를 당하여 어찌 죽기를 두려워하리오. 우습다. 영감
_{『 』: 죽음을 두려워하지 않고 뜻을 굽히지 않는 지조 있는 모습}

의 말이여! 내가 마음을 한번 정하였으니 어찌 죽기를 무서워하리

오."

하고는 드디어 들어가니, 국문장 바깥에 있던 오두인 공과 이세화 공이 박태보 공의 오는 거
_{죄인을 신문하는 곳} _{나이 많은 중신들}
동을 보고 말했다.

"슬프다! 『우리는 벼슬이 높고 늙어서 죽게 되었으니 한번 죽어서 나라에 은혜를 갚음이 후회
_{오두인과 이세화가 자신들과 박태보의 상황이 다름을 드러냄 – 박태보로 하여금 살 도리를 생각하라고 내세운 이유}
될 것 없지만, 자네는 젊고 명망이 있으며 집에 두 노친이 계시니 헛되이 죽는 의리가 우리
_{박태보의 상황 – 박태보가 살아남아야 하는 이유}
와는 다르다.』 그러니 자네, 이제 원정을 잘하여 다 우리에게 미루고 살 도리를 생각하시게.
_{오두인과 이세화의 의도 – 박태보를 살리고 싶음}
그리하지 않으면 면치 못할 것이니, 원정을 같이 의논함이 어떠한가?" Link 인물의 의도 ❷
_{원정을 잘하지 못하면 죽음을 면하지 못한다는 말 – 회유의 말}
박태보 공이 이렇게 대답했다.

"영감께서는 그런 말씀 마옵소서. 제 원정을 어찌 영감의 말씀대로 하겠습니까. 『사람이 되어
_{『 』: 흔들림이 없는 지조와 정의로운 성품이 드러남}
이 자리에 이르러 죽을 따름이지 어찌 기교를 짜겠습니까. 제 마음은 이미 정하였으니 어찌
_{죽음을 택할지언정 다른 방법을 쓸 생각이 없다는 말}
변하겠습니까.』"

박태보 공의 말씀과 기운이 더욱 강개하고 정신은 더욱 강렬하니, 누군들 슬퍼하지 않으며
_{박태보에 대한 편집자적 논평. 설의법}
이상히 여기지 않겠는가. ➤ 박태보를 걱정하며 원정을 같이 의논할 것을 권유하는 선비들

━━━ 핵심장면 ❷ 박태보가 중전 폐위의 부당함에 대하여 임금에게 직간하는 장면이다.

상이 말하였다.
_{임금의 높임말. 여기서는 숙종을 가리킴}
"네가 어찌 임금을 업신여기는 부도(不道)를 하였느냐? 네가 어찌 임금이 한 말을 허망하다
_{중전 폐위의 부당함에 대해 상소문을 올린 것을 가리킴}
고 하느냐?"
_{왕비를 높여 이르던 말. 여기서는 인현 왕후를 가리킴}
"신이 어찌 임금을 업신여기겠습니까. 그렇지만 신은 내전께서 비록 언어에 과실이 있으나
_{중전에게 잘못은 있지만 폐위하는 것은 지나치다고 주장함}
적발하여 큰 죄를 주심이 마땅하지 않다고 생각합니다. 『항간에 처와 첩을 둘 다 둔 사람 중
_{『 』: 직간한 이유 – 백성들에게 일어나는 일이 임금에게도 일어날 수 있음을 경계하고 임금의 실수를 염려하였기 때문}
에 가장이 치우쳐서 집안 다스리기를 잘못하여 가정의 도를 무너뜨린 이들이 종종 있습니
_{희빈 장씨}
다. 이제 전하께서 후궁을 매우 사랑하시니 혹 그러하실까 싶습니다.』 신이 어찌 감히 왕의
_{후빈 장씨를 매우 사랑하여 중전을 폐위하려는 것이라는 비판적 의도가 담김}
말을 허망하다고 하오리까." ➤ 임금에게 직간하는 박태보

이렇게 문목에 대한 대답을 두어 가지 했는데, 박태보 공이 조금도 무서워하는 기색이 없는
_{죄인을 신문하는 조목} _{박태보의 의연한 모습} _{임금이 명령을 내림}
것을 보고는 상이 더욱 크게 노하여 죄인을 어좌 가까이 오게 하고는 크게 소리쳐 하교하였다.
_{숙종의 분노가 고조됨}
"네가 어찌 감히 이런 말을 하느냐. 내가 첩을 총애하다가 참소를 믿어서 죄 없는 내전을 폐
_{희빈 장씨} _{죄가 있는 것처럼 꾸며낸 말} _{인현 왕후}
한다는 말이냐. 그러면 나는 죄 없는 자를 고발한 이광한같이 되는구나."
_{자신은 죄가 없는 중전을 폐위시키지 않았음을 강조함}

상이 또 말하였다.

Link 말하기 방식 ❶
"조그만 놈이, 전에도 나를 거스르고 힘들게 하던 놈이 네놈 아니
_{평소 임금에게 간언하는 것을 두려워하지 않던 박태보의 모습을 짐작할 수 있음}
냐. 내가 너를 깊이 미워하였으나 특별히 분노를 참아 네 머리를
베지 않았더니, 오늘 또 네가 나를 욕보이는구나. 간특한 부인을
_{무례하고 건방지니} _{인현 왕후}
위하여 이렇듯 방자하니 흉한 반역이 아니냐?"
_{박태보가 올린 상소문을 반역 행위라 인식함}
박태보 공이 아뢰었다.

Link
출제자 톡 말하기 방식을 파악하라!

❶ 직간하는 박태보의 태도에 대한 숙종의 말
하기에 담긴 심리는?
자신은 잘못이 없음을 주장하며 박태보에
대한 극심한 분노를 표출함.

❷ 박태보가 군신과 부자의 의가 똑같다고 언
급하는 부분에서 나타나는 말하기 방식은?
가족의 유교적 도리를 임금과 신하 사이에
도 적용하는 유추의 방식을 사용하여 임금
의 행위가 불의함을 주장함.

"군신과 부자는 의가 똑같습니다. 전하께서 어찌 이런 하교를 하십니까. 임금과 어버이가 비
임금과 신하, 부모와 자식 간에 지켜야 할 도리가 같음   명령의 부당함을 토로함
록 같지 않지만 충과 효는 다름이 없습니다. 아비가 만일 어미를 내치면 자식 된 자로서 간
아버지가 어머니를 내치면 자식이 간하는 것처럼, 임금의 잘못에 대해서도 신하가 간해야 한다는 의미 – 자신의 행위가 정당함을 드러냄
하겠습니까, 순순히 듣겠습니까? 이제 전하께서 전에 없던 잘못된 일을 하셔서 중궁께서 장
Link 말하기 방식 ❷   중전의 폐위를 명한 일
차 기울어지게 되니 신하 된 자가 죽기를 무릅쓰고 간하여 들으시기를 기다리는 것입니다.
어찌 전하를 배반하옵고 중궁을 위하는 것이겠습니까. 중궁을 위한 것이 곧 전하를 위한 것
                                          직간의 의도가 임금을 위한 것이었음을 밝힘 – 충신의 모습
입니다."

왕이 말하기를,

"이러한 독한 물건은 바로 베어도 안 될 것이 없다. 원정을 받지 않을 것이니 바로 엄한 형벌
박태보를 나타내는 말로, 박태보에 대한 임금의 부정적 감정이 반영됨   사정을 하소연할 기회를 주지 않을 것이니
을 내리라." / 하니, 우의정 김덕원이 아뢰었다.

"원징을 빌지 않고 때리기를 먼저 하면 나중 폐단이 매우 클 것입니다."
원칙에 어긋나는 일로 폐단이 생길 것을 우려함 – 임금의 과중한 처분에 대한 문제를 제기
상이 말하기를,
죄나 잘못을 따져 묻거나 심문함
"이런 흉물을 두고 문초하여 진술받기를 어찌 기다리겠는가. 어서 엄하게 형벌을 가하라."
박태보를 나타내는 말   박태보에 대한 임금의 분노가 매우 큼을 알 수 있음
하고, 판의금부사를 불러 하교하였다.   ▶ 원정을 받지 않고 형벌을 가할 것을 명하는 임금

최우선 〔출제 포인트!〕

1 주인공 '박태보'의 상징성

박태보의 행위	임금의 불의한 행위에 대해 문제를 제기하고, 죽음을 두려워하지 않고 계속 충간함.

↓

행위에 담긴 의미	임금의 실수를 염려하여 충신의 진정한 도리를 밝힘.

↓

박태보의 상징성	개인적, 가족적 차원에 머물지 않고 사대부 계층이 추구하는 가치를 표상하는 사회적 인물 → 충절의 상징

2 박태보의 말하기 방식

인물의 대사
"군신과 부자는 의가 똑같습니다." "임금과 어버이가 비록 같지 않지만 충과 효는 다름이 없습니다." "항간에 처와 첩을 ~ 혹 그러하실까 싶습니다."

말하기 방식 및 주장 내용
• 유추의 방식을 사용하여 가족 간의 유교적 윤리가 임금에게도 적용될 수 있음을 말함. • 부모, 자식에 대한 유교적 도리를 임금과 신하 사이에 적용하여 임금이 불의한 행동을 했음을 주장함.

최우선 〔핵심 Check!〕

1 다음 내용 중 맞는 것은 ○표를, 틀린 것은 ×표를 하시오.

(1) 시간 순서에 따라 사건이 순행적으로 서술되고 있다. (   )
(2) 편집자적 논평을 활용하여 인물에 대해 평가하고 있다. (   )
(3) 인물 간의 대화와 행동을 통해 인물의 성격을 드러내고 있다. (   )

2 '박태보'에 대한 설명으로 맞는 것은 ○표를, 틀린 것은 ×표를 하시오.

(1) 국문을 받아야 하는 상황에서도 의연한 태도를 잃지 않고 있다.
(   )
(2) 이전에는 임금의 뜻을 거역하는 행위를 하지 않았다. (   )
(3) 중궁에게도 잘못이 있다고 인정하면서도 폐위는 지나친 처분임을 주장하고 있다. (   )

3 이 글에서 박태보에 대한 왕의 부정적 인식이 반영된 어구를 찾아 쓰시오. (2어절)

〔정답〕 **1.** (1) ○ (2) ○ (3) ○ **2.** (1) × (2) ○ (3) ○ **3.** 독한 물건

한림학사가 된 여성 영웅 방관주의 이야기

방한림전(方翰林傳) | 작자 미상

성격 도전적, 교훈적　**시대** 조선 후기
주제 가부장적 사회 체제 비판과 여성의 주체적인 삶에 대한 옹호

소설

이 작품은 명나라를 배경으로 여성 주인공 방관주의 이야기를 다룬 국문 소설로, 일반적인 여성 영웅 소설과 달리 여성 영웅이 죽기 전까지 남장을 하며 동성과 혼인한다는 차이를 보인다.

주요 사건과 인물

발단
방관주는 여자로 태어나 어려서부터 남장을 하고 지내다가 과거에 급제하여 한림학사가 됨.

전개
영혜빙은 결혼을 하지 않으려고 했으나, 친구가 된 방관주와 부부 행세를 하기로 약속함.

위기
부부는 우연히 갓난아기 낙성을 얻어 아들로 삼음. 방관주는 나라에 공을 세워 승상이 되고 낙성은 어사가 됨.

절정
한 도사가 찾아와 방관주의 관상을 보고 마흔을 넘기지 못할 것이라 예언함.

결말
이후 병을 얻은 방관주가 죽기 전 황제를 기만한 죄를 사하여 달라는 상소를 올리고 죽자, 영혜빙도 뒤이어 죽음.

방관주
여자로 태어났지만 일반적인 여성의 삶을 거부하고 남장을 통해 남성의 삶을 살아가는 인물

영혜빙
남성과 대등한 삶을 살고자 하는 주체적인 여성상을 지닌 인물

유모
방관주와 영혜빙의 혼인에 대해 비판적인 입장을 지닌 인물

핵심장면 ① 방관주와 영혜빙의 혼인에 대한 유모의 비판과 이에 대한 방관주의 태도가 드러나는 장면이다.

잔치의 즐거움이 극에 달하고 해가 서쪽으로 기울 무렵 파연곡(罷宴曲)이 어지러이 울리자,
　　　방관주가 병부 상서가 된 것에 대한 축하연　　□: 주요 인물　잔치를 끝날 때에 부르는 노래
뭇 빈객들이 흩어져 각각 자기 집으로 돌아갔다. 상서도 내당으로 들어가 부인에게 낙성과 김
　　　잔치에 온 손님들　　　　　　　　　　　방관주　　　　　　　　영혜빙
소저의 혼약에 대해 말하니, 부인 또한 매우 기뻐했다. 그런데 갑자기 유모가 내당으로 들어
와 깊이 탄식하며 말했다.

"상공과 부인께서 매사 이렇게 즐거워하시는데, 이는 바로 '기둥에 이미 불이 붙었는데도 제
　　　방관주와 영혜빙을 비유　　　　　　위험한 상황에 처해 있는데 그것을 모르고 즐거워한다는 격언 – 동성끼리 결혼한 방관주와 영혜빙의 상황에 적용함
비와 참새는 그것도 모르고 오히려 즐거워한다'는 것과 흡사하옵니다. 세상에 있는 모든 것
들은 이름이 있고 초목금수(草木禽獸)라도 음양(陰陽)이 서로 어울리는 것이 떳떳하거늘, 상
　　　　　　　　　타고난 성별에 따라 남녀가 어울리는 것이 옳다는 생각이 나타남 – 자연물과의 비교를 통해 방관주와 영혜빙에 대한 걱정을 드러냄
공과 부인은 스무 살이 넘었음에도 자연의 섭리와 인륜을 저버리고 계십니다. 젊고 아름다
　　　　　　　　　　　　　　　　　　　　　　　　　　　Link 인물의 태도 ❶
운 두 분의 얼굴이 아깝기도 하거니와, 위로 늙으신 두 부모님께서 돌아가신 후 제사를 받
들 자손이 없을까 근심스럽사옵니다. 장차 훗날 어떻게 되겠습니까? 더구나 부인께서는 침
　　　　　　자식을 낳지 못하는 상황의 부부에 대한 걱정을 표출함　　남의 어머니를 높여 이르는 말
묵을 지킨 채 갈수록 더 고집을 부리며 지금껏 실상을 대부인(大夫人)께도 아뢰지 않으시고,
　　　　　　　　　　　　　　　　　　　　　　　　　　　　　방관주가 여성이라는 사실
한결같이 그대로 주표(朱標)를 감추어 스스로 자식을 낳지 못하는 것처럼 하시니, 어찌 괴
　　　　　여성의 팔에 꾀꼬리의 피로 문신한 자국으로, 결혼하면 없어진다고 하여 처녀의 징표로 여겨짐
이하지 않겠습니까? 바라건대 두 분 주인께서는 짐짓 좋은 꾀로써 훌륭한 군자를 얻어 황영
　　　　　순임금의 부인이 된 요임금의 두 딸
(皇英)의 자매처럼 지내는 것이 옳을까 합니다. 첩이 두 분의 실상을 누설하고 싶었으나 상
　　　　　방관주와 영혜빙이 한 남편을 얻어 자매처럼 살기를 바라는 마음이 담김
공께서 하도 강고하시기에 발설하지 못하고 지금까지 입을 다물고
　　　　　　　　　　　　　굳세고 튼튼함
있습니다만, 어찌 제 마음이 애달프지 않겠습니까? 어린 공자도 오
래지 않아 부인을 얻게 될 터인데, 상공과 부인께서는 언제쯤이 되
　　　　　　　　　　　　　　　　　낙성
어야 인륜을 차리려 하십니까?"
　　　　　　　　　　　　　동성끼리 결혼하는 것이 인륜에 어긋난다는 인식을 드러냄
　　　　　　　　　　　　　　　　▶ 유모가 방관주와 영혜빙을 걱정하여 조언함

유모가 말하는 동안 부인은 반짝반짝 빛나는 수려한 눈동자를 내
　　　　　　　　　　　　　외양 묘사를 통해 부인의 불쾌한 심리를 간접적으로 제시
리깔고 아름다운 눈썹을 찡그리며 정색을 한 채 묵묵히 앉아 있었

Link
출제자 톡 인물의 태도를 파악하라!

❶ 여성인 방관주와 영혜빙의 혼인에 대한 유모의 생각은?
자연의 섭리와 인륜을 저버리는 것이라 인식함.

❷ 부인이 냉소를 지은 이유는?
조언을 한 유모에게 권위적인 남성의 모습을 보이며 심하게 질책하는 방관주가 못마땅했기 때문에

다. 그런데 상서는 두 눈을 부릅뜨고 꾸짖어 말했다.

『할미는 어찌 그런 괴로운 말로 즐거운 기분을 상하게 하고, 다른 사람들이 우리를 더욱 의
└『 』: 권위적인 남성의 모습을 보이며 유모를 협박하는 상서
심하게 하는가? 만일 우리와 관련해서 괴이한 소문이 떠돌게 된다면, 비록 나를 젖 먹여 품
                                           현재 상황을 유지하려는 상서의 단호한 태도가 드러남
속에서 기른 은혜가 있을지라도 결코 용서하지 않으리라.』
                                           ▶ 유모를 질책하는 방관주

상서가 말을 마친 후 버들 같은 눈썹을 치켜세우고 왈칵 성을 내니, 유모는 어쩔 수 없이 물
                        비유적인 표현(직유법)
러 나왔다. 이에 부인이 냉소를 머금은 채 상서에게 천천히 말했다.
           유모를 나무라는 방관주에 대한 못마땅한 심리가 담겨 있음   **Link** 인물의 태도 ❷
"문백 형은 어찌 우연한 일을 가지고 이렇듯 심하게 유모를 꾸짖으시나요? 유모는 오로지
 방관주의 '자'를 부름 – 방관주를 남편이 아닌 친구로 대하는 모습
주인을 위한 충성심으로 그런 말을 한 것이니, 또한 아름답지 아니하오?"
                        유모의 충고에 대한 부인의 평가

상서가 봉황 같은 눈을 흘겨 뜨고 영 씨를 자세히 들여다보면서 말했다.
        비유적인 표현(직유법)   부인 영혜빙
『이제 부인은 여자의 도리를 알 때인데 어찌 가장의 자(字)를 함부로 부르는가? 내가 오히려
└『 』: 권위적인 남성의 태도를 드러내는 방관주 → 자신은 여성의 삶을 거부하면서 영혜빙에게는 여성의 도리를 요구하는 모순을 보임
묘주라 알았는데, 과연 부인의 일이 옳다고 할 수 있는가?』
영혜빙의 자(字)
영 부인이 낭랑하게 웃더라.   ▶ 자신을 나무라는 영혜빙을 꾸중하는 방관주
      방관주의 권위적인 모습에 굴복하지 않음

핵심장면 ❷ 글을 써서 임금에게 받은 하사품을 나누는 과정에서 방관주와 영혜빙의 갈등이 드러난 장면이다.

『경의 문장과 필법을 익히 알고 있었지만 이토록 기이하고 아름다울 줄은 미처 몰랐노라. 오
              방관주의 글솜씨가 매우 뛰어남을 알 수 있음 – 방관주의 비범한 능력이 드러남
래전부터 이런 문장을 얻어 금자(金字)로 새기고자 했지만 뜻을 실현할 수 없었는데, 오늘에
야 소원을 이루었도다. 무엇으로 경의 공에 보답하리오?』
└『 』: 방관주의 글을 얻은 것에 대한 기쁜 마음이 드러남
승상이 정색을 하고 아뢰었다.
방관주   변변치 못하고 졸렬한
"폐하께서 용렬한 신의 재주를 과히 칭찬하시니, 부끄럽고 송구스러움을 이기지 못하겠나이
                              임금의 칭찬에 대한 겸손한 모습
다. 어찌 그것을 공이라 하십니까? 이는 신이 바라는 바가 아니옵나이다."

임금께서 듣고 웃으시며『손수 쓰신 책 두 권과 황금으로 된 서진 한 쌍, 그리고 칠보로 장식
                      └『 』: 방관주의 글에 대한 임금의 하사품   종이를 누르는 도구
한 통천관(通天冠)을 내려 주시니, 승상이 머리를 조아려 은혜에 감사를 표하고 물러 나왔다.
황제가 정무(政務)를 보거나 조칙을 내릴 때 쓰던 관
임금께서는 즉시 장인을 불러 승상의 글로 금자 병풍을 만들어 침전에 치게 하시고, 볼 때마
다 승상의 뛰어난 재주를 칭찬하셨다.
                                           ▶ 방관주의 뛰어난 글솜씨를 칭찬하는 임금

승상이 집으로 돌아와 부인을 대하며 연석(筵席)에서 있었던 일을 이야기하고, 어사를 불러
                                임금과 신하가 모여 묻고 대답하는 자리   낙성
천자께 하사받은 책과 서진을 주면서 말했다.

"내가 임금께 얻은 것을 네게 전하노라."
         임금에게 하사받은 물건들을 아들에게 전달함
어사는 크게 기뻐하며 두 손으로 공손하게 책과 서진을 받아 들고 물러났다. 어사가 물러간
후 승상이 통천관을 쓰는데, 부인이 쌀쌀맞게 웃으면서 말했다.
                    아들에게만 책과 서진을 주고 자신에게는 아무것도 주지 않은 것에 대한 못마땅한 심리가 나타남
"폐하께서 군자에게 상급하신 것을 아들과 그대는 나누어 가지되, 어찌하여 첩에게는 아무것도
                 상으로 주신   영혜빙이 쌀쌀맞게 웃은 이유
주지 않나이까?"

승상이 웃으면서 말했다.

『"이것들은 모두 부인에게 쓸모없는 것이기에 주지 않았을 뿐이오. 하나 지금 부인이 몸에 걸
치고 있는 것이 모두 내게서 나온 것이니, 그것만으로도 충분히 넉넉하다 할 것이오. 그런데
도 이렇듯 투정하시니 부인의 욕심이 지나치게 심하구려."』

부인이 가만히 웃으면서 말했다.

"나에게 쓸모없는 것이 어찌 유독 그대에게만 쓸모가 있겠소? 그런데도 굳이 이렇게 쾌활한
척하십니까?"

승상이 웃던 얼굴을 찡그리고 흥이 사그라들어 말했다.

"부인은 더 이상 그런 말을 들먹이지 마오. 지금 사람들은 나를 어
엿한 관료라 생각할지언정 그중에 특별히 의심하는 사람을 보지
못했소이다."

부인이 가만히 웃기만 했다.

❯ 영혜빙의 언행을 지적하는 방관주

Link 출제자 특집 인물의 인식을 파악하라!

❶ 임금이 준 하사품이 여성인 부인에게 쓸모없다고 말한 것을 통해 드러나는 방관주의 사고방식은?
남녀를 구별하는 봉건주의적 사고방식

❷ 하사품이 방관주에게 쓸모가 있는지 반문하는 부인의 말에 담긴 인식은?
남성의 입장에 서서 부인을 차별하는 방관주의 태도를 비판하는 의식이 담겨 있음.

최우선 출제 포인트!

1 '방관주'와 '영혜빙'의 현실 대응 방식

	방관주	영혜빙
공통점	당대 여성으로서의 관습적이고 보편적인 삶을 따르지 않고 동성과 혼인함.	
차이점	·권위적인 남성의 모습을 모방하며 성공한 남성의 삶을 철저하게 따름. ·영혜빙에게는 여성으로서의 도리를 요구하는 모순적 태도를 지님.	·표면적으로는 여성에게 요구되었던 삶을 살아감. ·실제로는 남성과 대등한 삶을 살고자 하는 주체성을 가짐.

2 남장 여성 영웅 소설로서의 특징

	방한림전	일반 여성 영웅 소설
공통점	·비범한 능력을 지닌 여성 영웅이 등장함. ·일반적인 영웅 소설의 요소에 따라 사건이 전개됨. ·여성 영웅이 자신의 성을 속이기 위해 남장함.	
차이점	·남성 주인공이 등장하지 않음. ·남성과 혼인하지 않고 여성과 혼인함. ·죽는 순간까지 여성이라는 정체를 밝히지 않음.	·여성 영웅과 함께 남성 주인공이 등장함. ·여성 영웅이라도 남성과 혼인함. ·특정 시점에 이르면 남장을 벗고 여성의 면모로 돌아감.

최우선 핵심 Check!

1 다음 내용 중 맞는 것은 ○표를, 틀린 것은 ×표를 하시오.

(1) 유모는 여성인 방관주와 영혜빙이 혼인한 것에 대해 비판적 태도를 보이고 있다. (　　)

(2) 방관주가 부인에게 하사품을 주지 않은 것은 여성인 부인에게 필요하지 않다고 생각했기 때문이다. (　　)

(3) 부인은 남녀를 구별하는 방관주에 대해 못마땅한 심리를 드러내고 있다. (　　)

2 다음 빈칸에 들어갈 알맞은 말을 찾아 쓰시오.

> 낙성　여자　통천관

(1) 영혜빙은 대부인에게 방관주가 (　　)(이)라는 사실을 밝히지 않았다.

(2) 방관주는 임금에게 받은 책과 황금 서진을 (　　)에게 주고 자신은 (　　)을/를 가졌다.

3 이 작품에서 공을 세우고 높은 관직에 오른 방관주의 상황을 나타내기에 적절한 한자 성어는?

① 일편단심(一片丹心)　　② 입신양명(立身揚名)
③ 일촉즉발(一觸卽發)　　④ 임기응변(臨機應變)

정답 1. (1) ○ (2) ○ (3) ○ 2. (1) 여자 (2) 낙성, 통천관 3. ②

123위

근심 수(愁), 나라 성(城): 근심의 세계

수성지(愁城誌) | 임제

성격 풍자적, 교훈적, 우의적 **시대** 조선 중기
주제 인간의 심적 조화의 필요성

소설

이 작품은 사물을 의인화해 인간사를 우회적으로 다루는 가전체의 전통을 따르고 있는 한문 소설로, 마음을 의인화하여 인간의 심적 조화의 필요성을 강조하고 있다.

주요 사건과 인물

발단
천군이 다스리는 나라는 신하들이 맡은 임무를 잘 수행하며 태평성대를 누림.

전개
옛날에 무고하게 죽은 충신 지사와 백성이 성을 쌓고 수성(愁城)이라 하자, 천군은 슬픔을 이기지 못하며 불안해함.

위기
주인옹은 천군에게 국양 장군을 시켜 수성을 공격할 것을 제안함.

절정
천군의 명을 받은 국양 장군이 수성을 공격해 항복을 받음.

결말
온 성안의 수심이 모두 사라지고 천군의 나라는 평화를 되찾게 됨.

천군	굴원, 송옥	주인옹	국양 장군
나라를 다스리는 임금으로 인간의 보편적이고 일반적인 마음을 의인화한 인물	수성을 쌓아 천군을 괴롭게 하는 인물로, 인간의 감성적인 마음을 의인화함.	충신. '만물의 주인'이라는 뜻으로 인간의 이성을 의인화함.	술을 의인화한 인물로, 수성을 깨뜨리고 평화를 되찾는 장군

핵심장면 ① 천군이 굴원과 송옥의 요청을 받아들여 수심과 한이 모인 수성을 쌓는 장면이다.

그 앞에 오는 사람은 『안색이 초췌하고, 형용이 고고(枯槁)하며 절운관(切雲冠)을 썼는데, 허리에는 긴 칼을 차고 연잎의 웃옷을 입고, 호초(胡椒)와 난초의 패물을 달고, 눈썹에는 나라를 걱정하는 수심(愁心)을 띠고, 눈에는 임금을 생각하는 눈물이 가득하니,』 곧 회왕을 통탄하고 상관을 원망하는 사람이 아닌가!

뒤따라오는 사람은 『신색(神色)이 추수(秋水)처럼 맑고, 얼굴은 관옥 같고 초나라 의복에 초나라 갓을 쓰고, 초나라의 말씨로 초나라의 노래를 하니,』 이는 한평생 오직 초양왕만을 섬겼던 사람이 아닌가!

함께 와서 천군(天君)에게 절하며 아뢰기를,

"천군의 높은 의리를 듣고 특별히 와서 함께 방문하노니, 다만 천지가 비록 넓다고 하나, 우리를 제대로 용납하지 못하였더니, 이제 천군을 보니 마음의 경지가 자못 넓어집니다. 원컨대, 돌무더기 한구석을 빌어서 성(城)을 쌓아 거처하려 하오니, 천군께서는 쉬이 허락하실지 않으실지 알지 못하겠사옵니다."

Link 사건의 전개 ❶

천군이 이에 옷깃을 거두고 추연(愀然)히 이르기를,

"남자의 회포는 고금(古今)이 마찬가지라. 내 어찌 조그마한 땅을 아껴서 조처하지 않을까 보냐!"

드디어 조서(詔書)를 내리어 가로되,

『"그들이 와서 살 수 있도록 감찰관이 알아서 하고, 그들이 성을 쌓을 수 있도록 뇌외공(磊磈公)이 알아서 조처하라."』

고 분부를 내리니, 두 사람이 절하여 사례하고 흉해(胸海)가로 향하여 가 버리더라.

➤ 굴원과 송옥이 성을 쌓게 해 달라고 부탁하자 이를 허락하는 천군

Link

출제자 ☞ 사건의 전개를 파악하라!

❶ 굴원과 송옥이 천군을 찾아온 이유는?
수성을 쌓는 것에 대해 허락을 받기 위해

❷ 수성을 쌓는 사람들은 누구인가?
옛날의 충신, 의사(義士) 등 까닭 없이 원통하게 죽임을 당한 사람들

마음속 근심이 생김

이 뒤부터 천군은 두 사람을 생각하고 생각해서 능히 마음에 잊지 못하여 항상 출납관을 시
굴원과 송옥을 염려하여 두 사람의 일에 매달리는 천군의 모습
켜 초사(楚辭)를 높이 읊게 하고는 다른 일을 겸하여 주관하지 않더니, 추구월에 천군이 해상
음력 9월의 가을철
에 친히 다다라서 성 쌓는 것을 관망할 때 수만 갈래의 원통한 기운과 수심에 찬 천첩(千疊)이
멀리서 바라봄　『 』: 근심과 어울리는 배경에 근심거리인 사람들이 몰려들고 있음　여러 겹으로 겹친 구름
나 되는 구름 사이로 옛날의 충신·의사(義士) 등 까닭 없이 죽음을 당한 사람들이 여기저기서
성을 쌓는 사람들이 원통함과 수심을 지닌 인물들임을 알 수 있음
하나씩 둘씩 오락가락하는데, 그중에 진나라의 태자 부소는 일찍이 장성(長城)을 쌓는 것을
Link 사건의 전개 ❷
감독했던 까닭에, 몽염과 더불어 형곡(硎谷)에서 일을 하던 유생 400여 명을 묻으려 할 때, 경
성을 쌓는 일　천천히 하게　'분서갱유'를 의미함
영(經營)을 급히 말게 하여도 재빠르게 되었으니, 그 성을 쌓아 이루는 데는 토석은 쓰지 않았
수성을 빨리 완성하고 있음을 드러냄(마음속의 수심이 빠르게 자리 잡음)
으니, 수송하는 일에는 무슨 수고가 있었겠느냐?『 』: 사람의 마음에 근심이 바르게 자리 잡음을 드러내 줌
성이 사람들의 원한과 근심으로 쌓인 것이므로, 흙과 돌이 필요 없으니 옮길 일도 없다는 의미 → 성을 빨리 쌓을 수 있음
『크다고 하려니 붙여진 곳이 비좁고, 적다고 하려니 포괄한 바가 많도다. 없는 듯하면서도 있
『 』: 수성의 규모와 특징에 대한 설명　좁은 것 같으면서도 넓고, 근심거리가 많음　사람의 마음에 쌓인 성이기 때문에
고, 형용이 드러나지 않는데도 형체가 있어, 북으로는 태산(泰山)에 의거하였고, 남으로는 푸
른 바다에 연(連)했으며, 지맥(地脈)은 바로 아미산(峨眉山)으로부터 내려왔으므로 『울퉁불퉁
땅의 맥　뿌리가 깊다는 의미임　『 』: 추상적 관념을 구체화함
하고 더덕더덕해서 수심과 한(恨)이 모인 까닭에 이름을 수성(愁城)이라 하였다.』
'수성'이라는 이름이 붙은 이유　➤ 수심과 한이 모여 수성을 쌓음

핵심장면 ❷　충신 주인옹이 추천한 국양 장군이 수성을 정복하고 항복을 받아내는 장면이다.
국양 장군, 술의 의인화
장군이 옥으로 만든 배를 타고 술못[酒池]을 건너면서, 돛대를 치며 맹세하여 말하기를,
술잔　물에 빠져 죽겠다는 생사의 각오
"수성을 탕평(蕩平)하지 못하고 다시 건너는 일이 있다면, 이 물과 같이 되리라."
정복하여 깨끗이 소탕함　수성을 반드시 평정하겠다는 굳은 의지를 드러냄　Link 인물의 태도 ❶
하고는 이에 바다 입구에 배를 대고, 곧 장서기(掌書記)인 모영을 불러서 그 자리에서 격문(檄文)
글을 쓰는 관리　붓의 의인화　적군을 달래거나 꾸짖기 위한 글
을 지어 말하기를,

"모월 모일에 옹주(雍州)·병주(並州)·뇌주(雷州)의 대도독(大都督) 구수대장군(驅愁大將軍)
국양 장군을 가리킴　800여 년 동안 장수한 중국의 인물
이 수성에 격문을 보내노니, 『대저 여관 같은 천지간과 과객 같은 세월 중에 팽조와 같이 오
사람은 세상에 잠시 머물다 가는 존재라는 인식이 담겨 있음
래 살았던 이나, 요절한 사람이나 모두가 한바탕의 꿈이었으니, 무릇 모든 인생은 똑같은 궤
수성에 있는 사람들　꿈과 같이 덧없는 일이라는 뜻. 관련 한자 성어: 일장춘몽(一場春夢)
도를 따라 살아가는 것이라.』『 』: 사람의 일생은 덧없는 것이라는 허무주의적 인식이 드러남

살아서 근심하고 한함은 촉루의 낙(樂)에 미치지 못하나니, 어찌 슬프지 않으리오? 오직
장자에 '죽음은 남면(南面)의 왕락(王樂)보다 낫다'고 한 구절에서 비롯된 말
네 수성은 우환으로 된 지가 오래여서 쫓겨난 신하와 근심 걱정이 있는 부인과 열사(烈士)와
수성은 근심거리가 된 지 오래임(마음에 근심거리가 많음)　슬프고 근심 많은 삶을 살았던 사람들 → 근심거리의 의인화
소인(騷人)들만 편벽스럽게 찾아서, 거울 속의 얼굴빛을 쉽게 시들게 하고 귀밑의 머리털을
시인과 문사(文士)를 통틀어 이르는 말　근심의 부정적 영향 – 근심으로 얼굴이 늙고 머리털을 희게 만듦
서리로 재촉하니, 이로 하여금 뽑고 뽑아도 도모하기 어렵도록 해서는 안 될지라.
근심을 빨리 없애야 한다는 의미
이제 나는 천군의 명령을 받아서 신풍의 군사를 거느리고, 선봉은 곧 서주(西州) 역사(力
전투에 임하는 자신의 군대가 우월함을 과시함
士)이고 좌막은 함리 해오라. 비록 제갈공이 풍운의 진(陣)을 벌이더라도, 또한 고금에 으뜸
제갈량의 지략이나 초패왕 항우의 용맹도 자신과 자신의 군대 앞에서는 소용없다는 의미
가는 초패왕의 용맹이라도 어린애를 희롱하는 것같이 될 것이다. 어찌 능히 우리를 당하랴!
누구도 우리를 이길 수 없다는 뜻
하물며, 초나라 못에서 홀로 깬 사람이야 어찌 족히 개의라도 할 수
초나라 출신의 굴원을 가리킴　끼어들 수 없음. 설의법
있으리오?"
➤ 국양 장군이 수성에 격문을 보냄
격문이 이르는 날에 일찍이 항복하는 깃발을 세우라 하고, 출납관

Link
출제자 특강　인물의 태도를 파악하라!
❶ 장군이 돛대를 치며 맹세하는 말을 통해 드
러나는 태도는?
의지적 태도

을 시켜서 소리를 가다듬어 격문을 읽게 하여, 성중(城中)에 들리게 하였더니, 성안에 가득한 사람들이 모두 항복할 마음을 가졌으나, 굴평만이 홀로 굴복하지 않고 머리털을 풀어 헤친 채로 달아나서, 그가 간 곳을 알지 못하겠더라.

　장군이 바다 입구로부터 물이 든 병을 거꾸로 세운 듯이 급히 내려가니, 형세가 대나무 쪼개듯이 급박한 기세로, 공격하지 않아도 성문이 저절로 열리고, 싸우지 않아도 성중에서 이미 항복하니, 장군이 이에 무기를 번쩍거리며 위엄을 부리면서, 혹은 흩어져서 밖으로 포위하고, 혹은 모여서 안에 진을 치니, 형세가 바다 나라에 조수(潮水)가 생기듯, 강성(江城)이 비로소 인하여 물이 넘치는 듯하매, 천군이 영대(靈臺)에 올라서서 바라보니 구름은 사라지고 안개는 걷히고, 자혜로운 바람과 나른한 햇빛에 『접때 슬펐던 것이 기쁘게 되고, 괴로웠던 것이 즐겁게 되고, 원망스럽던 것은 잊혀지고, 한스럽던 것은 사라지고, 분한 것은 빠져나가고, 성났던 것은 기쁘게 되고, 근심하던 것은 즐거워지고, 답답하던 것은 후련해지고, 신음하던 것은 노래 부르고, 주먹 쥐었던 것은 춤추며 뛰고, 백륜은 그 덕을 칭송하고, 사종이 그 가슴을 씻고, 도연명은 갈건과 소금으로써 뜰의 나뭇가지를 바라보매 기쁜 얼굴로 되고, 이태백은 접이와 금포를 입고 술잔을 기울이면서 달에 취했더라.』

❯ 국양 장군이 수성을 물리치고 평화를 되찾음

Link
출제자 톡! 비유적 표현을 이해하라!
❶ '자혜로운 바람'과 '나른한 햇빛'이 비유적으로 표현한 의미는?
근심이 사라진 평화로운 상태

● 유생 400여 명을 묻으려 할 때: 분서갱유(焚書坑儒)를 의미함. 분서갱유는 중국 진(秦)나라의 시황제가 학자들의 정치적 비판을 막기 위하여 민간의 책 가운데 의약(醫藥), 복서(卜筮), 농업에 관한 것만을 제외하고 모든 서적을 불태우고 수많은 유생을 구덩이에 묻어 죽인 일을 가리킴.

최우선 출제 포인트!

1 인물 설정

천군	인간의 보편적 마음을 의인화
국양, 주인옹	인간의 이성적 마음을 의인화
굴원, 송옥, 수성의 백성	• 인간의 감정적 마음을 의인화 • 천군을 괴롭게 하는 간신형 인물

이 작품은 사람의 마음을 의인화하여 내면의 변화를 우의적으로 표현한 천군(天君) 소설이다. 천군 소설은 주인공인 천군을 중심으로 그 아래의 충신형 인물과 간신형 인물들을 통해 사건이 전개되는 특징을 보인다.

2 고려 시대 가전체와의 차이점

• 사물이 아닌 인간의 마음을 의인화하고 있다.
• 가전체에서 보이는 서술자의 논평이 제시되어 있지 않다.
• 가전체와 달리 인물의 일대기 형식으로 사건을 전개하지 않는다.

최우선 핵심 Check!

1 다음 내용 중 맞는 것은 ○표를, 틀린 것은 ×표를 하시오.

(1) 천군은 수성을 쌓기 위해 굴원과 송옥에게 도움을 청하였다. (　　)
(2) 국양 장군은 수성을 평정하기 위해 마음을 굳건히 하였다. (　　)
(3) 국양 장군에 의해 수성이 함락되자 사람들은 비통한 심정을 드러내고 있다. (　　)

2 다음 빈칸에 들어갈 알맞은 말을 찾아 쓰시오.

대립　　비유　　의인화

(1) 이 작품은 (　　　)적인 표현을 통해 인물의 특성을 드러내고 있다.
(2) 이 작품은 인간의 마음을 (　　　)하여 마음의 조화가 필요함을 나타내고 있다.
(3) 이 작품은 충신형 인물과 간신형 인물의 (　　　)을/를 통해 사건을 전개하고 있다.

정답 1. (1) × (2) ○ (3) × 2. (1) 비유 (2) 의인화 (3) 대립

124위 **옥낭자전(玉娘子傳)** | 작자 미상

성격 의지적, 교훈적 **시대** 조선 후기
주제 남편이 될 사람을 위해 대신 감옥에 갇힐 것을 계획하고 실천하는 옥랑의 의지

소설

남녀의 혼인 과정에서 발생한 우발적 살인 사건과 문제를 해결하기 위해 주도적으로 행동하는 여성 주인공 옥랑의 이야기를 다루고 있는 송사 소설이다.

주요 사건과 인물

발단
이시업은 김 좌수의 딸 옥랑과 정혼을 함.

전개
시업은 옥랑이 있는 영흥으로 향하던 중 시비에 휘말려 살인죄로 투옥됨.

위기
옥랑은 남복을 하고 옥에 찾아가 시업을 설득하며 투옥을 자처함. 시업은 비통해하면서 감옥을 빠져나옴.

절정
영흥 부사의 문초에 옥랑은 남편 될 사람을 대신해 자발적으로 감옥에 들어왔음을 자백함.

결말
감동한 영흥 부사는 옥랑의 절행을 상부에 보고하고, 임금이 그들의 죄를 사하여 줌.

김옥랑
유교적 가치관을 중시하면서, 남편이 될 시업을 대신하여 감옥에 들어가는 등 문제 해결을 위해 상황을 주도적으로 이끄는 여성

이시업
옥랑의 정혼자. 시비에 휘말려 살인죄로 투옥되었으나 옥랑으로 인해 구출됨.

핵심장면 ① 옥랑이 옥에 갇힌 시업을 찾아가 자신이 대신 벌을 받겠다고 시업을 설득하는 장면이다.

☐ : 주요 인물

시업은 그제야 비로소 김 좌수 딸이 분명함을 알고 칼머리를 들고 앞으로 다가앉으면서 낭자의 손을 잡고 길이 탄식하여 이르는 말이,
_{옥랑, 시업과 정혼한 사이} _{옥랑}

"규중의 연약하신 낭자가 소생의 죄로 말미암아 천신만고를 겪으시고 험난한 곳에 들어와
_{시업은 살인죄로 투옥 중인 상황임} _{죄수로 잡혀 있는 자신을 찾아온 옥 낭자에 대한 고마움이 드러남}
외로운 심회를 위로하시니 진실로 생사간에 잊히기 어렵겠나이다. 그러하오나 사람의 목숨이 중하기로는 남녀의 구별이 없삽거늘 어찌 소생의 죄에 낭자가 대신 죽으려 하시느뇨? 이
_{옥랑이 시업을 살리기 위해 자신이 대신하여 감옥에 갇히려는 것을 가리킴} _{낌새}
는 천만 불가하오니 그러한 말씀은 다시 이르지 마시고 빨리 돌아가소서. 만일 타인이 기미
_{옥랑을 만류하는 시업}
를 아오면 재앙이 적지 아니할 것이외다. 소생은 이미 스스로 지은 허물이라 죽어도 한할
_{다른 사람이 사실을 알게 되면 문제가 생길 것이라고 주장함 – 옥랑의 행동이 가져올 결과를 우려함} _{자신의 일은 스스로 책임져야 한다는 생각이 담겨 있음}
바 없거니와 낭자는 무슨 연고로 따라서 대환(大患)을 당하시리요?" /하니, ▶옥랑을 만류하는 시업
Link 설득의 근거 ❶

낭자는 이 말을 듣고 정색하며 하는 말이,

"군자의 말씀은 가장 의리에 적당치 못하나이다. 『옛글에 일렀으되, '여필종부(女必從夫)'라
_{시업} _{시업의 주장에 대한 반박} _{『 』: 유교적 도리를 근거로 들어 시업을 설득함} _{아내는 반드시 남편을 따라야 한다}
하였으니 첩이 군자를 따라 죽는다 할지라도 또한 불가함이 없겠거늘 하물며 군자를 위하여
목숨을 바꿈에서리요? 이는 민중에 떳떳한 의리오며 당연히 군자께서 용납하실 바이거늘
_{남편을 위해 목숨을 바꾸는 것은 당연한 일이라는 의미}
Link 설득의 근거 ❷
들어 주시지 아니하니, 이는 필시 군자께서 천첩을 불초한 사람으로 보시와 능히 의를 이행
_{옥랑 자신} _{못나고 어리석은}
치 못하리라 여기심이외다. 첩의 일편단심이 허사로 돌아감이 어찌 가석치 아니하오리까?
_{시업을 위한 한결같은 마음을 가리킴} _{아깝지}
일이 이미 이 지경에 다다랐으니 장차 무슨 면목으로 세상 사람을 대하리요? 차라리 이 곳에서 자결하여 그로써 첩의 진정을 표하겠나이다."
_{목숨을 걸고 자신의 뜻을 관철하고자 하는 옥랑 → '열(烈)'이라는 유교적 가치를 중시하는 면모를 엿볼 수 있음.}

깜짝 놀란 시업이 급히 칼을 빼앗으며 위로하여 타이르되,

"낭자의 말씀이 지당하오나 내 어찌 내 죄로 낭자더러 차마 대신 죽으라 할 수 있으리요? 소생의 심회가 매우 어지러워 한 마디로 결단키 어려우매 낭자는 잠시 진정하소서."
_{옥랑을 진정시키며 타이르는 시업}

하고, 낭자는 다시 재촉하기를,

Link
 출제자 **톡!** 설득의 근거를 파악하라!

❶ 시업이 옥랑을 만류하는 근거는?
다른 사람들이 사실을 알게 되면 재앙이 따를 수 있으며, 벌을 받는 것은 스스로의 허물임을 들어 만류함.

❷ 옥랑이 시업을 설득하는 근거는?
'여필종부'라는 유교적 도리를 근거로 들어 설득함.

"일이 급하온지라 어찌 허술히 처리하겠나이까? 옥졸들이 만약 술을 깨오면 두 사람이 한

가지로 목숨을 보전치 못하올진대 차라리 한 사람이라도 보전하옴이 낫지 않겠나이까?"
_{현재 옥졸들이 술에 취한 상황임}   _{두 사람이 모두 목숨을 잃는 것보다 한 사람이라도 사는 것이 낫다며 결정을 재촉함}

하며 재삼 재촉하는지라.   ▶시업의 말에 반박하며 설득하는 옥랑

핵심장면 ② 영흥 부사가 죄인이 바뀐 것을 알고 크게 노하여 옥랑을 문초하는 장면이다.

옥랑이 옥에 갇힌 지 수삼 일이 지나니, 영흥 부사가 좌기를 엄숙히 하고 살옥 죄인을 잡아
_{옥랑이 시업 대신 벌을 자처하여 옥에 갇혔음을 알 수 있음}   _{등청하여 일을 처리함}   _{살인죄로 투옥된 시업을 가리킴}

들여 문초할 새, 옥랑이 큰칼의 무거움을 이기지 못하여 옥졸에게 부축되어 겨우 들어가니,
_{죄나 잘못을 따져 묻거나 심문함}   _{중죄인 목에 씌우던 형구}

보는 사람마다 불쌍하게 여기더라. 부사가 죄인을 살펴보니 전일에 가둔 죄인이 아닌지라, 놀
_{서술자의 개입}   _{옥랑이 시업 대신 감옥에 갇혔기 때문에}

라며 이상히 생각한 부사는 일변 옥졸을 잡아들여 꿇어앉히고 꾸짖어 이르기를,

"살인자는 국법이 지엄하거늘, 네 감히 죄인을 임의로 바꾸었으니 그 죄는 죽고도 오히려 남
_{죄인이 바뀐 것이 옥졸의 잘못이라고 판단한 부사}

음이 있으렷다!"

하며, 사령을 호령하여 형틀에 매어 놓고 벌하며 간계를 자세히 아뢰라 하니라.
_{간사한 꾀}   ▶죄수가 바뀐 것을 알게 된 부사

그러하나 본디 처음에 이시업을 가둘 때 압송하던 옥졸은 갑자기 병이 나서 들어오지 못하
_{옥랑이 시업 대신에 옥에 갇힌 사실을 알아차리지 못한 이유}

고, 다른 옥졸이 거행하게 되었으니 그 진가(眞假)를 알지 못하였더라. 옥졸들이 천만뜻밖에
_{옥에 갇혀야 할 인물이 시업임을 알지 못했다는 말}

이러한 곤경을 당하니 어찌할 바를 모르다가 즉시 원통함을 일컬으며 아뢰기를,
_{관청의 명령}

『소인들이 어찌 감히 막중하온 관령을 받잡고 간사한 죄를 지을 수 있겠나이까? 소인들은 저
『   」:옥졸들이 자신들은 억울하다며 사실을 밝혀 달라고 호소함

죄인을 처음 압송하옵던 무리가 아니온 고로 죄인의 진가를 알지 못하오니, 당초에 분부를
_{옥졸들이 억울함을 호소하는 이유}   _{시업을 잡아들인 옥졸을 가리킴}

받자온 옥리를 잡아들여 문초하옵시면 자초지종이 스스로 밝혀지겠나이다. 소인들은 실로
_{처음부터 끝까지의 과정}   _{사정을 깊이 헤아려 살펴달라는 뜻}

억울하오니 명정지하에 목숨은 바칠지라도 간계를 꾸민 일은 없사온즉 밝히 통촉하소서."
_{목숨을 걸고 결백을 주장함}   ▶억울함을 토로하는 옥졸들

하니, 부사가 그 말을 옳게 여겨 죄인을 처음 압송한 옥리를 잡아들이라 하니라.
_{문제의 원인을 파악하기 위해}

이때 그 옥리는 신병이 중하여 목숨이 경각에 달렸다 하는지라, 부사가 매우 노하여 하는 말이,
_{몸에 생긴 병}

"병세가 중함이 아니라, 더할 나위 없는 죄를 지었으매, 거짓으로 칭병하여 죄를 모면하려
_{옥리가 자신의 죄를 모면하기 위해 병에 걸렸다는 핑계를 댄다고 생각함}

함이니 빨리 잡아들이렷다."

하며 호령이 추상같으니, 나졸이 성화같이 재촉하더라.
_{부사의 호령을 가을의 찬 서리에 비유함}

기실 그 옥리는 병세가 침중하여 기동을 못 할 지경에 이르렀으니, 어찌 능히 들어올 수 있
_{실제로}   _{위중하여} _{몸을 일으켜 움직임}

으리요마는, 관령이 지엄하니, 부득이 들것에 의지하여 들어가게 되니라.『부사가 살펴보매 옥
_{관령을 이행하려는 옥리의 모습}   『   」:죄인을 바꾼 것이 사실인지를 확인할 수 없게 된 상황

리는 과연 병세가 침중하여 정신이 혼미하고 숨이 곧 끊어질 것 같기에 즉시 도로 내어 보내라
_{관련 한자 성어: 명재경각(命在頃刻)}

하나, 미처 관문을 나지 못하여 죽는지라, 부사는 후회함을 마지아니하더라.』   ▶옥졸을 문초하는 부사
_{진짜 위중했던 옥리를 불러서 죽게 했기에}

이러하여 죄인의 진가를 알지 못하겠기로, 즉시 옥랑을 형틀에 올려 매고 노한 음성으로 물

어보되,

"너는 어떠한 사람이기로 감히 죄인을 대신하여 갇히었으며, 처음 갇힌 죄인을 어디로 보내

었느냐? 사실대로 바로 아뢰되, 추호도 은휘치 말렷다!"
_{조금도 숨기지}

하나, 옥랑은 조금도 두려워하는 빛이 없이 태연히 공초(供招)하여 말하되,

> 대담한 옥랑의 성격이 드러남 · 조선 시대에, 죄인이 범죄 사실을 진술하던 일

"죄인은 원래 본군 김 좌수의 딸 옥랑이온데,『고원 땅 이춘발의 아들 시업과 혼인을 맺었삽기로 금월 십오일이 혼례일이오라 친사를 맺고자 길을 차려 오옵더니 중로에서 불행히도 어망홍리(魚網鴻離)로 뜻밖의 변을 당하와 죽게 되었나이다.』죄첩은 듣자오니 '남자는 여자의 소천(所天)이라.' 하옵기로, 여자의 도리는 타인에게 한번 허락하면 목숨이 다하도록 고치지 아니하는 법이오니, 가군이 실지로 죄를 지어 죽음을 당할지라도 그 의리는 또 따라 죽사옴이 마땅하거늘, 하물며 성문실화(城門失火)로 감히 남복으로 갈아입고 옥리를 속여 대신 갇히고 가군을 내어 보냈사오니, 국법에는 죽을죄를 지었사오나 죄첩의 의리에는 마땅하온지라 당장 죽사와도 여한이 없사오니, 바라옵건대 속히 형벌을 밝히소서."

이렇듯 낭자의 언사가 매우 씩씩한지라, 부사는 이 말을 듣고 마음속으로 헤아리되,

'이 지방에 왕화(王化)가 멀므로 풍속이 보잘것없어 삼강오륜을 제대로 아는 자 드물거늘, 어찌 저러한 여자가 있을 줄을 뜻하였으리오? 이는 비록 옛날의 열녀(烈女)라 할지라도 이에서 더할 수는 없을지니, 진실로 아름답고 희한한 일이로다.'

부사는 즉시 사연을 갖춰 기록하여 감영에 장계를 올려 아뢰니, 함경 감사가 이 보장을 읽어 보고 크게 칭찬하기를,

"하방 여자로서 어찌 이런 식견이 있을까 보냐? 이는 진실로 범상한 여자가 아니니라."

하며 내당으로 들어가 부인에게 그 말을 전하면서 무수히 찬양하더라.

> ▶ 옥랑에게 감명을 받은 부사와 함경 감사

● 성문실화: 성문실화 앙급지어(城門失火 殃及池魚)로, 성문이 불에 타니 그 재앙이 못 안의 물고기에게로 미친다는 말.

Link 출제자 특 인물의 성격과 태도를 파악하라!

❶ 형벌을 자청하는 발언을 통해 엿볼 수 있는 옥랑의 성격은?
여자의 도리를 지키고자 죽음을 감수하고 형벌을 자청하는 것으로 보아, 적극적이며 당당한 성격임을 엿볼 수 있다.

❷ 형벌을 자청하는 옥랑에 대한 부사의 태도는?
옛날의 열녀보다 더한 모습을 보인다고 생각하면서 감동함.

최우선 출제 포인트!

1 작품에 반영된 여성상

옥에 갇힌 시업을 대신하여 옥에 있을 결심을 실행함. → 조선 후기의 여성들의 긍정적인 변화를 보여 줌.
↑
문제 해결을 위해 자신의 판단에 따라 선택하고 주도적으로 행동함.

2 작품의 서술상 특징
· 전기적(傳奇的)인 사건이 없어 사실성이 높다.
· 일반적인 고전 소설과 마찬가지로 주인공들이 행복한 결말을 맺고 있다.
· 우발적인 살인 사건에 휘말린 문제를 해결하는 일이 중심을 이루는 송사 소설이다.

최우선 핵심 Check!

1 다음 내용 중 맞는 것은 ○표를, 틀린 것은 ×표를 하시오.

(1) 시업은 자신 대신 벌을 받겠다는 옥랑의 주장을 기꺼이 수용하고 있다. (   )

(2) 부사는 살옥 죄인을 문초하기 전까지는 죄인이 바뀌었음을 알지 못했다. (   )

(3) 옥리는 죄를 모면하기 위해 거짓으로 병에 걸렸다고 꾸며내고 있다. (   )

(4) 부사는 옥랑의 절행에 감동하여 그녀의 사연을 함경 감사에게 보고하였다. (   )

2 초성 힌트를 보고 빈칸에 들어갈 알맞은 말을 쓰시오.

'ㅇㅁㅎㄹ'는 남의 일로 엉뚱하게 화를 입은 시업의 상황을 드러낸 말이다.

정답 1. (1) × (2) ○ (3) × (4) ○ 2 어망홍리

유연의 억울한 죽음을 둘러싼 사건을 담은 작품

유연전(柳淵傳) | 이항복

성격 비판적, 사실적, 교훈적 **시대** 조선 시대
주제 유연의 억울한 죽음에 대한 신원 및 공정한
사법 행위의 촉구

소설

이 작품은 형을 죽였다는 모함으로 송사를 당하고 죽은 유연의 억울한 죽음을 작가가 임금의 명으로 기록한 송사 소설로, 재산을 두고 벌어지는 가족 간의 갈등 및 송사 과정에서의 부정부패에 대한 비판을 드러내고 있다.

주요 사건과 인물

발단
유연은 형 유유와 함께 글솜씨가 뛰어나고 예법이 밝기로 이름남.

전개
유유가 행방불명되자 재산을 탐내던 이지 등이 가짜 유유를 등장시켜 1차 송사가 이루어짐.

위기
가짜 유유가 도망가자 유연은 유유를 죽였다는 모함을 받고 2차 송사 도중 죽음.

절정
유연의 아내가 남편의 누명을 벗기기 위해 노력하던 중 진짜 유유가 나타남.

결말
3차 송사에서 모든 사실이 밝혀져 유연은 누명을 벗고 죄인들은 벌을 받음.

유연
재산을 두고 벌어진 계략에 휘말려 형을 죽였다는 누명을 쓰고 억울하게 죽음.

유유
가계 계승 문제로 부모와의 불화로 집을 나감. 16년 후 돌아와 유연의 누명을 벗김.

유연의 아내(이 씨)
억울하게 죽은 남편 유연의 누명을 벗기기 위해 노력하는 인물.

이지, 백 씨 등
재산을 차지하기 위해 유연을 모함하는 탐욕적인 인물들

핵심장면 ① 유유 행세를 한 가짜인 채응규가 달아나고, 백 씨가 유연이 유유를 죽였다고 모함을 하는 장면이다.

→ 1차 송사 시작

관아에 이르니 마을 사람 우희적, 서형, 조상규, 유연의 매부인 최수인, 서족인 홍명이 앉아 있었다.

"너는 누구냐?"

라고 묻자 채응규는 / "저는 유유입니다."
　　　　　　　　　자신이 유유라고 거짓말하는 채응규

라고 대답했다. 대구 부사 박응천이 좌중의 사람들에게 묻자 모두 유유가 아니라고 대답했다.
　　　　　　　　　　　　　　　　　　1차 송사에 참여한 사람들
그러자 부사는 좌중의 사람들을 일일이 가리키며 채응규에게 캐물었다.

"여기 앉아 있는 사람들은 모두 네 친척이나 같은 마을 사람들이니, 네가 한번 말해 보아라.
이 사람은 누구고 저 사람은 누군지." **Link** 말하기 방식 ❶　　　　　❯ 채응규를 신문하는 대구 부사
　　　　　　　채응규가 진짜 유유인지를 확인하기 위해서
채응규는 고개를 푹 숙이고 대답하지 못했다. 즉시 뜰로 끌어내려 삼목을 채워 묶고 말했다.
　　진짜 유유가 아니기에 사람들이 누구인지 알 수 없음　　　　　　죄인의 손, 목, 발에 치우는 형벌의 도구
"복장이 바뀌고 얼굴이 쇠해서 친구들이 너를 못 알아볼 수도 있겠지만, 네가 진짜 유유라면
　　　　　　　　　　　　　　　　채응규를 추궁하는 말 – 채응규가 진짜 유유가 아님을 드러냄
친구들을 못 알아볼 리 있겠느냐? 지금 네가 사실을 고하면 용서받을 수 있을 터이나, 그러
　　　　Link 말하기 방식 ❶
지 않는다면 관아의 형벌로 다스리겠다."
　　협박을 통해 사실을 고할 것을 요구함
그자는 일이 궁색해지자 자신이 유유라고 했다가 채응규라고 했다가 두서없이 미친 소리를
　　　　　　　　　　　　　　일부러 미치광이인 척을 하여 상황을 모면하려고 함
늘어놓으며 짐짓 미치광이 행세를 했다. 잠시 후에 채응규의 첩 춘수라는 자가 소식을 듣고
급히 달려와 아뢰었다.

Link
출제자 TIP 말하기 방식을 이해하라!

❶ 부사가 채응규에게 좌중 사람들이 누구인지 묻는 이유는?
진짜 유유라면 좌중 사람들이 누구인지 알 수 있으므로 채응규가 진짜 유유인지 확인하기 위해 물어본 것임.

❷ 채응규의 첩이 채응규를 사처에 억류하기를 바라는 근본적인 의도는?
가짜임이 탄로 난 채응규와 함께 도망치기 위해서임.

"제 남편은 불행히도 병이 위독한 상태입니다. 옥에 가두지 마시고
　　　　　　　　　사처에 억류할 것을 바라는 이유에 해당
사처에 억류해 주시기 바라옵니다."
　개인이 사적으로 거처하는 곳
부사는 관노 박석의 집에 머물게 했다.
　　　　　　관가에 속해 있던 노비
"5일 뒤 채응규와 춘수가 밤을 틈타서 달아났다. 박석이 알아차리
　　　춘수가 사처에 억류하기를 바랐던 이유가 도망가기 위해서임을 알 수 있음
고 뒤쫓아 춘수를 잡았지만 채응규는 이미 달아나 종적을 감추었다.
「　」: 채응규가 도망을 감으로써 2차 송사의 빌미를 제공함　　　❯ 1차 송사 진행 중 채응규가 도망감

『유유의 아내 백 씨는 실의에 빠져 상복을 입고 밤낮으로 곡하며 감사에게 호소했다.』
Link 인물의 이해 ❶
유연을 모함하기 위한 연기로, 백 씨의 호소로 인해 2차 송사가 시작됨

"남편의 못된 아우 유연이 재산 욕심에 눈이 어두워 진짜를 가짜라 하며 형을 결박하여 관아
유연이 재산을 얻기 위해 유유를 가두었다고 모함함
에 가두고 재앙을 덮어씌우려 했습니다. 제 남편은 본래 광증을 앓고 있던 터에 구금을 당하
정신에 이상이 생긴 병증   죄인을 잡아 자유를 얽매는 일
자 병이 더욱 중해졌습니다. 다행히 태수께서 옥살이를 시키지 않으셔서 병을 다스리고 있
었는데, 유연이 감시하는 군졸을 매수하여 남편을 살해하고 흔적을 인멸했습니다. 유연의
자취도 없이 모두 없앰   유연이 유유를 죽였다고 모함하는 말
죄를 따져 제 원통함을 풀어 주시기 바랍니다." 『: 유연을 살인죄로 고발한 백 씨 → 2차 송사가 벌어지게 됨
유연을 처벌할 것을 요구함
감사는 대구 부사에게 명령하여 유연·춘수·박석을 잡아 가두게 했다. 유연의 아내 이 씨가
유유의 죽음과 관련 있다고 여기는 인물들
억울함을 호소하자 감사가 말했다.

"달아난 자는 유유가 아니라 채응규다. 또 달아났다는 분명한 증거가 있으니, 나 또한 유연
감사는 채응규가 유유가 아니라는 진실을 이미 알고 있음
의 억울함을 잘 알고 있다. 다만 백 씨가 호소하기를 그치지 않아 일을 처리하는 데 어쩔 수
유유의 살해 누명을 쓰고 있는 것
없는 사정이 있으니 일단 물러가 기다려라. 국문을 마치면 마땅히 바로잡을 것이다."
임금의 명령에 따라 중죄인을 신문하는 일   사실관계를 밝히겠다는 의미
백 씨가 유연을 이웃 마을로 옮겨 달라고 요청하자 마침내 현풍으로 옮겨 가두었다.
유연이 현풍에 갇히게 됨

『유연의 옥사에 대한 판결 내용을 조정에 미처 보고하기 전에 간관이 임금에게 아뢰었다.』
Link 인물의 이해 ❷
조선 시대에 임금의 잘못을 간하는 관리, 유연을 모함하는 인물

"유유가 타지로 옮겨 다니며 고생을 겪어 외모는 비록 달라졌지만 말씨와 행동거지는 다름
채응규가 진짜 유유라고 믿게 하는 말
아닌 유유이거늘, 그 아우가 적자의 자리를 빼앗아 재산을 독점하고자 음모를 꾸며 유유를
유연   정실이 낳은 아들인 유유를 가리킴
위협하고 결박하여 관아에 고발했습니다. 부사는 유유와 유연을 함께 옥에 가두어야 마땅했
범죄를 다스리는 일
거늘 먼저 고소한 아우의 말을 믿고 형만 가두어 옥사의 체모를 잃었습니다. 또 유연의 옥사
남을 대하기에 떳떳한 도리
처리를 지연시켜 형을 죽이고 인륜을 어지럽힌 죄를 지금까지 덮어 두고 있으니, 경상도 사
부사 박응천의 잘못을 지적함
람 중에 분통하며 욕하지 않는 이가 없습니다. 유연을 잡아 와 죄를 다스리고 부사 박응천
은 파직하기를 청합니다." 『: 임금에게 유연을 모함하며 처벌을 요구하는 간관   ❯ 백 씨와 간관이 유연이 유유를 죽였다고 모함함

임금이 윤허했다.
허락
이때 유연이 서울의 옥에 잡혀오게 되자 이지와 심융이 마주 앉아 모의를 하며 은밀히 김백
유연의 매부   유연의 사촌 매부
천에게 물었다.
국문을 당하기 전 미리 국문을 대비하는 모습

"유연이 오면 우리도 국문을 당할 텐데 자네는 뭐라고 말할 작정인가?"

김백천이 말했다.

"제가 보기에는 유유가 아니었습니다."
자신의 생각을 솔직하게 이야기하는 김백천
이지와 심융이 말했다.

Link
출제자 특강 인물을 이해하라!

❶ 2차 상소가 시작되게 된 원인을 제공하는
인물은?
유유의 아내 백 씨

❷ 유연으로 하여금 국문을 당하게 하는 데 결
정적인 역할을 하는 인물은?
간관

『"그러면 자네는 유연과 함께 목이 잘릴 걸세."』
솔직하게 이야기하면 목숨을 잃을 것이라고 협박함
"그렇다면 뭐라 말해야겠습니까?" 『: 김백천에게 자신들과 말을 맞출 것을
종용하는 이지와 심융
이지와 심융이 이런 말로 종용했다.

"우리와 똑같은 말을 하면 아무 근심 없이 지나갈 걸세."』
거짓으로 유연을 모함할 것을 권함
❯ 김백천에게 유연을 모함할 것을 종용하는 이지와 심융

유연의 아내 이 씨가 2차 송사 과정에서 죽은 유연의 억울함을 호소하던 중, 진짜 유유가 나타나는 장면이다.

→ 3차 송사 시작

이 씨는 그 소식을 듣고 즉시 법부에 호소했다.

"억울하게 죽은 유연은 달성령 이지의 재산 다툼 때문에 잘못된 처벌을 받아 극형에 처해지
　　　　　　　　　　　　　유연이 억울하게 죽게 된 근본적인 원인
고 말았습니다. 미망인인 저는 땅을 치고 하늘을 향해 울부짖었으나 원통함을 씻을 길이 없
　Link 사건의 전개 ❶　　　　　　　　　　억울하고 원통한 심경
었습니다. 지금 진짜 유유가 나타났다는 소식을 들었으니, 유연이 죽음을 앞두고 남긴 유서
　　유연의 억울한 누명을 벗겨줄 수 있는 인물
한 통을 삼가 올립니다." ▶유연의 아내 이 씨가 억울함을 호소함

유유가 나와 말했다.

Link
출제자 특강 사건의 전개를 파악하라!

❶ 이 씨가 유연이 억울하게 죽었다고 말한 이
유는?
이지 등 친인척들의 재산 다툼에 휘말려 잘
못된 처벌을 받았기 때문임.

❷ 진짜 유유의 등장이 사건 전개에 미치는 영
향은 무엇인가?
진짜 유유가 등장함으로써 유연이 유유를
죽이지 않았다는 사실이 밝혀지게 되고, 1, 2
차 송사 당시 유연을 모함했던 사람들의 죄
상이 드러나게 됨.

❸ 유유가 집을 나간 이유는?
혼인을 한 지 3년이 되고도 자식이 없는 것
을 아버지가 책망했기 때문에

"저는 천유용이 아니라 유유입니다." Link 사건의 전개 ❷
　　　　　　　　　진짜 유유가 나타나 정체를 밝힘. 가출하였던 동안 천유용으로 살았음
유유는 부친의 이력을 자세히 말했고, 친척과 하인은 물론 평소에
　　　　　　　　　유유가 자신이 진짜임을 증명하는 부분 – 친구들을 알지 못했던 가짜 유유와 대조됨
사귀던 친구들에 대해서도 척척 대답하여 의심의 여지가 없었다. 유
유에게 집을 나간 이유를 묻자 유유는 이렇게 말했다.

"혼인한 지 3년이 되었으나 자식이 없었습니다. 아버지는 제가 아
　　　　　　　　　　　유유가 가출한 이유가 나타남
내에게 소박을 놓았다 여기시어 저를 꾸짖고 당신 가까이 오지 못
하게 하셨습니다. 그 뒤로 저는 평안도로 들어가 소식을 끊고 지냈
　　　Link 사건의 전개 ❸
고 아우가 죽었다는 소식도 듣지 못했습니다."
　　　　유연 ▶진짜 유유가 나타나 사실관계를 밝힘

최우선 출제 포인트!

❶ 송사 중심의 사건 전개와 효과

이 작품은 여러 차례의 송사를 통해 관리들의 부정부패와 무능함을 고
발하고, 송사 진행 과정에서의 문제점을 비판하며 공정한 사법 행위를
촉구하고 있다.

	내용	결과
1차 송사	가짜 유유 채응규의 진위를 물음.	채응규가 가짜임이 드러남.
2차 송사	백 씨가 유연의 살인죄를 고발함.	간관의 모함으로 백 씨 등은 승리하고 죄 없는 유연이 죽음.
3차 송사	유연의 억울한 누명을 벗기기 위해 아내가 호소함.	유유의 등장으로 유연의 무죄가 밝혀지고 죄인들이 벌을 받음.

↓

재산을 둘러싼 음모에 따른 복잡한 사건 전개와 치밀한 구성으로
독자의 흥미를 유발함.

최우선 핵심 Check!

1 다음 내용 중 맞는 것은 ○표를, 틀린 것은 ×표를 하시오.

(1) 재산을 둘러싸고 벌어지는 가족 내부의 갈등이 나타난다. (　　)
(2) 송사 과정에서 비현실적인 요소의 개입으로 사건이 해결된다.
　　　　　　　　　　　　　　　　　　　　　　　　　　(　　)
(3) 당시 송사 과정에서의 문제점과 관리들의 무능과 부정부패를 비판하
　고 있다. (　　)

2 다음 빈칸에 들어갈 인물의 기호를 찾아 쓰시오.

㉠ 유연	㉡ 백 씨	㉢ 채응규

(1) (　　)은/는 형을 죽였다는 모함을 받아 억울한 죽음을 당했다.
(2) (　　)은/는 유유인 척 행세하다가 도망친 인물이다.
(3) (　　)이/가 유연을 살인죄로 고발하면서 국문(2차 송사)이 벌어진다.

정답 1. (1) ○ (2) × (3) ○ 2. (1) ㉠ (2) ㉢ (3) ㉡

126위

삼한의 기이한 이야기를 모아 놓았다는 뜻

삼한습유(三韓拾遺) | 김소행

성격 전기적, 낭만적　**시대** 조선 후기
주제 죽음을 초월한 진정한 사랑의 승리

소설

조선 숙종 때 실존했던 향랑이라는 여성이 원통하게 죽은 사건을 소설화한 것으로, 실제 사건과 허구적 사건, 역사와 비역사, 유불선 삼교 사상을 치밀하게 혼합한 구성력이 돋보이는 소설이다.

주요 사건과 인물

도입부	서두부	전개부 1	전개부 2	결말부	논찬부
태사공의 논평과 '향랑 이야기'를 기록하는 이유	향랑의 출생 내력과 향랑이 겪게 될 사건을 예언하는 원광 법사	천상 선녀의 화신인 향랑은 가난한 효렴을 좋아했지만 부모의 반대로 못난 남편에게 시집을 갔다가 쫓겨난 후, 개가를 강요당하자 자결함.	선녀가 된 향랑은 효렴과 부부가 되기로 약조하고, 향랑의 환생 재가에 대한 천상 회의가 열림. 환생한 향랑은 효렴과 혼인하고, 삼국 통일에 도움을 줌.	향랑과 효렴 부부는 가야산에서 백년해로하다가 하늘로 올라감.	절기마다 향랑의 제사를 지냄. 작품 창작 동기를 밝힘.

향랑
천상 선녀의 화신. 투신자살 후 환생하여 효렴과 부부의 연을 맺음.

효렴
가난하지만 예의 바르며, 역사 속 인물들의 도움으로 환생한 향랑과 혼인함.

후토부인
선계의 인물. 향랑이 환생하여 효렴과 인연을 이룰 수 있게 도와줌.

핵심장면 ① 향랑의 출생 배경과 향랑에 대한 법사의 예언이 제시되는 장면이다.

의열녀(義烈女)는 신라 일선군(一善郡) 양민의 딸이다. 일선은 옛날에 숭선(崇善)이라 부르
　　　　향랑. 이 작품을 '의열녀전'이라고 부르기도 하는 이유　　　　실제 향랑과 출신이 같음　　　　'일선군'의 지명에 대한 설명

다가 나중에 선산(善山)으로 고쳤으니 지금의 선산부가 바로 이곳이다. 태어날 때 기이한 향
　　　　　　　　　　　　　　　　　　　　　　　　　　　　　　　　　　향랑의 기이한 출생 - 전기적 요소

기가 집에 가득하였기에 이름을 향랑이라 하였다. 이때에 원광 법사가 수당(隋唐)에 들어가
　　　　　　　　　　　　　　　　　　　　　　　　　　　　　　　　　　수나라와 당나라

유학하였다가 나이 백여 세에 돌아와 국사(國師)가 되었다. 나라 사람들이 그를 존경하고 받
　　　　　한 나라의 스승이 됨. 원광 법사가 비범한 인물임을 드러냄

들어 동방대각불존(東方大覺佛尊)이라 일컬었다. 때는 무열왕(武烈王) 7년(660년)이다.
　　　큰 깨달음을 얻은 동쪽 나라의 위대한 승려　　　　　　　　구체적인 시간 제시 - 사실성을 높임

이날 저녁에 법사가 마침 그 동네를 지나다가 기이한 소문을 듣고 몸소 찾아가 보고는 물러
　　　　　　　　　　　　　　향랑이 사는 동네　　　　향랑의 출생과 관련된 소문

나와 사람들에게 말하였다.

　　　　　　　아름다운 향기가 나는 선녀

"저 아이는 패향옥녀(佩香玉女)이다. 20년이 지나기 전에 신라에 다시 한 기이한 일이 일어
　　향랑이 천상의 선녀였음을 밝힘　**Link** 인물의 특징 ❶　　　미래에 벌어질 일에 대한 예언

날 것이다."

사람들이 물어도 웃기만 할 뿐 대답해 주지 않았다. 굳이 청하자 그때서야 말했다.

　　　　　　　　　　　　　제사 때 향로를 올려놓는 상

"내가 들은 바는 이렇다. 『패향옥녀는 향안(香案) 앞에서 상제의 심부름을 하였다. 자색(姿色)
　　　　　　　　　　　『 』: '패향옥녀'의 내력에 대한 설명

과 품성이 매우 뛰어난 데다 글솜씨가 뛰어나 뭇 신선들이 그를 추천하였다. 매양 8월 저녁
　　　　향랑이 비범한 인물임을 알 수 있음

이면 요궁(瑤宮)의 계수나무 꽃을 모아 거기에 천엽련(千葉蓮), 백유화(白榆花), 기모금액(氣

母金液), 태상영단(太上靈丹)을 섞어 찧어 구슬을 만들어 차고 다녔다. 바람이 불면 걸음을
　　　　　　　패향옥녀가 걸음을 옮길 때마다 향기가 퍼지는 이유　　　　　　　'패향옥녀'라는 이름의 유래

옮길 때마다 향기가 수백 리에까지 퍼져서 이 때문에 패향옥녀라고

불렸다.』 그녀는 대선(大仙) 문하의 관화동자(灌花童子)와 묵은 인연
　　　　　　　　　　　뛰어난 신선　　　　효렴. 향랑의 남편이 되는 인물

이 있어서 부부가 될 것이나 또한 여러 세대에 걸친 업보가 있어 혼
　　　　　　　　　　　　　　향랑과 효렴의 혼사가 쉽게 이루어지지 않을 것을 나타냄 - 혼사 장애담

사는 반드시 이루어지지 않을 것이다. 『삼생(三生)을 거치면 끝내 소
　　　　　　　　　　　　　　　　　　　　전생. 현생. 후생

망을 이루겠지만 천하에 일이 많을 것이 걱정이다."
　향랑과 효렴의 혼사가 이루어짐을 의미　　　　　『 』: 미래에 일어날 일을 암시

Link
출제자 특 **인물의 특징을 파악하라!**

❶ 원광 법사의 말을 통해 알 수 있는 향랑의 전생은?
　전생에 천상의 선녀였음.

❷ 향랑과 혼인을 청하는 사람이 많았던 이유는?
　향랑이 어려서부터 총명하고 아름다우며 글솜씨도 뛰어나 명성이 자자했기 때문임.

사람들이 그 까닭을 알려 달라고 하자, 법사는,

"지나 보면 마땅히 알게 될 것이니, 어찌 천기를 누설할 수 있겠는가."

하였다.

향랑은 어려서부터 총명하더니 장성해서는 자색이 남들을 압도하고 또 문사(文辭)에도 솜씨
_{향랑의 비범한 면모}
가 있었다. 이름이 원근에 자자하여, 성년이 되지 않았는데도 혼인을 청하는 사람이 문에 가
_{＝명망천하(名望天下)} _{문전성시(門前成市)}
득하였다.
Link 인물의 특징 ❷
▶ 원광 법사가 향랑의 전생을 밝히고 미래를 예언함

핵심장면 ② 천상계의 존재가 된 향랑이 효렴과 만난 후, 후토부인을 찾아가 자신의 환생을 요구하는 장면이다.

말을 마치기도 전에 닭이 새벽을 알리고 샛별이 반짝거렸다. 향랑은 곧 일어나며
_{헤어질 시간이 다가옴} _{향랑의 영혼}

"말하자면 기니, 훗날을 기약하지요."

하다가 갑자기 다시 슬퍼지면서 물었다.

"스스로 중매를 하는 것은 여자가 남자를 섬기는 의가 아닙니다. 그러나 제가 스스로 오지
_{죽은 향랑이 스스로의 의지로 효렴을 만난 것을 가리킴} _{향랑이 스스로 중매를 한 이유를 효렴에게 해명함}
않았다면 무엇으로 그대를 믿게 만들 수 있었겠습니까? 만일 언짢아하지 않으신다면 죽은
_{향랑}
사람과 산 사람 사이에 마음이 통한 것이라 하겠습니다."

라고 하며, 이별하려다가 다시 뒤돌아서 효렴과 인연을 맺고자 하는 소원을 거듭거듭 전했다.
_{효렴} _{효렴과 인연을 맺으려는 마음이 간절함} ▶ 향랑의 영혼이 효렴에게 마음을 전함

효렴 또한 더욱 잊을 수가 없어 문에 기대어 우두커니 서서 바라다보다가 계단을 내려서서
_{향랑이 떠나는 것에 대한 아쉬움이 담김}
몇 발자국 떼는데, 순식간에 종적이 없어졌다. 효렴은 안타까운 마음을 이기지 못해 잠자리에
_{향랑이 영혼의 모습으로 효렴을 만났기 때문 — 비현실적 사건}
누웠어도 몸만 뒤척이며 눈을 붙일 수가 없었다. 그래서 자리에서 일어나 종이를 꺼내 큰 글
_{향랑에 대한 마음 때문에 잠을 이루지 못함. 관련 한자 성어: 전전반측(輾轉反側)}
씨로 절구 하나를 지었다.

선녀도, 귀신도 아니고 사람이라 하네
_{향랑을 의미함}
청조가 날아오더니 소식이 새롭구나
_{소식을 전해주는 새}
바다는 넓고 산은 높은데 훗날을 기약하니 **Link** 삽입 시의 의미 ❶
_{향랑과의 인연이 다시 맺어지기 어려움을 드러내고 있음}
꽃다운 자태는 다시 오지 않아 청춘을 원망하네
_{향랑과의 이별에 대한 한탄}

Link
출제자 톡! 삽입 시의 의미를 파악하라!

❶ 효렴이 '바다는 넓고 산은 높은데'라는 구절을 통해 드러내고자 하는 바는?
향랑과의 인연이 다시 맺어지기 어려움을 강조하고 있음.

❷ '해와 달'이 비유하는 것은?
해와 달은 한결같이 변함없는 자연물로, 변함없는 효렴의 마음을 의미함.

❸ '추운 계곡'과 '봄볕'이 각각 상징하는 것은?
'추운 계곡'은 효렴과 인연을 맺지 못하고 있는 부정적 현실을, '봄볕'은 효렴을 통해 느끼는 애틋하고 따뜻한 정서를 나타냄.

시가 완성되자 또 사랑스레 어루만지다가 시간이 얼마 지나 자리에 들어서는 잠들었다.
▶ 효렴이 향랑에 대한 마음을 담아 시를 씀

아침에 일어나 보니 향랑이 남긴 종이 한 장이 책상 위에 놓여 있는데, 글은 위 부인을 본받은 것이었고, 시는 두추랑의 「금루사」를 본받은 것이었다. 시는 다음과 같았다.
_{향랑의 글솜씨가 뛰어남을 드러냄}

일찍이 인간 세상을 좇아 잠시 사람이 되어

전에 좇지 않은 것 후회스러워 새 약속을 맺네
<small>효렴과 인연을 맺고 싶은 마음을 솔직하게 표현</small>

그대 마음 해와 달처럼 변함없음을 아니 <small>Link 삽입 시의 의미 ❷</small>
<small>비유적으로 한결같은 효렴의 마음을 표현 → 효렴의 마음에 대한 믿음이 굳건함</small>

『추운 계곡에 앉았어도 봄볕 따뜻하게 피어나네』 <small>Link 삽입 시의 의미 ❸</small>
<small>차가움 ← → 따뜻함</small>
<small>『　』: 차가움과 따뜻함의 대비를 통해 효렴을 통해 느끼는 애틋한 정을 표현</small>

또 글은 다음과 같았다.

굳은 맹세 전날 밤에 맺었고 아름다운 인연 내세를 기약했네. 옛사람이 새 사람이 아니라고
<small>인연을 맺겠다는 약속</small> <small>효렴과의 인연을 이어가고 싶은 마음이 드러남</small>
말하지 말며, 새 사람이 옛사람 아니라고 믿지 마라.

효렴은 기쁨이 극에 달해 도로 슬퍼지며 마음을 가눌 수가 없었다. <small>▶ 향랑이 효렴에게 시와 글을 남김</small>

이날 향랑은 후토부인 앞에 나아가 그 이유를 다 아뢰고, 천제께 인간 세상으로 내려가 결혼
<small>천상계의 존재. 향랑이 효렴과 만날 수 있도록 도와주는 조력자</small> <small>효렴과 다시 인연을 맺고 싶음</small> <small>향랑의 요구</small>
하게 해 달라고 청한 것을 아뢰었다.

"몸의 형체는 이미 소상이 지났으나 성씨는 다를 바가 없고, 이승과 저승 사이의 명부도 달
<small>사람이 죽은 지 1년 만에 지내는 제사</small>
라지지 않았습니다. 속은 귀신이지만 겉으로는 사람에 지나지 않으니 이대로 인간으로 환생
<small>죽은 몸이지만 인간으로 환생할 수 있는 상황임을 드러냄</small> <small>이전과 똑같은 인간의 모습으로 환생한다면</small>
한다면『사람들은 반드시 '어느 동네 누구누구의 자식으로 어느 지역에 사는 아무개가 일찍이
<small>『　』: 똑같은 모습으로 환생했을 때 예상되는 부정적 상황과 결과</small>
어느 동네 아무개의 처가 되었다가 지금은 또 어느 동네 아무개의 부인이 되었다.'고 수군거
<small>예전 남편을 두고 다른 사람의 부인이 되었다는 소문이 생길 수 있음</small>
릴 것입니다. 그렇게 되면 천 년이 지나도록 부끄러운 행위를 했다는 이름을 면하지 못할 것
<small>옛 남편에게 버려지고 남편을 새롭게 얻은 일</small>
입니다.』제 비록 집에서 말을 한다 해도 어찌 능히 스스로 해명할 수 있겠습니까? '의심하면
서 행동하면 이름을 날릴 수 없고 의심하면서 일을 하면 공을 이루지 못한다.'고 합니다. 제
<small>의행무명 의사무공(疑行無名 疑事無功) - 무슨 일이든지 망설이면서 행하면 명분도 성공도 거두지 못함을 이르는 말</small>
비록 죽었으나 죽지 않아서, 죽은 지 일 년이 지나도 얼굴과 모습은 여전합니다. 사람이 죽
<small>죽음을 맞이했지만 육신과 정신은 아직 죽지 않음을 드러냄</small>
었다가 다시 살아났으니 하물며 버림받은 아내가 다시 재혼한다 해도 떳떳한 정에 비추어
이상할 것은 없습니다. 그러나 죽은 지 얼마 안 되어 다시 살아났다고 한다면, 살아난 일만
의심스러울 뿐 아니라 죽었던 일도 진실이 아니라고 할 것입니다. 소문은 이르지 않는 곳이
<small>향랑이 거짓으로 죽은 척했다고 의심할 것</small> <small>향랑 자신이 구설에 오르는 것을 꺼림</small>
없으니 사람의 말 많음 또한 두렵습니다. 나이와 모습은 전혀 바뀌지 않았는데, 서쪽에 살던
<small>옛 남편</small>
남자에게 버림받은 부인이 버젓이 동쪽에 사는 남자 집에 있다면 옛 남편과 새신랑이 같은
<small>효렴</small>
동네에 사는 꼴이 됩니다. 사람들이 모두 비웃으며 손가락질할 것은 진실로 이와 같습니다.
진실로 이렇게 된다면,『연못가에 신발을 벗어놓고 자살한 것이 무슨 의미가 있겠습니까? 의
<small>『　』: 열녀로서의 의로운 죽음조차 의심받게 될 것을 염려함</small>
로운 열녀라는 정려와 포상은 모두 사람을 속인 것이 되는 겁니다.』이렇게 되면『지아비와 시
<small>충신, 효자, 열녀 등을 그 동네에 정문(旌門)을 세워 표창하던 일</small> <small>『　』: 다시 살아나 효렴과 혼인할 때 주위 사람들로부터 멸시를 받는 상황을 가정함</small>
어미가 죄를 묻고, 종들이 몰래 웃고, 친척들이 부끄러워하고, 이웃
들이 내놓고 모멸하는 것을 달게 받아야 할 것입니다.』천지에 받아
<small>업신여기고 얕잡아 봄</small>
들여질 곳이 없으니, 이미 스스로 자초한 것을 가지고 누구를 원망
하겠습니까? 그러니 영혼과 형체를 돌이켜 인간 세상에 새롭게 다시
<small>향랑이 원하는 조건: 인간 세상에 아기로 환생하는 것 → 불교의 윤회 사상이 반영됨</small>

Link
출제자 특 인물의 의도를 파악하라!
❶ 향랑이 후토부인에게 궁극적으로 바라는 것은?
향랑이 후토부인에게 궁극적으로 바라는
것은?
죽기 전의 자신으로 다시 살리지 말고 새로
운 사람으로 환생시켜 줄 것을 바람.

아기로 태어나는 것이 아니면 안 됩니다.

Link 인물의 의도 ❶

『이미 죽은 사람이 실로 천지의 후덕하심을 입어 뼈와 살이 아직 썩지 않았고, 정신이 생전
『 』:후토부인과 선성의 덕을 드러내며 호소
에 비해 못하지 않으니, 자식처럼 여겨 주시는 후토부인의 은혜와 살길 열어 주기를 좋아하
시는 선성(仙聖)의 덕이 지극하고 지극하십니다.』 그러나 사람의 마음에는 양지와 양능이 있
신선과 성인
는데, 이는 하늘이 내려 주신 것이어서 일과 마음이 서로 어긋나면 행할 수 없습니다. 오로
지 바라기는 부인께서 자비를 크게 더하셔서 신통한 능력을 널리 베푸사 방법을 빨리 마련
후토부인이 인정을 베풀어 도와줄 것을 간청함
하셔서 은혜를 머금은 몸으로 하여금 못 다한 회포가 없게 해 주신다면 그 은혜가 막대하다
환생하여 효렴과의 인연을 이루게 해 준다면
하겠습니다. 만약 그렇지 않을진댄 비록 몸은 선가에 돌아가고 뼈를 황천에 묻는다 할지라
향랑이 자신의 뜻과 의지를 강한 어조로 드러냄
도 끝내 이 몸을 혐의로운 곳에 두지 않을 것이니, 이것이 저의 뜻입니다.”

❯ 향랑이 후토부인을 찾아가 인간 세상에 환생시켜 주기를 간청함

최우선 출제 포인트!

1 작품에 반영된 유(儒) · 불(佛) · 선(仙) 사상

유교 사상	천상 회의에서 향랑의 환생 재가가 '예(禮)'에 합당하다는 판정이 받아들여짐.
불교 사상	향랑이 상제의 명에 의해 환생하게 됨 – 윤회 사상
도선 사상	후토부인, 상제 등 선계의 인물들이 등장하여 주인공을 도움.

2 작품의 창작 배경과 작가 의식

창작 배경
• 작가 김소행은 문장에 뛰어난 재주를 지니고 있었지만 서얼의 후손이었기에 재주를 펼칠 기회를 얻지 못함. • 향랑은 실존 인물로, 조선 후기 사대부들에게 열녀로 여겨짐. • 김소행은 실존 인물 향랑의 행적을 바탕으로, 사실적 기록에 환상을 더하여 「삼한습유」를 지음.

작가 의식	향랑이 살아서는 효렴과의 인연을 맺지 못한 불우한 인물로 형상화됨.	→	현실에서 제 뜻을 온전히 펼치지 못한 작가의 모습이 투영됨.
	환상을 통해 사대부들에게 열녀로 여겨진 향랑을 진정한 사랑을 갈구하는 인물로 변모시킴.	→	유교적 이념에 대한 비판 의식과, 인간의 감정에 대한 긍정적 인식을 드러냄.

최우선 핵심 Check!

1 다음 내용 중 맞는 것은 ○표를, 틀린 것은 ×표를 하시오.

(1) 실제 있었던 역사적 사실을, 그 사실에 의거하여 서술하고 있다. ( )

(2) 이미 죽은 사람이 산 사람을 만나거나 환생하는 등 전기적 요소가 나타나고 있다. ( )

(3) 우화적인 수법을 사용하여 부정적 현실에 대한 비판 의식을 드러내고 있다. ( )

2 다음 빈칸에 들어갈 알맞은 말을 찾아 쓰시오

환생	시	예언

(1) 원광 법사는 향랑이 패향옥녀임을 밝히고 그녀의 미래를 ( )하고 있다.

(2) 효렴은 ( )을/를 통해 향랑에 대한 안타까운 마음으로 잠을 이루지 못하는 자신의 마음을 표현하고 있다.

(3) 향랑은 후토부인에게 인간 세상에 아기로 ( )시켜 줄 것을 간곡하게 청하고 있다.

3 향랑의 시에서, 향랑에 대한 효렴의 변함없는 마음을 드러내 주는 자연물은? (2가지)

정답 1. (1) × (2) ○ (3) × 2. (1) 예언 (2) 시 (3) 환생 3. 해, 달

127위 서포만필(西浦漫筆) | 김만중

성격 비판적, 주관적, 비평적 **시대** 조선 후기
주제 송강의 가사에 대한 평가와 국문 문학의 가치

수필

이 글은 글쓴이가 제자백가 가운데 의문 가는 점을 해석하고 우리나라의 명시에 대해 비평한 『서포만필』에 실려 있는 평론이다. 특히 송강의 가사를 높이 평가하면서 국문 문학의 당위성을 주장하고 있다.

출제 우선 작품

내용 전개

기	승	전	결
송강의 가사에 대해 평가함.	번역 문학의 한계를 지적함.	자국어로 문학을 해야 하는 이유를 밝힘.	송강 문학을 높이 평가하는 이유를 밝힘.

핵심장면 송강 정철의 가사를 우리나라의 진정한 문학으로 극찬하면서 우리 문학의 우수성을 주장한 부분이다.

송강(松江)의 「관동별곡(關東別曲)」, '전후 사미인가(前後思美人歌)'는 우리나라의 이소(離騷)
이나, 그것은 문자(文字)로써는 쓸 수가 없기 때문에 오직 악인(樂人)들이 구전(口傳)하여 서
로 이어받아 전해지고 혹은 한글로 써서 전해질 뿐이다. 어떤 사람이 칠언시로써 「관동별곡」을
번역하였지만, 아름답게 될 수가 없었다. 혹은 택당(澤堂)이 소시(小時)에 지은 작품이라고 하
지만 옳지 않다. ▶송강의 가사에 대한 평가

구마라습(鳩摩羅什)이 말하기를, "천축인(天竺人)의 풍속은 가장 문채(文彩)를 숭상하여 그
들의 찬불사(讚佛詞)는 극히 아름답다. 이제 이를 중국어로 번역하면 단지 그 뜻만 알 수 있지
그 말씨는 알 수 없다." 하였다. 이치가 정녕 그럴 것이다. ▶번역 문학의 한계

사람의 마음이 입으로 표현된 것이 말이요, 말의 가락이 있는 것이 시가문부(詩歌文賦)이다.
사방(四方)의 말이 비록 같지는 않더라도 진실로 말할 수 있는 사람이 각각 그 말에 따라 가락
을 맞춘다면, 다 같이 천지를 감동시키고 귀신을 통할 수가 있는 것은 유독 중국만이 그런 것
은 아니다. 『지금 우리나라의 시문(詩文)은 자기 말을 버려두고 다른 나라 말을 배워서 표현한
것이니, 설사 아주 비슷하다 하더라도 이는 단지 앵무새가 사람을 말을 하는 것이다.』 여염집
골목길에서 나무꾼이나 물 긷는 아낙네들이 '에야디야' 하며 서로 주고받는 노래가 비록 저속
하다 하여도 그 진가(眞價)를 따진다면, 정녕 학사대부들의 이른바 시부(詩賦)라고 하는 것과
같은 입장에서 논할 수는 없다. ▶문학 작품을 우리말로 표현해야 하는 이유

하물며 이 삼별곡(三別曲)은 천기(天機)의 자발(自發)함이 있고, 이속(夷俗)의 비리(鄙俚)함도
없으니, 자고로 좌해(左海)의 진문장(眞文章)은 이 세 편뿐이다. 그러나 세 편을 가지고 논한다
면, '후미인곡'이 가장 높고 「관동별곡」과 '전미인곡'은 그래도 한자어를 빌려서 수식을 했다.
▶송강의 가사를 높이 평가하는 이유

최우선 **출제 포인트!**

1 글쓴이의 문학관

국문 문학		번역 문학, 한문 문학
• 말의 가락이 있음. • 천기의 자발함이 있음. • 진정한 문학 작품임.	↔	• 그 뜻(내용)만 알 수 있음. • 이속의 비리함이 있음.

최우선 **핵심 Check!**

1 다음 내용 중 맞는 것은 ○표를, 틀린 것은 ×표를 하시오.

(1) 일반 백성이 우리말로 부르는 노래가 그 진가를 논한다면 사대부의 시부보다 낫다고 말하고 있다. ( )

(2) 글쓴이는 삼별곡 중 우리말을 가장 많이 사용하였기 때문에 「속미인곡」을 가장 높게 평가하고 있다. ( )

정답 1. (1) ○ (2) ○

고전 산문 **439**

코끼리를 본 경험을 바탕으로 깨달음을 서술한 이야기

상기(象記) | 박지원

성격 교훈적, 묘사적, 비유적 **시대** 조선 후기
주제 열린 시각으로 만물을 바라보는 것의 중요함

수필

이 작품은 코끼리를 본 경험을 바탕으로 만물을 바라보는 사회적 통념에 대한 비판적 태도를 드러내고 세상을 다양한 시각에서 바라보아야 한다는 생각을 담고 있는 고전 수필이다.

내용 전개 방식

기
열하에서 코끼리를 처음 보고 느낀 충격과 경이로움

승
코끼리의 외양에 대한 상세한 묘사

전
모든 것에는 하늘의 이치가 반영되어 있다는 통념에 대한 비판

결
다양한 관점에서 모든 것을 바라봐야 하는 이유

전문

괴상하고 신기하며 우스꽝스러울 정도로 기이하다 싶은 커다란 구경거리를 보려거든 무엇
_{코끼리에 대한 글쓴이의 인상}
보다도 북경 선무문 안 라 우리 상방(象房)을 보면 좋겠다. 내가 북경에서 본 코끼리 열
_{자금성 남쪽에 있는 북경의 사대문 중 하나} _{★★ 중심 소재}
여섯 마리는 모두 발이 쇠사슬로 묶여 있었기에 움직이는 모습까지는 보지 못하였었다. 『이번
에 열하(熱河) 행궁 서쪽에서도 코끼리 두 마리를 보았는데, 온 몸뚱이를 꿈틀거리며 움직이
_{임금이 나들이 때에 머물던 별궁} _{움직이는 코끼리를 보고 느낀 경이로움}
는 것이 바람이 불고 비가 오는듯 광장하였다.』 『 』 움직이는 코끼리를 처음 본 글쓴이의 반응. 비유법 ▶ 코끼리의 경이로운 모습

내가 언젠가 새벽에 동해에 나갔던 적이 있다. 파도 위에 말이 서 있는 듯한 모습을 수없이
_{과거 경험을 회상}
보았는데, 모두 집채같이 커서 그게 물고기인지 산짐승인지 알지 못했다. 해가 뜨기를 기다려
_{글쓴이가 본 코끼리와 비슷한 물체}
제대로 보려고 했는데 해가 막 수면 위로 솟아오르자 물결 위에 말처럼 섰던 것들은 바닷속으
로 이미 숨어 버렸었다. ▶ 동해에서 코끼리와 비슷한 물체를 봤던 경험을 떠올림

이번에 코끼리를 열 걸음 밖에서 보았는데 그때 동해에서의 일을 떠올리게 하였다. 『코끼리
_{과거 일을 떠올리게 된 이유}
는 소의 몸뚱이에 당나귀 꼬리요, 낙타의 무릎에 호랑이 발굽이요, 털은 짧고 잿빛이었다. 어
질어 보이는 외모에 슬픈 소리를 냈으며, 귀는 드리워진 구름 같았고, 눈은 초승달 같았다. 두
_{두 팔을 둥글게 모아서 만든 둘레} _{두 팔을 양옆으로 펴서 벌렸을 때의 길이}
엄니는 크기가 두 아름쯤이요, 길이는 한 발 남짓이었다. 코는 엄니보다 길었는데, 구부리고
_{크고 날카롭게 발달하여 있는 포유류의 이. 코끼리의 엄니는 앞니가 발달한 것임}
펴는 모습이 자벌레 같고 둥글게 마는 모습은 굼벵이 같았다. 코의 끝은 누에 꽁무니 같은데
_{꽁무니를 머리 쪽에 갖다 대고 몸을 길게 늘이기를 반복하여 움직이는 벌레}
물건을 족집게처럼 끼어 돌돌 말아 입에 집어넣었다.』 ▶ 코끼리의 외양에 대한 묘사
『 』 비유적 표현을 사용하여 코끼리의 외양을 상세히 묘사함

『어떤 이는 코를 주둥이로 생각하여 코끼리 코가 있는 곳을 다시 찾아보기도 하는데, 코가 이
『 』 고정된 시각에서 코끼리의 모습을 잘못 파악하는 사람들의 예
렇게 생겼으리라고는 생각지 못해서이다. 어떤 이는 코끼리의 다리가 다섯이라고 하고, 어떤
이는 코끼리의 눈이 쥐 같다고도 하는데, 대부분 코끼리의 코와 엄니 사이에 정신을 빼앗겨서
그런 것이다.』 코끼리 전체 몸뚱이에서 가장 작은 것을 가지
고 보면 이렇게 엉터리 비교가 나오게 된다. 대개 코끼리 눈
Link 구절의 의미
은 매우 가늘어서 마치 간사한 사람이 아양을 떨며 눈부터
_{코끼리의 눈에 대한 부정적인 인식}
먼저 웃는 것처럼 보일 수 있으나, 코끼리의 어질어 보이는
_{코끼리의 눈에 대한 글쓴이의 생각}
성품은 바로 눈에서 드러난다. ▶ 코끼리의 외양에 대한 사람들의 오해

Link

출제자 콕 **구절의 의미를 파악하라!**

❶ '엉터리 비교'라고 표현한 의미는?
코끼리의 일부분만 보고 섣부르게 잘못 판단함으로써 대상을 왜곡하고 인식하게 됨을 뜻함.

❷ 코끼리가 호랑이 두 마리를 죽인 일화를 말한 의미는?
코끼리의 위력이 어느 정도인지 알 수 있게 하면서, 코끼리가 의도적으로 위력 행사를 하지는 않았음을 말함.

강희(康熙) 시대 남해자에 사나운 호랑이가 두 마리 있었는데,
_{청나라 황제} _{북경 승문문 남쪽에 있는 동산}

오랫동안 길들이지 못했다. 황제가 노하여 호랑이를 코끼리 우리에 몰아넣으라고 명하였다. 코끼리가 몹시 겁을 내며 코를 한번 휘두르자 호랑이 두 마리가 서 있던 자리에서 쓰러져 죽었다고 한다. _{코끼리가 가진 위력의 정도} 코끼리가 호랑이를 죽이려는 의도 없이 호랑이의 냄새가 싫어 코를 휘둘렀는데 잘못 부딪쳤 _{의도적인 행위는 아니었음   우연히 발생한 것임} **Link** 구절의 의미 ❷ 던 것이다.

아하! 세상의 사물 중 작은 것, 겨우 털끝 같은 것이라도 하늘의 뜻에 부합하지 않는 것이 없 _{세상 만물이 하늘의 뜻이라 여기는 일반적인 인식} 다고들 한다. 그러나 하늘이 어떻게 사물 하나하나에 다 명령을 하였겠는가? 하늘이란 생긴 _{세상 만물이 하늘의 뜻이라는 의견에 의문을 제기함}   **Link** 글쓴이의 의도 ❶ 모양을 중심으로 말하면 천(天)이요, 타고난 본성을 중심으로 말하면 건(乾)이요, 일을 주재하는 측면을 중심으로 말하면 제(帝)요, 신묘한 작용을 중심으로 말하면 신(神)이라 하니 부르는 이름이 다양하다. 좀 심하게 말하는 경우에는 하늘이 이(理)와 기(氣)를 화로와 풀무로 삼 _{만물을 구성하는 이치   물건을 만들어 내는 도구} 아 사물을 만들고 사물의 성질을 부여하는 조물(造物)이라고도 하니, 이는 하늘을 솜씨 좋은 _{관점에 따라 이름을 달리 붙이고 있음 → 하늘의 섭리를 획일적으로 설명할 수 없음   불을 피울 때 바람을 일으키는 기구} 기술자로 보고서 망치질, 끌질, 도끼질, 칼질에 조금도 쉴 사이가 없다고 하는 말이다. 따라서 _{우주 만물을 만들고 다스리는 신} 《주역》에서는 "하늘이 초매(草昧)를 만들었다."라고 하였다. ▶세상 만물이 모두 하늘의 뜻이라는 사람들의 통념 _{천지가 처음 개벽하던 거칠고 어두운 세상}

초매란 빛은 어두컴컴하고 형태는 뿌옇고 흐릿하여, 비유하자면 동이 틀 듯 말 듯한 때와 같아서 사람도 물건도 똑똑히 구별할 수 없는 상태를 가리킨다. 「나는 알 수가 없다. 하늘이 어두 _{초매의 개념} 컴컴하게 뿌옇고 흐릿한 상황에서 과연 무엇을 만들어 냈다는 말인가?」「국숫집에서 밀을 맷돌 _{「」: 하늘이 초매를 만들었다는 의견에 대한 반박}   **Link** 글쓴이의 의도 ❷ 에 갈 때, 작고 크고 가늘고 굵은 가루가 뒤섞여 바닥에 흩어진다. 맷돌의 작용이란 도는 것뿐이다. 처음부터 맷돌이 가늘고 굵은 가루를 만들겠다고 의도를 가졌겠는가?」 _{「」: 맷돌의 작용에 비유하여 세상 만물도 우연히 만들어진 것임을 주장함} _{의도 없이 우연히 만들어진 것뿐이라는 의미}

그런데도 말하기 좋아하는 사람은 "뿔이 있는 놈에게는 이빨을 주지 않았다."라고 하여 하늘이 만물을 만들 때 결함을 갖도록 의도한 것처럼 생각한다. 이것은 잘못된 생각이다. _{하늘의 뜻에 따라 세상 만물이 만들어졌다는 주장} ▶모든 일에는 하늘의 의도가 내포되어 있다는 견해에 대한 비판

_{문답법을 통해 사람들의 생각을 반박하고, 자신의 주장에 대한 타당성을 입증하려 함}

감히 묻는다. "이빨을 준 자는 누구인가?" **Link** 글쓴이의 의도 ❸ 사람들은 말할 것이다. "하늘이 주었다."

다시 묻는다. "하늘이 이빨을 준 까닭은 무엇 때문인가?"

사람들은 답할 것이다. "하늘이 이빨로 물건을 씹게 한 것이다."

또다시 묻겠다. "이빨로 물건을 씹게 함은 무엇 때문인가?"

사람들은 대답할 것이다. "이는 하늘이 낸 이치이다. 「날짐승과 산짐승은 손이 없으므로 반드 _{「」: 세상 만물이 하늘의 의도가 반영된 것이라는 사람들의 주장에 대한 사례} 시 부리와 주둥이를 땅에 닿도록 숙여 먹이를 구하는 것이다. 그러므로 학 다리가 이미 높고 보니 학의 목이 길 수밖에 없었던 것인데 그래도 혹시 땅에 닿지 않을까 염려하여 또 부리가 길어진 것이다. 만약 닭의 다리가 학의 다리를 본떠 길었다면 닭은 마당에서 굶어 죽었을 것이다.」"

나는 크게 웃으며 말했다. "그대들이 말하는 이치는 소, 말, 닭, 개에게나 해당할 따름이다. _{쉽게 접할 수 있는 일부 동물의 경우에만 해당한다는 의미} 만약 하늘이 이빨을 준 것이 반드시 구부려 먹이를 씹게 하기 위해서라고 가정해 보자. 지금 저 「코끼리는 쓸데없는 엄니가 곧추세워져 있어서 입을 땅에 대려고 하면 엄니가 먼저 땅에 부 _{「」: 코끼리의 사례를 들어, 모든 사물에 동일한 이치를 적용할 수 없음을 밝힘}

뒷힐 것이니 물건을 씹는 데는 도리어 방해가 되지 않을까?』

어떤 사람은 말할 것이다. "코를 활용하면 된다."

나는 "엄니가 길어 코를 활용하는 것보다는 차라리 엄니를 없애고 코를 짧게 하는 것이 낫지 않을까?"라고 답하겠다.

사람들의 재반박에 대한 '나'의 반박

이에 말하던 자는 처음의 주장을 더 내세우지 못하고 자신이 배웠던 내용을 조금 누그러뜨릴 것이다. 이는 생각이 겨우 말, 소, 닭, 개에 미칠 뿐이요, 용, 봉황, 거북, 기린 같은 것에는 미치지 못하기 때문이다.

사람들의 생각은 일부의 경우에만 해당하고 적용되지 않는 사례가 많음

▶ 만물에 하늘의 의도가 반영되어 있다는 생각에는 논리적 허점이 있음

코끼리가 호랑이를 만나면 코로 때려눕히니, 그 코야말로 천하무적이라 할 것이다. 그런데 코끼리가 쥐를 만나면 코를 댈 자리도 없어, 하늘을 쳐다본 채 서 있을 뿐이라 한다. 그렇다고

코끼리가 호랑이 두 마리를 죽인 일화를 재연결하여 전개

쥐가 호랑이보다 무섭다고 말하는 것은 앞서 말한 하늘이 낸 이치에 맞지 않는다.

고정된 시각으로 만물을 바라보는 것에 대한 비판

코끼리는 눈에 보이는데도 그 이치를 모르는 것이 이와 같다. 하물며 코끼리보다 만 배나 더 복잡한 천하의 사물은 어떠할까? 그러므로 성인이 『주역』을 지을 때 '코끼리 상(象)' 자를 취하여 저술한 것도

천하 사물에는 우리가 알지 못하는 것이 무수히 많음

코끼리 같은 형상을 보고 세상 만물의 변화를 깊이 파고들어 연구하고자 했기 때문이다.

『주역』에서는 사상(四象)을 통해 우주의 이치를 설명함

다양한 관점에서 세상 만물의 변화를 연구해야 한다는 것을 강조함

▶ 고정된 시각이 아닌 다양한 관점에서 만물을 바라봐야 함

Link

출제자 톡톡 글쓴이의 의도를 파악하라!

❶ '사물'과 '하늘의 뜻'에 대해 글쓴이가 말하고자 하는 것은?
세상 만물이 모두 하늘의 의도라는 사람들의 의견에 반박하고자 함.

❷ '초매'를 통해 드러내는 글쓴이의 생각은?
초매와 같이 어두컴컴하고 뿌옇고 흐릿한 상황에서는 하늘이 의도를 가지고 만물을 만들 수 없다는 생각이 드러남.

❸ 문답 과정에서 드러내는 글쓴이의 의도는?
문답의 과정을 통해 만물에 하늘의 의도가 반영된 것이라는 논리의 허점을 언급, 비판하고 있음.

최우선 출제 포인트!

1 글쓴이의 주장

글쓴이	코끼리가 호랑이를 죽인 것은 우연한 일에 불과하며 초매와 같은 상황에서 하늘이 의도적으로 무언가를 만드는 것은 불가능함. 그러므로 고정적인 시간을 경계하고 다양한 관점에서 만물을 바라봐야 함.
사회의 통념	하늘의 이치를 절대적인 기준으로 삼고 인간과 자연의 모든 행동 양식을 하늘의 이치와 연결함.

2 서술상의 특징

상세한 묘사	코끼리의 외양과 코가 움직이는 모습을 다른 것에 빗대어 설명하여 코끼리의 모습을 감각적이고 자세하게 묘사하고 있음.
문답법	사람들의 생각에 대한 반박, 재반박을 통해 자신의 주장에 대한 타당성을 높이고 있음.

최우선 핵심 Check!

1 다음 내용 중 맞는 것은 ○표를, 틀린 것은 ×표를 하시오.

(1) 글쓴이는 동해에서 코끼리를 본 적이 있다. ( )

(2) 글쓴이는 비유와 묘사를 통해 대상을 개성적으로 표현하고 있다. ( )

(3) 글쓴이는 코끼리의 어질어 보이는 성품은 눈에서 드러난다고 말하고 있다. ( )

2 초성 힌트를 보고 빈칸에 들어갈 알맞은 말을 쓰시오.

(1) ㅋㄲㄹ 을/를 본 글쓴이의 경험을 바탕으로 사물을 다양한 시각으로 바라봐야 한다는 생각이 드러난 글이다.

(2) 글쓴이는 ㅁㄷ의 형식을 통해 자신의 주장에 대한 타당성을 입증하고 있다.

(3) 글쓴이는 하늘이 ㅇㄷ을/를 가지고 만물을 생성했다는 사람들의 생각에 의문을 제기하며 반박하고 있다.

정답 1. (1) × (2) ○ (3) ○ 2. (1) 코끼리 (2) 문답 (3) 의도

129위 이름 없는 꽃 | 신경준

성격 사색적, 교훈적, 논리적 **시대** 조선 후기
주제 사물의 이름이 아닌 본질의 중요성

수필

이 작품은 고향 집 정원에서 이름 없는 꽃을 바라보며 든 생각을 적은 고전 수필로, 사물의 이름보다는 본질이
중요하다는 글쓴이의 가치관이 드러나 있다.

내용 전개 방식

기
이름 없는 꽃에 반드시 이름을 붙일
필요는 없음.

승
사람이 사물을 좋아하는 것은 이름
때문이 아님. 이름은 대상을 구별하
기 위한 것에 불과함.

전
이름이 꼭 아름다워야 하는 것은 아
니며, 없어도 됨.

결
모르는 것에 굳이 이름을 붙일 필요
가 없음.

전문

순원(淳園)의 꽃 중에는 이름이 없는 것이 많다. 대개 사물은 스스로 이름을 붙일 수 없고,
 글쓴이의 고향 순창에 있는 정원
사람이 그 이름을 붙인다. 꽃이 아직 이름이 없다면 내가 이름을 붙이는 것이 좋을 수도 있지
                                            모든 꽃에 이름을 붙일 필요가 없다는 글쓴이의 생각 제시 – 의문문의 형식(설의법)을 사용하여 관심을 유도
만 또 어찌 꼭 이름을 붙여야만 하겠는가?
                                           ▶ 이름 없는 꽃에 이름을 붙이는 것에 대한 의문

　사람이 사물을 대함에 있어 그 이름만을 좋아하는 것은 아니다. 좋아하는 것은 이름 너머에
                       사물의 형식 또는 명분에 해당함   사물의 실질적인 내용에 해당함
있다. 사람이 음식을 좋아하지만 어찌 음식의 이름 때문에 좋아하겠는가? 사람이 옷을 좋아하
                           예시와 설의법 사용 – 사람이 사물을 좋아하는 것은 이름 때문이 아님을 강조함
지만 어찌 옷의 이름 때문에 좋아하겠는가?『여기에 맛난 회와 구이가 있다면 그저 먹기만 하
                                         『 』: 예시와 설의법 사용 – 사물의 이름을 몰라도 상관없음을 강조함
면 된다. 먹어 배가 부르면 그뿐, 무슨 생선의 살인지 모른다 하여 문제가 있겠는가? 여기 가
벼운 가죽옷이 있다면 입기만 하면 된다. 입어 따뜻하면 그뿐, 무슨 짐승의 가죽인지 모른다
하여 문제가 있겠는가? 내가 좋아할 만한 꽃을 구하였다면 꽃의 이름을 알지 못한다 하여 무
                        사물의 가치나 실질
슨 문제가 있겠는가?』정말 좋아할 만한 것이 없다면 굳이 이름을 붙일 이유가 없고, 좋아할 만
                       이름보다는 실제 내용이나 가치가 중요하다는 의미 – 의미상 대조: 좋아할 만한 것(가치, 실질) ↔ 이름(형식)
한 것이 있어 정말 그것을 구하였다면 또 꼭 이름을 붙일 필요는 없다.
                                         ▶ 어떤 사물을 좋아하는 것은 이름 때문이 아님

　이름은 구별하고자 하는 데서 나오는 것이다. 구별하고자 한다면 이름이 없을 수 없다. 형체
             이름이 존재하는 이유: 사물을 구별하기 위해서
를 가지고 본다면 '장(長)·단(短)·대(大)·소(小)'라는 말을 이름이 아니라 할 수 없으며, 색깔을
                  형체를 구별하는 이름   = 이름이라 할 수 있다
가지고 본다면 '청(靑)·황(黃)·적(赤)·백(白)'이라는 말도 이름이 아니라 할 수 없다. 땅을 가지
            색깔을 구별하는 이름
고서 본다면 '동(東)·서(西)·남(南)·북(北)'이라는 말도 이름이 아니라 할 수 없다. 가까이 있으
             방향을 구별하는 이름
면 '여기'라 하는데 이 역시 이름이라 할 수 있고, 멀리 있으면 '저기'라고 하는데 그 또한 이름
                         가깝고 먼 것을 구별하는 기능을 하기 때문에
이라 할 수 있다. 이름이 없어서 '무명(無名)'이라 한다면 '무명' 역시 이름이다. 어찌 다시 이름
                   이름이 있고 없음을 구별하는 기능을 하기 때문에
을 지어다 붙여서 아름답게 치장하려고 하겠는가?
                                         ▶ 이름은 사물을 구별하기 위해서 존재함
이미 구별의 기능을 하므로 이름 없는 것에다 이름을 붙일 필요가 없음을 강조함. 설의법
　『예전 초나라에 어부가 있었는데 초나라 사람이 그를 사랑하여 사당을 짓고 대부 굴원(屈原)
 『 』: 초나라 어부의 고사를 인용하여 근거로 삼음   Link 글쓴이의 의도 ❶   중국 전국 시대 초나라의 정치가, 시인
과 함께 배향하였다.』어부의 이름은 과연 무엇이었던가? 대부 굴원은『초사(楚辭)』를 지어 스
위패를 사당, 서원 등에 모심   어부는 이름이 없었음을 강조   이름을 더욱 아름답게 하려는 태도
스로 제 이름을 찬양하여 정칙(正則)이니 영균(靈均)이니 하였으니, 이로써 대부 굴원의 이름
이 정말 아름답게 되었다. 그러나 어부는 이름이 없고 단지 고기 잡는 사람이라 어부라고만
하였으니 이는 천한 명칭이다. 그런데도 대부 굴원의 이름과 나란하게 백대의 먼 후세까지 전
           이름이 아니라 직업 명칭으로 불리므로   관련 한자 성어: 유방백세(流芳百世): 꽃다운 이름이 후세에 길이 전함
해지게 되었으니, 이것이 어찌 그 이름 때문이겠는가?『이름은 정말 아름답게 붙이는 것이 좋
             이름이 아니라 본질 때문임   『 』: 이름을 붙이는 것에 대한 글쓴이의 생각

겠지만 천하게 붙여도 무방하다. 있어도 되고 없어도 된다. 아름답게 해 주어도 되고 천하게 해 주어도 된다. 아름다워도 되고 천해도 된다면 꼭 아름답기를 생각할 필요가 있겠는가? 있어도 되고 없어도 된다면 없는 것도 정말 괜찮은 것이다.

이름이 반드시 아름다울 필요는 없음

> 이름이 꼭 아름다워야 하는 것은 아니며, 없어도 됨

이름이 반드시 필요한 것도 아님

어떤 이가 말하였다. / "꽃은 애초에 이름이 없었던 적이 없는데 당신이 유독 모른다고 하여 이름이 없다고 하면 되겠는가?"

Link 글쓴이의 의도 ❷

글쓴이의 주장에 대한 반박 – 이름을 모른다고 이름이 없다고 해서는 안 됨

내가 말하였다. / 「"없어서 없는 것도 없는 것이요, 몰라서 없는 것 역시 없는 것이다.」 어부

Link 글쓴이의 의도 ❷

「 」: '어떤 이'의 반박에 대한 재반박 / 이름이 있고 없고는 중요한 것이 아님

가 또한 평소 이름이 없었던 것은 아니요, 어부가 초나라 사람이니 초나라 사람이라면 그 이름을 당연히 알고 있었을 것이다. 그런데도 초나라 사람들이 어부를 좋아함이 이름에 있지 않았기에 그 좋아할 만한 것만 전하고 그 이름은 전하지 않은 것이다. 이름을 정말 알고 있는데도 오히려 마음에 두지 않는데, 하물며 모르는 것에 꼭 이름을 붙이려고 할 필요가 있겠는가?"

이름보다는 본질적인 것을 중시하여 그 이름을 전하지 않은 것임

> 모르는 것에 굳이 이름을 붙일 필요가 없음

명분(형식)보다 실질(내용)이 중요하기 때문에

Link

출제자 톡 | 글쓴이의 의도를 파악하라!

❶ '나'가 초나라 어부와 굴원의 이야기를 통해 말하고자 하는 것은?
이름은 아름답지 않아도 되고 없어도 됨. 즉 이름이 아니라 본질이 중요하다는 것을 드러냄.

❷ '어떤 이'의 물음에 '나'가 대답하는 방식을 취한 이유는?
반대 의견에 대해 반박함으로써 주장을 강화할 수 있으므로

● 『초사(楚辭)』: 중국 초나라 굴원의 사부(辭賦)를 주로 하고, 그의 작품을 이어받은 제자 및 후인의 작품을 모아 엮은 책. 『초사』의 '이소'에 "선친께서 나의 출생한 때를 관찰하여 헤아리시어 비로소 나에게 아름다운 이름을 내리셨으니, 나의 이름을 정칙으로 하시고 나의 자(字)를 정균으로 하시었네."에서 나온 말로, 굴원이 그에 걸맞은 사람이 되었음을 의미함.

최우선 출제 포인트!

① '이름'에 대한 글쓴이의 생각과 주제 의식

글쓴이의 생각
- 사물을 좋아하는 것은 이름 때문이 아님.
- 이름은 구별하고자 하는 데서 나오므로, '무명'도 이름이 될 수 있음.
- 이름이 반드시 아름다울 필요는 없음.
- 이름이 반드시 필요한 것은 아님.
- 모르는 것에 굳이 이름을 붙일 필요가 없음.

주제 의식
사물은 그 이름이 중요한 것이 아니라 본질이 중요함.
→ 명분에 휩쓸리지 말고 실질에 힘써야 한다는 '실학적 사고'가 반영됨.

② '어부와 굴원' 고사를 인용한 의도

어부는 '어부'라는 천한 명칭을 가졌지만 아름다운 이름을 지닌 굴원과 함께 후세에 이름이 전해졌음.
→ 사람들이 '어부'라는 이름이 아닌 그 사람의 본질을 좋아했기 때문임.

➡
- 중요한 것은 이름이 아니라 본질임.
- 이름은 아름답지 않아도 되고, 없어도 됨.

최우선 핵심 Check!

1 다음 내용 중 맞는 것은 ○표를, 틀린 것은 ×표를 하시오.

(1) 글쓴이는 중국의 고사를 인용하여 주제를 강조하고 있다. (　　)
(2) 다양한 예와 설의법을 사용하여 주장을 효과적으로 전달하고 있다. (　　)
(3) 글쓴이는 반대 의견을 제시한 후, 그에 대해 반박함으로써 주장을 강화하고 있다. (　　)
(4) 글쓴이는 대상의 본질에 걸맞은 이름이 있어야 한다고 생각하고 있다. (　　)
(5) 글쓴이는 중요한 것은 사물을 가리키는 이름이 아니라 사물이 지닌 본질이라 생각하고 있다. (　　)

2 다음 빈칸에 공통으로 들어갈 알맞은 말을 쓰시오.

- 글쓴이는 정원에 있는 (　　) 없는 꽃을 보며 든 생각을 전개하고 있다.
- 글쓴이는 대상의 (　　)이 아니라 본질이 중요하다고 생각한다.

정답 1. (1) ○ (2) ○ (3) ○ (4) × (5) ○ 2. 이름

1등급! 〈보기〉!

조선 후기의 실사구시

조선 시대의 사대부들은 사물의 실질보다는 관념적인 명분을 중요하게 여겼다. 그런데 조선 후기가 되면서 명분과 같은 허울만 따지지 말고 사물의 실질을 주목하고 실생활의 가치에 더 힘써야 한다는 주장이 제기되기 시작했다. 이것이 바로 실학의 근간이 되는 사고이다. 이름보다는 실질을 주목하라는 이 글은 그런 점에서 실학적 사고를 잘 담아낸 글이라 할 수 있다.

의산문답(醫山問答) | 홍대용

성격 철학적, 사색적 **시대** 조선 후기
주제 인간 중심적 사고에 대한 논박과 만물의 동등성 강조

수필

이 글은 실옹과 허자라는 두 인물이 중국 동북 지방의 의무려산(醫巫閭山)에서 사람과 만물의 가치에 대한 철학적 문답을 나누는 형식으로 구성된 고전 수필이다.

내용 전개 방식

문(실옹)	답(허자)	논박(실옹)	문(실옹)	답(허자)	논박(실옹)
사람과 만물은 다른가?	사람과 만물은 다르다.	사람과 만물은 같다.	사람과 만물은 등차가 있는가?	사람이 만물보다 귀하다.	사람과 만물은 동등하다.

핵심장면 실옹과 허자의 문답을 통해 인간의 자기중심적 사고를 비판하고 상대주의적 관점에서 인간과 만물의 동등성을 강조하고 있는 부분이다.

☐ : 주요 인물

실옹(實翁)이 말했다. / "그대 말대로라면 유자(儒者)로서 배움의 큰 줄기는 모두 갖추었거
글쓴이가 자신의 생각을 드러내기 위해 등장시킨 인물로, 중국에서 견문을 넓힌 글쓴이 자신을 상징함   유학을 공부하는 선비
늘, 그대는 또 무엇이 모자라 나에게 묻는 것인가? 그대가 논변으로 나를 난처하게 만들고
자 함인가? 나와 학문을 겨뤄 보고자 함인가? 나의 법도를 시험하고자 함인가?"   사리의 옳고 그름을 밝히어 말함. 또는 그런 말이나 의견

이에 허자(虛子)가 일어나 절하며 말했다.
앎과 삶이 괴리된 학문에 골몰하는 세속적 유학자를 대표하는 인물로, 견문을 넓히기 이전의 글쓴이 자신을 상징함

"선생께서는 그게 무슨 말씀이십니까? 제가 견문이 좁아 아직 큰 도에 대해 들어 보지 못했
습니다. 그러면서도 망령되게 스스로를 높이기는 마치 우물 안 개구리와 같고, 지식이 천박
하기는 여름 벌레가 얼음이 어는 것을 의심하듯 합니다. 지금 선생을 뵈니 마음이 탁 트이고
귀와 눈이 상쾌하여 진심과 정성을 다하려는데, 선생께서는 무슨 말씀이십니까?"
▶ 실옹에게 배움을 얻고자 하는 허자
실옹이 말했다. / "그렇다면 그대는 과연 유자다. 먼저 소학과 같은 기본적인 공부를 하고
난 후에 성명(性命)을 탐구하는 것이 유학(幼學)의 순서다. 지금 내가 그대에게 대도(大道)를
          인성(人性)과 천명(天命)   배움의 순서
말하기에 앞서 반드시 먼저 근원적인 문제를 말해야 할 터이다. 사람이 물(物)과 다른 점은
마음이며, 마음이 물과 다른 점은 몸이다. 이제 내가 그대에게 묻겠다. 그대의 몸이 물과 다
          실옹의 질문 ① – 인간의 몸이 만물과 다른 점은 무엇인가?
른 것에 대해서는 틀림없이 그 설이 있으렷다."
▶ 인간과 만물의 차이점을 묻는 실옹

허자가 대답했다. / 「"그 바탕을 말한다면 머리가 둥근 것은 하늘이고 발이 네모진 것은 땅입
          하늘은 모나고 땅은 둥글다는 천원지방(天圓地方)의 당대 우주관 반영
니다. 살갗과 머리털은 산과 수풀이고 피는 강과 바다입니다. 두 눈은 해와 달이고 호흡은
바람과 구름입니다. 그런 까닭에 사람의 몸을 소천지(小天地)라고 말하는 것입니다. 그 태어
          작은 세계
남을 말하자면 아버지의 정(精)과 어머니의 혈(血)이 감응하여 태아가 생기고 달이 차면 출

Link
출제자 ✅ **인물의 관점을 파악하라!**

❶ 허자가 생각하는 인간의 몸이 만물과 다른 점은?
소천지로서 다섯 가지의 성정을 지니고 있는 점

❷ 구태의연하고 보수적인 사상만을 고집하는 지식인층을 대표하는 인물은?
허자

❸ 실옹이 인간의 예의와 초목의 예의가 각기 다름을 통해 말하고자 하는 바는?
귀천에는 절대적인 기준이 존재하지 않음.

생을 하게 되며, 나이가 늘면서 지혜도 자라고 몸의 일곱 구멍이
          사람의 얼굴에 있는 일곱 개의 구멍 – 귀, 눈, 콧구멍, 입
모두 밝아지고 다섯 가지 성정이 모두 갖추어집니다. 이것이 사람
          기쁨, 노여움, 욕심, 두려움, 근심을 가리킴   소천지로서 오성을 갖추고 있는 점
의 몸이 물과 다른 바가 아니겠습니까?"
▶ 인간과 만물은 다르다는 허자의 답변
「 」: 허자의 답변 ① – 인간의 몸이 만물과 다르다는 관점(인간 중심적 사고)
실옹이 말했다.

"허허! 『그대의 말대로라면 사람이 물과 다른 것이 거의 없지 않은
          실옹의 반박 ① – 인간의 몸이 만물과 같다는 관점(상대주의적 사고)
가? 무릇 터럭과 피부라는 바탕이나 정과 혈의 감응은 초목과 사
          인간의 몸이 만물과 같은 이유

람이 모두 같은데, 하물며 금수에 있어서랴? 내가 다시 그대에게 묻겠다. 살아 있는 것에는 세 가지가 있으니 사람과 금수, 초목이 그것이다. 초목은 거꾸로 사는 까닭에 앎은 있지만 깨달음이 없고, 금수는 옆으로 살아가므로 깨달음은 있어도 슬기가 없다. 살아 있는 이 세 가지 무리들은 아득히 널리 어지럽게 퍼져 살며 서로 쇠하게도 성하게도 하는데, 그들에게 귀천의 구분이 있겠는가?"

실옹의 질문 ② – 사람과 초목, 금수는 귀천에 등차가 있는가?

▶실옹의 반박과 질문

허자가 말했다.

"천지의 살아 있는 것 가운데 오직 사람만이 귀합니다. 금수와 초목은 슬기와 깨달음이 없고

『　』: 허자의 답변 ② – 인간이 금수와 초목보다 귀함(인간 중심적 사고)　　　　　　인간이 가장 귀한 이유

예의(禮義)가 없기 때문입니다. 사람은 금수보다 귀하고 초목은 금수보다 천합니다."

실옹은 고개를 쳐들고 웃으며 이렇게 말했다.

외모, 말, 보는 것, 듣는 것, 생각하는 것

"그대는 과연 사람이로다. 오륜(五倫)과 오사(五事)는 사람의 예다. 떼를 지어 다니며 서

예의의 유무를 근거로 인간의 귀함을 주장하는 허자의 말에 대한 실옹의 반박 – 인간, 금수, 초목의 예의는 각각 다름

로 불러 먹이는 것은 금수의 예이고, 무리 지어 더부룩이 자라면서도 평안하고 느긋한 것

은 초목의 예다. 사람의 눈으로 물을 보면 사람은 귀하고 물은 천하며, 물의 눈으로 사람

을 보면 물이 귀하고 사람은 천한 것이다. 하늘에서 바라보면 사람과 물은 평등한 것이다.

실옹의 상대주의적 시각 – 각자의 입장과 기준에 따라 귀천이 달라지며, 귀하고 귀하지 않음에 절대 기준은 존재하지 않음

무릇 슬기가 없는 까닭에 속임이 없고, 깨달음이 없는 까닭에 행함이 없다. 그러니 동식물

이 사람보다 훨씬 더 귀한 것이다. 또 봉황은 천 길 위에 날고 용은 하늘에서 날며, 톱풀과

금수의 귀함

울금향은 신령과 통하고, 소나무와 측백나무는 재목으로 쓰이니, 인류와 비교했을 때 무엇

이 귀하고 무엇이 천한가?

초목의 귀함

무릇 큰 도에 해가 되는 것은 자만심보다 더 심한 것이 없는데, 사람이 사람을 귀히 여기

고 동식물을 천히 여기는 것은 자만심의 뿌리다."

▶허자의 대답과 실옹의 반박

『　』: 실옹의 반박 ② – 인간이 금수와 초목보다 귀하지 않음(상대주의적 사고)

최우선 출제 포인트!

1 '허자'와 '실옹'이 대표하는 인물 유형과 관점

허자	견문을 넓히기 이전의 글쓴이로, 구태의연한 학문과 사상만을 고집하는 보수적인 지식인층을 대표함.	➡	인간 중심적 관점에서 사람이 천지 만물보다 귀하다는 사상을 지님.
실옹	중국에서 견문을 넓힌 이후의 글쓴이로, 기존의 지식인들의 인식 틀을 뛰어넘는 파격적인 사상을 보이는 인물임.	➡	인간의 자기중심적 사고를 비판하면서 상대주의적 관점에서 인간과 만물의 평등함을 강조함.

2 서술상 특징

글쓴이가 자신을 '허자'와 '실옹'으로 설정하여 자신의 생각을 묻고 답하는 방식으로 서술함.	➡	두 인물의 설정과 논의의 격렬함을 통해 독백적 진술로 일관한 글보다 글쓴이의 생각을 쉽게 전달하고 있음.

최우선 핵심 Check!

1 다음 내용 중 맞는 것은 ○표를, 틀린 것은 ×표를 하시오.

(1) 허자가 실옹에게 질문을 던지고 이에 대한 실옹의 답을 듣는 방식으로 서술하고 있다. (　　)

(2) 실옹은 허자의 답변에 대한 반례를 제시하며 허자의 생각에 오류가 있음을 밝히고 있다. (　　)

(3) 실옹은 큰 도를 해치는 원인으로 자만심을 제시하고 있다. (　　)

2 초성 힌트를 보고 빈칸에 들어갈 알맞은 말을 쓰시오.

(1) [ㅎㅈ]은/는 인간 중심적 관점에서 사람이 천지 만물보다 귀하다는 사상을 지니고 있다.

(2) [ㅅㅇ]은/는 인간의 자기중심적 태도를 비판하면서 상대주의적 관점에서 인간과 만물의 평등함을 강조하고 있다.

정답 1. (1) × (2) ○ (3) ○ 2. (1) 허자 (2) 실옹

양주 별산대놀이 | 작자 미상

성격 풍자적, 해학적, 골계적 **시대** 조선 후기
주제 파계승에 대한 조롱과 비판, 양반에 대한 조롱과 풍자

민속극

이 작품은 경기도 양주 지방에서 전승되어 온 가면극으로 전체 8개의 과장으로 이루어져 있다. 그중 제6과장에서는 파계승을 풍자함과 동시에 '늙음'과 '젊음'의 대결에서 '젊음'의 승리를 보여 주고 있다. 제7과장에서는 말뚝이가 친구 쇠뚝이와 함께 양반의 횡포와 무능을 폭로하고 풍자하고 있다.

주요 사건과 인물

제6과장 – 노장
- 제1경 파계승 놀이: 노장의 파계 과정을 춤과 동작으로 보여 줌.
- 제2경 신 장수 놀이: 두 소무의 신발을 외상으로 산 노장에게 외상 값을 받으러 간 원숭이가 소무를 희롱하고 그냥 옴.
- 제3경 취발이 놀이: 취발이가 노장에게서 소무 한 명을 빼앗아 살림을 차림.

파계승에 대한 조롱과 비판

제7과장 – 샌님
- 제1경 의막 사령 놀이: 말뚝이가 샌님, 서방님, 도련님을 모시고 나와 친구 쇠뚝이와 함께 양반을 모욕하고 풍자함.
- 제2경 포도부장 놀이: 샌님이 자기의 첩 소무를 평민인 젊은 포도부장에게 빼앗김.

양반의 무능함과 수탈에 대한 폭로와 풍자

핵심장면 ① 소무를 둘러싼 취발이와 노장의 싸움을 통해 파계승을 풍자하고 '젊음'의 승리를 보여 주는 부분이다.

제6과장 노장 — 제3경 취발이 놀이

Link 갈래상의 특징 ①

취발이 (귀룽가지 꺾어 들고 장중에 등장하여 출입구에서 5, 6보 걸어와 선다.) 예이 네—밀헐 놈의
　　　　노총각. '젊음'을 상징함　　　　놀이가 벌어지고 있는 곳　　　　　　　탈춤의 특징 – 욕설과 비속어의 사용. 탈춤의 주 향유층이 서민이었음

데를 나오니깐 괴상한 내가 난다. 상내가 코를 쿡쿡 찔르니 이게 웬 상내야. 워려, 이이익!
　　　　　　　냄새　　　　겨드랑이 등에서 나는 고약한 냄새

노장 (취발이 앞으로 걸어 나와서 부채를 획 편다.)
파계승. 풍자의 대상이자 '늙음'을 상징함

취발이 『(놀라서 물러서면서) 네밀헐 것 술 서너 잔 먹어 얼굴이 지지버얼거니깐두루 상봉 독수
　　　　　『 』: 술을 마신 취발이가 노장의 부채를 독수리로 오해함　　　　벌거니까

리가 꾸미 자반인 줄 알구 훅훅 넘나들구 이거 까딱하단간 얼굴 잃어버리겠다. (사방을 기웃
　　　국이나 찌개에 넣는 고기붙이　　　　　　　　독수리에게 얼굴을 먹히겠다는 의미

기웃하면서 독수리를 쫓는다. 노장 앞에 가서) 오려 — 이 — 익! / **노장** (부채를 다시 획 편다.)

취발이 솔개미 겉으믄 벌써 달아났을 텐데 이게 무슨 괴상한 일은 착실히 났구나. (손을 이마
　　　　　솔개. 수릿과의 새　　　　　　　　　　　　　　　　　　　　　　중놈

에 대고 노장 근처에 가서 바라본다.)』 허허허 얘 네밀붙을, 절간 중놈이 인가에 내려와서 계집
　　　　　　　　　　　　　　　　　　　　　　　　　데리고

하나도 아닌데 계집 둘씩 데불고 농창치구 이런 허무헌 세상 봐라. 이놈아 저게 네가 될 일이

냐.』
　농탕. 남녀가 음탕한 소리와 난잡한 행동으로 놀아 대는 짓

노장 (부채를 획 펴서 소무를 가려 준다.) / **취발이** 아 이놈아 날보구 내우시켜.
　　　　탈춤에서, 노장·취발이·양반 따위의 상대역으로 나오는 젊은 여자　　　　　내외. 남의 남녀 사이에 서로 얼굴을 마주 대하지 않고 피함

노장 (소무의 손으로 자기 배를 문지르게 한다.)
　　　　　　　　　　　　　　　　　　　　　　　　　말이나 행동이 이치에 마땅하거나 적당하지 아니하다

취발이 이놈아 거위배 앓느냐, 네밀할 놈의 배를 문지르게. 얘 네겐 그게 다 당찮다. 승속이
　　　　　　회충으로 인한 배앓이

가이(可異)어든 중놈이 절간에서 천수천원 관자재보살(觀自在菩薩) 광대음마 대다라니나 부
　　　중과 속인이 다르거늘　　　　　　　「천수경」의 구절

르고 있지, 인가에 내려와서 네가 계집 데리고 농탕치니 저거 될 일이냐. 저놈을 어떻걸까

Link
출제자 특! 갈래상의 특징을 파악하라!

❶ 이 작품의 주 향유층이 서민이었음을 알게 해 주는 것은?
당시 서민들이 썼을 법한 욕설과 비속어가 사용됨.

❷ 취발이가 관객들에게 하는 말을 통해 알 수 있는 이 작품의 특징은?
탈춤의 개방성 – 관객과의 소통 및 관객의 극 중 개입이 가능함.

네겐 당찮아. (노랫조로) 〈중략〉
　　　　　　　　　　　　　　　　　　▶ 타락한 노장에게 시비를 거는 취발이

취발이 아이구 저놈 보게 날 잡아먹을려나. 나를 때리고 쫓더니 벗

어. 에라 이눔 너두 벗으니 나도 벗어 보겠다. (창옷을 벗어 땅에다
　　　　　　　　　　　　　　　예전에, 중치막 밑에 입던 웃옷의 하나

놓고서) 이눔 마산(馬山)이 무너지나 평택(平澤)이 깨지나 어디 해
　　　　　　　경상남도 마산　　　　경기도 평택

보자. 참새가 죽어도 짹 한다구 내 이놈 너한테 한 번 맞구 쫓겨갈

리가 있느냐. (관중을 향하여) 여보 여러분 구경허신 손님네 여기서 몸 조심허는 이는 피허우.

여기서 깨닫허믄 살인나오. (불림으로) 녹수청산(綠水靑山) 깊은 골에 청황룡(靑黃龍)이 꿈트

러지구서…… (춤을 춘다.)
탈춤의 개방성 – 관객의 극 중 개입이 가능함

Link 갈래상의 특징 ❷

노장   (취발이와 맞서 같이 깨끼리춤을 춘다.)
오른 다리와 왼 다리를 번갈아 가며 'ㄱ' 자로 들고 손동작을 하며 추는 춤

취발이   (노장 옆으로 가서 등을 '탁' 치니) / 노장   (소무 가랑이 밑으로 쑥 들어간다.)
취발이에게 한 대 맞은 노장이 도망감

취발이   옳다. 제밀헐 놈이 한 번 맞드니 아주 거거무신이로구나. 저거 둘 다 내 계집이 되고
취발이의 승리 – '젊음'의 승리를 의미함

말았다. 절수 절수…… (하며 춤을 추며 한쪽 팔을 어깨에다 메고 들어가니)

노장   (소무 가랑이 밑에서 고개를 쑥 내민다.)

취발이   (깜짝 놀라 돌아선다.) 이거 무슨 짓이요. 산중 짐승이 점잖은 짐승이 이 부정한 인간엘
노장을 가리킴   반어적 표현   속세

뭘하러 나왔단 말이요, 돌아가시지요. 쉬이 쉬이 쉬이.

노장   (소무 가랑이 사이로 들어갔다가 다시 고개를 내민다.)

취발이   저게 저하고 나하고 노자네. 저런 안갑을 할 놈. 쉬이 쉬이 쉬이…… (들었던 나뭇가지

로 땅을 친다.) / 노장   (드디어 소무 하나를 데리고 퇴장한다.)   ❯ 노장과의 싸움에서 이긴 취발이
싸움에서 진 노장이 달아남

핵심장면 ②   말뚝이가 샌님을 데리고 나와 친구 쇠뚝이와 함께 양반의 횡포와 무능을 폭로하고 풍자하는 부분이다.

제7과장 샌님 춤 – 제1경 의막 사령 놀이
임시 거처를 준비하는 일을 하는 심부름꾼

말뚝이   너 여기서 만나 보기를 천만다행이다. / 쇠뚝이   그래, 요사이 옹색한 일이 있구나?
샌님 등을 모시는 하인으로 쇠뚝이와 함께 양반을 조롱함   양반 계층 – 비판의 대상

말뚝이   내가 다름 아니라 우리 댁 샌님, 서방님, 도련님을 모시고 과거를 보러 가는데 산대굿
★ 주요 소재   탈춤의 현장성 – 극 중 장소와 공연 장소가 일치함

구경을 하다가 해 가는 줄 모르고 있다가 의막을 못 정했다우.
임시로 거처할 곳   특별한 무대 장치는 없음

쇠뚝이   염려 마라, 정해 주마. (삼현을 청하여 까끼걸음으로 장내를 돌다가 의막을 정하여 놓고 말
거문고, 가야금, 향비파의 세 가지 현악기를 통틀어 이르는 말   깨끼춤

뚝이의 얼굴을 '탁' 친다. 삼현 중지.) 애! 의막을 정해 놓고 왔다. 혹시 그놈들이 담배질을 하더
대화나 상황의 전환   담배를 피울 때에도 엄격하게 신분을 따지는 양반들의 행태를 조롱함

라도 아래윗간은 분명해야 하지 않겠느냐!

말뚝이   영락없지! / 쇠뚝이   그래서 말뚝을 뺑뺑 돌려서 박고 띠를 두르고 문은 하늘로 냈다.
조금도 틀리지 아니하고 꼭 들어맞다   돼지우리를 의막으로 정함 – 양반들을 돼지 취급하며 조롱함

말뚝이   그것 고래당 같은 기와집이로구나. / 쇠뚝이   영락없지.
반어적 표현

말뚝이   그 집을 들어가자면 물구나무를 서야겠구나. / 쇠뚝이   영락없지.
두 손을 땅에 붙이고 돼지처럼 기어서 들어가야 함 – 양반을 돼지에 빗대어 조롱함

말뚝이   애! 너하고 나하고 사귄 것이 불찰이지. 우리 댁 샌님을 들어 모시자.

쇠뚝이   내야 무슨 상관있느냐. 대관절 너는 그 댁에 무어냐?

말뚝이   나는 그 댁에 청직(廳直)일세. / 쇠뚝이   청직이면 팽양이 갓을 써?
청지기. 양반집에서 잡일을 맡아보거나 시중을 들던 사람   역즐. 보부상 같은 신분이 낮은 사람이 쓰던 갓

말뚝이   『청직이가 아니라 겸노(鉗奴)일세.』   『 』: 언어유희 – '청직'과 '겸노'는 같은 말임
좋은 아니나 가난하여 종이 해야 할 일까지 다 겸하여 하던 일. 또는 그런 사람

쇠뚝이   옳겠다. 그러면 그 양반들이 어데 있느냐?

말뚝이   저기들 있으니 들어 모시자. (타령조. 까끼걸음으로 샌님 일행을 돼지 몰아넣듯 채찍질을
재담과 함께 음악과 춤이 어우러진 종합 예술임을 보여 줌   양반을 돼지 취급하며 모는 시늉을 함

하면서 "두두." 한다. 삼현 중지.) 〈중략〉   ❯ 말뚝이 대신 의막을 정한 쇠뚝이

쇠뚝이는 곤장을 들고 볼기를 치려고 하는데, 말뚝이는 두 손가락으로 돈 열 냥을 줄 터이니 가만히
_{헐장의 대가}
때리라고 신호를 한다. 샌님이 이것을 보고서,
　　Link 반영된 사회상 ❶

샌님　이놈들아! 너희들이 무슨 공론(公論)을 하느냐?
_{샌님은 말뚝이와 쇠뚝이의 대화 내용을 모르는 상황임}

쇠뚝이　말뚝이가 샌님 앞에서 매를 맞으면 죽을까 봐 헐장(歇杖)해 달라고 하오.
_{매를 때릴 때 아프지 않도록 헐하게 매를 치던 일}

샌님　아니다.

쇠뚝이　이것 큰일 났네!「(샌님의 얼굴을 '탁' 치면서) 저놈이 가장집매(家藏什賣)해서라도 열 냥
_{양반에 대한 조롱}　　　　　　　　　　　　　_{집에 있는 물건을 팖}
을 더해서 스무 냥 주마 하오.」『：샌님을 돈으로 유혹하여 조롱함 – 뇌물로 형벌을 감할 수 있었던 부패한 사회상이 드러남

샌님　스무 냥? / 쇠뚝이　그건 구수하오.

샌님　(돈 스무 냥 준다는 말을 듣고) 얘, 이놈들아!「저기 끝에 계신 종갓집 도령님이 봉치 받어
_{혼인 전에 신랑 집에서 신부집으로 채단과 예장을 보내는 일. 또는 그 채단과 예장}

Link
출제자 특강! 반영된 시대상을 파악하라!

❶ 말뚝이가 돈을 줄 테니 매를 살살 때려 달라
고 부탁하는 모습을 통해 알 수 있는 것은?
돈이면 무엇이든 다 되는 당시의 사회상

❷ 당시에 물질적으로 궁핍하게 사는 양반이
있었음을 알게 해 주는 것은?
종갓집 도련님이 경제적 형편 때문에 혼례
를 치르지 못함.

❸ 샌님이 말뚝이에게 받은 돈을 본댁에 진상
하려는 것을 통해 폭로하고자 한 것은?
양반이 권세를 이용하여 서민들의 재산을
빼앗음.

놓은 지가 슥삼년 열아홉 해다. 댁이 간구(艱苟)하여 납채(納采)를
　Link 반영된 사회상 ❷　　　　　　_{가난하고 구차함.}　_{신랑 집에서 신부집에 혼인을 구함. 또는 그 의례}
못 들었다. 그러니 그 돈 열아홉 냥 구 돈 오 푼을 댁으로 봉사
_{말뚝이에게 받은 돈 대부분을 본댁에 진상하라는 의미 – 양반이 권세를 이용하여 서민들의 재산을 빼앗음}
(奉仕)하고 그 나머지 오 푼을 술 한 동이를 사다가 물 한 동이를
　Link 반영된 사회상 ❸
타서 휘! 휘! 저어 가지고 너도 먹고 죽고 너도 먹고 죽어라.
_{돈을 받고 용서하는 척하면서 실은 자신을 조롱한 쇠뚝이와 말뚝이에게 죽으라고 말함}

쇠뚝이　지당한 분부요. / 샌님　쳐라!
_{악공에게 장단을 치라는 말}
　　　　　　　　　　　　　_{말뚝이가 양반에게 돈을 주고 곤장을 모면함}

양반 일행은 퇴장하고, 말뚝이와 쇠뚝이 양인(兩人)은 맞춤을 춘다.
▶ 말뚝이를 혼내주려다가 뇌물을 받고 풀어 줌

최우선 출제 포인트!

1 이 작품에 사용된 언어적 특징

・서민 계층의 비속한 일　・이 작품은 서민뿐만 아니라 양반 사
상어와 양반 계층의 전　　이에서도 향유되었기 때문에 서민 계
아한 한자 성어 및 고사　→　층의 언어와 양반 계층의 언어가 혼
가 사용됨.　　　　　　　　재되어 나타남.
・익살과 과장, 반어 등의　・서민들이 문학 활동에 능동적으로 참
표현법이 사용됨.　　　　　여하는 주체로서 양반 계층을 고도로
　　　　　　　　　　　　　풍자함.

2 인물의 역할

취발이	파계승인 노장을 조롱하고 그로부터 소무를 빼앗음.
말뚝이	양반의 위엄에 굴복하는 척하면서 양반을 희화화하고 양반의 무능을 폭로하고 조롱함.
쇠뚝이	양반의 의막을 돼지우리로 정하는 등 양반을 적극적으로 공격함.

최우선 핵심 Check!

1 다음 내용 중 맞는 것은 ○표를, 틀린 것은 ×표를 하시오.

⑴ 재담과 함께 음악과 춤이 어우러진 종합 예술로서 연행되었다.
　　　　　　　　　　　　　　　　　　　（　　）

⑵ 널찍한 마당에서 화려한 무대 장치를 배경으로 벌어지는 가면극이다.
　　　　　　　　　　　　　　　　　　　（　　）

⑶ 취발이가 관중을 향하여서 하는 말을 통해 볼 때, 관객을 극 중에 참여
시키는 것이 가능하다.　　　　　　　　　（　　）

2 초성 힌트를 보고 빈칸에 들어갈 알맞은 말을 쓰시오.

⑴ 건강한 노총각인 취발이가 타락하고 나이 든 파계승인 노장과 소무를
두고 대결하여 승리한 것은 '젊음'과 '늙음'의 대결에서 'ㅈㅇ'이/가 승
리한 것을 의미한다.

⑵ 제7과장에서 비판의 대상이 되는 계층은 샌님 등이 속한 'ㅇㅂ'이다.

적벽가(赤壁歌) | 작자 미상

성격 회화적, 풍자적 **시대** 조선 후기
주제 영웅들의 무용담과 전쟁으로 인한 하층민의
비애

판소리

이 작품은 중국 소설 「삼국지연의」의 '적벽 대전 이야기'를 우리의 판소리로 재창조한 판소리 사설이다. 원작인 「삼국지연의」와 달리 무명의 하층 군사들을 중심으로 하여 전쟁으로 고통받던 군사들의 입장을 드러내며 조조를 졸장부로 희화화하여 폭력적인 권력 계층을 풍자하고 있다.

 주요 사건과 인물

발단
유비가 관우, 장비와 더불어 삼고초려 끝에 제갈공명을 데려옴.

전개
조조는 백만 대군을 이끌고 남정 길에 오르고, 군사들은 제각기 설움을 늘어놓음.

위기
제갈공명의 지략에 조조가 대패하고, 장판교에서도 장비에게 패함.

절정
손권과 주유의 마음을 움직인 제갈공명은 조조와 적벽 대전을 벌여 크게 승리함.

결말
조조는 화용도에서 관우에게 또다시 패한 후, 목숨만 겨우 부지하여 돌아감.

첫 번째 군사
부모 생각
+
두 번째 군사
자식 생각
+
세 번째 군사
아내 생각
→
전쟁에 강제 동원된 병사들이 전장에서 겪는 설움과 고통
⇒
백성들의 고난과 전쟁의 참혹성 폭로

 핵심장면 ① 적벽 대전을 앞둔 조조는 군사를 정비하고, 군사들은 제각기 설움을 하소연하는 부분이다.

[아니리]
판소리에서 창자(唱者)가 창을 하다가 한 대목에서 다른 대목으로 넘어가기 전에 사설을 엮어 나가는 행위

군사들이 승기(勝氣) 내어 주육(酒肉)을 장식하고,
뛰어난 기상. 지지 않고 이기려는 기개   술과 고기

[중모리]
어떤 사연을 담담히 서술하는 대목이나 서정적인 대목에서 흔히 쓰이는 장단

노래 불러 춤추는 놈, 서럽게 곡하는 놈, 이야기로 히히 하하 웃는 놈, 투전(鬪錢)하다 다투
                                                                                    패를 그려 하는 노름의 일종
는 놈, 반취(半醉) 중에 욕하는 놈, 잠에 지쳐 서서 자다 창끝에다가 턱 꿰인 놈, 처처(處處) 많
술에 반쯤 취해   해학적 표현. 과장법   곳곳에
은 군병 중에 병루즉장위불행(兵淚則將爲不幸)이라. 장하(帳下)의 한 군사 전립(戰笠) 벗어 또
        병사가 눈물을 흘리면 불행한 일이 생긴다는 뜻 → 조조가 패배할 것을 암시함   장막 아래   무관이 착용하던 모자
루루루 말아 베고 누워 봇물 터진 듯이 울음을 운다. 아이고, 아이고, 울음을 우니,

[아니리]

한 군사 내달으며,

"아나, 이 애, 승상(丞相)은 지금 대군을 거나리고 천 리 전쟁을 나오시어 승부를 미결(未決)
        조조를 가리킴   아직 결정짓지 못함
하야 천하 대사를 바라는데, 이놈 요망스럽게 왜 울음을 우느냐. 우지 말고 이리 오느라. 술

이나 먹고 놀자."

저 군사 연하여 왈, / "네 설움 제쳐 놓고 내 설움 들어 보아라."
                                            부모님에 대한 그리움

[진양조]
판소리 장단 가운데서 가장 느린 것으로, 사설의 극적 전개가 느슨하고 서정적인 대목에서 흔히 쓰는 구슬픈 장단임

"고당상학발양친(高堂上鶴髮兩親) 배별(拜別)한 지가 몇 날이나 되며, 『부혜(父兮)여 생아(生
학처럼 하얗게 머리가 센 늙으신 부모님. 고당은 부모님이 계신 집을 이름 └ 절하고 작별함   『 』: 「시경」의 한 구절을 인용
我)하시고 모혜(母兮)여 육아(育我)하시니, 욕보지은덕(欲報之恩德)인데 호천망극(昊天罔極)
     아버지가 나를 낳으시고, 어머니가 나를 기르시니   부모님의 은덕을 갚고자 함   부모의 은혜가 하늘같이 넓고 끝이 없음
이로구나. 화목하던 전대권당(全大眷黨), 규중의 홍안 처자(紅顔妻子) 천 리 전장 나를 보내
            일가친척   젊은 아내와 어린 자식
고, 오늘이나 소식 올까 내일이나 기별이 올꺼나 기다리고 바라다가, 서산에 해는 기울어지
                                                        문밖에 나와 기다림
니 출문망(出門望)이 몇 번이며, 바람 불고 비 죽죽 오는데 의려지망(倚閭之望)이 몇 번이나
                                                        문에 기대서 자녀나 배우자가 돌아오기를 기다림
                      오가는 기러기, 기러기 발에 편지를 묶어 전했다는 고사에서 유래함   그리워하는 마음을 주제로 한 노래
되며, 서중(書中)의 홍안거래(鴻雁去來) 편지를 뉘 전하며, 상사곡(相思曲) 단장해(斷腸解)는
                                                        전쟁에 쓰이는 무기   창자가 끊어질 정도의 그리움
주야 수심에 맺혔구나. 조총(鳥銃) 환도(還刀)를 둘러메고 육전, 수전을 섞어 헐 제 생사가
언제나 근심하는 내 마음속에 지극한 그리움이 맺혀 있구나   육지와 물에서 일어나는 전투

조석(朝夕)이로구나. 만일 객사를 하게 되면 게 뉘라서 암사를 하며, 골폭사장(骨曝沙場)에
　　객지에서 죽음　　　　　　　　　　　　　　　　　　　　　　　　모래사장에 널린 뼈. 참혹한 죽음
흩어져서 오연(烏鳶)의 밥이 된들, 뉘라 손뼉을 두다리며 후여쳐 날려 줄 이 있드란 말이냐.
　　　　　 까마귀와 솔개
일일사친 십이시(一日思親十二時)로구나.”　　　　　　　　　　　　▶ 부모를 그리워하는 군사의 설움
　하루에도 열두 번 부모 생각을 함
　　　　　　　　　　Link 인물의 심리 ❶

[아니리]

이렇듯이 설리 우니 여러 군사 하는 말이, / “부모 생각 너 설움이 충효지심 기특허다.”
　　　　　　 원통하고 슬프게
또 한 군사 나서며,

[중모리]

“여봐라 군사들아. 이내 설움을 들어라. 너 내 이 설움을 들어 봐라. 나는 남의 오대 독신으
　　　　　　　　　　　　자식에 대한 그리움　거의 가까이 이름
로 어려서 장가들어 근 오십이 장근(將近)토록 슬하에 일점혈육이 없어 매월 부부 한탄 어따
　　　　　　　　　　　이름난 산과 큰 절　　 오래된 사당
우리 집 마누라가 온갖 공을 다 드릴 제,『명산대찰 성황 신당 고묘 총사 석불 보살 미륵 노구
　　　　　　　　　　　　　　　　　　　　　　『 : 자식을 얻기 위해 기울인 노력을 열거함　여러 신을 모신 사당
맞이 집짓기와 칠성 불공, 나한 불공, 백일 산제, 신중맞이, 가사시주, 연등 시주 다리 권선
　　　　　　　불교의 각 신들에 대한 불공　　　　　　　　　　승려가 입는 법의를 짓는 데 비용을 내는 일
길 닦으며, 집에 들어 있는 날은 성조 조왕, 당산 천룡, 중천 군웅, 지신제를 지극 정성 드리
니,』공든 탑이 무너지며 심든 남기가 꺾어지랴. 그달부터 태기(胎氣)가 있어『석부정부좌(席
　　마침내 자식을 갖게 되었다는 의미　　　　　　　　　아이를 밴 기미　　　　 바르지 않은 자리에는 앉지 않음
不正不坐)하고 할부정불식(割不正不食)하고 이불청음성(耳不聽淫聲), 목불시악색(目不視惡
　　　　　 열 달　　　 바르게 썰리지 않은 음식은 먹지 않음　　　음란한 소리는 듣지 않음　　　　나쁜 모습은 보지 않음
色),』십 삭(十朔)이 절절 찬 연후에 하루는 해복 기미가 있던가 보더라. 아이고, 배야. 아이
　　　　『 : 정성을 다해 태교함　　　　　　　해산
고, 허리야. 아이고, 다리야. 혼미(昏迷) 중 탄생하니 딸이라도 반가울데 아들을 낳았구나.
열 손에다 떠받들어 땅에 누일 날 전혀 없어 삼칠일(三七日)이 지나고 오륙 삭이 넘어 발바
　　　매우 귀하게 키움　　　　　　　　　　　아이가 태어난 지 스무하루가 되는 날　　5~6개월
닥에 살이 올라 터덕터덕 노는 모양, 방긋방긋 웃는 모양, 엄마 아빠 도리도리, 쥐암 잘강 섬
　　　　　　　　　　　　　　　　　　　　　　　　　　　　　　　　　　　아이를 어르는 말
마 둥둥, 내 아들 옷고름에 돈을 채여 감을사 껍질 벗겨 손에 주며 주야 사랑 애정한 게 자식
밖에 또 있느냐. 뜻밖에 이 한 난리, ‘위국땅 백성들아, 적벽으로 싸움 가자. 나오너라.’ 외는
　　　　　　　　　　　　갑자기 전쟁이 일어나는 바람에 어렵게 얻은 자식을 두고 전쟁터에 나올 수밖에 없었던 처지를 서러워함
소리, 아니 올 수 없더구나. 사당 문 열어 놓고 통곡재배 하즉한 후 간간한 어린 자식 유정한
　　　　　　　　　　　　　　　　　　　슬피 울며 두 번 절함　하직(下直), 먼 길을 떠날 때 웃어른께 작별을 고함
가족 얼굴 안고 누워 등치며, 부디 이 자식을 잘 길러 나의 후사(後嗣)를 전해 주오. 생이별
　　　　　　　　　　　　　　　　　　　　　　　　　　　　　　　　 자식이 대를 이음
하직하고 전장에를 나왔으나 언제 내가 다시 돌아가 그립던 자식을 품에 안고 ‘아가 응아’ 업
어 볼거나. 아이고, 내 일이야.”　　　　　　　　　　　　　　　　　 ▶ 자식을 그리워하는 군사의 설움
　　생사가 걸린 전쟁에는 기한이 없으므로
　　　　Link 인물의 심리 ❷

[아니리]

이렇듯이 설리 우니 여러 군사 꾸짖어 왈,

“어라, 이놈 자식 두고 생각하는 정 졸장부의 말이로다. 전장에 너
　　　　　　　　　　　　　　　　　　 도량이 좁고 졸렬한 사내
죽어도 후사는 전하겠으니 네 설움은 가소롭다.”
　　　　자식을 그리워하는 병사가 우는 것이 거슬려 다른 병사들이 타박함
또 한 군사 나서면서,

[중모리]

“이내 설움 들어 봐라 나는 부모 일찍 조실(早失)하고 일가친척 바이
　　　　　　　 아내에 대한 그리움　　　 　　　　　　　　　　　 전혀
없어 혈혈단신(孑孑單身) 이내 몸이, 이성지합(二姓之合) 우리 아
　　　　　　　 의지할 곳 없는 홀몸　　　　　　　　 남녀의 혼인

Link
출제자 **톡!** 인물의 심리를 파악하라!
❶ 부모를 생각하는 군사의 마음은 어떠한가?
　언제 죽을지 알 수 없는 전쟁 상황에서 부모
　를 그리워하는 효심을 보임.
❷ 자식을 그리워하는 군사의 마음은 어떠한가?
　늦게 얻은 자식에 대한 그리움으로 설움을
　느낌.
❸ 고향의 아내를 그리워하는 군사의 설움은
　무엇인가?
　전장출세(戰場出世)의 뜻을 따랐지만 고향
　의 아내에 대한 그리움을 보임.
❹ 군사들의 신세타령에서 느껴지는 정서는?
　서러움, 안타까움, 그리움 등 전란에 따른
　고난

출제 우선 작품

내 얼굴도 어여쁘고 행실도 조촐하야 종가대사(宗家大事) 탁신안정(托身安定) 떠날 뜻이 바이 없어 철 가는 줄 모를 적에, 불화병 외는 소리 '위국 땅 백성들아, 적벽으로 싸움 가자.' 웨는 소리 나를 끌어내니 아니 올 수 있든가. 군복 입고 전립 쓰고 창을 끌고 나올 적에, 우리 아내 내 거동을 보더니『버선발로 우루루루 달려들어 나를 안고 엎더지며, '날 죽이고 가오, 살려 두고는 못 가리다. 이팔 홍안 젊은 년을 나 혼자만 떼어 놓고 전장을 가랴시오.'』내 마음이 어찌 되겄느냐. 우리 마누라를 달래랄 제, '허허 마누라 우지 마오. 장부가 세상에 태어나서 전장출세(戰場出世)를 못하고 죽으면 장부 절개가 아니라고 하니 우지 말라면 우지 마오.' 달래어도 아니 듣고 화를 내도 아니 듣더구나. 잡았던 손길을 에후리쳐 떨치고 전장을 나왔으나 일부지전장 불식이라. 살아가기 꾀를 낸들 동서남북으로 수직(守直)을 허니, 함정에 든 범이 되고 그물에 걸린 내가 고기로구나. 어느 때나 고국을 갈지, 무주공산 해골이 될지, 생사(生死)가 조석이라. 어서 수이 고향을 가서 그립던 마누라 손길을 부여잡고 만단 정회(萬端情懷) 풀어 볼거나. 아이고 아이고, 내 일이야."

[아니리]

이렇듯이 설리 우니, 또 한 군사 나오난디, 그중에 키 작고 머리 크고 작도만 한 칼을 내두르며 만군중이 송신허게 말을 허겄다.

[중중모리]

"이놈 저놈, 말 듣거라. 너희 울 제 좀놈일다. 위국자(爲國者)는 불고가(不顧家)라 옛글에도 일러 있고, 남아하필연처자(男兒何必戀妻子)요. 막향향촌노각년(莫向鄕村老却年)하소. 우리 몸이 군사 되야 전장 나와 공명도 못 이루고 돌아가면 속절없이 부끄럽지 아니허냐. 이내 심사 평생 한이 요하(腰下) 삼척(三尺) 드는 칼로 오한(吳漢) 양진(兩陣) 장수 머리를 번뜻 뎅기렁 베어 들고 창끝에 높이 달아 개가성(凱歌聲) 부르면서 승전고 쿵쿵 울리면서 본국으로 돌아갈 제, 부모 처자 친구 벗님 펄쩍 뛰여 나오며 '다녀온다, 다녀와, 전장 갔던 벗님이 살어를 오니 반갑네. 이리 오소. 이리 오라면 이리 와.' 울며 반겨헐 제, 원근당(遠近黨) 기쁨을 보이면 그 아니 좋더란 말이냐. 우지 말라면 우지 마라."

핵심장면 ② 적벽 대전에서 대패하고 황급히 도망치는 조조의 모습을 보여 주는 부분이다.

[중모리]

창황 분주 도망헐 제, 새만 푸르르르르르르르르 날아가도 복병(伏兵)인가 의심을 허고, 낙엽만 버석 떨어져도 한장(漢將)인가 의심을 헌다.

[아니리]

조조, 가끔 목을 움츠려,

"정욱아, 귀에서 화살이 수루루루루루루루 지내가고, 목 너머로 칼날이 번듯번듯 허는구나."

정욱이 여짜오되,

"이제는 아무것도 없사오니 승상님 목을 늘어 사면을 살피소서."

"아, 인자 진정 조영허냐?" / "예, 조용헙니다."

조조 막 목을 늘이랴 헐 제, 의외의 메초리 한 마리가 조조 말굽 사이에서 푸루루루루루루 날

아가니, / "아이고, 정욱아. 내 목 있나 보아라."

정욱이 웃고 대답허되,

Link

출제자 특 인물의 성격을 파악하라!

❶ 사소한 일에 놀라는 조조의 모습을 통해 알
수 있는 것은?
겁을 먹고 누가 쫓아올까 의심하는 모습으
로, 장부의 기개가 전혀 느껴지지 않음.

❷ 자신이 메추리를 보고 놀랐던 일을 말하지
말 것을 단속하는 데서 드러나는 조조의 성
격은?
자신의 약점이 알려지는 것을 부끄러워하는
소심한 성격이 드러남.

"승상님 목이 없으시면 어찌 말씀을 허오리까?"

조조 무색허여,
_{겸연쩍고 부끄러움}
"그게 메초리더냐? 소금 발라 바싹 구면 한 잔 술안주감 좋으니라."

"이 급한 중 입맛은 꼭 아시요그려."

<u>조조에 대한 조롱</u> <u>다른 사람이 듣게 해서는 안 된다는 말</u>
"메초리한테 놀랐단 말, 불가사문어태인이로다." **Link** 인물의 성격 ❷
_{체면을 차리는 조조의 모습} ▶ 적벽에서 패하여 도망치는 조조

최우선 출제 포인트!

1 '군사들'의 한탄 내용

첫 번째 군사	부모, 처자와 이별하고 전장에 와서 기별조차 하기 어려운 신세를 한탄함.
두 번째 군사	어린 자식을 두고 전장에 끌려와 다시 돌아갈 기약을 하기 어려운 신세를 한탄함.
세 번째 군사	부모도 없는 처지로 아내와 이별하고 오랫동안 전장에 나와 있는 신세를 한탄함.

2 이 작품에 나타난 민중 의식

제시된 '군사 설움' 대목은 적벽 대전이 일어나기 전날 밤에 조조의 군
사들이 제각기 고향의 부모, 처자와 이별한 설움과 애틋한 사연들을 늘
어놓은 부분이다. 「적벽가」는 영웅들의 무용담을 중심으로 충의를 노래
한 것으로 알려져 있으나, 하층 군사들의 설움 대목에서 보듯이 민중들
의 한과 이에 대한 저항과 풍자를 통해 지배층에 대한 비판적인 태도를
아울러 확인할 수 있다.

최우선 핵심 Check!

1 다음 내용 중 맞는 것은 ○표를, 틀린 것은 ×표를 하시오.

(1) 영웅의 활약상을 중심으로 하여 해학적인 희극미를 형성하고 있다.
( )

(2) 전쟁에 강제 동원된 병사들이 자신의 불쌍한 신세를 넋두리하듯이 이
야기하고 있다. ( )

(3) 적벽에서 패한 조조가 도망가는 모습을 우스꽝스럽게 표현하여 해학
성이 두드러지고 있다. ( )

2 초성 힌트를 보고 빈칸에 들어갈 알맞은 말을 쓰시오.

(1) 중국 소설 「삼국지연의」에 연원을 두고 있는 ㅍㅅㄹ 사설이다.

(2) 일반 병사를 주동적 인물로 등장시켜 백성의 처지에서 권력자에 대한
ㅂㅍ적 태도를 드러내고 있다.

정답 1. (1) × (2) ○ (3) ○ 2. (1) 판소리 (2) 비판

1등급! 〈보기〉!

「적벽가」와 「삼국지연의」의 비교

「적벽가」는 중국에서 인기를 끌었던 소설 「삼국지연의」의 '적벽
대전' 부분을 재구성한 판소리이다. 「적벽가」는 유비, 조조, 손권
세 영웅이 천하를 놓고 다투는 「삼국지연의」의 이야기 골격을 유
지하면서도, 삼고초려와 적벽 대전 등의 사건에 집중하여 이야
기를 전개하였다. 특히 「적벽가」는 전쟁에 참여한 병사들의 시각
을 작품 전면에 내세워 인물과 사건을 새로운 시각으로 재해석
함으로써 원작과는 전혀 다른 주제 의식을 표현하였다.

	삼국지연의	적벽가
갈래	소설	판소리 사설
등장인물	유비, 관우, 장비, 제갈공명 등을 중심으로 함.	무명의 하층 군사들을 중심으로 함.
초점	웅장한 전쟁 장면과 영웅이야기	민중 의식과 지배층에 대한 비판 의식
중심 내용	삼국의 흥망성쇠	적벽 대전
조조의 모습	영웅적	희극적, 풍자적
미의식	비장미, 숭고미	희극미

설씨녀 설화 | 작자 미상

성격 사실적, 낭만적, 교훈적 **시대** 상고 시대
주제 신의에 바탕을 둔 남녀의 사랑

설화

이 작품은 진평왕 시절, 가난한 집안에서 자랐으나 단정한 몸가짐과 바른 행실로 스스로를 지키고 약혼자 가실과의 신의를 굳게 지킨 설씨녀에 관한 내용을 담고 있는 설화로, 『삼국사기』에 실려 전한다.

내용 전개 방식

발단	전개	위기	절정	결말
늙은 아버지가 수자리를 떠나야 해서 설씨녀가 근심하던 중, 가실이 대신하여 가겠다고 나섬.	설씨녀의 아버지는 가실과 설씨녀의 장래를 약속함. 설씨녀는 거울을 쪼개 가실에게 건넴.	6년이 지나도 가실이 돌아오지 않자 설씨녀의 아버지는 설씨녀를 다른 사람에게 시집보내려 함.	설씨녀는 혼인을 앞두고 가실이 남기고 간 말을 보며 눈물을 흘림. 마침내 가실이 돌아왔으나 아무도 알아보지 못함.	가실이 설씨녀와 신표로 나눈 거울을 통해 자신이 돌아왔음을 알리고 둘은 혼인하여 일생을 해로함.

전문

▭ : 주요 인물

설씨녀(薛氏女)는 율리(栗里)의 평민 여성이다. 비록 한미하고 고단한 집안이지만, 용모가
　　　　　　　　　　　　　　　　　　　　　　　　가난하고 지체가 변변하지 못함
단정하고 마음과 행실이 의젓하였다. 보는 이들이 그 아름다움에 반하지 않는 이가 없었지만

감히 범접하지 못하였다. 진평왕 때에 『그 아버지의 나이가 많은데도 정곡(正谷)에서 수자리
함부로 가까이 범하여 접촉하지　　　　신라 제26대 왕　　『 』개인의 사정과 상관없이 군역을 져야 했던 당시 사회상을 엿볼 수 있음　　국경을 지키는 일
살 차례가 되었는데, 딸은 아버지가 노쇠하고 병들었으므로 차마 멀리 떠나보낼 수 없고, 또

여자의 몸이라 대신해 갈 수도 없어, 극심하게 번민하기만 하였다.』이때 사량부(沙梁部)의 젊

은이 가실(嘉實)이 비록 가난하고 궁핍하나 마음가짐은 곧은 남자로서, 일찍부터 마음속으로

설씨녀의 아름다움을 좋아하면서도 감히 말하지 못하였다. 설씨녀가 아버지가 늙어 종군하게
　　　　　　　　　　　　　　　　　　　　설씨녀의 품행이 단정했고 자신의 집안도 가난했기에
된 일을 걱정하고 있다는 소식을 듣고 드디어 설씨녀에게 청하여 말하였다.

**"내가 한낱 용렬한 남자이지만 일찍부터 의지와 기개로써 자처하여 왔으니, 불초한 몸으로
아버님 일을 대신하기를 원한다."**
　　　　　Link 인물의 성격 ❶　　　　　　❯ 가실이 설씨녀 아버지의 수자리를 대신하기를 청함
라고 하였다. 설씨녀가 대단히 기뻐하여 들어가 아버지에게 이를 고하니 아버지가 그를 불러 보

고 말하였다.

『"듣건대 이 늙은이가 가야 할 일을 그대가 대신하여 주겠다 하니 기쁘면서도 두려움을 금할
『 』자신의 수자리를 대신 자원한 가실에게 딸과의 장래를 약속함　　　　　　　남에게 큰 도움을 받는 것이 미안하기 때문에
수 없소! 보답할 바를 생각하여 보니, 만약 그대가 우리 딸이 어리석고 가난하다고 버리지

않는다면 어린 딸자식을 주어 그대의 수발을 받들도록 하겠소."』
　　　　　　　　　　　신변 가까이에서 여러 가지 시중을 듦. 아내로 삼게 하겠다는 의미임
가실이 두 번 절을 하고 말하기를 / "감히 바랄 수는 없었어도 이는 저의 소원입니다."

하였다. 이에 가실이 물러가 혼인날을 청하니 설씨녀가 말하였다.

"혼인은 인간의 큰일인데 갑작스럽게 할 수는 없습니다. 제가 이미 마음으로 허락하였으니

이는 죽어도 변함이 없을 것입니다. 바라건대 그대가 수자리에 나갔다가 교대하여 돌아온

후에 날을 잡아 예를 올려도 늦지 않을 것입니다."
　　　　　　　★ 주요 소재
이에 거울을 둘로 쪼개어 각각 한쪽씩 갖고

"이는 신표로 삼는 것이니 후일 합쳐 봅시다!"
　　　뒷날에 보고 증거가 되도록 서로 주고받는 물건
하였다. 가실이 말 한 필을 가지고 있었는데 설씨녀에게 말하였다.

"이는 천하의 좋은 말이니 후에 반드시 쓰임이 있을 것입니다. 지금 내가 떠나면 이를 기를 사람이 없으니 청컨대 이를 두고 쓰시오!" / 하며 드디어 작별을 하고 떠났다.

> 가실은 혼인을 약속하고 수자리를 살러 떠남

그런데 마침 나라에 변고가 있어 다른 사람으로 교대를 시키지 못하여 어언 6년이 지나도록
_{갑작스러운 재앙이나 사고}
돌아오지 못하였다. 아버지가 딸에게 말하기를

"처음에 3년으로 기약을 하였는데 지금 이미 그 기한이 넘었으니 다른 집에 시집을 가야 하
_{돌아오지 않는 가실을 기다리며 딸이 홀로 늙을 것이 걱정되기 때문에}
겠다." / 하니 설씨녀가 말하였다.

"지난번에 아버지를 편안히 하여 드리기 위해 가실과 굳게 약속하였습니다. 가실이 이를 믿고 군대에 나가 몇 년 동안 굶주림과 추위에 고생이 심할 것이고, 더구나 적지에 가까이 근무함에 손에서 무기를 놓지 못하여 마치 호랑이 입 앞에 가까이 있는 것 같아 항상 물릴까 걱정할 것인데 신의를 버리고 한 말을 지키지 않는다면 어찌 인정이리요? 끝내 아버지 명을
_{★★ 중심 소재}   _{신의를 중시하는 설씨녀의 인물됨을 알 수 있음}
좇을 수 없으니 청컨대 다시는 그런 말을 하지 마십시오." Link 인물의 성격 ❷

> 다른 사람과의 혼인을 권유하는 아버지의 명을 거부하는 설씨녀

그러나 「그 아버지는 늙고 늙어 그 딸이 장성하였는데도 짝을 짓지 못하였다 하여 억지로 시집
_{「 」: 가실에 대한 신의보다는 딸의 장래를 걱정하는 마음이 큼}
을 보내려고 동네 사람과 몰래 혼인을 약속하였다.」 결혼 날이 되자 그 사람을 끌어들이니 설씨
_{당시 혼인 당사자보다 가부장적인 권위가 우선시 되었음을 알 수 있음}   Link 인물의 성격 ❸
녀가 굳게 거절하여 몰래 도망을 치려 하였으나 뜻을 이루지 못하였다. 마구간에 가서 가실이
남겨두고 간 말을 쳐다보면서 크게 탄식하고 눈물을 흘리고 있었다.

> 설씨녀는 가실과의 신의를 지키지 못함을 슬퍼함

그때 마침 가실이 교대되어 왔다. 모습이 마른 나무처럼 야위었고 옷이 남루하여 집안사람이 알아보지 못하고 다른 사람이라고 하였
_{낡아 해지고 지저분하여}
다. 가실이 앞에 나아가 깨진 거울 한쪽을 던지니 설씨가 이를 주워
_{헤어지기 전 설씨녀와 가실이 나눈 사랑의 징표}
들고 흐느껴 울었다. 아버지와 집안사람이 기뻐하여 어쩔 줄 몰랐
_{부부가 한평생 같이 살며 함께 늙음}
다. 드디어 후일 서로 함께 혼인을 언약하여 해로하였다.

> 수자리를 마치고 돌아온 가실과 설씨녀는 혼인을 함

최우선 출제 포인트!

1 '거울'의 의미와 역할

'거울'의 상징성

· 고대에는 귀한 것으로 여겨져 신화에서 '수호신, 통치자, 진리, 광명' 등을 상징하였음.
· 현대에는 자아 성찰, 자아 분열 등의 이미지를 가짐.
· 사랑이나 이별의 징표로 쓰임.

→ '거울'이 사랑의 징표이자 행복한 결말을 가져오는 신표로 사용됨.

2 이 작품이 『삼국사기』에 실린 이유

이 작품은 신라 때부터 구전되다가 고려 시대에 와서 『삼국사기』에 채록되었다. 주로 군신의 행동이나 사대부의 예절 등을 다룬 정사(正史)인 『삼국사기』에 이처럼 평민 아녀자의 이야기를 수록한 것은 자신을 희생해서라도 신의를 지키려 한 설씨녀의 도덕적 행동과 태도에 가치를 두었기 때문이다.

최우선 핵심 Check!

1 다음의 내용이 맞으면 ○표, 틀린 것은 ×표를 하시오.

(1) 사건 전개에 전기성이 드러난다. (   )
(2) 일반 백성의 삶의 모습이 비교적 사실적으로 표현되었다. (   )
(3) 군역의 의무 때문에 백성들이 고난을 겪었던 당시의 사회상이 드러나 있다. (   )

2 초성 힌트를 보고 빈칸에 들어갈 알맞은 말을 쓰시오.

(1) ㄱㅇ은/는 설씨녀와 가실의 신의를 상징하는 신표이다.
(2) 평민인 설씨녀의 이야기가 『삼국사기』에 실린 것은 ㅅㅇ라는 도덕성을 높이 평가했기 때문이다.

정답 1. (1) × (2) ○ (3) ○ 2. (1) 거울 (2) 신의

134위 화왕계(花王戒) | 설총

성격 우의적, 풍자적, 교훈적 **시대** 상고 시대
주제 제왕의 도리에 대한 충언

설화

이 작품은 인간의 모습을 꽃의 특성에 비유하여 제왕이 지녀야 할 바른 자세를 일깨우고 있는 우화이다.

내용 전개

발단	**전개**	**절정**	**결말**
여러 꽃들이 빼어나게 아름다운 화왕을 보러 옴.	장미는 미모로 화왕을 유혹하고 백두옹은 화왕의 마음가짐을 경계함.	화왕이 장미와 백두옹을 두고 갈등함.	백두옹의 충언을 들은 화왕이 과오를 뉘우침.

전문

☐ : 주요 인물

<u>화왕(花王)</u>이 처음 이 세상에 왔다. 모란이었다. 향기로운 동산에 심고 푸른 <u>휘장</u>으로 둘러
꽃 중의 왕 – 여기서는 모란을 가리킴   피륙을 여러 폭으로 이어서 빙 둘러치는 장막
치고선 임금님으로 받들어 모셨다. 바야흐로 <u>삼춘가절(三春佳節)</u>, 온갖 꽃들이 피어나고 있었
봄철 석 달의 좋은 시절
다. 화왕은 곱고 탐스러운 꽃을 피웠다. 꽃 중의 꽃으로 빼어나게 아름다웠다. 멀고 가까운 곳
에서 여러 꽃들이 다투어 화왕을 뵈러 왔다. 깊고 그윽한 골짜기의 맑은 정기를 타고난 탐스
화왕의 위세가 높음을 알 수 있음
러운 꽃들과 양지바른 동산에서 싱그러운 향기를 맡으며 피어난 꽃들이 다투어 모여 왔다.
▸화왕의 등장

문득 한 <u>가인(佳人)</u>이 앞으로 나왔다. 『붉은 얼굴과 옥 같은 이에 신선하고 탐스러운 감색 나들
아름다운 사람(간인) – 여기서는 장미를 가리킴   : 장미의 아름다운 모습 – 임금을 유혹하는 겉모습
이옷을 차려입고 방랑하는 <u>무희(舞姬)</u>처럼 얌전하게 걸어 나왔다. 가인은 임금에게 아뢰었다.』
춤을 잘 추거나 춤추는 것을 직업으로 하는 여자
"이 몸은 백설의 모래사장을 밟고 거울같이 맑은 바다를 바라보며 자라났습니다. 봄비가 내
『 : 자신이 세파에 물들지 않고 곱게 지냈음을 말하며 흥미를 불러일으킴
리면 목욕하여 몸의 먼지를 씻고, 상쾌하고 맑은 바람 속에서 유유자적하면서 지냈습니다.』
이름은 <u>장미</u>라 하옵니다. 전하의 높으신 덕을 듣자옵고, 꽃다운 침소에 그윽한 향기를 더하
아첨의 언행을 하며 장미의 목적을 말함
여 모시고자 찾아왔습니다. 임금님께서 이 몸을 받아 주실는지요?"
▸화왕을 유혹하며 아첨하는 장미
Link 인물의 의도 ❶
『이때 베옷을 입고, 허리에는 가죽띠를 두르고, 손에는 지팡이, 머리는 백발을 한 장부 하나
벼슬을 하지 않은 선비임을 알 수 있음   장미와 반대되는 모습을 보임
가 둔중한 걸음으로 나와 공손히 허리를 굽히며 말했다.』
『 : 백두옹의 모습 – 옷차림은 검소하지만 연륜과 인품을 지녔음을 알 수 있음
"이 몸은 서울 밖 한길 옆에 사는 <u>백두옹(白頭翁)</u>이라 하옵니다. 『아래로는 <u>창망한</u> 들판을 내
머리털이 허옇게 센 늙은 남자(충신) – 여기서는 할미꽃을 가리킴   넓고 멀어서 아득한
려다보고, 위로는 우뚝 솟은 산 경치에 의지하고 있습니다.』 가만히 보건대, 좌우에서 보살피
『 : 백두옹의 고결한 성품을 비유적으로 드러냄 – 은밀지사, 은둔지사
는 신하는 <u>고량진미(膏粱珍味)</u>와 향기로운 차와 술로 수라상을 받들어 전하의 식성을 흡족
기름진 고기와 좋은 곡식으로 만든 맛있는 음식   궁중에서, 임금에게 올리는 밥상을 높여 이르던 말
하게 하고 정신을 맑게 해 드리고 있사옵니다. 하지만 또한 저장되어 있는 것이 있다면, 보자
기를 풀어, <u>양약(良藥)</u>으로 전하의 양기를 돕고, <u>금석(金石)</u>의 극
잘못 사용하면 독약이지만 적절히 사용하면 병을 다스릴 수 있는 약 – 왕의 잘못을 시정할 신하의 충언
약(劇藥)으로써 전하의 몸에 있는 독을 제거해 줄 것입니다. 그래
독험이 있는 좋은 약
서 말하기를, 『비록 <u>사마(絲麻)</u>가 있어도 군자 된 자는 <u>관괴(菅蒯)</u>
명주실과 삼실 – '최선책'을 비유함   거적이나 띠풀 – 평범한 사람을 가리킴. '대비책'을 비유함
라고 해서 버리는 일이 없고, 부족에 대비하지 않음이 없다.』 하옵
『 : 최선의 것이 있어도 차선의 것을 버리지 않음을 뜻함   유비무환(有備無患)의 자세
니다. 전하께서도 이러한 뜻을 가지고 계신지 모르겠습니다."
Link 인물의 의도 ❷
▸화왕의 마음가짐을 경계하는 백두옹
한 신하가 아뢰었다.

『"두 사람이 왔사온데, 전하께서는 누구를 취하고 누구를 버리시겠
『 : 화왕의 갈등을 유발함
습니까?"』

Link

출제자 Tip 인물의 의도를 파악하라!

❶ 화왕을 찾아온 장미의 목적은?
화왕을 유혹하여 임금을 가까이에서 모시기 위해서

❷ 백두옹이 "전하께서도 이러한 뜻을 가지고 계신지 모르겠습니다."라는 질문을 던진 의도는?
화왕의 마음가짐을 경계하여 충언을 하려고

❸ 백두옹이 '맹자'와 '풍당'의 사례를 제시한 까닭은?
뛰어난 인재임에도 왕이 멀리하는 바람에 쓰임을 받지 못하고 일생을 마친 사례를 안타까워하며 불합리한 인재 등용에 대해 비판함.

화왕이 입을 열었다.

『"장부의 말도 도리가 있긴 하나, 가인은 얻기 어려우니 어찌할꼬?"』 　　➤ 장미와 백두옹을 두고 갈등하는 화왕
대장부 – 백두옹　　　　　　　　　　　장미　　　　　　　『 』: 화왕의 내면적 갈등

장부가 앞으로 나와 입을 열었다.

"제가 온 것은 전하의 총명이 모든 사리를 잘 판단한다고 들었기 때문입니다. 하오나 지금

뵈오니 그렇지 않으시군요. 대체로 임금 된 자로서 간사하고 아첨하는 자를 가까이하지 않
대부분의 왕은 정직한 충신보다 아첨하는 간신을 더 가까이 두고자 함

고, 정직한 자를 멀리하지 않는 이는 드뭅니다. 그래서 『맹자(孟子)는 불우한 가운데 일생을
『 』: 왕이 멀리하여 뛰어난 인재들이 쓰임을 받지 못하고 일생을 마친 사례를 제시함(고사 인용)

마쳤고, 풍당(馮唐)은 낭관(郎官)으로 파묻혀 머리가 백발이 되었습니다.』 예로부터 이러하오
중국의 전한 사람. 인물됨이 뛰어났으나 낮은 벼슬에 그침

니 저인들 어찌하오리까?"
Link 인물의 의도 ❸

화왕은 비로소 깨달은 듯 말했다.

"내가 잘못했다. 잘못했다." 　　　　　　　　　　　　　　　　　➤ 백두옹의 충언에 과오를 뉘우치는 화왕
충신을 알아보지 못한 잘못을 깨닫고 뉘우침

출제 우선 작품

최우선 〔 출제 포인트! 〕

1 등장인물의 상징적 의미

장미(가인)	↔	백두옹(장부)
붉은 얼굴에 옥 같은 이와 신선하고 탐스러운 감색 나들이옷을 입음.		베옷을 입고, 허리에는 가죽 띠를 두르고 손에는 지팡이를 짚고 머리는 백발임.
↓		↓
간사하고 아첨하기를 좋아하는 성격이 드러남.		우직하고 충성스러운 성격이 드러남.

2 '백두옹'의 말하기 방식

자기소개	자신의 고결한 품성을 비유적으로 드러냄.
질문	임금의 자질을 시험하는 질문을 던짐.
임금의 평판 제시	임금이 스스로의 총명함에 대해 생각해 보게 함.
자신의 판단	임금 중에는 간신을 가까이하는 자가 더 많음.
고사의 인용	뛰어난 인재 중 왕이 멀리하여 쓰임을 받지 못하고 일생을 마친 이가 많음.
설의적 마무리	임금 스스로 마음을 바꾸도록 유도함.

최우선 〔 핵심 Check! 〕

1 다음 내용 중 맞는 것은 ○표를, 틀린 것은 ×표를 하시오.

(1) 장미와 백두옹이라는 상징적인 인물을 대조하고 있다. 　(　)
(2) 고사를 인용하여 교훈적 의도를 효과적으로 드러내고 있다. 　(　)
(3) 등장인물에 대한 외양 묘사를 통해 인물의 성격 변화를 암시하고 있다. 　(　)
(4) 충신이 등용되는 이상이 실현되지 못하고 있는 사회 현실에 대한 부정적 인식을 드러내고 있다. 　(　)

2 초성 힌트를 보고 빈칸에 들어갈 알맞은 말을 쓰시오.

(1) 왕에게 바른 도리로 정치해야 한다는 주장을 ㅇㅎ 적으로 완곡하게 전달하고 있다.
(2) 장미는 ㄱㅅ 을, 백두옹은 충신을 상징하고 있다.

정답 1. (1) ○ (2) ○ (3) × (4) ○ 2. (1) 우회 (2) 간신

▶ **〔1등급! 〈보기〉!〕**

이이순의 「화왕전」 → 우리책 209위

조선 후기에 이이순이 지은 「화왕전」은 설총이 지은 「화왕계」의 영향을 받은 작품으로, 사람이 젊어서는 절개를 지키기 쉬우나 늙어서는 부귀공명에 대한 욕심 때문에 절개를 지키기 어렵다는 점을 이야기하고 있는 가전체 소설이다.
「화왕계」와 「화왕전」은 꽃을 주인공으로 하여 인간의 어리석음과 약점을 부각하기 위해 지어낸 이야기라는 점과 제왕이 호색에 빠져 충간을 듣지 않으면 나라가 망한다는 점을 강조하고 있다는 점이 유사하다. 그러나 「화왕전」은 갈등과 대립이라는 요소를 통해 독자의 흥미를 유발하고 있다는 점에서 한층 소설에 가까운 구조를 보인다.

동명일기(東溟日記) | 의유당

성격 사실적, 비유적, 묘사적 **시대** 조선 후기
주제 귀경대에서 바라본 동해 일출의 장관

수필

이 글은 글쓴이가 남편과 귀경대에 올라 동해 일출과 월출을 구경한 감흥을 기록한 기행 수필이다. 순우리말과 비유적 표현을 많이 사용하였으며, 섬세한 관찰력이 돋보이는 글이다.

내용 전개 방식

체험	귀경대에서 일출을 봄.	가족, 하인, 기생 등을 데리고 귀경대에 올라, 추운 날씨에도 초조히 기다리다가 해가 떠오르는 광경을 목격함.
감상	일출을 보고 장관, 헛기운으로 여김.	• 일출의 장관은 비할 데 없다고 여김. • 믿을 수 없을 정도로 환상적인 것으로 여김.

핵심장면

글쓴이가 귀경대의 일출을 보기 위해 기다리는 부분이다.

★★ 중심 소재
행여 일출(日出)을 보지 못할까 노심초사(勞心焦思)하여 새도록 자지 못하고 가끔 영재를 불러
_{혹시나}   _{1년 전에도 일출을 보러 갔으나 날씨가 좋지 않아 그냥 돌아온 일이 있었기 때문에}   **Link** 글쓴이의 심리 ❶   _{글쓴이의 하인}

"사공(沙工)더러 물어라." / 하니

"내일은 일출(日出)을 쾌(快)히 보시리라 한다."

하되 마음에 미덥지 아니하여 초조(焦燥)하더니, 먼 데 닭이 울며 연(連)하여 자주 계속하니
_{연속하여}

기생(妓生)과 비복(婢僕)을 마구 흔들어
_{계집종과 사내종을 아울러 이르는 말}

"어서 일어나라." / 하니 밖에 급창(及唱)이 와
_{원의 명령을 간접으로 받아 큰 소리로 전달하는 일을 맡아보던 사내종}

"관청 감관(官廳監官)이 다 아직 너무 일찍이니 못 떠나시리라 한다."
_{각 관아에서 금전·곡식의 출납을 관리하던 벼슬아치}   _{함경남도 함흥에 있는 대(臺)의 이름}

하되 곧이 아니 듣고 발발이 재촉하여 떡국을 쑤었으되 아니 먹고 바삐 귀경대(龜景臺)에 오르
_{부산하게}   _{한시라도 빨리 일출을 보러 가고 싶은 마음}   **Link** 글쓴이의 심리 ❷

니 달빛이 사면(四面)에 조요(照耀)하니 바다가 어젯밤보다 희기 더하고 광풍(狂風)이 대작(大
_{밝게 비쳐서 빛나는 데가 있으니}   _{크게 일어나}

作)하여 사람의 뼈에 사무치고 물결치는 소리 산악(山嶽)이 움직이며 별빛이 말곳말곳하여 동
_{생기 있게 맑고 환하여}

편에 차례로 있어 새기는 멀었고, 자는 아이를 급히 깨워 왔기에 추워 날뛰며 기생(妓生)과 비
_{날이 밝기는}

복(婢僕)이 다 이를 두드려 떠니, 사군(使君)이 소리 하여 혼동 왈,
_{원님. 여기서는 글쓴이의 남편을 이름}   _{마구 꾸짖어}

"상(常)없이 일찍 와 아이와 실내(室內) 다 큰 병이 나게 하였다."
_{보통의 이치에서 벗어나 막되고 상스럽게}   _{남의 아내를 점잖게 이르는 말. 여기서는 자신의 아내(글쓴이)를 이름}

하고 소리 하여 걱정하니, 내 마음이 불안하여 한 소리를 못 하고, 감히 추워하는 눈치를 못
_{추운 날씨에 사람들을 끌고 너무 일찍 온 자신의 잘못으로 인해 남편의 눈치를 봄}

하고 죽은 듯이 앉았으되, 날이 샐 가망(可望)이 없으니 연하여 영재를 불러,

"동이 트느냐?"

물으니, 아직 멀기로 연하여 대답하고, 물 치는 소리 천지(天地) 진동(震動)하여 한풍(寒風) 끼
_{겨울 바람으로 소름이 돋음}

치기 더욱 심하고, 좌우(左右) 시인(侍人)이 고개를 기울여 입을 가슴에 박고 추워하더니,
_{귀한 사람을 모시고 시중드는 사람}   _{모든 별자리의 별들}   ▶ 귀경대에 올라 일출을 기다림

매우 이윽한 후, 동편의 성수(星宿)가 드물어지며 월색(月色)이 차
_{동이 트는 모습 묘사}

차 엷어지며 홍색(紅色)이 분명하니, 소리 하여 시원함을 부르고 가

마 밖에 나서니 좌우 비복(婢僕)과 기생(妓生)들이 옹위(擁衛)하여
_{좌우에서 부축하며 지키고 보호하여}

보기를 좋이더니, 이윽고 날이 밝으며 붉은 기운이 동편에 길게 뻗

쳤으니, 진홍대단(眞紅大緞) 여러 필(疋)을 물 위에 펼친 듯, 만경창파
_{중국에서 나는 붉은 빛깔의 비단}   _{만 이랑의 푸른 물결이라는 뜻으로, 한없이 넓고 넓은 바다를 이르는 말}

Link
출제자 **특강** 글쓴이의 심리를 파악하라!

❶ 글쓴이가 바라고 있는 것은?
귀경대에서 일출을 보는 것

❷ 떡국도 먹지 않고 기생과 비복을 재촉하며 귀경대에 오른 것에서 알 수 있는 글쓴이의 심리는?
서둘러 일출을 보고 싶은 조급한 마음과 기대감

(萬頃蒼波)가 일시(一時)에 붉어져 하늘에 자욱하고, 노(怒)하는 물결 소리 더욱 장(壯)하며,

홍전(紅氈) 같은 물빛이 황홀(恍惚)하여 수색(水色)이 조요(照耀)하니, 차마 끔찍하더라.

붉은 빛깔의 모직물
매우 놀랍고 대단하더라.

붉은빛이 더욱 붉어지니, 마주 선 사람의 낯과 옷이 다 붉더라. 물이 굽이져 올려 치니, 밤에 물 치는 굽이는 옥같이 희더니, 즉금(卽今) 물굽이는 붉기가 홍옥(紅玉) 같아 하늘에 닿았으니, 장관(壯觀)을 이를 것이 없더라.

바닷물이 굽이지어 흐르는 곳
바로 지금의 때
붉은빛을 띤 단단한 보석. 루비

> 바다에서 동트는 모습

Link 표현상의 특징 ❶

붉은 기운이 퍼져 하늘과 물이 다 조요(照耀)하되 해 아니 나니, 기생들이 손을 두드려 소리하여 애달파 가로되,

"이제는 해 다 돋아 저 속에 들었으니, 저 붉은 기운이 다 푸르러 구름이 되리라."

해가 다 뜬 것으로 여김

혼공(渾恐)하니, 낙막(落寞)하여 그저 돌아가려 하니, 사군(使君)과 숙씨(叔氏)께서,

모두 꺼리거나 두려워하니
마음이 쓸쓸하여
남의 셋째 형이나 셋째 아우를 높여 이르는 말. 여기서는 글쓴이의 시아주버님을 이름

"그렇지 않아, 이제 보리라." / 하시되, 이랑이 · 차섬이 냉소(冷笑)하여 이르되,

기생의 이름

"소인(小人) 등이 이번뿐 아니고 자주 보았사오니, 어찌 모르리이까. 마님, 큰 병환(病患) 나실 것이니, 어서 가압사이다." / 하거늘, 가마 속에 들어앉으니, 봉이 어미 악써 가로되,

글쓴이
하인

"하인(下人)들이 다 하되, 이제 해 돋으리라 하는데 어찌 가시리오? 기생(妓生) 아이들은 철 모르고 지레 이렇게 구느냐?" / 이랑이 박장(拍掌) 왈,

어떤 일이 일어나기 전 또는 어떤 기회나 때가 무르익기 전에 미리
두 손바닥을 마주침

"그것들은 전혀 모르고 한 말이니 곧이듣지 말라." / 하거늘,

하인들

"돌아가 사공(沙工)더러 물으라." / 하니,

"사공이 오늘 일출(日出)이 유명(有名)하리란다."

일출을 잘 볼 수 있을 것이라고 합니다.

하거늘, 내 도로 나서니, 차섬이 · 보배는 내가 가마에 드는 상 보고 먼저 가고, 계집종 셋이 먼저 갔더라.

모습

> 일출 여부를 둘러싼 의견 차이

홍색(紅色)이 거룩하여 붉은 기운이 하늘을 뛰놀더니, 이랑이 소리를 높이 하여 나를 불러,

"저기 물 밑을 보라."

외치거늘, 급히 눈을 들어 보니, 물 밑 홍운(紅雲)을 헤치고 큰 실오라기 같은 줄이 붉기가 더욱 기이(奇異)하며, 기운이 진홍(眞紅) 같은 것이 차차 나와 손바닥 넓이 같은 것이 그믐밤에 보는 숯불 빛 같더라. 차차 나오더니, 그 위로 작은 회오리밤 같은 것이 붉기가 호박(琥珀) 구슬 같고, 맑고 통랑(通朗)하기는 호박도곤 더 곱더라.

□: 해 주변의 붉은 기운
붉은 구름 – 붉게 물든 바다의 비유적 표현
○: 해를 비유한 표현
밤송이 속에 외톨로 들어앉아 있는, 동그랗게 생긴 밤
속까지 비치어 환하기는
보다

그 붉은 위로 흘흘 움직여 도는데, 처음 났던 붉은 기운이 백지(白紙) 반 장(半張) 넓이만치 반듯이 비치며, 밤 같던 기운이 해 되어 차차 커 가며, 큰 쟁반만 하여 불긋불긋 번듯번듯 뛰놀며, 적색(赤色)이 온 바다에 끼치며, 먼저 붉은 기운이 차차 가시며, 해 흔들며 뛰놀기 더욱 자주 하며, 항 같고 독 같은 것이 좌우(左右)로 뛰놀며, 황홀(恍惚)히 번득여 양목(兩目)이 어지러우며, 붉은 기운이 명랑(明朗)하여 첫 홍색을 헤치고, 천중(天中)에 쟁반 같은 것이 수레바퀴 같아 물속으로부터 치밀어 받치듯이 올라붙으며, 항 · 독

회오리밤
'번쩍번쩍'의 옛말
항아리
양쪽의 두 눈
관측자를 중심으로, 하늘의 한가운데

Link
출제자 **특강** 표현상의 특징을 파악하라!

❶ '홍전, 홍옥, 실오라기, 숯불, 호박 구슬, 쟁반, 항, 독' 등의 소재에서 드러나는 표현상 특징은?
가사 생활과 관련된 소재를 이용한 일출 묘사로, 글쓴이의 섬세한 관찰력이 돋보임.

❷ 일출 과정의 해를 비유한 소재 세 가지는?
회오리밤, 큰 쟁반, 수레바퀴

Link 표현상의 특징 ❷

같은 기운이 스러지고, 처음 붉어 겉을 비추던 것은 모여 소 혀처럼 드리워져 물속에 풍덩 빠지는 듯싶더라.

일색(日色)이 조요(照耀)하며 물결의 붉은 기운이 차차 가시며, 일광(日光)이 청랑(淸朗)하니, 맑고 명랑하니
만고천하(萬古天下)에 그런 장관은 대두(對頭)할 데 없을 듯하더라. 맞서 겨룸
> 일출의 과정

짐작에 처음 백지(白紙) 반 장(半張)만치 붉은 기운은 그 속에서 해 장차 나려고 어리어 그리 붉고, 그 회오리밤 같은 것은 진짓 일색을 빻아 내니 어린 기운이 차차 가시며, 독 같고 항 같 진실로
은 것은 일색이 몹시 고운 고(故)로, 보는 사람의 안력(眼力)이 황홀(恍惚)하여 도무지 헛기운 시력 환상인 듯 느껴짐
인 듯싶더라.
> 일출에 대한 감상

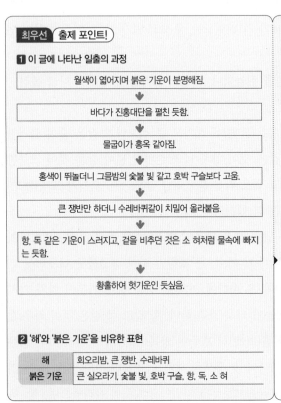

최우선 출제 포인트!

1 이 글에 나타난 일출의 과정

월색이 엷어지며 붉은 기운이 분명해짐.
↓
바다가 진홍대단을 펼친 듯함.
↓
물굽이가 홍옥 같아짐.
↓
홍색이 뛰놀더니 그믐밤의 숯불 빛 같고 호박 구슬보다 고움.
↓
큰 쟁반만 하더니 수레바퀴같이 치밀어 올라붙음.
↓
항, 독 같은 기운이 스러지고, 겉을 비추던 것은 소 혀처럼 물속에 빠지는 듯함.
↓
황홀하여 헛기운인 듯싶음.

2 '해'와 '붉은 기운'을 비유한 표현

해	회오리밤, 큰 쟁반, 수레바퀴
붉은 기운	큰 실오라기, 숯불 빛, 호박 구슬, 항, 독, 소 혀

최우선 핵심 Check!

1 다음 내용 중 맞는 것은 ○표를, 틀린 것은 ×표를 하시오.
(1) 귀경대에서의 견문과 감상이 제시되어 있다. ( )
(2) 공간의 이동에 따라 관찰 대상이 달라지고 있다. ( )
(3) '일출의 붉은 기운'을 '큰 실오라기, 숯불 빛, 호박 구슬' 등에 비유하여 대상을 구체화하고 있다. ( )

2 초성 힌트를 보고 빈칸에 들어갈 알맞은 말을 쓰시오.
(1) 내간체 기행문으로, 특히 귀경대의 [ㅇㅊ]와/과 월출 묘사가 뛰어나다.
(2) 순우리말의 묘미를 살린 한글 수필로 섬세한 [ㄱㅊㄹ]이 돋보이고 있다.

정답 1. (1) ○ (2) × (3) ○ 2. (1) 일출 (2) 관찰력

1등급! 〈보기〉!
『의유당일기(意幽堂日記)』의 내용

낙민루(樂民樓)	함흥의 유명한 낙민루 일대의 경관 묘사
북산루(北山樓)	북산 누각을 찾아 풍류를 즐기던 일의 기록
동명일기(東溟日記)	귀경대에서의 월출과 일출 장관의 묘사
춘일소흥(春日笑興)	김득신, 남호곡, 정인홍, 이번 등의 전기문
영명사 득월루 상량문 (永明寺得月樓上樑文)	대동강 북쪽에 세워진 득월루의 상량문 번역

낙치설(落齒說) | 김창흡

이가 빠진 것에 대한 이야기

136위

성격 성찰적, 체험적, 교훈적 **시대** 조선 후기
주제 이가 빠진 일을 통해 깨닫게 된 인생의 의미

수필

이 글은 글쓴이가 나이가 들어 이가 빠진 일을 계기로, 나이에 맞지 않게 무리한 생활을 해 온 지난 삶을 반성하며 나이가 드는 것을 자연스러운 현상으로 받아들이고 인생의 도를 터득하겠다는 내용의 고전 수필이다.

내용 전개 방식

체험	→	깨달음
예순여섯 살에 앞니가 하나 빠짐.		이가 빠진 일을 늙음에 따른 자연스러운 현상으로 받아들임.

전문

★★ 중심 소재

숙종 44년 무술년은 내가 예순여섯 살이 되던 해이다. 갑자기 앞니 하나가 빠져 버렸다. 그러자 입술도 일그러지고, 말도 새고, 얼굴까지도 한쪽으로 삐뚤어진 것 같았다. 거울에 얼굴을 비춰 보니 놀랍게도 딴사람을 보는 것 같아 눈물이 나려 하였다. 그렇게 한참을 바라보다가 다시 곰곰이 생각해 보니, 사람은 짚자리에 떨어지고 나서부터 늙은이가 되는 동안에 참으로 많은 절차를 밟게 된다는 것을 알게 되었다. ▶ 갑자기 이가 빠져 버린 것에 대한 비애를 느낌

사람이 태어났다가 갓난애로 죽으면 이도 나 보지 못한 채 죽게 되고, 예닐곱 살에 죽으면 젖니도 갈지 못한 채 죽고 마는 것이다. 그러나 여덟 살을 지나 육칠십 살까지 살면 새 이가 난 뒤이고, 다시 팔구십 살이 되면 이가 또 새로 난다고 한다. 그런데 내가 살아온 나이를 따져 보니, 거의 4분의 3을 산 셈이다. 영구치가 난 뒤로 벌써 환갑이 되었으니, 너무 일찍 빠졌다고 하여 한탄할 수만은 없을 것 같다. 더구나 금년은 크게 흉년이 들어서 굶어 죽는 사람이 그 수를 헤아릴 수 없을 지경이니, 그러한 정상을 생각해 보면 나처럼 이 빠진 귀신이 된 이가 몇 사람이나 있겠는가? 나는 이러한 일들을 생각하며 스스로 마음을 넉넉하게 먹기로 했다. 그렇지 않고 슬퍼한들 무슨 소용이 있겠는가? ▶ 자신의 처지를 스스로 위로함

그렇다고 해도 아쉬움은 남는다. 사람이 체력을 유지하고 기르는 데는 음식만 한 것이 없는데, 음식을 먹으려면 이가 없어서는 안 된다. 그런데 하루아침에 이가 빠져 버리고 나니 빠진 이 사이로 물이 새고 밥은 딱딱하여 잘 씹히지 않으며, 간간이 고기라도 씹으려면 마치 독약을 마시는 사람처럼 얼굴이 절로 찌푸려진다. 책상 앞에 앉아도, 빠진 이 때문에 어려움에 처한 나의 신세가 걱정된다. 그렇지 않아도 쇠약한 몸이 음식을 제대로 먹지도 못하고, 매미의 배에 거북의 창자 꼴이 될 것이니 참으로 딱한 노릇이다. 그렇다고 어쩌겠는가? 그러니 먹고 마시는 일은 되어 가는 대로 내버려 둘 수밖에 없다. ▶ 이가 빠진 후의 불편함을 걱정함

나는 어릴 때부터 책 읽기를 좋아했다. 그런데도 아직까지 입에 올리지 못한 책이 수두룩하다. 이제부터라도 아침저녁으로 시골 풍경을 바라보면서 책이나 흥얼거리는 것으로 말년을 보내려 했다. 그리하여 『캄캄한 밤에 촛불로 길을 비추듯, 인간의 근본에서 벗어나지 않기를 바랐던 것이다.』 『 』: 독서를 통해 인간의 근본을 찾으려고 하였음

Link 출제자 통! 글쓴이의 심리를 파악하라!

❶ 거울에 얼굴을 비춰 본 글쓴이는 왜 눈물이 나려 한다고 하였는가?
나이를 의식하지 않고 살아온 글쓴이에게 앞니가 빠져 얼굴이 딴사람처럼 된 것은 큰 충격이었기 때문에

❷ 글쓴이는 무엇을 통해 앞니가 빠진 슬픔을 스스로 달래고 있는가?
흉년으로 인해 요절한 사람에 비하면 본인의 처지가 낫다고 생각하며 스스로를 위로함.

이렇게 마음먹고 책을 펴서 읽기 시작했다. 그러자 『이가 빠진 입술 사이로 흘러나오는 소리
가 마치 깨진 종소리 같아서, 빠르고 느림이 마디지지 못하고, 맑고 탁한 소리가 조화를 잃고,
칠음(七音)의 높낮이도 분간할 수 없으며 팔풍(八風)도 이해할 수 없었다.』 처음에는 낭랑한 목
소리를 내 보려고 안간힘을 써 보았으나 끝내 소리가 말려 들어가고 말았다. 나는 이러한 내
모양이 슬퍼서 책 읽는 일을 그만두어 버렸다. 그리고 나니 마음은 더욱 게을러져 갔다. 결국
인간의 근본을 찾으려 했던, 최초의 마음을 그대로 유지할 수 없다는 것을 알게 되었다. 이것
이 이가 빠지고 난 뒤에 나의 마음을 가장 슬프게 하는 것이다.

　　그동안 겪어 온 인생을 돌이켜 생각해 본다. 『내가 비록 늙었다고는 하나 몸이 가볍고 건강하
다는 것은 자신했었다. 걸어서 산에 오르거나, 종일토록 먼 길을 말을 타고 달리거나, 때로는
천 리 길을 가도 다리가 아프다거나 등이 뻣뻣해지는 걸 느끼지 못했다.』 그래서 내 또래들과
비교해 볼 때에 나만 한 사람이 드물다고 생각하며 자못 기분이 좋았다. 〈중략〉

　　그런데 지금 얼굴이 일그러져 추한 모습으로 갑자기 사람들 앞에 나타나면 모두 놀라고 또
슬퍼하지 않는 사람이 없을 것이니, 내가 아무리 늙었음을 잠깐만이라도 잊으려 한다 해도 가
능한 일이겠는가? 그러니 이제부터라도 나는 노인으로서의 분수를 지켜야겠다.

　　옛날 선인들의 예법에, 『사람이 예순 살이 되면 마을에서 지팡이를 짚고 다니고, 군대에 나가
지 않으며, 또 학문을 하려고 덤비지 말아야 한다고 했다.』 나는 일찍이 『예기』를 읽었으나 이
와 같은 예법에는 동의하지 않고, 계속해서 잘못을 저지르곤 했는데, 지금에 와서야 그동안
내가 한 행동이 잘못되었음을 크게 깨달았다. 앞으로는 조용한 가운데 휴식을 찾아야 할까 보
다. 결국 빠진 이가 나에게 경고해 준 바가 참으로 적지 않다 하겠다.

　　『옛날 성리학의 대가인 주자(朱子)도 눈이 어두워진 것이 계기가 되어, 본심을 잃지 않고 타
고난 착한 성품을 기르는 데 전심하게 되었으며, 그렇게 되자 더 일찍 눈이 어두워지지 않은
것을 한탄했다고 한다.』 그렇다면 나의 이가 빠진 것도 또한 너무 늦었다고 해야 하지 않을까.
『얼굴이 일그러졌으니 조용히 들어앉아 있어야 하고, 말소리가 새니 침묵을 지키는 것이 좋고,
고기를 씹기 어려우니 부드러운 음식을 먹어야 하고, 글 읽는 소리가 낭랑하지 못하니 그냥
마음속으로나 읽어야 할 것 같다.』

　　『조용히 들어앉아 있으면 정신이 안정되고, 말을 함부로 하지 않으
면 허물이 적을 것이며, 부드러운 음식만 먹으면 수복(壽福)을 온전
히 누릴 것이다. 그리고 마음속으로 글을 읽으면 조용한 가운데 인
생의 도를 터득할 수 있을 터이니, 그 손익을 따져 본다면 그 이로움
이 도리어 많지 않겠는가?』

　　그러니 늙음을 잊고 함부로 행동하는 자는 경망스러운 사람이다.
그렇다고 늙음을 한탄하며 슬퍼하는 자는 속된 사람이다. 경망스럽

Link
출제자 독 **글쓴이의 태도를 파악하라!**

❶ 이가 빠진 일을 통해 글쓴이가 깨달은 것은?
자신의 나이를 생각하지 않고 계속 무리하
게 활동했다면 몸이 쇠약해져서 더 큰 화를
당할 뻔했음을 깨달음.

❷ 갑자기 앞니 하나가 빠진 것에 대한 글쓴이
의 태도 변화는?
앞니가 빠진 것을 불편함으로 받아들이다
가 자신의 일생을 돌이켜 보며 반성한 후 긍
정적인 기대 효과를 언급함으로써 글쓴이
의 인식이 긍정적으로 전환되었음을 알 수
있음.

지도 않고 속되지도 않으려면 늙음을 편하게 받아들여야 한다. 늙음을 편하게 여긴다는 말은 여유를 가지고 쉬면서 마음 내키는 대로 자유롭게 사는 것이다. 이리하여 담담한 마음으로 세상을 조화롭게 살다가, 아무 미련 없이 죽음을 맞이해야 한다. 그리고 『눈으로 보는 감각의 세계에서 벗어나, 일찍 죽는 것과 오래 사는 것이 서로 다르지 않다는 생각을 가지게 된다면, 그것이 인생을 즐겁게 사는 길이며, 근심을 떨쳐 버리는 방법이 될 것이다.』 그래서 아래와 같이 노래를 짓는다.

> 자신이 늙었다는 것을 애써 부정하거나 슬퍼하는 것은 모두 눈으로 보는 감각의 세계에 집착한 것임
> 『 』: 자기 나이에 맞게 분수대로 사는 것이 인생을 즐겁게 사는 방법임을 말함
> ▶ 늙음을 자연스럽게 받아들여야 함을 강조함

이[齒]여, 이여! / 그대 나이 얼마인가?
> '이'를 의인화함

60년이 돌아오니, / 온갖 음식 갖추어 맛보았지. //
> 이가 난 지 60년이 지났음을 의미

공을 이루면 물러나고, / 보답이 극진하면 사양하는 법.
> 늙으면 물러나야 하는 것이 인생의 이치임을 밝히고 있음

나는 나의 빠진 이를 보고, / 세상의 조화를 깨달았지. //
> 깨달음의 계기

『하늘에 빛나는 찬란한 별도, / 떨어지면 한낱 볼품없는 돌.
> 젊음, 온전한 이   나이가 든 모습, 빠진 앞니

여름내 무성한 나뭇잎도, / 서리 내리면 떨어지는 법.』『 』: 자연의 이치에 빗대어 인생의 이치를 보여 줌
> 젊었을 때   온전한 이   나이가 들었을 때   빠진 앞니

이것은 절로 그리되는 일. / 딱하다 애처롭다 할 것 없다네.

나는 조용히 자취를 감춘 채, / 침묵 속에 내 마음을 지키려 하네. //

『편안한 잠자리 하나면, / 온갖 인연이 모두 부질없는 일.
> 『 』: 앞니가 빠진 뒤 도리에 따라 만족하는 자세를 갖게 됨

배를 채우는 데는 고기가 필요 없고, / 얼굴은 동안(童顔)이 아니어도 상관없네.』 //

정신이 깨어 있는 이여! / 그대는 오직 이 이의 주인이로세.
> ▶ 글쓴이의 성찰과 깨달음의 내용을 시로 표현함

최우선 출제 포인트!

1 글쓴이가 자아 성찰을 통해 새롭게 인식한 내용

조용히 들어앉아 있어야 함.	정신이 안정됨.
침묵을 지켜야 함.	허물이 적어짐.
부드러운 음식을 먹어야 함.	수복을 누림.
글을 마음속으로 읽어야 함.	인생의 도를 터득함.

→

2 시를 덧붙임으로써 얻는 효과

'이'를 의인화하여 '이'에게 말을 건네는 방식을 통해, 자신의 체험과 성찰을 집약하여 노래로 표현함.	글에서 제시한 자신의 생각을 정리하여 다시 제시함으로써 '이'가 빠진 경험을 통해 얻은 깨달음과 삶의 태도를 더욱 뚜렷하게 부각함.

→

최우선 핵심 Check!

1 다음 내용 중 맞는 것은 ○표를, 틀린 것은 ×표를 하시오.

(1) 자신의 일상 체험 속에서 깨달은 바를 제시하고자 창작된 글이다.
( )

(2) 글쓴이는 개인적으로 경험한 상실을 시련의 한 형태로 활용하고 있다.
( )

(3) 글쓴이는 주자처럼 눈이 어두워진 것이 아니라 이가 빠진 것을 불행 중 다행이라고 생각하고 있다.
( )

2 초성 힌트를 보고 빈칸에 들어갈 알맞은 말을 쓰시오.

(1) 글쓴이는 ㅇㄴ 이/가 빠진 일을 계기로 자신의 삶의 과정을 반성적으로 돌아보고 있다.

(2) 글쓴이는 ㅊ 에서 인간의 근본을 찾는 것을 중시하고 있다.

> 정답 1. (1) ○ (2) ○ (3) × 2. (1) 앞니 (2) 책

가락국 신화(駕洛國神話) | 작자 미상

성격 신화적, 서사적, 상징적 **시대** 상고 시대
주제 김수로왕의 탄생과 가락국의 건국 내력

설화

이 작품은 가락국의 시조인 김수로의 탄생과 건국 내력을 다루고 있는 건국 신화이다. 가락국은 김수로왕의 형제들이 세운 여섯 나라를 통틀어 이르는 말이다.

내용 전개 방식

 기
국가 형성 이전에 원시 촌락 형태의 농경 사회가 존재함.

 승
하늘의 명령에 따라 노래를 부르니 여섯 개의 황금 알이 내려옴.

 전
황금 알에서 태어난 천손들(김수로왕과 그 형제들)이 여섯 개의 나라를 건국함.

 결
김수로왕은 도읍을 정하고 신궁을 건설한 후 정무를 시작함.

전문

천지가 개벽한 이후로 이 땅에 아직 나라의 칭호가 없었고, 군신의 칭호도 없었다. 이때 아
_{세상이 처음 생겨 열린 이후로}
^{국가 형성 이전의 원시 촌락 사회의 모습 ② – 임금과 신하의 칭호 부재}

도간(我刀干)·여도간(汝刀干)·피도간(彼刀干)·오도간(五刀干)·유수간(留水干)·유천간(留天

干)·신천간(神天干)·오천간(五天干)·신귀간(神鬼干) 등 구간(九干)이 있었다. 이 추장들이 백
『 』: 아홉 명의 추장이 함께 통치하는 연합 사회의 면모를 보임 – 왕의 부재. 국가 형성 이전의 원시 촌락 사회의 모습 ③

성을 아울러 다스렸으니, 모두 백 호에 칠만 오천 명이었다. 대부분이 저마다 산과 들에 모여

살았고 우물을 파서 마시고 밭을 갈아서 먹었다.
^{국가 형성 이전의 원시 촌락 사회의 모습 ④ – 집단 정착 생활}
▶ 구간이 지배하는 원시 촌락 형태의 농경 사회

_{국가 형성 이전의 원시 촌락 사회의 모습 ⑤ – 자급자족의 농경 사회}

후한의 세조(世祖) 광무제(光武帝) 건무(建武) 18년 임인년(A.D. 42년) 3월 계욕일(禊浴日)
^{가락국의 건국 시기 – 중국 연대를 기준으로 함}

에 그들이 살고 있는 북쪽 구지봉(龜旨峯) — 이는 산봉우리의 이름인데, 마치 십붕(十朋)이
_{거북}

엎드려 있는 형상이므로 이렇게 부른다. — 에서 사람들을 부르는 것 같은 이상한 소리가 났
『 』: 구지봉이라는 이름의 유래

다. 그래서 무리 이삼백 명이 그곳으로 모여들었다. 사람의 소리 같았지만 형체는 보이지 않고

소리만 들렸다.

"여기에 사람이 있는가?"

구간이 말했다.

"우리가 있습니다."

또 소리가 들려왔다.

"내가 있는 곳이 어디인가?"

구간이 다시 대답했다.

"구지봉입니다."

또 소리가 들려왔다.

"하늘에서 나에게 이곳에 내려와 새로운 나라를 세워 임금이 되라
^{대왕의 출현 예고 – 천손 하강형 화소}

고 명하셨기 때문에 내가 일부러 온 것이다. 너희들이 모름지기 봉

우리 꼭대기의 흙을 파내면서
「구지가」를 노동요로 보는 근거

Link

출제자 **톡** **소재의 의미를 파악하라!**

❶ 구간이 「구지가」를 부른 이유는?
하늘에서 대왕을 맞이하려면 그렇게 하라고 말했기 때문에

❷ 「구지가」에서 영원한 생명을 상징하는 신령스러운 존재로, 기원의 대상이 되는 것은?
거북

❸ '자줏빛 새끼줄'의 상징적 의미는?
천상 세계와 지상 세계를 매개함으로써 국가의 신성성을 나타냄.

❹ '황금 알 여섯 개'의 고귀한 신분을 드러내는 소재는?
금합

龜何龜何   거북아, 거북아,   → 신령스러운 존재(호명)
_{구 하 구 하}   _{기원의 대상 – 절대적, 신적 존재}

首其現也   네 머리를 내밀어라.   → 왕의 출현 기원(명령)
_{수 기 현 야}   _{우두머리, 임금}

若不現也	만약 내밀지 않으면	→ 명령 불이행(부정형의 가정)
약 불 현 야		
燔炸而喫也	구워 먹겠다.	→ 위협(소망 성취의 강한 의지)
번 작 이 끽 야	불의 사용을 전제한 위협	

라고 노래 부르고 춤을 추면, 대왕을 맞이하여 (너희들은) 기뻐 춤추게 되리라."
「'구지가'를 임금을 맞이하기 위한 주술요. 영신 군가로 보는 근거   Link 소재의 의미 ❶
『구간은 그 말대로 하면서 모두 기쁘게 노래하고 춤을 추었다.』 얼마 후 하늘을 우러러보니 자
『 』: '구지가'를 집단, 집단 무가로 보는 근거   '구지가'를 원시 종합 예술로 보는 근거
줏빛 새끼줄이 하늘에서 내려와 땅에 닿았다. 줄 끝을 살펴보니 붉은색 보자기로 싼 금합(金
천상과 지상을 연결하는 매개물 – 전기성을 부여하는 소재   Link 소재의 의미 ❸   ★ 주요 소재   금으로 만든 그릇 – 고귀한 신분임을 드러냄
盒)이 있었다. 그것을 열어 보니 해처럼 등근 황금 알 여섯 개가 들어 있었다.
Link 소재의 의미 ❹   임금이 될 존재가 여섯 명임을 암시함 – 가락국을 구성하는 여섯 개의 가야를 의미함
사람들은 모두 놀라고 기뻐서 허리를 굽혀 백 번 절하고, 얼마 후 다시 금합을 싸안고 아도
황금 알을 신성한 존재로 인식함   구간 중 한 명
간의 집으로 가져와 탑 위에 두고 제각기 흩어졌다. ▶ 대왕의 출현을 예고하며 하늘에서 내려온 여섯 개의 황금 알
의자

12일이 지나고 이튿날 새벽에 여러 사람이 다시 모여 합을 열어 보니 여섯 개의 알은 어린아
① 여섯 아이 모두 천손임 ② 하늘에서 알이 내려오는 천강신 설화의 면모를 보임
이로 변해 있었는데, 용모가 매우 빼어났다. 그들을 평상에 앉혀 절하며 축하하고 지극히 공
경했다.『그들은 나날이 자라서 열흘 남짓 되자 키가 아홉 자나 되어 은(殷)나라의 탕왕(湯王)
같았고, 얼굴은 용과 같아 한(漢)나라의 고조(高祖)와 같았고, 눈썹의 여덟 색채가 요(堯)임금
과 같았고, 눈동자가 겹으로 된 것이 순(舜)임금과 같았다.』 『 』: ① 비현실적 외양 묘사 – 인물의 비범성 부각
② 비정상적인 빠른 성장 – 인물의 신성성 부각
③ 중국의 전설적 인물들에 빗댐 – 중국 중심의 세계관 반영

그달 보름에 즉위했는데 세상에 처음으로 나타났다고 하여 이름을 수로(首露) 혹은 수릉(首陵)
여섯 개의 알 중에서 가장 먼저 깨고 나왔음
— 죽은 후의 시호 — 이라 했다. 나라를 대가락(大駕洛) 또는 가야국(伽倻國)이라 부르니, 바
수로왕이 가야국을 건국함 – 건국 신화로서의 면모를 보임
로 여섯 가야 중 하나이다. 나머지 다섯 사람도 각각 다섯 가야의 임금이 되었다.

동쪽은 황산강, 서남쪽은 창해, 서북쪽은 지리산, 동북쪽은 가야산, 남쪽은 나라의 끝이 되
현재의 낙동강 하류 지역   꾸밈 데가 없이 수수함
었다. 그는 임시로 궁궐을 짓게 하고 들어가 다스렸는데, 질박하고 검소하여 지붕의 이엉을
초가집의 지붕이나 담을 이기 위하여 짚이나 새 따위로 엮은 물건
자르지 않았고, 흙으로 쌓은 계단은 석 자를 넘지 않았다. ▶ 여섯 개의 가야를 건국하는 천손들
『 』: 궁궐의 외양과 규모가 화려하거나 크지 않음   Link 인물의 성격 ❶
즉위 2년 계묘년(A.D. 43년) 봄 정월에 왕이 이렇게 말했다.

"내가 도읍을 정하고자 한다."

이에 임시로 지은 궁궐 남쪽 신답평(新畓坪) — 이곳은 옛날부터 한전(閑田)이었는데 새로
새로 갈아 젖은 묵은 밭 – 오늘날의 경상남도 김해시   농사를 짓지 아니하고 놀리는 땅
경작한다고 하여 붙인 이름이다. 답(畓)이란 글자는 속자(俗字)이다. — 에 행차하여 사방의
한자에서, 원래 글씨보다 획을 간단하게 하거나 아주 새로 만들어 세간에 널리 쓰이는 글자
산악을 바라보다가 주위 사람들을 돌아보고는 말했다.
더 이상 배울 만한 법도가 없게 된 경지의 부처를 이름
"이곳은 마치『여뀌 잎처럼 좁지만, 빼어나게 아름다워 열여섯 나한(羅漢)이 머물 만하다. 더
물가에서 자라는 풀   인간의 수명과 길흉화복을 관장하는 신
군다나 하나에서 셋을 만들고 셋에서 일곱을 만드니 일곱 성[七聖]이 머물 만하여, 정말로
풍수지리설의 음양오행金: 물[一]이 나무[三]를 낳고 나무가 불[七]을 낳는다는 원리
알맞은 곳이다. 그러니 이곳에 의탁하여 강토를 개척하면 참으로 좋
『 』: 땅은 좁지만 16명의 부처와 7명의 성인들이 머물 만큼 아름다운 곳이라 도읍으로 삼기에 적격임
지 않겠는가?"

Link 출제자 특강 ❗ 인물의 성격을 파악하라!

❶ 궁궐 지붕의 이엉을 자르지 않고, 흙으로 쌓
은 계단이 석 자를 넘지 않게 한 것에 알 수
있는 김수로왕의 성품은?
수수하고 검소함.

❷ 김수로왕의 백성을 위한 마음이 크고 넓음
을 알 수 있게 해 주는 것은?
농한기를 기다려 궁궐과 옥사를 짓기 시작함.

그래서 천오백 보 둘레의 외성(外成)과 궁궐, 전당(殿堂) 및 여러
가야의 수도 신답평이 성곽, 궁궐, 가옥, 관청, 무기고, 창고 등을 완비한 도시였음을 알 수 있음
관청의 청사와 무기 창고, 곡식 창고 지을 곳을 두루 정하고 궁궐로
돌아왔다.『국내의 장정과 공장(工匠)을 두루 불러 모아 그달 20일(즉
전국의 장정과 기술자들이 총동원될 정도로 큰 공사였음을 알 수 있음

위 2년 봄 정월)에 튼튼한 성곽을 쌓기 시작하여 3월 10일에 역사(役事)를 마쳤다. 궁궐과 옥

사(屋舍)는 농한기를 기다려 그해 10월 안에 짓기 시작하여 갑진년(A.D. 44년) 2월에 이르러

완성했다. 좋은 날을 가려 새 궁궐로 옮겨 가서 모든 정치의 큰 기틀을 살피고 여러 가지 일을

「 」: 공사에 동원된 장정들이 농민들이기 때문에 그들이 추수를 할 수 있도록 배려하는 수로왕의 성품을 알 수 있음

신속히 처리했다.

Link 인물의 성격 ❷ 　　　신궁으로 옮겨서 정무를 봄

❯ 도읍을 정하고 신궁을 건설하여 정무를 시작한 수로왕

최우선 **출제 포인트!**

1 시간의 경과에 따른 인물의 모습

둥글기가 해 같은 황금 알 여섯 개
임금이 될 존재가 여섯 명임을 암시하는 것으로, 가락국을 구성하는 여섯 개의 국가를 의미함.

▼

얼굴이 빼어난 어린아이
여섯 명의 어린아이는 하늘에서 내려온 알이 변한 것(천강란 설화)으로, 어린아이들이 모두 천손임을 나타냄.

▼

얼굴이 용과 같고, 눈썹이 여덟 가지 빛깔이며, 눈동자가 겹으로 되어 있으며, 모두 중국의 전설적 인물과 같음.
비현실적 외양은 인물의 비범함을, 비정상적인 빠른 성장(10여 일 만에 장성함.)은 인물의 신성성을 나타내며, 인물들을 중국의 영웅들에 빗댄 것은 중국 중심의 세계관이 반영된 것임.

2 「구지가」의 내용과 특징

「구지가」는 가락국의 백성들이 임금을 맞이하기 위해 부른 노래이다. 새로 맞이하는 임금은 '수로왕(首露王)'인데, 거북이 '머리를 내어놓은' 것이 곧 '수로(首露)'이다. 거북에게 명령하고 위협하면 뜻을 이룰 수 있다고 생각한다는 것에서 「구지가」가 주술적 기능을 가진 노래라는 점을 알 수 있다. '머리'는 '생명'을 뜻하므로, 머리를 내어놓는 것은 새로운 생명의 탄생으로 볼 수 있고, 그것은 하늘에서 내려온 황금 알에서 수로왕이 탄생하는 것과 일치한다.

「구지가」는 신의 출현을 예시하는 주술적인 신가(神歌)이자, 신을 맞이하는 영신 군가(迎神君歌)라고 할 수 있으며, 사람들이 흙을 파면서 불렀다는 점에서 노동요로서의 성격도 지니고 있다.

3 「구지가」에 나타난 '위협'의 의미

「구지가」에는 '거북'이 머리를 내어놓지 않으면 '구워 먹겠다.'라는 위협이 나타나 있다. 이때 구워 먹는 수단인 '불'은 인간의 문명을 상징한다. 즉 신령적 존재인 '거북'을 인간의 '불'로 위협하여 원하는 것을 얻겠다는 것은, 초월적 존재에게 소망의 실현을 강하게 요구하는 인간의 의지가 투영된 것으로 이해할 수 있다.

최우선 **핵심 Check!**

1 다음 내용 중 맞는 것은 ○표를, 틀린 것은 ✕표를 하시오.

(1) 비현실적 외양 묘사로 인물의 비범성을 부각하고 있다. (　　)

(2) '구지봉'은 천상 세계와 지상 세계를 연결해 주는 공간이다. (　　)

(3) 알을 깨고 나온 여섯 아이를 중국의 전설적 인물들에 빗댄 것으로 보아 중국 중심의 세계관을 반영하고 있다. (　　)

2 초성 힌트를 보고 빈칸에 들어갈 알맞은 말을 쓰시오.

(1) 이 작품에 삽입된 「구지가」는 봉우리 꼭대기의 흙을 파내면서 불렀기 때문에 ㄴㄷㅇ (으)로 보기도 한다.

(2) 가락국의 시조인 ㄱㅅㄹ 의 탄생과 건국 내력을 다루고 있는 건국 신화이다.

정답 **1.** (1) ○ (2) ○ (3) ○ **2.** (1) 노동요 (2) 김수로

❯ **1등급! 〈보기〉!**

「구지가」와 「해가」 → 우리책 177위(수로 부인)

구지가
거북아, 거북아, / 네 머리를 내밀어라.
만약 내밀지 않으면 / 구워 먹겠다.

해가
거북아 거북아! 수로 부인을 내놓아라.
남의 아내를 약탈해 간 죄 얼마나 큰가?
네가 만약 거역하고 내다 바치지 않으면
그물을 쳐 잡아서 구워 먹으리라.

	구지가	해가
공통점	• 신성한 존재인 '거북'을 통해 소원을 성취하려는 집단적이고 주술적인 노래임. • 주술적 노래가 갖는 구조를 보임(호명 – 명령 – 가정 – 위협).	
차이점	• 수로왕의 강림 기원 • 왕의 출현이라는 공적인 성격 • 4언 4구의 한시 형태	• 수로 부인의 귀환 기원 • 초월적 존재에게 납치된 여인의 구출이라는 사적인 성격 • 7언 4구의 한시 형태

도미 설화(都彌說話) | 작자 미상

성격 서사적, 저항적, 교훈적 **시대** 상고 시대
주제 도미 아내의 정절과 지배층의 횡포 폭로

설화

이 작품은 우리나라 열녀 설화(烈女說話)의 원형으로, 도미의 아내에 대한 믿음과 도미 아내의 남편에 대한 정절이 잘 드러나 있다.

내용 전개 방식

처음
도미의 아내에 대한 아름다움과 절개를 들은 개루왕은 도미를 불러 그의 아내에 대한 정결을 논함.

중간
도미 아내의 절개를 시험하던 개루왕의 횡포로 인해 도미는 눈이 멀고, 도미의 아내는 기지를 발휘해 탈출함.

끝
살아서 재회한 도미 부부는 배를 타고 고구려에 가서 고구려 사람들의 도움을 받고 살다가 일생을 마침.

전문

□ : 주요 인물

도미(都彌)는 백제인이었다. 비록 벽촌의 보잘것없는 백성이지만 자못 의리를 알며 그 아내
★ 주요 소재   외따로 떨어져 있는 궁벽한 마을
는 아름답고도 절개가 있어, 당시 사람들의 칭찬을 받았다.
개루왕이 도미의 아내를 시험하는 계기가 됨   『 』: 도미 부부에 대한 직접적인 설명

개루왕이 듣고 도미를 불러 말하기를,
백제의 제4대 왕

"무릇 부인의 덕은 정결이 제일이지만, 만일 어둡고 사람이 없는 곳에서 좋은 말로 꾀면 마
여성의 절개를 불신하는 태도를 보임 → 인간을 불신함
음을 움직이지 않을 사람이 드물 것이다."
Link 인물의 특징 ❶, ❷

하니, 대답하기를,

"사람의 정은 헤아릴 수 없습니다. 그러나 신의 아내 같은 사람은 죽더라도 마음을 고치지
권력 앞에서도 자신의 아내에 대한 믿음을 보여 줌 → 인간을 신뢰함
않을 것입니다."
Link 인물의 특징 ❷
하였다.
권력 행사 → 백성을 괴롭힘
왕이 이를 시험하려고 일이 있다 하여 도미를 머물게 하고, 가까운 신하 한 사람에게 왕의
도미의 말대로 부인이 정절을 지키는지를
의복과 말·종자를 빌려주어 밤에 그 집에 가게 했는데, 먼저 사람을 시켜 왕이 온다고 알렸
남에게 종속되어 따라다니는 사람
다. 가짜 왕이 와서 그 부인에게 이르기를,

『내가 오래전부터 너의 아름다움을 듣고 도미와 내기 장기를 두어 이겼다. 내일은 너를 데려
『 』: 이미 다른 이의 부인인 사람을 궁녀로 삼겠다고 함 → 여성을 내기의 대상으로 바라보는 당대의 그릇된 시각을 엿볼 수 있음   개루왕의 횡포 ①
다 궁녀를 삼을 것이다.』
Link 인물의 특징 ❸
"국왕에겐 망령된 말이 없습니다. 제가 감히 순종하지 않겠습니까? 청컨대 대왕께서는 먼저
방으로 들어가소서. 제가 옷을 고쳐 입고 들어가겠습니다."
도미 아내의 지혜로운 행동 ①
하고 물러와 한 여종을 단장시켜 들어가 수청을 들게 하였다.
▶ 개루왕의 횡포와 도미 아내의 기지 ①

① 신분이 낮은 백성에게 종이 있다는 것은 비현실적임 ② 자신이 위기에서 벗어나고자 자기 아랫사람을 희생시키는 모순성

Link

출제자 톡! 인물의 특징을 파악하라!

❶ 도미 부인의 정절을 파괴하려는 권력자로 설정된 인물은?
개루왕

❷ 도미의 아내에 대한 도미와 개루왕의 인식의 차이는?
도미는 아내를 신뢰하고 있으나 개루왕은 왜곡된 여성관을 갖고 도미 부인의 절개를 불신하고 있음.

❸ 가짜 왕의 말과 행동을 통해 알 수 있는 당시 여성에 대한 인식은?
여성을 사물처럼 내기의 대상으로 바라보는 당대의 그릇된 시각을 확인할 수 있음.

후에 개루왕이 속은 것을 알고 크게 노하여 『도미를 죄로 얽어 두
『 개루왕의 횡포 ②
눈동자를 빼고 사람을 시켜 끌어내어 작은 배에 싣고 물 위에 띄어
보냈다.』 그리고 그 부인을 억지로 불러들였는데, 부인이

"지금 남편을 잃어버렸으니 혼자 살아갈 수 없게 되었습니다. 더구
나 대왕을 모시게 되었으니 어찌 감히 어김이 있겠습니까? 그러나
지금은 몸이 좋지 않으니 다른 날 깨끗이 목욕하고 오겠습니다."
도미 아내의 지혜로운 행동 ②
하니, 왕이 믿고 허락하였다.
▶ 개루왕의 횡포와 도미 아내의 기지 ②

부인은 그만 도망하여 강어귀에 이르렀으나 건너갈 수가 없어 하늘을 부르며 통곡하는 중
_{백성을 지켜야 하는 왕이 백성을 괴롭히는 당대 사회의 모순이 드러남}
홀연히 한 척의 배가 물결을 따라오는 것을 보았다. 그 배를 타고 천성도(泉城島)에 이르러 그
_{갑자기}   _{왕에게서 도망쳐 남편을 만나게 하는 역할을 함}   _{한강 하류에 있는 섬}   _{도미}
남편을 만났는데 아직 죽지 아니하였다.

풀뿌리를 캐어 먹으며 드디어 함께 배를 타고 고구려 산산(蒜山) 아래에 이르니, 고구려 사
_{굶주림을 면하기 위해}   _{함경남도에 있던 지명. 본래는 고구려의 매시달현인데 신라 때 산산으로 고침}
람들이 불쌍히 여기며 음식과 옷을 주어 구차스럽게 살면서 객지에서 일생을 마쳤다.
_{고구려에 대한 우호적인 시각을 드러냄}   ❯도미 부부의 재회와 여생

최우선 〔출제 포인트!〕

1 '도미'와 '개루왕'의 가치관

개루왕	• 도미의 아내가 아름답고 절개가 있다는 소문을 듣고 도미를 불러, 좋은 말로 유혹하면 부인은 절개를 지키지 않을 것이라고 말함. → 여성의 절개를 신뢰하지 않음. • 가짜 왕을 시켜 도미의 아내를 대상으로 내기를 했다고 하고, 도미의 아내를 궁녀로 삼겠다고 말하게 함. → 여성을 내기의 대상으로 바라봄.
도미	자신의 아내는 죽더라도 절개를 지킬 사람이라고 함. → 아내에 대한 믿음이 깊음.

2 이 작품의 대립 구조

도미 부부(주동 인물)	개루왕(반동 인물)
• 신뢰·정절을 믿음. • 권력자의 횡포로 인해 수난을 당하는 인물	• 신뢰·정절을 믿지 않음. • 권력을 부당하게 이용하여 백성에게 횡포를 부리는 지배자

↓

• 여인의 절개 강조
• 민중의 건강한 삶의 윤리 부각

3 작품에 반영된 당시의 시대상

권력자인 개루왕이 도미 부부의 삶을 파괴하려 함.	당시 지배층의 횡포가 극심했음.
도미 부부가 개루왕에게 맞서서 인간의 존엄한 가치를 지키고자 함.	부당한 권력의 횡포에 저항하려는 민중 의식이 성장했음.
도미 부부는 평범한 백성이지만 의리를 중시하고, 절개를 지키려 함.	유교적 윤리 의식이 하층민에게까지 확산되어 있었음.
고구려 사람들이 도미 부부를 불쌍하게 여겨 옷과 먹을 것을 줌.	고구려에 대한 우호적인 시각이 드러남.

최우선 〔핵심 Check!〕

1 다음의 내용이 맞으면 ○표를, 틀린 것은 ×표를 하시오.

(1) 도미 부인의 기지를 통해 강조하고 있는 덕목은 '효'이다. (   )
(2) 도미 부부와 개루왕의 갈등을 통해 지배층의 횡포를 폭로하고 있다. (   )
(3) 권력자의 횡포에 저항하지 못하고 당하기만 했던 민중의 삶이 드러나 있다. (   )

2 초성 힌트를 보고 빈칸에 들어갈 알맞은 말을 쓰시오.

(1) 개루왕은 백성을 지켜야 하는 왕의 자리에 있음에도 백성인 도미 부인의 ㅈㄱ 을/를 부정하고 훼손하려 하고 있다.
(2) 왕의 횡포, 여종의 복종 등으로 보아, 당시에는 ㅅㅂ 의 차이가 백성의 삶을 좌우하는 요인이었음을 알 수 있다.

〔정답〕 1. (1) × (2) ○ (3) × 2. (1) 절개 (2) 신분

〔1등급! 〈보기〉!〕

박종화의 「아랑의 정조」

박종화의 「아랑의 정조」는 「도미 설화」에 그 근거를 두고 있지만 극적인 흥미와 사건의 필연성을 부여하기 위해 좀 더 상술되어 있다. 예컨대 「아랑의 정조」에서 도미가 목수로서 대궐 공사를 잘못했다는 구실로 장님이 되어 쫓겨나게 되는 것 등이 그러하다. 또한 「도미 설화」는 열녀 설화임에도 그 제목에서 남성이 주체로 되어 있는 것에 반해 「아랑의 정조」에서는 도미의 아내에게 '아랑'이라는 이름을 주어 성격화하고 있다. 물론 「아랑의 정조」의 인물들도 「도미 설화」의 인물들과 같이 평면적이기는 하지만 제목에서 주체가 '도미'가 아닌 도미의 아내 '아랑'으로 되어 있다는 점은 눈여겨볼 대목이다.

139위

슬견설(蝨犬說) | 이규보
이와 개

성격 교훈적, 우의적, 관념적 **시대** 고려 시대
주제 편견을 버리고 사물의 본질을 보아야 함

수필

이 글은 '이[蝨]'와 '개[犬]'의 죽음을 바라보는 '나'와 '손'의 시각 차이를 두 사람의 대화 형식을 통해 드러내고 있는 한문 수필이다. '나'는 '개'와 '이'의 죽음을 통해 선입견을 버리고 사물의 본질을 올바로 파악해야 한다는 교훈을 전달하고 있다.

내용 전개

기	승	전	결
'손'이 개의 죽음을 안타까워함.	'나'가 이의 죽음을 안타까워함.	'손'의 반박: 개는 대물이고 이는 미물임.	'나'의 충고: 모든 생명은 본질적으로 같음.

전문

어떤 손[客]이 나에게 이런 말을 했다. / "어제저녁엔 아주 처참한 광경을 보았습니다. 어떤
_{사물의 가치를 외형의 크기로 판단하는 사람 – 통념을 제시하는 역할을 함}
불량한 사람이 큰 몽둥이로 돌아다니는 개를 쳐서 죽이는데, 보기에도 너무 참혹하여 실로 마
_{개의 죽음을 안타까워함. 관련 한자 성어: 인지상정, 측은지심}
음이 아파서 견딜 수가 없었습니다. 그래서 이제부터는 맹세코 개나 돼지의 고기를 먹지 않기
로 했습니다." / 이 말을 듣고, 나는 이렇게 대답했다.   ▶개의 죽음을 안타까워하는 '손'
_{외형의 크기와 상관없이 모든 생명체는 소중하다고 생각하는 사람}
『"어떤 사람이 불이 이글이글하는 화로를 끼고 앉아서, 이를 잡아서 그 불 속에 넣어 태워 죽
_{『 』: 선입견이나 편견을 버리고 사물의 본질을 판단하는 것의 중요성을 강조하기 위해 극단적인 예를 듦}
이는 것을 보고, 나는 마음이 아파서 다시는 이를 잡지 않기로 맹세했습니다."』
                                          _{이의 죽음이 안타까워하는 '나'}
손이 실망하는 듯한 표정으로, / 『"이는 미물이 아닙니까? 나는 덩그렇게 크고 육중한 짐승이
_{'나'의 의도를 제대로 이해하지 못했기 때문}   _{『 』: 외형 크기에 따라 가치를 평가하는 편견}
죽는 것을 보고 불쌍히 여겨서 한 말인데, 당신은 구태여 이를 예로 들어서 대꾸하니, 이는
_{개의 죽음은 처참하고 불쌍하지만 이의 죽음은 그렇지 않다고 생각함 → 미물의 생명은 경시함}
필연코 나를 놀리는 것이 아닙니까?"』 / 하고 대들었다.   ▶개는 대물이고 이는 미물이라 반박하는 '손'
_{'나'의 대답을 들은 '손'이 자신을 놀리는 것이라 오해함}
나는 좀 구체적으로 설명할 필요를 느꼈다.

"무릇 피[血]와 기운[氣]이 있는 것은 사람으로부터 소, 말, 돼지, 양, 벌레, 개미에 이르기까
_{생명이 있는 것}
지 모두가 한결같이 살기를 원하고 죽기를 싫어하는 것입니다. 어찌 큰 놈만 죽기를 싫어하
_{크기와 상관없이 모든 생명은 자기 목숨을 소중히 함}   _{★ 주요 소재}
고, 작은 놈만 죽기를 좋아하겠습니까? 그런즉, 개와 이의 죽음은 같은 것입니다. 그래서 예
_{미물의 생명을 경시하는 것의 잘못된 점을 지적}   _{생명은 본질적으로 모두 소중한 것임}
를 들어서 큰 놈과 작은 놈을 적절히 대조한 것이지, 당신을 놀리기 위해서 한 말은 아닙니
다. 〈중략〉 당신은 물러가서 눈 감고 고요히 생각해 보십시오. 그리하여 달팽이의 뿔을 쇠뿔
_{크기가 아주 작은 새}   _{선입견, 편견을 버리고 객관적으로 생각해 보라는 의미임}   _{크기가 아주 작은 뿔}
과 같이 보고, 메추리를 대붕(大鵬)과 동일시하도록 해 보십시오. 연후에 나는 당신과 도(道)
                _{크기가 큰 새}   _{세상의 올바른 이치와 원리}
를 이야기하겠습니다."   ▶모든 생명은 본질적으로 같다는 '나'의 충고

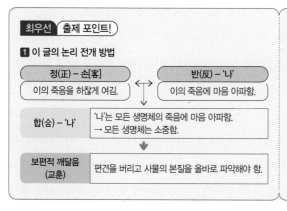

최우선 출제 포인트!

1 이 글의 논리 전개 방법

정(正) – 손[客]	↔	반(反) – '나'
이의 죽음을 하찮게 여김.		이의 죽음에 마음 아파함.

합(合) – '나'	'나'는 모든 생명체의 죽음에 마음 아파함. → 모든 생명체는 소중함.

보편적 깨달음 (교훈)	편견을 버리고 사물의 본질을 올바로 파악해야 함.

최우선 핵심 Check!

1 다음 내용 중 맞는 것은 ○표를, 틀린 것은 ×표를 하시오.
(1) 선입견을 버리고 사물의 본질을 올바르게 파악할 것을 깨우치게 하는
    한문 수필이다.   (   )
(2) '나'의 의견에 '손'은 모든 생명체는 소중하다고 반박하고 있다.
                                                        (   )

2 초성 힌트를 보고 빈칸에 들어갈 알맞은 말을 쓰시오.
(1) 글쓴이는 ㅅㅁ 이/가 차별 없이 소중하다는 관점을 보여 주고 있다.
(2) '이'와 '개'의 ㄷㅈ 예시를 통해 주제를 부각하고 있다.

정답 1. (1) ○ (2) × 2. (1) 생명 (2) 대조적

140위

부러진 바늘을 조문하는 글
조침문(弔針文) | 유씨 부인

성격 추모적, 고백적 **시대** 조선 후기
주제 부러진 바늘에 대한 애도

수필

이 글은 아끼던 바늘이 부러지자 '바늘[針]'에 대한 제문의 형식을 빌려 글쓴이의 슬픔을 표현한 글이다. '조문'은 '죽은 사람을 애도하고 명복을 비는 글'을 말한다.

내용 전개

서사	본사	결사
조문을 쓰게 된 동기	바늘의 행장과 글쓴이의 심회	바늘에 대한 애도와 후세에의 기약

전문

유세차(維歲次) 모년(某年) 모월(某月) 모일(某日)에, 미망인(未亡人) 모씨(某氏)는 두어 자
 〔제문의 첫머리에 관용적으로 쓰는 말. '이 해의 차례는'이라는 뜻〕 〔남편이 죽고 홀로 남은 여자〕 〔★★ 중심 소재〕
글로써 침자(針者)에게 고하노니, 인간 부녀의 손 가운데 중요로운 것이 바늘이로대, 세상 사
 〔바늘을 의인화함〕 〔없어서는 안 될 정도로 매우 긴요함〕
람이 귀히 아니 여기는 것은 도처에 흔한 바이로다. 이 바늘은 한낱 작은 물건이나, 이렇듯이
 〔일상에 매우 흔하게 사용되어 귀한 줄 모름〕
슬퍼함은 나의 정회(情懷)가 남과 다름이라. 오호통재(嗚呼痛哉)라, 아깝고 불쌍하다. 너를 얻
 〔정과 회포〕 〔'아, 비통하다'라는 뜻. 슬플 때나 탄식할 때 하는 말〕 〔바늘(의인법)〕
어 손 가운데 지닌 지 우금(于今) 이십칠 년이라. 어이 인정이 그렇지 아니하리오. 슬프다. 눈
 〔지금까지〕 〔바늘과 함께한 시간〕 〔아깝고 불쌍하지〕
물을 잠깐 거두고 심신을 겨우 진정하여, 너의 행장(行狀)과 나의 회포를 총총히 적어 영결하
 〔죽은 사람이 평생 살아온 일을 적은 글〕 〔죽은 사람과 산 사람이 서로 영원히 헤어짐〕
노라.
 ➤ 조문을 쓰는 취지

 〔Link 글쓴이의 체험 ❶〕 〔여러 후보 중 마땅한 대상을 고름〕
 연전(年前)에 우리 시삼촌께옵서 동지상사(同至上使) 낙점(落點)을 무르와, 북경을 다녀오신
 〔몇 해 전〕 〔동짓달에 중국으로 보내던 사신의 우두머리〕 〔받아〕
후에 바늘 여러 쌈을 주시거늘 친정과 원근(遠近) 일가(一家)에게 보내고, 비복(婢僕)들도 쌈
 〔바늘을 묶어 세는 단위. 한 쌈은 24개임〕 〔가깝고 먼 친척〕 〔남녀 종〕
쌈이 낱낱이 나누어 주고, 그중에 너를 택하여 손에 익히고 익히어 지금까지 해포 되었더니,
 〔한 해가 조금 넘는 동안〕
슬프다, 연분(緣分)이 비상(非常)하여 너희를 무수히 잃고 부러뜨렸으되, 오직 너 하나를 연구
 〔평범하지 아니함〕 〔부러진 바늘〕
(年久)히 보전(保全)하니, 비록 무심한 물건이나 어찌 사랑스럽고 미혹지 아니하리오. 아깝고
 〔지난 세월이 꽤 오래됨〕 〔마음이 없는〕 〔Link 글쓴이의 체험 ❷〕
불쌍하며, 또한 섭섭하도다.
 〔바늘이 부러진 것에 대한 안타까움을 직접 드러냄〕 ➤ 바늘과의 인연

 나의 신세 박명(薄命)하여 슬하에 한 자녀 없고, 인명이 흉완(凶頑)하여 일찍 죽지 못하고,
 〔복이 없고 팔자가 사나워〕 〔흉악하고 모짊〕
가산(家産)이 빈궁(貧窮)하여 침선(針線)에 마음을 붙여, 널로 하여 시름을 잊고 생애를 도움
 〔집안이 가난하여〕 〔바느질〕 〔너로 인하여〕 〔생계〕
이 적지 아니하더니, 오늘날 너를 영결하니, 오호통재라, 이는 귀신이 시기하고 하늘이 미워하
 〔Link 글쓴이의 체험 ❸〕
심이로다.
 ➤ '나'의 외로운 처지와 바늘을 아끼는 마음

『아깝다 바늘이여, 어여쁘다 바늘이여, 너는 미묘한 품질과 특별한 재치를 가졌으니, 물중(物中)
 〔『 』: 추모의 감정이 고조됨〕 〔바늘에 대한 예찬〕 〔물건 중에 대단한 물건〕
의 명물이요, 철중(鐵中)의 쟁쟁(錚錚)이라. 민첩하고 날래기는 백대의 협객이요, 굳세고 곧기
 〔백 년에 한 번 나오는 호탕한 무인(武人)〕
는 만고(萬古)의 충절이라. 추호(秋毫) 같은 부리는 말하는 듯하고, 두렷한 귀는 소리를 듣는
 〔만년에 한 번 나오는 충성과 절개〕 〔매우 가는 털〕 〔뚜렷한〕
듯한지라. 능라(綾羅)와 비단(緋緞)에 난봉(鸞鳳)과 공작(孔雀)을 수
 〔두꺼운 비단과 얇은 비단〕 〔난조(鸞鳥)와 봉황을 아울러 이르는 말〕
놓을 제, 그 민첩하고 신기(神奇)함은 귀신이 돕는 듯하니, 어찌 인
력이 미칠 바리오.』
 ➤ 바늘의 뛰어난 품질과 재주

 오호 통재라, 자식이 귀하나 손에서 놓을 때도 있고, 비복(婢僕)이
 〔대구법〕
순(順)하나 명을 거스를 때 있나니, 너의 미묘한 재질이 나의 전후
(前後)에 수응(酬應)함을 생각하면, 자식에게 지나고 비복(婢僕)에게
 〔바라는 대로 잘 응해 줌〕 〔~보다 낫고〕

Link

출제자 TIP 글쓴이의 체험을 파악하라!

❶ 글쓴이가 바늘을 얻게 된 사연은?
북경을 다녀온 시삼촌에게 선물로 받음.

❷ 글쓴이가 바늘에 각별한 애정을 갖게 된 까닭은?
잃어버리거나 부러진 다른 바늘들과 달리 오랫동안 지녔기 때문에

❸ 글쓴이가 바느질을 즐겨한 까닭은?
자녀도 없고 남편을 여읜 외로움과 시름이 잊히고 생계에 도움이 되어서

지나는지라.

천은(天銀)으로 집을 하고, 오색으로 파란을 놓아 결고름에 채였으니, 부녀의 노리개라. 밥
먹을 적 만져 보고 잠잘 적 만져 보아, 널로 더불어 벗이 되어, 여름 낮에 주렴(珠簾)이며, 겨
울밤에 등잔을 상대하여, 누비며, 호며, 감치며, 박으며, 공그릴 때에, 겹실을 꿰었으니, 봉미
(鳳尾)를 두르는 듯, 땀땀이 떠 갈 적에, 수미(首尾)가 상응(相應)하고, 솔솔이 붙여 내매 조화
가 무궁하다. 이생에 백년 동거(百年同居)하렸더니, 오호애재(嗚呼哀哉)라, 바늘이여.

금년 시월 초십일 술시(戌時)에, 희미한 등잔 아래서 관대(冠帶) 깃을 달다가, 무심중간(無
心中間)에 자끈동 부러지니 깜짝 놀라워라. 아야 아야 바늘이여, 두 동강이 났구나. 정신이 아
득하고 혼백이 산란하여, 마음을 빻아 내는 듯, 두골을 깨쳐 내는 듯, 이윽도록 기색혼절(氣塞
昏絶)하였다가 겨우 정신을 차려, 만져 보고 이어 본들 속절없고 하릴없다. 편작(扁鵲)의 신술
(神術)로도 장생불사(長生不死) 못하였네. 동네 장인(匠人)에게 때이련들 어찌 능히 때일손가.
한 팔을 베어 낸 듯, 한 다리를 베어 낸 듯, 아깝다 바늘이여, 옷섶을 만져 보니 꽂혔던 자리
없네. 오호 통재라, 내 삼가지 못한 탓이로다.

무죄한 너를 마치니, 백인(伯仁)이 유아이사(由我而死)라, 누를 한(恨)하며 누를 원(怨)하리
오. 능란(能爛)한 성품과 공교(工巧)한 재질을 나의 힘으로 어찌 다시 바라리오. 절묘한 의형
(儀形)은 눈 속에 삼삼하고, 특별한 품재(稟才)는 심회가 삭막하다.
네 비록 물건이나 무심치 아니하면 후세에 다시 만나 평생(平生) 동
거지정(同居之情)을 다시 이어, 백년고락(百年苦樂)과 일시생사(一
時生死)를 한가지로 하기를 바라노라. 오호 애재라, 바늘이여.

➤ 바늘에 대한 애도와 후세에 만날 것을 기약함

● 백인(伯仁)이 유아이사(由我而死)라: '백인이 나로 인해 죽었구나.'라는 의미임. 중국 진나라의 왕도가 억울하게 감옥에 갇혔을 때 친구인 백인이 힘을 써 죽음을 면했지만, 그 사실을 몰랐던 왕도는 백인이 감옥에 갇혔을 때 구하려고 애쓰지 않다가 백인이 죽고 난 후에 그 사실을 알고 자책했다고 함.

Link 글쓴이의 심리 ❶ (품질이 가장 뛰어난 은)
(법랑)
(은으로 만든 장식품에 법랑으로 색을 꾸밈 – 바늘에 대한 글쓴이의 정성)
(바늘의 또 다른 용도)
(구슬 따위를 꿰어 만든 발)
(열거법 – 바느질의 다양한 기법)
(봉황의 꼬리)
(바느질의 단위)
(바느질의 처음과 끝이 잘 맞음)
(옷감과 옷감을 이으니)
➤ 글쓴이와 바늘의 각별한 인연

(오후 7~9시 사이)
(벼슬아치들의 관복)
(아무 생각이나 감정 따위가 없는 사이)
(부러진 바늘에 대한 안타까움)
(흩어져 어지러움)
(꽤 늦게까지)
(숨이 막혀 까무러침)
(오래도록 살고 죽지 아니함)
(달리 어떻게 할 도리가 없다)
(신기한 재주)
(때우려 한들)
(과장법 – 자신의 수족을 잃은 듯한 고통, 슬픔)
➤ 바늘을 부러뜨린 때의 회상과 슬픔
(부러뜨리니)
(바늘이 부러진 것을 자책함)

Link 글쓴이의 심리 ❷
(누구도 원망할 수 없다는 뜻임)
(익숙하고 솜씨가 있음)
(솜씨나 꾀 따위가 재치 있고 교묘함)
(몸가짐, 태도)
(잊히지 않고 눈에 보이는 듯 또렷함)
(타고난 재주)
(마음속에 품고 있는 생각이나 느낌)
(다음 생애에도 함께하고 싶은 마음)
(한때의 죽고 사는 일)

Link

출제자 특 | 글쓴이의 심리를 파악하라!

❶ 바늘에 대한 글쓴이의 정성을 보여 주는 것은?
은으로 만든 장식품에 법랑으로 색을 꾸미고 항상 지니고 다님.

❷ 바늘이 부러졌을 때 글쓴이의 심정은?
깜짝 놀라 경황이 없다가 바늘이 부러진 것을 자책함.

최우선 | 출제 포인트!

1 표현상 특징과 효과

특징	효과
제문 형식 차용	'유세차(維歲次)'로 시작하는 제문의 구조를 따르고 있으며, 이를 통해 바늘이 부러진 애통함을 부각시킴.
다양한 수사법 사용	의인법, 비유법, 열거법, 과장법, 대구법 등을 사용해 글쓴이의 바늘을 아끼는 마음과 바늘이 부러졌을 때의 슬픔을 표현함.

2 글쓴이와 '바늘'의 관계

글쓴이(유씨 부인)	바늘
남편을 여의고 홀로 지내는 외로움과 시름을 바느질로 달래며 생계를 꾸림.	품재가 뛰어나 글쓴이의 사랑을 받으며 27년간 함께하다가 부러짐.

최우선 | 핵심 Check!

1 다음 내용 중 맞는 것은 ○표를, 틀린 것은 ×표를 하시오.

(1) 대구와 열거를 통해 리듬감을 형성하고 있다. ( )
(2) 섬세한 묘사를 통해 대상이 지닌 특성을 제시하고 있다. ( )
(3) 영탄적 어조를 통해 대상을 잃은 안타까움을 강조하고 있다. ( )
(4) 고사(故事)를 활용하여 낯선 대상을 친숙하게 소개하고 있다. ( )
(5) 대상과 관련된 일화가 '바늘을 얻게 된 과정-바늘을 부러뜨린 상황-바늘에 대한 추억'의 순서로 제시되어 있다. ( )

2 초성 힌트를 보고 빈칸에 들어갈 알맞은 말을 쓰시오.

(1) 서두의 '유세차 모년 모월 모일에'라는 구절을 통해 이 글이 [ㅈㅁ] 형식을 따르고 있음을 알 수 있다.
(2) [ㅂㄴ]을/를 의인화하여 글쓴이가 느끼는 친밀감을 나타내고 있다.

정답 1. (1) ○ (2) ○ (3) ○ (4) × (5) × **2.** (1) 제문 (2) 바늘

한가해진 틈[閒]에 지난날의 한(恨)을 되새겨 보는 기록

한중록(閑中錄) | 혜경궁 홍씨

사도 세자의 비(妃)이자 정조의 어머니

성격 회고적, 사실적, 비극적 **시대** 조선 후기
주제 사도 세자의 참변을 중심으로 한 파란만장한 인생 회고

141위

수필

이 글은 혜경궁 홍씨가 사도 세자의 비참한 죽음과 자신의 기구한 일생을 회상하며 쓴 궁중 수필이다. 비극적 사건의 전후와 당시의 심정을 생생하게 기록하고 있다.

내용 전개

1편
혜경궁 홍씨의 출생과 어릴 때의 추억, 9세 때 세자빈으로 간택되어 이듬해 입궁한 이후 50년간의 궁중 생활에 대한 회고

2편·3편
친정의 몰락에 대한 자탄과 억울함을 밝힘. 사도 세자의 죽음과 친정은 무관함을 주장하고, 정조가 외가를 용서하는 과정을 기록함.

4편
사도 세자가 당한 참변의 진상에 대해 소상히 기록함.

핵심장면 사도 세자가 뒤주 속에 갇혀 죽게 된 전후 사정을 소상하게 설명하는 부분이다.

창경궁에 있던 전각 / 주체 - 사도 세자
그날 나를 덕성합으로 오라 하오시니, 그때가 오정(午正)쯤이나 되는데, **홀연 까치가 수(數)**
사도 세자가 뒤주에 갇히던 날. 영조 38년(1762년) 5월 23일 / 정모 / 『 』: 불길한 징조 - '나'의 불안한 심정이 고조됨
를 모르게 경춘전을 에워싸고 우니, 그는 어인 징조런고? 괴이하여, 세손(世孫)이 환경전에 계
창경궁 안의 전각 / Link 소재의 의미 ❶ / 왕세자의 맏아들, 훗날의 정조 / 경춘전 동쪽에 있던 전각
신지라, 내 마음이 황황(遑遑)한 중, 세손 몸이 어찌 될 줄 몰라 그리 내려가 세손더러, 아무
갈팡질팡 어쩔 줄 모름
일이 있어도 놀라지 말고 마음 단단히 먹으라 천만당부(千萬當付)하고 어찌할 줄 모르더니,
오후 1~3시 사이 / 간곡한 당부
거동이 어찌 지체하여 미시(未時) 후나 휘령전으로 오신다는 말이 있더니, ▶불길한 예감과 세손에 대한 당부
영조의 원비였던 정성 왕후의 위패를 모신 전각 / 주체 - 영조
그리할 제, 소조(小朝)께서 나를 덕성합으로 오라 재촉하시기 가 뵈오니, 그 장하신 기운과
왕세자, 사도 세자 / 평소 사도 세자의 모습
불호(不好)하신 언사도 아니 계오시고, 고개를 숙여 침사 상량(沈思商量)하여 벽에 의지하여
깊이 생각함 - 위기감을 느끼는 사도 세자의 모습
앉아 계오신데, 안색이 놀라오셔 혈기 감(減)하오시고 나를 보오시니, 응당 화증(火症)을 내
의기침함 / 당연히 화를 낼 줄 알고
오셔 오죽하지 아니하실 듯, 내 명(命)이 그날 마칠 줄 스스로 염려하여 세손을 경계 부탁하고
사도 세자에게 화를 입을 것을 염려했던 혜경궁 홍씨
왔더니, 사기(辭氣) 생각과 다르오셔 나더러 하시되,
말과 얼굴빛
"아마도 괴이하니, 자네는 좋이 살게 하였네. 그 뜻들이 무서워."
이상함 / 별탈 없이 잘 / 자신을 죽이려 함을 알아챔
하시기 내 눈물을 드리워 말없이 허황(虛荒)하여 손을 비비고 앉았더니, ▶사도 세자의 예감과 체념
헛되고 황당하여 미덥지 못함
휘령전으로 오시고 소조를 부르신다 하니, 이상할손 『어이 '피(避)차.'라는 말도 '달아나자.'라
영조가 사도 세자를 부름 / 피하자 / 『 』: 평소와는 다른 사도 세자의 행동에 혜경궁 홍씨가 불안해함
는 말도 아니하시고, 좌우를 치도 아니하시고, 조금도 화증 내신 기색 없이 썩 용포(龍袍)를
신하들을 물리지 않고 / 평소와는 다른 사도 세자의 행동에 혜경궁 홍씨가 불안해함
달라 하여 입으시며 하시되,
말라리아 / 추울 때 머리에 쓰던 모자의 하나
"내가 학질(瘧疾)을 앓는다 하려 하니, 세손의 휘항(揮項)을 가져오라. Link 소재의 의미 ❷
세손을 아끼는 영조의 마음을 움직이기 위해 세손의 휘항을 찾는 사도 세자 / ★ 주요 소재
하시거늘, 내가 그 휘항은 작으니 당신 휘항을 쓰시고자 하여, 내인(內人)더러, 당신 휘항을
사도 세자의 의도를 모르는 혜경궁 홍씨 / 나인, 궁녀 / 사도 세자
가져오라 하니, 몽매(夢寐) 밖에 썩 하시기를,
뜻밖에 대뜸 말하기를
"자네가 아무커나 무섭고 흉한 사람이로세. 자네는 세손 데리고 오래 살려 하기, 내가 오늘 나
『 』: 혜경궁 홍씨에 대한 원망의 감정과 앞으로 닥칠 일에 대한 사도 세자의 불안감 / 앞으로 닥칠 일을 짐작하는 사도 세자
가 죽겠사외로와, 세손의 휘항을 아니 쓰이랴 하는 심술을 알겠네.』
곧 죽을 사람의 부정을 타지 않으려는 의도
하시니, 내 마음은 당신이 그날 그 지경에 이르실 줄은 모르고 이 끝
사도 세자가 죽음에 이르게 될 줄
이 어찌 될꼬? 사람이 다 죽을 일이요, 우리 모자의 목숨이 어떠할
런고? 아무렇다 없었기 천만 의외의 말씀을 하시니, 내 더욱 서러워
다시 세손 휘항을 갖다 드리며,

Link
출제자 톡! 소재의 의미를 파악하라!
❶ '나'가 불길한 징조로 여기고 있는 것은?
까치 울음소리
❷ 소조(사도 세자)가 세손의 휘항을 쓰고 나가려고 하는 이유는?
대조(영조)가 세손을 귀애하므로 세손의 휘항을 쓰고 나가 대조의 마음을 누그러뜨리기 위해서

472 최우선순 분석편

"그 말씀이 하 마음에 없는 말이시니 이를 쓰소서."

하니, / "싫어! 사외하는 것을 써 무엇할꼬."

하시니 이런 말씀이 어이 병환(病患) 드신 이 같으시며, 어이 공순히 나가려 하시던고? 다 하늘이니, 원통 원통하오다. 그러할 제 날이 늦고 재촉하여 나가시니, 대조(大朝)께서 휘령전에 좌(坐)하시고, 칼을 안으시고 두드리오시며 그 처분을 하시게 되니, 차마 차마 망극하니, 이 경상(景狀)을 내 차마 기록하리오. 섧고 섧도다.

➤ 휘황에 얽힌 사연과 영조의 부르심

나가시며, 대조께서 엄노(嚴怒)하오신 성음(聲音)이 들리오니, 휘령전이 덕성합과 멀지 아니하니 담 밑에 사람을 보내어 보니, 벌써 용포를 벗고 엎디어 계시더라 하니, 대처분(大處分)이 오신 줄 알고, 천지 망극하여 흉장(胸腸)이 붕렬(崩裂)하는지라.

게 있어 부질없어, 세손 계신 데로 와 서로 붙들고 어찌할 줄 몰랐더니, 신시(申時) 전후 즈음에 내관(內官)이 들어와 밧소주방 쌀 담는 궤를 내라 한다 하니, 어쩐 말인고? 황황하여 내지 못하고, 세손궁이 망극한 거조(擧措)가 있는 줄 알고 문정전(文政殿)에 들어가,

"아비를 살려 주옵소서."

하니, 대조께서 나가라 엄히 하시니, 나와 왕자 재실(齋室)에 앉아 계시더니, 내 그때 정경이야 고금천지(古今天地) 간에 없으니, 세손을 내어보내고 천지 합벽하고 일월이 회색하니, 내 어찌 일시나 세상에 머물 마음이 있으리오. 칼을 들어 명을 그치려 하니, 방인(傍人)의 앗음을 인하여 뜻 같지 못 하고, 다시 죽고자 하되 촌철(寸鐵)이 없으니 뜻 하고, 숭문당(崇文堂)으로 말미암아 휘령전 나가는 건복문(建福門)이라 하는 문 밑으로 가니, 아무것도 뵈지 아니하고, 다만 대조께서 칼 두드리시는 소리와 소조께서,

"아바님 아바님, 잘못하였으니, 이제는 하라 하옵시는 대로 하고, 글도 읽고 말씀도 다 들을 것이니, 이리 마소서."

하시는 소리가 들리니, 간장이 촌촌(寸寸)이 끊어지고 앞이 막히니, 가슴을 두드려 아무리 한들 어찌하리오. 당신 용력(勇力)과 장기(壯氣)로 궤에 들라 하신들 아무쪼록 아니 드오시지, 어이 필경에 들어가시던고. 처음엔 뛰어나오려 하시옵다가 이기지 못하여 그 지경에 미치오시니, 하늘이 어찌 이대도록 하신고?

➤ 영조의 대처분으로 뒤주에 갇히는 사도 세자

만고에 없는 설움뿐이며, 내 문 밑에서 호곡(號哭)하되, 응하심이 아니 계신지라. 소조가 벌써 폐위(廢位)하여 계시니, 그 처자(妻子)가 안연(晏然)히 대궐에 있지 못할 것이요, 세손을 밖에 그저 두어서는 어떠할꼬? 두렵고 조마조마하여, 그 문에 앉아 대조께 글을 올리니라.

"처분이 이러하시니 죄인의 처자가 편안히 대궐에 있기도 황송하옵고, 세손을 오래 밖에 두기는 귀중한 몸이 어찌 될지 두렵사오니, 이제 본집으로 나가게 하소서."

Link

출제자 톡 인물의 의도를 파악하라!

❶ 소조가 용포를 벗었다는 것이 의미하는 바는?
소조가 폐위를 당했음.

❷ 대조가 쌀 담는 궤를 내라고 한 것과, '나'가 소조가 힘과 기운을 써서라도 궤 안에 들어가지 않기를 바라는 것을 통해 알 수 있는 것은?
대조의 처분에 따라 소조가 궤 안에 갇힌 채 죽음에 이르게 될 것임.

❸ 소조가 죽음을 당하게 될 것을 안 직후 세손과 '나'가 한 일은?
세손은 대조에게 아비를 살려 달라고 간청하고, '나'는 자결을 하려고 함.

그 끝에 / "천은(天恩)으로 세손을 보전하여 주시길 바라나이다."
임금(영조)의 은덕

하고 써 가까스로 내관을 찾아 드리라 하였더라.

오래지 아니하여 오빠가 들어오셔서
왕세자 – 사도 세자   혜경궁 홍씨의 오빠 홍낙인

"동궁을 폐위하여 서인으로 만드셨다 하니, 빈궁도 더 이상 대궐에 있지 못할 것이라. 위에
서인, 아무 벼슬이나 신분적 특권을 갖지 못한 일반 사람   혜경궁 홍씨   영조

서 본집으로 나가라 하시니 가마가 들어오면 나가시고, 세손은 남여(藍輿)를 들여오라 하였
의자와 비슷하고 뚜껑이 없는 작은 가마

으니 그것을 타고 나가시리이다."

하시니, 서로 붙들고 망극 통곡하니라. 나는 업혀서 청휘문에서 저승전 앞문으로 가 거기서
가마를 타니, 윤 상궁이란 내인이 가마 안에 함께 타니라. 별감들이 가마를 메고, 허다한 상하
내인이 다 뒤를 따르며 통곡하니, 만고 천지간에 이런 경상(景狀)이 어디 있으리오. 나는 가마
에 들 제 기운이 막혀 인사를 모르니, 윤 상궁이 주물러 겨우 명(命)은 붙었으나 오죽하리오.
탈 때   의식을 잃어 인사불성이 됨

▶ 사도 세자가 폐위되고 친정으로 돌아가는 혜경궁 홍씨

최우선 **출제 포인트!**

1 이 글의 문학적 가치

역사적 기록	높은 신분의 궁중 인물이 쓴 글이라는 점과 궁궐 내부에서 일어난 역사적 사실을 알려 주고 있다는 점에서 정계 야화로서의 가치를 지님.
궁정 문학	• 주요 장면의 묘사, 등장인물의 내면 심리 제시, 세련된 문체, 갈등의 생동감 있는 재현, 입체적 구성 등이 한 편의 소설에 비길 만함. • 우아한 어휘와 전아한 문체, 당대 궁중의 풍속과 용어를 잘 나타내고 있어서 궁정 문학의 효시라 할 만함.
여성 문학	여성의 비극적 체험과 한의 정서를 내면화한 내용으로, 여성 독자층이 확대되는 계기를 마련함.

2 인물의 처지와 심리

사도 세자	• 부왕인 영조에 대해 증오심과 두려움의 감정이 있음. • 자기가 죽을 처지에 있는데도 혜경궁 홍씨는 홍씨 자신과 세손의 목숨만을 걱정한다고 생각하여 서운함을 느낌.
혜경궁 홍씨	• 남편이 뒤주에 갇힌 것을 알고 비참함과 암담함을 느끼고 남편을 위해 아무것도 할 수 없는 자신의 처지를 비관함. • 남편의 죽음을 안타까워하면서도 자식의 안위를 위해 이를 견뎌 내려 함.

▶ **1등급! 〈보기〉!**

사도 세자의 죽음에 대한 역사적 기록

세손이 들어와 관(冠)과 포(袍)를 벗고 세자의 뒤에 엎드리니, 임금이 안아다가 시강원으로 보내고 김성응 부자(父子)에게 수위(守衛)하여 다시는 들어오지 못하게 하라고 명하였다. 임금이 칼을 들고 연달아 차마 들을 수 없는 전교를 내려 동궁의 자결을 재촉하니, 세자가 자결하고자 하였는데 춘방(春坊)의 여러 신하들이 말렸다. 임금이 이어서 폐하여 서인을 삼는다는 명을 내렸다.
　　　　　　　　　　　　　　　　　　　　 – 『조선왕조실록』

최우선 **핵심 Check!**

1 다음 내용 중 맞는 것은 ○표를, 틀린 것은 ×표를 하시오.

(1) 문장이 사실적이고 박진감이 있는 소설이다.　　　(　)
(2) '한'의 정서를 내면화한 여성 문학의 전범이다.　　(　)
(3) 과거의 이야기를 회상의 형식으로 서술하고 있다.　(　)
(4) 당시 궁중 생활과 사대부가의 생활에 대해 알 수 있다.　(　)
(5) 품위 있는 궁중 용어를 사용하여 전아하게 표현하고 있다.　(　)

2 다음과 같은 의도를 가지고 소조가 취한 행동은?

• 대조가 자신을 죽일 것을 예감한 소조가 대조의 마음을 누그러뜨려 죽음을 모면하고자 함.
• 세손에 대한 부자간의 끈을 놓지 않으려 함.

정답 1. (1) × (2) ○ (3) ○ (4) ○ (5) ○
2. 학질을 앓는다고 하고 세손의 휘항을 쓰려함.

「한중록」은 개인의 기록이기 때문에 주관적인 내용과 급박한 상황에 대한 글쓴이의 감정이 담겨 있다. 하지만 『조선왕조실록』은 왕실과 조정에 관한 내용을 있는 그대로 기록하는 것을 그 생명으로 하기 때문에 주관적인 내용을 배제한 채 그 당시의 상황을 객관적으로 전달하고 있다. 따라서 『조선왕조실록』에 기록된 내용에 대한 역사적 평가는 후대에 그것을 읽는 사람들의 관점에 의해 이루어지게 된다.

142위

거울에 관한 이야기
경설(鏡說) | 이규보

성격 교훈적, 상징적, 관조적 **시대** 고려 시대
주제 삶을 살아가는 올바른 처세

수필

이 글은 '경(거울)'에 대한 손(나그네)과 거사의 문답을 통해 바람직한 삶의 자세와 처세에 대한 교훈을 제시하고 있는 한문 수필이다.

내용 전개

손[客]의 질문	→	거사의 대답
흐린 거울을 보며 얼굴을 가다듬는 거사에게 왜 흐린 거울을 사용하느냐고 물음.		대개 못생긴 사람이 더 많으므로 추한 모습을 들추는 맑은 거울보다는 이를 포용해 주는 흐린 거울을 사용하는 것이 합당하다고 함.

전문

★★ 중심 소재

거사(居士)에게 <u>거울</u> 하나가 있는데, 먼지가 끼어서 마치 구름에 가려진 달빛처럼 희미하였
숨어 살며 벼슬하지 않는 선비, 손에게 깨달음을 주는 인물   사람의 결점, 세속의 탁함
다. 그러나 조석(朝夕)으로 들여다보고 마치 얼굴을 단장하는 사람처럼 하였더니, 어떤 손[客]
아침과 저녁   고정 관념을 가진 사람
이 묻기를,

『 』: 손이 생각하는 거울의 용도
"<u>거울이란 얼굴을 비치는 것</u>이요, 그렇지 않으면 <u>군자(君子)가 그것을 대하여 그 맑은 것을</u>
거울의 실용적인 가치   거울의 윤리적 가치 – 인격 수양
취하는 것인데』 지금 그대의 거울은 마치 안개 낀 것처럼 희미하니, 이미 얼굴을 비칠 수가
흐린 거울
없고 또 맑은 것을 취할 수도 없네. 그런데 그대는 오히려 얼굴을 비추어 보고 있으니, 그것
은 무슨 까닭인가?" / 하였다.   ▶흐린 거울을 보는 거사에게 의문을 제기하는 손

거사는 말하기를, / "거울이 맑으면 <u>잘생긴 사람</u>은 기뻐하지만 <u>못생긴 사람</u>은 꺼려하네. 그
도덕적인 사람   결점이 있는 사람
러나 잘생긴 사람은 <u>수효가 적고</u>, 못생긴 사람은 <u>수효가 많네</u>. 만일 못생긴 사람이 한번 들
소수   다수
여다보게 된다면 반드시 깨뜨리고야 말 것이네. 그러니 먼지가 끼어서 희미한 것만 못하네.
결점을 관용하는 유연한 태도가 필요함
먼지가 흐리게 한 것은 그 겉만을 흐리게 할지언정 그 맑은 것은 <u>상우지 못하니</u>, 만일 잘생
상하게 하지
긴 사람을 만난 뒤에 닦여져도 <u>시기가 역시 늦지 않네</u>. 아, 옛날 거울을 대한 사람은 그 맑은
때를 기다릴 줄 아는 태도
것을 취하기 위한 것이었지만 내가 거울을 대하는 것은 그 희미한 것을 취하기 위함인데, 그
인간의 결점에 대한 포용과 유연한 태도
대는 무엇을 괴이하게 여기는가?" / 하였더니, <u>손은 대답이 없었다.</u>▶손에게 흐린 거울의 의미를 설명하는 거사
거사의 논리를 수용함

최우선 출제 포인트!

1 이 글에서 제시한 두 가지 교훈

첫 번째 교훈	지나치게 청렴결백할 경우 결함이 있는 사람들에 의해 파국을 맞이하게 될 수 있으므로, 자신의 청렴결백함을 드러낼 상황이 아니라면 드러내지 않는 것이 더 현명함.
두 번째 교훈	세상에는 잘난 사람들보다 모자란 점이 있는 사람들이 더 많으므로, 사람들의 잘잘못을 따지기보다는 너그럽게 넘어갈 줄도 알아야 함.

2 인물과 소재의 역할

거사	글쓴이의 분신으로 글쓴이의 생각을 대변함.
손	거사의 주장을 선명하게 드러내기 위해 먼저 통념을 제시하는 역할을 함.
거울	내면을 비춰 주는 도구로, 바람직한 삶의 자세와 처세 방법을 일깨워 줌.

최우선 핵심 Check!

1 다음 내용 중 맞는 것은 ○표를, 틀린 것은 ×표를 하시오.

(1) 손과 거사의 문답 형식을 통해 주제 의식을 드러내고 있다. (   )

(2) 거사는 손에게 답을 하면서 통념을 깨뜨리고 올바른 삶의 태도를 이야기하고 있다. (   )

(3) 거사의 말에서 '잘생긴 사람'은 도덕적으로 결함이 없는 사람을 상징한다. (   )

2 초성 힌트를 보고 빈칸에 들어갈 알맞은 말을 쓰시오.

(1) ㄱㅅ (이)라는 허구적 대리인을 내세워 글쓴이의 인식을 표출하고 있다.

(2) ㅎㄹ 거울을 보는 거사의 모습을 통해 상대방의 결점을 포용하는 유연한 태도가 필요하다는 주제를 전달하고 있다.

정답 1. (1) ○ (2) ○ (3) ○ 2. (1) 거사 (2) 흐린

143위

관상가와의 대화 | 이규보

성격 교훈적, 성찰적 **시대** 고려 시대
주제 편견을 버리고 유연한 시각으로 대상을 바라 보아야 함

수필

이 작품은 관상에 관련된 책을 읽지 않고 자기 마음대로 관상을 보는 '이상한 관상가'를 등장시켜, 우리의 통 념이 지니는 한계와 문제점을 지적하고 있는 고전 수필이다.

내용 전개 방식

기	승	전	결
관상에 관한 책을 읽거나 관상 보는 규칙을 따르지 않고 독특한 방식으로 관상을 보는 '이상한 관상가'가 출현함.	이상한 관상가가 이상하게 관상을 본 내용을 들음.(관상을 본 사람에게 현재와 반대되는 삶을 살 것이라고 예언)	'나'가 이상한 관상가를 직접 찾아가 사람들에게 반대의 예언을 한 이유를 물음.	대상의 이면을 보지 못하고 눈에 보이는 현상만 보고 대상을 판단하는 우를 범하지 말아야겠다는 깨달음을 얻음.

```
뭇 사람들          사기꾼                     기이한 관상가          '나'
관습적·일반적 관점    ──────▶   이상한 관상가   ◀──────      편견이 없음
```

전문

어디에서 왔는지 알 수 없는 관상가가 있었다. 그는 『관상에 관련된 책을 읽지 않고 관상 보
신비성
<small>사람의 얼굴을 보고 그의 운명, 성격, 수명 따위를 판단하는 일을 직업으로 하는 사람</small>   <small>관습적 방식의 탈피</small>
는 규칙을 따르지 않은 채 이상한 기술로 관상을 보았기 때문에』 사람들은 그를 '이상한 관상
『 』: 사람들이 그를 '이상한 관상가'라고 한 이유
가'라 불렀다. 그래서 고위 관리부터 남녀노소까지 모두 다투어 초빙하고 분주하게 달려가 관
<small>예를 갖추어 불러 맞아들임</small>
상을 보지 않는 사람이 없었다. 그가 보는 관상은 다음과 같다.
❯ 이상한 관상가에 대한 소개
Link 구절의 의미 ❶
부귀하면서 살지고 기름기 흐르는 사람을 보고서는 다음과 같이 말하였다.

"당신의 모습이 몹시 야위겠으니, 당신처럼 천한 사람도 없을 것이오."
<small>관상 내용 ①</small>   **Link** 구절의 의미 ❷
빈천하면서 아프고 파리한 사람을 보고서는 다음과 같이 말하였다.

"당신의 모습이 살찌겠으니, 당신처럼 귀한 사람도 드물 것이오."
<small>관상 내용 ②</small>
장님을 보고서는 다음과 같이 말하였다.

"눈이 밝겠소."
<small>관상 내용 ③</small>
민첩하여 잘 달리는 자를 보고서는 다음과 같이 말하였다.

"절뚝거리며 제대로 걸을 수도 없겠소."
<small>관상 내용 ④</small>
아름다운 여인을 보고서는 다음과 같이 말하였다.

"아름답기도 하고 추하기도 할 것이오."
<small>관상 내용 ⑤</small>
세상 사람들이 너그럽고 인자하다고 하는 사람을 보고서는 다음과 같이 말하였다.

"많은 사람을 아프게 할 사람이군요."
<small>관상 내용 ⑥</small>
당시 사람들이 잔혹하기 이를 데 없다고 하는 사람을 보고서는 다
음과 같이 말하였다. 『 』: 관상을 보는 사람의 현재와 반대되는 예언을 함
─ 사례의 열거로 호기심을 자극함
"많은 사람의 마음을 기쁘게 할 사람이군요."
<small>관상 내용 ⑦</small>   ❯ 관상가가 이상하게 관상을 본 사례
그가 관상을 보는 것이 모두 이와 같았다. 『재앙이나 복이 생겨나는
<small>일반적인 인식과는 반대임</small>   <small>예언의 근거를 밝히지 않음</small>
까닭을 말할 수 없을 뿐만 아니라 상대방의 얼굴과 행동거지를 살피
<small>현재 모습이나 행동과 반대되는 삶을 살 것이라는 예언</small>
는 것이 모두 반대였다.』 그래서 대중들은 사기꾼이라 시끄럽게 떠들며
『 』: 사람들이 그 관상가를 사기꾼이라 말한 이유   <small>상식이나 통념에서 벗어난 관상을 보기 때문에</small>

Link
출제자 (톡톡) 구절의 의미를 파악하라!

❶ 고위 관리부터 남녀노소 모두 관상을 보았 다는 데서 알 수 있는 것은?
당시 대부분의 사람들이 자신의 앞날에 대 해 관심이 컸다는 점을 알려 줌.

❷ '부귀하면서 살지고 기름이 흐르는 사람'에 게 말한 관상의 의미는?
부귀하고 살진 사람에게 천한 사람이 될 것 이며, 몹시 야위겠다고 한 것은 현재의 모습 과 처지와 정반대되는 삶을 살게 될 것이라 고 예언하는 말임.

그를 잡아다 심문하여 그의 거짓말을 취조하려 하였다.

❯이상한 관상가에 대한 사람들의 평가

내가 홀로 그들을 말리며 말하였다.
　　　홀로 선입견에 얽매이지 않음
"말이라는 것은 처음에는 거슬리나 뒤에는 이치에 맞는 것도 있고, 겉으로는 천박하나 안으
　　『 』말속에 담긴 의미를 파악하는 것이 중요함을 밝히고 있음
로는 심원한 것도 있네.』 저 사람 또한 눈이 있는데, 어찌 살진 자, 마른 자, 장님을 알지 못
　　　헤아리기 어려울 만큼 깊음　　　　　　　　상식이나 통념에서 벗어난 관상 내용을 말한 이유가 있을 것이라 짐작함
한 채 살진 자더러 마르겠다 하고 장님더러 눈이 밝다고 하였겠는가? 이 사람은 반드시
　　　　　　　　　관상가가 이상하게 관상을 본 이유가 반드시 있을 것이라는 생각을 드러냄
기이한 관상가임에 틀림없을 것이오."

이에 나는 목욕하고 양치하고 의복을 단정하게 한 뒤 관상가가 묵고 있는 곳으로 갔다. 옆에
있는 사람을 물러나게 하고는 물었다.
　　　　　　　　　　　　　　　　　　　　　　　　　　❯이상한 관상가를 찾아간 '나'
"그대가 아무개의 관상을 보고서 이러이러하다고 한 것은 어째서요?"
　　　관상가가 현재와 반대되는 상황을 예언함
관상가가 대답하였다.
　　　　　　　부귀한 사람이 지을 수 있는 잘못
"부귀하면 교만하고 오만한 마음이 불어나게 되고, 죄가 가득 차면 하늘이 반드시 뒤집어 놓
　　『 』부귀한 사람의 관상을 앞에서와 같이 본 이유(관상 내용 ①의 이유)
을 것입니다. 쭉정이도 먹지 못하게 되는 시기가 있을 것이기에 '여위겠다.'라고 하였고, 우
　　　　　　　　　　　　　　　　　　　　　　　부귀한 사람의 미래
매하여 어리석은 필부가 될 것이기에 '당신의 족속은 천하게 될 것이오.'라고 하였습니다.』

『빈천하면 뜻을 낮추고 자신의 몸가짐을 겸손하게 하여 두려워하며 반성하는 뜻이 있습니다.
『 』빈천한 사람의 관상을 앞에서와 같이 본 이유(관상 내용 ②의 이유)　　　빈천한 사람의 특성
막힘이 지극하면 반드시 펴지게 되는 법이니, 고기를 먹을 조짐이 이미 이르렀기에 '살찌겠
다.'라고 하였고, 만 섬의 곡식과 열 대의 수레를 모는 귀함이 있을 것이기에 '당신의 족속은
　　　　　　　　　　　　　　　빈천한 사람의 미래
귀하게 될 것이오.'라고 하였습니다.』

『요염한 자태와 아름다운 얼굴을 엿보아 만지게 하고, 진기하고 좋은 물건을 보고서 그것
　　　『 』장님의 관상을 앞에서와 같이 본 이유(관상 내용 ③의 이유)　　　여기서는 사람의 신체 감각 기관이 아닌 '사물을 판단하는 힘'을 의미함
을 탐하게 하며, 사람을 의혹되게 하고 사람을 왜곡되게 하는 것은 눈입니다. 이 때문에 뜻
　　　　　　　　　　　　　　　　　　　　　　　　욕심이 없고 마음이 깨끗하여
밖의 치욕을 당하게 된다면 눈이 밝지 않은 사람이 아니겠습니까? 오직 장님만이 담박하여
탐내지도 않고 만지지 않아 온몸에서 치욕을 멀리하는 것이 현각자(賢覺者)보다 뛰어나기에
　　　　　　　　　　동음이의어를 사용하여 장님에 대한 일반적인 생각을 뒤집음　　　　업신여기어 깔봄
'눈이 밝다.'라고 하였습니다.』『민첩하면 용기를 숭상하고 용기가 있으면 대중을 능멸하여 끝
　　　　　　　　　　　『 』민첩한 자의 관상을 앞에서와 같이 본 이유(관상 내용 ④의 이유)
내 자객이 되거나 간악한 우두머리가 됩니다. 이렇게 되면 정위(廷尉)가 체포하고 옥졸이 가
　　　　　　　　민첩한 자의 특성　　　　　　　　　　　중국 진(秦)나라 때부터 형벌을 맡아보던 벼슬
두어서 발에는 족쇄를 차고 목에는 칼을 쓰게 되니, 비록 달아나려 한들 가능하겠습니까?
그래서 '절뚝거리며 제대로 걸을 수 없겠다.'라고 하였습니다.』
　　　　　　　민첩한 자의 미래

『무릇 색이라는 것은 음탕하고 사치한 사람이 보면 보석처럼 아름답게 여기고, 단정하고
　　　『 』아름다운 여인의 관상을 앞에서와 같이 본 이유(관상 내용 ⑤의 이유)
순박한 사람이 보면 진흙처럼 추하게 여기기 때문에 '아름답기도 하고 추하기도 하다.'라고
　　　　　　　　보는 이에 따라 색에 대해 다른 평가를 함

하였습니다.』『이른바 인자한 사람이 죽었을 때에는 수많은 백성들이
그를 사모하여 어머니를 잃은 아이처럼 슬프게 울기 때문에 '많은 사
　　　애틋하게 생각하고 그리워함
람을 아프게 할 사람이다.'라고 하였습니다. 잔혹한 사람이 죽으면
거리마다 노래를 부르고 양고기와 술을 먹으며 축하하면서 연신 웃
느라 입을 닫지 못하는 사람도 있고, 손이 아프도록 손뼉을 치는 사

Link
출제자 특강 구절을 이해하라!
❶ 관상가가 이상하게 관상을 본 이유는?
　고정 관념이나 선입견을 경계하며 대상의
　이면에 숨겨진 진면목을 보고자 함.
❷ '나'가 관상가를 통해 느낀 것은?
　대상의 모습이나 삶을 눈에 보이는 대로 단
　순화하고 단정 짓는 것이 그 대상의 면모를
　얼마나 왜곡하는 것인지를 깨달음.

람도 있기에 '많은 사람을 기쁘게 할 사람이다.'라고 하였습니다.'"

Link 구절의 이해 ❶

▶관상가가 이상하게 관상을 본 이유

『 』: 인자한 사람과 잔혹한 사람이 각각 죽었을 때 세상 사람들이 그를 어떻게
평가할지를 근거로 관상을 보았음을 밝히고 있음(관상 내용 ⑥, ⑦의 이유)

내가 깜짝 놀라 일어나면서 말하였다.

감탄과 존경의 표현

"과연 내 말이 맞았군. 이 사람은 참으로 기이한 관상가로다. 그의 말은 좌우명으로 삼고,

법으로 삼을 만하다. 어찌 얼굴과 형상에 따라 귀한 상을 말할 때는 『몸에 거북이의 무늬가

코뿔소   귀한 존재가 될 것이라는 표식

있으니 높은 벼슬을 하겠고, 이마가 무소의 뿔처럼 튀어나왔으니 임금의 아내가 될 상'이라

비범한 존재가 될 것이라는 표식

하고, 나쁜 상을 말할 때는 '벌의 눈과 승냥이의 목소리를 가졌으니 흉악한 상'이라 하여, 잘

『 』: 틀에 박힌 것만 따르는 관상의 사례

못을 고치지 않고 틀에 박힌 것만을 따르면서 스스로 거룩한 체, 신령스러운 체하는 관상가

설의적 표현을 통해 이상한 관상가에 대한 예찬을 드러냄

이겠는가?" Link 구절의 이해 ❷

물러나와 그의 대답을 적는다.

▶관상가의 말을 듣고 깨달음을 얻은 '나'

글쓴이가 이 글을 쓰게 된 이유이자, 이 글이 관상가와의 대화를 통해 깨달음을 얻은 결과임을 제시함

최우선 출제 포인트!

1 '이상한 관상가'가 관상을 본 내용

대상	관상을 보고 한 말	그 이유
부귀한 사람	야윌 것이고, 천한 사람이 될 것임.	부귀하면 교만하고 오만한 마음이 불어나 죄가 가득 차게 되고 하늘이 벌을 줄 것이므로
빈천한 사람	살이 찌고, 귀한 사람이 될 것임.	빈천하면 두려워하며 반성하게 되므로 이에 막혔던 것이 펴지게 되므로
장님	눈이 밝을 것임.	탐욕으로 왜곡되게 만드는 눈이 없어 탐내고 만지지 않아 오히려 현명하여 눈이 밝다고 할 수 있으므로
민첩한 사람	절뚝거리며 제대로 걸을 수 없을 것임.	자객이 되거나 간악한 우두머리가 되어 발에 족쇄를 차고 목에 칼을 쓰게 될 것이므로
아름다운 여인	아름답기도 하고 추하기도 할 것임.	아름다움에 대한 기준은 사람마다 달라서 보는 사람에 따라 다른 평가를 할 것이므로
너그럽고 인자하다고 하는 사람	많은 사람을 아프게 할 것임.	인자한 사람이 죽으면 수많이 사람이 마음 아파하므로
잔혹하다고 하는 사람	많은 사람의 마음을 기쁘게 할 것임.	잔혹한 사람이 죽으면 많은 사람이 기뻐하므로

2 '이상한 관상가'에 대한 평가

뭇 사람들		글쓴이
관상가를 사기꾼으로 평가함. → 상투적인 관점으로 평가	↔	관상가를 특이한 안목을 지닌 인물로 평가함. → 독창적인 관점으로 평가

3 관상가의 태도를 통한 글쓴이의 깨달음

관상가의 관점과 태도	• 사람의 현재 얼굴보다는 그 사람의 미래를 내다보고 관상을 봄. • 눈에 보이는 대로만 판단하면 미래의 모습을 잘못 예측할 수 있으므로 대상의 이면에 숨겨진 의미를 찾아야 한다고 말함.
글쓴이의 깨달음	눈에 보이는 것과 반대로 이야기하는 이상한 관상가를 통해 편견에서 벗어난 유연하고 열린 사고의 필요성을 깨닫고 있음.

최우선 핵심 Check!

1 다음 내용 중 맞는 것은 ○표를, 틀린 것은 ×표를 하시오.

(1) 이 글은 글쓴이가 자신이 경험한 일화를 통해 삶의 교훈을 이끌어내고 있다. (   )

(2) 서술자가 개입하여 사건에 대해 주관적인 평가를 하고 있다. (   )

2 다음은 이 글에서 관상가가 관상을 보는 기준에 대한 설명이다. 빈칸에 들어갈 알맞은 말을 찾아 쓰시오.

대화	대상	진면목	외양

일반적으로 적용되는 고정 관념이나 선입견을 넘어 대상의 이면에 숨겨진 (   )을/를 분별하고 헤아리고자 한다.

정답 1. (1) ○ (2) × 2. 진면목

144위 단군 신화(檀君神話) | 작자 미상

성격 서사적, 신이적, 상징적 **시대** 상고 시대
주제 고조선의 건국과 홍익인간의 이념

설화

이 작품은 단군의 탄생 배경과 즉위 및 후일담에 관한 신화이다. 단군은 천제(天帝)의 아들인 환웅이 웅녀와의 사이에서 낳은 아들로, 우리 민족의 시조로 받드는 태초의 임금이다.

출제 우선 작품

내용 전개 방식

기	승	전	결
환웅의 강림과 인간 세계의 교화	곰의 인간 변신과 단군왕검의 탄생	단군의 고조선 건국	단군의 산신화

전문

고기(古記)에 이렇게 전한다.
『단군 고기(檀君古記)』 – 단군의 사적을 기록한 최고(最古)의 문헌으로, 현재 전하지 않음

옛날 환인(桓因) ─ 제석(帝釋)을 이른다. ─ 의 서자(庶子) 환웅(桓雄)이 계셨는데, 항상 천하
하늘나라의 상제   하느님   말아들 이외의 모든 아들
(天下)에 뜻을 두고 <u>인간 세상을 탐내어 구하였다.</u> 아버지가 아들의 뜻을 알고 삼위태백(三危
                    인간 중심적 사고 반영 ①   삼위산과 태백산
太伯)을 내려다보니, <u>인간 세계를 널리 이롭게 할 만하였다.</u> 이에 천부인(天符印) 세 개를 주
            홍익인간(弘益人間)의 건국 이념 – 인간 중심적 사고 반영 ②   신의 영험을 드러내는 신물. 거울, 방울, 칼로 추정됨
어, 내려가서 세상을 다스리게 하였다.

환웅은 그 무리 3천 명을 거느리고 태백산(太伯山) 꼭대기 ─ 태백산은 지금의 묘향산(妙香山)
이다. ─ 의 신단수(神壇樹) 아래에 내려와서 이곳을 신시(神市)라고 부르니, 이분이 곧 환웅 천
상고 시대에, 신성하게 여긴 도시. 여기서는 환웅이 세운 도시를 의미함
신에게 제사를 지내던 제단에 서 있는 나무. 신과 인간, 하늘과 땅을 이어 주는 매개 역할을 함
왕(桓雄天王)이다. 그는 풍백(風伯)·우사(雨師)·운사(雲師)를 거느리고 곡식·수명·질병·형
                        바람, 비, 구름을 각각 주관하는 존재. 당시 사회가 농경 사회였음을 반영함
벌·선악 등을 주관하고, 인간 세상의 삼백예순 가지 일을 맡아서 인간 세계를 다스리고 교화
                                                                        가르치고 이끌어서 좋은 방향으로 나아가게 함
(教化)하였다.
                                                        ▶ 환웅의 강림과 인간 세계의 교화

                                    인간이 되고자 하는 소망은 「단군 신화」의 인본주의적 성격을 보여 줌
이때 <u>곰</u> 한 마리와 <u>범</u> 한 마리가 같은 굴에서 살았는데, 항상 신웅(神雄, 환웅)에게 사람 되
    ★ 주요 소재   ★ 주요 소재   Link 소재의 상징적 의미 ❶
기를 빌었다. 이때 신(神, 환웅)이 신령한 쑥 한 심지와 마늘 스무 개를 주면서 말하였다.
                            ★ 주요 소재   ★ 주요 소재
                쑥은 인간의 형성. 마늘은 짐승의 성질을 제거하는 효험이 있는 것으로 알려짐. 주술적 의미
"너희들이 이것을 먹고 100일 동안 햇빛을 보지 않는다면 곧 사람이 될 것이다."
『 』: 사람이 되기 위한 통과의례   Link 소재의 상징적 의미 ❷
곰과 범은 이것을 받아서 먹었다. 기(忌)한 지 21일[三七日] 만에 곰은 여자가 되었으나, 범
Link 소재의 상징적 의미 ❸   몸과 마음을 깨끗이 하며 삼감   민속적 금기를 나타냄
은 능히 기(忌)하지 못했으므로 사람이 되지 못했다. 웅녀(熊女)는 그와 혼인할 상대가 없었으
                                                    족외혼을 하던 풍습
므로, 항상 신단수(神壇樹) 아래에서 아이를 배기를 기원하였다. 이에 환웅이 임시로 변하여
                                        ① 신과 인간의 결합 ② 천상과 지상의 결합 ③ 이주 부족과 토착 부족의 결합
웅녀와 혼인하여 아들을 낳으니, 이름을 '단군왕검(檀君王儉)'이라 하였다.
                        단군(제사장)과 왕검(정치적 군장). 제정일치 사회였음을 알 수 있음   ▶ 단군 탄생의 배경

단군은 요(堯)임금이 왕위에 오른 지 50년이 되는 경인년(庚寅年) ─ 요임금이 왕위에 오른
        상고 시대의 대표적인 성군으로 꼽히는 중국 신화 속 임금
해는 무진년(戊辰年)이다. 따라서 요임금 50년은 정사년(丁巳年)이
지 경인년(庚寅年)이 아니다. 아마 잘못된 부분이 있는 듯하다. ─ 에
평양성(平壤城) ─ 지금의 서경(西京) ─ 에 도읍을 정하고, 비로소
                                        『 』: 건국 신화의 성격 – 건국 시조, 연도, 나라 이름, 도읍지, 나라 명이 제시됨
조선(朝鮮)이라 일컬었다. 또 백악산(白岳山) 아사달(阿斯達)로 도읍
    고조선   '아침 해가 비치는 곳'이라는 뜻
을 옮겼는데, 그곳을 궁홀산(弓忽山), ─ '궁'(弓)은 '방'(方)으로 된 데
도 있다. ─ 또는 금미달(今彌達)이라고도 한다. 단군은 여기서 1천5
                                                    비현실성 – 신성성을 강조함
백 년 동안 나라를 다스렸다.
                                                ▶ 단군의 고조선 건국

Link
출제자 틱 소재의 상징적 의미를 파악하라!

❶ '곰'과 '범'이 상징하는 의미는?
'곰'은 곰을 숭배하는 부족을, '범'은 호랑이를 숭배하는 부족을 의미함.

❷ '쑥'과 '마늘'이 상징하는 것은?
윤리 의식, 도덕성 함양과 같이 사회화 과정에서 요구되는 훈련 과정을 상징

❸ 토템 신앙의 측면에서 볼 때, '곰'이 인간이 되어 환웅과 결혼한 것이 의미하는 바는?
부족 간 세력 다툼에서 곰을 숭배하는 부족이 승리함.

고전 산문 **479**

주(周)나라의 무왕(武王)이 왕위에 오른 기묘년(己卯年)에 기자(箕子)를 조선에 봉하니, 단
군은 장당경(藏唐京)으로 옮겼다. 『뒤에 단군은 아사달에 돌아와 은거하다가 산신이 되었는데,
그때 나이가 1천9백8세였다.』

중국 은나라의 현자 삼인(三仁) 중 한 사람으로 기자 조선을 세웠다는 설이 있음
고조선 시대의 도읍지
『 』: 신화의 전형적인 종결 방식 – 단군의 신성성을 더해 줌

❯ 단군의 산신화

최우선 출제 포인트!

1 이 설화에 반영된 내용

환웅이 널리 인간 세상을 이롭게 하려는 뜻을 펼침.	인간 중심적 사고를 반영함.
환웅이 태백산 신단수 아래로 하강함.	산신을 숭배하고 큰 나무를 신성시하는 산악숭배 사상이 반영됨.
환웅이 비, 바람, 구름의 신을 거느리고 세상을 다스림.	농경 사회를 배경으로 형성된 신화라는 점을 암시함.
곰이 웅녀가 되어 환웅과 혼인함.	동물숭배 사상(토테미즘)이 반영됨.
쑥과 마늘을 먹고 100일 동안 햇빛을 보지 않음.	수성(동물로서의 성격)의 제거를 위한 통과 의례를 상징함.
단군이 천오백 년 동안 나라를 다스림.	신화적 시간관이 표출됨.
단군이 은거하다가 1908세에 이르러 산신이 됨.	제정일치 시대의 군장의 신격화를 의미함.

2 신화로서의 신성성을 보여 주는 요소

환웅	• 천상의 존재인 환인의 아들로 태어남. • 천부인을 가지고 풍백, 우사, 운사 등을 거느리는 존재임. • 곰을 인간으로 변화시키는 능력을 지님.
단군	• 천상적 혈통(환웅)을 지닌 고귀한 존재이며, 신이한 탄생을 보임. • 고조선을 건국하고 퇴위 후 산신이 됨.

3 삼대기(三代記)의 구조

제1대	환인	천상적 존재로, 아들 환웅의 뜻을 헤아리고 인간 세상을 다스리게 함.
제2대	환웅	• 천상과 지상을 매개하는 존재로, 환웅이 내려온 땅은 하늘이 선택한 땅임을 드러냄. • 곰의 인간으로의 변화는 신화의 인본주의적 성격을 보여 주며, 환웅과 웅녀의 혼인은 신과 인간의 결합을 상징함.
제3대	단군	• 천상계(환웅)와 지상계(웅녀)의 결합으로 탄생했다는 점에서 신성성을 드러내며, 제정일치 시대의 신격화된 군장으로서의 면모를 보여 줌. • 고조선의 건국은 건국 신화로서의 면모를 보여 줌.

4 소재의 상징적 의미

소재	상징적 의미
천부인	환웅이 신성한 능력을 지닌 제사장의 성격을 지녔음을 보여 줌.
신단수	천상계와 지상계를 매개하는 지점임.
풍백, 우사, 운사	바람, 비, 구름을 주관하는 존재로 당시 사회가 농경 사회였음을 암시함.
쑥과 마늘	동물의 성질을 없애고, 인간이 되기 위한 통과 의례를 의미함.
곰과 범	곰과 호랑이를 숭배하는 각 부족의 토템을 의미함.

최우선 핵심 Check!

1 다음 내용 중 맞는 것은 ○표를, 틀린 것은 ×표를 하시오.

(1) 당시가 농경 사회와 제정일치 사회였음을 보여 준다. (　　)
(2) '환웅-환인-단군'으로 이어지는 삼대기의 구조이다. (　　)
(3) 단군이 천제의 자손이라는 데서 민족적 자긍심을 고취하고 있음을 알 수 있다. (　　)

2 초성 힌트를 보고 빈칸에 들어갈 알맞은 말을 쓰시오.

(1) 우리나라 최초의 고대 국가인 고조선의 건국 ㅅㅎ 이다.
(2) '쑥'과 '마늘'은 동물의 성질을 없애고 인간이 되기 위한 통과 의례를 의미하는 ㅈㅅ 적 속성과 관련이 있다.

3 환웅과 웅녀의 혼인이 의미하는 것이 아닌 것은?

① 신과 인간의 결합
② 천상과 지상의 결합
③ 영웅의 일대기적 통과 의례
④ 이주 부족과 토착 부족의 결합

정답 1. (1) ○ (2) × (3) ○ 2. (1) 신화 (2) 주술 3. ③

145위

어미 말과 새끼 말 | 작자 미상

성격 구어적, 서사적, 허구적
주제 새끼를 향한 어미의 사랑, 영리한 발상을 통한 국가 위기의 극복

설화

이 작품은 구비 설화의 하나로, 대국 천자의 시험으로 위기를 맞이한 조선을 정승의 어린 아들이 구해 낸다는 허구적인 내용을 담고 있다.

내용 전개 방식

 기
대국 천자가 조선에 인재가 있나 없나 시험하기 위해 조선 임금에게 말 두 필을 보내어 어미 말과 새끼 말을 구별해 내라고 함.

 승
임금은 이 문제를 원 정승에게 해결하라고 함. 원 정승이 해결 방법을 몰라 전전긍긍하자 원 정승의 어린 아들이 이를 해결하겠다고 나섬.

 전
아들은 콩을 잔뜩 삶아 짚과 섞어서 만든 여물을 두 말에게 먹임. 콩을 양보하고 짚만 먹는 말이 어미 말임을 알아냄.

 결
어미 말과 새끼 말을 표시하여 대국으로 보냈더니 대국에서 조선에 인재가 있는 것을 인정함.

전문

옛날 대국 천자가 <u>조선에 인재가 있나 없나아,</u> 이걸 알기 위해서 말을 두 마리를 보냈어. 말.
_{대국 천자가 문제를 낸 의도}
대국서 잉? 조선 잉금계루 보내면서,
_{충청도 사투리와 입말체의 사용 – 구비 전승되는 설화의 특징이 드러남} _{어미}

"이 말이 어떤 눔이 새끼구 어떤 눔이 에밍가 이것을 골라내라아." 하구서……
_{대국 천자가 낸 문제의 내용}

똑같은 눔여. 똑같어 그게 둘 다. 그러구서 보냈어. 조선에 인재가 있나 읎나. 인재가 많었억
_{어미 말과 새끼 말이 구별하기 어려울 정도로 똑같음을 강조} _{은자, 숨은 인재} _{문제가 풀릴 것임을 암시함}
거던? 조선에? 내력이루. 자아 그러니 워트겨 이걸?
_{천자의 호기심을 자극} ▶ 대국 천자가 조선에 인재가 있는지 시험하기 위해 문제를 보냄

원 정승이라는 사램이 있어. 그래 아침 조회 때 들어가닝깨,

"이 원 정승 이눔 갖다가 이걸 골라내쇼오." 말여. 보낸다능 게 원 정승에게다 보냈어. 응.
_{원 정승에게 문제 해결을 요구} _{같은 말의 반복과 군소리의 사용}
인제 가서 골라내라능 기여. ▶ 원 정승이 문제의 해결을 맡음

원 정승이 갖다 놓구서, <mark>이거 어떤 눔이구 똑같은 눔인디 말여, 색두 똑같구 워떵 게 에민지</mark>
_{어미 말과 새끼 말을 구별하기 어려워 난감해하는 원 정승의 모습}
<mark>워떵 게…… 똑같어어? 그저어?</mark> **Link** 사건의 분석 ❶

"새끼가 워떵 겐지 에미가 워떵 겐지 그거 모른다." 그러닝깨,
_{문제를 해결하기 어려움}

"그려요?"

그러구 가마안히 생각해 보닝깨 도리가 있으야지? 그래 앓구 두러눴네? 머리 싸매구 두러눴
_{문제를 해결하지 못한 원 정승의 근심이 매우 큼을 엿볼 수 있음}
느라니까, 즈이 아들이, 어린 아들이,
_{문제 해결의 주체}

"아버지 왜 그러십니까아?" 그러거든.

"야? 아무 날 조회에 가닝까아, 이 말을 두 마리를 주면서 골르라구 허니이, 이 일을 어트가
_{어린 아들에게 전후 사정을 이야기함}
야 옳은단 말이냐아?"

"아이구, 아버지. 걱정 말구 긴지 잡수시라구. 내가 골라 디리께." / "니가 골러?"
_{진지} _{문제 해결에 대한 자신감을 보임}

"예에. 걱정 말구 긴지 잡수시요."
▶ 고민하던 원 정승에게 어린 아들이 말을 골라 주겠다고 함

그래, 아침을 먹었어. 먹구서 그 이튿날 갔는디, 『이넘이 콩을 잔뜩, 쌂어 가지구설랑은 여물
_{『 』: 아들의 문제 해결 방법}
을 맨들어. 여물을. 여물을 대애구 맨들어 놓는단 말여. 여물을 맨들어 가지구서는 갖다 항곳
_{자꾸} _{한곳}
이다가 떠억 놓거든』준담 말여. 구유다가 여물을. 여물을 주닝깨, 잘 먹어어? 둘이 먹기를.

<mark>썩 잘 먹더니 주둥패기루 콩을 대애구 요롱게 제쳐 주거든? 옆있 눔을?</mark> 콩을 제쳐 줘. 저는 조
_{새끼 말이 콩을 먹도록 하기 위한 어미 말의 행동} _{자식을 생각하는 부모의 마음}

놈만 먹구. 짚만 먹구 인저, 콩을 대애구 저쳐 준단 말여. Link 사건의 분석 ❷

새끼 주는 쇡(셈)이지 그러닝깨. 대애구 요롷게,

"아버지, 아버지. 이거 보시교. 이루 오시교."
<u>어미 말과 새끼 말을 구분하게 된 것을 알리려 아버지를 부른 것임</u>

"왜냐?" / 나가 보닝깨,

"요게 새낍니다. 요건 에미구. 포를 허시교." / 포를 했어.
　　　　　　　　　　　표

"음. 왜 그러냐?" / 그러닝깨,
<u>어미 말과 새끼 말을 구분한 것에 대한 의문</u>

"아 이거 보시교. <u>콩을 골라서 대애구 에미라 새끼 귀해서 새끼를 주지 않습니까?</u> 새끼 귀헌
　　　　　　　　　　　　어미 말이 콩을 양보하며 새끼 말을 돌보는 모습을 통해 난제를 해결함　　인간과 짐승의 보편적인 정서 – 모성애
중 알구. 그래 콩 중 게 이게 새끼요오. 이건 에미구."
　　　　　　　　　　　　　　　　　　　　　　　▶ 콩을 양보하는 모습을 통해 어미 말과 새끼 말을 구별함

아, 그 이튿날 아닝 것두 아니라 가주 가서,

"이건 새끼구 이건 에미라구." / 그러닝깨, 그러구서는 대국으로
떠억 포해서 보냈단 말여. 그러닝깨.
　　　　　　　　　여태
"하하아, 한국에 연대까장 조선에 인자가 연대 익구나아."
　　　　　　　　　대국 천자의 평가 – 조선에 인재가 있음을 인정함
그러드랴.
　　　　　　　　　　　　　　　　▶ 말에 어미와 새끼를 표시하여 대국에 보내 문제를 해결함

Link

출제자 👑 사건을 분석하라!

❶ 원 정승이 맞닥뜨린 난관은?
겉으로 보기에 전혀 구별이 안 되는 두 마리 말 중에서 어미와 새끼를 가려내지 못하면 자신의 잘못으로 인해 나라의 운명이 어찌 될지 모른다는 위기감을 느낌.

❷ 원 정승의 아들이 말들에게 콩을 섞은 짚을 준 이유는?
모성애를 통해 어미 말과 새끼 말을 가려내려 함.

최우선 **출제 포인트!**

1 이 작품의 서사 구조

문제의 발생		문제의 해결
대국 천자가 조선에 똑같이 생긴 말 두 마리를 보내어 어미 말과 새끼 말을 구별하게 함.	➡	원 정승의 어린 아들이 여물의 콩을 양보하는 말을 어미로, 그 콩을 얻어먹는 말을 새끼로 판별함.

2 표현상의 특징과 효과

표현상의 특징		효과
• 충청도 사투리와 구어체를 사용함. • 내용의 반복, 군말의 사용 등 구어 담화의 특성이 드러남.	➡	생동감과 현장감을 느끼게 함.

최우선 **핵심 Check!**

1 다음 내용 중 맞는 것은 ○표를, 틀린 것은 ×표를 하시오.

(1) 군말의 사용, 불필요한 반복과 같은 구어적 특성이 드러난다. (　　)

(2) 대국 천자는 조선에 인재가 있는지 시험하기 위해 문제를 내었다.
　　　　　　　　　　　　　　　　　　　　　　　　　(　　)

(3) 아들은 말들이 여물을 먹는 모습을 보고 어미 말과 새끼 말을 구분하였다. 　　　　　　　　　　　　　　　　　　　(　　)

(4) 원 정승은 아들의 재주를 시험하기 위해 어미 말과 새끼 말의 구분 방법을 가르쳐 주지 않았다. 　　　　　　　　　(　　)

2 초성 힌트를 보고 빈칸에 들어갈 말을 쓰시오.

「어미 말과 새끼 말」은 입말로 전승되는 구비 문학 중 설화에 속한다. '자식을 향한 부모의 사랑과 ᄒᄉ'이라는 보편적 주제가 사람들의 공감을 이끌어 오랫동안 전승될 수 있었다.

정답 **1.** (1) ○ (2) ○ (3) ○ (4) × **2.** 헌신

1등급! 〈보기〉!

설화의 분류

설화는 특정 문화 집단이나 민족 속에서 구전되는 이야기를 총칭하는 개념으로, 대체로 신화, 전설, 민담 등으로 분류하기도 한다. 신화는 신적 존재 및 그에 준하는 존재들의 활동을 다룬다는 점에서 초역사적인 시간 배경과 신성성(神聖性)을 갖는다. 반면 전설은 신적 존재가 아닌 인간 및 인간의 행위들을 주로 다루며 신화의 신성성이 제거되고 그 대신 실재가 강조된다. 민담은 신화의 신성성과 초역사성, 전설의 역사성과 사실성이 사라진 흥미 본위의 이야기로 허구적인 성격이 강하다.
그래서 이 작품은 '옛날'이라는 불분명한 시간을 배경으로 삼고 있고, 특별한 증거물이 없으며, 흥미 위주로 이야기가 전개된다는 점에서 설화의 하위 갈래 중 민담에 해당한다고 볼 수 있다.

146위

용소와 며느리바위 | 작자 미상

성격 서사적, 교훈적, 비현실적　**시대** 상고 시대
주제 권선징악(勸善懲惡), 인간 탐욕과 인색함에 대한 경계

설화

이 작품은 용소와 며느리바위의 지명과 관련된 전설을 채록한 내용으로, 인간 탐욕과 인색에 대한 경계라는 주제 의식을 드러내고 있다.

출제 우선 작품

내용 전개 방식

처음	중간	끝
전설 증거물(용소)의 위치 소개	용소와 며느리바위에 얽힌 전설 내용 소개	증거물 소개 및 전설 증거물 부연 설명

 전문

『　』: 전설의 구체적인 증거물인 '용소'에 관한 설명

『용소는 장연읍에서 한 이십 리 되는 거리에 있는데, 장연읍에서 그 서도 민요로 유명한 몽금
　　　　　　　전설의 공간적 배경 - 구체적인 지명 제시　　　　　　　　　청자의 주의를 환기하기 위해 익숙한 소재를 끌어들임
포타령이 있는 데거든. 그 몽금포 가는 길 옆에 그 인지 바로 길 옆에 그 용소라는 것이 있는
　　　　　　　　　　　　　이제, 바로 이때. 군소리에 해당 - 구전 전설의 특징
데』 그 전설이 어떻게 됐냐 할 꺼 같으면, 그렇게 옛날 옛적 얘기지. 〈중략〉
　　　청자의 호기심 유발　　　　　　　구체적이지 않은 시간적 배경 - 구어체가 그대로 드러남　▶전설의 증거물인 용소의 위치 소개

어느 여름철에 거기서 인지 그 용소 있는 데서 한 이십 리 가면 불타산이라는 산이 있는데
　　　　　　　　　　　　　　　　　　　　　　　　　　　황해남도 장연군 남부와 용연군 북동부의 경계에 있는 산
그 불타산은 절이 많기 때문에 불타산이라는 그런 절이 있는데,『거게서 그 도승이, 그 영감이
　　　　　　　　　　'일부러'의 방언 - 채록한 글이어서 방언이 그대로 나타남　　　　초월적, 절대적 질서를 대변하는 존재
아주 나쁘다는 소리를 듣구서, 우정 인지 그 집을 찾아가서 목탁을 치면서 시주를 해 달라고,』
　　『　』: 일부러 영감을 찾아가 시주를 청하는 도승 → 장재 첨지를 시험하기 위함　　　　불교에서 중이나 절에 물건을 바침. 또는 그 사람
그러니까 이 영감이 뛰어나가면서,　　　　　　　　　　　　　　　　•장재 첨지: 탐욕스럽고 인색한 존재 - 세속적인 인간의 본능

『"이놈, 너이 중놈들이란 것은 불농불사(不農不商)하구, 댕기면서 얻어만 먹구 그러는데 우리
　　　　너희　　　　　농사도 짓지 아니하고, 장사도 아니하고, 그저 놀기만 하고 지냄. 무위도식(無爲徒食)
집에서는 절대루 인지 쌀 한 톨이라두 줄 수가 없으니까 가라구."』

소리를 질러두 그대루 그 중이 이제 가지를 않구섬낭 독경(讀經)을 하구 있으니까, 이 영감
　　　　　　　　　　　　　　　　　　　앉고서　　　경문을 소리 내어 읽음
이 성이 나서 지금은 대개 삽이라는 게 있지마는 옛날에는 저 그것을 뭐이라구 하나, 부삽이
　　　　　　　　　　　　　　　　　청자의 이해를 돕기 위해 부연 설명을 함
라구 하나, 그거 있는데 그걸루 두엄더미에서 쇠똥을 퍼 가주구서는, / "우리 집에 쌀은 줄 거
　　　　　　　　　　　　퇴비　　　　　장재 첨지의 악행　　　　　장재 첨지의 부정적인 모습 - 재앙의 원인 제공
없으니까 이거나 가져가라." / 하구서는 바랑에다가 쇠똥을 옇단 말야.
　　　　　　　　　　중이 등에 지고 다니는 자루 모양의 큰 주머니. 걸낭　'넣었단'의 사투리

그래두 그 중은 조금두 낯색두 변하지 않구서, 거저 '나무아미타불'만 부르다가 그 쇠똥을 걸
　　　　　　　이미 예상했던 일이기 때문에　　　　　그저　　　기회를 더 주고자 함
머진 채 바깥으루 나오는데, 그 마당 옆에 우물이 있었는데 우물가에서 그 장재 첨지의 며느
　　　　　　　Link 인물의 행동 ❶　　　　　　　　　　　　　　절대적 진리와 세속적 본능 사이에서 갈등하는 인간의 전형
리가 인제 쌀을 씻구 있다가, 그 광경을 보구서, 그 중 보구서는 얘기하는 말이,
　　　　　　　　　　　　　　　장재 첨지가 쇠똥을 바랑에 넣는 모습
"우리 아버지 천생이 고약해서 그런 일이 있으니까. 조금두 나쁘게 생각하지 말라구."
　　　　　　인물의 성격 직접 제시
그러면서 쌀, 씻든 쌀을 바가지에다 한 바가지 퍼섬낭, 그 바랑에다 여 줬단 말야.
　　　반복 - 구술자의 말버릇. 군말(구어 표현의 특징)　　　　　　　『　』: 며느리의 사죄와 시주 - 선행
그러니께 그 중이 며느리 보고 하는 말이,

『"당신 집에 인제 조금 있다가 큰 재앙이 내릴 테니까, 당신 빨리 집으루 들어가서, 평소에 제
　　　　　　　　집이 물에 잠김. 인과응보(因果應報)
일 귀중하게 생각하는 것이 무어 있는지, 두세 가지만 가지구서 빨리 나와서는, 저 불타산을
향해서 빨리 도망질하라구."』 / 그랬단 말야.　　　　　　　　　　재앙을 피할 수 있는 초월적 세계
　　　　　『　』: 며느리의 선행에 대한 보상 - 재앙이 내릴 것을 알려 주고 피할 방법을 제시함　　　□: 며느리가 귀중하게 생각하는 것

Link

출제자 톡 인물의 행동을 파악하라!

❶ 중이 조금도 낯색이 변하지 않은 이유는?
이미 장재 첨지가 악행을 저지를 것을 예상
했기 때문에

그러니까 그 며느리가 급히 자기 집으루 들어가서, 방 안에 自己
　　　　　　　　　　　　　　　　　　　　　　　　　　　　모성애의 대상
아들을, 뉘어서 재우든, 아이를 들쳐 업구, 또 그 여자가 인지 명지
를 짜던 명지 도토마리를 끊어서 이구 나오다가, 그 또 자기네 집
　　　　베를 짤 때에 날을 감는 도구 - 생계 수단

에서 개를, 귀엽게 기르던 개를 불러 가지구서 나와서는, 그 불타산을 향해서 달음박질루 가는데, 어린애를 업구 명주 도토마리를 이구, 개를 불러 가지구 그 불타산을 향해서 얼마쯤 가는데, 그때까지 아주 명랑하던 하늘이 갑자기 흐리면서 뇌성벽력을 하더니 말야.

『근데 그 중이 먼저 무슨 주의를 시켰냐면,

"당신, 가다가서 뒤에서 아무런 소리가 나두 절대루 뒤를 돌아보면 안 된다."

는 거를 부탁을 했는데』 / 이 여인이 가는데 갑자기 뇌성벽력을 하면서 그 벼락 치는 소리가 나니까, 깜짝 놀래서 뒤를 돌아봤단 말야.

『그러니까 그 자리에서 그만 화석이 됐어. 그 사람이 그만 화석이 되구 말았다는 게야. 개두 그렇게 화석이 돼서 그 자리에 서 있다고 하는데』   ▶용소와 며느리바위에 얽힌 전설 내용

『그 지금두 불타산 아래서 얼마 내려오다가서 그 비슷하니 거기 사람들은 이것이 며느리가 화석 된 게라고 하는 바위가 있는데, 역시 사람 모양하고, 뭐 머리에 뭐인 거 같은 거하구, 그 아래 개 모양 겉은, 그런 화석이 아직두 있단 말야.』『한데 그때 그이 벼락을 치면서 그 장재 첨지네 그 집이 전부 없어지면서 그만 거기에 몇백 길이 되는지 모르는 이제 큰 소(沼)가 됐단 말야.

한데 그 소가 어느만침 넓으냐 하면, 여기 어린이 놀이터보담두 더 넓은데, 이거 고만 두 배쯤 되는 품인데 그 소에서 물이 얼마나 많이 나오는지, 물 나오는 소리가 쿵쿵쿵쿵쿵쿵 하면서 그 곁에 가면 이제 지반이 울린단 말야. 이리 이리 너무 물이 많이 나와서 그 물을 가지구서 몇만 석 되는, 이제 말할 것 같으면, 수천 정보에 그 평야에, 논에 물을 소에서 나오는 물 가지구서 대는데, 그 물은 아무리 비가 와두 느는 벱이 없구, 아무리 가물어두 주는 벱이 없는데, 사람들이 그게 얼마나 깊으나 볼라구 명지실을 갖다가, 돌을 넣어서는 재니까 명지실 몇을 넣어도 도무지 끝을 몰른다는, 그만침 깊은 소가 됐단 말야.』   ▶용소와 며느리바위의 유래와 현재 모습

147위

통곡할 만한 자리 | 박지원

성격 체험적, 사색적, 교훈적 **시대** 조선 후기
주제 광활한 요동 별판을 접한 심회

수필

이 글은 글쓴이가 요동 지방을 여행하며 쓴 기행문으로, 광활한 요동 별판을 접한 심정을 참신한 발상과 비유로 드러내고 있다. 글쓴이가 지은 『열하일기』 중 「도강록(渡江錄)」에 실린 수필로, 「호곡장론(好哭場論)」이라고도 하는데, '호곡장'은 '통곡할 만한 울음터'를 의미한다.

내용 전개 방식

기	승		전		결
	문(問)	답(答)	문(問)	답(答)	
글쓴이가 요동 별판을 보고 한바탕 통곡하기 좋은 곳이라고 말함.	정 진사가 통곡하기 좋은 곳이라고 말한 이유를 물음.	글쓴이는 칠정이 극에 달하면 울게 된다고 답함.	정 진사가 칠정 중에서 어느 정을 골라 울어야 하는가를 물음.	글쓴이는 넓은 곳에 처한 즐거움에 울어야 한다고 답함.	요동의 광활한 풍경을 바라보며 통곡할 만한 자리임을 다시 한번 확인함.

전문

칠월 초팔일 갑신(甲申)일
1780년(정조 4년) 7월 8일

맑다.

정사와 한 가마를 타고 삼류하(三流河)를 건너 냉정(冷井)에서 조반을 먹었다. 십여 리를 가
북경 사절단의 대표(글쓴이의 팔촌 형인 박명원)   여정 – 기행문의 요소
다가 산기슭 하나를 돌아 나가니 태복이란 놈이 갑자기 국궁(鞠躬)을 하고는 말 머리로 쫓아와
정 진사의 하인   윗사람이나 위패(位牌) 앞에서 존경하는 뜻으로 몸을 굽힘
서 땅에 엎드리고 큰 소리로,
다른 사람에게 자신을 보임
"백탑(白塔)이 현신하였기에, 이에 아뢰나이다." 『┌ 사람의 눈에 백탑의 모습이 보이는 것을. 백탑이
표면에 흰색 칠을 한 중국의 불탑. 여기서는 중국 요동의 요동성 밖에 있는 탑을 가리킴   사람처럼 자신을 보이는 것으로 표현함(의인법)
한다. 태복은 정 진사의 말을 맡은 하인이다.   ▶ 태복이 요동의 백탑이 나타날 것임을 알림

산기슭이 가로막고 있어 백탑이 보이지 않기에 말을 급히 몰아 수십 보를 채 못 가서 겨우
사물을 보는 힘   헛것이 보이듯 현란하게
산기슭을 벗어났는데, 안광이 어질어질하더니 홀연히 검고 동그란 물체가 오르락내리락한다.
광활한 요동 별판을 보고 현기증을 느낌
이제야 깨달았다. 사람이란 본래 의지하고 붙일 곳 없이 단지 하늘을 이고 땅을 밟고 이리저
인간은 대자연 앞에서 작고 나약한 존재라는 깨달음
리 나다니는 존재라는 것을.
[Link] 글쓴이의 심리 ❶
말을 세우고 사방을 둘러보다가 나도 모르게 손을 들어 이마에 얹고,
★★ 중심 소재   글쓴이 박지원
"한바탕 통곡하기 좋은 곳이로구나." [Link] 글쓴이의 심리 ❷   ▶ 요동 별판을 한바탕 통곡하기 좋은 곳이라 말함
요동 별판에 대한 감회 – 개성적, 창의적 발상
했더니 정 진사가,

"천지간에 이렇게 시야가 툭 터진 곳을 만나서는 별안간 통곡할 것을 생각하시니, 무슨 까닭
정 진사는 통곡은 슬플 때 하는 것이라는 일반적·관습적인 생각을 가짐 – 글쓴이의 생각을 이해하지 못함
입니까?"

하고 묻기에 나는,   ▶ 정 진사가 통곡하기 좋은 곳이라고 말한 이유를 물음

"그렇긴 하나, 글쎄. 천고의 영웅들이 잘 울고, 미인들이 눈물을 많이 흘렸다고 하나, 기껏
상식적으로 옳은 말이긴 하나
소리 없는 눈물이 두어 줄기 옷깃에 굴러떨어진 정도에 불과하였지, 그 울음소리가 천지 사
이에 울려 퍼지고 가득 차서 마치 악기에서 나오는 소리와 같다는
얘기는 들어 보지 못했네.
사람이 가지고 있는 일곱 가지 감정. 기쁨(喜)·노여움(怒)·성냄(憂)·즐거움(樂)·사랑(愛)·미움(憎)·욕심(欲)
사람들은 단지 인간의 칠정(七情) 중에서 오로지 슬픔만이 울음을
울음에 관한 사람들의 일반적인 생각
유발한다고 알고 있지, 칠정이 모두 울음을 자아내는 줄은 모르고
[Link] 글쓴이의 개성 ❶
슬픔뿐 아니라 다른 감정도 극에 달하면 울음을 유발함 – 글쓴이의 개성적 시각

Link
출제자 툭! 글쓴이의 심리를 파악하라!

❶ 광활한 요동 별판을 본 '나'의 반응은?
현기증을 느끼고, 인간은 대자연 앞에서 작고 나약한 존재라고 여김.

❷ 요동 별판에 대한 '나'의 심정은?
한바탕 통곡하기 좋은 곳이라고 생각함.

있네. 「기쁨이 극에 달하면 울음이 날 만하고, 분노가 극에 치밀면 울음이 날 만하며, 즐거움
└─ 울음을 자아내는 다양한 감정의 예

이 극에 이르면 울음이 날 만하고, 사랑이 극에 달하면 울음이 날 만하며, 미움이 극에 달하

면 울음이 날 만하고, 욕심이 극에 달해도 울음이 날 만한 걸세.」 막히고 억눌린 마음을 시원
                                                                              울음의 기능 – 답답함 해소, 감정 정화

하게 풀어 버리는 데에는 소리를 지르는 것보다 더 **빠른** 방법이 없네.
                                                        ▶ 칠정이 극에 달하면 울게 된다는 '나'의 대답

　「통곡 소리는 천지간에 우레와 같아 지극한 감정에서 터져 나오고, 터져 나온 소리는 사리에
└─ 통곡 소리에 대한 견해

절실할 것이니 웃음소리와 뭐가 다르겠는가?」 사람들이 태어나서 사정이나 형편이 이런 지극
                                    슬플 때만 울음이 나온다는 잘못된 생각에 대한 비판

한 경우를 겪어 보지 못하고 칠정을 교묘하게 배치하여 슬픔에서 울음이 나온다고 짝을 맞추

어 놓았다네. 그리하여 초상이 나서야 비로소 억지로 '아이고' 하는 등의 소리를 질러 대지.
                              슬플 때만 울어야 한다는 고정 관념

　그러나 성낼 칠정에 느껴서 나오는 지극하고 진실한 통곡 소리는 천지 사이에 익누르고 참
                                            막히고 억눌린 마음을 시원하게 풀어 버리는 소리

고 억제하고 감히 아무 장소에서나 터져 나오지 못하는 법이네. 한나라 때 가의(賈誼)는 적
                                              중국 한(漢)나라의 정치인이자 학자, 관직과 제도 정비를 위한 상소문을 올렸으나, 고관대작들의 모함으로 쫓겨난 후 요절함

당한 통곡의 자리를 얻지 못해 울음을 참다가 견뎌 내지 못하여 필경은 한나라 궁실인 선실
                                                              마지막에 가서   한나라의 미앙궁. 한나라 정권을 가리킴

(宣室)을 향해 한바탕 길게 울부짖었으니, 어찌 사람들이 놀라고 괴이하게 여기지 않을 수

있겠는가?"
              ▶ 일반 사람들은 칠정에서 우러나오는 울음을 모름

하니 정 진사는,

"지금 여기 울기 좋은 장소가 저토록 넓으니, 나 또한 그대를 좇아 한바탕 울어야 마땅하겠
              요동 벌판   글쓴이의 생각에 공감하게 됨

는데, 칠정 가운데 어느 '정'에 감동 받아 울어야 할지 모르겠습니다."
                                                          ▶ 정 진사가 칠정 가운데 어느 정에 울어야 할지를 물음

하기에 나는,

"그건 갓난아이에게 물어보시게. 갓난아이가 처음 태어나 칠정 중 어느 정에 감동하여 우는
                          요동 벌판에서 보고 느낀 감정을 갓난아이의 울음을 예로 들어 설명함

지. 갓난아이는 태어나 처음으로 해와 달을 보고, 그다음에 부모와 앞에 꽉 찬 친척들을 보
  Link 글쓴이의 개성 ❷

고 즐거워하고 기뻐하지 않을 수 없을 것이네. 이런 기쁨과 즐거움은 늙을 때까지 두 번 다
    갓난아이의 태어났을 때의 울음을 즐거움과 기쁨 때문으로 여김

시 없을 터이니, 슬퍼하거나 화를 낼 이치가 없을 것이고 응당 즐거워하고 웃어야 할 것이

아닌가. 그런데도 도리어 한없이 울어 대고 분노와 한이 가슴에 꽉 찬 듯이 행동을 한단 말

이야. 이를 두고 「신성하게 태어나거나 어리석고 평범하게 태어나거나 간에 사람은 모두 죽
            └─ 갓난아이가 태어나서 우는 이유에 대한 사람들의 견해

게 되어 있고, 살아서는 허물과 걱정, 근심을 백방으로 겪게 되므로, 갓난아이는 자신이 태
                                                      갓난아이의 울음에 대한 사람들의 잘못된 생각

어난 것을 후회하여 먼저 울어서 자신을 위로하는 것이라고 한다면,」 이는 갓난아이의 본마

음을 참으로 이해하지 못해서 하는 말이네.

　갓난아이가 어머니 태중에 있을 때 캄캄하고 막히고 좁은 곳에서 웅크리고 부대끼다가 갑
                              글쓴이의 상황으로 볼 때, 폐쇄적이고 좁은 조선을 의미함

Link
출제자 톡 글쓴이의 개성을 파악하라!

❶ '울음'의 유발에 대한 글쓴이의 생각은?
　슬픔만이 울음의 원인인 것이 아니라, 칠정
이 극에 달하면 울음이 나오는 것임.

❷ 글쓴이가 생각하는 요동 벌판에서 울 때의
마음은?
　갓난아이가 태어날 때 좁은 태중에서 넓은
곳으로 나오는 것처럼 기쁨과 즐거움을 느낌.

자기 넓은 곳으로 빠져나와 손과 발을 펴서 기지개를 켜고 마음과
글쓴이의 상황으로 볼 때, 선진 문물과 넓은 영토를 가진 중국을 의미함

생각이 확 트이게 되니, 어찌 참소리를 질러 억눌렸던 정을 다 크게
                                        글쓴이의 호연지기(浩然之氣)가 드러남

씻어 내지 않을 수 있겠는가!
                      ▶ 갓난아이가 세상에 나왔을 때 느끼는 기쁨과 즐거움으로 울어야 한다는 '나'의 대답

　그러므로 갓난아이의 거짓과 조작이 없는 참소리를 응당 본받는다
                                  태어나 처음 우는 소리

면, 금강산 비로봉에 올라 동해를 바라봄에 한바탕 울 적당한 장소가
                                              광활한 공간 ①

될 것이고, 황해도 장연(長淵)의 금모래사장에 가도 한바탕 울 장소가 될 것이네. 지금 요동
★ 주요 제재   광활한 공간 ②   중국 요하의 동쪽 지방
들판에 임해서 여기부터 산해관(山海關)까지 일천이백 리가 도무지 사방에 한 점의 산이라
만리장성의 동쪽 끝에 있는 관문으로, 예로부터 군사 요충지임
고는 없이, 하늘 끝과 땅끝이 마치 아교로 붙인 듯, 실로 꿰맨 듯하고 고금의 비와 구름만이
창창하니, 여기가 바로 한바탕 울어 볼 장소가 아니겠는가?" ➤ 요동 벌판의 광활함을 확인하고 느낌을 정리함
기쁨으로 통곡할 만한 장소

한낮에는 매우 더웠다. 『말을 달려 고려총, 아미장을 지나서 길을 나누어 갔다. 나는 주부 조
7월 여름이기 때문에   『 』: 여정과 견문: 고려총 → 아미장 → 옛 요동 → 서문 → 백탑
달동, 변군, 박래원, 정 진사, 겸인 이학령과 함께 옛 요동으로 들어갔다. 번화하고 풍부하기
양반집에서 잡일을 맡아보거나 시중을 들던 사람
는 봉성의 열 배쯤 되니 따로 요동 여행기를 써 놓았다. 서문을 나서서 백탑을 구경하니 그 제
조의 공교하고 화려하며 웅장함이 가히 요동 벌판과 맞먹을 만하다.』

따로 백탑에 대해 적은 '백탑기(白塔記)'가 뒤편에 있다. ➤ 요동 여행기를 씀

출제 우선 작품

최우선 출제 포인트!

1 글쓴이의 '체험'과 '깨달음'

체험	깨달음
중국을 여행하던 도중 요동 벌판에 이름.	요동 벌판은 '한바탕 통곡하기 좋은 곳'이라고 여김.
탁 트인 벌판을 보고 눈앞이 어지러움.	• 인간의 칠정이 극에 달하면 통곡이 터져 나옴. • 갓난아이가 넓고 환한 세상에 나와 울듯 기쁨과 즐거움으로 울어야 함.

2 '정 진사'와 글쓴이의 사고

	정 진사(관습적 사고)	글쓴이(창의적 사고)
요동 벌판	천지간에 시야가 툭 터진 곳임.	통곡하기에 좋은 곳임.
울음	슬플 때 우는 것임.	칠정이 극에 달하면 우는 것임.

3 '갓난아이'의 울음의 의미

갓난아이(보조 관념)	원관념(글쓴이)	의미
어머니의 태에서 나옴.	좁은 조선에서 나와 광활한 요동 벌판을 봄.	폐쇄적인 곳에서 넓은 세상으로 나와 새로운 문물을 접함.
한없이 울어 댐.	통곡할 만함.	새로운 것을 접한 기쁨이 극에 달해 욺.

최우선 핵심 Check!

1 다음 내용 중 맞는 것은 ○표를, 틀린 것은 ×표를 하시오.

(1) 일반적인 통념을 깨뜨리는 글쓴이의 참신한 발상이 돋보인다.(　　)

(2) 적절한 비유와 구체적인 예시로 대상을 실감 나게 표현하고 있다.
(　　)

(3) 사람들은 칠정이 모두 울음을 유발한다고 생각하지만, 글쓴이는 단지 슬픔만이 울음을 유발하는 것으로 생각한다. (　　)

2 초성 힌트를 보고 빈칸에 들어갈 알맞은 말을 쓰시오.

(1) ㅁㄷ 에 의한 구성 방식을 통해 주장을 논리적으로 전개하고 있다.

(2) '나'는 요동 벌판을 보고 느낀 기쁨을, 갓난아이가 넓은 세상에 나와 기뻐 우는 것에 비유하면서 자신이 언급한 ㅌㄱ 의 의미를 설명하고 있다.

정답 1. (1) ○ (2) ○ (3) × 2. (1) 문답 (2) 통곡

1등급! 〈보기〉!

박지원의 『열하일기』

『열하일기』는 청나라의 현실에 대한 박지원의 견문과, 이에 기초하여 전개된 그의 북학론(北學論)으로 이루어져 있다. 박지원은 『열하일기』에서 청나라의 경제적 번영과 정치적 안정을 다각도로 살피면서, 조선의 낙후된 경제 현실을 타개할 구체적 방안들을 제시하고 있다. 이에 『열하일기』는 존명배청주의(尊明排淸主義)에 사로잡혀 있던 당시 조선 사회에 커다란 반향을 일으키며 계몽적 효과를 거두었다. 「통곡할 만한 자리」는 『열하일기』의 1권 「도강록」에 수록되어 있으며, 「도강록」은 15일간 압록강에서 랴오양까지의 여정을 기록하며 중국의 이용 후생적 건축에 관해 설명하고 있다.

148위 보지 못한 폭포 | 김창협

성격 경험적, 성찰적 **시대** 조선 후기
주제 폭포를 보지 못하고 돌아온 경험과 감상

수필

이 작품은 작가가 능암에 거처할 때 계곡의 폭포를 구경하러 갔다가 보지 못하고 돌아오면서 느낀 바를 쓴 고전 수필이다.

내용 전개 방식

기
마을 주민에게 들은 기이하다는 폭포를 구경하기 위해 출발함.

승
기이한 폭포로 찾아가는 과정에 경치를 구경함.

전
폭포로 가는 길을 잃고 헤매다가 폭포 구경을 포기함.

결
폭포를 보지 못한 것은 안타깝지만 진짜 폭포가 있다는 사실에 기쁨을 느낌.

전문

풍패동(風㺃洞)의 동쪽은 바로 늠암곡(凜巖谷)이다. 그 물이 서쪽으로 흘러 소월석(掃月石) 아래에 이르러 대천(大川)으로 들어간다. <u>우리 집에서 바라보면 아주 가깝지만 특별한 점이 있는 것으로는 보이지 않았다.</u> 하루는 마을 주민 황 씨(黃氏)가 아우 자익(子益)에게 골짜기 안에 있는 폭포가 몹시 기이하다고 말해 주었다. 『자익이 내게 알려 주기에 마침내 <u>흔연히</u> 함께 갔다. 아우 대유(大有)와 조카 인상(寅祥)과 악상(嶽祥)이 따라왔다. 세 사람은 모두 말을 타고 두 아이는 걸어갔다.』

　▶ 기이하다는 폭포를 구경하기 위해 출발함

골짜기 어귀에 이르자 인가 서너 채가 보였다. 산을 등진 채 물을 두르고 있어 밭두둑과 울타리가 썰렁했다. 문을 두드리니 한 구부정한 노인이 나왔다. <u>수염과 눈썹이 온통 희어 칠팔십 세쯤 되어 보였다.</u> 폭포가 어디에 있는지 묻자 지름길을 가리키며 들어가는 길을 아주 자세히 일러 주었다.

『골짜기 안으로 일 리쯤 들어가서는 말을 풀밭에 놓아두고 지팡이를 짚고 나아갔다. 얼마 안 있어 너럭바위 하나가 보이는데 비탈이 져서 앉을 만했다. 물이 그 위를 쟁글대며 흘렀다. 소나무 두 그루가 이를 덮고 있어 기이하고 장한 데다 울창하게 가지가 뻗어 있었다. 곁에는 단풍 숲이 있는데 또한 높고 컸다. 잎이 한창 선홍빛이었으므로 동행들이 문득 몹시 기뻐하였다. 이 속에 이처럼 아름다운 경치가 있을 줄은 생각지도 못했다.』

　▶ 폭포로 가는 지름길과 골짜기 안의 아름다운 모습

여기서부터는 오솔길이 굽이굽이 이어지면서 여러 차례 좋은 곳을 얻게 되니 나아가면 갈수록 더 기뻐할 만했다. 하지만 폭포로 들어가는 길은 놓쳐서 찾지 못하고 그저 시내를 따라 올라갔다. 그렇게 오륙 리쯤 갔는데도 폭포는 종내 찾을 수가 없었다. 지쳐서 바위 위에 앉아 산과일을 따서 먹으며 사방을 둘러보았다. 『멧부리는 빙 둘러서고 산마루는 첩첩인데 시내 골짜기는 깊고도 그윽해 바라다보이는 것은 온통 서리 맞은 숲의 붉고 누런 단풍뿐이었다. 동북쪽은 경계가 더욱 그윽이 빼어나 바라보니 은은하여 마치 신기한 것이 있을 것만 같은지라 마음이 몹시 즐거웠다.』

　▶ 폭포로 들어가는 길을 찾지 못하고 주변 풍경을 감상함

<u>날은 이미 뉘엿해졌지만</u> 또 폭포를 놓칠 수 없어 다시금 옛길을 따라서 내려가 비로소 <u>한 갈래 좁은 길을 찾았다.</u> 앞서 노인이 일러 준 것과 비슷해서 시험 삼아 그 길을 따라가 보았다.

얼마 못 가 바로 산등성이로 점점 올라가기만 했다. 마침내 폭포가 있는 곳은 알 수가 없었다.
<small>길을 잘못 든 줄 알고 의심함</small> <small>Link 갈래의 특성 ❶</small> ▶끝내 폭포가 있는 곳을 찾지 못함

얼마 후 골짜기 안에서 사람 소리가 들렸다. 자익이 먼저 시내로 내려갔다가 이곳에 이른 것이었다. 그의 말이 자기가 폭포를 보았다 하므로 어찌 생겼더냐고 묻자 <u>검은 바위가 드높게 겹겹이 포개져 있는데 약한 물줄기가 이를 덮어 조금도 볼만한 게 없다</u>고 했다. 내가 대유와
<small>황 씨가 말한 것에 비해 보잘것없는 폭포의 모습. 폭포 찾기를 그만두고 돌아가게 된 원인</small>
서로 보면서 입을 벌려 웃으며 말했다.

『"이런 것을 구경하자고 발품을 팔겠는가?"
<small>허탈감이 드러남</small>
<small>자익이 본 폭포(볼만한 것이 없는 폭포)</small>
마침내 가지 않고 돌아와 비탈진 바위 위에서 밥을 먹었다.』 자익이 웃으며 말했다.
<small>『 』: 자익의 말을 듣고 수고스러움을 피하고자 폭포 보러 가는 것을 멈춘 글쓴이 일행</small>

"오늘 이후로 마땅히 천하에 말만 번드레한 못 믿을 인사들이 더욱 싫어질 듯합니다."
<small>실속 없이 겉모양만 번드르한</small>
황 씨에게 속고 만 것을 유감스러워한 것이었다. ▶초라한 폭포의 모습에 대한 실망
<small>황 씨가 폭포가 기이하다고 했던 것을 거짓이라고 여김</small>
산에서 내려온 뒤 길을 알려 준 노인을 만나 본 것을 얘기하자 노인이 말했다.
<small>자익이 본 보잘것없는 폭포의 모습</small>

"아닙니다. 그 위에 진짜 폭포가 있습니다. 하지만 냇물을 따라 내려가면 길이 끊겨 도달할
<small>황 씨가 말했던 기이한 폭포</small>
수가 없습지요. 꼭 산등성이를 따라서 가야 이르러 굽어볼 수가 있답니다."

그제야 내가 갔던 길이 바른길인 줄을 알았다. 좀 더 애를 써서 앞
<small>산등성이로 올라가던 길이 기이한 폭포를 볼 수 있는 바른길이었음</small>
으로 나아가지 못한 것이 안타까울 뿐이었다. 『하지만 또한 폭포의
<small>포기하지 않고 갔다면 기이한 폭포를 보았을 것이기 때문</small>
실상이 자익이 본 것 정도에 그치지 않음이 기뻤고, 잠시 남겨 두어
뒷날의 유람할 거리로 삼게 된 것이 더욱 여운이 있음을 깨달았다.』
<small>『 』: 진짜 기이한 폭포가 있음에 기뻐하며 뒷날을 기대함 → 글쓴이의 긍정적인 사고 전환</small> <small>Link 갈래의 특성 ❷</small>
유람한 날은 신미년(1691년) 8월 21일이고, 그 이튿날 이 글을 쓴다.
▶진짜 폭포는 다른 곳에 있음을 알게 되고, 뒷날의 유람거리로 삼게 됨

Link
출제자 특강 갈래의 특성을 파악하라!

❶ 교술 갈래의 특성 중 '경험'에 해당하는 것은?
폭포로 가는 길이 맞지만 산등성이로 올라가기만 해서 길을 잘못 들었다고 생각하고 멈춤.

❷ 교술 갈래의 특성 중 '깨달음'에 해당하는 것은?
좀 더 나아가지 못한 것이 안타깝지만, 기이한 폭포는 존재하므로 뒷날 유람할 거리로 남게 되어 여운이 있다는 것을 깨달음.

최우선 출제 포인트!

1 교술 갈래의 특성

경험	• 자신이 가던 길을 의심하고 끝까지 가지 않음. • 아우 자익의 말만 듣고 가던 길을 멈춤. • 자신이 가려던 길에 기이한 폭포가 있었음.
깨달음	• 좀 더 나아가지 못한 것이 안타까움. • 진짜 폭포는 남아 있으므로 뒷날 유람거리로 삼게 되어 여운이 있음.

2 두 개의 폭포

자익이 본 폭포		보지 못한 폭포(기이한 폭포)
약한 물줄기, 길을 잘못 들어 보게 된 폭포	≠	기이한 모습, 포기하지 않고 갔으면 보았을 폭포

최우선 핵심 Check!

1 다음 내용 중 맞는 것은 ○표를, 틀린 것은 ×표를 하시오.

(1) 글쓴이는 결국 기이한 폭포를 보지 못했다. ( )
(2) 노인은 자신의 말을 듣지 않은 글쓴이를 원망했다. ( )
(3) 자익은 황 씨가 말한 폭포를 보았지만 만족스럽지 않았다. ( )

2 이 글의 특징에 대한 설명으로 적절한 것은?

① 글쓴이의 경험과 깨달음이 드러나고 있다.
② 등장인물 간의 첨예한 갈등이 드러나고 있다.
③ 있을 법한 이야기를 지어내어 전달하고 있다.
④ 다양한 감각적 표현과 리듬감이 드러나고 있다.
⑤ 글쓴이의 분신인 서술자가 이야기를 이끌어 가고 있다.

정답 1. (1) ○ (2) × (3) × 2. ①

149위 원이 아버지께 | 이응태의 부인

이응태 묘 출토 언간

성격 애상적, 회고적, 사실적 **시대** 조선 중기
주제 남편과의 사별로 인한 슬픔

수필

이 글은 이응태의 부인이 죽은 남편, 즉 원이 아버지에게 쓴 언간(한글 편지)으로, 아내의 죽은 남편에 대한 안타까움과 재회에 대한 소망이 절절하게 나타나 있다.

내용 전개

기	승	전	결
남편의 죽음에 대한 슬픔과 안타까움	남편을 여읜 부인의 서러움과 그리움	꿈속에서라도 남편에게 답장을 받고 싶어 하는 부인의 소망	남편과의 재회에 대한 소망

전문

원이 아버지께.

당신 언제나 나에게 말하기를 "둘이 머리 희어지도록 살다가 함께 죽자."라고 하셨지요. 그런데 어찌 나를 두고 당신 먼저 가십니까? 나와 어린아이는 누구의 말을 듣고 어떻게 살라고 다 버리고 당신 먼저 가십니까? 당신 나에게 어떻게 마음을 가져왔고, 나는 당신에게 어떻게 마음을 가져왔었나요? / 『함께 누우면 언제나 나는 당신에게 말하곤 했지요.

"여보, 다른 사람들도 우리처럼 서로 어여삐 여기고 사랑할까요? 남들도 정말 우리 같을까요?"』

어찌 그런 일들 생각하지도 않고 나를 버리고 먼저 가시는가요. 『당신을 여의고는 아무리 해도 나는 살 수 없어요. 빨리 당신에게 가고 싶어요. 나를 데려가 주세요. 당신을 향한 마음을 이승에서 잊을 수 없고, 서러운 뜻 한이 없습니다.』
▶남편의 생전 기억 회상 및 사별에 대한 안타까움

내 마음 어디에 두고 자식 데리고 당신을 그리워하며 살 수 있을까 생각합니다. 이내 편지 보시고 내 꿈에 와서 자세히 말해 주세요. 당신 말을 자세히 듣고 싶어서 이렇게 글을 써서 넣어 드립니다. 자세히 보시고 나에게 말해 주세요. 당신 내 배 속의 자식 낳으면 보고 말할 것 있다 하고 그렇게 가시니, 배 속의 자식 낳으면 누구를 아버지라 하라시는 거지요. 아무리 한들 내 마음 같겠습니까? 이런 슬픈 일이 또 있겠습니까? 당신은 한갓 그곳에 가 계실 뿐이지만, 『아무리 한들 내 마음같이 서럽겠습니까? 한도 없고 끝도 없어 다 못 쓰고 대강만 적습니다.』
▶혼자 남은 것에 대한 서러움과 안타까움

이 편지 자세히 보시고 내 꿈에 와서 당신 모습 자세히 보여 주시고 또 말해 주세요. 나는 꿈에는 당신을 볼 수 있다고 믿고 있습니다. 몰래 와서 보여 주세요.

하고 싶은 말, 끝이 없어 이만 적습니다.
▶재회에 대한 소망

병술 유월 초하룻날 집에서
1586년

최우선 출제 포인트!

1 이 글에 담겨 있는 글쓴이의 심정

· 남편을 여의고 살아갈 힘이 없어 차라리 남편을 따라가고 싶다.
· 죽은 남편에 대한 그리움이 마음에 사무쳐, 꿈속에서라도 만나고 싶어 한다.

최우선 핵심 Check!

1 다음 내용 중 맞는 것은 ○표를, 틀린 것은 ×표를 하시오.

(1) 죽은 남편에 대한 아내의 안타까움과 재회에 대한 소망이 절절하게 나타난 편지글이다. ( )
(2) 남편을 여읜 부인의 서러움과 부끄러움이 나타나 있다. ( )

정답 1. (1) ○ (2) ×

150위

지귀 설화(志鬼說話) | 작자 미상

성격 전기적, 주술적, 순애적　**시대** 상고 시대
주제 지귀의 지극한 사랑과 화신(火神)의 내력

설화

이 설화는 신라 시대 선덕 여왕을 사모한 지귀라는 청년이 선덕 여왕이 준 팔찌를 보고 기뻐하다가, 그 기쁨이 불씨가 되어 불덩어리가 된 이야기를 담은 민담으로, 「심화요탑설화」라고도 불린다.

출제 우선 작품

내용 전개

기	승	전	결
신라의 젊은이 지귀가 선덕 여왕을 보고 한눈에 반함.	지귀는 선덕 여왕을 사모한 나머지 미쳐 버리고, 선덕 여왕은 지귀에게 연민을 가지고 그를 포용함.	지귀는 선덕 여왕이 자신에게 준 팔찌를 보고 기뻐하였는데, 그 기쁨이 불씨가 되면서 온몸이 불덩어리가 됨.	사람들이 불귀신이 된 지귀를 두려워하자 선덕 여왕은 불귀신을 쫓는 주문을 지어 화재를 면하게 함.

전문

　　□ : 주요 인물

신라 <u>선덕 여왕</u> 때에 <u>지귀(志鬼)</u>라는 젊은이가 있었다. 지귀는 활리역(活里驛) 사람인데, 하
　　신라의 27대 임금　　　　　　　　　　　　　　　　　　　　　신라의 지명
루는 서라벌에 나왔다가 지나가는 선덕 여왕을 보았다. 그런데 여왕이 어찌나 아름다웠던지
　경주의 옛 이름
그는 단번에 여왕을 사모하게 되었다.

선덕 여왕은 진평왕의 맏딸로, 그 성품이 인자하고 지혜로울 뿐만 아니라 용모가 아름다워
　　　　　　　　　　　　　　　　　　　선덕 여왕의 용모와 성품을 직접적으로 제시함
서 모든 백성들로부터 칭송(稱頌)과 찬사를 받았다. 그래서 여왕이 한번 행차(行次)를 하면 모
든 사람들이 여왕을 보려고 거리를 온통 메웠다. 〈중략〉　　　　　　　▶ 선덕 여왕을 사모하게 된 지귀
　　　　　　　　선덕 여왕이 신라인들에게 사랑받았음을 알 수 있음

"대체 무슨 일이냐?"

"미친 사람이 여왕님 앞으로 뛰어나오다가 다른 사람들에게 붙들려서 그럽니다."

"나한테 온다는데 왜 붙잡았느냐?" / "아뢰옵기 황송합니다만, 저 사람은 지귀라고 하는 미
　　지귀　　　　선덕 여왕
친 사람인데, 여왕님을 사모하고 있다고 합니다." / 관리는 큰 죄나 진 사람처럼 머리를 숙
이며 말했다. / "고마운 일이로구나!" / 여왕은 혼잣말처럼 이렇게 말하고는, 지귀에게 자기
　　지귀의 맹목적 사랑을 이해하는 너그러움을 보임 – 통치자로서의 탁월한 능력　　　　　　포용과 이해 – 선덕 여왕의 왕으로서의 면모 및 덕성이 드러남
를 따라오도록 관리에게 말한 다음, 절을 향하여 발걸음을 떼어 놓았다.

한편, 여왕의 명령을 전해들은 사람들은 모두 깜짝 놀랐다. 그러나 지귀는 너무도 기뻐서 춤
을 덩실덩실 추며 여왕의 행렬을 뒤따랐다.　　　　　　　　　▶ 지귀의 사랑을 너그럽게 포용하는 선덕 여왕

선덕 여왕은 절에 이르러 부처에게 기도를 올리었다. 그러는 동안 지귀는 절 앞의 탑 아래에
앉아서 여왕이 나오기를 기다렸다. 그러나 여왕은 좀체로 나오지 않았다. 지귀는 지루했다.
그리고 시간이 흐를수록 안타깝고 초조했다. 그러다가 <u>심신이 쇠약해질 대로 쇠약해진 지귀는</u>
<u>그 자리에서 그만 잠이 들고 말았다.</u> **Link** 소재의 의미 ❶　　　　　　▶ 여왕을 기다리다가 잠이 든 지귀
　　지귀가 여왕을 만나지 못하게 되는 장애 요인
지귀의 지순한 사랑은 인정하지만 평민과 평민의 만남을 용납할 수 없었던 당대인들의 인식이 '잠'으로 표현됨
　　여왕은 기도를 마치고 나오다가 탑 아래에 잠들어 있는 지귀를 보았다. 여왕은 그가 가엾다
　　　　　　　　　　　　　　　　　　　★ 주요 소재
는 듯이 물끄러미 바라보고는 팔목에 감았던 <u>금팔찌</u>를 뽑아서 지귀의 가슴 위에 놓은 다음 발
　　　　　　　　　　　　　　　　　　지귀의 사랑에 대한 여왕의 연민의 표시
길을 옮기었다.
　　Link 소재의 의미 ❷
　　여왕이 지나간 뒤에 비로소 잠이 깬 지귀는 가슴 위에 놓인 여왕의 금팔찌를 보고는 놀랐다.
　『　』: 점층적 전개 – 사랑과 기쁨 → 지귀를 불태움 → 탑을 불태움 → 온 거리를 불태움
그는 여왕의 금팔찌를 가슴에 꼭 껴안고 기뻐서 어찌할 줄을 몰랐다. 그러자 그 기쁨은 다시
불씨가 되어 가슴속에서 활활 타오르고 있었다. 그러다가 온몸이 불덩어리가 되는가 싶더니,
　　　　　　　Link 소재의 의미 ❸　　　　　　　　　　　　　　불씨가 지귀를 불태움
이내 숨이 막히는 것 같았다.

가슴속에 있는 불길은 몸 밖으로 터져 나와 지귀를 어느새 새빨간 불덩어리로 만들고 말았
다. 처음에는 가슴이 타더니 다음에는 머리와 팔다리로 옮겨져서 마치 기름이 묻은 솜뭉치처

_{여왕을 만나지 못하고 잠든 것에 대한 후회감과 여왕의 배려에 대한 감사함 등의 감정이 터져 나옴 → 맹목적인 사랑의 위험성}

럼 활활 타올랐다. 지귀는 있는 힘을 다하여 탑을 잡고 일어서는데, 불길은 탑으로 옮겨져서

_{역사적인 사실인 '영묘사 화재 사건'과 연관되어 있음}

이내 탑도 불기둥에 휩싸였다. 지귀는 꺼져 가는 숨을 내쉬며 멀리 사라지고 있는 여왕을 따

_{인간으로서의 생명이 다해감}

라가려고 허위적허위적 걸어가는데, 지귀 몸에 있는 불기운은 거리에까지 퍼져서 온 거리가 불

_{온 거리를 불태움}

바다를 이루었다.』

▶ 불귀신으로 변모한 지귀

『이런 일이 있은 뒤부터 지귀는 불귀신으로 변하여 온 세상을 떠돌아다니게 되었다. 사람들

_{『 』: 화재 예방 풍속의 내력을 나타냄} _{★★ 중심 소재} _{★ 주요 소재}

은 불귀신을 두려워하게 되었는데, 이때 선덕 여왕은 불귀신을 쫓는 주문(呪文)을 지어 백성

_{음양가나 술가 등이 술법을 부릴 때 외는 글귀나 말}

들에게 내놓았다.』

Link
출제자 톡 ▶ 소재의 의미를 파악하라!

❶ 지귀의 '잠'의 상징적 의미는?
신분적 격차에서 오는 사랑의 허망함

❷ 지귀의 사랑을 이해하고 포용하는 선덕 여왕의 덕성을 드러내는 소재는?
금팔찌

❸ '불'의 상징적 의미는?
지귀의 열정적 사랑

❹ 백성이 화재를 면할 수 있도록 선덕 여왕이 행한 것은?
불귀신을 물리치는 내용의 주문(呪文)을 내놓음.

『지귀는 마음에서 불이 일어 / 몸을 태우고 화신이 되었네.』

_{『 』: 지귀의 열렬한 사랑이 불[火]로 화(化)함을 보여 줌}

푸른 바다 밖 멀리 흘러갔으니, / 보지도 말고 친하지도 말지어다.

_{불과 대립적 성격을 지닌 것으로 불을 소멸시키는 힘을 가진 존재임}

백성들은 선덕 여왕이 지어 준 주문을 써서 대문에 붙이었다. 그랬
더니 비로소 화재를 면할 수 있었다. 이런 일이 있은 뒤부터 사람들

_{Link 소재의 의미 ❹}

은 불귀신을 물리치는 주문을 쓰게 되었는데, 이는 불귀신이 된 지
귀가 선덕 여왕의 뜻만 좇기 때문이라고 한다.

_{불귀신이 되어서도 선덕 여왕만을 좇는 지귀의 맹목적인 사랑}

▶ 주문에 의한 화재 예방

최우선 출제 포인트!

1 작품에 담겨 있는 당대인들의 인식

선덕 여왕의 외모와 성품이 긍정적으로 묘사됨.	당대인들이 선덕 여왕을 존경함.
지귀와 선덕 여왕의 만남이 이루어지지 않음.	신분의 차이를 뛰어넘는 사랑이 허용되지 않음.
선덕 여왕이 지귀에게 팔찌를 줌.	선덕 여왕을 자비로운 여왕으로 인식함.
'불귀신'으로 변한 지귀 때문에 화재가 발생함.	화재를 '불귀신'이라는 미신적 존재 때문에 일어나는 것으로 인식함.
주문으로 화재를 면할 수 있음.	주문을 통해 화재의 문제를 해결할 수 있다고 믿음.

2 '지귀'의 심리 변화 양상

신분 차이로 사랑을 이룰 수 없음에 슬퍼함. ➡ 선덕 여왕이 자신에게 관심을 가지자 기쁘고 설렘. ➡ 사모하는 이를 만날 수 있다는 기대감에 벅참.

➡ 기도를 하는 여왕을 기다리다가 잠이 듦. ➡ 여왕이 자신에게 준 팔찌를 보고 기뻐함.

3 '불귀신'의 상징적 의미

선덕 여왕에 대한 지귀의 맹목적인 사랑의 위험성을 나타내기도 하지만, '불귀신'을 다스릴 수 있는 사람 역시 선덕 여왕이라는 것을 보여 줌으로써 죽어서도 선덕 여왕만을 따르는 지귀의 사랑을 상징한다.

최우선 핵심 Check!

1 다음 내용 중 맞는 것은 ○표를, 틀린 것은 ×표를 하시오.

(1) 서술자가 인물의 용모와 성품을 직접적으로 제시하고 있다. (   )

(2) 불귀신으로 변한 지귀의 모습에서 전기적(傳奇的) 요소가 드러나 있다. (   )

(3) 선덕 여왕이 지어 준 주문으로 불귀신을 물리친다는 것에서, 통치자로서의 능력을 갖추고 있음을 보여 주고 있다. (   )

2 초성 힌트를 보고 빈칸에 들어갈 알맞은 말을 쓰시오.

(1) 지귀가 ㅈ이/가 들어 여왕을 만나지 못한 것을 통해, 여왕과 평민의 만남을 용납할 수 없었던 당대인들의 인식이 반영되었음을 알 수 있다.

(2) ㄱㅍㅉ에는 이룰 수 없는 사랑으로 괴로워하는 지귀에 대한 선덕 여왕의 연민의 정이 담겨 있다.

정답 1. (1) ○ (2) ○ (3) ○ 2. (1) 잠 (2) 금팔찌

'굽은 나무'를 뜻함

151위 곡목설(曲木說) | 장유

성격 비판적, 유추적 **시대** 조선 중기
주제 올바르지 못한 사람이 중용되는 현실 비판

수필

이 글은 굽은 나무를 인간의 삶에 유추하여 인간 세태를 비판하고 있는 고전 수필이다.

내용 전개 방식

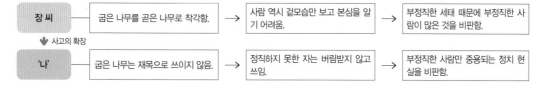

장 씨 → 굽은 나무를 곧은 나무로 착각함. → 사람 역시 겉모습만 보고 본심을 알기 어려움. → 부정직한 세태 때문에 부정직한 사람이 많은 것을 비판함.

⬇ 사고의 확장

'나' → 굽은 나무는 재목으로 쓰이지 않음. → 정직하지 못한 자는 버림받지 않고 쓰임. → 부정직한 사람만 중용되는 정치 현실을 비판함.

전문

　　이웃에 장씨 성을 가진 자가 살았다. 그가 집을 짓기 위하여 나무를 베려고 산에 갔는데, 우 ★주요 소재
거진 숲속의 나무들을 모두 둘러보았지만 꼬부라지고 뒤틀린 것이 대부분이었다. 그러다 산속
재목으로 쓸 수 없음
에 있는 무덤가에서 한 그루의 나무를 발견하였는데, 정면에서 바라보나 좌우에서 바라보나
곧았다. 장 씨가 쓸 만한 재목이다 싶어 도끼를 들고 다가가 뒤쪽에서 바라보니, 형편없이 굽
쓸 만한 재목이 아님
은 나무였다. 이에 도끼를 버리고 탄식하였다.　　　　▶굽은 나무를 곧은 나무로 착각한 장 씨의 경험
　 Link 대상의 특징 ❶
　　'아, 재목으로 쓸 나무는 보면 쉽게 드러나고, 판단하기도 쉬운 법이다. 그런데 이 나무를 내
『　』굽은 나무에서 굽은 사람으로 사고를 확장시킴
가 세 번이나 바라보고서도 재목감이 아니었다는 사실을 몰랐다. 그러니 겉으로 후덕해 보
이고 인정 깊은 사람일지라도 어떻게 그 본심을 알 수 있겠는가? 말을 들어 보면 그럴듯하
곧은 사람인지 판단하는 것은 곧은 나무인지를 판단하기보다 더 어려움　　　　　『　』관련 한자 성어: 표리부동(表裏不同)
고 얼굴을 보면 선량해 보이고 세세한 행동까지도 신중히 하므로 우선은 군자라고 말할 수
있다. 그러나 막상 큰일이나 중대한 일에 당하여서는 그의 본색이 드러나고 만다. 『국가가 망
하는 원인도 따지고 보면 이러한 사람으로부터 비롯되는 것이다.』 『　』나무와 관련된 경험을 인간에서 국가로
겉과 속이 다른 사람　　　　　　　　　　　　　　　　　　　　　확장하여 일반화함
　　그런데 대개 산속에 있는 나무의 생장 과정을 보건대, 짐승들에게 짓밟히거나 도끼 따위로
나서 자라는 과정　　　　　　　　　　　　　　예외적인 변수를 뜻함
해를 받지 않은 채 오직 비와 이슬 덕택에 날로 무성하게 자란다. 따라서 마땅히 굽은 데 없
장 씨가 생각하는 나무의 본성 – 곧음
이 곧아야 할 텐데 꼬부라지고 뒤틀려서 쓸모없는 재목이 되는 경우가 생기는 것이다. 하물
　　 Link 대상의 특징 ❷
며 이 세상에 몸을 담고 있는 사람의 경우야 더 말할 나위가 있겠는가? 『물욕이 참된 성품을
나무보다 좋지 않은 환경 속에 있는 사람은 본성이 더 쉽게 흐려짐　　　　　　　인간의 본성을 흐리게 하는 요소 ① – 물욕
혼탁하게 하고 이해가 판단력을 흐리게 하기 때문에 천성을 굽히고 당초에 먹은 마음에서
인간의 본성을 흐리게 하는 요소 ② – 이익과 손해
떠나고 마는 자가 많다.』 때문에 속이는 자가 많고 정직한 자가 적은 것을 이상하게 여길 일
『　』장 씨의 관점 – 인간의 본성 변화는 환경 탓임
　　　　　　　　　　　　　　　　은 아니다.'

Link

출제자 **특** 대상의 특징을 파악하라!

❶ 장 씨가 무덤가에서 발견한 나무의 특징은?
정면과 좌우에서 바라볼 때는 곧아 보였으나 뒤쪽에서 보니 형편없이 굽어 있어 쓸 만한 재목이 아님.

❷ 장 씨가 생각하는 나무의 본성은?
곧음

❸ '나'가 생각하는 나무의 본성은?
굽음과 곧음

　　장 씨가 이러한 생각을 내게 전하기에, 나는 이렇게 말해 주었다.
　　"그대는 정말 잘 보았습니다. 그러나 나 역시 해 줄 말이 있습니
다. 『서경』 「홍범편」에 오행(五行)을 논하면서, 나무를 곡(曲)과 직
우주 만물을 이루는 다섯 가지 원소로, 금(金), 수(水), 화(火), 목(木), 토(土)를 이름
(直)으로 설명하였습니다. 그렇다면 나무가 굽은 것은 재목감은 안
'나'가 생각하는 나무의 본성 – 굽음과 곧음
될는지 몰라도 나무의 천성으로 보면 당연한 것입니다. 공자(孔子)
　　　　　　　　　　　　　 Link 대상의 특징 ❸

는 '사람은 정직하게 살아야 하는데 그렇지 않게 살아가는 자는 요행히 죽음만 모면해 가는 것이다.'라고 하였습니다. 그렇다면 원칙적으로 정직하지 못한 자가 죽음을 모면하고 살아가는 것 자체가 잘못된 것입니다. _{살아 있는 것만으로도 요행이라 해야 마땅할 굽은 사람}

▶ 나무와 인간의 천성에 대한 '나'의 대답

그러나 내가 보건대, 이 세상에서 굽은 나무는 아무리 서투른 목수일지라도 가져다 쓰지 않는데, 정직하지 못한 사람은 잘 다스려지는 세상에서도 버림받지 않은 채 쓰이고 있습니다. 큰 집의 구조를 살펴보십시오. 마룻대나 기둥이나 서까래는 물론이고 구름 모양이나 물결처럼 장식할 경우에도 구부러진 재목이 있는 것을 볼 수 없습니다. 그런데 조정을 보십시오. 공경과 사대부들이 예복을 갖추어 입고 궁전에 드나드는데, 그중 정직한 도리를 간직하고 있는 자는 보지 못했을 것입니다. 이런 것들을 보면 굽은 나무는 항상 불행을 겪으나, 사람은 정직하지 않은 자가 항상 행운을 잡는다는 것을 알 수 있습니다. 옛말에 '곧기가 현(絃)과 같은 자는 길거리에서 죽어 가고 굽기가 구(鉤)와 같은 자는 공후(公侯)에 봉해진다.'라고 하였습니다. 이 말 역시 정직하지 못한 사람이 굽은 나무보다 대우를 받는 현실을 입증해 주는 것입니다."

▶ 정직하지 못한 사람이 대우를 받는 부조리한 인간 세태 비판

최우선 출제 포인트!

1 내용 전개 방식

이 글에서는 '나무'에 대한 경험을 바탕으로, 독자가 내용을 쉽게 이해할 수 있도록 유추의 방식을 사용하여 주장을 효과적으로 전달하고 있다.

장 씨	짐승들에게 짓밟히거나 도끼 따위로 해를 받은 일 없이 비와 이슬 덕택에 무성하게 자라는 나무조차 꼬부라지고 뒤틀려서 쓸모없는 재목이 되는 경우가 생김.	➡	환경의 부정적 영향을 받지 않은 나무가 굽는 것을 보고 부정적 환경의 영향으로 인간의 본성이 흐려지는 것은 어쩔 수 없는 일임을 깨달음.
'나'	굽은 나무는 아무리 서툰 목수라도 가져다 쓰지 않음.	➡	굽은 나무는 재목으로 쓰이지 않는데 정직하지 못한 사람은 등용되는 것이 부조리함.

2 장 씨와 '나'가 해석한 '나무'와 '인간'의 속성

장 씨	'나'
• 겉보기에는 곧지만 실제로는 굽은 나무는 겉모습만 군자인 사람과 같음. • 구부러지게 자라 쓸모없게 된 나무는 물욕으로 마음이 어지럽혀지고 천성이 왜곡된 사람과 같음.	• 나무는 곧음과 굽음을 동시에 갖기 때문에 나무가 굽은 것은 재목감이 안 될지라도 나무의 천성으로 보면 당연한 것임. • 굽은 나무는 재목으로 쓰이지 않지만, 부정직한 인간은 정치에 중용됨.

최우선 핵심 Check!

1 다음 내용 중 맞는 것은 ○표를, 틀린 것은 ×표를 하시오.

(1) 인물들의 대화를 통해 내용이 전개되고 제시된다. ( )

(2) '나무'가 상징하는 바를 인간사에 그대로 적용할 수 있다는 자신의 생각을 설파하는 구조로 이루어져 있다. ( )

(3) '나'는 정직한 자보다 정직하지 못한 자들이 더 높이 등용되는 현실을 비판하고 있다. ( )

2 초성 힌트를 보고 빈칸에 들어갈 알맞은 말을 쓰시오.

(1) 장 씨는 'ㄱㅇ 나무'를 보고 '속이는 자'를 떠올리고 있다.

(2) 이 글은 ㅇㅊ의 방식을 통해 내용을 전개하여 인물의 주장을 효과적으로 전달하고 있다.

3 빈칸에 들어갈 글쓴이가 말한 사람을 순서대로 쓰시오.

곧기가 현(絃)과 같은 자	
굽기가 구(鉤)와 같은 자	

152위

어부(魚賦) | 이옥

성격 비판적, 우의적 **시대** 조선 후기
주제 백성을 수탈하는 관료 사회에 대한 비판 및
왕의 바른 태도

수필

이 글은 강자가 약자를 잡아먹는 물고기의 세계에 빗대어 중간 관료들이 백성을 수탈하는 사회 현실을 비판하고 있는 고전 수필이다.

내용 전개

기	서	결
현실 세계를 약육강식의 바닷속 세상에 빗댐.	용은 자애로우나 큰 물고기들이 작은 물고기들을 괴롭힘.	약자에 대한 수탈은 바닷속 세상보다 인간 세상이 더 심함을 한탄함.

출제 우선 작품

전문

물이 하나의 국가라면, 용은 그 나라의 군주이다. 『어족(魚族) 가운데 큰 것으로 고래, 곤어,
현실 세계를 물속의 세계에 빗댐   현실 세계에서는 '인간'을 가리킴   상상 속의 거대한 물고기
바다 장어 같은 것은 그 군주의 내외 여러 신하이고, 그다음으로 메기, 잉어, 다랑어, 자가사
★ 주요 소재
리 종류는 서리나 아전의 무리이다. 그 밖에 크기가 한 자가 못 되는 것은 수국(水國)의 만백
신분 질서가 있고 지위의 높고 낮음이 있음
성들이다.』 그 상하에 서로 차서(次序)가 있고 대소(大小)에 서로 거느림이 있는 것은 또 어찌
『 』: 물고기를 인간에 빗대어 크기와 힘에 따라 분류함
사람과 다르겠는가?   ▶ 현실 세계를 수국에 빗댐

이 때문에 『용이 그 나라를 경영함에 가물어 물이 마르면 반드시 비를 내려 이어 주고, 사람
『 』: 용이 뭇 물고기에게 은혜를 베풂 = 군주가 백성을 보살핌
들이 물고기 씨를 말릴까 염려하여 겹겹이 물결을 일렁이어 덮어 주니,』 그것이 물고기에게는
은혜가 아닌 것은 아니다.   ▶ 군주인 용이 은혜로써 나라를 다스림
크나큰 은혜임

그런데 물고기에게 자애로운 것은 한 마리 용이고, 물고기를 못살게 하는 것은 수많은 큰 물
탐관오리, 포악한 관리들
고기들이다. 〈중략〉 강자는 약자를 삼키고 지위가 높은 것은 아랫것을 사로잡는다. 진실로 그
약육강식의 세태
러한 행위를 싫증 내지 않는다면 물고기들은 반드시 남아나지 않을 것이다. ▶ 강자가 약자를 수탈하는 상황
그런 행위가 잘못된 것임을 깨닫고 멀리하지 않는다면   사리사욕을 채우기 위해 백성들을 괴롭히는 관리들의 행태를 비판함
슬프다! 작은 물고기가 없다면 용은 뉘와 더불어 군주 노릇을 하며, 저 큰 물고기들이 또한
나라의 바탕은 백성임을 강조함 – 민본주의
어찌 으스댈 수 있겠는가? 그러므로 용의 도(道)란 그들에게 구구한 은혜를 베풀어 주는 것보
비를 내려 주고 물결을 일렁이는 것
다 먼저 그들을 해치는 족속들을 물리치는 것이다.   ▶ 탐관오리를 물리치는 것이 군주가 해야 할 시급한 일임
백성을 해치는 탐관오리들을 물리치는 것이 우선임
아아, 사람들은 물고기에게만 큰 물고기가 있는 줄 알고 사람에게도 큰 물고기가 있는 줄을
탐관오리의 수탈이 겉으로 잘 드러나지 않음
알지 못한다. 그러니 물고기가 사람을 슬퍼하는 것이 사람이 물고기를 슬퍼하는 것보다 더 심
물속 세계보다 인간 세계의 약육강식의 세태가 더 심함 – 탐관오리의 수탈로 인한 백성의 괴로움이 심각함을 풍자함
한 것을 어찌 알겠는가?   ▶ 불합리한 현실을 사람들이 깨닫지 못하는 상황을 한탄함

최우선 출제 포인트!

1 이 글의 비유 대상

물	용	큰 물고기	작은 물고기
↓	↓	↓	↓
국가	군주	조정 관리	만백성

2 글쓴이가 군주에게 호소하는 것

왕은 백성을 위해 정치하며 자애롭지만, 그 밑의 신하와 벼슬아치는 자신의 부를 축적하는 데에만 눈이 멀어 백성을 수탈하고 있다는 점을 지적하며, 글쓴이는 왕에게 신하들 중 백성을 괴롭히는 신하를 물리쳐야 함을 호소하고 있다.

최우선 핵심 Check!

1 다음 내용 중 맞는 것은 ○표를, 틀린 것은 ×표를 하시오.

(1) 군주를 '용'에, 백성을 '큰 물고기'에, 여러 신하를 '작은 물고기'에 빗대어 현실 세계를 비판하고 있다. (　　)

(2) 글쓴이는 관리들이 백성을 괴롭히는 현실에 대해 안타까움을 느끼며 탄식하고 있다. (　　)

(3) 글쓴이는 나라의 근본은 백성이며, 관리들을 잘 다스리는 것이 군주로서 해야 할 가장 중요한 일임을 강조하고 있다. (　　)

정답 1. (1) × (2) ○ (3) ○

153위

육우당기(六友堂記) | 윤휴

성격 교훈적, 비판적 **시대** 조선 후기
주제 자연을 벗 삼아 천진(天眞)을 지키는 삶을 권고함

수필

이 글은 글쓴이가 사촌 형이 거처하는 초막집에 '육우'라는 당명(堂名)을 지어 주게 된 배경과 이유를 밝히고 있는 수필이다.

내용 전개 방식

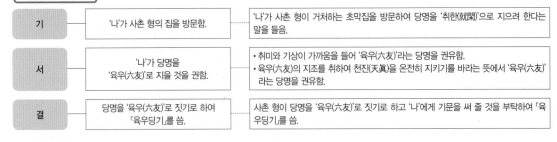

기	'나'가 사촌 형의 집을 방문함.	'나'가 사촌 형이 거처하는 초막집을 방문하여 당명을 '취한(就閑)'으로 지으려 한다는 말을 들음.
서	'나'가 당명을 '육우(六友)'로 지을 것을 권함.	• 취미와 기상이 가까움을 들어 '육우(六友)'라는 당명을 권유함. • 육우(六友)의 지조를 취하여 천진(天眞)을 온전히 지키기를 바라는 뜻에서 '육우(六友)'라는 당명을 권유함.
결	당명을 '육우(六友)'로 짓기로 하여 「육우당기」를 씀.	사촌 형이 당명을 '육우(六友)'로 짓기로 하고 '나'에게 기문을 써 줄 것을 부탁하여 「육우당기」를 씀.

전문

한산(寒山) 어른 송계신보(宋季愼甫)가 나와는 사촌이 된다. 내가 일찍이 그 집에 가 보니, 뒤로는 감악산(紺嶽山)을 등지고 앞으로는 큰 들을 임하여 초막집을 한 채 얽어 한가히 휴식하
_{경기도 파주에 있는 산}   _{자연 친화적 공간}
는 곳으로 삼았었다. 그 당명(堂名)이 무어냐고 물었더니, 주인이 말하기를,
                    _{집의 이름}   _{사촌 형}

"내가 '취한(就閑)'이라 이름하려고 하는데, 미처 써 붙이지 못했다."
_{(벼슬이나 지위에서 물러나) 한가로움을 취함}   ▶ '나'가 사촌 형의 집을 방문함

고 하였다. 내가 말하기를,
_{한가로움}

"한(閑)은 본디 이 당(堂)이 소유한 것이거니와, 우리 형은 나이 70세가 넘어 하얀 수염에 붉은
_{'한(閑)'은 너무 맹맹하여 이름으로서 함축성이 약함 – '취한'이 당명으로 적합하지 않은 이유}   _{혈색이 좋은 건강한 모습}
얼굴로 여기에서 즐기며 바깥세상에 바랄 것이 없으니, 어찌 아무 도와주는 것 없이 충분히
_{관련 한자 성어: 유유자적(悠悠自適 – 속세를 떠나 아무 속박 없이 조용하고 편안하게 삶)}   _{육우의 역할 – 운치를 누릴 수 있도록 도와줌}
그 운치를 누릴 수가 있겠습니까. 내가 보건대, 당 한편에 애완(愛玩)하여 심어 놓은 것들이
                                        _{동물이나 물품 따위를 좋아하여 가까이 두고 귀여워하거나 즐김}
있으니, 바로 『대[竹]와 국화[菊]와 진송(秦松)과 노송(魯松)과 동백(冬柏)이요, 게다가 빙 둘
_{「 」: 육우의 제시}   _{설 전후의 추위라는 뜻으로, 매우 심한 한겨울의 추위를 이르는 말}
러 사방의 산에는 또 창송(蒼松)이 만여 그루나 있으니, 이 여섯 가지는 세한(歲寒)의 절개가
              _{푸른 소나무}   _{육우의 속성 – 절개가 있어 지조가 굳음. 글쓴이가 추구하는 삶의 자세}
있어 더위와 추위에도 지조를 변치 않는 것들입니다. 우리 형께서는 늙을수록 건강하여 신
                    Link 글쓴이의 관점 ❶   _{탈속적 공간}
기(神氣)가 쇠하지 않았는데도, 사방에 다니는 것을 싫어하고 이곳에 은거하여, 여기에서 노
_{정신과 기운을 아울러 이르는 말}   _{세속과의 단절}   _{세상을 피하여 숨어서 삶}
래하고 여기에서 춤추고 여기에서 마시고 취하고 자고 먹고 하니, 이 여섯 가지를 얻어서 벗
으로 삼는다면 그 취미나 기상이 서로 가깝지 않겠습니까.
                                                  ▶ '육우(六友)'라는 당명을 권하는 이유 ①
_{'육우'라는 당명을 권하는 이유 ① – 탈속성. 지조, 풍류 면에서 주인의 취미나 기상과 유사함}

우리 형께서는 또 세상 변천과 세상 물정을 많이 겪고 보았습니다. 가만히 보면, 『세상의
                                                  _{「 」: 권력의 성쇠에 따라 변하는 세태 비판. 관련 한자 성어: 염량세태(炎涼世態)}

교우(交友) 관계가 처음에는 견고했다가 나중에는 틈이 생기어, 득
세(得勢)한 자에게는 열렬히 따르고 실세(失勢)한 자에게는 그지없
_{세력을 얻은 자}   _{세력을 잃은 자}
이 냉담하며, 떵떵거리는 자리에는 서로 나가고 적막한 자리에는 서
로 기피하는 것이 세태의 풍조입니다. 그런데 『이 여섯 가지는 이런
              Link 글쓴이의 관점 ❷   _{육우의 지조}
가운데 생장하면서도 능히 풍상(風霜)을 겪고 우로(雨露)를 머금어
            _{나서 자람}   _{바람과 서리}   _{비와 이슬}
이제까지 울울창창하여서 앉고 눕고 기거하고 근심하고 즐거워하는

「ⁿ '육우'라는 당명을 권하는 이유 ②
— 육우의 지조를 취하여 천진을 지키기를 바람

것을 처음부터 끝까지 항상 주인과 함께하고 있으니, 차라리 저것을 버리고 이것을 취하여
〔Link〕글쓴이의 관점 ❶   세상의 교우 관계   육우

세상의 걱정을 피해서 나의 천진(天眞)을 온전히 지키는 것이 낫지 않겠습니까. 이 당에는 실
세파에 젖지 않은 자연 그대로의 참됨

로 이 여섯 가지가 있고, 옹(翁)께서 그 가운데에 처하시니, 어찌 '육우(六友)'라 이름하는 것
당명을 '육우'로 정할 것을 권유함

이 좋지 않겠습니까. 그 한(閑)은 바로 여기에 있는 것입니다."
참된 '한(閑)'   ▶ '육우'라는 당명을 권하는 이유 ②

하니, 주인이 그렇게 하겠다고 승낙하고 인하여 나에게 그 기문(記文)을 써 달라고 부탁하였다.
기문을 쓴 계기
기록한 문서   ▶ 당명을 '육우'로 승낙하고 '육우당기'를 지음

최우선 〔출제 포인트!〕

1 글쓴이의 관점

세상의 교우 관계		육우(六友)
• 권력의 성쇠에 따라 변함. • 지조와 신의가 없음.	대조	• 풍파에도 변치 않음. • 절개와 지조, 신의를 지킴.
부정적, 비판적		긍정적, 예찬적

↓

세상을 버리고 육우(六友)의 지조를 취하여
천진(天眞)을 온전히 지키기를 권유함.

2 이 글에서 '자연'의 의미

이 글에서 자연은 은거(隱居)의 공간으로서, 세속의 일을 떠나 한가로
움을 즐기는 여유로운 공간이자 세속과는 단절된 탈속적 공간이다. 이
런 점에서 속세와 자연은 대조되는데, 속세가 권력의 부침에 따라 인심
이 바뀌는 지조와 신의 없는 세계라면, '육우(六友)'로 대표되는 자연은
지조와 신의를 지키는 이상적 세계라 할 수 있다. 또한 육우(六友)와 더
불어 지조와 천진(天眞)을 온전히 지킬 수 있다는 점에서 자연은 도학적
인 공간이기도 하다. 즉 자연을 진위의 판단이나 행동의 기준으로서의
도덕으로 보고 있다. 자연은 도(道)가 구현된 완전한 세계이기에, 자연을
닮아 간다는 것은 학문을 닦는 것과 마찬가지로 자신을 수양하는 일이
되며, 도(道)를 몸소 구현한다는 의미가 된다.

최우선 〔핵심 Check!〕

1 다음 내용 중 맞는 것은 ○표를, 틀린 것은 ×표를 하시오.

(1) 의인화된 대상에게 말을 건네는 방식으로 전개되고 있다. (   )
(2) '그 취미나 기상이 서로 가깝지 않겠습니까' 등의 설의적 표현을 활용
하여 주제 의식을 강조하고 있다. (   )
(3) 글쓴이는 사촌 형이 '육우'와 벗하며 충분히 그 운치를 누리기를 바라
고 있다. (   )
(4) '뒤로는 감악산을 등지고 앞으로는 큰 들을 임하여 초막집을 한 채 얽
어'에서 원경에서 근경으로 시선이 이동되고 있다. (   )

2 초성 힌트를 보고 빈칸에 들어갈 알맞은 말을 쓰시오.

(1) '□□'은/는 지조를 변치 않는 대상으로, 글쓴이가 예찬하는 대상이다.
(2) 글쓴이는 육우를 벗 삼아 □□을/를 지키는 삶의 태도를 추구하고 있
다.

〔정답〕1. (1) × (2) ○ (3) ○ (4) ○ 2. (1) 육우 (2) 천진

1등급! 〔보기!〕

이색의 「육우당기」

산은 우리 인자(仁者)가 좋아하는 바이니 산을 보면 우리의 인(仁)
을 보존할 수가 있을 것이요, 물은 우리 지자(智者)가 좋아하는 바
이니 강을 보면 우리의 지(智)를 보존할 수가 있을 것이다. 그리고
눈은 겨울에 온기(溫氣)를 덮어서 감싸 주니 겨울에도 우리 기운
이 중화(中和)를 잃지 않도록 보존할 수가 있을 것이요, 달은 밤에
밝음을 내어 비춰 주니 밤에도 우리 몸이 다치지 않도록 보존할
수가 있을 것이다. 또 바람은 팔방(八方)으로부터 각각 때에 맞게
불어 주니 이를 통해서 우리가 함부로 행동하지 않을 수 있을 것
이요, 꽃은 사시(四時)에 따라 각자 같은 종류끼리 모여서 피는 모
습을 보여 주니 이를 통해서 우리가 질서를 잃지 않을 수 있게 될
것이다.

— 이색, 「육우당기」

「육우당기」는 고려 말기의 문신인 이색의 유고집 「목은집」에 실려
전하는 한문 수필이다. 당시 삼사좌윤을 지낸 영가 김경지는 이
색에게 "지금 우리 모친의 집에 와서 보니, 강과 산의 경치가 너
무나도 좋기만 합니다. 그래서 아침저녁으로 나를 위로해 주는
것이 꼭 눈과 달과 바람과 꽃만은 아니라는 생각이 들기에, 강과
산을 보태서 육우(六友)라 하였으니, 선생께서 이에 대해 가르
침을 내려 주셨으면 합니다."라고 하였다. 이에 이색은 강·산·
눈·달·바람·꽃과 사귀는 벗 김경지의 지혜를 '한세상에 남이 따
를 수 없는 뛰어난 재주'라고 하며, 한 개인은 산수 자연에 있는
하나의 작은 존재에 지나지 않고 산수 자연 속에 존재하는 모든
만물은 인간과 동등하다는 자신의 생각을 전하고 있다.

거미를 소재로 하여 교훈적인 주제를 전달하는 수필

거미를 읊은 부 | 이옥

성격 교훈적, 성찰적, 비판적, 우의적 **시대** 조선 후기
주제 인간 세태의 모습과 경계해야 할 삶의 태도

수필

이 글은 거미의 목소리를 빌어 도리에 어긋나는 삶을 사는 사람들과 부정적인 인간 세상의 모습을 우의적으로 비판하고 있다.

내용 전개

기	서	결
거미줄을 걷어 버리고 거미를 꾸짖는 이자(李子)	이자(李子)에게 올바른 삶의 태도를 충고하는 거미	거미의 비판을 반박하지 못하고 도망친 이자(李子)

핵심장면 ① 이자(李子)가 거미줄을 걷어 버리며 거미를 꾸짖는 부분이다.

이자(李子)가 저녁의 서늘함을 맞아, 뜰에 나가 거닐다가 거미가 있는 것을 보았다. 짧은 처마
_{글쓴이 이옥을 가리킴}   _{그물의 위쪽 코를 꿰어 놓은 줄. 잡아당겨 그물을 오므렸다 폈다 함}
앞에 거미줄을 날리며 해바라기 가지에 그물을 펴고 있었다. 『가로로 치고 세로로 치고 벼리로
                                                           _{『 』: 거미줄의 모양 묘사}
하고 줄로 하는데, 그 너비는 한 자가 넘고 그 제도는 규격에 맞으며 촘촘하며 성글지 않아 실
로 교묘하고도 기이하였다.』이자는 그것이 간교한 마음이 있다고 여겨 지팡이를 들어서 거미
                                     _{거미줄을 부정적 대상으로 판단함}
줄을 걷어 버렸다. 그것을 다 걷어내고는 또 내치려고 하는데, 거미줄 위에서 소리치는 것이
      _{거미줄}
있는 듯하였다.
           _{어떤 일을 이루기 위하여 대책과 방법을 세움}
"나는 내 줄을 짜서 내 배를 도모하려 하거늘 그대에게 무슨 관계가 있다고 이같이 나를 해
   _{거미}   _{거미를 의인화하여 표현함}
치는가?" / 이자가 성내어 말하였다.
"『덫을 설치하여 산 것을 죽이니 벌레들의 적이다.』나는 다시 또 너를 제거하여 다른 벌레들
         Link 관점의 차이 ①
    _{이자가 거미줄을 걷어 버린 이유 – 거미가 무고한 생명을 살생한다고 생각하기 때문에}
에게 덕을 베풀려고 한다." / 다시 웃으며 말하는 것이 있었다.
                                                      ▶ 거미를 꾸짖는 이자(李子)

핵심장면 ② 거미가 이자의 꾸짖음을 반박하는 부분이다.
                                                          _{고대 중국에서 산림(山林)을 맡아보던 벼슬아치}
"아, 『어부가 설치한 그물에 바닷물고기가 걸려드는 것이 어부가 포학해서이겠는가? 우인(虞
      _{『 』: 이자의 꾸짖음에 대한 거미의 반박 ① – 유추를 통해 거미 자신의 행위를 정당화함}   _{어부의 잘못이 아니다}
人)이 놓은 그물에 들짐승이 푸줏간에 올려지는 것이 어찌 우인의 교(敎)이겠는가? 법관이
내건 법령에 뭇 완악한 사람이 옥에 갇히는 것이 어찌 법관의 잘못이겠는가? 그대는 어찌하
                                                              Link 관점의 차이 ②
   _{성질이 억세게 고집스럽고 사나운}
여 복희씨(伏羲氏)의 그물을 시비하지 아니하고 백익(伯益)의 불태움을 부정하지 아니하며
  _{중국 신화에 나오는 사람으로 노끈을 맺어 그물을 만들어서 사냥과 고기를 잡았다고 함}   _{순임금의 신하로 산에 불을 질러 태우자 짐승이 도망하여 숨었다고 함}
고요(皐陶)의 형벌 제정을 책망하지 아니하는가? 무엇이 이것과 다르겠는가? 더구나《그대
  _{순임금 때의 법관}   _{《 》: 이자의 꾸짖음에 대한 거미의 반박 ② – 곤충을 통해 부정적인 인간 세상의 모습을 비판함}
는 내 그물에 걸려든 놈을 알기나 하는가? 『나비는 허랑방탕한 놈일 뿐 분단장을 하여 세상
   _{경계해야 할 삶의 태도를 지닌 사람들}   _{허영심이 강한 사람}   _{언행이 착실하지 못하고 행실이 지저분한}
                                                                  Link 소재의 의미 ①
을 속이고 번화함을 좋아하여 좇으며 흰 꽃에 아첨하고 붉은 꽃에 아양 떤다.』이 때문에 내
   _{번성하고 화려함}   _{『 』: 나비의 부정적 속성 – 허영심이 많고 아첨하기를 좋아함}
가 그물로 잡게 되는 것이다. 『파리는 참으로 소인배라. 깨끗한 옥 또한 참소를 입었고 술과
                           _{남을 모함하는 소인배}   _{남을 헐뜯어서 죄가 있는 것처럼 일러바침}
고기에 자기 목숨이 중한 것을 잊어버리고 이익을 좋아하여 싫증 내
지 않는다.』이 때문에 내가 그물로 잡게 되는 것이다. 『매미는 자못
                                      _{『 』: 파리의 부정적 속성 – 깨끗한 대상을 참소하고 욕심이 많음}   _{스스로 자랑하기를 좋아하는 사람}
청렴 정직하여 글하는 선비와 비슷하지만 '선명(善鳴)'이라 스스로
      _{『 』: 매미의 부정적 속성 – 깨끗한 척하지만 자신을 자랑하기 좋아함}
자랑하며 시끄럽게 울어 그칠 줄 모른다.』이리하여 내 그물에 걸려
                       _{승냥이와 이리}
들게 된 것이다. 『벌은 실로 시랑 같은 놈이라. 제 몸에 꿀과 칼을 지니
                       _{재물과 권력을 과도하게 욕심내는 사람}

Link
출제자 톡 관점의 차이를 파악하라!

❶ 이자(李子)가 거미를 제거하려는 이유는?
거미가 무고한 생명을 살생한다고 생각했기 때문에

❷ 어부와 우인, 법관의 경우를 통해 거미가 말하고자 하는 바는?
거미줄을 쳐서 벌레들을 잡아먹는 자신의 행위는 정당함.

고 망령되이 관아에 나아간다고 하면서 공연히 봄꽃 탐하기를 일삼는다.』 이리하여 내 그물
_{늙거나 정신이 흐려져 말이나 행동이 정상을 벗어난 데가 있게} _{벌의 부정적 속성 – 재물과 권력을 과도하게 욕심냄}
에 걸려든 것이다. 『모기는 가장 엉큼한 놈이라. 성질이 흉악한 짐승 같아 낮에는 숨고 밤에
_{위선적인 행동으로 남에게 피해를 주는 사람}
는 나타나서 사람의 고혈을 빨아댄다.』 그렇기에 내 그물에 걸려든 것이다. 『잠자리는 품행이
『 』: 모기의 부정적 속성 – 위선적인 행동으로 남에게 피해를 줌   _{품행이 방정맞은 사람}
없어 경박한 공자처럼 편안히 있을 겨를이 없으며 홀연히 회오리바람인 양 날아다닌다.』 그
『 』: 잠자리의 부정적 속성 – 품행이 방정맞음
렇기에 또한 내가 그물로 잡게 되는 것이다. 그 밖에 부나방이 화(禍)를 즐기는 것, 초파리가
_{화를 자초하는 사람}   _{일을 벌이기만 하는 사람}
일을 좋아하는 것, 반딧불이가 허장성세하여 불빛을 내는 것, 하늘소가 함부로 그 이름을 훔
_{허세를 부리는 사람}   Link 소재의 의미 ❶   _{남의 이름을 도용하는 사람}
치는 것, 선명한 옷차림을 한 하루살이 무리, 수레바퀴를 막아서는 말똥구리 무리와 같은 것
_{무모한 사람들}
들은 재앙을 스스로 만들어 흉액을 피할 줄 모르니 그물에 몸이 걸려 간과 뇌가 땅바닥을 칠
하게 된다.》 아, 세상은 성강(成康)의 시절이 아니어서 형벌을 놓아두고 쓰지 않을 수 없고,
_{태평성대의 시절}   _{거미줄을 쳐서 곤충을 잡는 행위}
사람은 신선이나 부처가 아니어서 소찬(素餐)만 먹을 수도 없다. 저들이 그물에 걸린 것은
_{고기나 생선이 들어 있지 아니한 반찬}
곧 저들의 잘못이지 내가 그물을 쳤다고 하여 어찌 나를 미워한단 말인가? 또 그대가 저들
_{거미가 자신의 행동을 정당화함}
에게 어찌하여 사랑을 베풀면서 나에게만은 어찌하여 화를 내고, 나를 훼방하면서까지 도리
어 저들을 감싸준단 말인가? 아, 기린은 사로잡을 수 없는 것이고 봉황은 유인할 수 없는 것   _{군자}
이니 『군자는 도를 알아서 죄를 지어 구속됨으로써 재앙을 입지 않아야 한다.』 이러한 것을 거
_{거미줄에 잡힌 곤충들과 대조적인 존재}   Link 소재의 의미 ❷   『 』: 형벌과 재앙을 면하기 위해서는 군자로서의 도리를 지키며 죄를 짓지 말고 살아가야 함
울 삼아 삼가고 힘쓸지어다! 『그대의 이름을 팔지 말며 그대의 재주를 자랑하지 말며 이욕으
『 』: 경계해야 할 삶의 태도를 제시함   _{사사로운 이익을 탐내는 욕심}
로 화를 부르지 말며 재물에 목숨을 바치지 마라. 경박하거나 망령
되이 굴지 말며 원망하거나 시기하지 말며 땅을 잘 가려서 밟고 때
_{세상사의 옳고 그름을 판단하는 존재}
에 맞추어 오고 가야 한다.『그렇지 않으면 세상에는 더 큰 거미가 있
『 』: 거미줄 이야기에서 세상사를 유추함
으니 그 그물이 나보다 천 배, 만 배가 될 뿐이 아닐 것이다.”

▶ 이자(李子)에게 올바른 삶의 태도를 충고하는 거미

Link

출제자 톡! **소재의 의미를 파악하라!**

❶ '나비'와 '반딧불이'가 의미하는 인간은?
'나비'는 허영심이 많은 사람, '반딧불이'는
허세를 부리는 사람을 의미함.

❷ 거미줄에 잡힌 곤충들과 대조적인 존재는?
군자

최우선 **출제 포인트!**

1 주제 전달 방식

의인화	거미의 목소리를 통해 우의적인 방법으로 주제를 전달함.
유추	곤충을 통해 인간의 삶의 모습을 유추하고 이를 인간 세상으로 확장함으로써 바람직한 삶의 태도에 대한 교훈을 전달함.

2 소재의 상징적 의미

나비	허영심이 강한 사람	부나방	화를 자초하는 사람
파리	남을 모함하는 사람	초파리	일을 벌이기만 하는 사람
매미	스스로 자랑하기를 좋아하는 사람	반딧불이	허세를 부리는 사람
벌	재물과 권력을 과도하게 욕심내는 사람	하늘소	남의 이름을 도용하는 사람
모기	위선적인 행동으로 남에게 피해를 주는 사람	하루살이, 말똥구리	무모한 사람
잠자리	품행이 방정맞은 사람		

3 글쓴이의 의도

벌레들의 부정적인 속성(경계해야 할 삶의 태도)
↓
도리에 어긋나는 삶을 살아가지 말아야 함.(주제)

최우선 **핵심 Check!**

1 초성 힌트를 보고 빈칸에 들어갈 알맞은 말을 쓰시오.

이 글은 ㄱㅁ 의 목소리를 통해 주제를 형상화하고 있는데, 주로 곤충들의
모습에서 삶의 태도를 ㅇㅊ하고 이를 인간 세상으로 확장하는 방법을 통해
교훈을 전달하고 있다.

2 다음 내용 중 맞는 것은 ○표를, 틀린 것은 ×표를 하시오.

[1] '이자의 꾸짖음 – 거미의 반박 – 거미의 충고'의 구조로 이루어져 있다.
( )
[2] 이자는 거미를 긍정적인 대상으로 생각하고 있다. ( )
[3] 거미는 인간 세상보다 자연 세계에 경계해야 할 요소가 많다고 주장하고 있다. ( )

정답 1. [1] 거미 [2] 유추 2. [1] ○ [2] × [3] ×

'해바라기 정자'라는 의미

규정기(葵亭記) | 조위

성격 교훈적 **시대** 조선 전기
주제 정자의 이름을 '규정'이라고 지은 이유

수필

이 글은 글쓴이가 유배 중 정자의 이름을 '규정'이라고 지은 이유를 '손님'의 질문과 '나'의 대답의 형식으로 서술하고 있다.

내용 전개

기	서	결
정자 이름에 대한 '손님'의 질문	'손님'의 질문에 대한 '나'의 대답	'나'의 대답에 대한 '손님'의 반응

전문

내가 의주로 귀양 간 이듬해 여름이었다. 세든 집이 낮고 좁아서 덥고 답답함을 참을 수가 없었다. 그래서 채소밭에서 좀 높고 바람이 잘 통하는 곳을 골라 서까래 몇 개로 정자를 얽고 띠로 지붕을 덮어 놓으니, 대여섯 사람은 앉을 만했다. 옆집과 나란히 붙어서 몇 자도 떨어지지 않았다. 채소밭이라고 해야 폭이 겨우 여덟 발인데, 『단지 해바라기 수십 포기가 푸른 줄기에 부드러운 잎을 훈풍에 나부끼고 있을 뿐이었다. 그걸 보고 이름을 규정(葵亭)이라고 했다.』

손님 가운데 나에게 묻는 이가 있었다.

＞ 정자의 이름을 '규정'이라고 지음

"저 해바라기는 식물 가운데 보잘것없는 것입니다. 옛날 사람들은 여러 가지 풀이나 나무, 또는 꽃 가운데서 어떤 이는 그 특별한 풍치를 높이 사기도 하고, 어떤 이는 그 향기를 높이 치기도 하였습니다. 그래서 많은 이들이 소나무, 대나무, 매화, 국화, 난이나 혜초로 자기가 사는 집의 이름을 지었지, 이처럼 하찮은 식물로 이름을 지었다는 말은 아직까지 들어 보지 못했습니다. 당신은 해바라기에서 무엇을 높이 사신 것입니까? 이에 대한 말씀이 있으십니까?"

＞ 정자 이름에 대한 손님의 질문

내가 그에게 이렇게 대답했다.

"사물이 한결같지 않은 것은 그리 타고나서 그런 것입니다. 귀하고 천하고 가볍고 무겁고 하여 만의 하나도 같은 것이 없습니다. 저 해바라기는 식물 가운데 연약하고 보잘것이 없는 것입니다. 『사람에 비유하면 더럽고 변변치 못하여 이보다 못한 것이 없는 것과 같습니다. 소나무, 대나무, 매화, 국화, 난초, 혜초는 식물 가운데 굳고도 세어서 특별한 풍치가 있거나 향기를 지닌 것들입니다. 사람에 비유하면 무리에서 뛰어나며, 세상에 우뚝 홀로 서서 명성과 덕망이 울연한 것과 같습니다.』

『내가 지금 황량하고 머나먼 적막한 바닷가로 쫓겨나서, 사람들은 천히 여겨 사람 대접을 하지 않고, 식물도 나를 서먹서먹하게 내치는 형편입니다. 내가 소나무나 대나무 같은 것으로 나의 정자 이름을 짓고자 한다 해도, 또한 그 식물들의 수치가 되고 사람들의 비웃음거리가 되지 않겠습니까?

＞ 해바라기를 정자의 이름으로 정한 이유 ①

버림받은 사람으로서 천한 식물로 짝하고, 먼 데서 찾지 않고 가까운 데서 취했으니 이것이 나의 뜻입니다. 또 내가 들으니 천하에 버릴 물건도 없고 버릴 재주도 없다고 합니다. 그래서 어저귀나 삼

Link

출제자 특강 관점의 차이를 파악하라!

❶ 해바라기에 대한 '손님'의 평가는?
식물 가운데 보잘것이 없음.

❷ '나'가 정자의 이름으로 해바라기를 선택한 이유는?
해바라기가 귀양 온 '나'의 처지와 어울리기 때문에

바귀, 무나 배추 같은 하찮은 것들도 옛사람들은 모두 버려서는 안 된다고 했습니다. 거기다 해바라기는 두 가지 훌륭한 점을 가지고 있습니다. 『해바라기는 능히 해를 향하여 그 빛을 따
   _{해바라기의 충성스러운 면모}
라 기울어집니다. 그러니 이것을 충성이라고 해도 괜찮을 것입니다. 또 분수를 지킬 줄 아니
   _{해바라기의 지혜로운 면모}
그것을 지혜라고 해도 괜찮을 것입니다. 대개 충성과 지혜는 남의 신하된 자가 갖추어야 할
   _{해바라기의 두 가지 훌륭한 점}
절조이니, 충성으로써 임금을 섬겨 자기의 정성을 다하고 지혜로써 사물을 분별하여 시비를
   _{신하 된 자가 갖추어야 할 태도}
가리는 데 잘못됨이 없는 것, 이것은 군자도 어렵게 여기는 바이지만, 내가 옛날부터 흠모해
오던 덕목입니다. 이런 두 가지의 아름다움이 있는데도 연약한 뭇 풀들에 섞여 있다고 해서
   _{충성과 지혜}
그것을 천하게 여길 수 있겠습니까? 이로써 말하면 유독 소나무나 대나무나 매화나 국화나
   _{천하게 여길 수 없다}
난이나 혜초만이 귀한 것이 아님을 살필 수 있습니다.

지금 내가 비록 귀양살이를 하고 있지만, 자고 먹고 하는 것이 임금님의 은혜가 아님이 없
   _{신하로서 임금에 대한 감사를 직접 드러냄}
습니다. 낮잠을 자고 일어나 밥을 한술 뜨고 나서 심휴문(沈休文)이나 사마군실(史馬君實)의
   Link 소재의 특징 ❷   _{중국 남조 시대의 문인}   _{중국 북송의 정치가, 사학자}
시를 읊을 때마다 해를 향하는 마음을 스스로 그칠 수가 없었으니,』 해바라기로 나의 정자의
   _{임금}   『 』: 해바라기를 정자 이름으로 선택한 이유 ② – 신하로서의 덕목을 갖추고 있기 때문에
이름을 지은 것이 어찌 아무런 근거도 없다 하겠습니까?"
                                    ▶ 해바라기를 정자의 이름으로 정한 이유 ②
손님이 말했다.

"나는 하나는 알고 둘은 알지 못했는데, 그대 정자의 이야기를 듣
   _{'나'의 반박을 듣고는 자신의 부족함을 인정함}
고 보니 더할 것이 없어졌소이다."
                                    ▶ '나'의 대답에 대한 손님의 반응

Link
출제자 팁! 소재의 특징을 파악하라!
❶ '나'가 생각하는 해바라기의 훌륭한 점 두 가지는?
   충성과 지혜
❷ '나'의 입장에서 해바라기가 지향하는 '해'에 해당하는 것은?
   임금

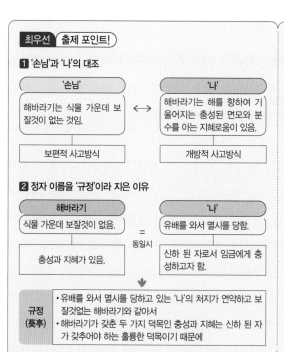

최우선 출제 포인트!

1 '손님'과 '나'의 대조

'손님'	'나'
해바라기는 식물 가운데 보잘것이 없는 것임.	해바라기는 해를 향하여 기울어지는 충성된 면모와 분수를 아는 지혜로움이 있음.
보편적 사고방식	개방적 사고방식

2 정자 이름을 '규정'이라 지은 이유

해바라기	'나'
식물 가운데 보잘것이 없음.	유배를 와서 멸시를 당함.
충성과 지혜가 있음.	신하 된 자로서 임금에게 충성하고자 함.

(동일시)

규정 (葵亭)	• 유배를 와서 멸시를 당하고 있는 '나'의 처지가 연약하고 보잘것없는 해바라기와 같아서 • 해바라기가 갖춘 두 가지 덕목인 충성과 지혜는 신하 된 자가 갖추어야 하는 훌륭한 덕목이기 때문에

최우선 핵심 Check!

1 이 글에 대한 설명으로 맞는 것을 골라 기호를 쓰시오.

ㄱ. 이 글은 질문과 대답 형식으로 전개되고 있다.
ㄴ. 이 글에서는 설의적 표현을 사용하여 글쓴이가 말하고자 하는 바를 강조하고 있다.
ㄷ. 이 글은 '손님'의 질문 – '나'의 대답 – '손님'의 반박으로 이루어져 있다.
ㄹ. 이 글에서는 식물을 사람에 비유함으로써 주제를 효과적으로 전달하고 있다.

2 이 글에서 해바라기에 대한 '손님'과 '나'의 공통적인 생각은?

3 다음 내용 중 맞는 것은 ○표를, 틀린 것은 ×표를 하시오.
(1) '나'는 자신을 유배 보낸 임금을 원망하고 있다. (   )
(2) 옛날 사람들은 특별한 풍치와 향기를 기준으로 식물을 평가하였다. (   )
(3) '나'가 생각하는 해바라기의 훌륭한 점은 '충성'과 '한결같음'이다. (   )

정답 1. ㄱ, ㄴ, ㄹ 2. 해바라기는 식물 가운데 연약하고 보잘것이 없음.
3. (1) × (2) ○ (3) ×

성격 교훈적, 관조적, 성찰적 **시대** 조선 후기
주제 존재의 무상성에 대한 깨달음과 긍정적인 삶의 자세

156위 떠 있는 삶 | 정약용

수필

이 글에는 '떠 있음'에 대한 서로 다른 시각이 드러나 있지만, 궁극적으로는 '떠 있음'의 무상성을 깨닫고 근원적인 긍정에 도달하고자 하는 글쓴이의 인생관이 담겨 있다.

내용 전개

'나산 처사'의 물음		'나'의 답변
귀양 온 '나'의 행동에 대한 '나산 처사'의 물음	→	천하의 모든 것은 떠 있는 것이라는 '나'의 답변과 글을 쓴 동기

전문

<u>벼슬을 하지 않고 초야에 묻혀 살던 선비</u>
나산 처사는『나이가 거의 팔십인데도 눈동자는 새까맣고 얼굴은 발그레하며 여유로운 모습
『 』: 나산 처사의 외양을 신선에 빗대어 표현
이 마치 신선과 같다.』어느 날, 다산에 있는 암자로 나를 찾아와 말하였다.

<u>도를 닦기 위하여 만든 자그마한 집</u>
"아름답도다, 이 암자여! 화초와 약초를 보기 좋게 심었고, 샘 가에는 바위를 둘렀으니 아무
암자의 아름다움에 대한 감탄   암자의 외양 묘사
걱정 없는 사람이 사는 곳이로다. 그러나 그대는 귀양 온 사람이라, 임금께서 그대를 사면하
'나'가 귀양 온 처지임을 알 수 있음 - 정약용은 신유박해로 인해 귀양을 감
여 고향으로 돌아가게 하라는 명을 내렸으니, 만약 오늘이라도 사면장이 도착하면 내일 이
미 그대는 여기에 없을 것이다. 그런데 무엇 때문에 꽃모종을 심고 약초 씨앗을 뿌리며 샘을
사면을 받아 곧 귀양지를 떠날 것인데 왜 귀양지를 가꾸는지에 대해 물어봄
파고 못과 도랑을 만들고 바위를 세우는 등, 마치 오래오래 여기 살 것처럼 일을 벌이는가?

나는 30여 년 전 나산의 남쪽에 암자를 세우고, 거기에 사당을 모시고 거기서 자손들을
길렀다네. 그러나 대충 깎은 나무로 기둥을 세우고 낡은 밧줄로 얽어 놓았으며, 뜰과 채마
밭은 가꾸지 않아 잡초가 무성하다네. 겨우 그때그때 수리만 할 뿐이라네.『왜 이와 같이 하
자신의 삶을 떠 있는 것이라고 생각하기 때문에
겠는가? 내 삶이란 떠 있는 것이기 때문이네.』혹은 떠서 동쪽으로 가고, 혹은 떠서 서쪽으로
『 』: 자문자답 - 문답법
가며, 혹은 떠서 다니고, 혹은 떠서 머무네. 떠서 갔다가 떠서 돌아오니, 그 떠 있음은 그치
삶에 대한 나산의 관점
질 않지.

그래서 내 호(號)를 '떠 있는 사람'이라는 뜻에서 '부부자(浮浮子)'라 하고, 내 사는 집을
자신의 호와 집 이름에 삶에 대한 인식(삶은 떠 있는 것임)을 드러낸 나산 처사
'떠 있는 집'이라는 뜻에서 '부암(浮菴)'이라 하였네. 나도 이와 같은데, 하물며 자네야 어떠
Link 인물의 의도 ❶   '나'의 삶이 떠 있다고 생각함
하겠나? 자네가 이렇게 정원을 가꾸는 것이 나는 이해가 되지 않네."
➤ 귀양 온 '나'의 행동에 대한 나산 처사의 물음
나는 일어나 경의를 표하며 말했다.
글쓴이 정약용
"아아, 통달하신 말씀이십니다. 선생께서는 삶이 떠 있다는 걸 잘 알고 계십니다. 호수 물이
사물의 이치나 지식, 기술 따위를 훤히 알거나 아주 능란하게 하신   나산 처사와 '나'의 공통된 생각
넘치면 거기 있던 부평초가 도랑에 가 있고, 큰비가 내리면 나무로 깎은 인형이 물에 떠 내
려갑니다. 사람들은 이런 걸 잘 알고 있고, 선생께서도 스스로의 삶을 이에 비유하셨습니다.

Link 인물의 의도 ❷
떠 있는 것이 어찌 이뿐이겠습니까?『고기는 부레로 떠 있고, 새는
나산 처사와 '나'는 공통적으로 삶은 떠 있는 것이라고 생각함
날개로 떠 있고, 물방울은 공기로 떠 있고, 구름과 안개는 수증기로
떠 있고, 해와 달은 운행하면서 떠 있고, 별자리는 연결되어서 떠 있
고, 하늘은 태허(太虛)로 말미암아 떠 있고, 지구는 작은 구멍들로
말미암아 떠 있으면서 만물과 만민을 그 위에 살게 합니다.』이렇게
『 』: 구체적인 사례를 열거하여 천하의 모든 것은 떠 있는 것임을 밝힘

Link
출제자 톡! 인물의 의도를 파악하라!
❶ '나산 처사'가 자신의 집을 '부암(浮菴)'이라고 지은 이유는?
삶은 떠 있는 것이라는 생각을 드러내기 위해
❷ '나산 처사'와 '나'가 삶에 대해 공통적으로 갖는 생각은?
삶은 떠 있는 것임.

보면 천하에 떠 있지 않은 것이 어디 있겠습니까?
천하의 모든 것은 떠 있는 것임. 설의법

　　여기 어떤 사람이 있어 큰 배를 타고 바다로 나가서 배 위에 한 잔의 물을 쏟아 놓고 거기에 작은 풀잎을 배처럼 띄운다고 합시다. 그러고는 그것이 떠 있는 걸 비웃으면서 정작 자기
　　　　　　　　　　　　　　　　　물 위에 떠다니는 작은 풀잎
가 바다에 떠 있는 사실은 잊어버린다면 그를 어리석다고 여기지 않을 사람이 드물 테지요. 지금 천하에 떠 있지 않은 것이 없거늘 선생께서는 떠 있음을 홀로 상심하시어 자신의 이름
　　　　　　　　　　　　　　　　　　나산 처사　　　　　　　　　　　　　　　　　　　　　　　　　　　부부자
과 집에 그런 뜻을 드러내셨는데요, 떠 있음을 슬프게 생각하는 것은 잘못이 아닐까요?
　Link 관점의 차이 ❶
　부암　　삶은 떠 있는 것임　　　　　　　떠 있는 삶에 대한 나산 처사의 생각 – 떠 있는 것은 슬픈 것임

　　여기 있는 화초와 약초, 물과 바위는 모두 나와 함께 떠 있는 것들입니다. 떠 있다가 서로 만나면 기뻐하고, 떠 있다가 서로 헤어지면 훌훌 잊을 따름입니다. 안 될 게 무어 있겠습니까?

　　그리고 떠 있는 것이 슬픈 건 아닙니다. 『어부는 떠다니며 고기를 잡고, 장사꾼은 떠다니
　　　　　　　　　　　　　　　　　　　『 』: 떠 있는 삶의 긍정적인 모습을 보여 준 구체적인 사례 제시
며 이익을 얻습니다. 범려는 강호를 떠다녀 화를 면했고, 서불은 바다를 떠다니다 나라를 세웠고, 장지화는 강물을 떠다니며 삶을 즐겼고, 예원진은 호수를 떠다니며 편안하게 지냈습
　　　　　　　　　　　□: 떠다니는 삶을 즐긴 인물들
니다.』 그러니 떠다니는 것을 어찌 하찮게 생각하겠습니까? 그러므로 공자 같은 성인도 일
찍이 바다를 떠 가고 싶다고 말씀하셨습니다. 생각해 보면 떠다닌다는 게 아름답지 않습니
　　　　　　　　　　　　　　　　　　　　　　　　　　　　　Link 관점의 차이 ❷
　　　　　　　　　　　　　　　　　　　　　　　　　　　　　'나'는 떠다니는 삶을 아름답다고 생각하며 스스로의 삶에도 만족함
까? 물에 떠다니는 사람도 그럴진대 땅에 떠 있는 사람이 어찌 스스
로 상심하겠습니까? 청컨대, 『오늘 함께 나눈 말씀으로 '떠 있는 집'
　　　　　　　　　　　　　　　『 』: 글을 쓰게 된 동기　　　　이 글의 제목. '부암기(浮菴記)'라고도 함
에 대한 글을 써서 선생의 장수를 축원하고자 합니다.』
　　　　　　　　　　　　　　　　　　　　　　▶ '나'의 답변과 글을 쓴 동기

Link
출제자 [특] 관점의 차이를 파악하라!

❶ '떠 있는 삶'에 대한 '나산 처사'의 생각은?
　'떠 있는 삶'은 슬픔.

❷ '떠 있는 삶'에 대한 '나'의 생각은?
　'떠 있는 삶'은 아름다움.

최우선　출제 포인트!

1 '떠 있는 삶'에 대한 '나산 처사'와 '나'의 인식 차이

나산 처사	↔	'나'
떠 있는 삶은 슬픔		떠 있는 삶은 아름다움

2 표현상 특징

비유적 표현	나산 처사의 외양을 비유적으로 표현함.
설의적 표현	설의적 표현을 통해 말하고자 하는 바를 강조함.
고사 인용	고사를 인용하여 자신의 주장에 대한 근거로 삼음.
대구와 열거	떠 있는 삶을 사는 존재들을 짝지어 표현하거나 나열하여 자신의 주장을 강화함.

3 주제 의식

천하에 떠 있지 않은 것이 없음.
↓
인생은 어차피 떠 있는 삶이므로 떠 있는 삶 자체를 아름답게 여기고 자신의 삶에 만족하며 살아야 함.

최우선　핵심 Check!

1 다음 빈칸에 들어갈 알맞은 말을 쓰시오.

이 글은 (　　　　)에 대한 나산 처사의 물음과 '나'의 답변을 통해 삶의 무상함을 극복하고 긍정적인 태도로 삶을 살아갈 것을 말하고 있는 수필이다.

2 이 글의 내용을 참고할 때, 다음 인물의 공통점은?

범려　　서불　　장지화　　예원진

3 다음 내용 중 맞는 것은 ○표를, 틀린 것은 ×표를 하시오.

[1] 나산 처사와 '나'는 유배지에서 떠 있는 삶을 살고 있다. (　　　)

[2] 나산 처사는 떠 있는 삶을 살아야 하는 현실을 슬프게 생각한다. (　　　)

[3] '나'는 나산 처사가 더 이상 떠 있는 삶을 살지 말기를 바라는 마음에서 이 글을 썼다. (　　　)

정답 1. 떠 있는 삶 2. 긍정적인 태도로 떠 있는 삶을 삶. 3. [1] × [2] ○ [3] ×

157위

마환우설(馬換牛說) | 홍성민

성격 성찰적, 사실적, 교훈적　**시대** 조선 중기
주제 유배지의 궁핍한 생활에 대한 탄식

수필

이 글은 유배지에서의 경제적 궁핍함을 면하기 위해 키우던 말을 팔아 소로 바꾼 경험을 통한 글쓴이의 생각과 깨달음을 전달하고 있다.

내용 전개

기	서	결
굶주림을 모면하기 위해 신의를 저버릴 수 없음.	'어떤 이'의 조언과 이에 대한 '나'의 깨달음	'나'의 한탄과 글을 쓰게 된 동기

전문

신묘년 가을, 북쪽으로 유배 가게 되었다. 말이 없었기에 가산을 털어 말 여섯 마리를 사서
_{1591년 관직에 있던 글쓴이(홍성민)는 정철의 당인으로 몰려 함경도 부령으로 유배 보내짐}
내 몸을 싣고 입을 것 먹을 것을 싣고서 삼천 리 떨어진 변방 땅까지 갔으니, 그곳은 바로 부
_{나라의 경계가 되는 변두리의 땅}
령이었다.　　　　　　　　　　　　　　　　　　　　　　　　**▶부령으로 유배를 옴**

　　짐을 풀어놓자 주머니에 남은 것이 없어 아이종이 불만스러운 얼굴이었다. 그곳에 사는 사
_{가산을 털어 말 여섯 마리를 샀기 때문에}　　_{경제적 어려움으로 인한 불편한 감정을 드러냄}
람이 말했다.

『"내가 당신에게 먹을 것을 얻을 방도를 알려 주겠소. 변방에는 말이 천하고 소가 귀하니, 소
『 』: 지역적 특성을 고려하여 굶주림을 면할 방법을 조언함　　　　　　　_{지역적 특성을 바탕으로 생계를 유지할 방법을 알려 줌}
한 마리를 몇 달 동안 남에게 빌려주면 곡식 몇 섬을 얻을 수 있소. 그러니 데려온 말을 팔아
소를 사면 입에 풀칠할 수 있을 것이오."』
　　　　　　　　　Link 대화의 내용 ❶
내가 말했다.

"아니오. 내 걸음을 대신하고 내 짐을 싣고서 험한 고갯길을 넘어, 내가 길가에 쓰러지지 않
　　　　　　　　_{목숨을 겨우 이어 살아감}　　　　_{'나'에게 큰 도움이 된 말 – 말에게 은혜를 입음}
고 연명할 수 있게 해 준 것이 이 말들이오. 말이 나를 주인으로 여기고 있는데 내가 이제 와
서 데리고 있지 못하고 하루아침에 남에게 팔아 버린다면, 말은 내게 도움을 주었는데 나는
　　　　　　　　　　_{인간에 비하여 보잘것없는 것이라는 뜻으로, '동물'을 이르는 말}　　_{말을 파는 것 = 자신에게 도움을 준 말에 대한 신의를 저버리는 것}
말을 저버리는 것이오. 말이 비록 미물이지만 내가 차마 저버릴 수 있겠소?"
　　　　　　　　　_{말에 대한 신의를 저버릴 수 없음}　　　**▶굶주림을 모면하기 위해 신의를 저버릴 수 없음**
어떤 이가 달래며 이렇게 말했다.
_{'나'의 인식을 변화시키는 존재}
"당신의 신의는 고루하구려. 천지 사이에 있는 만물은 각기 주인이 있지만, 바꾸기도 하고
　　　　　　　_{믿음과 의리}　　　_{낡은 관념이나 습관에 젖어 고집이 세고 새로운 것을 잘 받아들이지 않음}
주기도 하니 그 주인은 일정하지 않소. 말은 남의 말이었는데 당신이 샀고, 당신의 말인데
　　　　　　_{천지 만물은 원래 주인이 없음}
남에게 파는 것이오. 소는 남의 소인데 남이 당신에게 파는 것이니, 말은 남에게 가고 소는
당신에게 오는 것이오. 저쪽으로 가면 저쪽이 주인이고, 이쪽으로 오면 이쪽이 주인이오.
있는 것을 없는 것으로 바꾸어 어려운 처지를 넘기는 법, 어찌 일정한 주인이 있겠소? 그러
_말　　_소
　　　　_{어려운 처지를 벗어나기 위해서는 신의를 지키는 것보다는 실리를 따르는 것이 더 바람직함}　　　**Link** 대화의 내용 ❷
므로 옛날 군자는 사람에게 신의를 지켰지, 애써 동물에게 신의를 지키지는 않았소. 동물에
　　　　　　　　　　_{옛날 사람들의 사례를 활용하여 자신의 주장을 강화함}
게 신의를 지키다 굶어 죽느니, 차라리 동물을 바꾸어 살아가는 것이 낫지 않겠소? 당신은
우활한 사람이오. 신의를 어디다 쓰겠소?"
_{사리에 어둡고 세상물정을 잘 모름}　　_{신의보다는 실리를 추구해야 함}
나는 그제야 퍼뜩 깨달았지만 서글피 한탄했다. 소와 말은 천지 사
_{'어떤 이'의 말을 듣고 깨달음을 얻음}　　_{한편으로는 그런 처지가 서글픔}
이에 있는 공공의 물건이니, 반드시 내가 주인인 것도 아니고 반드
시 남이 주인인 것도 아니다. 저 사람이 주인이면 저 사람의 소유이

Link
출제자 톡톡 대화의 내용을 파악하라!

❶ '어떤 이'가 '나'에게 알려 주고자 한 것은?
유배지에서 생계를 유지하는 방법

❷ '어떤 이'가 '나'에게 한 조언은?
신의보다는 실리를 추구해야 함.

고, 내가 주인이면 나의 소유이다. 주인을 찾기만 한다면야 이 사람 저 사람 가릴 필요가 있겠는가?『이 말이 아니었다면 저 소와 바꾸지 못했을 것이고, 이 소가 아니었다면 이 곡식을 얻을 수 없었을 것이다. 이 곡식을 얻지 못했다면 죽었을 것인데, 소와 말을 바꾸어 잠시나마 죽지 않을 수 있었던 것이다.』무슨 해가 되겠는가? 그 사람의 말이 맞다.

『 』: 신의 대신 실리를 챙겨 생계를 유지할 수 있음
실리를 추구하는 것이 옳은 것임을 깨달음

➤ '어떤 이'의 조언과 '나'의 깨달음

그렇지만 한탄스러운 점이 있다. 나는 젊었을 적 학문에 뜻을 두어 오로지 독서를 일삼았다. 그러다가 늙어서는 태평성대에 죄를 짓고 불모지로 유배되었다. 가산을 털어 말을 사고, 말을 소와 바꾸고, 소를 사람에게 빌려주어 마치 장사꾼처럼 매매했다. 먹을 것이 내게 큰 누를 끼쳤구나.

식물이 자라지 못하는 거칠고 메마른 땅
Link 글쓴이의 태도 ❶
사대부임에도 불구하고 생계를 위해 장사꾼처럼 매매하는 일을 하게 된 것을 한탄함

말은 나를 주인으로 삼았는데 내가 데리고 있지 못했고, 소는 나를 주인으로 삼았는데 내가 지키지 못하여 이 동물들이 편안히 제자리에 있지 못하게 만들었다. 내가 이들을 몹시 그르쳤구나. 이 입 때문에 이 몸에 누를 끼치고 이 동물들을 그르쳤으며 끝내 보잘것없는 사람이 되고 말았다.

동물과의 신의를 저버린 자신을 책망하며 곤궁한 삶 속에서 느끼는 글쓴이의 고뇌

나는 처음에는 부끄럽다가 중간에는 마음이 풀렸으나 결국은 서글퍼져 혀를 차며 이 글을 지었다.

글을 쓴 동기
Link 글쓴이의 태도 ❷

➤ '나'의 한탄과 글을 쓰게 된 동기

Link
출제자 톡! 글쓴이의 태도를 파악하라!

❶ '나'가 한탄스러워 하는 것은?
생계를 위해 장사꾼처럼 매매하는 일을 하게 된 것

❷ 이 글을 쓰게 된 동기는?
유배지에서 경제적 곤궁함에 대한 부끄러움과 서글픔을 느꼈기 때문에

최우선 출제 포인트!

1 내용 전개 방식

'나'의 생각	굶주림을 모면하기 위해 말을 팔고 소를 살 수는 없음.(생계를 위해 동물에 대한 신의를 저버릴 수 없음.)

⬇

'어떤 이'의 조언과 '나'의 깨달음	어려운 처지를 모면하기 위해서는 신의보다는 실리를 따르는 것이 바람직함.

⬇

'나'의 한탄과 글을 쓰게 된 동기	생계를 위해 장사꾼처럼 매매를 하는 것이 부끄럽고 한탄스러워 글을 쓰게 됨.

2 서술상의 특징

대화의 직접 인용	유배지에서 '어떤 이'와 '나'의 대화를 직접 인용하여 '나'가 처한 상황을 생생하고 구체적으로 나타냄.
설의적 표현	'주인을 찾기만 ~ 가릴 필요가 있겠는가?', '무슨 해가 되겠는가?'와 같이 의문의 방식을 활용하여 상황에 대한 자신의 생각을 강조하여 드러냄.

3 '어떤 이'의 역할

'어떤 이'
'나'의 인식을 변화시킴.

➤ 소를 얻기 위해 말을 팔지 않겠다던 '나'가 '어떤 이'의 말을 듣고는 소와 말을 바꾸어도 되겠다고 생각하게 됨.

최우선 핵심 Check!

1 이 글에 대한 설명으로 맞는 것을 골라 기호를 쓰시오.

ㄱ. 이 글에는 유배지에서의 생활상이 구체적으로 드러나 있다.
ㄴ. 이 글의 글쓴이는 자신의 경험과 깨달음을 바탕으로 내면을 진솔하게 드러내고 있다.
ㄷ. 이 글에는 시간의 흐름에 따른 글쓴이의 행적이 요약적으로 제시되어 있다.

2 이 글에서 '나'에게 깨달음을 주는 존재로 '나'의 인식의 변화를 유도하는 인물은?

3 다음 내용 중 맞는 것은 ○표를, 틀린 것은 ×표를 하시오.

[1] '나'는 유배지에서의 생계를 유지하기 위해 소를 팔아 말을 샀다. ( )

[2] '나'는 '어떤 이'와의 갈등으로 인해 부끄러움과 한탄의 감정을 느꼈다. ( )

[3] '나'는 동물과의 신의를 저버린 스스로를 책망하고 있다. ( )

정답 1. ㄱ, ㄴ 2. '어떤 이' 3. [1] × [2] × [3] ○

158위

옛집 정승초당을 둘러보고 쓰다 | 유본학

성격 회고적, 서정적, 성찰적 **시대** 조선 후기
주제 마음의 고요함을 추구하는 삶

수필

이 작품은 초당인 옛집에 대한 감회를 바탕으로 한 수필로, 새로이 지은 집에서도 과거와 같이 마음의 고요함을 추구하고자 하는 삶의 자세가 드러나 있다.

내용 전개 방식

과거 길갓집에서 살던 때 더위를 피하기 위해 '고요함이 더위를 이긴다'는 당호를 정해 편액을 해 걸어 둠. → 시간이 흘러 이사를 간 '나'는 옛집을 찾게 되는데, 옛집은 변함이 없음. → 옛집에서 추구했던 고요함의 가치를 새집에서 추구하며 살아가고자 함.

핵심장면

옛집을 찾아가 둘러보고 새집에서도 고요한 삶을 추구하며 살아가고자 하는 포부를 드러내는 장면이다.

<u>나</u>는 예전에 장흥방의 길갓집에 살았다. 그 집은 저잣거리에 제법 가까워서 소란스러웠다.
┌─ 조선 시대에 낙산 아래 지역을 가리킴. 지금의 회현동 일대
글쓴이의 구체적인 체험을 바탕으로 전개   가게가 죽 늘어서 있는 거리
문 옆에 한 칸짜리 초당이 있어 볏짚으로 덮고 흙을 쌓았더니 그윽하고 조용해서 살 만했다.
억새나 짚 따위로 지붕을 인 조그만 집채   길가의 소음을 줄이려고   외적 요건
『초당이 동쪽으로 치우쳐 햇볕을 받았기에 여름이면 너무 더웠다.』그래서 '고요함이 더
『 』: 여름에 더웠던 경험을 바탕으로 옛집 초당의 당호를 정하게 된 내력을 밝힘   그림, 글씨 등을 써서 방 안이나 문 위에 걸어 놓는 액자
위를 이긴다[靜勝熱]'는 말을 당호(堂號)로 정해 문설주에 편액을 해 걸어 두고 위안을 삼았다.』
★★ 중심 소재   집에 붙이는 이름   문짝을 끼워 달기 위해 문의 양쪽에 세운 기둥   ▶ 초당의 당호를 정하게 된 내력을 소개함
대저 <u>고요함</u>에는 두 가지가 있으니 하나는 <u>몸의 고요함</u>이요, 다른 하나는 <u>마음의 고요함</u>
외적 요건의 조용함   내면적 심의의 평안함
다. 몸이 고요한 사람은, 앉고 눕고 일어나고 서는 등 모든 행동에 있어 편안함을 취할 뿐이
몸의 편안함을 취함   마음이 밝고 편한 상태를 비유함
다. 『마음이 고요한 사람은, 천하만사가 마치 촛불로 비춰 보고 거북이로 점을 치는 듯하니 시
『 』: 마음이 고요한 사람은 외적인 요건(시원함이나 더움)과는 상관이 없음 - 주변 환경에 휘둘리지 않고 마음의 평안을 추구
원한 날씨와 더운 날씨가 무슨 상관이 있겠는가?』그러므로 '<u>고요함</u>이 이긴다'고 한 지금의 말
Link 글쓴이의 의도 ❶
은 <u>마음의 고요함</u>을 가리킨다.   ▶ 당호의 '고요함'은 '마음의 고요함'임

그 집에서 이십 년을 살고 이사하였다. 그로부터 삼 년이 흐른 뒤 옛집을 찾아가 보았다. 그
장흥방 초당
새 주인이 바뀐 지 여러 번이지만 집은 옛 모습 그대로였다.
변해 버린 인간사와 변함없는 옛집을 대조
『은은하게 처마에 들어오는 산빛, 콸콸콸 담을 따라 도는 골짜기 물, 밀랍으로 발라 번들번들
『 』: 옛집의 변함없는 모습을 구체적으로 묘사함   벌집을 만들기 위해 꿀벌이 분비하는 물질. 누런 빛깔로 상온에서 단단하게 굳음
한 살창, 쪽빛으로 물들여 놓은 늘어진 천막』〈중략〉   ▶ 옛집을 찾아갔더니 옛 모습 그대로 있음
가는 나무나 쇠 오리로 살을 대어 만든 창
『내가 여기에 살던 시절은 집안이 번성하던 때였다. 선친께서 승명전에 봉직하실 때라, 퇴근
『 』: 번성했던 옛집에서 마음의 고요함을 유지(선친과 형제들과 함께 학문과 예술을 담론함)하며 살았던 때를 회상함   공직에 종사함
하신 밤이면 우리 형제들이 모시고 앉아 학문과 예술을 담론하고 옛일을 기록하거나, 시를 읽
거나 거문고를 들었으니 유중영의 옛일과 비슷하였다.』그 즐거움을 잊을 수는 없건마는 다시
당나라 때 문신 유중영이 늘 책을 가까이하며 자식들을 가르치던 일   인간사의 한계를 깨달음
되찾을 수는 없다!   ▶ 옛집에서의 기억을 떠올림

『서경』에 '<u>그릇은 새것을 찾고, 사람은 옛사람을 찾는다</u>.'라고 했다. 집 역시 그릇과 같이 무
오랫동안 함께한 사람의 소중함을 나타내는 말
언가를 담는 부류이긴 하나, 사람은 집이 아니면 몸을 붙여 머물 데가 없고 집보다 더 거처를

Link
출제자 특강 **글쓴이의 의도를 파악하라!**
❶ '몸의 고요함'과 '마음의 고요함' 중 글쓴이가 더 가치 있게 여기는 것은?
마음의 고요함
❷ 임원에 지은 새집에 옛 이름의 편액을 걸어 두고자 하는 이유는?
옛집에서 지녔던 뜻을 잊지 않고 마음의 고요함을 추구하고자 함.

많이 하는 것은 없으므로, <u>집은 그릇보다는 사람에 가깝다</u> 하겠다.
옛집을 그리워하는 이유 - 집은 사람에 가깝기 때문에
그러니 어찌 그리워하지 않을 수 있으랴!   ▶ 옛집에 대한 그리움
옛집에 대한 그리움을 드러냄
그렇지만 <u>인간사가 벌써 바뀌어, 사물에 닿을 때마다 슬픔만 더 하</u>
옛집은 슬픔만 더해 내적 고요를 이루기 어렵게 만듦 → 옛집에 살고 싶지 않은 이유
<u>므로</u> 이 집에 다시 살고 싶지는 않다. 마땅히 <u>임원(林園)</u>에 집터를
산림
보아 집을 지어서 옛 이름의 편액을 걸어 옛집에서 지녔던 뜻을 잊
옛집에서 지낼 때의 뜻을 기억하기 위해 당호의 이름을 '고요함이 이긴다'라고 정함

지 않으려 한다. Link 글쓴이의 의도 ❷   ▶ 새집을 지어 옛집에서 지녔던 뜻을 추구하며 살고자 함

　　누군가는 '임원이 이미 고요하거늘, 지금 다시 '고요함이 이긴다'고 하면 또한 군더더기가 아
　　　　　　　　　　새집을 지을 곳　'산림'이므로
닌가?'라고 말할 수 있으리라. 나는 답 하리라. '고요한데 또 고요하니, 이것이야말로 고요함
　　　　　　　　　　　　　　　　　　　　외적 고요　　　　　내적 고요(마음의 고요)
이라네.'라고.   '나'는 외적 고요에 더해 내적 고요를 추구함
                                          ▶ 새집에 옛 당호를 걸고 마음의 고요를 추구하며 살아가고자 함

출제 우선 작품

최우선 （출제 포인트!）

1 서술상의 특징

과거 회상	장흥방 초당에서 살았던 경험을 바탕으로 내용을 전개함.
영탄적 표현	옛집에 대한 그리움을 '그러니 어찌 그리워하지 않을 수 있으랴'라고 영탄적으로 표현함.
대조	변해 버린 인간사와 변함없는 옛집을 대조함.

2 '몸의 고요함'과 '마음의 고요함'

몸의 고요함	마음의 고요함
• 앉고 눕고 일어나고 서는 등 모든 행동에 있어 편안함을 취함. • 외적 여건의 편안함	• 외적 환경(시원한 날씨나 더운 날씨)과는 상관이 없음. • 내면적 심리의 편안함

←→

3 글쓴이가 추구하는 삶

임원에 지은 새집에 옛집 초당에 걸어두었던 편액을 걸고자 함. ➡ 옛집 초당에서 지녔던 마음을 지켜 나가고자 함. ➡ 마음이 고요한 삶을 추구함.

최우선 （핵심 Check!）

1 다음 빈칸에 들어갈 알맞은 말을 순서대로 쓰시오.

이 글에서 글쓴이는 초당인 '옛집'에 대한 감회를 바탕으로 세상은 변했지만 새로운 공간에서도 （　　　）에 지녔던 마음을 지켜나가겠다는 의지를 드러내고 있다. 특히 새로이 집을 지은 '임원'은 고요한 산림 지역임에도 불구하고 여기에 '옛집'에 걸었던 편액을 걸었다는 것은 외적 고요뿐만 아니라 （　　　） 고요를 추구하겠다는 의도이다.

2 글쓴이의 생각과 일치하는 것은 ○표를, 일치하지 않는 것은 ×표를 하시오.

(1) 과거에 대한 그리움으로 옛집으로 돌아가고 싶다. 　　（　　）
(2) 마음의 고요함보다는 몸의 고요함이 더 가치 있다. 　　（　　）
(3) 마음의 고요함은 외적인 환경과 상관이 없다. 　　（　　）

정답 1. 과거, 내적　2. (1) × (2) × (3) ○

159위

시세나 사정에 밝지 못한 말
우언(迂言) | 이덕무

성격 성찰적 **시대** 조선 후기
주제 자신의 삶의 방식에 대한 자부심

수필

이 작품에서 글쓴이는 시정에 살지만 은거(隱居)에 마음을 두며 작은 즐거움을 누리고 있는 자신의 삶을 높이 평가하는 것이 '우언'일지도 모른다고 반어적으로 말하고 있다.

내용 전개 방식

기
어디에 사느냐, 무엇에 마음을 두느냐에 따른 삶의 네 가지 방식

서
• 네 가지 삶의 방식과 누리는 자
• 가장 높은 것은 작은 즐거움을 누리는 자임.

결
작은 즐거움을 누리며 사는 자신의 삶을 높이 평가하는 것이 우언일지도 모른다고 말함.

전문

□: 사는 곳 ○: 마음에 두는 곳

산림(山林)에 살면서 명리(名利)에 마음을 두는 것은 큰 부끄러움[大恥]이다. 시정(市井)에 살면서 명리에 마음을 두는 것은 작은 부끄러움[小恥]이다. 산림에 살면서 은거(隱居)에 마음을 두는 것은 큰 즐거움[大樂]이다. 시정에 살면서 은거에 마음을 두는 것은 작은 즐거움[小樂]이다.

산림(山林): 은거를 통해 큰 즐거움을 누릴 수 있는 곳 ↔ 시정(市井): 은거에 마음을 둠으로써 작은 즐거움을 누릴 수 있는 곳
➤ 어디에 사느냐와 어디에 마음을 두느냐에 따라 나눈 삶의 네 가지 방식

작은 즐거움이든 큰 즐거움이든 나에게는 그것이 다 즐거움이며, 작은 부끄러움이든 큰 부끄러움이든 나에게는 그것이 다 부끄러움이다. 그런데 큰 부끄러움을 안고 사는 자는 백(百)에 반이요, 작은 부끄러움을 안고 사는 자는 백에 백이며, 큰 즐거움을 누리는 자는 백에 서넛쯤 되고, 작은 즐거움을 누리는 자는 백에 하나 있거나 아주 없거나 하니, 참으로 가장 높은 것은 작은 즐거움을 누리는 자이다.
➤ 작은 즐거움을 누리는 자가 가장 높은 것임

나는 시정에 살면서 은거에 마음을 두는 자이니, 그렇다면 이 작은 즐거움을 가장 높은 것으로 말한 나의 이 말은 대부분의 사람들의 생각과는 거리가 먼, 물정 모르는 소리일지도 모른다.
➤ 자신의 삶에 대한 자부심

Link 출제자 톡! 글쓴이의 관점을 파악하라!
❶ 글쓴이가 삶의 방식을 나누는 기준은? 어디에 사느냐, 어디에 마음을 두느냐
❷ 글쓴이가 가장 높게 평가하는 삶은? 시정에 살면서 은거에 마음을 두는 작은 즐거움을 누리는 삶

최우선 출제 포인트!

1 네 가지 삶의 방식

산림에 삶.	명리에 마음을 둠.	큰 부끄러움	백에 반(50%)
	은거에 마음을 둠.	큰 즐거움	백에 서넛(3~4%)
시정에 삶.	명리에 마음을 둠.	작은 부끄러움	백에 백(100%)
	은거에 마음을 둠.	작은 즐거움	백에 하나 있거나 아주 없음(0~1%).

2 글쓴이가 추구하는 삶과 반어적 표현

시정에 살면서 은거에 마음을 두는 작은 즐거움을 느끼는 삶 → 작은 즐거움을 누리는 삶이 가장 높은 것이라는 '나'의 말에 대해 세상 사람들은 '물정 모르는 소리(우언(迂言))'이라고 할 것임. … 작은 즐거움을 느끼는 자신의 삶에 대한 자부심을 반어적으로 표현함.

최우선 핵심 Check!

1 다음 빈칸에 들어갈 알맞은 말을 쓰시오.

이 글의 글쓴이는 어디에 사느냐, 무엇에 마음을 두느냐에 따라 삶을 네 가지 방식으로 나눈 후, 자신은 가장 높은 (   )을/를 누리는 사람이라며 자신의 삶에 대한 자부심을 드러내고 있다.

2 다음 내용 중 맞는 것은 ○표를, 틀린 것은 ×표를 하시오.
(1) 산림에 사는 사람 중에는 즐거움을 느끼는 사람보다는 부끄러움을 느끼는 사람들이 더 많다. (   )
(2) '나'는 부끄러움과 즐거움을 느끼는 삶 사이에서 갈등하고 있다. (   )
(3) '나'는 은거의 가치를 명리의 가치보다 높게 생각하고 있다. (   )

정답 1. 작은 즐거움 2. (1) ○ (2) × (3) ○

160위

게으름[慵: 게으를 용]을 비웃다[嘲: 비웃을 조]

조용(嘲慵) | 성현

성격 비판적, 역설적 　**시대** 조선 중기
주제 세속적 삶의 욕구에서 벗어나려는 삶의 태도

수필

이 글은 '나'와 '게으름 귀신'과의 대화 형식으로 이야기를 전개하고 있으며, 게으름의 긍정적인 측면을 통해 세태에 대한 비판적인 시각을 드러내고 있다.

내용 전개 방식

기	서	결
'게으름 귀신'에 대한 '나'의 질책	'게으름 귀신'의 반박	'나'가 잘못을 인정함.

전문

어느 날 나는 잠이 들었는데 비몽사몽간이었다. 정신이 산란하고 병이 아닌데 병이 든 듯하
여 그 원기가 상했다. 가슴이 돌에 눌린 것처럼 답답한 게 게으름의 귀신이 든 것이 틀림없었
다. 무당을 불러 귀신에게 말하게 했다.
> 게으름 귀신이 들게 된 것을 알게 됨

"네가 내 속에 숨어들어서 큰 병이 났다. 〈중략〉『게을러서 집을 수리할 생각도 못하며, 솥발
이 부러져도 게을러서 고치지 않고, 의복이 해져도 게을러서 깁지 않으며, 종들이 죄를 지어
도 게을러서 묻지 않고, 사람들이 시비를 걸어도 게을러서 화를 내지 않아서, 마침내 날로
행동은 굼떠 가고, 마음은 바보가 되며, 용모는 날로 여위어 갈 뿐만 아니라 말수조차 줄어
들고 있다. 이 모든 허물은 네가 내게 들어와 멋대로 함이라. 어째서 다른 이에게는 가지 않
고 나만 따르며 귀찮게 구는가? 너는 어서 나를 떠나 저 낙토(樂土)로 가거라. 그러면 나에
게는 너의 피해가 없고, 너도 너의 살 곳을 얻으리라."
> 게으름 귀신에게 떠날 것을 요구함

이에 귀신이 말했다.

"그렇지 않습니다. 내가 어떻게 당신에게 화를 입히겠습니까? 운명은 하늘에 있으니 나의
허물로 여기지 마십시오. 굳센 쇠는 부서지고 강한 나무는 부러지며, 깨끗한 것은 더러워지
기 쉽고, 우뚝한 것은 꺾이기 쉽습니다. 굳은 돌은 고요함으로 이지러지지 않고, 높은 산은
고요함으로 영원한 것입니다. 움직이는 것은 쉽게 요절하고 고요한 것은 장수합니다. 지금
당신은 저 산처럼 오래 살 것입니다. 경우에 따라서는 세상의 근면은 화근이, 당신의 게으름
은 복의 근원이 될 수도 있지요. 세상 사람들은 세력을 좇다 우왕좌왕하여 그때마다 시비의
소리가 분분하지만, 지금 당신은 물러나 앉았으니 당신에 대한 시비의 소리가 전혀 없지 않
습니까? 또 세상 사람들은 물욕에 휘둘려서 이익을 얻기 위해 날뛰지만, 지금 당신은 걱정
이 없어 제정신을 잘 보존하니, 당신에게 어느 것이 흉하고 어느 것
이 길한 것이겠습니까? 당신이 이제부터 유지(有知)를 버리고 무지
(無知)를 이루며, 유위(有爲)를 버리고 무위(無爲)에 이르며, 유정(有
情)을 버리고 무정(無情)을 지키며, 유생(有生)을 버리고 무생(無生)
을 즐기면, 그 도는 죽지 않고 하늘과 함께 아득하여 태초와 하나가
될 것입니다. 내가 앞으로도 당신을 도울 것인데, 도리어 나를 나무

Link

출제자 🔑 글쓴이의 관점을 파악하라!

❶ '나'가 '게으름 귀신'을 질책하게 된 이유는?
게으름으로 인해 피해를 보았다고 판단됐기
때문임.

❷ 게으름에 대한 '나'의 태도는 어떻게 변화하
였는가?
처음에는 게으름을 부정적으로 인식하였으
나 게으름 귀신의 반박을 들은 후 긍정적으
로 인식하게 됨.

고전 산문 **509**

라시니 자신의 처지를 아십시오. 그래서야 어디 되겠습니까?" ❯게으름의 긍정적인 측면을 들어 반박하는 게으름 귀신

이에 나는 그만 말문이 막혔다. 그래서 <u>앞으로 나의 잘못을 고칠 터이니 그대와 함께 살기를</u>

게으름 귀신의 반박에 반박할 말이 없음   게으름 귀신을 질책했던 자신의 태도를 반성함   세속적 삶과 거리를 두어 살고자 함

바란다고 했더니, 게으름은 그제야 떠나지 않고 나와 함께 있기로 했다.

Link 글쓴이의 관점 ❷   ❯잘못을 깨닫고 게으름 귀신과 함께하기로 함

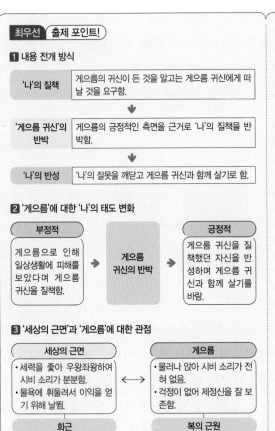

최우선 (출제 포인트!)

1 내용 전개 방식

'나'의 질책	게으름의 귀신이 든 것을 알고는 게으름 귀신에게 떠날 것을 요구함.

⬇

'게으름 귀신'의 반박	게으름의 긍정적인 측면을 근거로 '나'의 질책을 반박함.

⬇

'나'의 반성	'나'의 잘못을 깨닫고 게으름 귀신과 함께 살기로 함.

2 '게으름'에 대한 '나'의 태도 변화

부정적		긍정적
게으름으로 인해 일상생활에 피해를 보았다며 게으름 귀신을 질책함.	➡ 게으름 귀신의 반박 ➡	게으름 귀신을 질책했던 자신을 반성하며 게으름 귀신과 함께 살기를 바람.

3 '세상의 근면'과 '게으름'에 대한 관점

세상의 근면		게으름
• 세력을 좇아 우왕좌왕하여 시비 소리가 분분함. • 물욕에 휘둘러서 이익을 얻기 위해 날뜀.	⟷	• 물러나 앉아 시비 소리가 전혀 없음. • 걱정이 없어 제정신을 잘 보존함.
화근		복의 근원

4 글쓴이의 의도

게으름의 긍정적 측면 강조	➡	물욕을 추구하는 세속적 삶에 대한 비판
게으름은 맹목적으로 물욕을 추구하는 삶에서 벗어나게 함		

최우선 (핵심 Check!)

1 초성 힌트를 보고 빈칸에 들어갈 알맞은 말을 쓰시오.

(1) 이 글에서는 게으름이라는 추상적 관념을 게으름 귀신으로 [ㅇㅇㅎ]하여 표현하고 있다.

(2) 이 글은 '나'와 게으름 귀신과의 [ㄷㅎ] 형식으로 전개되고 있다.

(3) 이 글에서는 게으름이 오히려 복의 근원이라는 [ㅇㅅㅈ]인 논리를 통해 주제를 전달하고 있다.

2 다음 중 게으름과 연관 지을 수 있는 것을 모두 찾으시오.

굳센 쇠   깨끗한 것   높은 산   유지(有知)   무정(無情)

3 다음 내용 중 맞는 것은 ○표를, 틀린 것은 ✕표를 하시오.

(1) '나'는 게으름의 폐단으로 인한 고난을 극복하고 근면한 삶을 살게 되었다. ( )

(2) 게으름 귀신의 질책을 들은 '나'는 게으름보다는 근면한 삶의 태도를 가치 있게 여기게 된다. ( )

(3) '나'는 맹목적으로 물욕을 추구하는 세속적 삶에서 벗어나고자 한다. ( )

정답 1. (1) 의인화 (2) 대화 (3) 역설적 2. 높은 산, 무정(無情)
3. (1) ✕ (2) ✕ (3) ○

❯ **1등급! 〈보기〉!**

게으름 귀신과 '나'의 대화 형식으로 전개되고 있는 이 작품에는 게으름의 양면성이 나타나 있다. 글의 앞부분에서 글쓴이는 게으름의 부정적인 측면에 주목하여 게으름을 경계하고 있지만, 게으름 귀신과의 대화를 통해 게으름의 긍정적인 측면에 주목하고 있다. 세상의 근면은 이익을 얻기 위해 다투게 되기 때문에 화근으로 볼 수 있으며, 게으름은 세속적 삶에서 벗어날 수 있으므로 복의 근원이라는 역설적인 논리를 통해 물욕을 추구하는 세속적 삶에 대한 비판적인 시각을 드러내고 있다.

침류대기(枕流臺記) | 이수광

161위

'침류대'에서 바라본 아름다운 경치에 대한 기록

성격 예찬적, 서정적 **시대** 조선 중기
주제 침류대의 아름다운 경관에 대한 예찬

수필

이 글은 창덕궁 근처에 있던 유희경의 거처인 '침류대'를 방문하여 복숭아꽃이 활짝 피어 있는 주변의 경치를 보고 생각한 바를 기록한 글이다.

내용 전개 방식

경험	의견
유희경을 따라 정업원동을 찾아가 침류대 주변의 풍경을 봄.	무릉도원을 연상하게 하는 침류대 주변 경관의 아름다움에 감탄함.

전문

『정업원동은 창덕궁의 서쪽에 있는데, 숲과 골짜기가 깊숙한데다가 그 골짜기로부터 시냇물이 흘러 내려와서 서늘하고 아름다운 운치를 갖고 있었다.』나는 일찍이 실록국에서 일하고 있어서 아침저녁으로 이곳을 지나게 되었다. 그러나 늘 직책에 얽매이다 보니 한 번도 조용히 찾아볼 수 없어서 한탄만 하였다. 그러던 중 하루는 유희경을 따라 금천교 위에 올라갔다가 그 다리 아래로 시냇물이 흐르고 그 시냇물 위로 무수히 떨어진 꽃잎들이 떠내려오는 것을 보고 기쁜 마음으로 이렇게 말했다.

"아마 무릉도원이 여기서 멀지 않나 보군. 이 물을 따라 올라가면 만리장성의 노역을 면하기 위해 피난 왔다가 수백 년 동안 죽지도 않고 살아 있다는 그 진(秦)나라 사람도 만나 보겠군." 그러자 유희경이 살짝 웃으며 말했다.

"이 물의 상류에 내가 살고 있네. 나는 그곳에 누대를 지어 놓았는데 마침 복숭아꽃이 활짝 피었다네. 어젯밤에 비바람이 몹시 불더니 아마 오늘 그 꽃잎들이 많이 떨어졌나 보군. 공이 만일 가 보겠다면 내 마땅히 이곳의 주인으로서 기쁘게 맞이하겠네."

나는 기쁜 마음으로 그를 따라갔다. 한 백 발자국 남짓 올라가자 오른쪽에 경치 좋은 곳이 있었다. 그곳이 바로 그가 사는 곳이었다.『흐르는 물이 맑고 찬데, 그 물가에 돌을 쌓아 누대를 지었다. 그 누대의 섬돌은 흐르는 물 위로 한 자 남짓 높게 쌓여 있었다. 그래서 물을 베고 있다는 뜻으로 '침류대'라는 이름을 붙인 것일까?』

이 누대의 아래 위에는 다른 꽃이라고는 없고 오직 복숭아 나무 수십 그루가 개울물의 좌우에 늘어서 있어서, 그 나무의 떨어지는 꽃들이 붉은 비가 되어 물 위로 떠내려갔다.

그리고『이 개울은 한 폭의 비단을 펼쳐 놓은 듯 출렁출렁 춤을 추었다. 옛날 사람이 일컫는 무릉도원이라는 곳도 여기보다 낫지는 않을 듯하다.』

당나라 사람 조영이 그의 시에서 '무릉도원의 멋을 저잣거리에서도 찾을 수 있다.'고 한 뜻을 이제야 알 것 같다. 나는 감탄하며 말했다.

"옛날 유신이라는 자는 천태산의 도원에 들어가서 신선을 만나 돌아오지 않았다고 하는데, 그대가 바로 유신 같은 사람이 아닌가?

출제자 톡 글쓴이의 체험을 파악하라!

❶ 글쓴이가 유희경을 따라가서 본 것은?
복숭아꽃이 떨어지는 침류대 주변의 아름다운 풍경

❷ '무릉도원의 멋을 저잣거리에서도 찾을 수 있다.'를 통해 글쓴이가 깨달은 것은?
무릉도원을 떠올릴 만한 아름다운 경치는 주변에서도 찾을 수 있음.

고전 산문 **511**

나는 지금 다행스럽게도 이 신비스러운 경치를 보았으니 무릉도원을 찾아갔던 어부의 느
낌이 나와 같았겠지. 내 이 물에 들어가서 이 물로 입을 가신다고 하여 방해될 것이 있겠는
가?"

우리는 서로 마주보며 한바탕 웃은 뒤에 물가에 자리를 펴고 앉았다. 졸졸 흐르는 물소리에
굳이 씻지 않아도 깨끗해졌다.『속세의 티끌 하나 묻어 있지 않은 곳이라서 온갖 잡념이 가시
니, 정신과 기운이 저절로 맑아져서 바람이 불지 않아도 날아갈 듯하였다.』속세를 벗어난 경
지가 참으로 이런 것인가?

❯ 무릉도원을 연상하게 하는 침류대 주변 경관의 아름다움에 감탄함

162위

글쓴이의 벗인 공백공의 자호 '어촌'을 제명으로 삼아 기록한 글

어촌기(漁村記) | 권근

성격 자연 친화적, 교훈적　**시대** 조선 초기
주제 자연 속에 머물며 한가롭게 사는 삶의 즐거움

수필

이 작품은 몸은 속세에 머물고 있지만 자연을 그리워하는 '공백공'이라는 인물을 통해 사대부들의 자연 친화 의식과 풍류를 드러내고 있는 고전 수필이다.

내용 전개 방식

기	서	결
공백공의 인물됨 – 소탈하고 명랑하며 자연을 좋아함.	공백공이 지향하는 삶의 모습과 계절이 바뀌어도 한결같은 어부의 즐거움	공백공의 가치관 – 세속적 가치를 좇기보다 자연에 머물며 유유자적하는 삶을 추구함.

'나'
자신의 벗인 공백공의 말을 글로 남김.

공백공
'나'의 벗. 벼슬을 하고 있지만 자연에서의 삶을 동경하는 인물로, 어부의 삶을 지향함.

전문

어촌(漁村)은 나의 벗 공백공의 자호(自號)다. 백공은 나와 태어난 해는 같으나 생일이 뒤이기 때문에 내가 아우라고 한다. 풍채와 인품이 소탈하고 명랑하여 사랑할 만하다. 『대과에 급제하고 좋은 벼슬에 올라, 갓끈을 나부끼고 인끈을 두르고 필기를 위한 붓을 귀에 꽂고 나라의 옥새를 주관하니,』 사람들은 진실로 그에게 원대한 기대를 하였으나, 담담하게 강호의 취미를 지니고 있다. 가끔 흥이 무르익으면, 「어부사」를 노래한다. 그 음성이 맑고 밝아서 천지에 가득 찰 것 같다. 증자가 상송(商頌)을 노래하는 것을 듣는 듯하여, 사람의 가슴으로 하여금 멀리 강호에 있는 것 같게 만든다. 이것은 그의 마음에 사욕이 없어 사물에 초탈하였기 때문에 소리의 나타남이 이와 같은 것이다.

> 공백공의 인물됨

하루는 나에게 말하기를,

"나의 뜻은 어부(漁父)에 있다. 그대는 어부의 즐거움을 아는가. 강태공은 성인이니 내가 감히 그가 주 문왕을 만난 것과 같은 그런 만남을 기약할 수 없다. 엄자릉은 현인이니 내가 감히 그의 깨끗함을 바랄 수는 없다. 아이와 어른들을 데리고 갈매기와 백로를 벗하며 어떤 때는 낚싯대를 잡고, 외로운 배를 노 저어 조류를 따라 오르고 내리면서 가는 대로 맡겨 두고, 모래가 깨끗하면 뱃줄을 매어 두고 산이 좋으면 그 가운데를 흘러간다. 『구운 고기와 신선한 생선회로 술잔을 들어 주고받다가 해가 지고 달이 떠오르며 바람은 잔잔하고 물결이 고요한 때에는 배에 기대어 길게 휘파람을 불며, 돛대를 치고 큰 소리로 노래를 부른다. 흰 물결을 일으키고 맑은 빛을 헤치면, 멀고 멀어서 마치 성사를 타고 하늘에 오르는 것 같다. 강의 연기가 자욱하고 짙은 안개가 내리면, 도롱이와 삿갓을 걸치고 그물을 걷어 올리면 금빛 같은 비늘과 옥같이 흰 꼬리의 물고기가 제멋대로 펄떡거리며 뛰는 모습은 넉넉히 눈을 즐겁게 하고 마음을 기쁘게 한다.』 밤이 깊어 구름은 어둡고 하늘이 캄캄하면 사방은 아득하기만 하다. 어촌의 등불

Link

출제자 특강 | 인물의 특성을 파악하라!

❶ 글쓴이는 공백공의 인품에 대해 어떻게 평하고 있는가?
소탈하고 명랑하며, 마음에 사욕이 없고 사물에 초탈한 사람으로 평함.

❷ 강태공과 엄자릉의 고사를 인용한 부분에서 드러나는 공백공의 성품은?
강태공, 엄자릉과 같은 삶을 추구하지만 그들의 삶에 미치지 못한다고 말하며 겸손한 성품을 드러냄.

❸ 세속적 가치에 대한 공백공의 가치관은?
세속적 가치를 추구하는 삶을 거부하는 가치관을 지님.

은 가물거리는데 배의 지붕에 빗소리는 울어 느리다가 빠르다가 우수수하는 소리가 차갑고 도 슬프다. 〈중략〉『여름날 뜨거운 햇빛에 더위가 쏟아질 적엔 버드나무 늘어진 낚시터에 미 풍이 불고, 겨울 하늘에 눈이 날릴 때면 차가운 강물에서 홀로 낚시를 드리운다. 사계절이

┌─ 『 』: 계절이 바뀌어도 한결같이 즐거운 어부의 삶

차례로 바뀌건만 어부의 즐거움은 없는 때가 없다.』 ▶ 공백공이 지향하는 삶의 모습과 한결같은 어부의 즐거움

지위가 높고 구하게 됨   몸이 귀하게 되어 이름이 세상에 빛남

『저 영달에 얽매여 벼슬하는 자는 구차하게 영화에 매달리지만 나는 만나는 대로 편안하

속세의 부귀영화에 얽매여 사는 사람과 그렇지 않은 자신을 대조함

다. 빈궁하여 고기잡이를 하는 자는 구차하게 이익을 계산하지만 나는 스스로 유유자적을

생계의 수단으로 고기잡이를 하는 사람

즐긴다.』 성공과 실패는 운명에 맡기고, 진퇴도 오직 때를 따를 뿐이다. 부귀 보기를 뜬구름

Link 인물의 특성 ❸   공백공의 삶의 태도, 대구법, 직유법

과 같이 하고 공명을 헌신짝 벗어 버리듯하여, 스스로 세상의 물욕 밖에서 방랑하는 것이니,

어찌 시세에 영합하여 이름을 낚시질하고, 벼슬길에 빠져들어 생명을 가볍게 여기며 이익만

세상의 형편 자신의 생각을 맞춰   명예를 구하고

취하다가 스스로 함정에 빠지는 자와 같겠는가. 이것이 내가 몸은 벼슬을 하면서도 뜻은 강

나랏일에 몸이 매여 있으면서도 강호를 그리워함

호에 두어 매양 노래에 의탁하는 것이니, 그대는 어떻게 생각하는가?"

하니 내가 듣고 즐거워하며 그대로 기록하여 백공에게 보내고, 또한 나 자신도 살피고자 한다.

공백공의 가치관에 대한 글쓴이의 긍정적 반응

을축년 7월 어느 날.

▶ 공백공의 가치관

최우선 **출제 포인트!**

1 서술상 특징

• 세속에서의 삶과 자연에서의 삶을 대비하여 제시함.
• 어부의 삶의 모습을 구체적인 행동을 통해 나타냄.
• 고사 속 인물들을 동원하여 자신이 지향하는 삶의 모습을 드러냄.

2 글쓴이가 벗의 말을 인용한 의도

> 벗의 말을 인용하여 글쓴이 자신의 생각을 드러냄.
> – 벗과 자신의 관계, 벗의 성품에 대한 평가를 바탕으로 벗의 말이 인용 할 가치가 있음을 드러냄.

↓

> 벗의 생각이 글쓴이 자신이 추구하는 가치관과 유사함을 제시하며 주 제 의식을 드러내고 있음.

최우선 **핵심 Check!**

1 다음 중 맞는 것은 ○표를, 틀린 것은 ×표를 하시오.

(1) 공백공은 생계를 위하여 고기를 잡는 어부의 삶을 지향한다. (   )
(2) 공백공은 벼슬을 하고 있지만 자연에서의 평화로운 삶을 추구하는 인 물이다. (   )
(3) 이 작품은 공백공이 자신의 경험과 가치관을 진솔하게 표현하여 기록 한 글이다. (   )
(4) 강호라는 공간의 다채로운 모습이 시간에 따라 제시되어 있다. (   )

2 속세를 떠나 자연에 머무르며 아무 속박 없이 편안하게 사는 삶을 나타내는 사자성어는?

① 수어지교(水魚之交) ② 유유자적(悠悠自適)
③ 유비무환(有備無患) ④ 호접지몽(胡蝶之夢)

3 글쓴이가 벗의 생각에 대해 공감하고 있음을 직접적으로 나타낸 구 절을 찾아 쓰시오. (30어절)

정답 **1.** (1) × (2) ○ (3) × (4) ○ **2.** ②, ③ **3.** 내가 듣고 즐거워하며

▶ **1등급! 〈보기〉!**

기(記)는 한문 수필 양식 중 하나로 사람이나 사물을 객관적으로 관찰하고 동시에 기록하여 영구히 잊지 않고 기념하고자 하는 데에 목 적을 두는 글이다. 어떤 사건이나 경험을 하게 된 과정을 기록하여 독자에게 교훈과 깨달음을 제시하는 특징이 있다.

163위

바닷물이 가슴을 적시는 집
함해당기(涵海堂記) | 이종휘

성격 회고적, 성찰적, 교훈적 **시대** 조선 후기
주제 함해당의 의미와 삶의 다짐

수필

이 작품은 글쓴이가 영남 유람 당시 몰운대와 해운대를 바라보며 느꼈던 깨달음을 '함해'라는 서실의 이름으로 삼아 덕을 확립하고 저술을 이루겠다는 삶의 다짐에 관해 서술한 글이다.

출제 우선 작품

내용 전개

기	승	전	결
서울 남산의 집에 '함해당'이라는 이름을 붙임.	과거 몰운대에서 보았던 장관과 그에 대한 인상	인식의 확장을 가져오는 함해당에서의 독서	덕을 확립하고 저술을 이루겠다는 다짐

핵심장면 집을 '함해당'이라 이름한 이유와 의미를 밝히고 앞으로의 삶의 다짐을 말하는 부분이다.

나는 마음속으로 생각하곤 한다. <u>눈은 내 방 안에 있지만</u> 오래도록 사방의 벽을 보고 있노라
_{'나'의 위치 – 방 안}
면 벽에서 파도 문양이 생겨나 마치 바다를 그려놓은 휘장을 붙여놓은 듯하다. 절로 마음이 탁
_{과거 몰운대에서 보았던 바다의 모습을 자신의 방 안에서 생생하게 떠올림}
트이고 정신이 상쾌해져서 <u>내 자신이 좁은 방 안에 있다는 사실을 잊게 된다.</u> 이 때문에 일어
_{공간의 한계를 벗어남}
나 책을 마주하면 유창하고 쾌활하게 읽힌다. 마치 내 가슴을 바닷물로 적시는 듯하다. 『그러니
_{'함해'라는 서실의 이름이 나온 계기}
예전 몰운대가 어찌 바로 내 집이 되지 않겠는가? 이제 내가 사는 달팽이집이 바로 바다가 아
_{좁은 방 안에 있으면서도 바다에 있는 것과 같이 인식함}
닌 줄 어찌 알겠는가?』그러니 집을 바닷물로 적신다는 함해라 이름한 것은 엉터리가 아니다.
_{『 』: 사고의 전환, 설의법} _{서실의 이름을 '함해'로 삼은 이유} _{'함해'라고 이름을 붙인 이유}

또 생각해보았다. 저 동래의 바다는 내 시야에서는 거리가 매우 멀기는 하지만 천 리를 넘지
_{동래의 바다가 천 리는 넘지 않는다고 인식 → 책을 통해 인식을 넓혀가는 과정을 의미함}
않는다. 금산(錦山)의 미라도(彌羅島)가 그 서쪽을 막고 있고 대마도가 그 동쪽을 가리고 있다.
남쪽 바다에는 섬들이 안개와 구름에 싸여 아스라이 보인다. 이는 바다 중에서 작은 것이다.
내 집의 책을 통해서는 동서남북, 하늘과 땅, 과거와 현재에까지 미루어 나갈 수 있고, 천지
_{책을 통해서는 시공간적 한계를 벗어날 수 있음 → 책을 통한 간접 경험의 시공간을 제시함}
와 사방 안팎의 공간이나 아주 먼 고대의 시간까지 에워싸 차지할 수 있다. 그렇게 되면 추연
_{중국 전국 시대 제나라의 사상가}
(鄒衍)이 세상 밖에 훨씬 더 큰 세상이 있다는 구주(九州)조차 책에서부터 벗어날 수 없게 된
_{추연이 말한 큰 세상인 '구주'도 책 안에 들어가 있음}
다. 그러니 책이라는 것의 크기를 어찌 더할 수 있겠는가?『저 바람을 타고 구만 리를 날아오르
_{』: 옛 성현이나 자신이나 책을 통해 인식을 확장시키는 것은 동일함 → 독서에 대한 자부심을 드러냄}
는 큰 붕새나 몸집이 자그마한 메추라기나 소요(逍遙)를 즐기는 것은 한 가지다.』
_{훌륭한 옛 성현} _{글쓴이 자신} ▶인식의 확장을 가져오는 함해당에서의 독서

비록 그러하지만 가장 좋은 것은 덕을 확립하는 일이요, 다음은 저술을 이루는 일이다. 『내가
_{글쓴이가 이루겠다고 결심한 일 ①} _{글쓴이가 이루겠다고 결심한 일 ②}
물에 대한 관찰을 통하여 내 국량을 키워 나가 끝없는 바다에 이를 수 있다면, 또 어떠한 것이
_{남의 잘못을 이해하고 감싸 주며 일을 능히 처리하는 힘}
이에 비견할 것이겠는가?』『 』: 독서와 사색을 통해 지식의 바다에 흠뻑 젖고자 함 ▶덕을 확립하고 저술을 이룰 것을 다짐함

최우선 **출제 포인트!**

1 글쓴이의 다짐과 주제 의식

다짐	주제 의식
덕을 확립할 것 저술을 이룰 것	• 인식의 확장을 통해 시공간을 초월한 진리에 도달하는 삶을 지향함. • 함해당에서의 독서를 통해 동서고금의 이치를 깨우칠 수 있음.

최우선 **핵심 Check!**

1 다음 중 빈칸에 들어갈 알맞은 말을 고르시오.

몰운대	바닷물	저술

(1) '함해당'은 '( )(으)로 적신 집'이라는 뜻이다.
(2) '나'는 덕을 확립하고 ( )을/를 이룰 것을 다짐하고 있다.

정답 **1.** (1) 바닷물 (2) 저술

고전 산문 **515**

봄의 단상 | 이규보

성격 감각적, 성찰적, 독백적 **시대** 고려 시대
주제 봄에 대한 생각과 이를 통해 얻은 깨달음

수필

이 작품은 글쓴이인 이규보가 봄을 즐기는 온화한 표정의 사람들을 본 경험을 바탕으로, 사람들이 봄을 대하는 태도에 대해 떠올린 생각과 깨달음을 서술한 한문 수필이다.

내용 전개 방식

기
온화한 표정으로 봄을 즐기는 사람들을 본 경험

서
봄을 대하는 사람들의 태도에 대한 '나'의 생각

결
봄에 대한 단상을 통해 얻은 깨달음

전문

봄날이 한창 화창할 때라 마음이 즐거워져, 높은 데 올라 사방을 바라본다. 부슬부슬 내리던
〔계절적 배경 – 봄〕
곡우(穀雨)도 갠 뒤라『나무들은 새로 씻은 듯 깨끗하고, 먼 강물 일렁이는 곳에 연초록 버드나
〔곡식을 잘 자라게 한다는 봄비〕   〔비유(직유법)〕
무 하늘거린다. 비둘기 울며 날개를 치고, 꾀꼬리는 아름다운 나무에 모여 앉았다. 온갖 꽃들
피어나 고운 비단을 펼쳐 놓은 듯한데, 푸른 숲 사이로 다문다문 보이니 참으로 알록달록하
        〔비유(직유법)〕   〔공간적으로 배지 아니하고 사이가 좀 드문 모양〕
다. 들판에는 푸른 풀이 무성이 돋아 소들이 흩어져 풀을 뜯는다. 여인들은 광주리 끼고 야들
                                              〔여인들의 행동과 모습 묘사〕
야들한 뽕잎을 따는데 부드러운 가지를 끌어당기는 손이 옥처럼 곱다. 그들이 서로 주고받는
                                                      〔청각적 심상을 통해 흥겨운 분위기를 표현〕
민요는 무슨 가락의 무슨 노래일까.』『: 생명력 넘치는 숲과 들의 풍경을 시각적 심상,
                                         청각적 심상을 활용해 생동감 있게 묘사함
[Link] 표현상의 특징 ❶

『가는 사람과 앉은 사람, 떠나는 사람과 돌아오는 사람들 모두가 봄을 즐기느라 온화한 표정
『: 봄을 즐기는 온화한 표정의 사람들을 본 경험을 계기로 '나'의 생각이 시작됨
이니 그 따뜻한 기운이 나에게도 전해지는 것 같다. 그런데 먼 사방을 바라보는 나의 마음은
                                    〔봄을 즐기는 사람들과 대조되는 '나'의 심정을 직접적으로 표출함〕
왜 이토록 민망하고 답답하기만 할까.』
                    ➤ 온화한 표정으로 봄을 즐기는 사람들을 본 경험

『봄이 되어 붉게 장식한 궁궐에도 해가 길어지니, 온갖 일들로 바쁜 천자(天子)에게도 여유가
    『: 천자의 예를 통해 부귀한 사람이 봄을 대하는 태도를 추측함
생긴다. 화창한 봄빛에 설레어 가끔 높은 대궐에 올라 먼 곳을 바라보노라면 장구 소리는 높
이 울려 퍼지고, 발그레한 살구꽃이 일제히 꽃망울 터뜨린다. 너른 중국 땅의 아름다운 경치
를 바라보니 기쁘고 흡족하여 옥잔에 술을 가득 부어 마신다.』부귀한 사람이 봄을 볼 때는 이
러하리라.』 ☐: 추측의 표현을 통해 봄을 대하는 사람들의 태도에 대한 생각을 드러냄
[Link] 표현상의 특징 ❷

『왕족과 귀족의 자제들은 호탕한 벗들과 더불어 꽃을 찾아다니는데, 수레 뒤에는 붉은 옷 입
『: 화려하고 사치스러운 사람들이 봄을 대하는 태도
은 기생들을 태웠다. 가는 곳마다 자리를 펼쳐 옥피리와 생황을 연주하게 하며, 곱게 짠 비단
                                        〔아악에 쓰이는 관악기의 하나〕
같은 울긋불긋한 꽃을 바라보고, 취한 눈을 치켜뜨고 이리저리 거닌다.』화려하고 사치스러운
사람이 봄을 볼 때는 이러하리라.

Link

출제자 톡톡 표현상의 특징을 파악하라!

❶ 봄의 광경을 묘사하는 부분에서 나타나는
   표현상의 특징은?
   시각적 심상, 청각적 심상을 활용하여 생동
   감 있게 표현하였으며 직유법도 활용함.

❷ '이러하리라'를 반복적으로 사용함으로써
   얻는 효과는?
   추측을 나타내는 표현으로 종결하여 사람들
   이 처한 상황에 따라 봄을 받아들이는 태도
   가 달라질 수 있다는 '나'의 생각을 드러냄.

『한 어여쁜 부인이 빈 방을 지키고 있다. 천 리 멀리 떠도는 남편과
『: 슬프고 비탄에 찬 사람이 봄을 대하는 태도
이별한 뒤 소식조차 아득해져 한스럽다. 마음은 물처럼 일렁거려,
                〔홀로 있는 '부인'과 대비됨으로써 '부인'의 외로운 처지를 부각하는 객관적 상관물〕
쌍쌍이 나는 제비를 보다가 난간에 기대어 눈물 흘린다.』슬프고 비
                                    〔남편과 이별한 슬픔〕
탄에 찬 사람이 봄을 볼 때는 이러하리라.

『먼길 떠나는 벗을 보내는 날, 가랑비는 가벼운 먼지를 적시고 버드나
『: 애달픈 이별을 하는 사람이 봄을 대하는 태도
무는 푸르다. 이별 노래 끝마치자 떠나가는 말도 슬피 운다. 높은 언덕
                                      〔슬픈 감정이 투영된 대상〕

에 올라 떠나는 벗을 바라보는데, 만발한 꽃 사이로 그 모습 점점 사라질 때 마음은 더욱 흔들린다.』애달픈 이별을 하는 사람이 봄을 볼 때는 이러하리라.

『군인이 출정하여 멀리 고향을 떠나와 지내다가 변방에서 또 봄을 맞아 풀이 무성히 돋는 걸
　　　　　　집을 떠나와 있는 상황 ①　　　　　　　국경 주변 지역
볼 때나, 남쪽 지방으로 귀양 간 나그네가 어두워질 무렵 푸른 단풍나무를 보게 될 때면, 언
　　　　　집을 떠나와 있는 상황 ②　　　　　　　　　　　『 』: 고향을 떠난 군인과 집 떠난 나그네가 봄을 대하는 태도
제나 발길을 멈추고 고개를 들어 이윽히 보고 있지만 마음은 조급하고 한스러워진다.』집 떠난
　　　　　　　　　　　　　　　　　　　　　집 떠난 나그네가 봄을 볼 때의 마음
나그네가 봄을 볼 때는 이러하리라.
　　　　　　　　　　　　　　　　　　　　　　　▶봄을 대하는 사람들의 태도에 대한 '나'의 생각

　여름날에는 찌는 듯한 더위가 고생스럽고, 가을은 쓸쓸하기만 하며, 겨울에는 꽁꽁 얼어붙
어 괴롭다는 걸 나는 잘 알고 있다. 이 세 계절은 너무 한 가지에만 치우쳐서 변화의 여지도
　　　　　　　　　글쓴이　　　　　　　　　　여름, 가을, 겨울에 대한 나의 생각 – 한 가지 감흥만을 불러일으킴
없이 꽉 막힌 것 같다. 그러나『봄날만은 보이는 경치와 처한 상황에 따라, 때로는 따스하고 즐
　　　　　　　　　　　　　　『 』: '나'의 깨달음 – 사람들은 보이는 경치나 처한 상황에 따라 봄을 다르게 받아들임
거운 마음이 들게도 하고, 때로는 슬프고 서러워지게 하기도 하고, 때로는 절로 노래가 나오
게 하기도 하고, 때로는 흐느껴 울고 싶게 만들기도 한다. 사람들의 마음을 하나하나 건드려
　　　　　　　　　　　　　　　　　　　　　　　　여름, 가을, 겨울과 달리, 봄은 사람들이 제각각 다르게 느낌
움직이니 그 마음의 가닥은 천 갈래, 만 갈래로 모두 다르다.』▶다른 계절과 달리 제각각인, 사람들의 '봄'에 대한 정서

　그런데 나 같은 이는 어떠한가.『취해서 바라보면 즐겁고, 술이 깨어 바라보면 서럽다. 곤궁
　　　　　　　　　　　　　『 』: '나'가 상황이나 처지에 따라 봄을 대하며 느끼는 다양한 감정　　　　　가난하여 살림이 구차한
한 처지에서 바라보면 구름과 안개가 가려진 것 같고, 출세하고 나서 바라보면 햇빛이 환히
비치는 것 같다.』즐거워할 일이면 즐거워하고 슬퍼할 일이면 슬퍼할 일이다. 닥쳐오는 상황을
　　　　　　　　　상황이나 처지에 따라 다른 감정을 그때그때마다 그대로 받아들임
마주하고 변화하는 조짐을 순순히 따르며 나를 둘러싼 세상과 더불어 움직여 가리니, 한 가지
　　　　　　　　세상의 변화에 순응하며 살아가야겠다는 생각을 드러냄
법칙만으로 헤아릴 수는 없는 것이다.　　　　　　　　　　　　　▶봄에 대한 단상을 통해 얻은 깨달음

최우선 출제 포인트!

1 '봄'을 대하는 사람들의 태도에 대한 '나'의 생각

천자: 부귀한 사람들	여유가 생겨 아름다운 경치를 바라보며 술을 마심.
왕족과 귀족의 자제들: 화려하고 사치스러운 사람들	호탕한 벗들과 더불어 꽃구경을 하며 음악과 술을 즐김.
부인: 슬프고 비탄에 찬 사람들	남편을 떠올리며 난간에 기대어 눈물 흘림.
벗을 보내는 사람: 애달픈 이별을 하는 사람들	높은 언덕에 올라 떠나는 벗을 바라봄.
변방의 군인, 귀양 간 나그네: 집을 떠난 나그네	발길을 멈추고 고개를 들어 이윽히 봄.

2 '제비'의 기능

'제비'는 '쌍쌍이 나는' 존재로, 남편과 이별하여 홀로 있는 '한 어여쁜 부인'과 대조되어 '부인'의 외로운 처지를 부각하는 객관적 상관물이다.

최우선 핵심 Check!

1 다음 중 빈칸에 들어갈 알맞은 말을 찾아 쓰시오.

경험　　　　　　예시　　　　　　추측

(1) 이 글에서는 봄을 대하는 태도가 서로 다른 사람들의 (　　　)을/를 나열하고 있다.

(2) '이러하리라'와 같이 (　　　)을/를 나타내는 표현을 반복하여 글쓴이의 생각을 드러내고 있다.

(3) 글쓴이는 봄을 즐기는 사람들을 본 (　　　)을/를 바탕으로 자신의 생각과 깨달음을 서술하고 있다.

2 다음 내용 중 맞는 것은 ○표를, 틀린 것은 ✕표를 하시오.

(1) '나'는 여름, 가을, 겨울은 봄과 달리 한 가지에만 치우쳐 변화의 여지가 없다고 생각한다. (　　)

(2) 사람들과 달리 '나'는 봄에 대해 한 가지의 감정만을 느낄 수 있다. (　　)

(3) '나'는 세상의 변화에 따르며 살아가겠다는 깨달음을 밝히며 글을 마무리하고 있다. (　　)

정답 1. (1) 예시 (2) 추측 (3) 경험 2. (1) ○ (2) ✕ (3) ○

출제 우선 작품

목민관(牧民官)의 근본을 밝힌 글

원목(原牧) | 정약용

성격 설득적, 비판적 **시대** 조선 후기
주제 목민관의 소임과 백성 위에 군림하는 목민관에
대한 비판

수필

이 글은 『목민심서』에 수록된 수필로, 목민관은 백성을 위해 존재해야 함을 주장하며 목민관들이 본연의 소임
을 망각하고 백성을 수탈하는 현실에 대해 비판적 인식을 드러내고 있다.

내용 전개 방식

 서론
목민관의 잘못된 행태에 대한 문제 제기

 본론
목민관들이 본분을 망각한 채 횡포를 부리는 현실 비판

결론
목민관은 백성을 위해 존재해야 함을 일깨움

전문

★★ 중심 소재

목민관(牧民官)이 백성을 위해 있는 것인가, 백성이 목민관을 위해 사는 것인가?『백성은 곡
백성을 다스려 기르는 벼슬아치   의문의 형식으로 문제 제기(설의적 표현) → 화제 집중 및 호기심 유발
식과 쌀, 삼과 생사(生絲)를 생산하여 목민관을 섬기고, 거마(車馬)와 하인을 내어 목민관을
수레와 말
보내고 맞이하며, 자신의 고혈(膏血)과 골수를 다 짜내어 목민관을 살찌우니,』백성은 목민관
사람의 기름과 피   『 』: 백성과 목민관의 잘못된 관계를 열거
을 위해 사는 것인가?『아니다. 그렇지 않다. 목민관이 백성을 위해 있는 것이다.』『 』: 단정적으로 주장 제시
반복을 통한 강한 부정   백성과 목민관의 올바른 관계   ▶목민관의 잘못된 행태에 대한 문제 제기
태초의 아득한 옛날엔 백성만 있었을 뿐이니, 무슨 목민관이 있었겠는가.『백성들이 즐비하
고대의 이상적인 시대에는 백성만 있었음 → 백성이 근본적인 존재임   『 』: 목민관의 유래를 단계적으로 제시
게 모여 살면서 어떤 한 사람이 이웃과 다투어 잘잘못을 가리지 못하였는데 공평한 말을 잘하
는 어르신에게 가서 이 문제를 바로잡았다. 사방 이웃들이 모두 감복해서 이 어르신을 추대하
감동하여 충심으로 탄복함   윗사람으로 떠받들어
여 함께 높여 이정(里正)이라고 이름하였다. 그러더니 여러 마을의 백성들이 마을에서 다투어
□: 연쇄적, 점층적으로 목민관의 유래를 밝힘
잘잘못을 가리지 못한 문제를 가지고 준수하고 학식이 많은 어르신에게 가서 바로잡았다. 여
재주와 슬기, 풍채가 빼어나고
러 마을이 모두 감복해서 이 어르신을 추대하여 함께 높여 당정(黨正)이라 이름하였다.

여러 당(黨)의 백성들이 당에서 싸워 잘잘못을 가리지 못한 문제를 가지고 어질고 덕이 있는
어르신에게 나아가 바로잡았다. 여러 당이 모두 감복하여 주장(州長)이라 이름하였다. 그러더
니 여러 주(州)의 주장이 한 사람을 추대하여 장(長)으로 삼아 국군(國君)이라 이름하고, 여러
=국왕
나라의 국군이 한 사람을 추대하여 장으로 삼아 방백(方伯)이라 이름하고, 사방의 방백이 한
사람을 추대하여 우두머리로 삼고 그를 황왕(皇王)이라 이름하였다. 황왕의 근본은 이정에서
=황제
시작되었으니, 목민관은 백성을 위해 있는 것이다.』   ▶목민관의 유래
통치자의 권위가 백성에게서 나왔으므로 목민관이 백성을 위해 존재한다는 논리를 전개함 → 민본주의 강조
이때를 당해서『이정은 백성들의 바람에 따라 법을 제정하여 당정에게 올리고, 당정은 백성
『 』: 법 제정 과정을 연쇄적으로 제시 – 목민관을 선임하는 과정과 법 제정의 절차가 일치하는 것이 올바른 절차임을 보임
들의 바람에 따라 법을 제정하여 주장에게 올리고, 주장은 국군에게 올리고, 국군은 황왕에게
올렸다.』이 때문에 그 법은 모두 백성들을 편하게 하는 것이었다.   ▶법 제정의 과정과 목적
법의 제정 목적 – 백성을 편하게 하는 것
그런데『후세에는 한 사람이 스스로 나서서 황제가 되어 자기 아들과 아우 및 가까이 모시는
『 』: 법의 목적이 변질되는 과정을 연쇄적으로 제시
자와 하인들을 모두 봉하여 제후로 삼고, 제후는 자기의 사인(私人)들을 뽑아 주장으로 삼고,
주장은 자기의 사인들을 뽑아 당정과 이정으로 삼았다. 이에 황제는 자기 욕심대로 법을 제정
하여 제후에게 내려 주고, 제후는 자기 욕망대로 법을 제정하여 주장에게 내려 주고, 주장은
당정에게 내려 주고, 당정은 이정에게 내려 주었다.』이 때문에 그 법은 모두 임금을 높이고 백
백성을 편하게 한다는 법의 본래 목적이 훼손됨

성을 낮추며, 아랫사람의 재물을 깎아 내어 윗사람에게 보태 주는 것이 되었다. 그리하여 한결같이 백성들은 목민관을 위해 사는 것처럼 된 것이다. ❯본래의 목적과 달리 변질된 법

지금의 수령은 옛날의 제후나 마찬가지이다. 그들을 받들어 모시는 궁실과 거마, 제공되는
└→ 태초와 대조를 이루고 있음 ／ 수령들이 임금에 맞먹는 부귀와 권세를 누림
의복과 음식, 좌우에서 모시는 여인이나 내시, 노복들까지 임금에 맞먹는 정도이다. 그들의 권능이 사람을 기쁘게도 하고 그들의 형벌과 위엄이 사람을 두렵게도 할 수 있다. 그리하여
권력을 악용함 ／ 백성들을 가혹하게 대하는 모습
거만하게 스스로 높이고 태연하게 스스로 즐겨 자신이 목민관이라는 사실을 잊고 있다.
자신의 본분을 망각한 목민관들에 대한 비판 ／ Link 반영된 사회상 ❶ ／ ❯본문을 망각한 목민관에 대한 비판
『한 사람이 싸우다가 이 문제를 가지고 그에게 가서 바로잡아 달라고 하면 얼굴을 찡그리고
『 』: 백성들을 돌보지 않는 관리의 무책임한 태도
"어찌 이렇게 시끄럽게 구는가?"라고 하고, 한 사람이 굶어 죽기라도 하면 "제 스스로 죽은 것
자신의 책무를 다하지 않는 관리의 모습
일 뿐이다."라고 한다. 『곡식과 쌀, 베와 비단을 생산하여 섬기지 않
『 』: 백성들을 탈취하여 자신의 이익을 도모하는 탐욕적인 행태
으면 매질하고 곤장을 쳐서 피가 흐르는 것을 보고 나서야 그친다.
백성을 가혹하게 수탈함 ／ Link 반영된 사회상 ❷
날마다 돈을 계산하고 장부를 작성하는가 하면, 돈과 베를 거둬들여
전택(田宅)을 마련하고 권세가나 재상에게 뇌물을 보내 훗날의 이익
논밭과 집 ／ Link 반영된 사회상 ❸
을 도모한다. 그러므로 "백성이 목민관을 위해 있다."라고 말하는 것
『 』: 목민관의 잘못된 행태를 비판함
이니, 어찌 바른 이치이겠는가. 목민관은 백성을 위해 있는 것이다.』
설의적 표현을 통해 옳지 않음을 강조함 ／ 동일한 문장의 반복 – 글쓴이의 입장을 강조함
❯목민관은 백성을 위해 존재해야 함

최우선 출제 포인트!

1 이 작품에 나타나는 연쇄적, 점층적 표현 방법

이 작품은 목민관의 임명 과정과 법 제정 과정을 설명하는 부분에서 연쇄적, 점층적 표현 방법을 활용하고 있다. '이정'으로부터 시작해 '황왕'에 도달하는 과정을 단계적으로 밝히며, '목민관'은 백성을 위해 태어난 것이며 법의 제정 목적은 백성을 편하게 하는 것이라는 주장을 효과적으로 뒷받침하고 있다.

| 이정 | → | 당정 | → | 주장 | → | 국군 | → | 방백 | → | 황왕 |

2 글쓴이의 비판적 현실 인식

이 작품의 글쓴이인 정약용은 유배 생활을 하며 백성들과 밀접하게 지내던 중, 지방 관리들이 군주처럼 군림하며 자신의 사리사욕을 채우기 위해 백성들을 가혹하게 수탈하는 현실을 목격하게 된다.
이러한 현실을 목격한 정약용은 「원목」에서 목민관의 권위가 백성으로부터 나왔음을 주장하며, 목민관들이 본연의 소임을 망각하고 있는 당대 현실을 비판하고 있다.

최우선 핵심 Check!

1 이 글의 서술상 특징으로 적절하지 않은 것은?

① 구체적인 예시를 통해 주장을 구체화하고 있다.
② 반어법을 사용하여 주제 의식을 드러내고 있다.
③ 서두에서 의문형으로 문제를 제기하며 주의를 집중시키고 있다.

2 글쓴이의 생각과 일치하는 것은 ○표를, 일치하지 않는 것은 ×표를 하시오.

[1] 태초에는 백성들만이 있었을 뿐, 목민관은 존재하지 않았다. (   )
[2] 지금의 수령은 옛날 제후와는 달리 엄청난 부귀와 권세를 누리고 있다.
(   )
[3] 백성이 목민관을 위해 있다는 것이 올바른 이치이다. (   )

3 굶어 죽은 백성을 보고 "제 스스로 죽은 것일 뿐이다."라고 말하는 것에서 엿볼 수 있는 목민관의 태도는?

정답 1. ② 2. [1] ○ [2] × [3] × 3. 무책임한 태도

대나무를 가까이하는 김 장관(김영지)이 지은 누각 '죽헌'에 걸기 위한 글

김 장관 댁 죽헌기
(金場官宅竹軒記) | 유방선

166위

성격 예찬적, 교훈적, 성찰적 **시대** 조선 전기
주제 대나무를 가까이하는 김영지의 삶에 대한 예찬과 대나무의 덕성을 본받고 싶어 하는 마음

수필

이 글은 글쓴이가 선비 김 장관이 지은 누각 '죽헌'에 걸기 위해 쓴 글로, 대나무와 가까이하여 대나무의 덕성을 본받고자 하는 김 장관의 삶을 예찬하고 있다.

내용 전개 방식

 처음
김영지는 벼슬에서 물러나 고향에서 '죽헌'을 짓고 사는 선비임.

 중간
대나무의 덕성에 대한 예찬 및 대나무를 가까이하지 않는 사람들에 대한 경계

 끝
김영지를 사랑하는 까닭과 글을 쓰게 된 동기

전문

영천(永川)의 토질은 대나무가 자라기에 적합하여, 민가에서는 대를 심어 가꾸기도 하고 울타리를 만들기도 한다. 온 고을이 다 그러하나 그들은 대나무의 본성을 진실로 깊이 알지는 못할 것이다.
> 대나무를 가꾸고 울타리를 만드는 사람들
> 주제 의식과 관련됨 – 대나무의 본성

전 장관 김영지는 사족(士族)으로 본래 대나무를 사랑하였다. 『해직한 뒤로부터 고향에 물러
> 조선 시대 관직명   선비의 자손   『 』 김영지의 삶을 사실적으로 서술함
앉아 남이 알아주는 것을 바라지 않고, 이수의 남쪽에 터를 잡아 침실 동쪽에 정자를 짓고 대
를 곁에 심었다.』그리고 그것을 편안히 쉬는 거처로 정함과 동시에 그 이름을 '죽헌(竹軒)'이라
> 침실 동쪽에 지은 정자   죽(竹: 대나무 죽) 헌(軒: 집 헌)
하였다.
> ▶ 벼슬에서 물러나 고향에서 '죽헌'을 짓고 사는 김영지

무릇 대나무란 네 계절을 통하여 변하지 않고 온갖 초목 가운데 홀로 특색을 보존한다. 그
> 대나무의 특성 ① – 불변성
곧은 것은 능히 풍속을 고칠 만하고 그 건장한 것은 능히 나약함을 일으켜 세울 만하다. 겨울
> 대나무의 특성 ② – 곧고 건장함
에는 눈 속에서 그 차가운 소리가 창에 뿌리고, 여름에는 바람 속에서 서늘한 기운이 탑 자리
에 가득하다. /『연기와 아지랑이가 자욱하여 소상강이 눈앞에 있는 것과 같고, 별과 달이 비치
> 대나무의 특성 ③ – 청각적 이미지와 촉각적 이미지를 사용하여 특성을 드러냄
> 『 』 상상력을 동원하여 죽헌의 아름다움을 부각 – 죽헌의 풍경을 소상강과 신선 세계에 빗대어 표현함
고 빛나서 상쾌한 것은 마치 선경이 사람의 정신을 융화하게 하는 것 같다.』시를 읊으면 흥취
가 더욱 더해지고 귀한 손님을 대하면 오가는 말소리가 따라서 맑아지니, 이것이 다 누각 죽
> 김영지가 지은 누각 '죽헌'을 칭찬하는 이유   누각 죽헌에 대한 예찬
헌의 공이다.

『세상이 오얏과 연꽃을 봄과 여름의 구경거리로 삼고, 국화나 매화를 가을과 겨울의 완상으
> 『 』 오얏과 연꽃, 국화나 매화와 견주어 대나무를 대하는 사람들의 태도를 대조하여 제시함
로 삼지만 간혹 대나무에 대해서는 귀하게 여기지 않는다.』그러나 오얏과 연꽃은 부귀한 사람
> **Link** 소재의 특징 ❶
에게 어울리고, 국화나 매화는 똑같이 풍월을 읊는 데에 소중할 따름이다. 대나무는 곧고 화
> 오얏과 연꽃, 국화나 매화의 쓰임은 제한적임
사하지 않으며 고고하여 속되지 않다. 또한 추우나 더우나 한결같은 절개로 예나 지금이나 같
> 대나무의 특성 ④ – 고고하여 속되지 않음   대나무의 특성 ⑤ – 한결같은 절개
은 빛이다.

Link

출제자 특강 🎯 **소재의 특징을 파악하라!**

❶ 이 글에서 대나무와 대조적인 의미로 사용된 것은?
오얏과 연꽃, 국화나 매화

❷ '바람과 서리'도 바꾸지 못하는 대나무의 덕성은?
절개

『세상 사람은 대개 위와 같이 이것들의 자태의 곱고 아름다움과 이
> 오얏과 연꽃, 국화나 매화   외면적인 아름다움과 향기
슬에 젖은 꽃망울의 향기만을 사랑하여, 자기도 모르게 사치할 마음
> 『 』 외적인 화려함만 추구하는 사람들에 대한 경계
과 간사한 뜻이 생겨 방탕하고 음란함에 빠지는 줄을 알지 못한다.』

아, 대나무는 그렇지 않다. 대나무를 보면 야비하고 인색한 마음
> 대나무의 긍정적 영향 – 주제 의식
이 없어진다. 대나무의 덕성을 본받으면 선비의 행실이 다듬어진다.

비나 이슬은 그 화려함을 대나무에 보태 주지 못하고, 바람과 서리는 대나무의 절개를 바꾸지
_{화려하게 하는 것} _{시련과 역경} _{대나무의 덕성}
못한다.
Link 소재의 특징 ❷ ▶ 대나무의 덕성 예찬

　다만 대나무에는 붉은색의 현란함과 향기가 없는 까닭에, 이것을 사랑하는 사람들이 적다.
_{사람들이 대나무보다 오얏과 연꽃, 국화나 매화를 사랑하는 이유}
비유하자면『소인이 사람을 대할 때면 그 안색을 갖추고 그 언어를 비위에 맞게 하여 대하므로
『 』: 대나무를 사랑하는 사람이 적은 이유를 군자를 따르는 사람이 적은 이유에 빗대어 표현함
아부하는 자가 많은 반면에, 군자가 사람을 대할 때는 의관을 바르게 하고 바라보는 것을 높
게 하면서 점잖기 때문에 따르는 자가 적은 것과 같다. 이로 보아 대나무를 사랑하는 사람이
적은 것도 당연하다.』 ▶ 대나무를 가까이하지 않는 사람들에 대한 경계
_{김영지}
『지금 김 군이 홀로 대나무를 사랑하여 이를 정원에 심고, 밤낮으로 대하며 성정을 가꾸고 더
『 』: 김영지의 행위를 바탕으로 그의 고결한 성품을 짐작함
러운 것을 씻고 있다. 따라서 그 가슴 속의 맑고 더러움은 진실로 이미 구별되었을 것이다.』
_{대나무의 덕성으로 인해서}
『그가 대나무의 절개를 본받아 임금을 섬기면 그 충성은 변하지 않고, 어버이를 섬기면 그 효
『 』: 충효(忠孝)의 가치를 중시하는 유교적 이념이 드러남
　　　　　　　　　도가 변하지 않을 것이니, 나는 그의 이런 점 때문에 사랑하는 것이
_{충과 효가 변치 않는 점}
다.』 **Link** 글쓴이의 가치관 ❶

　나는 남쪽으로 귀양살이를 갔을 때, 운 좋게 그 누각을 한 번 가서
_{글쓴이의 직접 경험을 바탕으로 함을 알 수 있음}
보고, 김 군의 삶을 고상하게 여겼었다. 이 때문에 나는 내 글이 졸
렬함에도 불구하고 이 글을 지어 그 누각에 걸게 하려 한다.
_{글을 쓰게 된 동기 – 김영지의 누각에 걸기 위함} **Link** 글쓴이의 가치관 ❷
▶ 김영지를 사랑하는 까닭과 글을 쓴 동기

Link
출제자 톡톡! 글쓴이의 가치관을 분석하라!
❶ 이 글의 글쓴이가 중시하는 유교적 이념은?
　충효(忠孝)
❷ 김영지의 누각에 글을 걸어 예찬하고자 하
　는 것은?
　대나무의 성품을 본받고자 하는 김영지의
　삶

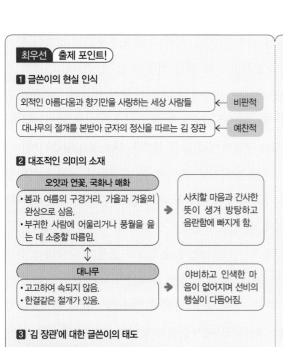

최우선　출제 포인트!

1 글쓴이의 현실 인식

| 외적인 아름다움과 향기만을 사랑하는 세상 사람들 | ← 비판적 |

| 대나무의 절개를 본받아 군자의 정신을 따르는 김 장관 | ← 예찬적 |

2 대조적인 의미의 소재

오얏과 연꽃, 국화나 매화
• 봄과 여름의 구경거리, 가을과 겨울의
　완상으로 삼음.
• 부귀한 사람에 어울리거나 풍월을 읊
　는 데 소중할 따름임.

→ 사치할 마음과 간사한 뜻이 생겨 방탕하고 음란함에 빠지게 함.

↕

대나무
• 고고하여 속되지 않음.
• 한결같은 절개가 있음.

→ 야비하고 인색한 마음이 없어지며 선비의 행실이 다듬어짐.

3 '김 장관'에 대한 글쓴이의 태도

김 장관
대나무를 가까이하여 정자의 이름을 '죽헌'이라고 함.

→ 대나무의 덕성을 본받으려 하는 김 장관의 삶을 고상하게 여김.

→ 김 장관이 지은 정자 '죽헌'에 걸게 하려고 글을 씀.

최우선　핵심 Check!

1 이 글에 대한 설명으로 맞는 것을 모두 고르시오.

ㄱ. 글을 쓰게 된 동기가 명확하게 드러나지 않는다.
ㄴ. 글쓴이는 현실에 대해 예찬적인 시각을 보이고 있다.
ㄷ. 김 장관의 죽헌을 직접 방문한 경험을 바탕으로 하고 있다.
ㄹ. 대나무의 특성을 인간이 갖추어야 할 덕목과 연관 짓고 있다.

2 다음 내용 중 맞는 것은 ○표를, 틀린 것은 ×표를 하시오.

(1) 사람들이 대나무를 귀하게 여기지 않는 이유는 추위에 쉽게 변하기 때
　문이다.　　　　　　　　　　　　　　　　　　　　　(　　)
(2) '나'는 대나무의 절개를 본받아 충효에 힘쓰는 김 장관을 긍정적으로
　여긴다.　　　　　　　　　　　　　　　　　　　　　(　　)
(3) 대나무를 사랑하는 사람들이 적은 이유는 대나무가 군자와 같기 때문
　이다.　　　　　　　　　　　　　　　　　　　　　　(　　)
(4) '나'가 글을 쓴 동기는 '죽헌'에 걸게 하기 위해서이다.　(　　)

정답 1. ㄷ, ㄹ　2. (1) × (2) ○ (3) ○ (4) ○

'용암정'이라는 정자의 기문
용암정기(龍巖亭記) | 남구만

성격 사실적, 예찬적 **시대** 조선 중기
주제 용암정을 지은 서생 숙에 대한 칭찬과 조언

수필

이 글은 서생 숙이라는 인물이 지은 정자 '용암정'의 기문이지만, 용암정의 신축과 관련된 내용보다는 서생 숙의 인물됨에 대한 칭찬을 주요 내용으로 삼고 있다.

내용 전개

처음	중간	끝
오직 책만 읽던 서생 숙이 '용암정'이라는 정자의 기문을 지어 달라고 부탁함.	서생 숙의 삶에 대한 긍정적인 평가 및 깊은 못의 용처럼 처할 것을 권하는 글을 지어 줌.	서생 숙이 글을 받아 용암정의 기문으로 삼음.

전문

『서생 숙이라는 자가 서울의 번화하고 부유한 곳에서 생장하였으나 정신이 한가롭고 마음이
글만 읽어 세상일에 서툰 선비   서생 숙의 내력
고요하여 물건을 사고팔아 이익을 남기는 것과 가산의 유무(有無)가 무슨 일인지 묻지 않으
며, 장기와 바둑, 오만함과 방탕함이 어떤 것인지 알지 못하고, 오직 문을 닫고 책만 읽을 뿐
                                                              서생 숙이 세상사보다 책에 관심이 많음을 알 수 있음
이었다.』『』: 서생 숙의 인물됨을 요약적으로 제시   ➤ 서생 숙의 인물됨

『젊은 시절에 일찍이 나에게 글을 배웠는데 중간에 병으로 공부를 중지하였고, 또 황제와 기
글쓴이 남구만   서생 숙이 '나'의 제자임을 알 수 있음
백의 의술을 익혀서 다소 그 의취를 알았는데, 알고 지내던 유력자에게 만류당하여 고습과 도검
                    의학 지식   '고습'은 군복의 아랫도리, '도검'은 두 종류의 병서를 이르는 말 → 병법에 조예가 깊음을 의미
의 사이에 종사한 지가 10여 년이 되어 절충장군의 품계를 얻었으나 장차 노쇠한 나이에 접어
                              조선 무신 정3품 당상관의 품계명
들게 되었다.』그는 개연히 한탄하며 다음과 같이 말하였다.
원통히   『』: '나'를 만난 뒤의 서생 숙의 삶을 요약적으로 제시

"저는 글을 배웠으나 이루지 못했고, 의술을 배웠으나 통달하지 못했고, 군문에서 일하였으
                    자신의 삶에 대한 부정적인 평가 - 서생 숙이 한탄하는 이유
나 또한 공을 세우고 업적을 세우지 못하였습니다.『지금에 이르러 이가 빠지고 머리가 세었
                                              『』: 서생 숙이 자신의 현재 상황과 앞으로의 계획을 말함
으며 지기(志氣)가 저하되어 당세에 써먹을 수가 없으니, 차라리 넓고 조용하고 적막한 물가
          의지와 기개
에 스스로 물러나서 한가롭고 편안하게 소요하면서 제 몸을 마쳐야 할 것입니다.』가평의 조
                                                              서생 숙이 여생을 보낼 거처
종현 비렴산 아래에 살 곳을 정하니, 이곳에는 큰 냇가에 큰 바위가 솟아 있는데, 두 뿔이 우
                                              정자의 이름을 '용암정'이라고 지은 이유
뚝 솟아 꿈틀꿈틀하여 마치 물을 마시는 용 모양과 같으므로 용암이라고 이름 붙였습니다.
저는 그 위에 한 칸의 정자를 짓고 마음대로 구경하며 회포를 부치는 장소로 삼았습니다.
  용암에 지은 정자=용암정

『저는 이미 문장을 잘하지도 못하고 무예를 잘하지도 못하여 한 사람의 곤궁한 늙은이일
  『』: 서생 숙의 겸손한 태도
뿐이니』이곳이 훌륭한 인물을 만나 명승지로 일컬어지게 할 수가 없으며,『이곳 또한 궁벽한
                                                              『』: 용암정의 주변은 자랑할 만한 곳이 못됨
산중의 황폐한 곳일 뿐 깨끗하고 수려하며 빼어난 구경거리가 없어서 시인과 일사(逸士)들
                                                              선비
이 놀고 감상할 장소가 될 수 없으니, 진실로 시부(詩賦)에 읊조리고 문장에 나타내어 후세
                        한문의 양식
에 전할 만하지 못합니다.』그러나『사람은 지위의 높고 낮음에 관계없이 자기 뜻을 굽히지 않
                                『』: 군자가 되어 고요하고 한가롭게 살고 싶음
는 자를 군자라 하고, 땅은 좋고 나쁨에 관계없이 남이 빼앗으려고
다투지 않는 곳을 고요하고 한가롭다고 합니다.』그렇다면 저는 진실
                                              자신의 처지와 상황에 대한 만족감
로 이 땅을 얻은 것을 다행으로 여기고 이 땅도 저를 만난 것을 꼭
                                      한문 문체의 하나로, 건축물이나 산수, 유람 등을 적은 글
불행으로 여기지는 않을 것이니,『공은 저를 위하여 용암정 기문을
                        Link 인물의 태도 ❶   『』: '나'를 찾아온 목적   ★★★ 중심 소재
지어 주시겠습니까?"
Link 인물의 태도 ❷   ➤ 서생 숙이 용암정 기문을 지어 달라고 부탁함

Link
출제자 톡 인물의 태도를 파악하라!

❶ 용암정 주변에 거처하는 자신의 상황에 대한 서생 숙의 심리는?
용암정 주변의 땅을 얻은 것을 다행으로 여기며 만족해함.

❷ 서생 숙이 '나'를 찾아온 이유는?
용암정 기문을 써 달라고 부탁하기 위해서

이에 나는 다음과 같이 대답하였다.

"그러고말고, 내 그대의 말을 듣고 가슴이 뭉클하지 않을 수 없었다. 옛날 내가 병조 판서를
_{서생 숙의 부탁을 들어줌}
맡았을 때에 그대도 편비가 되었는데,『그때 그대와 같이 있던 무리들 중에는 재주 있고 민첩
_{각 군영에 둔 부장} _{『 』: 다른 사람과 비교하여 서생 숙을 칭찬함}
하여 일을 맡길 만하다고 이름나 그대보다 우위에 있는 자들이 많았다. 그러나 수십 년 동
안 그 사람들의 소행을 평소 살펴보면 파리 머리만 한 작은 이익을 사모하여 죽을 곳으로 달
려가 형벌을 받고 질곡에 빠진 자가 있으며, 혹은 분수에 맞지 않는 복을 바라고 무망한 사
람을 본받아서 끝내 몸을 죽이고야 마는 형벌을 당한 자도 있다. 그런데 <u>오직 그대만은 홀로</u>
_{바라서는 안 될 것을 바라는 사람}
<u>물욕 밖에 초연하여, 살아가는 일을 한 바위 위에 맡겨서 비록 오랫동안 곤궁하고 굶주려도</u>
_{서생 숙에 대한 긍정적 평가}
<u>마음에 달게 여기고 후회함이 없으니,</u>지난날 재주 있고 민첩하여 일을 맡길 만하다고 이름
[Link] 인물의 관점 ❶
났던 자들에게 비한다면 그 득실이 어떠한가?

내 들으니『용이라는 물건은 본래 숨고 감추는 것을 덕으로 여겨서 혹은 깊은 못 속에 칩거
_{서생 숙을 용에 빗대어 말함 → 용이 은거하는 상황과 정자에 은거하는 서생의 상황을 유추하여 연결함}
하고 혹은 더러운 진흙 속에 서려 있으며, 또 혹은 변하여 북이 되고 사람의 손톱 속으로 들
_{용의 변화무쌍함과 작은 곳에도 기거할 수 있는 특성}
어오기도 하는 바, 이는 모두 자취를 감추어 그 몸을 온전히 하기 위해서라 한다. 지금 그대
_{『 』: 선운사라는 사람이 손톱을 치니 흑룡 한 마리가 손톱에서 나와 날아갔다는 고사를 사용함}
가 이 정자에 처하기를 깊은 못에 처하고 진흙 속에 처하듯이 하고 북 같고 손톱같이 한다면
_{용처럼 숨고 감추어 자신을 지키는 일이 중요함을 드러냄 - 용이 지닌 긍정적 속성을 서생이 지닌 가치로 확장함}
좋지 않겠는가.『이 정자에 올라 바라볼 때에 산천이 두 손을 마주 모아 읍하는 듯한 형세와
[Link] 인물의 관점 ❷ _{『 』: '나'는 용암정에 가 보지 않은 상태에서 서생 숙의 요청으로 이 글을 지음}
마주치게 되며 아지랑이와 구름이 변하는 모습을 감상할 수 있다
는 것에 대해서는 내가 아직 보지 못하였으니 말할 만한 것이 없
고, 비록 말한다 하더라도 또 어찌 그대에게 보탬이 되겠는가."
▶ 서생 숙에게 글을 지어 줌
서생이 "삼가 가르침을 받들겠습니다." 하므로 마침내 이것을 써
_{'나'의 조언 - 용암정에 처하기를 깊은 못에 처하는 용처럼 할 것을 권하는 가르침}
서 용암정 기문으로 삼는 바이다.
▶ 서생 숙이 용암정의 기문으로 삼음

Link
출제자 통1 인물의 관점을 파악하라!

❶ 서생 숙에 대한 '나'의 평가는?
물욕에 초연하며 곤궁하고 굶주려도 달게
여김.

❷ '나'가 서생 숙에게 권유하는 바는?
용암정에 처하기를 깊은 못에 처하는 용과
같게 하기를 바람.

최우선 출제 포인트!

1 글을 쓴 동기

'용암정' 기문 부탁	→	서생 숙의 삶을 긍정적으로 평가하면서, 용암정에 처하기를 깊은 못에 처하는 용처럼 할 것을 권하는 글을 지어 줌.

2 대조적인 삶의 방식

재주 있고 민첩하여 일을 맡길 만하다고 이름났던 자들

· 작은 이익을 좇아 형벌을 받고 질곡에 빠짐.
· 분수에 맞지 않는 복을 바라 끝내 몸을 죽이고야 마는 형벌을 당함.

↕

서생 숙

혼자 물욕 밖에 초연하며, 오랫동안 곤궁하고 굶주려도 마음에 달게 여기고 후회함이 없음.

3 용의 속성과 '서생 숙'의 덕성

용		서생 숙
깊은 못이나 진흙 속에 처하며, 북 같고 손톱같이 함.	= 유추	정자 '용암정'에 숨고 감추어 자신을 지킴.

최우선 핵심 Check!

1 초성 힌트를 보고 빈칸에 들어갈 알맞은 말을 쓰시오.

글쓴이는 용의 속성에서 서생 숙의 덕성을 ㅇㅊ함으로써 서생 숙의 삶의 태도를 칭찬하고 그에 대해 조언하고 있다.

2 다음 내용 중 맞는 것은 ○표를, 틀린 것은 ×표를 하시오.

(1) '나'는 서생 숙의 삶의 태도를 부정적으로 바라보고 있다. (   )

(2) 서생 숙은 '용암정'에 처하기를 깊은 못에 처하는 용처럼 하라는 '나'의 조언을 받아들이고 있다. (   )

정답 1. 유추 2. ⑴ × ⑵ ○

168위

용풍(慵諷) | 이규보

성격 교훈적, 풍자적 **시대** 고려 시대
주제 게으름에 대한 경계와 올바른 삶의 태도

수필

이 글은 게으름을 풍자의 대상으로 하여 게으름을 벗어나기 위해 노력해야 한다는 내용을 거사와 손님의 대화를 통해 보여 주고 있다.

내용 전개

거사의 말	→	손님의 초청	→	손님의 지적	→	거사의 말
거사가 자신의 게으름에 대해 하소연함.		거사의 욕망을 자극하여 수락하게 함.		거사의 달라진 태도 변화에 대해 의문을 제기함.		거사가 자신을 반성함.

전문

거사(居士)는 게으름 병이 있었는데, 찾아온 손님에게 다음과 같이 말하였다.
└ 숨어 살며 벼슬을 하지 않는 선비 → 거사의 게으름이 풍자의 대상이 됨   ★★ 중심 소재

"세월이 빨리 흘러가는데도 오히려 게으름을 붙여 두고, 몸은 왜소한데도 여전히 게으름을
└ 자신의 게으름을 하소연함

지니고 있소. 『집 한 채가 있는데 풀이 우거져도 게을러 깎지 않고, 천 권의 책이 있는데 좀이
└ Link 인물의 특징 ❶ 「 」: 게으름의 구체적인 상황을 나열 → 자신이 게으름 병이 있음을 드러냄

먹어도 게을러 펼쳐 보지 않고, 머리가 헝클어져도 게을러 빗지 않고, 몸에 옴이 있어도 게

을러 치료하지 않소. 남들과 노는 것도 게으르며, 남들과 왕래하는 것도 게으로오. 입은 말

하는데 게으르고, 발은 걷는 데 게으르며, 눈은 보는 데 게으르오. 땅을 밟거나 일을 하거나

게으르지 않는 것이 없소.』 이와 같은 병은 어떤 방법으로 고칠 수 있겠소?"
                                          └ Link 인물의 특징 ❶   ▶ 자신의 게으름에 대해 하소연하는 거사

손님은 아무런 대답이 없었다. 물러나 열흘쯤 뒤에 게으름 병을 낫게 할 방법을 찾아 다시
└ 거사의 게으름을 공격적으로 풍자하며 깨우쳐 주는 인물 → 작가의 의식을 대변

이르러서는 다음과 같이 말하였다.
                                    └ 거사의 게으름 병을 낫게 할 계책의 시작

"한동안 만나지 않았더니 너무나 그리웠소. 얼굴이라도 한번 봤으면 싶소."

거사는 게으름 병이 다시 도져 만나고 싶지 않았다. 손님은 굳이 만나기를 청하면서 다음과

같이 말하였다.

『내가 한동안 거사의 부드러운 웃음소리와 좋은 말을 듣지 못하였소. 지금은 늦봄이라 새는
└ 거사를 칭찬함   └ 듣고 싶소
「 」: 거사의 욕망을 자극할 만한 설명을 늘어놓으며 만남을 청함. 관련 한자 성어: 감언이설(甘言利說)

정원에서 울고 바람과 햇살은 가득하며, 온갖 꽃들이 아름답게 피었소. 내게 좋은 술이 있는
└ 훈훈한 기운   └ 거사의 욕망을 자극하는 소재 ❶

데, 술거품이 동동 떠 있고 향기는 온 방에 가득하며 훈기는 항아리에 가득 차 혼자 마시기가
└ 감각적 표사를 통해 대상(좋은 술)을 매력있게 표현함

미안하니, 그대가 아니면 누구와 함께 마시겠소? 집안에 노래도 잘하고 생황도 잘 불며 또
└ 좋은 술은 거사와 마시고 싶소   └ 거사의 욕망을 자극하는 소재 ❷

호쟁(胡箏)도 탈 줄 아는 시종이 있는데, 차마 혼자 들을 수 없어 선생이 오기만을 기다리고
                                                                      └ 좋은 음악은 거사와 듣고 싶소

있소. 그런데 선생은 왕림하기를 꺼리니, 잠시 다녀갈 생각은 없소?"』
└ Link 인물의 특징 ❷   ▶ 거사를 초청한 손님

거사는 기뻐서 옷을 떨쳐입고 일어나며 말하였다.

"그대가 나를 늙고 쇠약하다고 여기지 않고 맛 좋은 술과 어여쁜 여인으로 울적한 마음을 달

래려고 하니, 내가 어찌 굳이 사양하겠소?"
                                              └ : 게으르다고 말한 거사와는 반대되는 행동

이에 외려 늦을세라 허리띠를 매고, 외려 더딜세라 신을 신고는 서
        └ 맛 좋은 술을 먹고 어여쁜 여인을 보고 싶어 하는 다급한 심리가 드러남

둘러 나서려고 하였다. 그런데 손님의 태도는 느릿느릿하고, 입 또
                        └ 다급한 행동을 하는 거사와 대조되는 행동을 일부러 보여줌

한 게을러 대답도 못 할 듯하였다. 이윽고 손님은 다시 태도를 고치

고 다음과 같이 말하였다.

Link 출제자 톡 인물의 특징을 파악하라!

❶ 거사가 손님에게 하소연하는 것은?
  자신에게 게으름 병이 있어서 고칠 방법을
  알고 싶음.

❷ 손님이 좋은 술과 시종을 준비했다고 말한
  이유는?
  거사의 욕망을 자극하여 게으름 병을 낫게
  하기 위해서

"그대가 이미 내 초청을 수락하였으니, 나도 말을 바꿀 수 없을 듯하오. 그러나 **선생이 예전에는 말하는 것이 게으르더니 지금은 말이 재빠르고, 예전에는 돌아보는 것이 게으르더니 지금은 민첩하게 돌아보고, 예전에는 걷는 것이 게으르더니 지금은 신속하게 걷고 있소.** 선생의 게으름 병이 이젠 다 나은 것이오? 그런데 말이오, 성품을 해치는 도끼로는 여색이 가
_{거사의 달라진 태도에 대해 의문을 제기함}　_{사람을 해치는 두 가지 요소인 주색(酒色) → 손님이 거사에게 준비했다고 말한 것들}
장 심하고, 창자를 상하게 하는 약으로는 술보다 더한 것이 없소. 선생은 유독 여색과 술 때문에 저도 모르게 게으름이 고쳐져서 마치 장에 가는 사람처럼 행동이 재빠르오. 이대로 가다가 선생이 결국 성품을 손상시키고 몸을 망가뜨릴까 두렵소. 나는 선생이 이렇게 되는 것이 싫어서 **선생과 말하는 것이 게을러지고 앉는 것도 게을러지오.** 생각건대, 선생의 게으름
_{초청 수락 후 다급하게 행동하던 거사와 반대되게 행동했던 이유를 밝힘}
병이 나에게 옮겨 온 것이 아니오?"

❯ 거사의 달라진 태도에 대해 의문을 제기한 손님

<u>거사는 얼굴을 붉히고 이마에 땀을 흘리며 다음과 같이 사과하였다.</u>
_{손님이 자신을 풍자한다는 사실을 알게 됨}　**Link** 글쓴이의 의도 ❶
"훌륭하도다. 그대가 나의 게으름을 풍자함이여! 나는 접때 그대에게 게으름 병이 있다고 말하였소. 그런데 이제 그대의 말 한마디에 그림자가 형체를 따르는 것보다 빨리 나도 모르게
_{스스로에 대해 고착화된 생각을 깨뜨림}
게으름이 종적을 감추어 버렸소. 즐기려는 욕심이 이처럼 신속하게 사람의 마음을 움직이
_{게으른 사람도 자신이 하고 싶은 일에는 게으름을 피우지 않는다는 사실을 깨달음}
고 이처럼 쉽게 사람의 귀를 파고드는 줄을 이제야 알았소. 이런 식

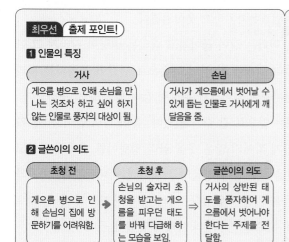

Link
출제자 **특강** 글쓴이의 의도를 파악하라!
❶ 거사의 얼굴이 붉어진 이유는?
　손님이 자신의 게으름을 풍자하고 있다는 사실을 깨닫고 부끄러워서
❷ 거사가 깨달음을 얻고 반성했음이 드러나는 문장은?
　'내 이 마음을 돌려 게으름을 제거하고 힘써 인의(仁義)를 공부하려고 하오.'

으로 간다면 사람의 몸이 빠르게 재앙을 입게 될 것이니, 진실로 삼가지 않을 수 없소. <u>내 이 마음을 돌려 게으름을 제거하고 힘써 인의(仁義)를 공부하려고 하오.</u> 그대는 어떻게 생각하오? 나를 조롱하지
_{거사가 깨달은 올바른 삶의 자세}　　　**Link** 글쓴이의 의도 ❷
말고 조금만 기다려 주시게나."

❯ 자신을 반성하는 거사

최우선 출제 포인트!

1 인물의 특징

거사	손님
게으름 병으로 인해 손님을 만나는 것조차 하고 싶어 하지 않는 인물로 풍자의 대상이 됨.	거사가 게으름에서 벗어날 수 있게 돕는 인물로 거사에게 깨달음을 줌.

2 글쓴이의 의도

초청 전	초청 후	글쓴이의 의도
게으름 병으로 인해 손님의 집에 방문하기를 어려워함.	손님의 술자리 초청을 받고는 게으름을 피우던 태도를 바꿔 다급하게 하는 모습을 보임.	거사의 상반된 태도를 풍자하여 게으름에서 벗어나야 한다는 주제를 전달함.

최우선 핵심 Check!

1 이 글의 주제를 고려할 때, 가장 두드러진 표현 방법을 쓰시오.

2 다음 내용 중 맞는 것은 ○표를, 틀린 것은 ×표를 하시오.
(1) 거사는 손님에게 게으름 병을 고칠 방법을 묻고 있다. 　　(　　)
(2) 손님은 거사의 게으름 병이 자신에게 옮겨지자 거사를 원망하고 있다. 　　(　　)
(3) 거사는 자신이 하고 싶은 일에도 게으름을 피워 손님에게 질책 당하고 있다. 　　(　　)

정답 1. 풍자 2. (1) ○ (2) × (3) ×

관악산을 둘러보고 쓴 기행문
유관악산기(遊冠岳山記) | 채제공

성격 사실적, 비유적 **시대** 조선 후기
주제 관악산을 기행하며 느낀 소회

수필

이 글은 글쓴이가 67세 되던 해에 관악산을 다녀오고 나서 쓴 기행문으로 여정에 따라 보고 느낀 바를 제시하고 있다.

내용 전개 방식

처음
관악산을 오르게 된 이유와 계기

중간
관악산 연주대에 오르기까지의 여정과 감상

끝
연주대에서의 감상과 회포

전문

※ 이 글은 글쓴이가 67세 되던 1786년(정조 10년)에 관악산을 등반하고 쓴 글로, 글쓴이의 문집인 『번암집(樊巖集)』에 수록되어 있음

『내가 일찍이 들으니 미수 허목 선생은 83세에 관악산 연주대(戀主臺)에 올라갔는데, 걸음이
┌ ┘ 글쓴이에게 귀감이 되는 인물 소개   ★ 주요 소재
나는 것 같아서 사람들이 신선처럼 우러러보았다고 한다.』

관악산은 경기 지방의 신령한 산이다. 그리고 선현들이 일찍이 노닐던 곳이다. 한 번 그 위
관악산이 신비로운 공간임을 드러냄
에 올라가서 마음과 눈을 장쾌하게 하고, 선현을 태산처럼 사모하여 우러르는 마음을 기리고
관련 한자 성어: 호연지기(浩然之氣)
자 하였으나, 오래전부터 생각은 있으면서도 일에 얽매여 이루지 못하였다.
관악산을 오르고 싶었으나, 오랫동안 그 마음을 실천하지 못함

정조 10년 봄에 노량의 강가에 거주하니 관악산의 푸르름이 거의 한눈에 들어오는 듯하여
관악산을 오르는 내적 동기가 강화됨
마음이 춤추듯 움직여 막을 길이 없었다. 〈중략〉 ▶ 관악산을 오르게 된 이유와 계기

승려가 인도하는 대로 대략 4, 5리를 가서 절에 닿았다. 절 이름은 불성사(佛性寺)였다. 『절
여정 제시   여정 ①
은 삼면이 산봉우리로 둘러 있고 오직 앞면만이 훤하게 트여서 막힘이 없었다. 문을 열어 놓
으면 앉으나 누우나 눈으로 천 리를 바라볼 수 있었다.』
Link 서술상의 특징 ❶   ┌ ┘ 불성사가 위치한 지리적 특징

이튿날 아침, 해가 아직 뜨기 전에 아침밥을 재촉해 먹고 소위 연주대라고 하는 곳을 오르기
시간의 흐름
로 했다. 건장한 승려 약간 명을 골라 좌우에 서서 길 안내를 하게 하였다.

한 승려가 말하기를, "연주대는 여기서 10리 남짓 가야 하는데 길이 몹시 험하여 나무꾼이나
연주대에 도착하기까지의 어려움
승려들도 쉽게 올라가지 못합니다. 기력이 감당하시지 못할까 두렵습니다." 한다.
'나'를 염려하는 말

나는, "세상의 모든 일은 다 마음에서 비롯된다네. 마음은 장수이고 기운은 졸병과 같은 것
세상의 모든 일은 마음먹기에 달렸으므로 연주대에 갈 수 있을 것임   비유적인 표현을 통해 몸보다 마음이 중요함을 강조함
일세. 장수가 가는데 졸병이 어찌 안 갈 수 있겠는가?"하고 웃어넘겼다.
Link 서술상의 특징 ❷

드디어 절 뒤에 높은 산꼭대기를 넘는데, 『더러는 길이 끊어지고 더러는 벼랑이 갈라져 그 아
┌ ┘ 연주대로 갈 때 겪은 어려움을 구체적으로 묘사함
래가 천 길이나 되는 곳을 만나면, 몸을 돌려 석벽에 착 붙이고 손으로 번갈아 고목나무 뿌리
를 잡으면서 조심스럽게 걸음을 옮겼다. 현기증이 일어날까 두려워 감히 밑을 보지 못하였다.

혹은 큰 바위가 완전히 길을 가로막을 때는 앞으로 갈 수가 없었다. 속이 파여 골이 진 곳 가
운데 별로 날카롭게 깎이지 않은 곳을 골라 엉덩이를 바닥에 붙이고
두 손으로 그 곁을 버티면서 엉금엉금 미끄러져 내려갔다. 바지가
걸려 찢어져도 돌볼 겨를이 없었다. 이와 같이 하기를 두어 번 겪으
며 천신만고 끝에 비로소 연주대의 아래에 닿았다.』
여정 ②
Link 서술상의 특징 ❶

해는 이미 정오였다. 쳐다보니 나보다 먼저 연주대에 오른 다른 사
시간의 흐름

Link
출제자 🎯 서술상의 특징을 파악하라!

❶ '이튿날 아침', '해는 이미 정오였다'를 통해
알 수 있는 서술상의 특징은?
시간의 흐름에 따른 서술

❷ '마음은 장수이고 기운은 졸병과 같은 것'에
두드러진 표현은?
비유적 표현

람들이 만 길이나 되는 위에 서서 몸을 굽혀 아래를 굽어보는 것이 흔들흔들하여 마치 당장이라도 떨어질 것 같았다. 정신이 아찔하고 머리칼이 쭈뼛쭈뼛하여 똑바로 볼 수가 없어, 수행원을 시켜서 높은 소리로 "조심하시오. 위험합니다."라고 외치게 하였다.

> 연주대를 먼저 오른 사람들의 모습을 본 '나'의 심리

나는 힘을 다하여 곱사처럼 등을 구부리고 기어서 마침내 그 정상을 정복하였다. 정상에는

> 비유법을 사용하여 가파른 산길을 오르는 모습을 표현함

돌이 있는데 평평하여 수십 명이 앉을 만했다. 그 바위의 이름을 차일암(遮日巖)이라고 한다.

> 차일암의 모양   여정 ③

『옛날 양녕 대군이 왕위를 사양하여 관악산에 와서 머무를 때 간혹 여기에 올라와 대궐을 바

> 『 』: 연주대와 차일암의 명칭에 대한 유래   차일암과 관련된 일화

라보았는데, 해가 뜨거워 오래 머무르기가 어려우므로 작은 장막을 치고 앉았다고 한다. 바위 구석에는 꽤 오목하게 파 놓은 구멍이 네 개가 있었다. 아마도 장막을 안정시키기 위해 기

> 바위에 구멍 네 개가 난 이유에 대한 추측

둥을 세웠던 곳일 것이다. 구멍이 지금도 완연한데, 대를 연주대라 하고 바위를 차일암이라고 하는 것이 이 때문이다.

『연주대가 구름과 하늘 사이에 높이 솟아 있어서 스스로 내 몸을 돌아보니 천하 만물이 감히

> 『 』: 연주대 정상에서 넓고 큰 기개를 품게 됨

높음을 겨루지 못할 것 같고, 사방에 보이는 뭇 산봉우리들이 시시하여 비교할 것이 못 된다.』

오직 서쪽 끝에 싸인 기운만은 한없이 넓고 아득하여 하늘과 바다가 서로 맞닿은 듯하다. 그

> 관련 한자 성어: 일망무제(一望無際)

래서 하늘이라고 보면 바다이고, 바다라고 보면 하늘이니, 뉘라서 하늘과 바다를 분별하겠는

> 하늘과 바다의 경계를 구분하기가 어려움

가.

그리고 한양의 성과 궁궐이 밥상을 대하는 것같이 분명히 보인다. 소나무와 전나무가 고리

> 연주대에서 성과 궁궐이 가깝게 보임

처럼 둘러서 빽빽하게 들어찬 곳은 경복궁의 옛 대궐이라는 것을 쉽게 알 수 있다. 양녕 대군이 오락가락 돌아보면서 마음속으로 그리워하던 일은 비록 백대 후라도 그 마음을 상상할

> 임금에 대한 연모의 정

수가 있다.

> ➤ 관악산 연주대에 오르기까지의 여정과 감상

나는 바위에 기대어 『시경(詩經)』의 시를 낭랑하게 외워 보았다. <small>Link 글쓴이의 가치관 ❶</small>

> 임금에 대한 연모의 정을 나타내기 위해

『"산에는 개암나무, 진펄에는 감초풀, 그 누구를 그리워하는가. 서방의 아름다운 사람. 저 아

> 『 』: 주제 – 연군지정   서주 문왕

름다운 사람, 서방의 사람이여."』

이에 숙현이 말하였다.

> 글쓴이의 이웃 사람

"그 노랫소리에 그리움이 있습니다. 임금을 그리워하는 것은 옛사람이나 지금 사람이나 무

> 임금을 그리워하는 마음은 시간이 지나도 변하지 않음

엇이 다르겠습니까?"

나는 다시 말하였다.

Link
출제자 톡 **글쓴이의 가치관을 파악하라!**

❶ '나'가 『시경(詩經)』의 시를 외워 본 의도는?
임금에 대한 연모의 정을 나타내기 위해서

❷ '연군지정'에 대한 '나'와 숙현의 공통된 생각은?
연군지정은 사람의 마땅한 도리로 시간이 지나도 변하지 않음.

"임금을 연모하는 것은 사람으로서 떳떳한 도리이네. 본래부터 옛사

> 연군지정에 대한 글쓴이와 숙현의 공통적인 생각

람이나 지금 사람이나 다를 것이 없을 걸세. 다만 내 나이가 예순 <small>Link 글쓴이의 가치관 ❷</small>

일곱이니 허미수의 그때 나이에 비하면 오히려 열여섯 살이나 모

> 허목이 산에 오른 83세. 미수 허목은 조선 숙종 때의 문신으로 83세의 나이에 관악산에 오름

자라네. 그런데도 그분은 걸음걸이가 나는 것 같았다는데 나는 힘이 다하고 숨이 차서 간신히 올랐으니, 도학과 문장이 옛사람과

> 허목의 학문적 경지가 자신보다 높음

지금 사람이 같지 않은 것은 이상할 것이 없으나 <u>근력이 옛사람과 같지 않음</u>이 어찌 이렇게
<small>자신의 체력이 허목보다 좋지 않음</small>
다른가. 하늘의 신령한 도움을 힘입어 내가 만일 여든세 살까지 살면 비록 가마를 타고서라
도 반드시 다시 한번 이 연주대에 올라 <u>고인의 발자취를 이을 것</u>이니, 자네는 기억하여 두게
<small>허목을 본받고자 함 – 나이가 들어서도 기개를 잃지 않고 임금에 대한 일관된 마음을 유지하고자 함</small>
나.”
▶ 연주대에서의 감상과 회포

이숙현이 말하기를, “그때 저도 또한 마땅히 따라올 것입니다.” 하였다. 숙현의 나이는 지금
바야흐로 예순다섯으로 둘은 서로 크게 웃고 말았다. 이날은 <u>불성암</u>에 돌아와 자고, <u>이튿날</u>
<small>여정 ④</small> <small>시간의 흐름</small>
노량의 내 집으로 돌아왔다.
▶ 불성암에서 자고 집으로 돌아옴

최우선 출제 포인트!

1 서술상의 특징

시간의 흐름과 공간의 이동에 따른 서술	• '이튿날 아침 → 정오 → 이튿날'의 여정을 시간의 흐름에 따라 서술함. • '불성사 → 연주대 → 차일암 → 불성암'의 여정을 공간의 이동에 따라 서술함.
비유적 표현	• '마음은 장수이고 기운은 졸병과 같은 것' → 마음이 중요함을 강조함. • '나는 힘을 다하여 곱사처럼 ~ 정복하였다.' → 가파른 산길을 오르는 모습을 인상적으로 표현함.
일화 제시	양녕 대군의 일화를 제시하여 연주대와 차일암의 명칭에 대한 유래를 알려줌.

2 글쓴이의 가치관

'세상의 모든 일은 다 마음에서 비롯된다네. 마음은 장수이고 기운은 졸병과 같은 것일세.'	➡	마음을 중시함.
'임금을 연모하는 것은 사람으로서 떳떳한 도리이네.'	➡	임금에 대한 충정을 중시함.

3 시를 인용한 의도

산에는 개암나무, 진펄에는 감초풀, 그 누구를 그리워하는가. 서방의 아름다운 사람. 저 아름다운 사람, 서방의 사람이여.	➡	연군지정을 주제로 하는 시를 인용하여 임금에 대한 연모의 정을 나타냄.

최우선 핵심 Check!

1 다음 빈칸에 들어갈 알맞은 말을 쓰시오.

(1) 이 글은 글쓴이의 관악산 기행을 (   )의 흐름과 공간의 이동에 따라 서술하고 있다.

(2) 이 글에서는 양녕 대군과 관련된 (   )나 시를 인용하여 글쓴이 자신의 소회를 풀어내고 있다.

2 다음 내용 중 맞는 것은 ○표를, 틀린 것은 ×표를 하시오.

(1) '나'는 노량의 강가에서 관악산을 바라보다가 관악산에 오르기로 한다. (   )

(2) '나'는 연주대에 오를 때 어려움을 겪고 나서 마음보다는 몸이 더 중요하다는 것을 깨달았다. (   )

(3) '나'는 연군지정은 예나 지금이나 다를 것이 없다고 생각한다. (   )

(4) '나'는 허미수보다 인격적으로 뛰어난 사람이 되고자 한다. (   )

(5) '나'는 나이가 더 들어서도 연주대를 오르고자 하고 있다. (   )

정답 1. (1) 시간 (2) 일화 2. (1) ○ (2) × (3) ○ (4) × (5) ○

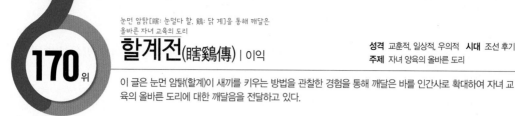

눈먼 암탉[瞎: 눈멀다 할, 鷄: 닭 계]을 통해 깨달은 올바른 자녀 교육의 도리

170위 할계전(瞎鷄傳) | 이익

성격 교훈적, 일상적, 우의적 **시대** 조선 후기
주제 자녀 양육의 올바른 도리

수필

이 글은 눈먼 암탉(할계)이 새끼를 키우는 방법을 관찰한 경험을 통해 깨달은 바를 인간사로 확대하여 자녀 교육의 올바른 도리에 대한 깨달음을 전달하고 있다.

내용 전개 방식

처음	중간	끝
눈먼 암탉에 대한 통념	눈먼 암탉이 새끼를 양육하는 방법	자녀를 양육하는 도리에 대한 깨달음

전문

★★ 중심 소재

눈먼 암탉(할계)이 둥지에서 알을 품고 있는데, 바른편 눈은 완전히 덮였고 왼쪽 눈도 반 이상 실눈이 되어 있었다.(눈먼 닭의 외양 묘사를 통해 눈먼 닭이 처한 어려움을 드러냄 – 눈먼 닭이 병아리를 세심하게 기르는 원인에 해당) 먹이가 그릇에 가득하지 않으면 쪼아 먹지를 못하고, 다니다가 담장에라도 부딪치면 헤매다가 돌아 나오곤 하니,(눈이 멀어 제대로 행동하지 못함) 모두들 저래 가지고는 새끼를 기를 수 없다고 하였다.(눈먼 닭에 대한 사람들의 통념) [Link 관점의 차이 ❶] ▶ 눈먼 암탉에 대한 통념

마침내 날짜가 차서 그 눈먼 닭이 품고 있는 알에서 병아리가 깨어 나오니 이를 빼앗아서 다른 어미에게 주려 하였으나,(눈먼 닭이 병아리를 제대로 키울 수 없으리라 생각하기 때문에) 한편으로 측은하기도 하여 차마 그러지 못하였다.(측은지심을 느낀 글쓴이의 행동) 얼마 후 살펴보니, 별다른 재주가 있는 것도 아니고 항상 뜰 주변을 떠나지 않는데 병아리들은 똘똘하게 잘 자라고 있었다.(통념을 깬 결과가 나타남) 다른 어미의 병아리들은 병들고 상처받아 죽거나 어미를 잃어버려 절반도 안 남는데 유독 눈먼 닭의 둥지만은 온전하니 어쩐 일인가?(예상하던 바와 다른 결과에 대한 의문 – 독자의 궁금증 유발) ▶ 눈먼 암탉이 새끼를 잘 기르는 것에 대한 의문

흔히들 새끼를 잘 길러 낸다고 하는 데는 두 가지 이유가 있다. 즉 먹이를 잘 구하는 것(새끼를 잘 길러내는 방법 ①)과 환란을 잘 막아 주는 것(새끼를 잘 길러내는 방법 ②)이다. 먹이를 잘 구하려면 건강하여야 하고 환란을 막으려면 사나워야 한다.(새끼를 잘 기르기 위해 지녀야 할 조건) 병아리가 껍질을 깨고 나오면 어미 닭은 흙을 후비고 숨어 있는 벌레를 찾아내느라 부리와 발톱이 다 닳아 빠지며,(먹이를 구하는 어려움) 사방으로 흩어지는 새끼들을 불러 모으느라 잠시도 편히 쉴 틈이 없다. 또 위로는 까마귀와 솔개, 주위로는 고양이나 개들을 살피며 부리를 세우고 깃을 펄떡여 목숨을 내걸고 항거함이 마치 용사가 맹적을 만난 것같이 한다.(환란을 막는 어려움) 그러다가 『숲속으로 달아나서는 때맞추어 불러서 몰고 오는데 병아리들은 삐약거리며 간신히 뒤따라오긴 하지만 힘이 빠지고 병들기 십상이다. 때로는 엇갈리어 길을 잃기라도 하면 물이나 불 속에 빠져 생사를 기약할 수 없으니, 이렇게 되면 먹이를 구해 준 것도 허사로 돌아간다. 또 조심조심 보호하고 타오르는 불길같이 맹렬히 싸워도 환란이 스쳐 가고 나면 병아리 6~7할을 잃고 만다. 게다가 너무 멀리 나가 사람의 보호도 못 받으면 사나운 새매를 무슨 수로 당해 내겠는가.』 이렇게 되면 환란을 방비하느라 애쓴 것도 허사가 된다.(『 』: 일반적인 닭이 병아리를 키우면서 겪게 되는 어려움) ▶ 일반적인 어미 닭이 새끼를 기르는 방법과 그 어려움

그런데 저 눈먼 닭은 하나같이 모두 이와는 반대이다.(눈먼 닭은 보통의 닭과 반대 방식으로 병아리를 키움) 멀리 갈 수 없으므로 사람 가까이에서 맴돌고, 눈으로 살필 수 없으니 항상 두려운 마음으로 행동을 조심조심하며 노상 끌어안고 감싸 준다.(눈먼 닭이 병아리를 키우는 방법 – 항상 두려운 마음으로 조심하고 병아리들을 감싸 줌) [Link 관점의 차이 ❷] 그러므로 힘쓰는 흔적은 보이지 않아도 병아리들은 저들끼리 알아서 먹이를 쪼아 먹고 자라난다.(병아리들이 스스로 자라남) 무릇 병아리를 기르는 것은 마치 작은 생

Link
출제자 톡! 관점의 차이를 파악하라!
❶ '눈먼 닭'에 대한 통념은?
병아리를 잘 키우지 못할 것임.
❷ 글쓴이가 생각하는, '눈먼 닭'이 양육에 만전을 이루게 된 이유는?
사람 가까이에서 맴돌고 두려운 마음으로 조심하며 새끼들을 감싸 주었기 때문에

선을 삶는 것과 같아서 교란시키는 것이 가장 금기인데, 저 눈먼 닭은 지혜가 있어서 그리한

_{눈먼 닭이 어쩔 수 없이 조심스럽게 행동하다 보니 병아리들이 탈 없이 잘 자라게 됨}

것은 아니겠으나 방법이 적중하여 마침내 양육에 만전을 이루게 된 것이다. ❯눈먼 암탉이 새끼를 기르는 방법

사물을 양성하는 방도는 한갓 젖 먹이는 은혜에 달려 있는 것이 아님을 이제야 알겠다. 통솔
_{물질적 조건}

하되 제각기 제 삶을 이루도록 해야 하니, 그 요령은 오직 잘 인솔하여 잃어버리지 않는 것뿐
_{눈먼 닭의 병아리 양육을 통해 얻은 깨달음 – 가까이에서 세심하게 돌보되 스스로 자랄 수 있도록 양육해야 함}

이다. 나는 이 병아리 기르는 것으로 인하여 사람을 양육하는 도리를 깨달았다.
_{눈먼 닭의 이야기를 인간사로 확대함} ❯눈먼 암탉이 새끼를 기르는 방법을 통해 얻은 깨달음

최우선 출제 포인트!

1 내용 전개 방식

체험 (사실)	눈먼 닭은 병아리를 제대로 키울 수 없을 것이라는 통념과 다르게 병아리를 잘 키워 내는 눈먼 닭을 관찰함.

↓

깨달음 (의견)	자녀를 잘 양육한다는 것은 물질적 조건을 갖추거나 가르치는 것이 아니라 스스로 터득하게 해야 함.

2 '일반적인 닭'과 '눈먼 닭'의 양육 방법

일반적인 닭		눈먼 닭
건강하고 사나워 먹이를 잘 구하고 환란을 막아 줌.	↔	사람 가까이에서 맴돌고 노상 끌어안고 감싸 줌.

3 글쓴이의 깨달음

눈먼 닭의 양육 방식		올바른 자녀 양육의 도리
가까이에서 세심하게 돌보아서 스스로 자랄 수 있도록 함.	유추 ➡	과잉 보호나 양육보다는 스스로 자랄 수 있도록 해야 함.

최우선 핵심 Check!

1 다음 빈칸에 들어갈 알맞은 말을 쓰시오.

(1) 이 글은 눈먼 닭이 병아리를 키우는 것을 관찰한 글쓴이의 체험과 그에 따른 (　　　)(으)로 이루어져 있다.

(2) 이 글에서 글쓴이는 눈먼 닭의 양육 방식을 인간사에 (　　　)하여 자녀를 양육하는 올바른 도리에 대한 깨달음을 전달하고 있다.

(3) 이 글에서는 보통 닭과 눈먼 닭이 병아리를 양육하는 방법을 (　　　)하고 있다.

2 다음 내용 중 맞는 것은 ○표를, 틀린 것은 ×표를 하시오.

(1) '나'는 눈먼 닭이 어려움을 이겨 내고 병아리를 잘 키울 것으로 생각했다. (　　)

(2) 눈먼 닭은 건강하고 사나워서 외부로부터의 환란을 막아 주었다. (　　)

(3) '나'는 눈먼 닭을 통해 자녀들이 스스로 자랄 수 있도록 양육하는 것이 올바른 양육 태도임을 깨달았다. (　　)

정답 1. (1) 깨달음 (2) 유추 (3) 대조 2. (1) × (2) × (3) ○

나이가 젊어서 과부가 된 여인

171위

상녀(孀女) | 작자 미상

성격 비판적, 사실적 **시대** 조선 후기
주제 양반 가문의 재혼 금지와 인간 본능을 억압하는 사회적 분위기 고발

설화

이 작품은 조선 후기 야담집 『청구야담』에 실린 민담으로, 과부가 된 딸을 가난한 무관에게 시집보내는 이야기를 소설 형식으로 전개하며 재혼을 금지하는 양반가의 모습과 인간 정욕에 대한 억압적 분위기를 비판하고 있다.

출제 우선 작품

주요 사건과 인물

발단	전개	위기	절정	결말
재상의 딸이 남편을 잃고 과부가 됨.	재상은 과부가 된 딸에게 측은함을 느낌.	재상이 무관에게 사위가 되어달라고 제안함.	사람들의 눈을 피해 딸과 무관을 함경도로 보냄.	딸이 죽은 것처럼 위장하고 장사 지냄.

재상	재상의 딸	무관
딸의 문제를 적극적으로 해결하는 인물	일찍 남편을 잃고 과부가 된 인물로, 무관과 함께 함경도로 떠남.	재상의 제안으로 인해 재상의 딸과 혼인함.

전문

☐ : 주요 인물

어떤 재상의 딸이 출가했다가 한 해도 안 되어 남편이 죽고 친정에 와서 홀로 지내고 있었다.
<small>청상과부가 된 딸의 처지</small>

하루는 재상이 안으로 들어오다가, 아랫방에서 딸이 곱게 몸단장을 하고 자신을 거울에 물
<small>과부가 된 딸이 외로움을 느끼며 서러워함</small>

끄러미 비춰 보다가는 거울을 내던지고서 얼굴을 가리고 흐느끼는 것을 보았다. 재상은 그 꼴
<small>Link 소재의 기능 ❶</small>

을 보고 어찌나 측은한 마음이 들던지 도로 사랑으로 나와서 한동안 말이 없었다.
<small>딸이 힘들어하는 모습에 대한 재상의 안타까움</small>   ▶ 남편을 잃고 외로워하는 딸을 안타까워하는 재상

때마침 문하에 출입하던 잘 아는 무관이 들어와 문안을 드리었다. 그는 집도 없고 아내도 없
<small>권세가 있는 집</small>   <small>무관의 집안 형편과 신상 내력 – 요약적 제시</small>

는데, 나이 젊고 건장한 사람이었다.

재상은 사람을 물리치고 조용히 말을 꺼냈다.

"자네 신세가 곤궁한데, 내 사위가 안 돼 줄라나?"   ▶ 무관에게 사위가 되어 줄 것을 요청한 재상
<small>가난한 무관의 처지</small>   <small>Link 말하기의 의도 ❶</small>

그는 황송하여,

"그 어인 분부이시온지? 소인이 무슨 뜻이온지 모르옵고, 감히 명령을 받을 수 없겠사옵니
<small>재상의 말을 이해하지 못함</small>

다."

"내 농담이 아니다."
<small>Link 소재의 기능 ❷</small>

하고 궤 속에서 한 봉의 은덩이를 꺼내 주면서 하는 말이,
<small>재상이 무관에게 준 물건 – 무관이 딸과 함께 멀리 가서 사는 데 필요한 자금</small>

"이걸 가지고 가서 튼튼한 말과 교자를 세내어 오늘 밤 통행금지 이후 우리 집 뒷문 밖에서
<small>가마</small>   <small>사람들의 눈을 피할 수 있는 시간과 공간</small>

기다려라. 시간을 어겨선 안 된다."
<small>Link 말하기의 의도 ❷</small>

그는 반신반의하여 그것을 받아가지고 가서, 그 말대로 교자와 말을 준비하여 뒷문에서 대
<small>재상의 제안에 대한 무관의 반응</small>

령하고 있었다.

Link

출제자 촉! 소재의 기능을 파악하라!

❶ '거울'의 기능은?
과부가 된 딸이 자신의 외로움을 인식하게 하여 서러움을 촉발하게 함.

❷ 무관과 딸이 함경도에서 살아가기 위해 필요한 정착금에 해당하는 것은?
한 봉의 은덩이

이윽고 캄캄한데 재상이 한 여자를 데리고 나와 가마 속에 들게 한
<small>재상의 딸</small>
<small>딸과 무관을 몰래 보내려는, 재상의 계획이 이루어지는 시간적 배경</small>

뒤에 무관에게 경계하기를,

"곧장 함경도 땅으로 가서 살아라."
<small>딸과 무관이 신분을 숨기고 함께 살아갈 공간</small>

그는 영문도 모른 채 하직하고 교자를 뒤따라 성 밖으로 나갔다.
▶ 재상이 사람들 몰래 딸과 무관을 멀리 보냄

재상은 돌아와 아랫방으로 들어가 통곡을 하며 딸이 자결했다고
<small>당시의 재가(再嫁) 금지의 풍습으로 인한 재상의 해결책</small>

고전 산문 **531**

❶ 재상이 무인에게 사위가 될 것을 요청한 이유는?
과부가 된 안타까운 딸의 처지를 해결해 주기 위해서

❷ 재상이 무관에게 교자를 구해 오라고 한 이유는?
딸을 교자에 태워 사람들의 눈을 피하기 위해서

❸ 재상이 직접 딸을 염습하겠다고 말한 이유는?
딸의 재혼을 가족들에게도 숨겨 철저하게 감추기 위해서

하니, 집안사람들이 모두 경황없이 애통해 하는 것이었다. 『재상이 이내 하는 말이,

『 』: 다른 사람들이 딸을 재가시키려는 재상의 계획을 알지 못하도록 하려는 의도임

"이 애가 평소 누구에게도 자신을 보이려 하지 않았더니라. 내가 직접 염습하겠으니 남매간이라도 아예 들여다보지 말아라."

시신을 씻긴 뒤 수의를 갈아입히고 염포로 묶는 일   Link 말하기의 의도 ❸

하고 자기 혼자 이불을 싸서 묶어 가지고 시체 모양을 꾸며서 홑이불로 덮어 둔 다음 비로소 사돈집에 통부하고 입관하여 그 시가의

사람의 죽음을 알림

선산에 장사 지냈다.』

조상의 무덤이 있는 산   ▶ 재상이 딸이 죽은 것처럼 위장하여 장사를 지냄

최우선 출제 포인트!

1 작품에 반영된 사회적 분위기

재상이 과부가 된 딸의 재혼을 철저하게 숨김.	→	조선 후기에는 양반 가문의 재혼이 금지되어 있었으며, 인간의 정욕에 대한 억압적인 분위기가 조성되어 있었음.

2 '재상(아버지)'의 태도와 역할

재상은 젊은 나이에 홀로 된 딸의 처지에 공감하고, 힘들어하는 딸에 대해 측은한 마음을 가짐.

↓

| 재상이 딸의 문제를 적극적인 태도로 해결함.
→ 딸과 무관을 함경도로 보내고 딸이 죽은 것처럼 위장함. |
|---|

↓

딸에 대한 깊은 부성애와 근대적인 가치관을 드러내는 역할을 함.

3 소재의 기능

거울	과부가 된 재상의 딸이 외로움을 느끼고 서러움을 촉발하게 함.
한 봉의 은덩이	무관과 재상의 딸이 함경도에서 살아가는 데 필요한 정착금으로 딸의 재혼을 성사시키는 데 기여함.

최우선 핵심 Check!

1 이 작품의 서술상 특징으로 맞는 것은 ○표를, 틀린 것은 ×표를 하시오.

(1) 작품 속 서술자가 다른 인물을 관찰하여 서술하고 있다. (   )

(2) 인물이 처한 상황을 요약적으로 제시하고 있다. (   )

(3) 과거와 현재의 반복적인 교차를 통해 인물의 심리를 드러내고 있다.
(   )

2 다음 빈칸에 들어갈 알맞은 말을 찾아 쓰시오.

함경도   무관   거울

(1) 재상의 딸은 과부가 된 서러운 마음을 (   )을/를 내던지는 행동으로 표현하고 있다.

(2) 재상은 딸을 위해 가난한 (   )에게 사위가 될 것을 제안하였고, (   )은/는 재상의 제안을 받아들였다.

(3) 재상은 사람들 몰래 딸과 무관을 (   )(으)로 보낸 뒤, 혼자서 딸이 죽은 것처럼 장례를 치렀다.

3 젊은 나이에 남편을 잃고 홀로 된 딸의 처지를 드러내기에 적절한 한자 성어는?

① 청상과부(靑孀寡婦)   ② 섬섬옥수(纖纖玉手)
③ 요조숙녀(窈窕淑女)   ④ 절세가인(絶世佳人)

정답 1. (1) × (2) ○ (3) × 2. (1) 거울 (2) 무관 (3) 함경도 3. ①

172위

청렴한 관리와 청지기 | 작자 미상

성격 교훈적, 비판적 **시대** 조선 시대
주제 고유의 강직하고 청렴한 성품과 청지기의 의로움

수필

이 작품은 고유와 청지기의 훌륭한 인물에 초점이 맞추어져 있지만 세도를 믿고 행악을 일삼는 사람들에 대한 비판적 태도도 드러나는 야담이다.

내용 전개 방식

남붕과 얽힌 고유의 일화		조엄과 얽힌 고유의 일화		고유를 생각하는 청지기의 일화
행악을 일삼는 남붕을 때려죽인 고유	→	금주령에 형평성을 잃은 태도를 보인 감사에게 항의하는 고유	→	청렴한 고유와 상관에게 의리를 지킨 청지기

출제 우선 작품

전문

□: 주요 인물

마음이 맑고 깨끗하며 탐욕이 없음

고유(高裕)는 상주 사람인데 위인이 강직하고 청렴결백하였다. 문과에 급제하여 여러 차례 주
경상북도   인물에 대한 직접적 제시
군(州郡)을 관장하였는데 관인들이 감히 청탁하지 못하였으며, 간악한 짓을 드러내고 숨겨진
주와 군. 지방
짓을 적발해 내는 것이 한나라 때의 조광한(趙廣漢) 같은지라, 도처에 선정으로 이름이 났다.
                              선정을 베풀었던 한나라의 조광한과 고유의 유사함   백성을 바르고 어질게 다스린다고 널리 알려졌다
▶ 선정으로 이름 난 고유

창녕에 있을 때였는데, 전후의 의옥(疑獄)을 처결함에 매양 신이한 일이 많았다. 글솜씨가 조
경상남도   범죄의 흔적이 뚜렷하지 않아 죄가 있고 없음을 결정하기 어려운 사건   우두머리, 관리와 운영 책임자
금 있는 어떤 중 하나가 서울의 권귀(權貴)와 교제하고 있었는데, 표충사의 원장(院長)으로 세도
                     수도   권세가 높은 사람   경상남도 밀양에 있는 절
를 믿고 행악하였다. 『그가 이르는 곳의 수령은 바삐 달려가 그 아래에서 노닐었으며, 비록 방백
권세를 믿고 나쁜 짓을 일삼은 중   고을의 우두머리   으뜸 벼슬의 위치
의 지체로도 또한 예를 대등하게 하였는데, 조금이라도 어김이 있으면 수령들이 노상 곤욕을 치
                                                언제나 변함없이 한 모양으로 줄곧
러야 했으니, 도내 관리들이 기용되고 쫓겨나는 것이 모두 이 중의 손에서 나올 지경이었다.』 이
                  도내 관리의 인사권에도 관여함   『 』: 권세를 믿고 행악을 일삼는 중(남붕)의 모습
자는 호를 남붕(南朋)이라고 하는 자였는데, 각 읍에 폐를 끼치고 사찰에 행악을 하였지만, 승속
                                                         승려와 속세의 사람들
(僧俗)이 모두 그 앞에서는 눈도 똑바로 뜨지 못하였으며 감히 힐문하지도 못하였다.
          트집을 잡아 따져 물음
무소불위(無所不爲)의 권력을 지닌 남붕의 모습
▶ 세도를 믿고 행악을 일삼는 중 남붕

남붕이 마침 일이 있어 창녕을 지나가는데, 정문을 열도록 하고 들어가 수령을 보면서도 예
                                                     권세를 믿고 이전처럼 행악을 부림
를 차리지 않았다. 고유가 미리 관속들과 짜 두었던 만큼 『잡아 내리도록 하였다. 그 능욕하고
                 하인, 아전들   『 』: 고유가 행악을 부린 남붕을 잡아냈으나, 남붕이 계속해서 능욕하자 죽임
공갈하는 말이야 상세히 설명하지 않아도 족한지라, 마침내 즉시 때려죽였다.』 여러 날 되자
                                         행악을 일삼는 남붕을 처단한 고유
서울 권귀들의 편지가 남붕을 위해 답지하였으나, 인심은 시원하다고 일컬었다. ▶ 남붕을 때려죽인 고유
                                             권세가들은 행악을 한 중의 편을 들고 백성은 중을 처단한 고유의 편을 드는 세태가 드러남

상서(尙書) 조엄(趙曮)이 영백(嶺伯)이 되었는데, 도내에 금주령을 행하였다. 그러고는 창
                           조선 시대에 경상도 관찰사를 이르는 말   술을 마시지 못하도록 하는 명령
녕이 명령을 지키지 않는다고 하여, 이방과 죄수를 심문하고 죄를 다스리는 일까지 있었다.
                            창녕이 금주령을 지키지 않자 이방과 죄수를 엄히 다스림
고유가 하루는 감영에 이르러, 아랫사람으로 하여금 술을 사 오게 하여 몹시 취한 채 들어가
          관찰사가 직무를 보는 관아
감사를 보더니 말하였다.
조선 시대에, 각 도의 으뜸벼슬(=관찰사)   맛이 좋지 못한 술

『"창녕에 비록 박주(薄酒)가 있어도 감히 마시지 못하였는데, 이제 감영에 오니 술을 담그지
『 』: 창녕에는 술이 없어 마시지 못했지만 감영에 오니 술이 많아 마셨다고 함 → 관찰사를 비판하려는 의도
않는 집이 없고 맛도 좋은지라, 하관이 양껏 마셨습니다.』"

감사가 그 뜻을 알고서 미소 지을 뿐 대꾸하지 않았다. ▶ 형평성을 잃은 감사를 우회적으로 지적하는 고유

고유는 여러 차례 군현(郡縣)을 관장하였지만, 터럭 하나도 집으로 가져가지 않았으므로, 끼
                                          고유의 청렴하고 한결같은 면모가 드러남
니를 잇기 어려울 정도로 가난하기는 처음이나 같았다. 상주의 이속(吏屬) 하나가 매양 청지기
                                         벼슬아치 밑에서 일을 보는 사람   양반의 시중드는 사람
로 따라다녔는데, 『쓰고 남은 봉급의 여분은 반드시 그에게 다 주었는지라, 그 사람은 이로 인
                고유의 따뜻하고 너그러운 면모

고전 산문 **533**

해 부유하게 되었다. 그 뒤에 고유는 죽었는데, 그 자손은 가난하여 살아갈 수가 없었다. 이때
『 』: 청렴결백한 고유가 재물을 나눠 주어 부유하게 된 청지기   고유의 자손이 도움이 필요한 상황이 됨
에 그 청지기는 이미 팔십여 세가 되었는데, 하루는 그 아들과 손자에게 말하였다.

"우리 집이 이처럼 부유하게 된 것은 모두 고 나으리 덕이다. 나으리께서 세상에 계실 때 전
　　　　　　　　　　　　　　　　　고유　　　　　　　　　　　　　　　　온갖 곡식
곡을 드리려고 하지 않았던 것은 아니지만, 청덕(淸德)에 누가 될까 싶었고, 설혹 드린다고
　　　　　　　　　　　　　　　　　　　　청렴하고 고결한 덕행
해도 받기를 허락하실 리가 필연코 없었던 고로 차마 여기에 이르렀던 것이다. 듣자니 그 댁
의 가세가 이루 말할 수 없다고 하니, 내 마음이 어찌 편안하겠느냐?『사람이 되어서 배은망
　　　고유의 집안 형편이 매우 어렵다고 하니　　　　　　　『 』: 의로운 삶을 실천하려는 청지기의 인품이 드러남
덕한다면 하늘이 반드시 재앙을 내리실 것이다. 내가 애초부터 유념하여 모처에 논을 사 두
었고, 또 다락 위에 모아 둔 돈도 있다. 장차 이것을 드릴 터이니, 너는 내일 모름지기 그 댁
　　　　　　　　　　　　　　　　　　　　　　　　　　　　　　청지기의 자손　　　　고유의 집
에 가서 아드님과 손자를 모시고 오너라."
　　　　　　　　　　　　　　　　　　　　　　　　❯ 자신의 상관의 덕을 잊지 않고 그의 자손을 돌보려는 청지기

그 아들과 손자가 '예, 예.' 하며 대꾸하였다. 입으로는 비록 응낙하였지만, 마음으로는 내키
　　　　　　　　　　　　　　　　　　　　　　　　　　　　　　　재물에 대한 탐욕으로 인해
지 않았기에 그날이 되자 둘러대기를, / "일이 있어서 못 온다고 합니다." / 라고 하였다.

이때에 고유의 손자가 마침 성내에 들어왔다가 잠깐 그 집을 찾아갔더니, 그 사람의 아들과
　　　　　　　　　　　　　　　　　　　　　　　청지기의 집
손자가 밖에서 손사래 쳐 쫓아내며, 그 할아버지와 상면치 못하게 하였다.
　　　　　　　　　　　　　　　　청지기와 고유의 손자가 대면하지 못하게 하였다

고유의 손자가 대로하여 말하려던 것도 말하지 못한 채, 분을 참으며 돌아오는 길에 마침 읍
　　　　　　　　　크게 화를 내어　　　　　　　　　　　　　　　　　❯ 청지기에게 거짓을 고하고 고유의 자손을 홀대한 청지기의 자손들
내의 친지를 만나 그 해괴한 형상을 말하였다. 그 사람이 노인에게 가서 묻자, 노인이 몹시 놀
　　　　　　　　　　　청지기의 자손들이 자신을 쫓아낸 것　　　　　　　　청지기
라 아들과 손자를 부르더니 몽둥이로 때리고는, 가마를 세내어 타게 하고 곧장 그 집으로 가
서 문하에서 대죄하게 하였다. 고유의 손자가 놀라고 의아하여 나와 보자 노인이 억지로 동행
하기를 청하였다. 그 집에 이르자 술과 안주로 접대하더니 말하는 것이었다.

"소인이 먹고 입는 것이 선영감(先令監)의 덕택 아님이 없습니다. 소인이 귀댁을 위하여 유
　　　　　　　　　　　　　　　　　　　　고유
념하고 장만해 두었던 것을 이제 바치겠으니, 사양치 마십시오."

이어 매년 이백 석을 추수할 논문서와 돈 천 냥 수표를 내어 보내었다. 고유의 손자의 집은
　　　　　　　　　　　　　　　　　　　　고유의 은혜를 갚기 위해 한 선의의 행동
이로 인해 부유하게 되었다고 한다. / 상주 사람이 와서 이 일을 전하기에 여기 적어 둔다.
　　　　　　　　　　　　　　　　　　　　　　　　　　　　　❯ 고유의 자손에게 은혜를 갚은 청지기

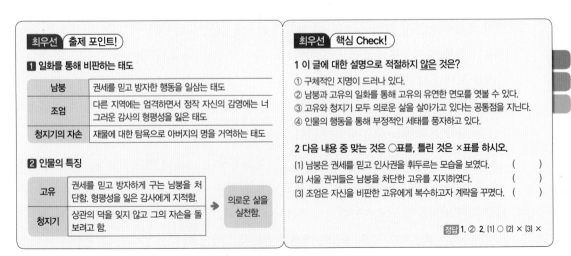

최우선 [출제 포인트!]

1 일화를 통해 비판하는 태도

남붕	권세를 믿고 방자한 행동을 일삼는 태도
조엄	다른 지역에는 엄격하면서 정작 자신의 감영에는 너그러운 감사의 형평성을 잃은 태도
청지기의 자손	재물에 대한 탐욕으로 아버지의 명을 거역하는 태도

2 인물의 특징

고유	권세를 믿고 방자하게 구는 남붕을 처단함. 형평성을 잃은 감사에게 지적함.	→ 의로운 삶을 실천함.
청지기	상관의 덕을 잊지 않고 그의 자손을 돌보려고 함.	

최우선 (핵심 Check!)

1 이 글에 대한 설명으로 적절하지 않은 것은?
① 구체적인 지명이 드러나 있다.
② 남붕과 고유의 일화를 통해 고유의 유연한 면모를 엿볼 수 있다.
③ 고유와 청지기 모두 의로운 삶을 살아가고 있다는 공통점을 지닌다.
④ 인물의 행동을 통해 부정적인 세태를 풍자하고 있다.

2 다음 내용 중 맞는 것은 ○표를, 틀린 것은 ×표를 하시오.
(1) 남붕은 권세를 믿고 인사권을 휘두르는 모습을 보였다. (　　)
(2) 서울 권귀들은 남붕을 처단한 고유를 지지하였다. (　　)
(3) 조엄은 자신을 비판한 고유에게 복수하고자 계략을 꾸몄다. (　　)

정답 1. ② 2. (1) ○ (2) × (3) ×

죽은 사람의 넋을 인도하는 굿에서 무당이 색동옷을
입고 모시는 젊은 여신＝바리데기

바리공주 | 작자 미상

성격 서사적 **시대** 조선 시대
주제 무조신(巫祖神) 바리공주의 일생

무가

'구약(救藥) 여행'의 모티프를 중심으로 바리공주가 고난을 극복하고 무조신이 되는 과정을 담은 서사 무가의
대표작으로, 영웅의 일대기적 구성에 대응하는 작품이다.

내용 전개 방식

| 오구 대왕은 길대 부인과 결혼하여 딸만 여섯을 낳고, 일곱 번째도 딸을 낳자 이름을 바리공주라 짓고 버림. | → | 바리공주는 공덕 할멈 내외에게 구원되나, 오구 대왕 부부는 죽을 병에 걸려 서역국에 있는 약려수가 필요하게 됨. | → | 바리공주는 약려수를 구하러 떠나고, 힘들게 서역국에 도착하여 약려수를 지키는 무상 신선을 만남. | → | 무상 신선의 요구로 9년 동안 일하고 자식을 낳고, 부모의 죽음과 관련된 꿈을 꿔서 약려수를 가지고 돌아감. | → | 죽었던 부모를 살리고, 바리공주는 무조신이 되고, 무상 신선과 아들들도 신이 됨. |

핵심장면 ① 부모의 병을 낫게 하려고 바리공주가 약려수를 구하러 가는 장면이다.

☐ : 주요 인물

칠공주 불러내어 부모 소양 가려느냐
바리공주(바리데기)   봉양

국가에 은혜와 신세는 안 졌지만은

어마마마 배 안에 열 달 들어 있던 공으로 소녀 가오리다 **Link** 반영된 사회상 ❶
    버림받은 몸이지만 낳아 준 은혜에 보답하고 가겠다는 말 → 바리공주의 효심이 드러남

거동 시위로 하여 주랴 구수덩 싸덩을 주랴
겉에서 모시고 호위하는 것   비단으로 장식한 가마

필마단기(匹馬單騎)로 가겠나이다
    혼자 한 필의 말을 탐

사승포(四升布) 고의적삼 오승포(五升布) 두루마기 짓고
    └── 좋은 삼베 ──┘

쌍상토 짜고 세 패랭이 닷죽 무쇠 주랑[鐵杖] 짚으시고
쌍 상투   새 패랭이   지팡이

은 지게에 금줄 걸어 메이시고

양전마마 수결(手決) 받아 바지끈에 매이시고
    옛날에 도장 대신 자신의 직함 아래 자필로 쓰는 일정한 자형(字形)

여성이지만 남성의 복장을 함 → 바리공주는
'신'이므로 양성성(兩性性)을 지님

Link

❶ 낳아 준 은혜에 보답하고자 하는 바리공주
의 모습에 반영된 사회상은?
당대 효 관념이 반영됨.

『여섯 형님이여 삼천 궁녀들아 대왕 양마마님께서 한날한시에 승하
『 』: 반드시 약려수를 구해 오겠다는 바리공주의 다짐   임금이나 존귀한 사람이 세상을 떠남을 높여 이르던 말

하실지라도

나 돌아올 때까지 기다려서 인산 거동(因山擧動) 내지 마라』
        임금이 죽어 상여가 나가는 것 – 대왕 부부의 죽음을 암시

▶ 바리공주가 약려수를 구하러 가기로 함

핵심장면 ② 바리공주가 약려수를 구하기 위해 이승과 저승을 오가며 고생하고 무장 신선의 요구를 들어주는 장면이다.

아기가 주랑을 한 번 휘둘러 짚으시니 한 천리[一千里]를 가나이다
바리공주

두 번을 휘둘러 짚으시니 두 천리[二千里]를 가나이다

세 번을 휘둘러 짚으시니 세 천리[三千里]를 가나이다

바리공주의 신이한 능력.
전기적(傳奇的) 요소

이때가 어느 때냐 춘삼월(春三月) 호시절(好時節)이라

이화 도화(梨花桃花) 만발하고 향화 방초(香花芳草) 흩날리고
배꽃과 복숭아꽃   향기로운 꽃과 풀

누런 꾀꼬리[黃鶯]는 양류 간에 날아 들고
            버드나무

앵무 공작 깃 다듬는다 뻐꾹새는 벗 부르며

서민 문학에서 많이 사용되는
상투적 구절

서산에 해는 지고 월출 동령(月出東嶺) 달이 솟네
        동쪽 고개에 달이 뜸

앉아서 멀리 바라보니 어렁성 금바위에

반송(盤松)이 덮혔는데 / 석가세존(釋迦世尊)님이 지장보살(地藏菩薩)님과
키가 작고 옆으로 퍼진 소나무   영웅 설화의 구조상 바리공주의 조력자   현세를 보살피는 보살
아미타불님과 설법(說法)을 하시는구나
서방 정토에 있는 부처
아기가 가까이 가서 삼배(三拜)나 삼배 삼삼 구배(三三九拜)를 드리니
                              세 번 절하고 다시 세 번 절함 – 아홉 번 절함
네가 사람이냐 귀신이냐『날짐승 길버러지도

못 들어오는 곳이거든』 어찌하여 들어 왔느냐
  『 』: 인간이 들어올 수 없는 곳 – 바리공주의 초인적 능력 상징
아기 하는 말이 국왕의 세자이옵더니 부모 소양 나왔다가
                    바리공주 자신
길을 잃었사오니 부처님 은덕(恩德)으로 길을 인도하옵소서

석가세존님 하시는 말씀이

Link
출제자 특 반영된 사회상을 파악하라!

❶ 석가세존이 버림받은 바리공주를 구해준 일
에 반영된 사회상은?
아들이 아니라고 부모에게 버림받는 등 당
대 여성의 수난이 보여 줌.

국왕에 칠공주 있다는 말은 들었어도

세자 대군 있다는 말은 금시초문이다

너를 태양(太洋) 서촌(西村)에 버렸을 때에 ┌ 아들이 아니라고 부모에게 버림받은
                                        │ 바리공주를 석가세존이 구해 준 일이
너의 잔명(殘命)을 구해 주었거든   └ 있음
       얼마 남지 아니한 쇠잔한 목숨 Link 반영된 사회상 ❶
그도 그러하려니와 평지 삼천 리는 왔지마는

험로(險路) 삼천리는 어찌 가려느냐
  험한 길
가다가 죽사와도 가겠나이다
죽음을 두려워하지 않는 바리공주의 강한 의지와 효성을 표현함
라화(羅花)를 줄 것이니 이것을 가지고 가다가
비단으로 만든 꽃 – 굿에 쓰이는 제의적 도구 → 무속 신앙에 사용되는 제의가 작품에 반영되어 있음
큰 바다가 있을 테니 이것을 흔들면은

대해(大海)가 육지가 되나니라

가시 성[荊城] 철성(鐵城)이 하늘에 닿은 듯하니

부처님 말씀을 생각하고 라화를 흔드니

팔 없는 귀신 다리 없는 귀신

눈 없는 귀신 억만 귀졸(億萬鬼卒)이 앙마구리 끌 듯하는구나
              헤아릴 수 없을 정도로 많은 귀신   악머구리. 잘 우는 개구리라는 뜻으로 '청개구리'를 이름
칼산 지옥 불산 지옥문과 팔만 사천 제 지옥문을 열어
칼이 산을 이룬 지옥과 불이 산을 이룬 지옥문
십왕(十王) 갈 이 십왕으로 지옥(地獄) 갈 이 지옥으로 보내일 때
저승에서 죽은 사람을 재판하는 열 명의 대왕
『우여 슬프다 선후망의 아모 망재 / 썩은 귀 썩은 입에 자세히 들었다가
『 』: 서술자의 개입 → 바리공주의 능력을 강조
제 보살님께 외오시면 바리공주 뒤를 따라

서방 정토 극락세계로 가시는 날이로성이다.』
                                        ▶ 약려수를 구하러 가는 동안 고초를 겪는 바리공주

아기가 한곳을 바라보니
바리공주
동에는 청유리(靑琉璃) 장문(墻門)이 서 있고
                    담의 문
서에는 백유리(白琉璃) 장문이 서 있고

남에는 홍유리(紅琉璃) 장문이 서 있고

북에는 흑유리(黑琉璃) 장문이 서 있고

한가운데는 정렬문(貞烈門)이 서 있는데
여성의 행실이나 지조가 곧음을 표창하기 위해 세운 문

무상 신선이서 계시다
약려수를 관리하는 신선

키는 하늘에 다은 듯하고

얼굴은 쟁반만하고 눈은 등잔만하고

코는 줄병 매달린 것 같고
절편

손은 소댕[釜蓋]만하고 발은 석 자 세 치라
솥을 덮는 쇠뚜껑

무상 신선을 지키는
무상 신선의 외양 묘사

하도 무서웁고 끔찍하여 물러나 삼배를 드리니

무상 신선 하는 말이 / 그대가 사람이뇨 귀신이뇨

날짐승 길버러지도 못 들어오는 곳에 / 어떻게 들어왔으며 어데서 왔느뇨

나는 국왕마마의 세자로서 부모 봉양 왔나이다

부모 봉양 왔으면은 물값 가지고 왔소 나무값 가지고 왔소

총망길에 잊었나이다
매우 급하고 바쁘게 오느라

물 삼 년 길어 주소 불 삼 년 때어 주소 나무 삼 년 베어 주소
대왕 부부의 병을 고치기 위해 거쳐야 하는 시련 → 여성의 가사 노동을 상징함

석 삼 년 아홉 해를 살고 나니 무상 신선 하는 말이

그대가 앞으로 보면 여자의 몸이 되어 보이고

뒤로 보면 국왕의 몸이 되어 보이니

그대하고 나하고 백년가약을 맺어

일곱 아들 산전 받아 주고 가면 어떠하뇨
아기를 낳아 주고

무상 신선의 요구
→ 9년 동안 일하고 자식을 낳아 달라고 함

그도 부모 봉양할 수 있다면은 그리하성이다
무상 신선의 요구를 수락함

▶무상 신선의 요구를 들어 주는 바리공주

핵심장면 ③ 부모의 죽음과 관련된 꿈을 꾸고 바리공주가 약려수를 가지고 부모에게 가려 하는 장면이다.

아무리 부부 정(情)도 중하거니와 부모 소양 늘어 가네

초경에 꿈을 꾸니 은바리가 깨어져 보입디다
은으로 만든 밥그릇

이경에 꿈을 꾸니 은수저가 부러져 보입디다

부모의 죽음과 관련된 꿈을 꿈 → 바리
(은 밥그릇)가 깨어지는 꿈은 모친이 사망
할 징조이고, 수저가 부러지는 꿈은 부친
이 사망할 징조라고 함

양전마마 한날한시에 승하하옵신 게 분명하오 / 부모 봉양 늘어 가오

그대 깃던 물 약려수이니 금장군에 지고 가오
길어오던   약이 되는 신령한 물   금으로 만든 그릇

그대 베던 나무는 살살이 뼈살이니 가지고 가오
살과 뼈를 살아나게 하는 것

앞바다 물 구경하고 가오 / 물 구경도 경이 없소
경황(겨를)이 없소

뒷동산의 꽃구경하고 가오 / 꽃구경도 경이 없소

전에는 혼자 홀아비로 살아 왔거니와

이제는 여덟 홀아비가 되어 어찌 살라오

일곱 아기 데리고 가오
<small>무상 신선 자신과 바리공주가 낳은 일곱 아들</small>

그도 부모 소양이면 그리하여이다

큰아기는 걷게 하고 어린 아기는 업으시고

무상 신선 하시는 말씀이

<u>그대 뒤를 좇으면은 어떠하오</u>
<small>바리공주를 시험하던 무상 신선이 바리공주를 따라가겠다고 함 → 무상 신선의 태도 변화</small>

<u>여필종부(女必從夫)</u>라 하였으니
<small>아내는 반드시 남편을 따라야 한다는 말</small>

그도 부모 소양이면 그리하여이다

<u>한 몸이 와서 아홉 몸이 돌아가오</u>
<small>바리공주가 무상 신선과 일곱 아들을 데리고 돌아감 → 무속에서 9는 완성을 의미함</small>

> ❯ 약려수를 가지고 부모에게 가려는 바리공주

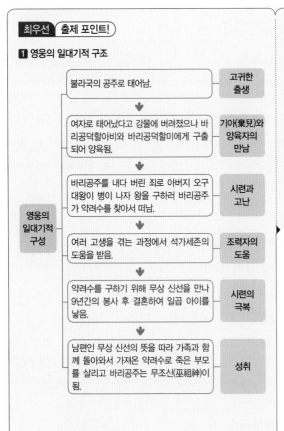

최우선 [출제 포인트!]

1 영웅의 일대기적 구조

영웅의 일대기적 구성		
	불라국의 공주로 태어남.	고귀한 출생
	여자로 태어났다고 강물에 버려졌으나 바리공덕할아비와 바리공덕할미에게 구출되어 양육됨.	기아(棄兒)와 양육자의 만남
	바리공주를 내다 버린 죄로 아버지 오구대왕이 병이 나자 왕을 구하러 바리공주가 약려수를 찾아서 떠남.	시련과 고난
	여러 고생을 겪는 과정에서 석가세존의 도움을 받음.	조력자의 도움
	약려수를 구하기 위해 무상 신선을 만나 9년간의 봉사 후 결혼하여 일곱 아이를 낳음.	시련의 극복
	남편인 무상 신선의 뜻을 따라 가족과 함께 돌아와서 가져온 약려수로 죽은 부모를 살리고 바리공주는 무조신(巫祖神)이 됨.	성취

최우선 [핵심 Check!]

1 이 작품에 대한 설명으로 적절하지 않은 것은?

① 영웅 설화적 구조를 지니고 있다.
② 구약(救藥) 여행 모티프가 드러나 있다.
③ 구비 문학으로 일반적으로 무속 제의에서 불린다.
④ 본풀이의 일부이기 때문에 문어체로 표현되어 있다.

2 이 작품의 내용으로 보아 바리공주가 상징하는 인간상으로 알맞은 것은?

① 승리와 기쁨 ② 사랑과 욕망 ③ 희생과 구원
④ 노력과 열정 ⑤ 고통과 시련

<small>정답 1. ④ 2. ③</small>

1등급! 〈보기〉!

「바리공주」의 무가적 특성
무가(巫歌)는 무당이 굿판에서 부르는 노래이자 사설이며, '서사 무가'는 서사적 성격, 즉 이야기 문학의 특징을 갖는 무가를 말한다. 일반적으로 무조(巫祖)가 되는 특정 인물의 행적을 길게 노래하는 것이 주가 된다.
「바리공주」는 저승으로 죽은 혼령을 인도하는 무당의 시조가 된 무조신의 유래담으로, 서사 구조의 측면에서 「동명왕 신화」 등의 국조(國祖)가 가진 영웅 일대기적 구조와 비슷해 다른 서사 문학과도 밀접한 연관을 맺고 있다. 또한 수용층인 민중의 세계관인 효(孝)를 강조하는 점, 여성들의 억압되고 고된 삶의 한이 잘 나타나 있다는 점, 초월적 세계와 현실 세계가 공간적으로 연결되어 쉽게 오갈 수 있다는 설정을 하는 점에서 서사 무가의 일반적 특성을 잘 드러내고 있다.

성조신의 내력을 풀이한 무가의 가사

성조(成造)풀이 | 작자 미상

성격 영웅적 **시대** 조선 시대
주제 성조신의 일대기

이 작품은 어느 옛날 서천국(인도)을 배경으로 집의 주재신(主宰神)인 성조신의 내력을 풀이한 것으로, 민간에서 집을 새로 지어 입주할 때 무당이 성조신을 모시는 굿을 하면서 이 노래를 불렀다고 한다.

내용 전개 방식

발단	전개	위기	절정	결말
늦도록 자식이 없었던 서천국 천궁 대왕과 옥진 부인은 치성을 드린 끝에 성조를 얻음.	성조가 옥황께 상소하여 솔씨를 받아 지하궁 무주공산에 심음.	성조는 18세에 혼인하나 부인을 박대하고 국사를 돌보지 않은 죄로 귀양을 가게됨.	성조는 귀양살이의 힘듦을 혈로써 써서 부인에게 전하고, 부인은 옥진 부인에게 말하여 대왕으로 하여금 귀양을 풀게 함.	성조가 귀양에서 풀려난 뒤, 자신이 심은 나무를 자식들과 돌보고 백성의 집을 지어 입주 성조신이 됨.

핵심장면 ① 옥진 부인이 태몽을 꾸고 성조를 낳는 부분이다.

『어떠한 선관(仙官)이 황학(黃鶴)을 타고 / 채운(彩雲)에 싸여서
　　　　　신선 세계의 관원, 신선　　　　　　　　　　상서로운 구름
국문(國門)을 크게 열고 / 부인 곁에 앉으며 왈,
　　　환상적인 분위기를 엿볼 수 있음　　　　환상적인 분위기가 드러남
　대궐의 문
부인은 놀라지 마옵소서. / 나는 도솔천궁지왕(兜率天宮之王)이라.
　　　　　　　　　　　　　　　　도솔천에 있는 궁궐의 왕
부인의 공덕과 정성이 지극한 고로 / 천황(天皇)이 감동하고
　　　　자식을 얻기 위한 치성을 가리킴
제불(諸佛)이 지시하사 / 자식 주러 왔나이다.
　모든 부처　　　　　　　　　　태몽임을 알게 해 줌
일월성신(日月星辰) 정기 받아 / 동자(童子)를 마련하여
　　　　　　　성조가 하늘의 기운을 받아 태어난 인물임을 의미함
부인을 주시며 왈,
이 아기 이름은 안심국(安心國)이라 지었으며 / 별호(別號)는 성조씨(成造氏)라 하며
　　　　　　　　　　　　　　　　　　　　　　별칭, 달리 부르는 이름
무척 즐거워할 때』　『』: 옥진 부인의 태몽 – 초월적 인물이 등장하여 성조가 태어날 것임을 암시해 줌
Link 소재의 역할 ❶, ❷
무정한 바람 소리에 / 부인의 깊이 든 잠
옥진 부인으로 하여금 잠을 깨게 하는 자연물
홀연 꿈을 깨고 보니 / 선관은 간 곳 없고 / 촉화(燭火)만 돋았다.　　▶옥진 부인이 태몽을 꾸게 됨
　　　★ 주요 소재　　　　　　　　　　　　　촛불
부인이 몽사(夢事)를 / 국왕 앞에 설화(說話)하니 / 국왕도 즐거워하더라.
　　　　꿈에서 겪은 일
이튿날 평명(平明)에 / 해몽자(解夢者)를 급(急)히 불러 / 몽사를 설화하니,
　　　　해가 돋아 밝아질 때
『초경(初更)에 검정새 두 마리 / 청충(靑虫)을 물고 보이는 것은
　　　　　　　　　　　　　　벌레
좌편은 대왕(大王)의 직성(直星)이요 / 우편은 부인의 혼령이라.
　　　　　　　　사람의 나이에 따라 그 운명을 알아본다는 아홉 별
청충 두 마리는 / 원앙비취지락(鴛鴦翡翠之樂)일뿐더러
　　　　　　　원앙새와 비취새의 즐거움 – 부부 사이의 화목한 관계를 드러낸 말
국화꽃 세 송이는 / 국가에 삼태육경(三台六卿) 날 꿈이요.
　　　　　　　　　　　조선 시대, 삼정승과 육조 판서
이경(二更)에 얻은 꿈은 / 삼태육경 자미성(紫微星)은
　　　　　　　　　　　　　　　　　　　천자의 운명과 관련된 별
삼신제불(三神諸佛)이 대왕을 모신 바요,
민속 신앙에서 이르는 아기를 점지한다는 신령
금 쟁반 붉은 구슬 셋은 / 국가에 득남(得男)할 꿈이옵고
삼경(三更)에 얻은 꿈은 / 선관이 부인의 침실에 좌정(坐定)한 것은
이는 곧 지양이라.
　　　아이의 출산과 성장을 관장하는 산신(産神)

Link
출제자 톡 **소재의 역할을 파악하라!**

❶ 성조가 장차 태어날 것임을 암시하는 소재는?
　꿈

❷ 옥진 부인으로 하여금 꿈에서 깨어나게 하는 소재는?
　바람 소리

성신의 정기 받아 / 동자를 마련하여 / 부인을 주신 것은

국가에 득남하면 / 소년 공명(少年功名)할 것이니
　　　　　　　　　　　유교의 입신양명 사상이 드러남
　『번몽(煩夢)을 생각 마옵소서.』　　　　　　　　　『　』: 태몽을 통해 성조가 비범한 인물이 될 것임을 암시함
　번거로운 꿈, 번잡한 꿈
　꿈 때문에 마음을 쓰지 말라는 의미임　　　　　　　　　　　　　　　　　　　　　　▶ 옥진 부인이 꾼 태몽을 풀이하는 해몽자

『과연 그 말과 같이 / 그달부터 잉태(孕胎) 있어
『　』: 성조가 배 속에서 성장하여 태어나는 모습이 시간의 흐름에 따라 제시됨
한두 달에 이슬 맺고 / 삼사삭(三四朔)에 인형(人形) 생겨,

다섯 달 반짐 싣고 / 육삭(六朔)에 육부(六腑) 생겨,
　　　　　　　　　　　　　　배 속에 있는 여섯 가지 기관
칠삭(七朔)에 골육(骨肉) 맺고 / 팔구삭(八九朔)에 남녀 분별,

삼만팔천사혈공(三萬八千四血孔)과 / 사지 수족 골격이며

지혜 총명 마련하고, / 십삭(十朔)을 다 채워 / 지양이 내려와서

부인의 품은 아이 / 세상에 인도할 때,』

『명덕왕(命德王)은 명을 주고 / 복덕왕(福德王)은 복을 주고,
　수명을 관장하는 왕　　　　　　　　복을 관장하는 왕
분접왕(分接王)은 가래 들고 / 금탄왕은 열쇠 들고,』　　『　』: 유사한 문장 구조의 반복 – 리듬감 형성. 열거법. 대구법
분만을 관장하는 왕
부인을 침(侵)노하니 / 부인이 혼미한 중에

금광문(金光門) 고이 열어 / 아기를 탄생하니,
아이를 낳는 문을 미화하여 표현한 말
딸이라도 반가운데 / 옥 같은 귀동자라.
　　　　　　아들이라서 더 반갑다는 말
부인이 정신 차려 / 침금(枕衾)에 의지하고 / 아기 모양 살펴보니

『얼굴은 관옥(冠玉) 같고 / 풍채는 두목지(杜牧之)라.』　　　　　　▶ 성조의 탄생 과정
『　』: 성조의 비범한 외양　　　　당나라 시인 두목. 풍채가 좋기로 유명함. '목지'는 두목의 자임

핵심장면 ②　성조가 인간 세상에 집을 짓고자 옥황상제에게 솔씨를 얻어 심는 장면이다.

인간이 생겼으되 / 연명은 풍족(豐足)하나,
　　　　　　　　　　　　　　　　　　　유월의 무더위
『집이 없어 수풀을 의지하고, / 유월염천(六月炎天) 더운 날과
『　』: 집이 없어서 힘든 생활을 하는 인간의 모습 – 성조가 집을 지으려는 이유에 해당
백설한풍(白雪寒風) 추운 계절을 / 곤란하게 피하거늘,』
　추운 겨울
성조님 생각하되 /『내 지하국 내려가서,
　　　　　　　　　　　　『　』: 성조가 집을 다스리는 신이 될 것임을 암시
공산(空山)에 나무 베어 / 인간에 집을 지어,

Link
출제자 **톡!** 인물의 행위를 이해하라!

❶ 성조가 집을 지으려고 한 이유는?
　인간이 집이 없어 더위와 추위를 피하는
　것을 어려워하는 모습을 보였기 때문에

❷ 성조가 부모의 허락을 받아 무주공산에 간
　이유는?
　집을 지을 나무를 얻기 위해서

❸ 성조가 옥황상제에게 상소를 올린 이유는?
　무주공산에 쓸 나무가 없어서 집을 지을 수
　있는 나무를 얻기 위해서

추위와 더위를 피하게 하고 / 존비(尊卑)를 가르치면
　　　　　　　　　　　Link 인물의 행위 ❶
성조의 빛난 이름 / 누만년(累萬年) 전하리라 생각하고,』

부모양위전(父母兩位前)에 인간의 집 없음을 / 민망히 말하니,
　　　　　　부모님 앞에
부모양위 허락하시거늘, / 허락받아 지하국 내려가서

무주공산(無主空山) 다다르매, / 온갖 나무 다 있으되
　　임자 없는 빈산　　　　　Link 인물의 행위 ❷
『어떤 나무 바라보니, / 산신(山神)이 좌정하야
『　』: 무주공산의 나무를 쓸 수 없는 이유를 열거함. 유사한 문장 구조의 반복 – 리듬감 형성. 대구법

그 나무도 못 쓰겠고,

또 한 나무를 바라보니 / <u>당산(堂山)</u> 지킨 나무 되어
<small>수호신이 있다고 믿는 곳</small>

그 나무도 못 쓰겠고, / 또 한 나무를 바라보니 / <u>오작(烏鵲)</u> 짐승 집을 지어
<small>까마귀, 까치</small>

그 나무도 못 쓰겠고, / 또 한 나무를 바라보니 / 국수 지킨 나무 되어
<small>국사당. 성황당</small>

그 나무도 못 쓰겠고,

<u>나무 한 그루도 쓸 나무가 없는 고로,</u> / 나무 없는 사정을 / 역력히 기록하여,
<small>성조가 상소를 쓴 이유에 해당</small>

상소 지어 손에 들고 / 하은(荷恩)을 재배(再拜)하고

<u>천은(天恩)을 사례(謝禮)하여,</u>
<small>하늘의 은혜에 고마움을 표함</small>

<u>천상옥경(天上玉京) 높이 솟아</u> / 옥황(玉皇)님 앞에 절하고
<small>하늘 위의 옥황상제가 사는 공간</small>

상소를 올리시니,
<small>Link 인물의 행위 ❸</small>

옥황님이 상소를 받아 관찰하시고 / 성조를 보아 기특히 여기시고,
<small>제석(집안사람들이 수명, 곡물, 의류 및 화복에 관한 일을 맡아보는 신)이 머무르는 하늘에 있는 궁전</small>

제석궁(帝釋宮)에 하교(下敎)하셔
<small>★ 주요 소재　　　　　일곱 홉 다섯 작　　　달라는 대로 허락하여 베풀어 줌</small>

<u>솔씨</u> 서 말 닷되 칠홉오작(七合五勺)을 허급(許給)하시거늘,
<small>지상계의 집 짓기가 천상계의 도움으로부터 유래된 것임을 보여 주는 소재</small>

성조님이 솔씨 받아 / 지하궁 내려와서,

<u>무주공산</u> 다다라서 / 여기저기에 심어 놓고,
<small>임자 없는 빈산</small>

환국(還國)할 때, <u>불원간(不遠間)</u> 삼 년 중(三年中)에
<small>앞으로 오래지 아니한 동안</small>

성조 나이 십팔 세라.

▶인간의 집 짓기를 위해 옥황에게 솔씨를 얻은 성조

최우선 출제 포인트!

1 소재의 의미

꿈	목진 부인이 꾼 꿈으로, 성조가 태어날 것임을 암시해 줌.
솔씨	지상의 집 짓기가 천상계의 도움으로부터 유래된 것임을 보여줌.

2 영웅 일대기적 요소

고귀한 혈통과 신이한 출생	천궁 대왕과 옥진 부인이 자식을 얻기 위해 치성을 드리고 그 결과 신이한 태몽과 함께 성조가 태어남.
비범한 능력	어려서부터 총명했던 성조는 15세 때 인간 세상에 집을 지을 것을 생각하고 옥황상제에게 솔씨를 얻어 나무를 심음.
위기	18세에 혼인하였으나 부인을 박대하고 국사를 돌보지 않아 귀양을 가게 됨.
조력자의 도움	성조가 편지를 부인에게 보내고, 부인은 그 편지를 옥진 부인에게 보여 줌. 옥진 부인은 글을 보고 통곡하고 천궁 대왕이 그 까닭을 물어 성조의 귀양이 풀리게 됨.
성취	성조는 10명의 자식을 낳고, 자식들과 함께 자신이 15세 때 심었던 나무들로 인간들을 위해 집을 짓고 성조신이 됨.

최우선 핵심 Check!

1 이 작품의 서술상 특징으로 맞은 것은 ○표를, 틀린 것은 ×표를 하시오.

(1) 현실에서 일어날 수 없는 전기적 사건이 전개되고 있다. (　)
(2) 유사한 문장 구조의 반복으로 리듬감을 형성하고 있다. (　)
(3) 비범한 능력을 지닌 인물과 이와 대립하는 인물의 갈등이 드러나 있다. (　)

2 다음 내용 중 맞는 것은 ○표를, 틀린 것은 ×표를 하시오.

(1) 옥진 부인은 자식을 얻기 위해 온갖 정성을 들였다. (　)
(2) 꿈 해몽자는 장차 태어날 아기가 시련을 겪어야 공명할 것임을 밝히고 있다. (　)
(3) 성조는 인간 세상으로 내려가 집이 없는 고통을 몸소 체험하면서 집을 지어야겠다고 생각하였다. (　)
(4) 옥황상제는 성조가 쓴 상소를 보고 기특히 여기면서 솔씨를 주었다. (　)

3 다음 설명에 해당하는 소재를 찾아 쓰시오.

꿈	솔씨	바람 소리

(1) 성조가 장차 태어날 것임을 암시해 주는 소재는?
(2) 옥진 부인으로 하여금 꿈에서 깨게 해 주는 소재는?
(3) 지상계의 집 짓기가 천상계로부터 유래되었음을 보여 주는 소재는?

정답 1. (1) ○ (2) ○ (3) × 2. (1) ○ (2) × (3) × (4) ○ 3. (1) 꿈 (2) 바람 소리 (3) 솔씨

농경신의 내력을 풀이하는 노래
세경본(世經本)풀이 | 작자 미상

성격 무속적
주제 자청비의 고난 극복 과정과 세경신의 내력

무가

제주도의 큰굿에서 연행되는 무가로, 무속 신화 중에서 농경신의 이름을 딴 유일한 신화이다. 일반적인 영웅의 일대기적 구성을 통해 자청비가 고난을 극복하고 농경신이 되는 과정을 보여 주고 있다.

내용 전개 방식

발단
늦도록 자식이 없는 한 부부가 불공을 드려 '자청비'라는 딸을 얻음.

전개
자청비는 옥황의 아들 문 도령을 만나 혼인을 약속하지만, 문 도령은 옥황의 명령으로 하늘로 올라감.

위기
자청비가 자신을 겁탈하려던 시종 정수남을 죽이고 집에서 쫓겨나게 되나, 사람 살리는 꽃을 구해 정수남을 살리고 집을 떠남.

절정
온갖 고난을 겪던 자청비는 문선왕의 시험을 통과하여 문 도령의 부인으로 인정을 받음.

결말
문 도령과 자청비는 각각 농경신인 상세경과 중세경이 되고 자청비의 시종인 정수남은 하세경이 됨.

핵심장면 ① 자청비가 며느리로 인정받기 위해 문선왕이 낸 시험을 치르는 장면이다.

버선을 만들기 위한 치수
**문선왕의 분부를 전해 들은 『자청비는 버선본도 없이 버선 한 켤레를 뚝딱 만들어 문선왕에
옥황상제   첫 번째 시험 – 버선본 없이 문선왕의 버선을 만드는 것
게 보냈다. 자청비가 보내온 맵시 있는 외씨버선은 맞춘 듯이 문선왕의 발에 꼭 들어맞았다.』
『 』: 자청비의 첫 번째 시험의 해결 – 자청비의 뛰어난 능력이 드러남   Link 인물의 이해 ❶
그러자 그걸로 부족하다 여겼던지 하늘 옥황 문선왕은 편지를 다시 써서 보냈다.

옷(쾌자)을 만들기 위한 치수
'이번에는 옷본을 주지 말고 내 쾌자를 한 벌 지어 올리게 하오. 그 옷을 내가 입어 몸에 꼭
문선왕의 두 번째 시험
맞으면 내 며느리가 분명하오.'

**문선왕의 분부를 전해 들은 『자청비는 이번에도 쾌자 한 벌을 뚝딱 지어 문선왕에게 올려 보
Link 인물의 이해 ❶   『 』: 자청비의 두 번째 시험의 해결   자청비의 뛰어난 능력
냈다. 자청비가 보내온 맵시 고운 쾌자는 맞춘 듯이 꼭 맞았다. 더할 것도 덜할 것도 없었다.』
문선왕의 시험에 통과한 자청비
하늘 옥황 문선왕은 자청비를 쫓아낼 핑계를 더 댈 수 없게 되자 궁리 끝에 마지막 시험을
문선왕이 자청비를 시험한 이유가 자청비를 쫓아내기 위함임을 알 수 있음   세 번째 시험
치르기로 마음먹었다. 문선왕은 명을 내려 급히 일천 선비들을 불러 모았다.

"일천 선비들아, 큰 구덩이를 파라."

일천 선비들이 서둘러 일을 하여 깊은 구덩이가 만들어지자 문선왕은 일천 선비들에게 구덩
이에 수천 석의 불타는 숯을 깔아 놓고, 그 위에 쉰댓 자 되는 칼 선 다리를 만들어 놓으라고
세 번째 시험을 위한 준비
명했다. 이글거리는 숯불 위에 새파랗게 날이 선 칼날 다리가 만들어지자 자청비에게 분부가
Link 인물의 이해 ❷
내려졌다.

'저 칼 선 다리를 타고 하늘 옥황으로 올라 내게 절하고 다시 칼 선 다리를 타고 내려오면 내
세 번째 시험 – 인간으로서는 통과할 수 없는 시험
며느리가 분명하오.'

Link

출제자 ⭐ 인물을 이해하라!

❶ 문선왕의 첫 번째, 두 번째 시험을 해결하는 것을 통해 알 수 있는 자청비의 모습은?
매우 비범한 능력을 지니고 있음.

❷ 문선왕이 매우 어려운 세 번째 시험을 낸 근본적인 의도는?
자청비를 쫓아내기 위해서(자청비를 며느리로 받아들이기 싫어서)

❸ 자청비로 하여금 세 번째 시험을 해결하는 데 조력자의 역할을 한 인물은?
하느님

하늘 옥황 문선왕의 전갈을 받은 자청비는 다리에 오를 채비를 차
금. 은. 동으로 만든 장신구의 일종
렸다. 『쉰댓 자 방아머리를 우두커니 둘러 얹고, 구슬동이 겹바지에
구슬 장식이 달린 겹바지
물명주 단속곳 받쳐 입고, 열두 폭 금 자수에 다홍 대단 비단 치마
구슬동이 저고리를 걸쳐 입고, 뾰족하게 코가 선 버선에 태사신을
남자의 마른신
신었다.』 『 』: 자청비가 시험을 치르기 위해 준비하는 모습 – 자청비의 복식은 무녀들이 굿을 할 때의 복식과 유사함

채비를 마친 자청비는 하늘 옥황에 오르는 칼 선 다리 앞으로 나아

갔다. 백탄 숯불에 달아오른 칼 선 다리는 불이 붙어 이글거렸다. 자청비는 한숨을 크게 한 번
_{자청비가 치러야 할 시험이 매우 어려움을 드러냄 - 자청비의 고난과 시련을 의미함}
내쉬며 다리를 올려다보았다. 그러더니 무엇이 서러운지 백옥 같은 얼굴에 구슬 같은 눈물을
_{인간의 몸인 자신이 시험에 통과할 수 없다고 여긴 데서 오는 슬픔}
주룩주룩 흘렸다.

　　자청비는 하느님을 향해 눈물로 두 손 모아 간절히 빌기 시작했다.
_{초자연적인 절대자}

　　"밝고 밝으신 하느님, 제게 죄가 있거든 홀연 강풍이나 불어 주십시오. 하지만 죄가 없거든
_{자청비의 조력자 역할을 함}
온 세상 수천 리에 비나 오게 하여 주십시오. 저는 행실이 불량하고 마음이 흉악한 정이 없
는 정수남을 죽인 것밖에는 죄가 없사옵니다."
_{이전에 자청비가 자신을 겁탈하려던 정수남을 죽인 사건을 가리킴}

　　자청비는 방울방울 눈물을 흘리며 하늘 향해 삼세번 축수를 드렸다.
_{자청비의 간절한 바람이 드러남}

　　그러자 동쪽에서 삽시간에 채롱만 한 검은 구름이 둥실둥실 떠오더니 사방 수천 리에 비가
_{하늘이 자청비의 축수에 응답함 - 하늘의 도움을 받아 위기를 극복할 것임을 알 수 있음}
내리기 시작했다. 시원한 빗줄기에 달아오른 칼 선 다리가 잠깐 사이 식어 버렸다. 자청비는
_{Link 인물의 이해 ❸}
그제야 칼 선 다리를 타고 조심조심 나아갈 수 있었다.
_{자청비의 세 번째 시험의 해결}

　　그때 옆에서 놀고 있던 궁녀 선녀 무리들이 자청비를 보고는 자기들끼리 쑥덕거렸다.

　　"저년은 무슨 깊은 죄가 있어 쉰댓 자 칼 선 다리를 타고 오르는 거지?"
_{자청비가 시험을 치르는 것을 모르고 자청비를 비난하는 말}

　　자청비는 깔깔대며 놀리는 소리에 부글부글 속이 끓었지만 갈 길이 바빠 부지런히 다리를
건넜다. 마침내 쉰댓 자 칼 선 다리를 건너 하늘 옥황에 오른 자청비는 문선왕이 사는 궁으로
나아가 절을 올렸다.
_{자청비의 세 번째 시험의 해결}

▶ 문선왕의 마지막 시험도 극복한 자청비

_{핵심장면 ❷}　자청비가 문선왕의 시험을 통과하여 며느리로 인정받는 장면이다.

　　안으로 더 들어가자 이번에는 네 번째 궁문이 스르르 열렸다. 그곳에는 인간 백성들이 말과
소를 부리며 넓고 넓은 밭을 갈고 있었다. 다섯 번째 궁문이 열리자 그곳에서도 인간 백성 수
많은 남녀종이 모여 넓고 넓은 세경 땅을 갈고 있었다.
_{농사를 짓고 있는 모습}

　　자청비는 농사짓는 모습을 구경하는 것이 좋았다.『삼사월에 좁씨를 뿌리는 것도 좋고, 오뉴
_{자청비가 농사일을 관장하는 신이 될 것을 암시함}　　　_{『 』: 시간의 흐름에 따른 농사일을 열거함. 유사한 통사 구조의 반복으로 운율을 형성함}
월에 종들이 나와 앉아 김매는 것도 좋고, 칠팔월에 세경 땅에 오곡 농사가 잘되어 가는 것도
좋고, 구시월에 곡식마다 샛노랗게 단풍 든 것도 좋고, 시월에 모든 곡식 베고 거두어서 쌓아
놓는 것도 좋고, 동지섣달에 띠를 베어다 지붕에 덮는 것도 좋았다.』일 년 내내 농사짓고 사는
_{후에 자청비가 농사를 관장하는 신을 맡게 될 것을 암시함}
모습을 보는 게 무척이나 좋았다.

▶ 농사 짓는 모습을 좋아하는 자청비

　　세경 땅을 돌아보던 중에 꽃밭에 이르자 문선왕이 자청비에게 물었다.

　　"너는 이 가운데 무슨 꽃이 제일 좋으냐?"

　　자청비는 왠지 동백꽃이나 정자나무 꽃이 좋다고 하면 자신을 죽일지도 모른다는 생각이 들
_{문선왕이 자신을 시험한다고 여기는 자청비의 심리가 드러남}
었다. 그래서 잠시 궁리 끝에 답을 했다.

　　"저는 목화가 가장 고와 좋습니다."
_{사람들이 옷을 만들어 입을 때 필요한 것으로, 사람들에게 도움을 주는 꽃이기 때문}
　　"어찌하여 목화가 곱다는 것이냐?"

"아이고, 아버님아! 인간 세상 백성들이 옷을 만들어 입는 꽃이 목화 아닙니까? 그러니 곱고 고운 꽃 중의 꽃이지요."

_{자청비가 '목화'라고 답한 이유}

Link 소재의 의미 ❶

그제야 문선왕은 고개를 끄덕였다.

_{농사를 관장하는 신}

"설운 아기야. 너는 세경신으로 들어설 운명이로구나. 이제 너를 며느리로 받아들이마. 어서 가서 문 도령하고 살림을 차려라. 칼 선 다리를 다시 타고 지금 곧 내려가거라."

_{자청비가 문선왕의 모든 시험을 통과했음을 의미함 – 문선왕의 시험이 자청비를 며느리로 받아들이기 위한 시험이었음을 알 수 있음}
_{문 도령의 부인으로 인정 받음} _{세 번째 시험에서 요구되었던 내용} ▶마침내 문선왕의 인정을 받은 자청비

하늘 옥황 문선왕에게 인사를 마친 자청비는 올라갈 때처럼 쉰댓 자 칼 선 다리를 타고 내려

Link 소재의 의미 ❷

왔다. 그때 자청비가 옥황에 올라갈 때처럼 한쪽에서 앉아 놀던 궁녀 선녀들이 그 모습을 보고는 또 자기들끼리 깔깔대며 쑥덕거렸다.

"저년은 얼마나 깊은 죄가 있기에 올 때도 갈 때도 칼 선 다리를 밟는 거지?"

_{자청비의 화를 불러일으키게 하는 말}

『자청비는 두 번이나 그 말을 듣다 벌컥 울화가 치밀었다. 그래서 홧김에 급하게 내려오다 주르륵 미끄러져 순식간에 칼날에 발뒤꿈치를 조금 베고 말았다.』상처는 크지 않았지만 벤 자리

_{『 』: 궁녀 선녀들의 말에 평정심을 잃은 자청비의 모습} _{여성들이 월경을 하게 된 기원과 관련됨}

에서는 붉은 피가 번져 나왔다.

마음이 급해진 자청비는 피가 흐르는 것도 생각지 않고 문선왕 부인에게 달려갔다.

『"어머님아! 하늘 옥황 아버님 전에 다녀왔습니다. 칼 선 다리 건너 올라 아버님과 세경 땅을 보고 왔습니다."』

_{『 』: 문선왕의 시험을 무사히 통과했음을 알리는 말}

자청비는 공손히 무릎 꿇고 엎드려 절을 올렸다. 그때 문선왕 부인이 자청비의 발에서 피가 나는 것을 보고 물었다.

"네게서 피 냄새가 나는구나."

자청비는 시어머니의 말을 받아 대답했다.

"남자로 태어나면 한 번씩 번을 서고, 여자로 태어나면 한 달에 닷새 동안 월경을 합니다."

_{국경을 수비하기 위해 군대에 가는 일을 의미함}

Link
출제자 특 소재의 의미를 이해하라!

❶ 자청비가 문선왕의 물음에 '목화'가 가장 좋다고 말한 이유는?
인간 세상 백성들이 옷을 만들어 입을 수 있으므로(사람들에게 도움을 주기 때문에)

❷ 문선왕의 세 번째 시험과 관련된 것으로, 자청비가 다시 인간 세상으로 내려오는 수단이 되는 소재는?
칼 선 다리

❸ '억새 잎'과 '수숫대'가 붉어진 유래와 관련된 소재는?
자청비의 피가 묻은 종이

이렇게 둘러대기는 했지만 깔깔대며 놀리던 궁녀 선녀들에 대한 화는 좀처럼 가라앉지 않았다. 그래서 자청비는 시어머니의 방을 나오면서 종이로 발뒤꿈치를 쓱쓱 닦아 던지며 중얼거렸다.

"에잇, 궁녀청에나 떨어져라. 선녀청에나 떨어져라."

_{궁녀 선녀들에 대한 자청비의 반감이 담김}

그러자 자청비의 피가 묻은 종이는 살랑살랑 날아 억새밭도 지나고 수수밭도 지나서 궁녀청 선녀청에 내려앉았다. 그래서 억새 잎도

_{억새와 수숫대가 붉은 이유}

불긋불긋해지고, 수숫대도 불긋불긋해졌다. ▶억새 잎과 수숫대가 붉어진 연유

Link 소재의 의미 ❸

1 '세경본풀이'의 이해

세경본풀이	• 제주도 무당들이 농사나 목축이 잘되기를 비는 굿을 할 때 모시는 신(神)인 '세경신'이 되는 내력을 풀어 낸 무가(巫歌)를 말함. → 농작물의 파종이나 수확 시기, 식물의 외형적 특징의 유래 등이 제시되어 있음.

↓

이 작품의 무가적 특징	• 자청비가 세경신이 되기까지의 일대기를 그리고 있음. • 자청비가 하늘 옥황으로 올라갈 때 무당이 작두를 타는 행위와 굿을 진행하는 무당과 관련된 복식(服飾)을 착용하는 것을 통해 '무가'임을 알 수 있음. • 여성들의 월경과 '억새 잎과 수숫대'가 붉어지게 된 유래가 드러나 있음.

2 인물의 이해

자청비	옥황상제 아들인 문 도령과 혼인하여 중세경(농경의 신)이 되는 비범한 능력을 지닌 인물. 생활력이 강하고 적극적으로 고난을 극복하는 여성상을 보여 줌.
문선왕	옥황상제. 자청비를 쫓아낼 핑계를 위해 시험을 내지만, 자청비가 모두 통과하자 며느리로 인정하고 세경신으로 점지함.
문 도령	옥황상제의 아들로, 자청비와 더불어 후에 상세경(농경의 신)이 됨.
정수남	자청비 집안의 하인으로, 자청비와 문 도령의 만남을 방해하는 인물. 후에 하세경(목축의 신)이 됨.

3 혼사를 위한 자청비의 시험 해결 과정

첫 번째 시험과 해결	• 시험: 버선본 없이 문선왕의 버선을 지어야 함. • 해결: 문선왕의 발에 꼭 들어맞는 버선을 만듦.	자청비가 스스로의 비범한 능력으로 문제를 해결함.
두 번째 시험과 해결	• 시험: 옷본도 없이 문선왕의 쾌자를 지어야 함. • 해결: 문선왕의 몸에 꼭 들어맞는 쾌자를 만듦.	
세 번째 시험과 해결	• 시험: 백탄 숯불에 달아오른 칼 선 다리를 건너 하늘 옥황으로 올라갔다 내려와야 함. • 해결: 하늘에서 비가 내려 백탄 숯불에 달아오른 칼 선 다리의 열이 식어 옥황으로 올라감.	하느님의 도움을 받아 문제를 해결함.

1 이 작품의 서술상 특징으로 맞는 것은 ○표를, 틀린 것은 ×표를 하시오.

[1] 현실에서 일어날 수 없는 비현실적 사건이 전개되고 있다. (　)

[2] '문제 제시 – 문제 해결'의 과정이 반복되어 제시되고 있다. (　)

[3] 유사한 통사 구조의 반복을 통해 대상에 대한 비판 의식을 효과적으로 드러내고 있다. (　)

2 다음 내용 중 맞는 것은 ○표를, 틀린 것은 ×표를 하시오.

[1] 자청비는 문선왕이 낸 모든 문제를 스스로의 힘으로 해결하고 있다. (　)

[2] 문선왕이 자청비를 시험하는 이유는 자청비를 내쫓기 위해서였다. (　)

[3] 궁녀 선녀들은 칼 선 다리를 밟고 건너는 자청비에 대해 안쓰러운 마음을 드러내고 있다. (　)

[4] 자청비는 문선왕 부인이 피가 나는 것을 이유를 묻자 거짓말로 둘러대고 있다. (　)

[5] '억새 잎과 수숫대'가 붉어진 것은 자청비의 피가 묻은 것이 때문이다. (　)

3 다음 빈칸에 들어갈 알맞은 말을 순서대로 쓰시오.

자청비는 문 도령과 혼인하기 위해 문선왕으로부터 세 번의 시험을 치르게 된다. 이 과정에서 첫 번째 시험과 두 번째 시험은 자청비 자신이 지닌 (　　)한 능력으로 문제를 해결하지만, 세 번째 시험은 자신의 능력과 더불어 비를 내린 (　　)의 도움으로 문제를 해결하게 된다. 이러한 문제 해결을 통해 자청비는 비로소 문선왕에게 며느리로 인정을 받게 된다.

정답 **1.** [1] ○ [2] ○ [3] × **2.** [1] × [2] ○ [3] × [4] ○ [5] ○ **3.** 비범, 하느님

176위 소악부의 핵심에 대해 제시하는 이야기

익재난고(益齋亂藁) | 이제현

성격 예시적 **시대** 고려 후기
주제 소악부를 창작할 것을 권유함

수필

이 글은 고려 후기의 문신 이제현이 자신의 후배 문인인 민사평에게 소악부 창작을 권장하며 자신이 지은 소악부 작품 두 편을 소개하는 글이다.

내용 전개 방식

 소악부 창작을 권유함.

 소악부 작품 첫 번째 예시와 설명

결 소악부 작품 두 번째 예시와 설명

본문

어제 곽충룡을 만나 보았는데 그의 말이, 민사평이 내가 지어 보낸 소악부에 화답을 하려고
고려 후기의 문장가   고려 후기 문신   우리말 노래를 칠언 절구의 한시로 옮긴 것
하였으나 같은 사실에 대해 표현할 말이 거듭되겠기에 하지 못했다고 하였다.
민사평이 소악부에 화답을 하지 못한 이유 – 같은 사실에 대해 유사한 글이 되풀이되는 것을 꺼리기 때문

삼가 말하건대, 「당나라의 시인 유우석이 지은 「죽지사(竹枝詞)」는 기주(夔州)와 삼협(三峽)
「 」: 중국의 사례를 들어 민사평을 설득하고 있음 – 유우석과 소동파의 글이 자신의 글과 다르지 않다는 의미
지역의 남녀들이 서로 즐기는 사연이고, 소동파는 아황과 여영, 굴원, 회왕, 항우 등의 일을
엮어서 시를 지었는데, 이들이 모두 옛사람의 것을 답습한 것이라 할 수 있는가? 민사평은 마
설의적 표현. 옛사람의 것을 답습한 것이 아님   **Link** 글쓴이의 의도 ❶
음에 감동을 주는 바를 담아 새로운 가사가 되도록 하는 것이 옳을 것이다. 두 편을 지어 그를
민사평에게 글쓴이가 권하는 바   글을 쓰는 목적
일깨우고자 한다.

▶ 민사평에게 소악부의 창작을 권유하는 글쓴이

Link 글쓴이의 의도 ❷
「도근천의 제방이 터져   都近川頹制水坊
「 」: 수해로 인해 피해가 심각한 사회의 모습 – 백성들이 고통을 받고 있음   도 근 천 퇴 제 수 방
수정사 마당까지 물이 넘치네   水精寺裏亦滄浪
홍수의 폐해   수 정 사 리 역 창 랑
상방엔 오늘 밤 선녀를 숨겨 두고   上房此夜藏仙子
「 」: 승려의 본분을 잊고 음란한 행동을 일삼는 모습을 비판   상 방 차 야 장 선 자
절 주인이 도리어 신랑이 되었네」   社主還爲黃帽郎
승려가 여인을 가까이 하는 모습   사 주 환 위 황 모 랑

근래에 어떤 고관(高官)이, 봉지련이란 늙은 기녀를 희롱하면서 '너희는 돈 많은 중은 따르
비판의 대상
면서 사대부가 부르면 왜 그렇게 늦게 오느냐?' 하였다. 그 기생이 말하기를,

「요즈음 사대부들은 돈 많은 장사치의 딸을 데려다가 두 살림을 꾸리거나 아니면 그 종으로
「 」: 청렴해야 할 사대부가 여색을 가까이하는 것에 대한 비판
첩을 삼는데, 우리가 중과 속세의 사람을 가려 손님으로 받는다면
어찌 생계를 꾸릴 수 있단 말이오?」 **Link** 글쓴이의 의도 ❸

하므로 자리의 모든 사람이 부끄러운 표정을 지었다. 〈중략〉

▶ 승려와 사대부에 대한 비판을 담고 있는 소악부 작품

Link
출제자 족보 **글쓴이의 의도를 파악하라!**

❶ 글쓴이가 이 글을 쓴 궁극적인 의도는?
민사평으로 하여금 마음에 감동을 주는 글을 쓰도록 하기 위해

❷ 첫 번째 한시를 지은 글쓴이의 의도는?
수해에도 불구하고 음란한 행동을 하는 승려를 비판하기 위해

❸ 글쓴이가 '기생'의 말을 인용한 의도는?
사대부들이 여색을 가까이하는 것을 비판하기 위해

「거꾸러진 보리 이삭 그대로 두고   從教壟麥倒離披
「 」: 농사를 버려둔 농민들의 모습   종 교 농 맥 도 리 피
가지 생긴 삼도 내버려 두었네」   亦任丘麻生兩歧
역 임 구 마 생 양 기
「청자와 백미를 가득 싣고서   滿載靑瓷兼白米
「 」: 자급자족의 능력을 상실한 탐라 지방의 상황에 대한 안타까움   만 재 청 자 겸 백 미
북풍에 오는 배만 기다리고 있구나」   北風船子望來時
제주도민들에게 필요한 물품이 실려 있는 배   북 풍 선 자 망 래 시

탐라는 땅이 좁고 백성들이 가난하다. 옛날에는, 비록 드물지만 도자기와 쌀을 팔러 오는 전라
<u>제주의 옛 이름</u>   <u>사러</u>
도의 장사꾼들이 가끔씩 찾아왔었다. 그러나 지금은 <u>관가(官家)와 사가(私家)의 소와 말이 들에 가
                                              관가와 사가의 소와 말을 키우느라 자기 농사를 짓지 못하는 백성(제주도민)의 모습
득하고 새로 일구는 밭은 없이,</u> 오가는 벼슬아치의 수레만 베틀의 북처럼 쉴 새 없이 드나들어 전
송과 영접에 시달리게 되었으니 백성의 불행이었다. 그래서 여러 번 변고가 생긴 것이다.
         탐라 백성에 대한 화자의 인식   ▶ 제주도민의 생활고를 담고 있는 소악부 작품

최우선 (**출제 포인트!**)

1 글쓴이의 집필 의도

민사평은 글쓴이가 지어 보낸 소악부에 화답을 못하고 있는데, 소악부
가 동일한 작품에 대해 유사한 글이 되풀이되는 것이라고 생각하기 때
문이었다. 이에 글쓴이는 중국의 악부가 지닌 문학적 가치를 언급한 후
소악부 작품을 함께 제시하여 민사평이 소악부 창작에 참여할 것을 권
유하기 위해 이 글을 썼다.

2 예시로 제시된 소악부의 이해

	시적 상황	창작 의도
첫 번째 한시	·도근천의 제방이 무너져 홍수로 인한 피해가 심함. ·승려들이 본분을 잊고 절에서 음란한 행위를 함.	본분을 망각한 사회 지도층(승려)에 대한 비판 의식을 드러냄.
두 번째 한시	·흉년이 들어 농작물을 망치게 되자 농민들이 농사를 짓지 않음. ·육지에서 도자기와 쌀을 실은 배가 오기만을 기다림.	제주도민의 생활고를 밝히며 그들의 삶이 이렇게 힘들어진 것을 경계하고 있음.

최우선 (**핵심 Check!**)

1 글쓴이가 민사평에게 권하는 것으로 가장 적절한 것은?

① 중국의 작품을 재구성해야 한다.
② 새로운 소재를 발굴하여 작품을 창작해야 한다.
③ 백성들보다는 사대부의 이야기를 다루어야 한다.
④ 독자들의 흥미를 유발하는 소재를 발굴해야 한다.
⑤ 마음에 감동을 주는 바를 담아 새로운 가사를 만들어야 한다.

2 다음 내용 중 맞는 것은 ○표를, 틀린 것은 ×표를 하시오.

(1) 소악부는 중국의 시적 갈래로 옛사람의 것을 답습한 것이다. (   )
(2) 첫 번째 한시를 통해 종교인으로서의 본분을 지키지 않는 승려들의 행
     태를 비판하고 있다. (   )
(3) 두 번째 한시를 통해 농사에 흥미를 느끼고 있지 않은 탐라 백성들을
     비판하고 있다. (   )

정답 1. ⑤ 2. (1) × (2) ○ (3) ×

177위

수로 부인 | 일연

성격 주술적 **시대** 고려 시대
주제 수로 부인에 대한 예찬, 납치된 수로 부인의
　　　귀환 염원

설화

이 작품은 『삼국유사』 '기이편'에 수록된 향가의 배경 설화로, 헌화담과 납치담이라는 두 가지 일화로 구성되어 있다.

내용 전개 방식

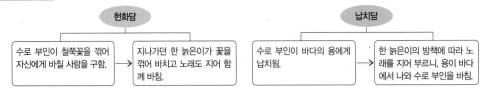

헌화담

| 수로 부인이 철쭉꽃을 꺾어 자신에게 바칠 사람을 구함. | → | 지나가던 한 늙은이가 꽃을 꺾어 바치고 노래도 지어 함께 바침. |

납치담

| 수로 부인이 바다의 용에게 납치됨. | → | 한 늙은이의 방책에 따라 노래를 지어 부르니, 용이 바다에서 나와 수로 부인을 바침. |

전문

성덕왕 때에 순정공(純貞公)이 강릉 태수로 부임하다가, 바닷가에 이르러 점심을 먹었다. 곁
　신라 제33대 왕　　　　수로 부인의 남편
에는 석벽이 병풍처럼 바다를 둘렀는데, 높이가 천 길이나 되었다. 그 위에는 철쭉꽃이 활짝
바람벽같이 깎아지른 듯한 언덕의 바위
피어 있었는데, 공의 부인 수로(水路)가 그것을 보고 좌우에게 말했다.
　　　　Link 소재의 의미 ❶

"누가 저 꽃을 꺾어 바치겠느냐?"

종자가 말했다.
남에게 종속되어 따라다니는 사람
"사람의 발자취가 이를 수 없는 곳입니다."
　　　　철쭉꽃을 꺾어 오기가 어렵다는 말 - 노인의 정성을 부각시킴
모두들 할 수 없다고 사양했다. 마침 그 곁에 한 늙은이가 암소를 몰고 지나가다 부인의 말
　　　　　　　　　　　　　　　　　　　　　　　　　헌화가
을 듣고는, 그 꽃을 꺾었다. 그러고는 가사도 지어 함께 바쳤다. 그 늙은이는 어떤 사람인지
　　　수로 부인에 대한 노인의 정성을 알 수 있음　　　　Link 소재의 의미 ❶
알 수 없었다.
　　　　　　　　　　　　　　　　　　　▶수로 부인에게 꽃과 헌화가를 바친 한 늙은이

그 뒤 이틀 동안 길을 가다가 또 임해정(臨海亭)에서 점심을 먹었는데, **갑자기 바다의 용이**
　　　　　　　　　　　　　　　　　　　　　　　　　　　　Link 소재의 의미 ❷
부인을 납치해 바다로 들어갔다. 공이 땅바닥에 허둥지둥 발을 굴렀지만 아무런 계책도 없었
　　수로 부인이 겪는 고난
다. 그러자 또 한 늙은이가 나타나 말했다.
　　　　계책을 알려 주는 조력자
『"옛사람의 말에 '여러 사람의 입이 쇠를 녹인다'고 했습니다. 이제 **바닷속의 짐승이** 어찌 여
　　　　　　　　중구삭금(衆口鑠金). 말의 위력이 대단함　　　　　　　　용
러 사람의 입을 두려워하지 않겠습니까? **이 경내의 백성들을 모아 노래를 지어 부르면서 막**
　　　　　　　　　　　　　　　　　　　　　　　　　　　해가
대기로 언덕을 치면, 부인을 볼 수 있을 것입니다."』『 』: 수로 부인을 구할 수 있는 계책
　　　　　　　　　　　Link 소재의 의미 ❸
공이 그 말대로 했더니, 용이 부인을 모시고 바다에서 나와 바쳤다.
　　　　　　　　　　　　　　　▶바다 용에게 납치된 수로 부인을 노인의 계책으로 구함

공이 부인에게 바닷속의 일을 묻자 이렇게 대답했다.

『"칠보 궁전의 음식은 달고 부드러우며 향기롭고 조촐해서, 인간의
『　』:초현실적인 세계의 모습
음식과는 달랐습니다."』

이 부인의 옷에도 이상한 향내가 스며 있었는데, 세상에서 맡아 보
지 못한 것이었다. 수로는 자태와 용모가 뛰어났으므로, 깊은 산이
　　Link 소재의 의미 ❹　　　　　　경국지색(傾國之色)
나 큰 못을 지날 때마다 자주 신물(神物)에게 납치당했다. 여러 사람
　　　　　　　　　　　　　신령스럽고 기묘한 물건
이 부른 「해가(海歌)」는 사(詞)가 이렇다.
　　　　　　　　　　시문

Link

출제자 통 소재의 의미를 파악하라!

❶ 수로 부인에 대한 노인의 마음을 전달해 주
　는 매개체 두 가지는?
　철쭉꽃, 가사

❷ 수로 부인을 납치하는 부정적 대상은?
　바다의 용

❸ 노인이 수로 부인을 구하기 위해 내놓은 계
　책은?
　노래를 지어 부르고 막대기로 언덕을 침.

❹ 수로 부인이 초월적 세계인 바닷속을 다녀
　왔음을 보여 주는 것은?
　이상한 향내

거북아 거북아, 수로를 내놓아라.
_{수로 부인을 납치한 부정적 존재}
남의 부녀를 약탈했으니 그 죄가 얼마나 큰가.

네 만약 거역하고 내어 바치지 않으면
_{요구를 수용하지 않으면, 가정법}
그물을 넣어 사로잡아 구워서 먹으리라.
_{소원 성취를 위한 협박}

노인의 「헌화가(獻花歌)」는 이러했다.

자줏빛 바위 가에

잡고 있는 암소 놓게 하시고,
_{주체: 수로 부인}
나를 아니 부끄러워하시면
_{가정법}
꽃을 꺾어 바치오리다.
_{노인의 마음을 전달하는 매개체}

▶ 해가(海歌)와 헌화가(獻花歌)

178위

제48대 경문 대왕 | 작자 미상

성격 전기적 **시대** 신라 시대
주제 경문왕의 즉위 과정과 경문왕과 관련된 일화

설화

이 작품은 일연의 「삼국유사」에 실린 작품으로, 경문왕(응렴)이 왕위에 오르기까지의 과정을 서술하고 다양한 일화에 대해 다루고 있는 설화이다.

내용 전개 방식

발달
응렴은 화랑으로, 궁중 연회에 참석함.

전개
사방을 유람한 응렴의 이야기를 들은 헌안왕은 응렴을 사위 삼기로 함.

절정
응렴은 왕위에 오르고 뱀들과 어울려 지냄.

결말
응렴은 즉위한 후 귀가 당나귀 귀처럼 자라고, 이 비밀을 알고 있던 복두장은 죽을 때가 되어 대숲에서 그 비밀을 외침.

전문

경문 대왕(景文大王)의 휘는 응렴(膺廉)이고 열여덟 살에 국선(國仙)이 되었다. 약관의 나이
생전의 이름 *화랑* *20살*
가 되자 헌안 대왕(憲安大王)은 낭(郞)을 불러 궁중에서 연회를 베풀고 물었다.
화랑 응렴

"낭은 화랑이 되어 사방을 유람했는데 무슨 특별한 것이라도 보았는가?"

낭이 아뢰었다.

"신은 아름다운 행실을 가진 사람 셋을 보았습니다."

왕이 말했다.

"그 이야기를 들려주게."

낭이 말했다.

「다른 사람의 윗자리에 있을 만한데도 겸손하게 다른 사람의 아래에 앉아 있는 사람이 그 하
「 」: 응렴이 생각하는 아름다운 행실을 가진 사람(겸손한 사람, 검소한 사람, 위세를 펼치지 않는 사람)
나요, 세력 있고 부유한데도 의복이 검소한 사람이 그 둘이요, 본래 귀한 세력이 있는데도
위세를 펼치지 않는 사람이 그 셋입니다.」
Link 인물의 특징 ❶
왕이 이 말을 듣고 그가 어진 것을 알고는 자기도 모르게 눈물을 흘리며 말했다.
응렴의 됨됨이를 확인하고 감동함

"짐에게는 두 딸이 있는데 그대에게 시집보내 시중을 들게 하고자 한다."
응렴이 헌안 대왕의 마음에 들어 공주 중 한 명과 결혼할 기회를 얻음

낭은 자리를 피해 절하고 머리를 조아린 후 물러났다. 그리고 이 사실을 부모에게 말하니 부
모가 놀라고 기뻐하여 자제들을 모아 의논했다. ▶ 응렴이 생각하는 아름다운 행실을 가진 사람과 이에 감복한 헌안 대왕

"왕의 맏공주는 외모가 아주 보잘것없지만, 둘째는 매우 아름다우니 그녀에게 장가를 드는
외면적 가치(아름다운 모습)를 중요시하는 응렴의 부모
것이 좋겠다."

낭의 무리 중에 우두머리인 범교사(範敎師)란 자가 이 말을 듣고는 집으로 찾아와 낭에게 물
응렴의 조력자
었다.

"대왕께서 공주를 공에게 시집보낸다는 것이 사실이오?"

낭이 그렇다고 대답했다. 그러자 그가 물었다.

"그럼 둘 중에서 누구를 선택하겠소?"

낭이 말했다.

Link
출제자 톡톡 인물의 특징을 이해하라!

❶ 헌안 대왕과의 대화를 통해 엿볼 수 있는 응렴이 추구하는 삶은?
겸손하고 검소하면서도 위세를 펼치지 않는 삶을 추구함.

❷ 앞으로의 일을 내다보는 혜안을 지녀, 응렴이 왕위에 오르는 데 결정적인 역할을 하는 인물은?
범교사

"부모님께서는 나에게 동생을 선택하라고 명하셨소."

범교사가 말했다.

"낭이 만약 동생을 선택한다면 나는 반드시 낭의 눈앞에서 죽을 것이오. 하지만 맏공주에게
장가를 든다면 반드시 세 가지 좋은 일이 있을 것이니 잘 살펴 결정하시오."

"가르쳐 준 대로 하겠소."

얼마 후 왕이 날을 잡고 사람을 보내 낭에게 말했다.

"두 딸 가운데 누구를 선택할 것인지는 오직 공의 뜻에 따르겠다."

심부름 갔던 사람이 돌아와 낭의 뜻을 아뢰었다.

"맏공주를 받들겠다고 합니다."

그리고 석 달이 지나자 왕의 병이 위독해져 여러 신하들을 불러 말했다.

"짐에게는 아들이 없으니 죽은 뒤의 일은 맏딸의 남편인 응렴이 이어받도록 하라."

이튿날 왕이 죽자 낭은 유조(遺詔)를 받들어 즉위했다. 그러자 범교사가 왕에게 와서 아뢰었다.

"제가 아뢴 세 가지 좋은 일이 이제 모두 이루어졌습니다. 『맏공주를 선택하였기 때문에 지금
왕위에 오르신 것이 그 한 가지고, 이제 쉽게 아름다운 둘째 공주를 취할 수 있게 된 것이 그
두 가지며, 맏공주를 선택했기 때문에 왕과 부인이 매우 기뻐하신 것이 그 세 가지입니다.』

왕은 그 말을 고맙게 여겨 대덕(大德)이란 벼슬을 주고 금 130냥을 내렸다.

왕이 죽으니 시호를 경문(景文)이라 했다. 왕의 침전에는 매일 저녁 수많은 뱀들이 모여들었
는데, 대궐에서 알아보는 사람들이 놀라고 무서워 몰아내려 하니 왕이 말했다.

"나는 뱀이 없으면 편히 잠들 수가 없으니 몰아내지 마라."

그래서 매일 잠잘 때면 뱀이 혀를 내밀어 왕의 가슴을 덮었다.

왕은 즉위한 후 귀가 갑자기 당나귀 귀처럼 자랐다. 왕후와 궁인들은 모두 이 사실을 알지
못하고 오직 복두장 한 사람만 알고 있었다. 그러나 평생토록 다른 사람에게 말하지 않았다.

Link
출제자 특강 소재의 의미를 파악하라!
❶ 경문왕을 지켜 주는 역할을 상징적으로 드
러내는 소재는?
(수많은) 뱀들
❷ 남들 말을 듣지 않은 경문왕을 풍자하려는
의도로 만들어졌다고 여겨지는, 복두장이
평생 비밀로 했던 경문왕의 신체 비밀은?
당나귀 귀

어느 날 복두장이 죽을 때가 되자 도림사(道林寺) 대숲 가운데로 들
어가 사람이 없는 곳에서 대나무를 향해 외쳤다.

"우리 임금님 귀는 당나귀 귀다."

그 후 바람이 불면 대나무 숲에서 이런 소리가 났다.

"우리 임금님 귀는 당나귀 귀다."

1 인물의 특징

응렴(경문 대왕)	범교사
겸손함, 검소함, 위세를 펼치지 않은 삶을 가치 있게 여기는 인물	미래를 예측하는 혜안을 통해 응렴이 현명한 판단을 할 수 있도록 돕는 인물. 응렴이 왕위에 오르는 데 범교사의 조언이 결정적인 역할을 함.

2 소재의 의미

뱀	당나귀 귀
경문왕이 가까이 두고 의지하려는 존재를 나타냄. 왕의 신변을 보호해 주는 친위 세력, 화랑, 육두품을 가리킨다는 해석도 있음.	귀족들을 배척하고 화랑, 육두품만 중용하는 경문왕에 대한 비판적 의도를 드러내기 위해 만들어진 이야기라는 해석이 있음. 세계 문학에 두루 나타나는 화소로서, 문학의 보편성의 대표적인 사례임.

1 이 글에서 경문왕이 가까이 두면서 의지하는 존재라는 상징적 의미를 지닌 소재는?

2 범교사가 예언한 세 가지 좋은 일은?

3 응렴이 생각하는 아름다운 행실을 가진 사람은?

4 다음 내용 중 맞는 것은 ○표를, 틀린 것은 ×표를 하시오.

(1) 응렴은 왕이 되고자 하는 의지를 바탕으로 헌안왕의 질문에 답했다.
( )

(2) 응렴은 뱀을 가까이 두고 싶어하여 사람들이 뱀들을 몰아내지 못하게 하였다.
( )

(3) 복두장은 죽음이 가까워지자 경문왕의 귀가 '당나귀 귀'임을 사람들에게 알렸다.
( )

정답 **1**. 뱀 **2**. 왕위에 오름, 둘째 공주를 얻음, 왕과 부인이 기뻐함. **3**. 겸손한 사람, 검소한 사람, 위세를 펼치지 않는 사람 **4**. (1) × (2) ○ (3) ×

신라 진성 여왕 때 전설상의 명궁(名弓)으로 알려진 인물

거타지 설화 | 작자 미상

성격 전기적, 영웅적 **시대** 상고 시대
주제 거타지의 뛰어난 활 솜씨와 요물 퇴치

설화

이 작품은 『삼국유사』 기이편에 수록된 설화로서, 작품 속에 전개되는 영웅의 요물 퇴치와 인신 공희 등의 모티프가 후대의 다양한 작품에 영향을 주었다.

내용 전개 방식

발단	전개	절정	결말
진성 여왕의 막내아들인 아찬 양패가 당나라에 사신으로 가는데, 거타지도 궁수로 뽑혀 따라감.	사신 일행은 곡도에서 풍랑을 만나고 양패는 꿈에 나타난 노인의 말에 따라 제비를 뽑아 거타지를 섬에 남김.	거타지는 서해 신의 부탁에 따라 중을 쏘아 죽이고 보답으로 노인의 딸을 꽃가지의 형태로 얻게 됨.	두 마리 용이 거타지를 받들고 사신 일행의 배를 호위하여 당나라 황제의 환대를 받고, 거타지는 서해 신의 딸과 행복하게 삶.

핵심장면

배가 곡도(鵠島)에 닿으니 풍랑이 크게 일어났으므로 열흘 이상이나 묵게 되었다. 양패공(良
貝公)은 이를 근심하여 사람을 시켜 이 일을 점치게 했다.

"섬에 신지(神池)가 있으니 그곳에 제사 지내는 것이 좋겠습니다."

이에 못 위에서 제물을 차려 놓으니 못물이 한 길 남짓이나 높이 치솟았다. 그날 밤 꿈에 한
노인이 나타나 공에게 말했다.

"활 잘 쏘는 사람 하나를 이 섬 안에 남겨 두면 순풍을 얻을 수 있을 것입니다."

공은 꿈을 깨어 그 일을 좌우 사람들에게 물었다.

"누구를 남겨 두면 좋겠는가?"

여러 사람들이 대답했다.

"나뭇조각 50쪽에 저희 궁수들 이름을 각각 써서 물속에 가라앉게 함으로써 제비를 뽑아야
할 것입니다."

공은 그 말에 따랐다. 궁수 중에 거타지란 사람이 있었는데, 그의 이름이 물속에 가라앉았
다. 그를 남겨 두니 순풍이 문득 일어나 배는 지체 없이 잘 갔다. ▶풍랑을 진정시키기 위해 섬에 남게 된 거타지

거타지가 근심에 잠겨 섬에 서 있으니 갑자기 한 노인이 못 속으로부터 나와 말했다.

"나는 서쪽 바다의 신이오. 『매양 한 중이 해 뜰 때면 하늘에서 내려와 다라니 주문을 외우고
이 못을 세 번 돌면 우리 부부와 자손들이 모두 물 위에 뜨게 되는데, 중은 내 자손의 간장을
빼 먹곤 하오.』 이제 우리 부부와 딸 하나만 남았소. 내일 아침에 또 반드시 올 것이니 그대는
중을 활로 쏘아 주시오."

Link
출제자 팁 작품 속 인물을 파악하라!

❶ 양패공의 근심을 해결하는 방법을 제시하는 인물은?
꿈속 노인

❷ 거타지가 섬에 남아 노인에게 부탁받은 역할은?
해 뜰 때 나타나는 중을 활로 쏘는 역할

❸ 이 설화에서 '악(惡)'을 상징하는 인물은?
중으로 둔갑한 늙은 여우

"활 쏘는 일은 저의 장기(長技)니 명령을 받들겠습니다."

노인은 그에게 고맙다 하고는 물속으로 들어갔다. 거타지는 숨어
서 기다렸다. 이튿날 동쪽에서 해가 뜨니 과연 중이 와서 그전처럼
주문을 외우면서 늙은 용의 간을 빼려 했다. 이때 거타지가 활을 쏘
아 중을 맞히니 중은 즉시 늙은 여우가 되어 땅에 떨어져 죽었다. 이

에 노인이 물속에서 나와 치사했다.　　　　　　▶노인의 부탁으로 중(늙은 여우)을 제거한 거타지
　　　　　　　고맙고 감사하다는 뜻을 표시함
"공의 덕택으로 생명을 보전하게 되었으니 내 딸을 공에게 아내로 드리겠소."
　　　　　　　　　　　　　　　　　　　　은혜에 보답하기 위한 제안
"저에게 따님을 주시고 저버리지 않으시니 원하던 바입니다."

노인은 그 딸을 한 송이 꽃으로 변하게 하여 거타지의 품속에 넣어 주고 이내 두 용을 시켜
　　　　　　　　　　　　　　　　　　　　비현실적 사건
거타지를 받들고 사신의 배를 따라가서 그 배를 호위하여 당나라 지경에 들어가게 했다. 당나
라 사람은 신라의 배를 두 용이 받들고 있음을 보고 사실대로 황제에게 아뢰었다. 황제는 말
했다.

"신라의 사신은 정녕코 비상한 사람이다."
　　　사신의 배를 두 용이 받들고 있음을 보고 판단함
　그리고 잔치를 베풀어 여러 신하들의 윗자리에 앉히고 금과 비단을 후히 주었다. 고국에 돌
　　　　　　　　　　　　　　　　신라의 사신을 후하게 대접함
아오자 거타지는 꽃가지를 내어 여자로 변하게 한 다음 함께 살았다.
　　　　　　　　　　　　　　　　　　▶당나라의 환대를 받은 후, 노인의 딸과 함께 살게 된 거타지

최우선 　출제 포인트!

１ 작품 속 등장인물

노인 (서쪽 바다의 신)	항해에 개입하여 거타지를 섬에 남기게 하는 신이한 능력을 지니고 있으나 중(늙은 여우)과 맞서 싸우지 못하는 면모도 지니고 있음. → 신라 말기의 시대 상황과 연결하여 통치력을 상실해 가는 중앙 정부를 상징하는 것으로 보기도 함.
중(늙은 여우)	늙은 여우가 둔갑한 요물로 악(惡)을 상징하며, 해가 뜰 때 노인의 일족이 사는 연못으로 내려와 간을 빼앗아 먹음. → 신라 말기의 시대 상황과 연결하여 중앙 정부와 대립하는 지방의 반란 세력이나 군도를 상징하는 것으로 보기도 함.
거타지	뛰어난 활 솜씨를 지닌 영웅적 인물로 선을 돕고 악을 퇴치함.

２ 작품에 내재된 모티프

• 영웅이 요물을 퇴치하고 용을 구출하는 모티프는 「작제건 설화」와 유사하다.
• 거타지가 궁수 중에서 뽑혀서 섬에 남게 되는 것은 인신 공희 모티프와 관계가 있다.
• 용녀가 꽃으로 변하여 거타지 품 속에 들어 있다가 처녀로 다시 변한다는 것은 「심청전」에서 심청이 연꽃에서 나와 황후가 되는 내용과 유사하다.

최우선 　핵심 Check!

1 다음 빈칸에 들어갈 알맞은 인물을 찾아 쓰시오.

중	노인	거타지

(1) (　　　)은/는 사신의 항해에 개입할 정도로 신이한 능력을 지니고 있지만, 악에는 대응하지 못하는 면모를 보이고 있다.
(2) (　　　)은/는 늙은 여우가 둔갑한 요물로, 악을 상징하는 존재라 할 수 있다.
(3) (　　　)은/는 선을 돕고 악을 퇴치하는 영웅적인 면모를 지니고 있다.

2 다음 내용 중 맞는 것은 ○표를, 틀린 것은 ×표를 하시오.

(1) 현실적인 사건과 비현실적인 사건이 뒤섞여 전개되고 있다. (　　　)
(2) 서해 신은 거타지가 자신의 부탁을 들어줄 것이라는 점에 대해 의구심을 드러내고 있다. (　　　)
(3) 용왕은 거타지에 대한 답례로 자신의 딸을 주고 있다. (　　　)
(4) 당나라 황제는 신라 사신의 배를 두 용이 받들고 있음을 보고 신라의 사신을 환대하고 있다. (　　　)

정답 1. (1) 노인 (2) 중 (3) 거타지 2. (1) ○ (2) × (3) ○ (4) ○

소금을 바꾸어 곡식을 삼

무염판속설 | 홍성민

성격 자조적, 한탄적, 성찰적 **시대** 조선 시대
주제 유배 생활의 경제적 곤란함과 이를 면하기
위해 장사를 한 것에 대한 부끄러움

수필

이 작품은 글쓴이가 함경도 부령에 유배되었을 때 지은 작품으로, 장사꾼 노릇에 대한 부끄러움과 농민으로 살고 싶은 소망을 서술한 수필이다.

출제 우선 작품

내용 전개 방식

기
유배를 와서 소금과 곡식을 매매해 연명함.

서
선비의 신분으로 장사를 한 자신에 대해 부끄러움과 안타까움을 느낌.

결
유배 생활에서 풀려나 농사를 짓기를 소망함.

핵심장면

부령에 유배 온 지 몇 달 만에 돈이 다 떨어져 먹을 것이 없었다. 주민에게 의논했더니 이렇
게 일러 주었다. 〔유배지에서의 곤궁한 처지〕

『바닷가는 곡식이 비싸고 소금이 싼데, 오랑캐 땅은 곡식이 많고 소금이 부족합니다. <u>바닷가
에서 소금을 사서 오랑캐에게 팔고 곡식을 산다면</u> 그 값이 원래 곡식의 몇 배나 될 것이니,
입에 풀칠할 수 있을 것입니다. 걱정하지 마십시오.』 〔곤궁한 처지를 벗어날 방법을 알려 주는 주민 / 물물 교환 / Link 작품의 내용 ❶〕
❯ 경제적 곤란을 해결하기 위해 장사를 권유하는 주민

처음에 이 말을 듣고서 이것은 장사꾼이 하는 일이니 나는 차마 할 수 없다고 한참 동안 주
저했다. 〔사대부로서의 체면을 중시하는 글쓴이〕 배에서 소리가 나고 아이종이 성을 내었다. 잠시나마 죽지 않기 위해 그 방법대로 하
려니 얼굴이 붉어지고 마음이 편치 않았다. 〔심리를 간접적으로 제시 / 심리를 직접적으로 제시 / 상전인 글쓴이에게 굶주림으로 무례한 행동을 보임〕 『그리하여 아이종을 시켜 몇 말 곡식을 가지고 구
십 리 떨어진 바닷가에 가서 소금을 사 오게 하니, 소금이 열 말 정도 생겼다. 이 소금을 말에
〔유배지의 지리적 위치를 가늠할 수 있음 ① / 주민의 말에 따라 '나'가 장사를 하는 모습이 드러남〕
신고 백이십 리 떨어진 북관(北關)으로 가서 곡식을 사 오라 하자, 곡식이 스무 말 정도 생겼
〔유배지의 지리적 위치를 가늠할 수 있음 ②〕
다.』 길을 오가며 사고팔 때마다 반달이 걸리므로 내 말이 지치고 내 아이종도 지쳤지만 내 배
는 굶주리지 않았다. 〈중략〉 〔장사를 통해 먹고 살 수 있게 되었기 때문〕
❯ 유배를 와서 소금과 곡식을 매매해 연명함

불을 때서 밥을 짓고 숟가락으로 떠서 입에 넣으니 알알이 모두 맛이 있었다. 굶주린 배를
〔굶주린 상태였기 때문에〕
채우고 뼈만 남은 몸에 살이 붙자 화기애애하게 기뻐하며 머리를 맞대고 축하했다.

"이렇게 장사를 하지 않았다면 우리는 <u>구덩이에 뒹구는 신세</u>가 되었을 것이다. 이제는 변방
〔굶어 죽는 신세〕
의 굶주린 귀신이 되지 않을 것이다." ❯ 장사를 통해 경제적 곤란함을 극복함
〔장사에 집중하겠다는 의미 → 장사에 대한 글쓴이의 태도 변화〕

Link

출제자 톡 작품의 내용을 파악하라!

❶ 글쓴이에게 주민이 알려 준 곤궁을 벗어나
는 방법은?
바닷가에서 소금을 사서 오랑캐의 곡식과
바꾸는 장사를 해야 함.

❷ 글쓴이가 나이가 든 현재와 달리 젊었을 때
추구한 것은?
도를 추구함.

❸ 글쓴이가 유배지에서 풀려나 하고 싶어 하
는 일은?
농사를 짓고자 함.

❹ 유배지에서 풀려나 농사를 지으려는 글쓴이
의 생각이 어리석음을 드러내기 위해 제시
한 고사 속 인물은?
소공

『처음에는 장사를 하는 것이 부끄러웠고, 중간에는 장사를 하느라
〔처지에 따라 변하는 글쓴이의 심리 제시〕
마음을 쓰고, 끝내는 먹을 것을 얻어 다행으로 여겼다. 얻으면 살고
얻지 못하면 죽는다는 생각에 밤낮으로 약간의 쌀이나마 얻기를 바
라며 오직 장사를 잘하지 못할까 걱정했다.』 마음에 담은 것은 오직
〔다시 생계를 걱정하게 될까 봐〕
이 일뿐이었다. 목숨을 건지기에 급급하여 수치를 아는 본심은 죄다
〔장사〕
잃어버리고, 시간이 지나자 습관이 되어 마침내 딴사람이 되고 말았
〔사대부의 위신보다는 장사를 통해 굶주림을 모면하는 것이 우선인 사람이 되었음〕
다. 『때때로 웃으며 고개를 끄덕이다가도 다 웃고 나면 불쌍하고 안
타까웠다.』 〔장사를 하는 글쓴이의 복잡한 심리 상태〕
❯ 장사에 대한 글쓴이의 태도 변화와 그에 대한 안타까움

천지 사이에 사는 백성은 오직 사농상고(士農商賈) 넷뿐이다. 나는 젊었을 적 성현의 책을
읽으며 오직 도를 추구했다. 옛일이 아니면 감히 하지 않았으니, 이것이 사(士)이다. 늙어서는
먹고사는 일이 빌미가 되어 오로지 먹을 것을 추구했다. 장사가 아니면 할 일이 없었으니 이
것이 상(商)이고 고(賈)이다. 이 몸이 경험하지 못한 것은 농(農)뿐이다. 농부는 땅을 지키며
김매기를 일삼아 실컷 먹고 배를 두드리며 즐겁게 생업에 종사하는 자이다. 백발의 늙은이가
태평성대에 죄를 짓고 변방에 유배되어 갇히는 신세가 되었으니, 한 걸음도 나갈 수가 없다.
비록 농부가 되고자 한들 될 수 있겠는가.
➤ 농사 지을 것을 소망하는 글쓴이

『옛날의 선비는 경전과 역사책을 인용하여 도덕과 이치를 이야기했다. 성인의 무리를 배운다
는 생각으로 임금을 성군으로 만들고 백성에게 은택을 베풀어 차츰 삼대(三代) 이전의 세상으
로 만들고자 했다. 장사꾼에게 침을 뱉고 농부를 멸시하며, 감히 입에 올리지도 않고 천지 차
이로 여겼다.』『지금은 장사를 하면서도 달게 여기고, 농부로 말하자면 감히 바랄 수도 없다.』사
람이 이 세상을 살면서 푸른 하늘에 오르는 것도, 구덩이에 떨어지는 것도 잠깐 사이에 벌어
지는 일이다. 몸이 굴복하면 마음도 굴복하는 법, 이 몸으로 장사를 일삼으니 내가 부끄럽고
내가 우습고 내가 불쌍하고 내가 안타까웠다.
➤ 장사를 한 것에 대한 부끄러움과 자기 연민

내가 생각하며 바라는 점은 이것이다. 성상의 도량이 하늘과 같으니, 만약 개미처럼 미천한
내가 시골의 농부가 되는 것을 허락해 주신다면, 손에 쟁기를 들고 밭 갈기를 일삼아 위로는
제사를 지내고 다음으로 조세를 바치며 아래로 연명할 수 있을 것이다. 그렇다면 미천한 내가
살 곳을 얻어 태평성대에 성상의 덕을 칭송하는 사람이 될 것이다.

아, 소공(김公)이 농사를 강조한 것은 치세(治世)에 공을 이룬 뒤의 일이었다. 나는 유배되어
있으면서 이런 생각을 했으니, 이 또한 몹시 어리석은 짓이다. 그리하여 혀를 차며 이 글을 짓
는다.
➤ 유배 생활에서 풀려나 농사 짓기를 소망함

'따르며 살리라.'라는 의미

181위 수려기(搜廬記) | 이용휴

성격 교훈적, 설득적 **시대** 조선 후기
주제 이치에 따라 삶을 살아가는 자세

수필

'수려(搜廬)'라는 이름을 붙인 집에 대한 글로, 마음에 거리낌이 없이 이치에 따르는 삶의 자세에 관한 생각을 드러내고 있는 수필이다.

내용 전개

기	승	전	결
사람은 아무것도 따르지 않은 채 살 수 없음.	각 시대와 지역에 따라 따름의 대상이 다른 경우도 사실은 더 큰 법칙과 도리를 따르는 것임.	소신을 지켜 일반적인 흐름을 따르지 않은 예도 있으나 성인도 대세를 따랐던 예가 있음.	마음에 거리낌이 없는 이치를 따르는 삶의 태도로 살아야 함.

전문

풀은 바람이 동쪽으로 불면 동쪽으로 향하고 바람이 서쪽으로 불면 서쪽으로 향한다. 다들
 자연의 이치에 순응함
바람 부는 대로 쏠리는데 굳이 따르기를 피하려 할 이유가 있겠는가? 내가 걸으면 그림자가
내 몸을 따르고 내가 외치면 메아리가 내 소리를 따른다. 그림자와 메아리는 내가 있기에 생
부수적인 것   본질적인 것
겨난 것이니 따르기를 피할 수 있겠는가? 아무것도 따르지 않은 채 혼자 가만히 앉아서 한평
생을 마칠 수 있을까? 그럴 수는 없는 법이다.
▶ 사람은 아무것도 따르지 않은 채 혼자 살 수 없음

『어째서 상고 시대의 의관을 따르지 않고 오늘날의 복식을 따르며, 중국의 언어를 따르지 않
『 』: 시대와 지역에 따라 따름의 대상이 다른 이유
고 각기 자기 나라의 발음을 따르는 것일까?』이는 수많은 별들이 각자의 경로대로 움직이며
시대와 지역에 따라 따름이 동일하지 않은 모습을 빗댐
하늘의 법칙을 따르고, 온갖 냇물이 각자의 모양대로 흐르며 땅의 법칙을 따르는 것과 같은
자연의 이치, 각 시대와 지역을 포괄하는 일반적인 흐름
도리이다.
▶ 일정한 법칙에 따르는 도리의 당위성

물론 일반적인 추세를 따르지 않고 자신의 천성과 사명을 견지하는 경우도 있다. 〈중략〉 그
굳게 지키는
렇지만 『우임금도 방문하는 나라의 풍속에 따라 일시적으로 자신의 복식을 바꾸셨고, 공자도
『 』: 우임금과 공자의 예를 들어 관습을 전혀 따르지 않고 살 수 없음을 강조함
사냥한 짐승을 서로 비교하는 노나라 관례를 따르시지 않았던가!』성인(聖人)도 모두가 함께하
일반적인 추세, 관습
는 부분을 위배할 수는 없었던 것이다.
▶ 성인도 일반적 흐름을 따름

『그렇다면 많은 사람이 하는 대로 따르기만 하면 되는 것인가? 아니다! 이치를 따라야 한다.
『 』: 자문자답을 반복하여 좀 더 효과적으로 주제에 접근하게 함
이치는 어디에 있는가? 마음에 있다.』무슨 일이든지 반드시 자기 마음에 물어보라. 마음에 거
리낌이 없으면 이치가 허락한 것이요, 마음에 거리낌이 있으면 이치가 허락하지 않은 것이다.
이렇게만 한다면 무엇을 따르든 모두 올바르고 하늘의 법칙에 절로 부합할 것이며, 어떤 상황에
세상을 주도하는 올바른 이치
서든 마음만 따르다 보면 운명과 귀신도 모두 그 뒤를 따르게 될 것이다.
거리낌이 없는 마음
▶ 마음에 거리낌이 없는 이치를 따라 살아가는 자세

최우선 출제 포인트!

1 전개상 특징
• 질문하고 답하는 형식으로 내용을 전개하고 있다.
• 자연 현상을 통해 인간의 삶의 모습을 이끌어 내고 있다.
• 성인의 사례를 들어 '따름'의 삶을 사는 자세의 중요성을 강조하고 있다.

최우선 핵심 Check!

1 글쓴이의 가치관을 고려하여 빈칸에 들어갈 알맞은 말을 쓰시오.

( )에 거리낌이 없는 이치를 → 하늘의 법칙에 부합하고
따라 살아야 함. 운명과 귀신도 뒤를 따름.

 1. 마음

182위 통곡의 집

통곡헌기(慟哭軒記) | 허균

성격 비판적, 교훈적, 우의적 **시대** 조선 중기
주제 '통곡헌'의 내력과 부정적 시대에 대한 비판

수필

이 글은 '통곡헌'이라는 이름을 갖게 된 집의 내력을 밝힘으로써, 시대에 대한 비판적 인식과 성찰을 드러내고 있는 고전 수필이다.

내용 전개 방식

기
허친이 집을 짓고 '통곡헌'이라 이름 짓자 사람들이 비웃으면서 그 이유를 물음.

승
허친이 집 이름을 '통곡헌'이라 이름 붙인 이유를 설명함.

전
허친을 비웃던 사람들에게 허균이 충고를 함.

결
사람들과의 대화를 글로 정리한 이유를 밝힘.

전문

★★ 중심 소재

내 조카 허친(許親)이 집을 짓고서는 통곡헌(慟哭軒)이란 이름의 편액을 내다 걸었다. 그러
_{허균} _{'통곡의 집'이라는 의미} _{그림을 그리거나 글씨를 써서 방 안이나 문 위에 걸어 놓는 액자}
자 모든 사람들이 크게 비웃으며 말했다.
_{일상적, 세속적, 통념적인 사람들}
"세상에 즐거울 일이 얼마나 많은데 무엇 때문에 곡(哭)이란 이름을 내세워 집에 편액을 삼
_{크게 소리 내어 욺. 또는 그런 울음}
는단 말이오? 게다가 곡하는 이란 상(喪)을 당한 자식이나 버림받은 여인인 것이며, 세상 사
└ ┘ 곡에 대한 사람들의 일반적인 생각
람들은 그 곡소리를 몹시 듣기 싫어하는데, 자네가 남들은 기필코 꺼리는 것을 일부러 가져
Link 인물의 태도 ❶ _{'통곡헌'이라는 이름을 붙인 것에 대한 의문}
다가 집에 걸어 두는 이유가 대체 무엇인가?"
▶ '통곡헌'이란 편액을 붙인 이유를 허친에게 물음

그러자 허친이 이렇게 대꾸하였다.

「저는 이 시대가 즐기는 것은 등지고, 세상이 좋아하는 것은 거부합니다. 이 시대가 환락을
└ ┘ '통곡헌'이라는 이름을 지은 이유 – 통념과 반대되는 가치관을 드러냄
즐기므로 저는 비애를 좋아하며, 이 세상이 우쭐대고 기분 내기를 좋아하므로 저는 울적하
게 지내렵니다. 세상에서 좋아하는 부귀나 영예를 저는 더러운 물건인 양 버립니다. 오직 비
천함과 가난, 곤궁과 궁핍이 존재하는 곳을 찾아가 살고 싶고, 하는 일마다 반드시 이 세상
_{세속에 대한 거부, 시대의 문제에 대한 저항}
과 배치되고자 합니다. 세상에서 제일 미워하는 것은 언제나 곡하는 행위입니다. 이것을 능
_{반대로}
가하는 일은 없습니다. 그래서 저는 곡이란 이름을 내세워 제집의 이름으로 삼았습니다."
Link 인물의 태도 ❷ _{자기의 집}
▶ 허친이 '통곡헌'이란 편액을 단 이유

그 사연을 듣고서 나는 조카를 비웃은 많은 사람들을 준엄하게 꾸짖었다.
_{'통곡의 도'를 이야기하는 '나'}
"곡하는 것에도 도(道)가 있다. 인간의 일곱 가지 정[七情] 가운데 슬픔보다 감동을 일으키기
_{기쁨(喜), 노여움(怒), 슬픔(哀), 즐거움(樂), 사랑(愛), 미움(惡), 욕심(欲)의 감정}
쉬운 것은 없다. 슬픔에 이르면 반드시 곡을 하기 마련인데, 그 슬픔을 자아내는 사연도 복잡
_{그 당시에 일어난 여러 가지 사회적 사건} _{일이 얽히고설켜 갈피를 잡기 어려움}
다단하다. 「그렇기 때문에 시사(時事)가 어떻게 해 볼 도리가 없이 진행되는 것을 가슴 아프
_{중국 전한 때 정치가이자 문인. 당시 정세를 분석하여 통곡할 일과 눈물지을 일, 한숨 쉴 일 등을 따져서 올린 상소문이 전함}
게 생각하여 통곡한 가의가 있었고, 하얀 비단실이 본바탕을 잃고 다른 색깔로 변하는 것
_{묵자. 중국 춘추 전국 시대 노나라의 사상가·철학자} _{사람들이 세상의 악한 풍습에 물들지 않도록 경계함}
을 슬퍼하여 통곡한 묵적이 있었으며, 갈림길이 동쪽·서쪽으로 나 있는 것을 싫어하여 통곡
_{길이 있든 없든 마구 달리다가 길이 막히면 대성통곡하고 돌아왔다고 함}
한 양주가 있었다. 또 막다른 길에 봉착하게 되어 통곡한 완적이 있

Link
출제자 인물의 태도를 파악하라!

❶ '곡'에 대한 일반 사람들의 생각은?
상을 당한 자식이나 버림받은 여인이 하는 행위로 세상 사람들은 곡소리를 매우 듣기 싫어함.

❷ 허친이 추구한다고 말한 것은?
비애, 울적한 나날, 비천함과 가난, 곤궁과 궁핍

었으며, 좋은 시대와 좋은 운명을 만나지 못해 스스로 인간 세상 밖
_{올바른 도리를 행하려고 우는 사람의 예(통곡의 도를 추구함)}
에 버려진 신세가 되어, 통곡하는 행위로써 자신의 뜻을 드러내 보
_{과거에 급제하여 출사하지 못함을 슬퍼했으며, 슬픈 시문을 보면 반드시 곡을 했다고 함}
인 당구가 있었다.」 저 여러 군자들은 모두가 깊은 생각이 있어서
_{가의, 묵적, 양주, 완적, 당구} _{단순히 우는 게 아니라 어떤 깊은 도를 가지고 통곡했다는 의미}
통곡했을 뿐, 「이별에 마음이 상해서나 남에게 굴욕을 느껴 가슴을
└ ┘ 고사의 인물들이 사사로운 감정으로 인해 운 것이 아님을 말함

부여안은 채, 아녀자가 하는 통곡을 좀스럽게 흉내 내지 않았다.」 ▶시대의 아픔을 맞아 절실하게 통곡한 군자들
　　　　　　　　　　　　　　　시대 문제에 대한 부정적 인식

　저 여러 군자들이 처한 시대와 비교할 때, 오늘날은 훨씬 더 말세에 가깝다. 「국가의 일은
　　　　　　　　　　비교　　　　　　　　　　　　　　　　　　　　　　『 』: 부정적인 상황의 구체적인 예를 열거

날이 갈수록 그릇되어 가고, 선비의 행실은 날이 갈수록 허위에 젖어 들며, 친구들끼리 등을

돌리고 저만의 이익을 추구하는 배신행위는 길이 갈라져 분리됨보다 훨씬 심하다. 또 현명
　　당시 남인과 서인으로 당파 싸움이 있던 시기에 살았던 글쓴이의 삶이 반영됨

한 선비들이 곤액을 당하는 상황이 막다른 길에 봉착한 처지보다 심하다. 그러므로 모두들
충신들이 간신의 모함으로 유배 보내지는 현실 상황을 반영함　　　　　Link 인물의 의도 ❶

인간 세상 밖으로 숨어 버리려는 계획을 짜낸다.」만약 저 여러 군자들이 이 시대를 직접 본
　　　　　　　　　　　　　　　　　　　　　　　　전국 시대의 시인. 간신의 모함에 강에 뛰어들어 자살함

다면 어떠한 생각을 품을지 모르겠다. 아무래도 통곡할 겨를도 없이, 모두들 팽함이나 굴원
　　　　　　　　　　　　　　　　　　　　　　　은나라의 충신. 임금에게 직간했지만 듣지 않자 스스로 물에 빠져 죽음

이 그랬듯 바위를 가슴에 안고 물에 몸을 던지려 하지나 않을까?

　　　　　　　　허친이, 통곡한다는 이름의 편액을 내건 까닭이 여기에 있을 것이

다. 그러니 너희들은 통곡이란 편액을 비웃지 않는 게 좋을 것이다."
　　　　　　　　　　　　　　　　　　　　　　　▶'통곡헌'이란 이름을 지은 데 대한 부연 설명

내 말을 듣고 비웃던 자들이 "잘 알았습니다." 하며 물러났다. 「오
　　　　　　　　　　　　　　'통곡헌'의 의미를 이해하고 태도가 바뀜

간 대화를 정리하여 글로 써서, 뭇 사람들이 의아하게 생각하는 심

정을 풀어 주고자 한다.」「 」: 대화를 글로 옮긴 이유　　　　　▶이 글을 쓴 이유
　　　　　Link 인물의 의도 ❷

Link

출제자 톡❶ 인물의 의도를 파악하라!

❶ 글쓴이가 부정적인 상황의 구체적인 예들을
열거한 이유는?
훨씬 더 말세에 가까운 오늘날을 드러내고
자 함.

❷ 글쓴이가 오간 대화를 글로 정리한 이유는?
세상 사람들이 '통곡헌'이란 편액을 붙인 의
미를 의아하게 생각하므로 그 뜻을 밝히기
위함.

최우선 출제 포인트!

1 '통곡'에 대한 견해 차이

세상 사람들의 생각(통념)		허균과 허친의 생각
• 곡은 상을 당한 자식이나 버림받은 여인이 하는 행위임. • 그 소리는 사람들이 꺼리는 것임.	↔	• 세상이 잘못된 데 대한 비판과 통한을 표현하는 행위임. • 잘못된 세상을 따르지 않으려는 의지임.

2 서로 대비되는 대상과 그 의미

• 허친과 세상 사람들이 추구하는 것

허친이 추구하는 것 (이 시대의 문제)		이 시대 세상이 추구하는 것
비애, 울적한 나날, 비천함과 가난, 곤궁과 궁핍	↔	비애, 울적한 나날, 비천함과 가난, 곤궁과 궁핍
↓		↓
시대의 문제를 피하지 않음.		세속적 속된 욕망

• 글쓴이가 언급한 인물들의 통곡과 아녀자들의 통곡

가의, 묵적, 양주, 완적, 당구의 통곡	≠	아녀자의 통곡
↓		↓
세상이 잘못된 데 대한 비판과 통한의 표현		이별이나 굴욕 등 소소한 감정의 표현

3 '허친'과 글쓴이의 태도

허친과 글쓴이가 인식하는 현실의 모습	→	국가의 일은 그릇되어 가고, 선비의 행실은 허위에 젖어 들며, 친구끼리 등을 돌리는 배신이 횡행하고, 현명한 선비들이 곤액을 당함. → 말세에 가까움.
↓		
허친과 글쓴이가 현실에 대해 취하는 태도	→	세상 사람들이 행하는 것과 반대되는 것을 추구함으로써 시대에 대한 울분을 표출하고 스스로를 경계하고자 함.

최우선 핵심 Check!

1 다음 내용 중 맞는 것은 ○표를, 틀린 것은 ×표를 하시오.

(1) '허친'은 세상 사람들의 기쁨에 대해 정서적 측면에서 공감하고 있다.
　　　　　　　　　　　　　　　　　　　　　(　)

(2) 글의 마지막 부분에 글을 쓴 동기를 밝히고 있다.
　　　　　　　　　　　　　　　　　　　　　(　)

(3) '나'는 '오늘날'을 '저 여러 군자들이 처한 시대'보다 문제시하는 관점을
드러내고 있다.
　　　　　　　　　　　　　　　　　　　　　(　)

2 초성 힌트를 보고 빈칸에 들어갈 알맞은 말을 쓰시오.

(1) 이 글의 전체 내용을 이끌어 가는 소재는 'ㅌㄱㅎ'이다.

(2) 통념에 대한 역설적 인식을 바탕으로 세태에 대한 ㅂㅍㅈ 인 태도를
드러내고 있다.

정답 1. (1) × (2) ○ (3) ○ 2. (1) 통곡헌 (2) 비판적

규중칠우쟁론기(閨中七友爭論記) | 작자 미상

바느질에 사용되는 '자, 가위, 바늘, 실, 인두, 다리미, 골무의 일곱 벗'을 가리킴

성격 교훈적, 우화적, 논쟁적
시대 조선 후기
주제 공치사만 일삼는 이기적인 세태의 풍자

이 글은 규중 부인의 바느질 도구들을 의인화하여 인간 세태를 우회적으로 풍자한 내간체 수필이다.

내용 전개 방식

기	승	전	결
규중 칠우를 소개함.	규중 칠우가 서로의 공치사를 늘어놓음.	규중 칠우가 규중 부인을 원망함.	감토 할미가 사과하여 규중 부인의 용서를 받음.

전문

★★ 중심 소재 / 자, 가위, 바늘, 실, 골무, 인두, 다리미를 의인화함 / 선비

이른바 규중 칠우(閨中七友)는 부인네 방 가온데 일곱 벗이니 글하는 선배는 필묵(筆墨)과
부녀자가 거처하는 곳 / 규중 칠우의 정의 / 붓, 먹, 종이, 벼루 – 문방사우

조희 벼루로 문방사우(文房四友)를 삼았나니 규중 녀잰들 홀로 어찌 벗이 없으리오.
여자인들

이러므로 침선(針線)의 돕는 유를 각각 명호를 정하여 벗을 삼을새, 바늘로 세요 각시(細腰
바느질 / 이름 / 허리가 가는 각시(생김새)

閣氏)라 하고, 침척을 척 부인(尺夫人)이라 하고, 가위로 교두 각시(交頭閣氏)라 하고, 인도로
바느질 자 / 자 척(尺) / 머리가 교차하는 각시(생김새) / 인두

인화 부인(引火夫人)이라 하고, 달우리로 울 낭자(娘子)라 하고, 실로 청홍흑백 각시(靑紅黑
불이 옮아 붙은 부인(쓰임새) / 다리미 다릴 울(熨) / 실의 다양한 색깔(색상)

白閣氏)라 하며, 골모로 감토 할미라 하여, 칠우를 삼아 규중 부인네 아침 소세를 마치매 칠위
골무 / 감투를 쓴 할미(생김새) / 세수 / 칠우가

일제히 모혀 종시하기를 한가지로 의논하여 각각 소임을 일워 내는지라. ▶규중 부인과 칠우의 관계 및 소개
맡은 바 직책이나 임무 / 이루어

일일(一日)은 칠위 모혀 침선의 공을 의논하더니 척 부인이 긴 허리를 자히며 이르되,
하루는 / 자며, 자랑하며

"제우(諸友)는 들으라. 나는 세명지 굵은 명지 백저포(白紵布) 세승포(細升布)와, 청홍 녹라
모든 친구 / 가는 명주, 굵은 명주 / 흰무명 / 실이 가는 베

(靑紅綠羅) 자라(紫羅) 홍단(紅緞)을 다 내어 펼쳐 놓고 남녀의(男女衣)를 마련할새, 장단 광
비단의 종류 / 남자 옷과 여자 옷 / 마름질할 때

협(長短廣狹)이며 수품 제도(手品制度)를 나 곧 아니면 어찌 일우리오. 이러므로 작의지공(作
길고 짧고 넓고 좁음 / 솜씨와 격식 / 옷을 만드는 공. 칠우의 핵심 논쟁

衣之功)이 내 으뜸 되리라." 「 」: 척 부인의 자기 자랑

교두 각시 양각(兩脚)을 빨리 놀려 내달아 이르되, 「 」: 교두 각시가 자신의 공을 내세우려고 바르게 달려 나오는 모습을 풍자함
가위 / 두 다리(가윗날)

"척 부인아, 그대 아모리 마련을 잘한들 버혀 내지 아니하면 모양 제되 되겠느냐. 내 공과 내
마름질 / 베어 / 제대로

덕이니 네 공만 자랑 마라." 「 」: 교두 각시의 자기 자랑

세요 각시 가는 허리 구붓기며 날랜 부리 두루혀 이르되,
바늘 / 구부리며 / 돌려

"양우(兩友)의 말이 불가하다. 진주 열 그릇이나 꿴 후에 구슬이라 할 것이니, 재단(裁斷)에
척 부인(자)과 교두 각시(가위) / 옳지 않다 / 관련 속담: 구슬이 서 말이라도 꿰어야 보배 / 마름질

능대능소(能大能小)하다 하나 나 곧 아니면 작의(作衣)를 어찌하리오. 세누비 미누비 저른
모든 일에 두루 능함 / 옷을 짓는 일 / 촘촘하고 고운 누비, 중간으로 누빈 누비. 짧은 솔, 긴 옷

솔 긴 옷을 일우미 나의 날래고 빠름이 아니면 잘게 뜨며 굵게 박
아 마음대로 하리오. 척 부인의 자혀 내고 교두 각시 버혀 내다 하
재어 내고

나 내 아니면 공이 없으려든 두 벗이 무삼 공이라 자랑하나뇨."
실 / 「 」: 세요 각시의 자기 자랑

청홍 각시 얼골이 붉으락프르락하야 노 왈, 「 」: 실의 색깔과 인물의 심리를
적절하게 연결하여 표현함

"세요야, 네 공이 내 공이라. 자랑 마라. 네 아모리 착한 체하나 한
「 」: 청홍 각시의 자기 자랑 / 몹시 화를 내는 모습 / 성내며 말하기를

솔 반 솔인들 내 아니면 네 어찌 성공하리오."

Link 출제자 특 인물의 특징을 파악하라!

❶ '규중 칠우'는 무엇을 말하는 것인가?
바느질 도구인 '자, 가위, 바늘, 실, 골무, 인두, 다리미'를 의인화한 것임.

❷ 속담을 인용하여 자신의 공을 내세우고 있는 인물은?
세요 각시(바늘)

❸ 화가 난 청홍 각시의 얼굴이 붉으락푸르락하는 것이 나타내는 것은?
푸른 실과 붉은 실이 섞여 있는 모습

감토(감투) 할미 웃고 이르되,

『각시님네, 위연만 자랑 마소. 이 늙은이 수말 적기(바늘을 꽂을 때와 뺄 때. 즉 적당한 시기)로 아가시네(아가씨네) 손부리 아프지 아니하게 바느질 도와 드리나니 고어에 운(云)(옛말에 이르기를), 닭의 입이 될지언정 소 뒤는 되지 말라 하였으니(뛰어난 자의 공무니를 쫓아다니기보다 보잘것없는 데의 우두머리가 되는 모양이 나음), 청홍 각시는 세요의 뒤를 따라다니며 무삼 말 하시나뇨. 실로 얼골이 아까왜라. 나는 매양 세요의 귀에 질리었으되 낯가족이 두꺼워 견댈 만하고 아모 말도 아니하노라.』 『 』 감토 할미의 자기 자랑 (매번 바늘귀에 찔리지만 공무의 두꺼운 가죽 덕분에 견딤)

인화(인두) 낭재 이르되, /『그대네는 다토지 말라. 나도 잠간 공을 말하리라. 『 』 인화 부인의 자기 자랑 미누비 세누비 눌로 하여(누구로 말미암아) 저가락(젓가락)같이 고으며, 혼솔이(흠질한 옷의 솔기) 나 곧 아니면 어찌 풀로 붙인 듯이 고으리오. 침재(針才)(바느질 솜씨) 용속한 재(평범하고 속되어 이렇다 할 특징이 없는 자가) 들락날락 바르지 못한 것도 내의 손바닥을 한번 씻으면(인두로 한 번 다리면) 잘못한 흔적이 감초여(감추어져) 세요의 공이 날로 하여(나로 하여금) 광채 나나니라.』

울(다리미) 낭재 크나큰 입을 벌리고 너털웃음으로 이르되,

『인화야, 너와 나는 소임이 같다. 연이나(그러나) 인화는 침선뿐이라. 나는 천만 가지 의복에 아니 『 』 울 낭자의 자기 자랑 참예하는(참여하여 관계함) 곳이 없고, 가증한(과심하고 얄미운) 여자들은 하로(하루) 할 일도 열흘이나 구기여 살이 주역주역한(꾸깃꾸깃한) 것을(그대로 한곳에 뭉쳐 놓아) 내의 광둔(廣臀)(넓은 볼기. 여기서는 다리미의 바닥을 가리킴)으로 한번 스치면 굵은 살 가는 살 낱낱이 펴지며 제도와 모양이 고와지고 더욱 하절(夏節)을 만나면 소임이 다사하야(일이 많아, 바빠서) 일일도 한가하지 못한지라. 의복이 나 곧 아니면 어찌 고으며 더욱 세답하는(빨래하는) 년들이 게으러(게을러) 풀 먹여 널어 두고 잠만 자면 브듯쳐(부딪쳐) 말린 것을 나의 광둔 아니면 어찌 고으며, 세상 남녀 어찌 반반한(구김이 없는) 것을 입으리오. 이러므로 작의공(作衣功)(옷을 짓는 공)이 내 제일이 되나니라.』

▶ 옷을 짓는 공을 다투는 칠우

규중 부인이 이르되, (규중 부인의 개입으로 칠우의 자랑이 끝나고 내용이 전환됨)

『칠우의 공으로 의복을 다스리나 그 공이 사람의 쓰기에 있나니 어찌 칠우의 공이라 하리오.』 (인간 중심의 논리로 규중 칠우의 원망을 촉발함) **Link** 구절의 의미 ❷

하고 언필(말을 마침)에 칠우를 밀치고 베개를 돋오고 잠을 깊이 드니 척 부인이 탄식고 이르되,

『매야할사(매정한 것은) 사람이오, 공 모르는 것은 녀재로다(여자로다). 의복 마를(마름질할) 제는 몬저 찾고 일워 내면(일을 완성해 내면) 자기 공이라 하고, 게으른 종 잠 깨오는 막대는 나 곧 아니면 못 칠 줄로 알고 내 허리 브러짐도 모르니 어찌 야속하고 노흡지(노엽지) 아니리오.』 **Link** 구절의 의미 ❸

교두 각시 이어 가로대, / 『그대 말이 가하다(옳다). 옷 말라 버힐(마름질하여) 때는 나 아니면 못 하련마는 드나니 아니 드나니 하고 내어 던지며 양각을 각각 잡아 흔들 제는 토심적고(불쾌하고) 노흡기 어찌 측량하리오. 세요 각시 잠간이나 쉬랴 하고 다라나면 매양 내 탓만 너겨 내게 집탈하니(남의 잘못을 잡아내어 트집을 잡음) 마치 내가 감촌 듯이 문고리에 거꾸로 달아 놓고 좌우로 고면하며(잊을 수가 없어 돌이켜 보며) 전후로 수험하야(수색하고 검사하여) 얻어 내기 몇 번인 동(줄) 알리오. 그 공을 모르니 어찌 애원하지(슬프고 원망스럽지) 아니리오.』

세요 각시 한숨짓고 이르되,

『너는커니와(너는 그렇거니와) 내 일즉 무삼 일 사람의 손에 보채이며 요악지성(妖惡之聲)(요망하고 간악한 말 – 바늘에 질려 원망의 소리를 듣는 것을 가리킴)을 듣는고. 각골통한(刻骨痛恨)(뼈에 사무치도록 마음 깊이 맺힌 원한)하며, 더욱 나의 약한 허리 휘

Link

출제자 톡! **구절의 의미를 파악하라!**

❶ '닭의 입이 될지언정 소 뒤는 되지 말라'의 의미는?
크고 훌륭한 자의 뒤꽁무니를 쫓아다니는 것보다는 차라리 작고 보잘것없는 데서 우두머리가 되는 것이 좋다는 뜻임.

❷ 규중 부인이 칠우의 공은 사람의 쓰기에 달려 있다고 말한 의도는?
칠우가 다투는 것을 꾸짖고 의복을 만드는 것이 사람의 공인 것을 말하기 위함.

❸ '매야할사 사람이오, 공 모르는 것은 녀재로다.'라는 척 부인의 말의 의미는?
자신의 공을 알아주지 않는 사람을 탓함.

드르며 날랜 부리 두루혀 힘껏 침선을 돕는 줄은 모르고 마음 맞지 아니면 나의 허리를 브르질러
<small>부러뜨려</small>
화로에 넣으니 어찌 통원하지 아니리오. 사람과는 극한 원수라. 갚을 길 없어 이따감 손톱 밑
<small>원통하지</small> <small>마음이 안타깝거나 쓰라림</small>
을 질러 피를 내어 설한(雪恨)하면 조곰 시원하나, 간흉한 감토 할미 밀어 만류하니 더욱 애닯
<small>한을 풀면</small> <small>부인을 바늘로 찔러 복수하려는 것을 골무가 방해하는 것을 말함</small>
프고 못 견디리로다."

인홰 눈물지어 이르되,
<small>인화 부인(인두)</small>
"그대는 데아라 아야라 하는도다. 나는 무삼 죄로 포락지형(炮烙之刑)을 입어 붉은 불 가온
<small>아프다 어떻다</small> <small>뜨겁게 달군 쇠로 살을 지지는 형벌</small>
데 낯을 지지며 굳은 것 깨치기는 날을 다 시키니 섧고 괴롭기 칙량하지 못할레라."
<small>단단한 것을 깨뜨릴 때 인두를 사용하기도 함</small> <small>측량</small>

울 낭재 척연 왈,
<small>근심하고 두려워함</small>
"그대와 소임(所任)이 같고 욕되기 한가지라. 제 옷을 문지르고 먹을 잡아 들까부르며, 우겨
<small>다림질</small> <small>다리미의 손잡이를 잡아</small> <small>힘주어</small>
누르니 황천(皇泉)이 덮치는 듯 심신이 아득하야 내의 목이 달아날 적이 몇 번이나 한 동 알
<small>크고 넓은 하늘</small> <small>손잡이가 떨어질 뻔한 적</small>
리오."
　　　　　　　　　　　　　　　　　　　　　　　　　　　❯ 사람에 대한 불평을 토로하는 칠우

칠우 이렇듯 담논하며 회포를 이르더니 자던 여재 믄득 깨쳐 칠우다려 왈,
<small>이야기하며 맺힌 마음을 푸니</small> <small>칠우의 불평이 끝나는 계기</small>
"칠우는 내 허믈을 그대도록 하느냐."

감토 할미 고두 사 왈(叩頭謝曰), / "젊은 것들이 망녕도이 혬이 없는지라 족하지 못하리로
<small>머리를 조아리고 사죄하며 말하기를</small> <small>망령되이</small> <small>생각</small> <small>만족하지</small>
다. 저희 등이 재죄 있으나 공이 많음을 자랑하야 원언(怨言)을 지으니 마땅히 결곤(決棍)하
<small>재주</small> <small>원망하는 말</small> <small>곤장을 침</small>
암즉하되, 평일 깊은 정과 저희 조고만 공을 생각하야 용서하심이 옳을가 하나이다."

여재 답 왈,
┌ 」: 부인은 자신에게 아첨하는 감토 할미를 가장 높이 평가함 → 아첨하는 자를 편애하는 지배층을 풍자함
"할미 말을 좇아 물시(勿施)하리니, 내 손부리 성하미 할미 공이라. 꿰어 차고 다니며 은혜를
<small>하려던 일을 그만둠, 용서함</small> <small>부인은 자신의 손을 보호하는 골무의 역할을 가장 높이 여김</small>
잊지 아니하리니 금낭(錦囊)을 지어 그 가온데 넣어 몸에 진혀 서로 떠나지 아니하리라." 」
<small>비단으로 만든 주머니</small> <small>지녀</small>
하니 할미는 고두 배사(叩頭拜謝)하고 제붕(諸朋)은 참안(慙顔)하야 물러나리라.
<small>머리를 조아려 인사를 함</small> <small>여러 벗 – 칠우</small> <small>부끄러워</small>
　　　　　　　　　　　　　　　　　　　　　　　❯ 감토 할미의 사죄와 규중 부인의 용서

184위

늙은 뱃사람
주옹설(舟翁說) | 권근

성격 교훈적, 비유적, 관조적 **시대** 조선 전기
주제 조심하고 경계하며 사는 태도의 중요성

수필

이 글은 손[客]과 주옹의 대화를 통해 어떻게 사는 것이 참된 인생인가에 대해 제시하고 있는 교훈적 수필이다.

출제 우선 작품

내용 전개 방식

'손[客]'의 질문	주옹의 답변	주옹의 노래
주옹에게 위태로운 배 위에서 사는 이유를 물음.	위험한 곳에선 늘 조심하며 살게 됨. 균형을 잃지 않고 스스로 중심을 잡고 살아가기 위함.	배 위에서 유유자적하는 자신의 삶을 추구함.

전문

뱃사람. 글쓴이의 생각을 전달하는 대리인
어떤 손[客]이 주옹(舟翁)에게 묻기를,
일반적 인식을 하는 사람. 글쓴이의 변형된 모습으로 주옹의 발언을 유도하는 역할을 함

『 』: 손이 주옹을 관찰하고 자신의 생각을 말함 – 뱃사람의 생활을 이해하기 어려움

"그대가 배에 있는 것을 보고 생각하기를, 고기 잡아라 하자니 낚시가 없고, 장사치라 하자
★ 주요 소재 나룻배로 강을 건네주는 사람 강이나 내의 중간 부분 고기를 잡는 것이 아님 장사를 하는 것도 아님
니 물건이 없고, 진리(津吏)라 하자니 중류(中流)에 머물러 왕래(往來)하지 않으니, 일엽편주
진리 노릇을 하는 것도 아님
를 헤아릴 수 없는 물에 띄워서 끝없는 만경창파를 넘다가 거친 바람 놀란 물결에 돛대가 기
위태로운 외적 조건 아주 많은 이랑이라는 뜻으로, 지면이나 수면이 아주 넓음을 이름
울고 노가 부러지면, 혼비백산하여 목숨이 지척(咫尺)에 달려 있는데, 이는 지극히 험한 곳
몸과 마음이 흐트러져 결국 물에 빠지게 되고 목숨이 위태로워질 것인데
을 밟고 지극한 위태로운 일을 무릅쓰는 것이거늘, 그대는 이를 즐겨 아주 가서 돌아오지 않
배에서 살아가는 것에 대한 일반적인 생각 Link 인물의 견해 ❶
으니, 무슨 까닭인가?"
▶ 배 위에서 위태로움을 무릅쓰는 주옹에게 의문을 가진 손

라고 하니, 주옹이 말하기를,

긴장 이완
"아! 손은 미처 생각하지 못하였도다. 대개 사람의 마음이란 잡고 놓음이 무상한 것이라, 평
평안함의 외적 조건 위태로움의 외적 조건 – 변화불측한 '물'
탄한 육지를 밟으면 태연히 여겨 방심하게 되고, 험한 지경에 처하면 떨고 두려워하게 되나
보통 사람이 세상을 사는 모습
니, 『떨고 두려워하게 되면 조심하여 굳게 지킬 수 있으려니와, 태연히 여겨 방심하면 반드시
관련 한자 성어: 유비무환(有備無患)
방탕하여 위태롭게 된다.』『 』: 역설적 발상 – 위태로움은 느긋한 자세에서 오는 것임
▶ 주옹의 답변 ① – 경계하고 조심하는 삶을 살고자 함

『내 차라리 험한 곳에 처하여 항상 조심할지언정, 안일한 데 살아 스스로 황폐해짐을 막으
『 』: 주옹의 생활 태도 – 느긋함을 즐기다가 위태롭게 되기보다는 늘 위태로운 배에 사는 것처럼 조심스럽게 긴장하며 살겠음
Link 인물의 견해 ❷
려 한다.』 하물며 내 배는 이리저리 떠돌아 일정한 형적이 없음에야! 만약 한쪽으로 편중이
객관적 상관물 – 주옹이 동일시하는 대상 얽매임이 없는 자유로운 삶
있게 되면 그 형세가 반드시 기울어지게 될 것이다. 좌우로 기울지도 않고, 무겁지도 가볍
중용(中庸)의 덕 – 마음의 평정을 잃지 않는 자세
지도 않게 그 중심을 지켜 평형을 잡은 뒤에야 기울어지지 않아서 내 배의 평온을 지키게 되
니, 아무리 거센 풍랑인들 어찌 내 마음의 홀로 편안한 바를 요동시킬 수 있겠는가!
중용의 덕은 외부적 조건에 의해 흔들리지 않음 Link 인물의 견해 ❷

또 인간 세상은 하나의 거대한 물결이요, 인심은 하나의 거대한 바람이라, 조그마한 내 한
의미의 확장: 배 → 인간 세상 인간 세상은 큰 물결처럼 흔들림이 많고, 사람의 마음도 바람처럼 변화무쌍한 것이니
몸이 아득히 그 가운데 빠져 표류하는 것이 마치 일엽편주가 끝없는 만경창파 위에 떠 있는
속세에 휩쓸려 사는 것. 인심을 얻기 위해 노력하는 것. 관련 한자 성어: 부화뇌동(附和雷同)

Link
출제자 특강 인물의 견해를 파악하라!

❶ 배 위의 삶에 대한 '손'의 생각은?
변화불측하고 험하여 위태로움.

❷ 주옹이 배에서 살고자 하는 이유 두 가지는?
· 위험한 곳에 늘 조심하며 살게 됨.
· 마음의 평정을 잃지 않고 중심을 잡고 살고자 함.

것과 같다. 대개 내가 배에 있으면서 한세상 사랑을 보니, 『편한 것
인간 세계는 자신만 중심을 잡는다고 안전한 것이 아니므로 배 위에서 살아가는 것이 더 안전함
을 믿고서 환란을 생각하지 않으며, 욕심을 마음껏 부리면서 종말
중용의 덕을 잃음
을 생각하지 않다가, 함께 빠져 망하는 자가 많다.』 손은 어찌 이를
『 』: 중심을 잃고 편안함만 추구하며 욕심을 부리는 삶의 태도를 경계함
두려워하지 않고 도리어 나를 위태하다 하는가!"

하였다.
▶ 주옹의 답변 ② – 중심을 지키는 삶을 살고자 함

고전 산문 **563**

이윽고 주옹이 뱃전을 두드리면서 노래하기를,

Link 함축적 의미 ❶   움직임이 한가하고 여유가 있음
「아득한 강 바다 유유(悠悠)한데
       인간의 일생
빈 배를 중류에 띄웠구나.
       배 위에서 살아가는 주옹의 삶

명월을 싣고 홀로 가노니
  자연. 욕심 없는 삶   Link 함축적 의미 ❷
애오라지 한평생을 넉넉하게 살리라.」
        자신의 삶에 대한 자부심 – 달관적 삶의 자세

「 ♪: 자연 속에서 유유자적하고자 하는 주옹의
      삶의 태도를 집약적으로 드러내는 노래를
      삽입함으로써 여운을 남기며 글을 마무리함

Link
출제자 톡톡 함축적 의미를 파악하라!

❶ 주옹의 노래에서 '아득한 강 바다'가 함축하
   는 의미는?
   인간의 한평생 삶(일생)
❷ 주옹이 부른 노래의 주제는?
   유유자적하는 삶의 추구

라고 하니, 손이 사례하며 작별하고 가서는 다시는 말하지 않았다.
▶주옹의 노래와 손과의 작별

최우선 (출제 포인트!)

1 배 위의 삶과 인간 세상에 대한 '주옹'의 생각

배 위의 삶	• 위험을 경계하고 조심하며 살게 됨. • 한쪽으로 치우치지 않고 중심을 잘 잡으면 흔들리지 않음.
인간 세상	• 인간 세상은 큰 물결과 같이 흔들림이 많고, 사람의 마음은 바람처럼 변화무쌍함. • 후환을 생각하지 않고 욕심을 부리느라 나중을 돌보지 못함.

2 '주옹'의 역설적 발상

이 글에서는 역설적 발상으로 인생을 참되게 살아가는 방법을 깨우쳐 주고 있다. 이 글에서 '손'은 상식과 통념에 물든 사람에, '주옹'은 새로운 관점으로 삶의 이치를 통달한 사람에 해당한다.

	육지에서의 삶	배 위에서의 삶
'손'의 생각	평탄하여 편안함.	물결이 험해 위태로움.
주옹의 생각	느슨하게 되면 방탕하여 위태로움.	경계하고 조심하기 때문에 평온함.

3 인간 세상 속 삶에 대한 '주옹'의 인식

편안함만 추구하고 욕심을 부리다가 위험해지는 경우가 많음.	➡	중용을 지키지 않고 사는 삶의 태도를 비판함.

4 '주옹'이 부른 노래의 기능

• 유유자적하고자 하는 주옹의 삶의 태도를 집약적으로 드러낸다.
• 주제를 다시 한번 강조하고, 여운을 남기며 글을 마무리하는 효과가 있다.

최우선 (핵심 Check!)

1 다음 내용 중 맞는 것은 ○표를, 틀린 것은 ×표를 하시오.

(1) 글쓴이는 제삼자의 관점에서 '손'과 주옹 사이의 일을 전하고 있다.
                                                    (   )
(2) 주옹은 '손'이 배에서 생활하는 것에 대한 의문을 제기하며 자기 의견을 드러내고 있다.   (   )
(3) 통념을 뒤집는 발상을 통해 주제를 역설적으로 드러내고 있다.
                                                    (   )

2 초성 힌트를 보고 빈칸에 들어갈 알맞은 말을 쓰시오.

(1) 인물 간의 □□ 을/를 중심으로 장면이 전개되고 있다.
(2) □ 위에서의 삶과 관련된 '손'과 주옹 사이의 이견을 통해 바람직한 삶의 자세에 대한 견해를 드러내고 있다.

185위

파리를 조문하는 글 | 정약용
조승문(弔蠅文)

성격 우회적, 비판적 **시대** 조선 후기
주제 굶주려 죽는 백성들의 삶에 대한 애도와 관리들의 가렴주구 비판

수필

이 글은 파리를 타락한 관리들로부터 고통받는 백성들의 화신(化身)으로 인식하여, 당시의 부패한 사회를 비판하고 백성에 대한 연민과 사랑을 표현한 한문 수필로, 「조승문(弔蠅文)」이라고도 불린다.

내용 전개 방식

서사
극성을 부리는 쉬파리를 보고 굶어 죽은 백성들의 넋을 위로하기 위해 글을 씀.

본사
굶어 죽은 백성들을 위로하고 관리들의 타락상과 가렴주구를 비판함.

결사
임금이 선정을 베풀어 부조리한 현실이 개선되기를 바람.

전문

쇠파리, 소나 말의 살갗을 파고들어 피를 빨아 먹고 사는 곤충

경오년 여름에 쉬파리가 말할 수 없이 들끓었다. 온 집 안에 가득 차고, 바글바글 번식하여
1810년 ★★ 중심 소재 Link 반영된 사회상 ❶
산이나 골이나 쉬파리로 득실거렸다. 높다란 누각에서도 일찍이 얼어 죽지 않더니, 술집과 떡
집에 구름처럼 몰려와 윙윙거리는 소리가 우레와 같았다. 그러니 노인들은 탄식하며 괴변이
천둥
났다 하고, 소년들은 떨쳐 일어나 한바탕 때려잡을 궁리를 했다. 「어떤 사람은 파리 통발을 놓
댓조각이나 싸리를 엮어서 통같이 만든 고기잡이 기구
아서 거기에 걸려 죽게 하기도 하고, 어떤 사람은 파리약을 놓아서 그 약 기운에 어질어질할
때 모조리 없애 버리려고도 했다.」 이런 광경을 보고 나는 말했다. ＞득실거리는 쉬파리를 없애려는 사람들
「 」: 쉬파리가 들끓자 사람들이 없애고자 함

"아, 이것은 결코 죽여서는 안 된다. 왜냐하면 이것들은 분명 굶주려 죽은 백성들이 다시 태
굶어 죽은 백성들이 환생해 쉬파리가 되었다고 생각함
어난 몸이기 때문이다. 얼마나 기구한 삶이었던가? 애처롭게도 지난해에 염병이 돌게 되었
백성들이 죽은 이유
고, 거기다가 또 가혹한 세금까지 뜯기고 보니, 「굶어 죽은 시체가 쌓여 길에 즐비하였고, 내
「 」: 백성들의 참혹한 죽음으로 인해 쉬파리 떼가 창궐하게 됨
다 버린 시체는 언덕을 덮었다. 수의도 관도 없이 내다 버린 시체에 훈훈한 바람이 불어 더
Link 반영된 사회상 ❷
운 김이 올라오자, 그 살과 살갗이 썩어 문드러져 오래된 추깃물과 새 추깃물이 서로 괴어
송장이 썩어 흐르는 물
엉겼다. 그것이 변해 구더기가 되니 냇가의 모래알보다도 만 배는 더 되었다. 이 많은 구더
기들이 날개를 가진 파리가 되어 인가로 날아든 것이다.」 그러니 이 쉬파리가 어찌 우리와 같
백성
은 무리가 아니겠는가? 「너희들의 삶을 생각하면 눈물이 절로 난다. 그래서 밥도 짓고 안주
질병과 굶주림으로 고통받다 죽은 백성들
도 장만하여 놓고 너희들을 널리 청하여 모이게 하니, 서로 기별해서 함께 먹도록 하여라."
「 」: 굶주려 죽은 백성들에 대한 연민 ＞쉬파리에 대한 '나'의 의견
그리고 다음과 같이 글을 지어 위로했다.
조문을 지음 – 파리를 조문하는 글(조승문)

"파리야, 날아와서 음식상에 모여라. 수북이 담은 쌀밥에 국도 간 맞춰 끓여 놓았고, 술도
굶주려 죽어 간 백성들
잘 익어 향기롭고, 국수와 만두도 곁들였으니, 어서 와서 너희들의 마른 목구멍을 적시고 너
희들의 주린 창자를 채우라.

파리야, 훌쩍훌쩍 울지만 말고, 너희 부모와 처자식 모두 데리고
와서, 이제 한 번 실컷 포식하여 굶주렸던 한을 풀도록 하여라. 「너희
가 살던 옛집을 보니 쑥밭이 되어 추녀도 내려앉고 벽도 허물어지고
네모지고 끝이 번쩍 들린, 처마의 네 귀에 있는 큰 서까래. 또는 그 부분의 처마
문짝도 기울었는데 밤에는 박쥐가 날고 낮에는 여우가 운다. 너희가
갈던 옛 밭을 보니 잡초만 무성하게 자랐다. 금년에는 비가 많이 와

Link
출제자 톡 반영된 사회상을 파악하라!

❶ 경오년 여름의 상황은?
쉬파리가 들끓음.

❷ 지난해 많은 백성이 죽게 된 이유는?
염병이 돌고 세금을 가혹하게 뜯겨 많은 백성들이 굶어 죽음.

❸ 파리가 득실거리게 된 상황이 반영하고 있는 것은?
백성들의 참혹한 현실

지난해에 대부분이 죽었기 때문에

서 땅이 부드럽건만 마을에는 사람이 없어 잡초만 우거진 채 일구지를 못 했구나.』

『 』: 피폐한 농촌 사회의 모습

파리야, 날아와 이 기름진 고깃덩이에 앉아라. 살찐 소의 다리를 끓는 물에 삶아 내고, 초

백성들이 평소에 먹을 수 없는 귀한 음식들

장에 파도 썰어 놓고 싱싱한 농어로 회도 쳐 놓았으니 너희들의 주린 배를 채우고 얼굴을 활

짝 펴라. 그리고 또 도마에는 남은 고기가 있으니, 너희들의 무리에게도 먹여라.

함께 죽어 간 가족, 이웃, 벗들

『사람들의 시체를 보니 언덕 위에 이리저리 흐트러져 있는데, 옷도 걸치지 못한 채 거적에

백성들의 시체를 수습하지 못해 처참한 모습

싸여 있다. 장맛비는 내리고 날은 더워지니, 모두 이상한 것으로 변해서 꿈틀꿈틀 기어오르

시체에 구더기가 들끓는 모습

고 어지러이 꾸물거렸다. 그러더니 옆구리에 넘치고 콧구멍에까지 가득 차게 되었다. 이러

시체에 생긴 구더기가 파리가 됨

다가 허물을 벗고 나와 답답한 구더기의 탈을 벗어 버리고 파리가 되었다.』〈중략〉

『 』: 쉬파리 떼가 나타나게 된 이유 – 수습하지 못한 백성들의 시체에서 생겨남

파리야, 날아서 고을로 들어갈 생각은 하지 말아라. 『굶주린 사람을 엄히 가려내는데 아전

구휼할 대상을 엄격하게 골라냄

들이 붓대 잡고 앉아 그 얼굴을 살펴본다. 대나무처럼 빽빽이 늘어선 사람들 중에는 요행히

『 』: 구휼이 유명무실함을 비판함

한 번 뽑힌다 해도 겨우 맹물처럼 멀건 죽 한 모금을 얻어 마시는 것이 고작이다.』 그런데도

형편없는 구휼 음식   **Link** 비판의 대상 ❶

묵은 곡식에서 생긴 쌀벌레는 고을 창고에서 위아래로 어지러이 날아다닌다. 『돼지처럼 살찐

곡식이 쌓여 있음에도 제대로 된 구휼을 행하지 않았음을 암시함   **Link** 비판의 대상 ❷   부패한 탐관오리들

것은 힘 있는 아전들인데, 서로 짜고 공이 있다고 보고하면 상을 주었으면 주었지, 책임을

Link 비판의 대상 ❸

묻는 일은 없다. 보리만 익으면 그나마 구휼하는 일을 끝내고 잔치를 베푼다. 종과 북을 치

고 피리 불고 눈썹 고운 예쁜 기생들은 춤을 추며 돌아가고, 교태를 부리다가는 비단부채로

얼굴을 가린다. 그런 속에 비록 풍성한 음식이 남아돌아도 너희들은 결코 쳐다볼 수도 없는

것이다.』 『 』: 부패한 관리들의 행태를 꼬집음   ▶유명무실한 구휼 정책과 부패한 관리들을 비판함

파리야, 날아서 객사로 들어갈 생각일랑 말아라. 깃대와 창대가 삼엄하게 꽂혀 있다. 돼

읍성 안에서 가장 중심되는 곳에 자리하여 관리나 사신을 접대하는 숙소

지고기, 쇠고깃국이 솥에 가득 부글부글 끓고 있고, 메추리구이, 붕어 지짐에 오리로 국 끓이

고, 꽃무늬 조각한 중배끼 약과도 차려 놓고, 실컷 먹고 즐기며 어루만지고 놀지만 커다란

밀가루를 꿀과 기름으로 반죽하여 네모지게 잘라 기름에 지져 만든 과자

부채를 휘두르는 통에 너희는 엿볼 수도 없다. 우두머리 아전이 주방에 들어와 음식을 살피

는데, 입으로 숯불을 불어 가며 냄비에 고기를 지져 내고 수정과 맛이 훌륭하다고 칭찬이 자

자한데, 호랑이 같은 문지기들 철통같이 막고 서서 너희들의 애원하는 소리는 들은 척도 않

백성을 돌보지 않는 탐관오리의 행태

고 소란 피우지 말라고 호통친다. 수령은 안에 앉아 제멋대로 판결한다. 『역마를 달려 급히

『 』: 조정에 거짓 태평성대를 고하며 부정부패를 일삼는 모습

보고하는데, 내용인즉 마을이 모두 편안하고 길에는 굶주려 수척한 사람 없으니 태평할 뿐

아무 걱정이 없다고 한다.』

Link 글쓴이의 현실 인식 ❶

파리야, 날아와 다시 태어나지 말아라. 아무것도 모르는 지금 상

인간으로 태어나는 일을 피해야 할 정도로 부정적인 현실상

태를 축하하라. 길이길이 모르는 채 그대로 지내거라. 『사람은 죽어

도 내야 할 세금은 남아 형제에게까지 미치게 되니, 유월 되면 벌써

백골징포(白骨徵布) – 죽은 이의 체납 세금을 자손이나 형제에게 징수함

세금 독촉하는 아전이 문을 걷어차는데, 그 소리가 사자의 울음소리

같아 산악을 뒤흔든다. 세금 낼 돈이 없다고 하면 가마솥도 빼앗아

Link 글쓴이의 현실 인식 ❷

가고 송아지도 끌고 가고 돼지도 끌고 간다. 그러고도 부족하여 불

Link

출제자 꼭 **비판의 대상을 파악하라!**

❶ 글쓴이가 파리에게 고을로 돌아가지 말라고
하며 비판하고 있는 것은?
백성을 구휼하는 정책의 유명무실함

❷ 묵은 곡식에서 생긴 쌀벌레가 고을 창고의
위아래를 날아다니는 것을 통해 알 수 있는
현실은?
곡식이 쌓여 있음에도 불구하고 굶주린 백
성들을 돌보지 않음.

❸ 살찐 돼지가 비유하고 있는 대상은?
자신들의 배만 불리는 부패한 관리들

쌍한 백성을 관가로 끌고 들어가 곤장으로 볼기를 친다.『 』: 당대의 부조리한 세금 정책과 가혹한 징수

그 매 맞고 돌아오면 힘이 빠지고 지쳐 염병에 걸려 풀이 쓰러지듯, 고기가 물크러지듯 죽
고통을 받으며 죽어 가는 백성들의 모습을 비유적으로 표현함
어 간다. 그렇지만 그 숱한 원한을 천지 사방에 호소할 데 없고, 백성이 모두 다 죽을 지경에
이르렀는데도 슬퍼할 수도 없다.『어진 이는 움츠려 있고 소인배들이 날뛰니, 봉황은 입을 다
『 』: 당대의 정치 현실을 비꼬아 비판함
물고 까마귀가 울어 대는 꼴이다.』
Link 글쓴이의 현실 인식 ❸

파리야, 날아가려거든 북쪽으로 날아가거라. 북쪽으로 천 리를 날아『임금 계신 대궐로 들어
한양　　　　　　　　　　　　　　　　　　　　　『 』: 구체적인 행위를 요청하여 주제 의식을 드러냄
가서 너희들의 충정을 호소하고 너희들의 그 지극한 슬픔을 펼쳐 보
여라. 포악한 행위를 아뢰지 않고는 시비를 가릴 수 없는 것. 해와 달
탐관오리에 의한 수탈
세금을 가혹하게 거두어들임
이 밝게 비쳐 빛이 찬란할 것이다. 정치를 잘하여 인(仁)을 베풀고,
임금이 선정으로 백성들을 구할 것임　　　　　　　　어짊
천지신명들께 아룀에 규(圭)를 쓰는 것이다. 천둥같이 울려 임금의
천자가 제후를 봉하거나 신을 모실 때에 쓰는 옥으로 만든 홀　　　　백성들이 잘살게 되기를 바람
위엄을 떨치게 하면 곡식도 잘 익어 백성들의 굶주림도 없어지리라.
파리야, 그때에 날아서 남쪽으로 돌아오너라."
① 글쓴이가 있는 곳 ② 백성들의 삶의 터전　　　▶임금이 선정을 베풀어 현실이 개선되기를 바람

Link
출제자 툭 글쓴이의 현실 인식을 파악하라!

❶ 파리에게 다시 태어나지 말라는 말에 드러
난 글쓴이의 현실 인식은?
인간으로 살아가는 것 자체가 고통임.

❷ 글쓴이가 부조리하다고 여기는 세금 정책은?
죽은 이의 체납 세금을 자손이나 형제에게
징수함.

❸ 당대의 정치 현실에 대한 글쓴이의 비판적
시각을 비유적으로 드러낸 표현은?
'어진 이는 움츠려 있고 소인배들이 날뛰니,
봉황은 입을 다물고 까마귀가 울어 대는 꼴
이다.'

최우선 출제 포인트!

1 표현상 특징

애처롭게도 지난해에 ~ 언덕을 덮었다.	백성들이 겪었던 고통의 상황을 나타냄.
그러니 이 쉬파리가 ~ 무리가 아니겠는가?	설의적 표현을 활용하여 파리를 죽은 백성들로 인식하는 글쓴이의 태도를 드러냄.
어서 와서 ~ 주린 창자를 채우라.	의인법을 사용하여 굶주려 죽은 백성들을 위로하고자 하는 마음을 드러냄.
어진 이는 움츠려 있고 ~ 울어 대는 꼴이다.	대비를 통해 '어진 이'는 어떤 일도 하지 않고 있고, '소인배'가 비방만 하는 현실을 한탄함.
천둥같이 울려 ~ 굶주림도 없어지리라.	비유를 통해 글쓴이가 바라는 임금의 모습을 나타냄.

2 글쓴이의 바람

파리가 고을, 객사로 들어갈 생각을 하지 않고, 다시 태어나지 않기를 바람.	부패한 탐관오리들의 가렴주구 때문에 백성들이 고통받지 않기를 바람.
파리가 북쪽으로 날아가기를 바람.	파리가 대궐로 날아가 자신들의 고통을 알림으로써 임금이 선정을 베풀어 현실이 개선되기를 바람.

최우선 핵심 Check!

1 다음 내용 중 맞는 것은 ○표를, 틀린 것은 ×표를 하시오.

(1) 자연과 인간사의 대립을 통해 삶의 교훈을 이끌어 내고 있다. (　　)
(2) 파리가 다음 생에는 부유한 집에서 태어나기를 기도하고 있다.
(　　)
(3) 화자가 청자에게 구체적인 행위를 요청하는 방식으로 주제 의식을 드러내고 있다. (　　)
(4) 굶주리는 백성들의 고통을 해결하기 위한 군(君)과 신(臣)의 역할이 중요함을 비유적으로 강조하고 있다. (　　)

2 초성 힌트를 보고 빈칸에 들어갈 알맞은 말을 쓰시오.

(1) ㅍㄹ 을/를 의인화하여 백성들이 처한 부정적 상황을 부각하고 있다.
(2) '북쪽'과 'ㄴㅍ' 등 이질적 속성을 지닌 공간이 대비하여 현실에 내재된 문제점을 밝히고 있다.

정답 1. (1) × (2) × (3) ○ (4) ○ 2. (1) 파리 (2) 남쪽

도산십이곡 발(陶山十二曲 跋) | 이황

성격 객관적, 비평적 **시대** 조선 시대
주제 「도산십이곡」을 지은 이유와 감회

수필

이 글은 글쓴이가 「도산십이곡」의 끝에 그것의 내용과 관련하여 자신의 견해를 밝혀 놓은 발문이다. 글쓴이는 이 글에서 「도산십이곡」을 우리말로 짓게 된 이유를 밝히며, 성리학자의 입장에서 우리 시가와 문학에 대해 논평하고 있다.

내용 전개

기	승	전	결
「도산십이곡」을 지은 이유 – 온유돈후의 글을 읽고 싶어서	「도산십이곡」을 국문으로 지은 이유 – 노래할 수 있어서	「도산십이곡」의 내용과 가치	「도산십이곡」 창작의 감회

전문

이 「도산십이곡」은 도산 노인(陶山老人)이 지은 것이다. 노인이 이 시조를 지은 까닭은 무엇 때문인가. 우리 동방의 가곡은 대체로 音와(淫哇)하여 속히 말할 수 없게 되었다. 저 「한림별곡(翰林別曲)」과 같은 류는 문인의 구기(口氣)에서 나왔지만 궁호(矜豪)와 방탕에다 설만(藝慢)과 희압(戱狎)을 겸하여 더욱이 군자로서 숭상할 바 못 되고, 다만 근세에 이별(李鼈)이 지은 「육가(六歌)」란 것이 있어서 세상에 많이들 전한다. 오히려 저것이 이것보다 나을 듯하나, 역시 그중에는 완세 불공(玩世不恭)의 뜻이 있고 온유돈후(溫柔敦厚)의 실(實)이 적은 것이 애석한 일이다.

> 「도산십이곡」을 지은 이유

노인이 본디 음률을 잘 모르기는 하나, 오히려 세속적인 음악을 듣기에는 싫어하므로, 한가한 곳에서 병을 수양하는 나머지에 무릇 느낀 바 있으면 문득 시로써 표현을 하였다. 그러나 오늘의 시는 옛날의 시와는 달라서 읊을 수는 있겠으나, 노래하기에는 어렵게 되어 있다. 이제 만일에 노래를 부른다면 반드시 이속(俚俗)의 말로써 지어야 할 것이니, 이는 대체로 우리 국속(國俗)의 음절이 그렇지 않을 수 없기 때문이다.

> 「도산십이곡」을 국문으로 지은 이유

그러기에 내가 일찍이 이별의 노래를 대략 모방하여 '도산 육곡'을 지은 것이 둘이니, 기 일(其一)에는 '지(志)'를 말하였고, 기 이(其二)에는 '학(學)'을 말하였다. 아이들로 하여금 조석(朝夕)으로 이를 연습하여 노래를 부르게 하고는 궤(几)를 비겨 듣기도 하려니와, 또한 아이들로 하여금 스스로 노래를 부르게 하는 한편 스스로 무도(舞蹈)를 한다면 거의 비린(鄙吝)을 씻고 감발(感發)하고 융통(融通)할 바 있어서, 가자(歌者)와 청자(聽者)가 서로 자익(資益)이 없지 않을 것이다.

> 「도산십이곡」의 내용과 가치

Link

출제자 특강 글쓴이의 견해를 파악하라!

❶ 당대 문학에 대한 글쓴이의 평가는?
음와(음란함).

❷ 글쓴이가 학문하는 군자가 추구할 노래가 아니라고 평가하고 있는 것은?
「한림별곡」

❸ 「육가」에 대한 글쓴이의 견해는?
「한림별곡」보다는 낫지만 완세 불공의 뜻이 있고 온유돈후의 실이 적어서 애석함.

❹ 글쓴이가 「도산십이곡」을 국문으로 지은 까닭은?
한시는 노래로 부르기 어려워서 노래할 수 있도록 국문으로 지음.

돌이켜 생각건대, 나의 종적이 약간 이 세속과 맞지 않는 점이 있으므로 만일 이러한 한사(閑事)로 인하여 요단(鬧端)을 일으킬는지도 알 수 없거니와, 또 이것이 능히 강조(腔調)와 음절에 알맞을는지도 모르겠다. 아직 일건(一件)을 써서 서협(書莢) 속에 간직하였다가, 때때로 내어 완상(玩賞)하여 스스로 반성하고, 또 다른 날 이를 읽는 자의 거취(去取)의 여하(如何)를 기다리기로 한다.

> 다른 날에 「도산십이곡」을 읽는 사람의 반응이 어떤지를 보기로 함

가정(嘉靖) 44년(1965) 을축년 3월 16일 도산 노인은 쓴다.

> 「도산십이곡」 창작의 감회

최우선 출제 포인트!

1 「도산십이곡」의 내용과 의의

전 육곡과 후 육곡으로 이루어져 있으며, 전 육곡에서는 '지(志)'를, 후 육곡에서는 '학(學)'을 말함.

국속의 음절이 노래하기에 좋으므로, 「도산십이곡」을 노래할 수 있도록 우리말로 지음.

> 가자(노래하는 자)와 청자(듣는 자) 모두에게 이익이 됨.

2 글쓴이가 「도산십이곡」을 짓게 된 계기

「한림별곡」은 노래의 성격이 교만하고 방탕하며, 「육가」는 공손하지 못한 뜻이 있고 온유돈후가 부족하여 애석함.

＋

한시는 읊을 수는 있으나 노래로 부를 수 없어, 노래로 부를 수 있는 우리말 노래를 찾게 됨.

↓

노래를 부르는 사람들이 온유돈후한 심성을 갖게 하려고 「육가」의 형식을 본떠 전 육곡, 후 육곡의 「도산십이곡」을 국문으로 지음.

최우선 핵심 Check!

1 다음 내용 중 맞는 것은 ○표를, 틀린 것은 ×표를 하시오.

(1) 글쓴이가 「도산십이곡」을 창작한 목적은 학문에 힘쓰는 삶의 중요성을 강조하며 노래하는 자와 듣는 자에게 유익함이 있도록 하기 위함이다. (   )

(2) 완세 불공은 글쓴이가 생각하는 좋은 글의 조건이다. (   )

(3) 이 글과 관련이 있는 문학 작품 감상의 관점은 효용론적 관점이다. (   )

2 초성 힌트를 보고 빈칸에 들어갈 알맞은 말을 쓰시오.

(1) 이 글은 이황이 지은 연시조 「ㄷㅅㅅㅇㄱ」의 끝에 그것과 관련하여 자신의 견해를 밝혀 놓은 발문이다.

(2) 글쓴이는 노래를 부를 수 없는 한시보다 ㅇㄹㅁ (으)로 지어서 노래를 부를 수 있는 시조가 더 좋은 글이라 생각했다.

정답 1. (1) ○ (2) × (3) ○ 2. (1) 도산십이곡 (2) 우리말

1등급! 〈보기〉!

이황의 「도산십이곡」

〈제1수: 언지(言志) 1〉
이런들 엇더ᄒᆞ며 더런들 엇더ᄒᆞ료
초야우생(草野愚生)이 이러타 엇더ᄒᆞ료
ᄒᆞ믈며 천석고황(泉石膏肓)을 고텨 므슴ᄒᆞ료

〈제2수: 언지(言志) 2〉
연하(煙霞)로 지블 삼고 풍월(風月)로 버들 사마
태평성대(太平聖代)에 병(病)으로 늘거가뇌
이 듕에 ᄇᆞ라는 이른 허므리나 업고쟈

〈제9수: 언학(言學) 3〉
고인(古人)도 날 몯 보고 나도 고인(古人) 몯 뵈
고인(古人)을 몯 봐도 녀던 길 알ᄑᆡ 잇니
녀던 길 알ᄑᆡ 잇거든 아니 녀고 엇뎔고

〈제10수: 언학(言學) 4〉
당시(當時)예 녀던 길흘 몃 ᄒᆡ를 ᄇᆞ려 두고
어듸 가 ᄃᆞ니다가 이제아 도라온고
이제아 도라오나니 년 ᄃᆡ ᄆᆞ옴 마로리

— 이황, 「도산십이곡」

「도산십이곡」은 글쓴이가 속세를 떠나 자연에 흠뻑 취해 사는 생활과 후진 양성을 위한 강학(講學)과 학문 생활에 대해 솔직하고 담백하게 표현한 전 12수의 시조이다. 전 육곡 언지에서는 자신이 세운 도산 서원 주변의 경관에서 일어나는 감흥을, 후 육곡 언학에서는 학문 수양에 임하는 심경을 노래하고 있다.
「도산십이곡」의 전체 구성과 중심 내용은 다음과 같다.

전 육곡 – 언지(言志)		후 육곡 – 언학(言學)	
1수	자연에 순응하며 순리대로 살아가려 함.	7수	독서와 면학을 즐기고 여가에 산책하며 여유 있게 생활함.
2수	자연을 벗하여 태평성대 속에 병으로 늙어 감.	8수	인간으로서의 진리 터득이 중요함.
3수	순박하고 후덕한 풍습을 강조함.	9수	성현의 인륜지도를 실천하며 살아야 함.
4수	자연을 벗하여 살며 연군지정을 노래함.	10수	벼슬길을 떠나 학문 수양에 힘쓸 것을 다짐함.
5수	자연을 멀리하는 현실을 개탄함.	11수	변함없는 청산과 유수를 본받아 학문에 힘쓸 것을 다짐함.
6수	자연의 웅대함에 도취됨.	12수	영원한 학문 수양의 길을 강조함.

성격 비판적, 교훈적 **시대** 고려 시대
주제 물의 근원에 대한 통찰과 당대의 인재 등용 비판

원수(原水) | 이첨

수필

이 글은 물의 근원을 통찰한 고전 수필이다. 글쓴이는 물의 근원은 모르면서 보이는 물만을 그 전부인 줄로 아는 세상 사람들의 무지를 지적하면서, 겉으로 보이는 외모와 말만으로 사람을 취하고 숨어 있는 인재를 가려 내지 못하는 당대의 인재 등용 현실을 비판하고 있다.

내용 전개 방식

기	승	전	결
보이는 것에만 한정하여 물을 안다고 하는 세상 사람들	물의 근원을 알아 우물을 만들었던 '나'의 경험	물이 흐르는 것만 알고 근원을 알지 못함과 같은 오늘날의 인재 등용을 비판함.	물을 볼 때는 반드시 근원에 관심을 두어야 함.

전문

강(江)·회(淮)·하(河)·한(漢)은 물 중에서 큰 것이다. 사람들이 다 반총(蟠冢)·동백(桐柏)·
〈양자강, 회수, 황하, 한수 등의 큰물을 가리키는 말〉 〈★★ 중심 소재〉 〈물이〉
곤륜(崑崙)·민산(岷山)에서 나오는 것만 알고, 그것이 이 네 산에 달하기 전의 근원에 대해서
〈도달하기〉
는 알지 못한다. 대개, 물의 성질은 아래로 스며 내려가는 것이다. 물이 땅 밑에 있을 때는 비
록 잠복하여 괴어 있으나 땅 위에 나오게 되면, 흐르고 움직이고 가득 차기도 해서, 그 이치에
〈호수 같은 곳에서〉 〈물이 자리를 잡는 환경에 따라〉
따라 변하는 것을 보게 된다. 사람이 물을 안다는 것은 보이는 것에만 국한되고, 그 보이지 않
는 것에 대해서는 어둡다. 그러므로 성인은 땅 밑에 물이 있는 형상을 보고 이미 사괘(師卦)를
〈말했으니〉 〈육십사괘의 하나, 땅속에 물이 있음을 상징함〉
만든 후에 비괘(比卦)를 다음에 이었으니, 사람들에게 근원을 미루어 흐르는 데까지를 보인
〈육십사괘의 하나, 땅 위에 물이 있음을 상징함〉
것이다. **Link** 서술 의도 ❶

세상 사람들은 과연 물의 근원을 아는가. 축축하게 젖는 것은 물의 남은 기운이다. 그 흐르
〈질문을 통해 주의를 집중시키고, 현상만 보지 말고 본질을 보기를 촉구함〉
는 것이 방울방울 끊어지지 않아 줄달아 잇닿다가 장강에 통하고, 큰 바다에 달하여는 호호
〈끊임없이 줄을 지어 잇따르다가〉 〈한없이 넓고 크고〉
(浩浩)하고 패연히 넓고 넓어 왈칵 닥치어 막을 수 없게 되는 것이다. 은미한 것도 알고 드러
〈쏟아지는 모양이 매우 세차게〉 〈겉으로 드러난 현상뿐 아니라 그 원리까지 아는 지혜로운 사람〉
난 것도 아는 자가 아니면, 누가 능히 이를 살피겠는가. 이것을 사람들이 다같이 보면서도 알
〈현상만 보고 그 원리까지는 알지 못하는 사람들〉
지 못하는 것이다. ➤ 보이는 물만 알 뿐 그 근원을 모르는 세상 사람들

『내가 하동(河東)에 있을 때에 집 곁에 작은 샘이 있는데, 그 근원이 수풀 속에 파묻혀 나오는
〈『 』 글쓴이의 경험 소개〉
방향을 알지 못하므로, 이웃 사람들이 더러운 흙에서 나오는 것이라 억측하고, 더럽게 여겨
〈이유와 근거가 없이 짐작함〉
먹지 않으려 하였다. 내가 가서 보고 그 근원을 청소하고 그 흐름을 터놓아, 조금 동쪽에다가
〈땅속을 흐르는 지하수의 줄기〉
벽돌로 우물을 만드니 바로 이웃에 있는 냉정(冷井)으로 이름난 것과 수맥이 같고 맛이 또 같
〈물이 찬 우물〉 〈고마움이나 칭찬의 뜻을 표시하며〉
으니, 한 근원이요 물줄기만 나누어진 것이었다. 이에 부로들이 서로 와서 치하하며 왕래하고
Link 서술 의도 ❷ 〈한 동네에서 나이가 많은 남자 어른을 높여 이르는 말〉
길어 써도 마르지 않으니, 내가 진실로 옛말과 같이 지혜를 써서 물을 흐르게 한 것인가, 또한 흐르는 것을 거슬러 근원을 알아낸 것인가 하였다.』
➤ 하동에 있었을 때의 경험

『아, 사람이 세상에 쓰이고 버림을 당하는 것도 이와 비슷함이 있
〈『 』 이치를 유추하여 확대 적용함〉 〈물의 근원을 보지 못하고 겉모습만 보는 것〉
다.』 재주가 족히 임금을 착하게 하며, 백성을 윤택하게 할 선비가 있
는데, 사람들이 곁에서 비방하면, 물러와서 거칠고 더러움을 참으며

Link

출제자 톡! 서술 의도를 파악하라!

❶ 사람들과 성인의 '물'을 보는 차이점은?
사람들은 겉으로 보이는 물의 모습만 알지만 성인은 물의 근원까지 헤아림.

❷ 글쓴이가 체험한 내용은?
사람들이 근원을 몰라 사용하지 않던 좋은 물을 글쓴이가 정비하여 사용할 수 있게 함.

❸ 물의 겉모습만 보는 현상에 빗대어 비판한 사회 현실은?
외모나 언변으로 인재를 등용하는 것

<small>속마음을 참되게 알아주는 친구</small>

때를 기다리다가 하루아침에 성군(成群)과 지기(知己)를 만나 그 도를 천하에 행하게 된다면,

<small>인재를 등용하는 어진 임금과 인재를 알아보고 임금에게 추천하는 사람</small>

또 어찌 이 물과 다르겠는가. <mark>오늘날 위에 있는 자는 외모와 언변으로 사람을 취하고, 그 마음</mark>

<small>고요히 있다가 세상에 모습을 드러내는 것　　　　　　외적인 것만 보고 인재를 선발하는 조정 관료　　　　Link 서술 의도 ❸</small>

<mark>의 옳고 그름에는 관심을 두지 않으니, 또한 물이 흐르는 것만 알고 그 근원은 알지 못함과 같다.</mark>

<small>징조를 경험　　　　　　　　　　　　　　　　　　　　　　　　　　　❯물의 근원을 알지 못함과 같은 오늘날의 인재 등용</small>

"하늘을 말하는 자는 반드시 사람을 징험한다." 하였으니, 지금 물을 논함에 또한 그러하다.

<small>하늘의 이치가 이루어질 기미를 사람에게서 경험함</small>

맹자 말씀에, "물을 보는 데는 방법이 있으니, 반드시 그 물결을 보라." 하였다. 나는 또 말하기

<small>권위자의 말을 인용하여 주장을 뒷받침함</small>

를, "물을 보는 데는 방법이 있으니, 반드시 그 근원에 관심을 두어야 한다."라고 말할 것이다.

<small>주제문　　　　　　　　　　　　　　　　　　　　　　　　　　　❯물을 볼 때에는 그 근원을 밝혀 보아야 함</small>

최우선 출제 포인트!

❶ 서술상 특징

• 자신의 체험을 통해 이해와 설득력을 높이고 있다.

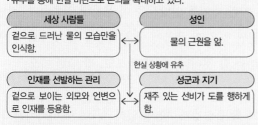

```
        '나'의 집 곁에 있는 작은 샘
         ┌──────────────┴──────────────┐
      사람들                         '나'
┌────────────────┐      ┌─────────────────────┐
│근원을 몰라 더러운 물이라고│ ◄─► │근원을 살펴 물이 나오는 곳을│
│방치함.          │      │청소하고 돌을 쌓아 물맛이 좋│
└────────────────┘      │은 우물로 만듦.         │
                        └─────────────────────┘
                          ↓
     근원을 아는 일이 중요하다는 '나'의 주장을 뒷받침하는 사례
```

• 유추를 통해 현실 비판으로 논의를 확대하고 있다.

```
     세상 사람들                      성인
┌────────────────┐      ┌─────────────────────┐
│겉으로 드러난 물의 모습만을│ ◄─► │물의 근원을 앎.        │
│인식함.          │      │                     │
└────────────────┘      └─────────────────────┘
                    현실 상황에 유추
   인재를 선발하는 관리                성군과 지기
┌────────────────┐      ┌─────────────────────┐
│겉으로 보이는 외모와 언변으│ ◄─► │재주 있는 선비가 도를 행하게│
│로 인재를 등용함.      │      │함.                 │
└────────────────┘      └─────────────────────┘
```

• 물의 근원에 대한 통찰을 통해 세상 사람들의 인식과 당대의 현실을
비판하고 있다.

• 권위자(성현)의 말을 인용하여 신뢰감을 주고 있다.

최우선 핵심 Check!

1 다음 내용 중 맞는 것은 ○표를, 틀린 것은 ×표를 하시오.

(1) 물의 근원에 대한 글쓴이의 생각을 담고 있는 고전 수필이다. (　　)

(2) 공자의 말을 인용하여 물의 근원을 알아내는 일의 중요성에 대해 언급
하고 있다. (　　)

(3) '하동'이라는 구체적 지명과 관련된 자신의 경험과 그에 대한 자신의
생각을 전달하고 있다. (　　)

(4) 글쓴이는 물이 땅 밑에 괴어 있는 것은 인재가 쓰임을 받지 못하고 버
려지는 것과 같다고 여기고 있다. (　　)

2 초성 힌트를 보고 빈칸에 들어갈 알맞은 말을 쓰시오.

(1) 물의 근원에 대한 세상 사람들의 인식에서 <u>ㅇㅊ</u>하여 인재 등용의 문
제로 확대하였다.

(2) 물의 현상에만 집착하고, 겉모습만 보고 인재를 등용하는 사람들은 모
두 <u>ㄱㅇ</u>을/를 알지 못하는 사람들이다.

정답 1. (1) ○ (2) × (3) ○ (4) × 2. (1) 유추 (2) 근원

수궁가(水宮歌) | 작자 미상

성격 풍자적, 우화적, 교훈적 **시대** 조선 후기
주제 허욕에 대한 경계와 위기 극복의 지혜, 무능한 집권층에 대한 비판과 풍자

판소리

이 작품은 판소리 열두 마당 가운데 하나로, 고전 소설 「토끼전」의 내용을 바탕으로 하고 있다. 조선 시대 판소리 사설 중 유일하게 우화적 수법을 사용하여 무능한 집권층과 인간 사회의 부정적인 세태를 신랄하게 비판하고 있다.

주요 사건과 인물

발단
남해 용왕이 병이 들어 토끼의 간을 먹어야 나을 수 있다고 함.

전개
별주부가 자원하여 토끼의 간을 구하러 육지로 감.

위기
별주부는 토끼를 만나 감언이설로 토끼를 꾀어 용궁으로 데려감.

절정
자신이 별주부에게 속은 것을 알게 된 토끼가 기지를 발휘하여 위기를 모면함.

결말
다시 육지로 돌아온 토끼가 별주부와 용왕을 조롱하고 달아남.

별주부(관료층)
우직한 충신으로 명분에 사로잡힌 어리석은 인물
←→
토끼(서민층)
허욕으로 인해 위기에 빠지지만 기지로 위기를 극복하는 인물
←→
용왕(집권층)
자신을 위해 백성의 희생을 강요하는 이기적인 인물

핵심장면 ① 토끼의 간을 구하기 위해 육지로 올라온 별주부가 토끼를 만나 함께 용궁으로 갈 것을 설득하는 부분이다.

[아니리]

□토끼가 가만히 듣더니
□: 주요 인물

"그 말 참 꼭 옳소. 영락없이 그렇소. 그러나 대체 □별주부 관상 잘 보시오. 내 세상은 그렇다 하거니와 수궁 흥미는 어떠하오?"

"우리 수궁 흥미야 좋지요. 수궁 풍경 반겨 듣고 가자 하면 마다할 수 없고 가자 한들 갈 수 없으니 애당초에 듣지도 마시오."
도발을 통해 토끼의 흥미를 고조시킴

"내가 만일 듣고 가자 허면 쇠아들놈이오. 어서 한 번 들어 봅시다."

"그럼 내가 이를테니 들어 보오."

[진양조]

"우리 수궁 별천지라 천양지간(天壤之間)에 해위 최대(海爲最大)하고 만물지중에 신위 최령
하늘과 땅 사이   바다가 가장 큼   온갖 것   가장 신령스러움
(神爲最靈)이라. 무변대해에다 천여 칸 집을 짓고 유리(琉璃) 기둥 호박 주초 주란화각(朱欄
끝없이 넓은 바다   주춧돌   단청을 곱게 하여 아름답게 꾸민 누각
畫閣)이 반공으 솟았난디 우리 용왕 즉위하사 만족 귀시(滿族貴示)하고 백성으게 앙덕이라.
만백성이 우러러봄
앵무병(鸚鵡瓶) 천일주와 천빈 옥반(千賓玉盤) 담은 안주 불로초 불사약을 취토록 먹은 후에
앵무 그림이 그려진 그릇   옥쟁반
취흥이 도도헐 제 『적벽강 소자첨과 채석강 태백 흥미 예 와서 알았으면 이 세상에 왜 있으
약초를 캠   적벽강에서 노닐던 송나라 소동파와 채석강을 즐겨 찾았던 당나라 시인 이태백   『 』: 용궁의 경치가 우려함을 강조
리, 』채약하던 진시황과 구선하든 한무제도 이런 재미를 알았든들 이 세상에 있을손가. 『잘난
불로, 불사약을 캐던 진시황과 신선을 찾던 한무제   『 』: 토끼를 수궁으로 데려가기 위해 감언이설로 토끼를 꾀는 별주부
세상을 다 버리고 퇴 서방도 수궁을 가면 훨씬 벗은 저 풍골에 좋은 벼슬을 헐 것이요. 미인
토끼
미색을 밤낮으로 다리고 만세동락(萬歲同樂)을 헐 것이나, 올 테면 오고, 말 테면 마오."』
오래도록 함께 즐김   ▶토끼에게 수궁으로 가자고 설득하는 별주부

[아니리]

어떻게 별주부가 말을 잘해 놓았던지 토끼가 싹 둘렸겄다. 할 일 없이 수국으로 따라가는디,
바다의 세계
별주부의 말에 설득당하여 수궁으로 향하는 토끼

[중모리]

자라는 앞에서 앙금앙금, 토끼는 뒤에서 깡충깡충 원로 수변을 내려갈 제,
먼 길   물가

건넛산 바위틈에 여우란 놈이 나앉으며, / "여봐라 토끼야!"
_{토끼를 일깨우려는 역할}

"왜야." / "너 어디 가느냐?" / "나 수궁간다."

"너 수궁은 무엇하러 가느냐?" / "나 별주부 따라서 벼슬하러 간다."

"허허, 자식 실없는 놈! 불쌍타, 저 퇴 공아. 녹녹한 네놈 마음 말려 무엇하랴마는 고인이 이
_{바위에 뚫린 굴} _{옛 성인}
르기를 토사호비(兔死狐悲)라 하였으니,『너와 나와 이 산중에 암혈에 깃들이고 임천에 같이
_{토끼의 죽음을 여우가 슬퍼함. 토끼를 염려하고 있음을 뜻함} _{『 』자신과의 인연을 강조하며 토끼를 만류함} _{숲과 샘}
놀아 풍월로 벗을 삼고 비 오고 안개 낀 날 발자취 서로 찾아 동성 삼어 동기 상통 일시 이별
_{중국의 강 이름}
을 마쟀더니,』저 지경이 웬일이냐.『옛말을 못 들었나. 칼 잘 쓰는 위인 형가(荊軻) 역수 한파
_{『 』고사를 인용해서 토끼를 만류함} _{중국 연나라의 자객}
슬픈 소리 장사 일거 제모왔고 천추 원한 초회왕도 진무관에 한 번 가서 다시 오지를 못하였
_{장사가 한 번 떠나면 돌아오지 못하고} _{초회왕이 굴평의 간을 받아들이지 않고 자란의 권유로 진나라를 방문하려다가 진무관에서 죽임을 당함}
구나,』가지 마라! 가지 마라. 수궁이라 하는 데는 한번 가면 다시 못 오느니라. 위방불입(危
_{위험한 곳은 들어가지 말라는 뜻}
邦不入) 난방 불거(亂邦不去)하니 수궁 길을 가지 마라." ➤ 수궁에 가려는 토끼를 말리는 여우

[아니리]

"여보시오, 별주부. 우리 여우 사촌 아니었더라면 큰일 날 뻔했소. 내가 저 물속에 들어가서
_{『 』여우의 말에 수궁 가는 것을 망설임}
용왕이 된다 해도 정말 못 가겠소." / 별주부 기가 막혀, _{(Link) 인물의 행동 ❶} _{우유부단한 토끼의 태도에 대한 별주부의 반응}

"올 테면 오고 말 테면 마시오마는 저놈 심술이나 들어 보시오. 먹을 데가 있으면 지가 앞을
서 가고 죽을 데가 있으면 퇴 서방을 앞세워 갈 터이니,』내일 아침 더군다나 김 포수 날랜
_{『 』여우를 음해하여 여우의 조언이 신뢰할 수 없는 것임을 주지시킴} _{(Link) 인물의 행동 ❷} _{수궁 길 가는 위험보다 육지의 위험이 큼을 이야기함}
총알 꾸르르르 탕!" / "허! 그 탕 소리를 빼래두. 그분 참 그렇다고 내 안 갈 리가 있겠소마는
여기서 수국이 얼마나 되오?" ➤ 여우의 말에 토끼가 결심을 번복하고, 별주부는 여우를 음해함
_{별주부의 위협에 다시금 태도를 바꾼 토끼}

[중모리]

"수궁 천 리 머다 마소.『맹자도 불원천리 양혜왕을 가 보았고 위수
_{천 리 길도 마다하지 않음}
어부 강태공(姜太公)도 문왕 따라 입주를 하고 한개도창 촉도난(漢
_{주나라의 정치가} _{촉나라 가는 길이 어려움을 노래한 이태백의 가사}
漑渡倉 蜀道難)은 황면 장군 한신이도 소하(蕭何) 따라 한중 가서
대장단에 올랐으니,』퇴 서방도 나를 따라서 우리 수궁을 들어가면
_{『 』용궁행을 번복하지 않도록 토끼의 허영심을 자극함}
좋은 벼슬을 힐 것이니 염려 말고 따러갑세." _{(Link) 인물의 행동 ❸}

"그러면 갑세!" _{(Link) 인물의 행동 ❶} ➤ 별주부를 따라 수궁에 가기로 한 토끼
_{수궁으로 갈 것을 결심함}

핵심장면 ② 수궁에 간 토끼가 자신이 처한 상황을 알고 꾀를 내어 위기를 모면하려고 하는 부분이다.

[중모리]

"말을 하라니 말을 하오리다, 말을 하라니 하오리다. 태산(泰山)이 붕퇴(崩頹)하고 오성(五
_{풍수지리설에서 천형(天形)을 이룬다는 다섯 별자리} _{태산이 무너지고. 임금에게 재앙이 있음을 뜻함}
星)이 암암하여 시일갈상(是日曷喪) 노랫소리 억조창생(億兆蒼生) 원망 중에 탐학헌 상 주엄
_{어두움} _{매우 많은 수의 백성. 혹은 많은 사람을 가리키는 말} _{고대 중국 상나라 주왕(紂王)}
군 성현(聖賢)의 뱃속에 칠(七) 궁기 있다 하고 비간(比干)의 배를 갈라 무고히 죽였신들 일
_{'구멍'의 전라도 사투리} _{주왕의 악정을 간하다가 죽임을 당함}
곱 궁기 없었으니 소토도 배를 갈라 간이 있으면 좋거니와 만일 간이 없고 보면 누구에게
_{★★ 중심 소재}
달라 하며 어찌 다시 구하리오. 당장에 배를 따 보옵소서." / 용왕이 듣고 화를 내어

"이놈, 네 말이 당치않다! 의서(醫書)에 이르기를 비수병즉(脾受病則) 구불능식(口不能食)하

고, 담수병즉(膽受病則) 설불능언(舌不能言)하고, 신수병즉(腎受病則) 이불능청(耳不能聽)하

고 간수병즉(肝受病則) 목불능시(目不能視)라. 간이 없고야 눈을 들어 만물(萬物)을 어찌 보

느냐."

"소토가 아뢰리다. 천산에 영허지리(盈虛之理) 달이 맡아 있었기로 망전(望前)이면 차웁다가

망후(望後)되면 줄어지니 달의 별호 옥토(玉兎)옵고, 지상에 진퇴지리(進退之理) 조수(潮水)

가 맡았기로 사리에는 물이 많고, 조금에는 적삽기로 조수 별호(潮水別號) 삼토(三兎)온 바

소토의 간인즉 달빛같고 조수(潮水)같아 망전(望前)에는 배에 넣고 망후(望後)에는 밖에 두

어 진퇴 영허(進退盈虛)하는 고(故)로 병약이라 하옵니다. 간을 내어 밖에 둘 때에는 소토만

어른허면 세상에 병객들이 간 좀 달라고 보채기로 간을 내어 파초잎에다 꼭꼭 싸서 칡으로

칭칭 동여 이주 석산(石山) 계수나무 늘어진 상상가지 끝어리에 달아매고 도화 유수 옥계변

(玉溪邊)에 탁족(濯足)하러 내려왔다 우연히 주부를 만나서 수궁 흥미가 좋다 하기로 완경차(翫

景次)로 왔나이다."

용왕이 듣고 분을 내여 / "이놈, 니가 그말로 모두 다 거짓말이로다. 사람이나 짐승이나 일

신지(一身之) 내장은 다를 바 없는데 어찌 네가 간을 내고 들이고 임의로 출입헌단 말이냐."

"소토가 아뢰리다." / 토끼가 당돌히 여짜오되

"하하하하. 하하하. 대왕이 도지일(都知一)이오 미지기이(未知其二)로소이다. 태호 복희씨

(太昊伏羲氏)는 어이하여 사신인수(蛇身人首)가 되었으며 염재 신농씨(炎帝神農氏) 어찌하

여 인신우수(人身牛首)가 되었으며 대왕은 어이하여 꼬리가 저리 지드란허옵고 소토는 무슨

일로 꼬리가 이리 뭉툭하옵고 대왕의 옥체에는 비늘이 번쩍번쩍 소토의 몸에는 털이 요리

송살송살. 가마귀로 일러도 오전 가마귀 쓸개 있고 오후 가마귀 쓸개 없으니 인생 만물 비금

주수(飛禽走獸)가 한가지라 뻑뻑 우기니 답답치 아니하오리까. 당장에 배를 따 보옵소서."

용왕이 그제야 돌리느라고

"그러면 네 간을 내고 들이고 임의로 출입하는 표가 있느냐."

"예. 있지요." / "어디 보자." / "자! 보시오."

"저 구멍 모도 다 어쩐 내력이냐."

"예, 내력을 아뢰리다. 한 궁기로는 대변 보고 또 한 궁기로는 소변보고 남은 궁기로는 힘을

주어 간(肝)을 임의로 내나이다."

"그러하면 네 간을 어느 궁기로 넣고 어느 궁기로 내느냐."

"입으로 삼켜 넣사옵고 그 밑궁기로 내옵기에 만물 태생(萬物胎生) 동방삼팔목(東方三八木)

남방이칠화(南方二七火) 서방사구금(西方四九金) 북방일육수(北方一六水) 중앙오십토(中央

五十土) 천지 음양(天地陰陽) 오색 광채(五色光彩) 아침 안개 저녁 이슬 화(化)하여 입으로

넣고 밑궁기로 내옵기에 만병 회춘 명약이라 으뜸 약이 되나이다. 미련하구나, 저 주부야. 세상에서 나를 보고 이런 이약을 하였으면 간을 콩알만치 들여다가 대왕 환후 즉차(卽差)하고 너도 충성이 나타나 양조양합(兩造兩合) 좋을 것을. 미련하더라, 저 주부야. 만시지탄(晚時之歎)이 쓸데없구나."

*이약: 이야기
*병이 곧바로 나음
*웃어른의 병을 높여 이르는 말
*양쪽이 모두 잘됨
*시기에 늦어 기회를 놓쳤음을 안타까워하는 탄식

▶ 기지를 발휘해 용왕을 속이는 토끼

[아니리]

용왕이 들어본즉 이치가 그럴듯헌지라 나졸들에게 분부하사
*토끼에게 설득된 용왕

"네 토끼 해박(解縛)하라."
*결박을 품

토끼 결박을 끄른 후에 사정 조로 물으시되

"네 간이 아니면 짐(朕)의 병을 못 고친다는데 그러면 어찌해야 좋겠느냐."
*임금이 자기를 가리키는 말

"소토가 나가오면 소토 간뿐 아니오라 한 데 걸린 다른 간을 많이 가져오련마는 소토의 먹은
*토끼가 지상으로 나갔을 때의 이익을 말하여 풀어 주도록 유도함

마음 대왕이 짐작 못하시리니, 소토는 옥에 가두어 두시고 별주부 혼자 보내시되 소토의 지
*옥에 갇히는 것이 아무렇지 않은 척 연기를 함

어미에게 소토 편지 써 보내면 간 찾아 보내오리니, 그리하게 하옵든지 소토를 믿사옵거든

별주부와 같이 보내 주시든지 처분하여 하옵소서."

▶ 토끼를 풀어 주고 도움을 구하는 용왕

● **시일갈상(是日曷喪) 노랫소리:** '언제 해가 질까.'라는 뜻으로 「서경」에 나오는 구절임. 중국 하나라의 폭군인 걸임금이 자기를 해라고 했으므로, 백성들이 해가 빨리 없어지기를 바라며 이런 노래를 불렀다고 함.
● **탐학헌 상 주엄군 ~ 일곱 궁기 없었으니:** 「사기」에 나오는 이야기로, 은나라의 폭군인 주임금이 성인의 가슴에는 구멍이 일곱 개 있다고 하며 임금의 잘못을 깨우쳐 주려고 한 '비간'의 가슴을 도려내어 죽인 일을 말함.

최우선 출제 포인트!

1 인물에 따른 주제 의식

	표면적 주제	이면적 주제
별주부 (관료층)	왕에 대한 신하의 우직한 충성심	어리석은 군주에게 맹목적으로 충성하는 관료 비판
토끼 (서민층)	• 토끼의 기지 • 허욕에 대한 경계	세속적인 명리를 추구하는 인간의 속물근성 비판
용왕 (집권층)	토끼의 달변에 쉽게 속는 왕의 무능함	조선 후기 집권층의 횡포와 무능 비판

2 '토끼의 간'의 의미

토끼	토끼가 용왕에게서 자신의 간을 지키는 것은 지배층의 횡포로부터 자신의 삶을 지켜 냄을 의미함.
별주부	별주부에게 토끼의 간은 자신의 충성심을 인정받고 입신출세할 수 있는 기회를 의미함.
용왕	자신의 병을 고치기 위해 죄책감 없이 토끼의 간을 요구하는 용왕에게 토끼의 간은 자신의 욕망을 충족시키는 수단의 의미를 지님.

최우선 핵심 Check!

1 다음 내용 중 맞는 것은 ○표를, 틀린 것은 ×표를 하시오.

(1) 역순행적 시간의 흐름에 따라 사건을 서술하고 있다. (　　)
(2) 별주부와 토끼, 용왕과 토끼의 갈등 구조를 통해 사건이 전개되고 있다. (　　)
(3) 인간의 속물근성과 왕에 대한 충성심, 백성을 착취하는 지배층과 억압받는 백성 사이의 대립과 갈등을 드러내어 당대 사회 현실을 보여 주고 있다. (　　)
(4) 토끼의 심리 변화에 따른 갈등의 해소를 보여 주고 있다. (　　)

2 초성 힌트를 보고 빈칸에 들어갈 알맞은 말을 쓰시오.

(1) 이 작품은 현실 세계를 형상화하기 위해 ㅇㅎ 적 수법을 사용하여 인간 사회를 풍자하고 있다.
(2) 표면적으로는 인간의 ㅎㅇ 에 대한 경계와 곤경을 해결하는 슬기로운 지혜를 보여 주지만, 이면적으로는 당대의 부패한 사회와 지배층의 횡포와 무능을 풍자하고 있다.

정답 1. (1) × (2) ○ (3) ○ (4) × 2. (1) 우화 (2) 허욕

189위 고성 오광대 | 작자 미상

성격 비판적, 풍자적, 해학적 **시대** 조선 시대
주제 양반 사회의 비리와 모순 폭로 및 풍자

민속극

이 작품은 경상남도 고성 지방에서 전해 내려오는 가면극으로 전체가 5과장으로 되어 있으며, 양반과 파계승에 대한 풍자, 처첩의 문제 등을 다루고 있다.

주요 사건과 인물

발단
인물들이 춤을 추며 등장함.

전개
원양반이 풍류를 자랑하고 말뚝이와 근본에 대한 재담을 나눔.

전환
말뚝이와 원양반이 과거 행장에 대한 재담을 나눔.

결말
인물들이 춤을 추다가 퇴장함.

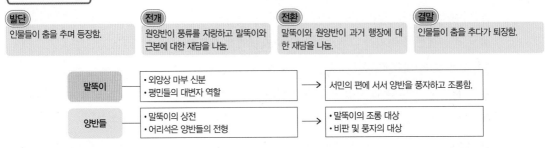

말뚝이
• 외양상 마부 신분
• 평민들의 대변자 역할
→ 서민의 편에 서서 양반을 풍자하고 조롱함.

양반들
• 말뚝이의 상전
• 어리석은 양반들의 전형
→ • 말뚝이의 조롱 대상
• 비판 및 풍자의 대상

핵심장면

말뚝이가 등장하여 양반들의 비도덕적인 모습을 비판하고 조롱하는 부분이다.

서양 연극의 '막'과 비슷한 개념. 각 과장은 옴니버스 형태의 독립성을 가짐

제2과장 오광대놀이

원양반을 중심으로 한 양반(광대)들

제1과장이 끝나면 마당에 둥글게 앉아 있던 젓광대들이 덧뵈기 장단에 맞추어 마당 안으로 모여들어 모두
문둥복춤   양반역의 우두머리   마당극의 특징 – 무대와 객석의 구분이 없음   **Link** 인물의 역할 **❶**

군무를 춘다. 원양반과 말뚝이가 번갈아 원 안에서 개인무를 춘다. 말뚝이가 퇴장하고 원양반이 들어온다.
마부, 양반을 모시는 종   ▶ 인물들의 등장과 춤

Link 인물의 역할 **❷**

원양반 쉬이. (마당판을 둥글게 돌면서 지팡이로 젓는다. 이때 음악과 춤을 멈춘다.) 소년당상(少年
춤에서 대사로 전환하며 관객의 관심을 집중시킴   양반의 신분을 상징 - 부채, 지팡이   젊은 당상관. 당상관은 조선 시대에 정3품 이상의 벼슬아치를 말함

堂上) 애기 도령 좌우로 늘어서서 말 잡아 장구 메고 소 잡아 북 메고, 안성맞춤 꽹쇠 치고
말가죽으로 장구 만들고 소가죽으로 북 만들고   안성에서 주문하여 만든 꽹과리

운봉 내기 징 치고, 술 거르고 떡 치고 홍문연(鴻門延) 높은 잔치 항장(項莊)이 칼춤 출 제,
운봉에서 만들어진 징   항우의 사촌 동생. 홍문연에서 범증의 지시에 따라 칼춤을 추다가 유방을 죽이려 했으나 실패했음

이내 마음 한가하야 석상에 비껴 앉아 고금사를 곰곰 생각할 제, 어데서 웅막 꽹꽹 하는 소
여러 사람이 모인 자리   예전과 지금의 일

리 양반이 잠을 이루지 못하야 나온 김에 말뚝이나 한번 불러 볼까. 이놈, 말뚝아!

Link 인물의 역할 **❸**

젓광대들 (따라서) 말뚝이! 말뚝이! 양반의 위엄
원양반의 대사에 운을 띄우거나 강조해 주는 역할만 할 뿐. 특별히 각자의 성격을 드러내는 대사는 없음

원양반 네 이놈들, 시끄럽다. 이놈, 말뚝아!   말뚝이의 말하기 특징 – 양반들의 전유물이던 한자어   ▶ 말뚝이를 부르는 양반
를 사용하여 경치가 아름답다는 것을 장황하게 묘사함

말뚝이 예에. 동정(洞庭)은 광활하고 천봉만학(千峯萬壑)은 그림을 그려 있고 수상부용(水上
중국에서 가장 넓은 호수   꼼꼼하지 않고 데면데면하게   수많은 산봉우리와 산골짜기   물 위의 연꽃

芙蓉)은 지당에 범범한데 양유천만사(楊柳千萬絲) 화류춘광(花柳春光) 자랑하니 별유천지
연못   '양류천만사 계류춘풍'의 착오. 버드나무의 수많은 가지가 봄바람을 잡는다는 뜻

비인간(別有天地非人間)이라. 어데서 말뚝이를 부르는지 나는 몰라요. (말채로 젓광대들 앞면
경치가 뛰어나게 아름다운 지경. 이백의 시 「산중문답」의 한 구절   마부의 신분을 나타냄

을 빙 돌며 훑어 나가면서) 말뚝이의 조롱

Link

출제자 톡 🎤 인물의 역할을 파악하라!

❶ 양반역의 우두머리로, '오광대놀이'를 주도적으로 이끌며 대사도 도맡아 하는 인물은?
원양반

❷ 원양반의 신분을 드러내 주는 소재는?
지팡이

❸ 이 작품에서 '젓광대들'의 역할은?
원양반의 대사에 운을 띄우거나 강조해 주는 역할을 함.

❹ 이 작품에서 말뚝이가 주 역할은?
양반들을 농락하고 조롱함.

원양반 이놈, 말뚝아! 잔소리 말고 저만큼 물러서서 인사 탱탱 꼬나
고해   인사에 집착하는 양반의 허세

올려라. 양반의 호통

말뚝이 누구시옵나이까? 평안 감사 갔던 청보 생원님이시옵니까?
알면서 모른 척함 – 양반에 대한 희롱   청색 옷을 입은 양반   말뚝이의 변명

원양반 평안 감사 갔던 청보 생원님이시다. 그리고 『저기 선 저 양반
양반의 안심   홍색 양반

을 보아라. 한쪽은 수원 백 서방이 만들었고, 한쪽은 남양 홍 서방

이 만들어서 접으로 접으로 된 양반이시다. 그리고 저 밑에 선 저
아버지가 둘인   원양반의 아들 – 기생이 낳음

도령님을 보아라. 남뵈기에는 빨아 놓은 김치 가닥 같고, 밑구녕에 빠진 촌충이 같아도 내

가 평안 감사 갔을 때 만든 도련님이시다. 인사나 탱탱 꼬나 올려라. (덧뵈기장단에 한바탕 춤

을 어울려 춘다.) Link 표현상의 특징 ❶

『 』: 양반들의 문란한 생활상이 드러남
볼품없는 모습을 말함
양반의 위엄

도령 (양반이 '저 밑에 선 도령님' 할 적에 점잖게 양반다리로 앉아서 수염을 쓰다듬는 행세를 하고, 옆

구리에서 거울을 빼어 들고 보다가 콧구멍 털을 뽑으며 가려워 재채기를 하고 일어선다.)

도령의 허세
경망스러운 행동 – 양반의 희화화, 해학성이 드러남

말뚝이 응마 캥캥. (양손으로 돋움을 준다.) ❯ 양반들 소개

원양반 쉬이. (음악과 춤을 멈춘다.) 이때가 어느 때냐. 춘삼월 호시절이라. 석양은 재를 넘고

Link 표현상의 특징 ❷

까마귀 슬피 울 제 한곳을 점점 내려가 마하(摩訶)에 내리서니 『영양 공주, 난양 공주, 진채

불교 용어로, 다른 말이나 인물 앞에 붙어 '위대함', '불가사의함'의 뜻을 나타내는 말   『 』: 미색을 밝힘 – 체통과 권위를 상실한 양반의 모습

봉, 계섬월, 백능파, 심호연, 적제홍, 가춘홍』 모도 모도 모여 서서 나를 보고 반가하니 이내

김만중의 소설 「구운몽」에 나오는 팔선녀의 이름

마음 흥컬 방컬 철 철. (굿거리장단에 맞추어 한바탕 춤을 어울려 춘다.) ❯ 비도덕적인 양반들의 모습

Link 표현상의 특징 ❸

말뚝이 쉬이. (말채로 젓광대들 앞면을 빙 돌며 훑어 나가면서 장단과 춤을 멈춘다.) 날이 덥더부리

하니 양반의 자식들이 흔터에 강아지 새끼 모이듯이, 연당못에 줄남생이 모인 듯이, 물길 밑

빈터   연못
물가의 양지바른 쪽에 볕을 받으려고 죽 늘어앉은 남생이들

에 송사리 새끼 모인 듯이, 모도 모도 모여 서서 말뚝인지 개뚝인지 과거 장중에 들어서서

Link 표현상의 특징 ❹   과거장의 안

제 의붓애비 부르듯이 말뚝아, 말뚝아 부르니 아니꼬와 못 듣겠네. (말채로 '못 듣겠네.'에 땅을

종이 주인에게 아니꼽다는 표현을 함 – 조롱의 의미   말뚝이의 조롱

친다.)

도령 (말뚝이가 땅을 치는 말채 소리와 동시에 놀라서 덥석 주저앉는다.)

원양반 이놈, 의붓애비라니. (지팡이로 땅을 짚고 부채는 말뚝이를 지시하며)

양반의 호통

젓광대들 (따라서) 네가 의붓애비다, 네가 의붓애비다. (서로 손짓을 한다.)

말뚝이 소인은 상놈이라 이놈 저놈 할지라도 소인의 근본을 들어 보소! 우리 칠대 팔대 구대

★ 주요 소재

조께옵서는 남병사(南兵使) 북병사(北兵使)를 지내옵고, 사대 오대 육대조께옵서는 평안 감

조선 시대 함경도 북 청에 머무르던 병마절도사   조선 시대 경성 북 병영에 머무르던 병마절도사

사 마다하고 알성 급제 장원에 도승지 참판을 지냈으니 그 근본이 어떠하오! (칠대, 팔대 등

조선 시대에 임금이 성균관 문묘에 참배한 뒤 보이는 과거에 합격하던 일   말뚝이의 변명

숫자를 헤아릴 때 손가락을 하나씩 꼽는다.) ❯ 말뚝이의 근본

Link
출제자 톡❶ 표현상의 특징을 파악하라!

❶ 이 작품에서 춤의 기능은 무엇인가?
흥겨운 분위기로 장면을 전환함.

❷ 춤에서 대사로 전환하며 관객의 관심을 집
중시키거나 내용을 전환할 때 사용하는 대
사는?
쉬이

❸ 원양반이 「구운몽」에 나오는 팔선녀의 이름
을 늘어놓는 대목에서 풍자하고 있는 것은?
원양반은 양반으로서의 권위와 위엄을 잃고
팔선녀의 이름을 언급하며 미색을 밝히고
있는데, 이는 도덕적으로 타락한 양반의 모
습을 비판하고 풍자하기 위한 것임.

❹ 양반의 자식들을 '강아지, 남생이, 송사리'에
비유함으로써 얻고 있는 효과는?
양반의 자식들의 비천한 태생을 조롱함. →
지배 계층인 양반의 권위를 깎아내림. → 당
시 신분적 차별에 시달리던 서민 계층의 마
음을 달래고, 관객들에게 웃음을 제공함.

원양반 이놈, 말뚝아. 네 근본 제쳐 놓고 내 집 근본 들어 봐라. 기

남 앞에서 자기의 아내를 이르는 말

생이 여덟이요, 내자가 열둘이요, 능노군이 스물이요, 마호군이

부끄러운 부분을 드러냄 – 양반의 무식함을 알 수 있음   노젓는 병사   마부

서른이라. 그 근본이 어떠하노. (한 손으로 지팡이를 짚고 부채는 말

뚝이를 지시하면서) 양반의 안심

말뚝이 피, 양반 근본 좋다. (어깨 너머로 흉보듯이)

젓광대들 네 근본이 네 근본이다. (서로서로 손짓을 하며) ❯ 원양반의 근본

여행할 때 쓰는 물건과 차림

원양반 이놈, 말뚝아. 과거 길이 바빠 오니 과거 행장 차리어라.

보통 나귀보다 체구가 조금 큰 중국산(서산) 나귀   양반의 위엄

말뚝이 예에. 마판에 들어서서 서산나귀 몰아내어 가진 안장 찌울

마구간   말이나 소를 부리기 위하여 고삐에 걸어 얽어매는 줄

적에 청홍사(靑紅絲) 고흔 굴레 주먹상모 덥벅 달아 앞도 걸쳐 잡

청실과 홍실   주먹처럼 생긴 상모

아 메고 뒤도 걸쳐 잡아 메고 노 생원님 끌어냈소. (말채로 원양반

'노새 원님'과 '노 생원님'의 음의 유사성을 활용한 언어유희 – 풍자적 웃음 유발

을 향해 땅을 치고 끌어내듯이) <u>말뚝이의 조롱</u>

원양반 이놈, 노 생원이라니! <u>양반의 호통</u>

말뚝이 청노새란 말쌈이올시다. <u>말뚝이의 변명</u>
_{푸른빛을 띤 노새. 여기서는 젊은 노새를 뜻함}   _{작대기. 호남 지방 걸립패의 은어로 남자의 성기를 가리킴}

원양반 내 잘못 들었네. 내 잘못 들은 죄로 네 귓구멍에 이내 작순이로 쿡쿡 쳐 박아라. (굿거
<u>양반의 안심</u>   _{서민에 대한 양반들의 횡포를 단적으로 드러냄} ▶ 과거 행장과 관련한 재담
리장단에 맞추어 '청노새, 청노새.' 하며 말뚝이가 춤을 추면 모두 어울려 한바탕 춤을 추다가 덧뵈기
_{한 과장을 마무리하는 춤}
장단에 맞춰 춤을 추고 어울린다. 이때 비비양반과 비비가 등장하고 비비에게 위협을 당하여 놀란 듯
이 퇴장한다.)   ▶ 인물들의 춤과 퇴장

<u>최우선</u> **출제 포인트!**

1 이 작품의 재담 구조

'오광대놀이'에서는 말뚝이의 주도하에 양반에 대한 희롱과 풍자가 이루어지는데, 그 재담은 일정한 구조를 보인다. 양반이 위엄을 부리고 마부인 말뚝이가 양반을 조롱하며 반항한다. 양반이 말뚝이를 윽박지르면 말뚝이는 슬그머니 말을 돌려서 변명하고, 양반은 그것을 듣고 속아서 더욱 바보스럽게 된다. 이러한 일련의 과정을 통하여 말뚝이는 서민의 전형으로서 양반을 실컷 희롱하면서 지배층에 항거하고 있는 것이다.

| 양반의 위엄 | → | 말뚝이의 조롱 | → | 양반의 호통 | → | 말뚝이의 변명 | → | 양반의 안심 |

2 '말뚝이'의 말하기 특징

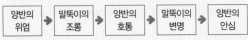

어려운 한자어	비유적 표현	언어유희
동정(洞庭)은 광활하고 천봉만학(千峯萬壑)은 ~	양반의 자식들을 '강아지, 남생이, 송사리'에 빗대어 표현함.	'노 생원님'과 '노새 원님'의 유사한 발음을 이용함.

↓

양반에 대한 조롱

3 '쉬이'와 '춤'의 기능

쉬이	재담의 시작 (새로운 이야기의 시작)	→	• 춤에서 대사로 전환됨을 알림. • 관객의 시선을 집중시킴.
춤	재담의 마무리 (갈등의 일시적 해소)	→	• 재담 내용을 구분하며 장면을 전환함. • 흥을 돋우며 신명 나는 분위기를 형성함.

<u>최우선</u> **핵심 Check!**

1 다음 내용 중 맞는 것은 ○표를, 틀린 것은 ×표를 하시오.

(1) 고사(故事)를 의도적으로 오용하여 극적 긴장감을 드러내고 있다.
(   )

(2) 열거를 통해 극 중 상황이 장황하게 묘사되고 있다.   (   )

(3) 등장인물 간의 대화에 음악과 춤이 어우러지며 극이 전개되고 있다.
(   )

2 초성 힌트를 보고 빈칸에 들어갈 알맞은 말을 쓰시오.

(1) 양반을 희화화하는 □□□의 행동으로 양반의 권위와 잘못된 행태에 대한 비판이 드러나 있다.

(2) '노새'와 발음이 유사한 말인 '노 생원님'을 활용한 □□□□이/가 드러나 있다.

정답 1. (1) × (2) ○ (3) ○ 2. (1) 말뚝이 (2) 언어유희

1등급! 〈보기〉!

「고성 오광대」의 춤

가면극은 탈을 쓴 연희자가 춤을 추며 갖가지 동작과 함께 재담을 하는 오래된 공연 예술로, 흔히 탈춤이라고도 한다. 「고성 오광대」는 전체가 5과장으로 구성되어 있으며, '덧뵈기춤'이 대표적이다. '덧뵈기춤'은 경상도 지방의 가면극에서 굿거리장단에 맞추어 추는 흥겨운 춤이다. 고대에 귀신을 즐겁게 하거나 위협하려는 의도를 가진 '덧보이기 위한 춤'의 의미를 지닌다. 제2과장에서 양반과 말뚝이가 함께 어울려 추는 '덧뵈기춤'은 우리나라에 전해 오는 전통 탈놀이 가운데 군무(群舞)의 백미를 이룬다고 할 수 있다.

190위

종이의 원료인 '닥나무'
'젊은 사람'의 뜻을 더하는 접미사

저생전(楮生傳) | 이첨

성격 우의적, 교훈적, 경세적 **시대** 고려 시대
주제 문신(文臣)으로서의 올바른 삶 권유

가전체

이 작품은 종이를 의인화한 가전체로 저생의 생애를 다루고 있는데, 여기에는 작가의 자전적 삶의 내용이 함축적으로 반영되어 있다.

내용 전개

도입	전개	논평
저생의 성격 및 능력 소개	저생의 삶	저생의 가계 소개 및 사관의 평가

핵심장면 ① 저생의 내력과 저생의 가계를 소개하고, 저생이 벼슬에 나아가기까지의 과정을 서술하는 부분이다.

선생의 성은 저(楮)이고, 이름은 백(白)이다. 자(字)는 무점(無玷)으로, 회계(會稽) 사람이다.
'종이'를 의인화함 ★★ 중심 소재 아무런 티가 없어 깨끗함 최초 종이의 생산지
한(漢)나라 중상시(中常侍) 상방령(尙方令)을 지낸 채륜(蔡倫)의 후예이다.
천자가 쓰는 기물을 관리하는 벼슬 ▶ 저생의 내력 소개

그가 태어남에 난초탕에서 목욕을 하고, 흰 구슬을 희롱하고 흰 띠로 꾸렸기 때문에 그 모양
종이를 만드는 과정
이 깨끗하고 희었다. 그의 아우는 모두 19명이나 된다. 이들은 저생과 같은 어머니에게서 태
한지 1권은 20장으로 되어 있음
어났다. 이들은 서로 화목하고 사이가 좋아서 잠시도 서로 떨어지는 법이 없었다.
▶ 저생의 가계 소개

이들은 원래 성질이 정결하고, 무인(武人)을 좋아하지 않아, 언제나 문사(文士)들만 사귀어
무인들은 창을 사용하고 문인들은 종이와 붓을 사용하기 때문에 **Link** 인물의 특징 ❶
놀았다. 그중에서도 중산(中山) 모학사(毛學士)가 가까운 친구이다. 생과 모학사는 마냥 친하
좋은 품질의 붓이 생산되는 중국의 지명 '붓'을 의인화함
게 놀아서 혹시 모학사가 저생의 얼굴에 먹칠을 하고 더럽혀도 씻지 않고 그대로 있었다.
종이 위에 글을 쓰거나 그림을 그리는 것을 비유함

저생은 학문으로 말하자면 천지·음양의 이치를 널리 통하고, 성현(聖賢)과 명수(命數)에 대
성인과 현인 운명과 재수
한 학문의 근원까지도 모르는 것이 없었다. 심지어 제자백가(諸子百家)의 글과 이단(異端) 불
춘추 전국 시대의 여러 학파. 유가인 공자, 맹자, 순자와 도가인 노자, 장자 등 전통이나 권위에 거스르는 주장이나 이론
교에 이르기까지도 모조리 써서 보고 연구하였다.
▶ 저생의 성격 및 학문 소개

한(漢)나라가 선비들에게 책문(策問)을 실시하자, 이에 방정과(方正科)에 응시하여 바야흐로
과거 시험 과목의 한 가지로 정치에 대한 계책을 물음 한나라에서 치르는 과거의 한 종류
논변을 펴 올렸다.

"옛날이나 지금의 글은 대개 댓조각을 엮어서 쓰기도 하고, 흰 비단에 쓰기도 합니다. 그러
종이를 대신하던 물건 ① 종이를 대신하던 물건 ②
나 이것은 모두 다 불편하기 짝이 없습니다. 신은 비록 두텁지는 못하오나 진심으로 댓조각
이나 비단을 대신하려 하옵니다. 저를 써 보시다가 만일 효력이 없으시거든 신의 몸에 먹칠

Link
출제자 특 인물의 특징을 파악하라!

❶ 저생이 문사들만 사귀어 놀았다는 것에서 알 수 있는 것은?
문인을 중시함.

❷ 기록 문서가 댓조각이나 흰 비단에서 종이로 전환되었음을 알려 주는 것은?
저생이 저국공 백주 자사의 벼슬에 임명됨.

을 하시옵소서." / 화제(和帝)가 시험토록 하였는데 과연 기억력이
후한의 4대 황제 종이 매체의 우수한 기록성
뛰어나서 백에 하나도 놓침이 없었으매 죽간으로 된 책은 쓰지 않아
도 좋게 되었다. 이에 저생을 포상하여 저국공(楮國公) 백주 자사(白
Link 인물의 특징 ❷
州刺史)의 벼슬에 임명하였다. 그리고 만자군(萬字軍)을 통솔케 하
종이가 본격적으로 사용되기 시작함 종이 위에 많은 글씨가 있음을 군대에 비유함
고 봉읍으로 성 씨를 삼았다. 「」: 죽간 등에 쓰던 문서를 종이에 쓰게 됨 ▶ 벼슬길에 나아간 저생

핵심장면 ② 저생의 선조 채씨 가계의 흥망성쇠를 설명하고, 그에 대한 사관(史官) 평을 서술하는 부분이다.

당(唐)나라가 일어나 홍문관(弘文館)을 설치함에 저생이 본관(本官) 겸 학사의 자격으로 저수
관리를 교육하고 조정의 제도, 의례를 논의하는 기구
량(褚遂良), 구양순(歐陽詢) 들과 앞 시대의 일들을 강론하고 모든 나랏일을 신중히 헤아리고
당나라 때의 유명한 서예가들 학술 등을 해설하며 토론하는 것

정하여 이른바 '정관(貞觀)의 치'를 이룩했다. _{Link} 인물의 행적 ❶

송(宋)나라가 흥성하면서 <u>염락(濂洛)</u>의 모든 선비들이 똑같이 문명(文明)의 다스림을 천명
_{염계와 낙양}
하였다. <u>사마온공(司馬溫公)</u>은 『자치통감』을 편찬할 때 저생이 해박하고 고상한 군자라 하면
_{사마광. 북송 때의 관료 정치가} _{중국 북송 때 사마광이 펴낸 역사서} _{공자가 편찬한 최초의 편년체 역사서}
서 매번 더불어 자문하였다. 마침 <u>왕안석(王安石)</u>이 권세를 부리는 차에 『춘추』의 학문을 좋아
_{부국강병을 위해 파격적인 개혁을 단행한 북송 때의 정치가}
하지 않았다. 왕안석은 『춘추』를 가리켜 다 찢어진 정치 문서라고 평하였다. 저생은 이를 옳지
_{직간하는 선비의 모습}
않다고 하다 마침내 배척당하고 쫓겨나 쓰이지 못하였다.

원(元)나라 초기에 이르러 본래의 사업에 힘쓰지 아니하고, 오로지 장사만을 몸에 익혔다.
<u>몸에 돈 꾸러미를 차고 찻집이나 술집 등을 드나들면서 한 푼 한 리를 셈해 따지게 되니,</u> 사람
_{종이로 돈을 만들어 쓰는 법이 생겼음} _{Link} 인물의 행적 ❷
들 간에는 비루하게 여기기도 하였다.

원나라가 망하자 저생은 다시 명(明)나라에서 벼슬을 하여 비로소 사랑을 받게 되었다. 〈중략〉
_{원나라 때 비루하게 쓰이던 저생이 문(文)을 숭상하는 명나라에서 긴요하게 쓰이게 됨} ➤저생의 흥망성쇠
아아! 슬프다! 왕자(王者)의 후손들이 그 조상이 대대로 쌓은 두터운 덕으로 해서 국가를 차
지하고 있었다. 그러나 그들이 융성해지고 쇠약해지는 것은 모두 운명과 교화(敎化)에 달려
_{저생 가문의 흥망성쇠가 운명과 교화에 달려 있음 – 운명론적 인생관}
있는 것이다. 채(蔡)는 본래 주(周)와 같은 성(姓)이다. 열강의 틈에
_{Link} 인물의 행적 ❸
끼여 있어서 공연한 공격을 받아 왔으니 끈질기게 그 자손이 없어지
지 않고 있다가 한(漢)의 말년에 이르러 드디어 봉읍(封邑)을 받고
_{종이가 널리 쓰이게 되었음을 비유함}
그 성(姓)을 바꾸게 되었다. 그러니 나라가 변해서 집안이 이룩되고
집안이 커져서 자손이 온 세상에 가득하게 됨은 오직 채씨의 후손에
게서 볼 수 있을 따름이다.   ➤사관의 평가

Link
출제자 특강 인물의 행적을 파악하라!

❶ 당나라 때 저생이 한 일은?
  역사를 강론하고 나랏일을 신중히 처리함.

❷ 저생이 몸에 돈 꾸러미를 두르고 이익만을
  도모했다는 것에서 알 수 있는 사실은?
  남송 말년부터 종이로 돈을 만들어 쓰기 시
  작하였음.

❸ 사관의 저생 가문에 대한 평가는?
  저생 가문의 흥망성쇠는 운명과 교화에 달
  려 있음.

최우선 출제 포인트!

1 작가가 생각하는 바람직한 관리상

저생의 성질이 정결하고, 문사(文士)들만 사귐.	저생은 과거를 통해 당당하게 정계에 진출함.
↓	↓
무(武)보다는 문(文)을 더 높게 평가하는 작가의 가치관	학문적 실력으로 정치에 진출한 신흥 사대부로서의 작가 의식

2 일반적인 가전체의 형식과 다른 점

가전체의 일반적인 형식	• '도입 – 전개 – 논평'으로 구성됨. • 주인공의 가계 소개 → 주인공의 삶과 이력 → 사관(史官)의 평가
「저생전」의 형식	• 도입: 주인공의 성격과 능력 소개 • 전개: 주인공의 삶에 대한 서술 • 논평: 주인공의 가계 소개 및 흥망성쇠의 과정 서술

이 작품은 고려 말에서 조선 초기에 이르는 동안 영욕의 삶을 보냈던 작가가 자신의 삶에 빗대기 때문에, 가계보다는 주인공의 삶에 주안점을 두고 싶었던 작가의 의도가 반영되어 있다.

최우선 핵심 Check!

1 다음 내용 중 맞는 것은 ○표를, 틀린 것은 ×표를 하시오.

(1) 문인을 중시하는 작가의 가치관이 나타나 있다. (   )
(2) 저생의 생애는 시대에 따라 공을 쌓거나 화를 입기도 하며, 벼슬에 나아가 등용되거나 직언으로 인해 배척되는 등의 모습으로 나타난다. (   )

2 초성 힌트를 보고 빈칸에 들어갈 알맞은 말을 쓰시오.

(1) ㅈㅇ을/를 '저생'이라는 가상 인물로 만들어, 중국 역사 속 인물로 형상화한 고려의 가전(假傳)이다.
(2) 구체적인 역사 사례에 덧붙여 인물의 행적과 인물에 대한 ㅍㄱ을/를 전하고 있다.

정답 1. (1) ○ (2) ○ 2. (1) 종이 (2) 평가

국선생전(麴先生傳) | 이규보
누룩 국

성격 교훈적, 우의적, 비판적 **시대** 고려 시대
주제 위국충절의 교훈과 군자의 처신 경계

가전체

이 작품은 술을 의인화한 국성의 일대기를 다루고 있는 가전체이다. 이 작품에서는 인간과 국성(술)의 관계를 임금과 신하의 관계로 옮겨 놓고 그 성패를 비유적으로 다루고 있으며, 등장인물과 지명을 모두 술 또는 누룩에 관련된 한자를 쓰고 있다.

내용 전개

도입	전개	논평
국성의 가계와 신분	국성의 성품과 정계 진출, 국성의 탄핵 및 국성의 아들들과 친구의 죽음, 국성의 반란군 진압과 퇴직 및 그 이후의 행적	국성에 대한 사신의 긍정적 평가

전문

국성(麴聖)의 자는 중지(中之)이니, 바로 주천(酒泉) 고을 사람이다. 어려서 서막(徐邈)에게
　맑은 술. 술을 의인화함　　　　　　　　　　　주나라 지명. 이곳 물로 술을 빚으면 술맛이 좋다고 함　　위나라 사람으로 지독한 애주가임
귀여움을 받았다. 심지어 서막이 그의 이름과 자를 지어 주기까지 했다. 그의 먼 조상은 원래
　　　　　　실제 인물을 등장시켜 사실감을 주는 가전체 문학의 특징
온(溫)이라는 땅에서 살았다. 힘껏 농사를 지어서 넉넉하게 먹고 살았다. 정(鄭)나라가 주(周)
　따뜻한 온도에서 발효되는 누룩의 특징에서 유래한 고을 이름
나라를 칠 때 잡아갔기 때문에 그 자손들은 간혹 정나라에 흩어져 살게 되었다. 국성의 증조
(曾祖)는 그 이름이 역사에 실려 있지 않다. 조부 모(牟)가 주천이라는 곳으로 이사 와서 살기
　　　　　　　　　　　　　　　　　　　보리를 의인화함
시작했다. 그의 아버지도 여기서 살아 드디어 주천 사람이 되고 말았다. <u>그의 아버지 차(醝)에
　　　　　　　　　　　　　　　　　　　　　　　　　　　　　　　　　　흰 술
이르러서 비로소 벼슬길에 나아가 평원독우(平原督郵)의 직을 역임하였고, 사농경(司農卿) 곡
　　　　　　　　　　　　　　　　　　질이 좋지 않은 술(낮은 관직)　　　　　　　고려 때 곡식을 관리하던 벼슬
(穀)씨의 딸과 결혼하여 성(聖)을 낳았다.</u>
　곡식을 의인화함　　　　　　　　　　　**Link** 우의적 의미 ❶　　　　　　　　　　　▶ 국성의 가족사
『성은 어렸을 때부터 도량이 넓고 침착하여, 아버지의 손님이 그 아비를 보러 왔다가도 성을
　　　　　　　　　　　　　　성격을 직접적으로 제시함
눈여겨보고 그를 사랑하였다.』 손님들이 말하기를,
『　』 술에 대한 긍정적인 태도
　　"이 아이의 도량이 출렁출렁 넘실넘실 만경(萬頃)의 물결과 같아서, 가라앉히더라도 더 맑아
　　　　　　　　　　　　　　　　　　　　많은 이랑. 성의 도량이 큰 것을 비유함　　　　　　　　좋은 술의 변하지 않는 성품
지지 않으며, 뒤흔들어도 탁해지지 않으니 우리는 그대와 더불어 이야기하기보다는 성과 함
　　　　　　　　　　　　　　　　　　　국성의 아버지
께 즐기는 것이 더 좋네." / 라고 하였다.
　　　　　　　　　　　　　　　　　유영호주(劉伶好酒)로 불린 애주가　　　　　　　　　도연명. 중국의 시인
　성이 자라서 중산(中山)에 사는 유영(劉伶), 심양(潯陽)에 사는 도잠(陶潛)과 벗이 되었다.
　　　　　　　　　　시와 술을 즐기던 실존 인물을 등장시킴 - 실제로 두 사람은 생존했던 시기가 달라 교류할 수 없었음
이들은 서로 말하기를,
　　"하루라도 이 친구를 만나지 못하면 비루함과 인색함이 싹튼다."
　　　　　　　　　　　술을 좋아하는 유영과 도잠이 술을 평가하는 말
라고 하며, 만날 때마다 며칠 동안 피곤을 잊고 마음이 취해서야 헤어졌다.

　국가에서 성에게 조구연(糟丘椽)을 시켰으나, 미처 나아가지 못하였더니 또 불러서 청주종사
　　　　　　　　　　술지게미 더미. 하급 직책을 의미함　　　　　　　　조구연 관직을 맡지 못함　　　청주의 종사 벼슬. '좋은 술'의 은어
(菁州從事)로 삼았다. 공경(公卿)들이 계속하여 그를 천거했다. 이에 임금이 공거(公車)를
　　　　　　　　　　높은 벼슬아치　　　　　　　　　　사람을 어떤 자리에 쓰도록 소개하거나 추천함　　관청의 수레
보내서 불러서 보고 눈짓하며 말하기를,

　　"저 군이 주천의 국생(麴生)인가? 짐이 그대의 향기로운 이름을 들은 지 오래였노라."
하였다.

　이보다 앞서 태사(太史)가 주기성(酒旗星)이 크게 빛을 낸다고 아뢰었는데, 얼마 안 되어 성
　　　　　　　　천문과 역사를 맡은 직책　　술의 별
(聖)이 이른지라, 임금이 더욱 기특하게 여겼다. 임금은 즉시 성을 주객 낭중(主客郎中)에 임
　　　　　　　　　　　　　　　　　　　　　　　　　　　　　　　손님을 맞이하는 일을 하는 벼슬
명하고, 이윽고 국자 제주(國子祭酒)로 올려 예의사(禮儀使)를 겸하게 했다.
　　　　나라의 제사에 올리는 술로, 여기에서는 벼슬 이름을 가리킴　　예의범절을 관장하는 관리

이로부터 조회(朝會)의 잔치와 종묘(宗廟)의 모든 제사의 작헌(酌獻)하는 예(禮)를 맡아 임금
〔신하들이 모여 임금에게 문안을 드리던 일〕 〔제사에서, 술을 부어 신위(神位) 앞에 드림〕
의 뜻에 맞지 않음이 없었다. 이에 『임금이 그의 그릇이 쓸 만하다 하여 승진시켜 후설(喉舌)의
〔매우 만족스러워함〕 〔『』:국성을 총애하는 임금의 모습〕 〔후설지신(喉舌之臣), 왕명의 출납을 맡아보던 벼슬〕
직에 두고, 후한 예로 대접하여 매양 들어와 뵐 적에 교자(轎子)를 탄 채로 전(殿)에 오르라 명
Link 우의적 의미 ❷ 〔당상관이 타던 가마. 술상을 비유함〕
하며, 이름을 부르지 않고 국 선생(麴先生)이라 일컬었다.』 임금의 마음에 불쾌함이 있어도 성
〔국성이 임금을 기쁘게 함 – 술을 마시고 기분이 좋아짐을 의미함〕
이 들어와 뵈면 비로소 크게 웃으니, 성이 사랑받음이 대체로 이와 같았다.

성은 성품이 온순하므로 날로 친근하며 임금과는 조금도 스스럼없이 가까워졌다. 이런 까닭
〔많은 사람들이 술을 즐김〕
으로 더욱 사랑을 받아 항상 임금을 따라다니면서 잔치 자리에서 함께 노닐었다.
〔임금이 연회에서 술을 즐김〕 ▶ 국성의 정계 진출과 임금의 총애
성에게는 세 아들이 있었다. 혹(酷)과 폭(暴)과 역(醳)이다. 이들은 아비의 총애를 받고 자못
〔독한 술〕 〔진한 술〕 〔쓴 술〕
방자하니, 중서령(中書令) 모영(毛穎)이 임금에게 상소하여 탄핵했다.
〔무례하고 건방짐〕 〔붓을 의인화함〕 〔죄상을 들어서 책망함〕
그 글은 이러했다.

"행신(倖臣)이 폐하의 총애를 독차지하고 있는 것을 천하 사람들은 모두 병통(病痛)으로 알
〔간신. 국성을 일컬음〕 〔병으로 인한 아픔〕
고 있습니다. 국성이 보잘것없는 존재로서 요행히 벼슬에 올라 계급이 3품이 되었고, 마음
〔근거 없는 말로 남을 헐뜯음〕 〔뜻밖으로 운수가 좋게〕
이 사나워 사람을 중상(中傷)하기를 좋아하므로 만인이 분하게 여겨 소리치고 반대하며 골
〔국성의 성격을 문제 삼음 – 술의 폐해를 드러냄〕
머리를 앓고 마음 아파합니다. 이는 나라의 병을 고치는 충신(忠臣)이 아니요, 실은 백성에
〔술(국성)이 백성에게 부정적 영향을 끼침〕
게 독을 끼치는 도둑입니다. 더구나 성의 세 아들이 제 아비가 폐하께 총애받는 것을 믿고,
〔국성의 아들들의 행동을 문제 삼음〕
제멋대로 하며 방자하게 굴어서 모든 사람들이 다 괴로워하고 있습니다. 청컨대 폐하께서는
이들에게 모두 사형을 내리셔서 모든 사람의 입을 막으소서."

이에 성의 아들 셋은 그날로 독이 든 술을 마시고 자살하였고, 성은 폐해져 서인(庶人)이 되었
〔아무 벼슬이 없는 일반 사람〕
다. 치이자(鴟夷子)도 역시 일찍이 성과 친하게 지냈다 하여 수레에서 떨어져 자살했다. 〈중략〉
〔술 주머니. 술 항아리〕 ▶ 국성의 아들과 벗의 죽음
『성이 파면되자, 제[齊 제(臍)] 고을과 격[鬲 격(膈)] 고을 사이에서 도둑이 떼 지어 일어났다.』
〔술을 마시지 못하게 됨〕 〔제(臍)는 배꼽, 격(膈)은 가슴을 뜻함〕 〔『』:술을 금지하자 사람들 사이에 근심과 분란이 생김〕
이에 임금은 이들을 토벌하라는 명을 내렸다. 하지만 적당한 사람이 없어 다시 성을 발탁하여
〔사람들의 근심을 해결하기 위해서는 술이 필요하기 때문에〕
원수(元帥)로 삼았다. 성은 군사를 엄하게 통솔했고, 또 모든 고생을 군사들과 같이했다. 수
성(愁城)에 물을 대어 한 번 싸움에 이를 함락하고 나서 거기에 장락판(長樂阪)을 쌓고 돌아왔
〔'수성'은 근심을 말함. 술로 사람들의 근심을 해결함〕 〔오래도록 즐거워함〕 **Link** 우의적 의미 ❸
다. 임금이 공으로 성을 상동후(湘東侯)에 봉했다.
▶ 도둑 떼를 평정하여 명예를 회복한 국성
성은 1년 뒤에 상소하여 물러가기를 빌었다.

Link
출제자 톡! 우의적 의미를 파악하라!
❶ 차(醝)가 곡(穀)씨의 딸과 결혼하여 성(聖)을
낳았다는 것의 의미는?
누룩과 곡물을 섞어 술을 만들었음을 의미함.
❷ 술이 상에 차려져 임금에게 올려짐을 비유
한 표현은?
교자(轎子)를 탄 채로 전(殿)에 오르라 명하며
❸ 제 고을과 격 고을 사이에서 떼지어 일어난
도둑이 의미하는 바는?
도둑 떼는 근심을 의미하는 것으로, 술이 없
어지자 사람들의 마음에 괴로움이 생기게
되었음을 의미함.

"신(臣)은 본래 가난한 집 자식이옵니다. 어려서는 가난하고 천한
〔『』:자신의 지난 일과 임금의 은혜를 말함〕
몸이라 이곳저곳으로 팔려 다니는 신세였습니다. 그러다가 우연
히 폐하를 뵙게 되고, 폐하께서는 마음을 놓으시고 신을 받아들이
셔서 물에 빠져 잠긴 몸을 건져 주시고 강호의 모든 사람들과 같이
용납해 주셨습니다. 하오나 신은 일을 크게 하시는 데 더함이 없었
〔국성의 겸손한 성품이 드러남〕
고, 국가의 체면을 조금도 더 빛나게 하지 못했습니다.』 저번에 제
몸을 삼가지 못한 탓으로 시골로 물러나 편안히 있었사온데, 비록
〔탄핵을 받았던 일〕

엷은 이슬은 거의 다 말랐사오나 그래도 요행히 남은 이슬방울이 있어, 감히 해와 달이 밝은
것을 기뻐하면서 다시금 찌꺼기와 티를 열어젖힐 수가 있었나이다. 또한 『물이 그릇에 차면 엎
어진다는 것은 모든 물건의 올바른 이치옵니다. 이제 신은 몸이 마르고 소변이 통하지 않은
병으로 목숨이 경각에 달려 있사옵니다. 바라옵건대 폐하께서는 명령을 내리셔서 신으로 하여
금 물러가 여생을 보내게 해 주옵소서.”』

  그러나 『임금은 이를 승낙하지 않고, 중사(中使)를 보내어 송계(松桂), 창포(菖蒲) 등의 약을
가지고 그 집에 가서 병을 치료하게 하였다.』

  성이 여러 번 글을 올려 사직(辭職)하니, 임금이 부득이 윤허하였다. 그는 마침내 고향에 돌
아가 살다가 천수(天壽)를 다하고 세상을 떠났다. 〈중략〉

  ❯ 국성의 귀향과 죽음

  사신(使臣)은 말한다.

  “국씨는 원래 대대로 내려오면서 농가 사람들이었다. 『성이 유독 넉넉한 덕이 있고 맑은 재주
가 있어서 당시 임금의 심복이 되어 국가의 정사에까지 참여하고, 임금의 마음을 깨우쳐 주
어, 태평스러운 푸짐한 공을 이루었으니 장한 일이다.』 그러나 『임금의 사랑이 극도에 달하자
마침내 국가의 기강을 어지럽히고 화가 그 아들에게까지 미쳤다.』 하지만 이런 일은 실상 그
에게는 유감될 것이 없다 하겠다. 그는 만절(晩節)이 넉넉한 것을 알고 자기 스스로 물러나
천수를 다하였다. 『주역』에 이르기를 '기미를 보아서 일을 해 나간다.'라고 한 말이 있는데 성
이야말로 거의 여기에 가깝다 하겠다.”

  ❯ 국성에 대한 사신의 논평

최우선 ⟨출제 포인트!⟩

■1 이 작품의 표현 방식과 주제 의식

표현 방식	주제 의식
술과 인간 사이에서 빚어지는 인과 관계를 임금과 신하 사이의 관계에 빗대어 그 성패를 비유적으로 다룸.	→ 국성이 신하로서의 분수를 망각한 것을 풍자하고, 위국충절의 도리를 지키는 신하로서의 이상적인 모습을 제시함.

■2 '술'에 대한 작가의 긍정적인 태도

작품의 제목	술을 의인화한 국성을 국 선생이라 함.
인물의 설정	• 국성은 맑고 깨끗하고 도량이 넓어 사람들과 임금의 신망이 두터움. • 국성이 도둑 떼를 몰아내고 위기에서 나라를 구함.
사신의 평가	국성이 나라의 기강을 어지럽힌 부분은 있지만 나라를 태평하게 하고 순리대로 처신하였다고 평가함.

최우선 ⟨핵심 Check!⟩

1 다음 내용 중 맞는 것은 ○표를, 틀린 것은 ×표를 하시오.

(1) 국화를 '성'이라는 인물로 의인화해 전기 형식으로 서술한 가전체이다.
(   )

(2) 출생에서부터 죽음에 이르기까지의 '성'의 일생에 관한 내용으로 서사를 구성하고 있다.
(   )

2 초성 힌트를 보고 빈칸에 들어갈 알맞은 말을 쓰시오.

(1) 주인공의 ㄱㄱ와/과 행적을 자세히 서술하고 묘사하고 있다.

(2) 작가는 'ㅅ'을/를 통해 임금을 모시고 신하의 도리를 다하는 바람직한 인간상을 형상화하고 있다.

정답 1. (1) × (2) ○ 2. (1) 가계 (2) 술

벼슬 이름 검은 옷을 입은 사내
청강사자현부전(淸江使者玄夫傳) | 이규보

성격 우의적, 교훈적, 풍자적
시대 고려 시대
주제 안분지족의 처세와 언행을 삼가는 삶의 자세

가전체

이 작품은 동물(거북)을 의인화한 가전체로, 왕의 부름에도 따르지 않고 속된 무리와도 어울리지 않는 어진 사람의 행실을 묘사하여 세상 사람들을 경계하고자 하였다.

내용 전개

도입	전개	논평
현부의 가문 소개	현부의 능력 및 행적	현부와 그 자식들의 삶을 통해 세상 사람들에게 언행을 삼갈 것을 경계하는 사신

전문

현부(玄夫)는 어떠한 사람인지 알 수 없다. 어떤 이는 말하기를,
검은[玄] 옷을 입은 사내[夫]라는 뜻으로, 거북을 의인화함

"그 선조는 신인(神人)이었다. 형제가 15명인데 모두 체구가 크고 굉장한 힘이 있었다. 천제
신과 같이 신령하고 숭고한 사람   인물의 특성 ❶

(天帝)께서 명(命)하여 바다 가운데 있는 다섯 산을 붙잡게 했던 자가 바로 이들이었다."
중국의 다섯 명산, 화산, 수산, 태산, 대산, 동래 거북의 등가죽이 단단함을 뜻함

한다. 자손에게 이르러서는 모양이 차츰 작아지고 또한 소문이 날 정도로 힘이 센 자도 없었
인물의 특성 ❶

으며, 오직 점치는 것을 직업으로 삼았다. 터가 좋고 나쁨을 보아서 일정한 장소에 살지 않았
거북의 등딱지를 불에 태워 그 갈라지는 틈을 보고 길흉을 판단하던 거북점

기 때문에 그의 향리(鄕里)나 세계(世系)를 자세히 알 수 없다.
출신 고향   조상으로부터 대대로 내려오는 계통

먼 조상은 문갑(文甲)인데 요의 시대에 낙수(洛水) 가에 숨어서 살았다. 임금이 그가 어질다
황하의 한 지류 인물의 특성 ❶

는 소문을 듣고 흰 옥을 가지고 그를 초빙하였다. 문갑은 기이한 그림을 지고 와서 바치므로

임금이 그를 가상히 여기어 낙수후에 봉하였다. 증조는 상제의 사자라고만 말할 뿐, 이름은
명령이나 부탁을 받고 심부름하는 사람

밝히지 않았는데, 바로 홍범구주(洪範九疇)를 지고 와서 백우(伯禹)에게 주던 자이다. 할아버
세상의 큰 규범 아홉 가지라는 뜻으로, 우임금이 정한 정치 도덕의 아홉 가지 원칙 우임금

지는 백약(白若)으로 하후 시대에 곤오에서 솥을 주조하였는데 옹난과 함께 힘을 다하여 공
거북   하나라   하나라의 곤오국   중국 하나라 때의 귀족 이름

을 세웠고, 아버지는 중광(重光)인데 나면서부터 왼쪽 옆구리에 '달의 아들 중관인데 나를 얻

은 사람은, 서민은 제후가 될 것이고 제후는 제왕이 될 것이다.'라는 글이 있었으므로 그 글에

따라서 중광이라 이름한 것이다.
▶ 현부의 가계 소개
남의 잘못을 이해하고 감싸 주며 일을 처리하는 힘

현부는 더욱 침착하고 국량이 깊었다. 『그의 어머니가 요광성(瑤光星)이 품에 들어오는 꿈을
인물의 특성 ❷   북두칠성 가운데 일곱 번째 별 이름으로 군대를 관장하는 별

꾸고 아기를 뱄다.』 막 낳았을 때 관상쟁이가 보고 말하기를,
『 』: 훌륭한 인물의 탄생을 예고함

"등은 산과 같고 무늬는 벌여 놓은 성좌를 이루었으니 반드시 신성할 상이다."
거북의 등껍질 모양   인물의 특성 ❸   ▶ 현부의 출생과 신성한 모습

하였다. 장성하자 역상(曆象)을 깊이 연구하여 천지(天地), 일월(日月), 음양(陰陽), 한서(寒暑),
책력을 통해 천체 현상을 알아내는 것

풍우(風雨), 회명(晦明), 재상(災祥), 화복(禍福)의 변화에 대한 것을 미리 다 알아내었다. 또 신
어둠과 밝음   재앙과 상서로움

선으로부터 기를 운행하고 공기를 호흡하여 죽지 않는 방법을 배웠
거북의 장수를 나타냄

다. 천성이 무(武)를 숭상하므로 언제나 갑옷을 입고 다녔다. 임금이
거북의 딱딱한 등딱지   인물의 특성 ❹

그의 명성을 듣고 사신을 시켜 초빙하였으나 현부는 거만스럽게 돌

아보지도 않고 곧 노래를 부르기를,

"진흙 속에 노니는
자연

그 재미가 무궁한데 『 』: 자연 친화

Link
출제자 **특강** 인물의 특성을 파악하라!

❶ 신인(神人)이었던 선조 대에서 먼 조상인 문갑 대로 가면서 달라진 점은?
크기가 작아지고 힘이 없어짐.

❷ 현부의 성품은?
침착하고 국량이 깊음.

❸ 현부가 막 태어났을 때 등껍질의 무늬는?
벌여 놓은 성좌를 이룸.

❹ 현부가 입고 다니는 '갑옷'의 의미는?
거북의 등딱지

높은 벼슬 받는 **총영**(寵榮)
세속적 부귀영화   임금의 총애를 입어 번영함
내가 어찌 바랄쏘냐?" `Link` 구조상의 특징 ❶, ❷
벼슬을 거부함

하고 웃으며 대답도 하지 않았다.   ❯현부의 비범한 능력과 임금의 뜻 거절

　이로 말미암아 그를 불러들이지 못했는데, 그 뒤 송 원왕 때 예저가 그를 강제로 협박하여
　　　　　　　　　　　　　　　　　　　　　　　　송나라의 어부
임금에게 바치려 하였다. 그런데 그가 아직 왕을 뵙기 전에, 왕의 꿈에 어떤 사람이 검은 옷차
　　　　　　　　　　　　　　　　　　　　　　　　　　　　　　현부임을 알 수 있음
림으로 수레를 타고 와서 아뢰기를,

　"나는 청강사자인데 왕을 뵈려 합니다."

하였는데, 이튿날 과연 예저가 현부를 데리고 와서 뵈었다. 왕은 크게 기뻐하여 그에게 벼슬
을 주려 하니 현부는 아뢰기를,

　"신이 예저에게 강압을 당하였고, 또한 왕께서 덕이 있다는 말을 들었으므로 와서 뵙게 되
　었을 뿐이요, 벼슬은 나의 본의가 아닙니다. 왕께서는 어찌 나를 머물러 두고 보내지 않으려
　하십니까?"

하였다. 왕이 그를 놓아 보내려 하다가 위평의 밀간으로 인하여 곧 중지하고 그를 수형승에
　　　　　　　　　　　　　　　송 원왕의 신하   비밀스럽게 간하는 말   물을 관장하는 관리
임명하였다. 또 옮겨 도수 사지를 제수하였다가 곧 발탁하여 대사령을 삼고, 나라의 시설하는
　　　　　　　　　하천의 관개와 보수를 맡아보던 벼슬   일관, 천관, 천문을 담당하는 관직
일, 인사 문제, 그리고 기거동작, 흥망에 대하여 일의 대소를 막론하고 모두 그에게 물어본 뒤
　　　　　　　　　　일상생활에서의 몸의 움직임   나라의 중요한 일들을 거북점을 쳐서 결정하였음을 드러냄
에 행하였다.   ❯예저의 술책에 빠져 벼슬길에 나간 현부

　왕이 어느 날 농담하기를,

　"그대는 신명의 후손이며 더구나 길흉에도 밝은 자인데, 왜 일찍이 몸을 보호하지 못하고 예
　　　　　　　천지 신령의 후손 – 고귀한 혈통   점을 치는 비범한 능력을 지님
　저의 술책에 빠져서 과인의 얻은 바가 되었는가?"
　　　　　　　　　　　　벼슬살이를 하게 됨
하니 현부가 아뢰기를,

　"밝은 눈에도 보이지 않는 것이 있고, 지혜도 미치지 못하는 곳이 있기 때문입니다."
　　　　　　　　　　　자만하지 말고 항상 경계하며 조심해야 할 것을 강조함
라고 아뢰니, 왕이 크게 웃었다. 그 후 그의 종말을 아는 사람이 없다. 지금도 진신(振神)들 사
　　　　　　　　　　　　　　　　　　　　　　　　　　　　　　　　　　벼슬아치
이에는 그의 덕을 사모하여 황금으로 그의 모양을 주조해서 차는 사람이 있다.   ❯종말을 맞은 현부
　　　　　　사람들이 거북 모양의 장신구를 만들어 몸에 지녔음

Link
출제자 **특강** **구조상의 특징을 파악하라!**

❶ 이 작품에서 시를 삽입한 이유는?
　인물의 태도와 정서를 효과적으로 드러내기
　위해

❷ 현부가 부른 노래의 의미는?
　임금의 뜻을 거절함.

❸ 사신이 공자와 자로의 이야기를 제시한 이
　유는?
　삶의 이치를 이끌어 내기 위해

❹ '자만하지 않고 조심하며 항상 언행을 삼가
　야 함.'을 효과적으로 전달하기 위해 활용한
　방법은?
　중국의 고사를 인용함.

　　　　　　　　　그의 맏아들 원서는 사람에게 삶긴 바 되어 죽음에 임하여 탄식하
　　　　　　　　　　　　　　　사람들이 먹는 별미로 이용되었음
기를,

　"택일을 하지 않고 다니다가 오늘날 삶김을 당하는구나. 그러나 남
　산에 있는 나무를 다 태워도 나를 문드러지게는 못할 것이다."
　　　　　　　　　　　과장법. 자신의 뜻을 강조함
하였으니, 그는 이처럼 강개하였다. 둘째 아들은 원저라 하는데,
　　　　　　　　　　　　　의롭지 못한 것을 보고 의기가 북받쳐 원통하고 슬픔
오·월의 사이를 방랑하면서 자호를 통현 선생이라 하였다. 그다음
오나라와 월나라   오묘한 경지에 훤히 통한 선생
아들은 역사책에 그 이름이 전하지 않는다. 모양이 극히 작으므로
점은 치지 못하고 오직 나무에나 올라가서 매미를 잡고는 하더니,

또한 사람에게 삶긴 바 되었다. 그의 족속에는 혹 도를 얻어서 천년에 이르도록 죽지 않는 자가 있는데, 그가 있는 곳에는 푸른 구름이 덮여 있었다. 혹은 관리 속에 묻혀 살기도 하는데, 세상에서는 그를 현의 독우라 칭했다.

<u>검은 옷을 입은 지방 관아의 관리라는 뜻. 여기서는 거북을 달리 이르는 말</u> ▶현부의 아들들과 족속들의 삶

사신은 이렇게 평한다.
<u>가전 문학의 특징 – 작가의 논평</u>

"지극히 <u>은미한</u> 상태에서 미리 살피며, 징조가 나타나기 이전에 예방하는 것은 성인이라도
<u>희미하여 나타나지 않을</u>
어그러짐이 있는 법이다. 현부 같은 지혜로도 능히 예저의 술책을 막지 못하고 또 두 아들이
<u>점복에 능한 사람의 지혜</u>
삶아 먹힘을 구제하지 못하였는데, 하물며 다른 이들이야 더 말할 것이 있겠는가! ●옛적에 공
<u>평범한 이들</u>
자는 광(匡) 땅에서 고난을 겪었고 또 ●제자인 자로가 죽어서 젓으로 담겨짐을 면하지 못하게
<u>공자가 아끼던 제자 자로가 왕의 다툼에 희생되고 젓 담김을 당했다는 고사를 통해 행동이나 언행을 삼가야 함을 효과적으로 전달함</u>
하였으니, 아 삼가지 않을 수 있겠는가?" ▶현부에 대한 사신의 논평
Link 구조상의 특징 ❸, ❹

- 옛적에 공자는 광(匡) 땅에서 고난을 겪었고: 양호(陽虎)가 일찍이 광(匡) 땅에서 횡포하였는데, 광 사람들이 양호의 얼굴과 비슷한 공자를 양호로 착각하고 포위하여 공자가 막심한 곤욕을 겪음.
- 제자인 자로가 죽어서 젓으로 담겨짐을 면하지 못하게 하였으니: 공자의 제자 자로는 능력이 뛰어나 정계에 진출하였지만 왕위 다툼에 휘말려 위첩(衛輒)의 난 때 살해되어 젓 담김을 당함.

---

1 '현부'를 통해 전달하고자 한 작가의 주제 의식

> 현부는 앞날의 길흉화복을 점치는 신령스러운 능력이 있음.

+

> 어부 예저의 꾐에 빠져 벼슬길에 나아간 현부가 관직을 두루 거치며 공을 세우고 존경받게 되지만, 어디에서 생을 마감했는지 알려지지 않음.

+

> 현명한 사람이라도 한순간의 실수로 일을 그르칠 수 있으므로, 항상 언행을 신중히 해야 함.

⬇

> '현부'와 같이 지혜로운 자가 술책에 빠져 일을 그르치는 것을 통해, 자신의 능력을 과신하지 말고 언행을 신중히 해야 한다는 교훈을 전달함.

2 '현부'의 삶의 태도

현부는 자연의 풍류를 즐기며 세상에 나오지 않고 유유자적하며 그 재미를 즐기려는 안분지족(安分知足)의 자세를 보인다. 또한 임금의 요구를 거절하며 부른 노래에서 진흙 속에서 노닐었다는 것은 자연에 묻혀 세상에 나오지 않은 일을 가리키는 것으로, 세속적인 생활을 멀리 하겠다는 태도를 나타낸다.

1 다음 내용 중 맞는 것은 ○표를, 틀린 것은 ×표르 하시오.

(1) 먼 조상부터 차례로 제시하면서 현부의 가계를 밝히고 있다. (　　)

(2) 풍자의 방식을 활용하여 세태에 대한 비판 의식을 드러내고 있다.
(　　)

(3) 비범한 능력을 지닌 현부가 '밝은 눈에도 보이지 않는 것이 있고, 지혜도 미치지 못하는 곳이 있다'고 답한 것에서 매사에 조심하고 경계해야 한다는 교훈을 이끌어 낼 수 있다. (　　)

(4) 임금이 불렀는데도 가지 않은 현부의 모습을 통해 자신의 분수에 맞추어 만족하는 삶을 살아가는 성품을 알 수 있다. (　　)

2 초성 힌트를 보고 빈칸에 들어갈 알맞은 말을 쓰시오.

(1) 인물의 ㅇㄷㄱㅈ 구성으로 내용을 전개하고 있다.

(2) 작가는 ㅅㅅ을/를 내세워 현부에 대한 평가를 덧붙이고 있다.

정답 **1.** (1) ○ (2) × (3) ○ (4) ○ **2.** (1) 일대기적 (2) 사신

193위 온달전(溫達傳) | 작자 미상

성격 역사적, 사실적, 영웅적   시대 상고 시대
주제 온달의 입신출세와 평강 공주의 주체적인 삶
     의 태도

설화

이 작품은 바보라고 불리던 온달이 평강 공주를 만나 입신양명을 이루는 과정을 보여 주고 있는 영웅 전설이다.

내용 전개

기	승	전	결
평강 공주가 '바보 온달'이라고 불리는 인물과 결혼을 결심함.	평강 공주가 궁궐에서 나와 온달의 집으로 가서 온달과 혼인하여 그를 내조함.	온달이 입신출세하고 평강왕이 온달을 사위로 인정함.	신라군과 싸우다 전사한 온달의 장사를 지내려 할 때 상여가 움직이지 않자 공주가 그를 위로하여 관을 움직이게 함.

전문

온달은 고구려 평강왕(平岡王) 때 사람이다. 용모는 쭈그러져 우습게 생겼지만 마음은 밝았
└ 고구려의 제25대 왕   └ 온달의 생김새   └ 온달의 성격을 직접 제시 – 긍정적인 성격
다. 집이 매우 가난하여 항상 밥을 빌어다 어머니를 봉양하면서 떨어진 옷과 해진 신으로 거

리를 돌아다녔다. 사람들이 그를 '바보 온달'이라 하였다. **Link** 인물의 처지 ❶   ▶ 가난하지만 마음은 밝은 온달
└ 온달이 '바보'로 불리는 것은 웃기는 외모와 선한 성격 때문이지 정신적인 문제가 있었던 것은 아님 – 영웅이 될 수 있는 개연성

평강왕의 어린 딸이 잘 울었으므로 왕이 희롱하여,
                          └ 말이나 행동으로 실없이 놀려서

"네가 늘 울어서 귀를 시끄럽게 하니 커서 사대부의 아내가 될 수 없겠다. 바보 온달에게나

시집보내야겠다."

라고 매양 말하였다. 공주가 16세 되매, 상부(上部) 고씨(高氏)에게 시집보내려 하자 공주가
       └ 번번이   └ 귀족
대답하기를,

"대왕께서 항상 '너는 반드시 온달의 아내가 될 것이다.'라고 말씀하셨는데, 이제 무슨 까닭

으로 예전의 말씀을 고치시나이까? 필부(匹夫)도 식언(食言)하지 않으려 하거늘 하물며 지
                          └ 신분이 낮고 보잘것없는 사내 └ 약속을 지키지 아니함
존(至尊)이겠습니까? 왕자(王者)는 희언(戲言)이 없다고 합니다. 지금 대왕의 명령이 잘못되
└ '임금'을 높여 이르는 말 └ 임금 └ 웃음거리로 하는 실없는 말
었사오니 소녀는 받들지 못하겠습니다." **Link** 인물의 처지 ❷
                          └ 평강 공주의 주체적이고 강직한 성품
하였다. 왕이 노하여 이르기를,

"네가 나의 가르침을 따르지 않으니, 내 딸이 될 수 없다. 어찌 함께 있겠느냐? 네 갈 데로

가거라."

라고 하였다.   ▶ 온달에게 시집가겠다는 뜻을 밝힌 평강 공주

공주는 보물 팔찌 수십 개를 팔에 매고 궁궐을 나왔다. 혼자 길을 가다가 어떤 사람을 만나
     └ 앞날을 준비하는 자세   **Link** 인물의 처지 ❸   └ 온달의 어머니
온달의 집을 물었다. 노모가 대답하기를,

Link
출제자 톡 인물의 처지를 파악하라!

❶ 사람들이 온달을 '바보 온달'이라고 부른 이유는?
용모가 우습게 생긴 데다 밥을 빌어다 먹고, 떨어진 옷과 해진 신으로 거리를 돌아다녀서

❷ 공주가 궁궐을 나온 이유는?
아버지의 잘못된 명령을 받아들일 수 없어서

❸ 앞날을 대비하는 공주의 자세를 엿볼 수 있는 행동은?
보물 팔찌 수십 개를 팔에 매고 나옴.

"우리 아들은 가난하고 추하여 귀인(貴人)이 가까이할 인물이 못
                          └ 사회적 지위가 높고 귀한 사람
됩니다. 지금 그대에게서 이상한 향내가 나고, 손을 만지니 솜같이
                          └ 온달의 어머니가 공주를 귀인이라 판단한 이유
부드러우니, 반드시 천하의 귀인일 것이오. 누구의 꾐에 빠져 여기

에 오게 되었소? 내 자식은 굶주림을 참지 못하여 산으로 느릅나

무 껍질을 벗기러 간 지 오래인데, 아직 돌아오지 않았소."

하였다. 공주가 집을 나와 걸어서 산 밑에 이르렀다. 온달이 느릅나

무 껍질을 지고 오는 것을 보고, 공주가 자신의 소회(所懷)를 말하자 온달이 성을 내며,
_{마음에 품고 있는 생각이나 정}

"이는 어린 여자의 행실이 아니니, 반드시 사람이 아니라 여우나 귀신이다. 내 곁으로 다가

오지 말라."

하며 돌아보지도 않고 갔다. 공주는 혼자 돌아와 사립문 아래서 하룻밤을 묵었다.
_{평강 공주의 적극적인 의지}　▶궁궐에서 나와 온달을 찾아간 평강 공주

이튿날, 다시 들어가서 모자(母子)에게 자세히 말하였다. 그래도 온달은 우물쭈물하며 결정

을 내리지 못하였다. 노모가 말하기를,

『내 자식은 지극히 누추하여 귀인의 배필이 될 수 없고, 내 집은 지극히 가난하여 귀인이 거
_{평강 공주}

처할 곳이 못 되오.』　『　』: 자신의 분수를 알고 평강 공주를 배려하는 노모의 모습이 드러남
　[Link] 인물의 태도 ❶

하였다. 공주가 대답하기를,

"옛사람의 말에 한 말 곡식도 방아 찧을 수 있고, 한 자 베도 꿰맬 수 있다고 하였습니다. 마
_{『　』: 사마천의 『사기』에 나오는 말. 가난해도 마음만 맞으면 함께할 수 있다는 말로, 평강 공주의 인물됨이 드러남}

음만 같다면 어찌 반드시 부귀한 후에야 함께 지낼 수 있겠습니까?"
　[Link] 인물의 태도 ❷

하였다. 이에 금팔찌를 팔아 전지(田地), 주택, 노비, 우마(牛馬)와 기물(器物) 등을 사니 용품
_{궁궐을 나올 때 일부러 가지고 나온 것}　_{논밭}　_{살림살이에 쓰는 그릇}

이 다 갖추어졌다.

애초에 말을 살 때에 공주가 온달에게 말했다.
_{개인이 키워서 파는 말}　_{나라에서 기르던 말}

"시정(市井)의 말을 사지 말고, 꼭 국마(國馬)를 택하되 병들고 파리해서 내다 파는 것을 사
_{앞으로의 가능성을 보고 말을 선택하도록 함}

오십시오."

온달이 그 말대로 하였다. 공주가 말을 부지런히 먹이니, 말이 날마다 살찌고 또 건강해졌다.』
_{『　』: 평강 공주의 지혜로움}

『고구려에서는 항상 봄철 3월 3일이면 낙랑(樂浪) 언덕에 모여 사냥을 하고 그날 잡은 산돼
_{『　』: 고구려의 제천 의식과 군사 훈련을 겸한 수렵 행사}

지, 사슴으로 하늘과 산천(山川)의 신에게 제사를 지냈는데, 그날이 되면 왕이 나가 사냥하고

여러 신하들과 오부(五部)의 병사들이 모두 따라 나섰다.』 이에 온달도 기른 말을 타고 따라갔
_{다섯 부족}

는데, 그 달리는 품이 언제나 맨 앞에 서고 포획하는 짐승도 많아서, 다른 사람은 따르지 못하
_{온달의 뛰어난 재주}

였다. 왕이 불러 그 성명을 물어보고는 놀라며 또 이상히 여겼다.

이때 후주(後周)의 무제(武帝)가 군사를 보내어 요동(遼東)을 치니, 왕이 군사를 거느리고 나

가 배산(拜山) 들에서 맞아 싸웠다. 『온달이 선봉장이 되어 날쌔게 싸워 수십여 명을 베니 여러
_{제일 앞에 진을 친 부대를 지휘하는 장수}

군사가 승기(勝氣)를 타고 분발하여 쳐서 크게 이겼다. 공을 의논할 때에 온달로 제일을 삼지
_{지지 않고 이기려는 기개}

않는 이가 없었다.』 왕이 가상히 여기고 감탄하면서
_{『　』: 온달의 공적}

"이 사람은 나의 사위니라."
_{왕이 온달을 사위로 인정함}　　　　　　　　　　[Link] 인물의 태도 ❸

하고, 예를 갖추어 맞이하여 작위를 주어 대형(大兄)을 삼았다. 이로
_{벼슬과 지위}　_{고구려의 벼슬 이름}

해서 은총과 영화가 더욱 두텁고 위엄과 권세가 날로 성하였다.
　　　　　　　　　　　　　　　　　　　　　　　　　▶온달의 입신출세

영양왕(嬰陽王)이 즉위하자 온달이 아뢰기를,
_{평강왕의 장자. 고구려의 제26대 왕}

"신라가 우리의 한강 이북 땅을 빼앗아 군현(郡縣)으로 삼았으니

백성들이 심히 한탄하여 일찍이 부모의 나라를 잊은 적이 없습니다.
_{조국 – 고구려를 가리킴}

[Link]
출제자 [특급] 인물의 태도를 파악하라!

❶ 온달과 결혼하겠다고 찾아온 공주를 대하는
노모의 태도는 어떠한가?
자신의 분수를 알고 공주를 만류함.

❷ 공주가 인용한 옛사람의 말에 담겨 있는 의
미는?
가난해도 마음만 맞으면 함께할 수 있음.

❸ 온달의 뛰어난 능력을 확인한 왕의 반응은?
온달을 사위로 인정함.

원컨대 대왕께서는 어리석은 이 신하를 불초하다 하지 마시고 군사를 주신다면 한번 가서
반드시 우리 땅을 도로 찾아오겠습니다.”

하니, 왕이 허락하였다. 떠날 때 맹세하기를

『“계립현(鷄立峴)과 죽령(竹嶺) 서쪽의 땅을 우리에게 귀속시키지 않으면 돌아오지 않겠다.”』
하였다.

드디어 출전하였는데, 온달은 신라 군사와 아단성(阿旦城) 아래에서 싸우다가 흐르는 화살
에 맞아 넘어져서 죽었다. 장사를 지내려 하였으나 상여가 움직이지 않았다. 공주가 와서 관
을 어루만지며 말하기를,

“죽고 사는 것이 이미 결정되었으니, 아, 돌아가소서!”
하였다. 드디어 상여를 들어서 장사 지냈다. 대왕이 듣고 몹시 슬퍼하였다. ▶온달의 전사와 후일담

---

1 이 작품의 구조적 특성

전반부	평강 공주의 주체적 행동과 슬기로움
후반부	온달의 입신출세와 영웅성

2 '평강 공주'와 '온달'의 성격

평강 공주	왕에게 자신이 한 말을 지키라고 함.	신의를 중시함.
	궁궐을 나와 온달의 집에 찾아감.	주체적이고 의지적임.
	온달의 집 사립문 밑에서 하룻밤을 묵음.	끈기가 있음.
	온달에게 버려진 국마를 사 오라고 함.	선견지명이 있고 지혜로움.
온달	못생겼지만 마음이 밝음.	밝고 선함.
	공주가 시키는 대로 함.	수용적인 태도를 지님.
	고구려 땅을 되찾지 못하면 돌아오지 않겠다고 함.	조국애가 강하고 의지적임.

3 작품에 반영된 당대인들의 인식

가난하고 미천한 신분의 온달이 공주의 남편이 됨.	당대인들의 바람이 투영되어 있음.
공주의 내조 덕에 온달이 뛰어난 무술을 지니게 됨.	지혜로운 아내의 역할을 인정함.
공주가 온달의 혼백을 어루만지며 삶과 죽음은 이미 결정되어 있다고 말함.	삶과 죽음을 운명으로 받아들이며 순응했던 당대인들의 의식을 엿볼 수 있음.

---

1 다음 내용 중 맞는 것은 ○표를, 틀린 것은 ×표를 하시오.

(1) 온달은 심성이 착하고 효심이 지극한 성품을 지녔다. ( )
(2) 온달은 고귀한 신분 출신으로 나라를 위해 공을 세운 영웅적 인물이다. ( )
(3) 평강왕은 공주가 부모의 명령을 따르지 않는 것을 탓하고 있고, 공주는 왕이 스스로 한 말을 지키지 않는 것을 문제 삼고 있다. ( )

2 초성 힌트를 보고 빈칸에 들어갈 알맞은 말을 쓰시오.

(1) 평강 공주는 부당한 권위를 거부하고 삶을 스스로 선택하는 ㅈㅊㅈ 삶의 태도를 보인다.
(2) ㅇㄷ은/는 평강 공주의 조력으로 훌륭한 장수가 되었다.

정답 1. (1) ○ (2) × (3) ○ 2. (1) 주체적 (2) 온달

1등급! 〈보기〉!

「온달전」과 「서동 설화」

	온달전	서동 설화
공통점	• 남자 주인공의 신분은 미천하고 여자 주인공은 공주임. • 공주가 궁궐을 나와 남자 주인공을 만남. • 여자 주인공의 내조로 남자 주인공이 능력을 발휘함.	
차이점	• 온달의 신이한 탄생 과정이 나타나 있지 않음. • 공주가 자신의 의지로 궁궐을 나옴. • 공주가 혼인을 주도함.	• 서동의 신이한 탄생 과정이 나타나 있음. • 공주는 자신의 의지와 상관없이 궁궐에서 쫓겨남. • 서동이 혼인을 주도함.

신 따위에게 복을 달라고 함

구복 여행(求福旅行) | 작자 미상

성격 교훈적, 구술적, 비현실적 **시대** 상고 시대
주제 욕심을 버리고 함께 나누는 삶

설화

이 작품은 가난한 주인공이 구복(복을 구함.) 여행을 가는 길에 만난 이들의 부탁을 받고 이들을 도와주며 자신도 복을 받는다는 내용의 설화로, 복에 대한 우리 선인들의 인식이 잘 드러나 있다.

내용 전개

기	승	전	결
가난하게 살던 사부자 중 막내아들이 복을 구하러 하늘로 원정을 감.	여행 도중에 만난 과부와 이무기가 막내아들에게 자신들의 원정을 부탁함.	막내아들이 옥황상제를 만나 자신과 과부, 이무기가 처한 어려움의 이유를 묻고 해결책을 얻음.	과부와 이무기가 복을 얻을 수 있는 방법을 전해 주고, 자신도 복을 얻게 됨.

전문

특정하지 않은 시간적 배경 – 설화 문학의 특징
그래 이야기가 어찌 되는가 하면, 그전에 **사부자(四父子)**가 있었는데, 농사를 많이 지으면
구어체 – 구전 문학의 성격이 드러남   아버지와 세 아들   구복 여행을 떠나게 되는 계기 – 박복하고 가난한 처지
오히려 농사 안 지은 때보다도 더 **간고(艱苦)**하게 산단 말이지. 짚신을 삼고 살면 땟거리는 되
가난하고 고생스럽게   짚신을 삼고 생계를 유지함
는데. 그중 끝에 아들이 한 날은 아버지에게 말하기를,
막내아들   ★★ 중심 소재   사정을 하소연함
"난 하늘에 올라가서 옥황상제한테 왜 우린 복이 없느냐고 원정(原情)을 가겠소."
「 」: 하늘로 가 절대자인 옥황상제에게 복을 구하고자 함 – 어려운 현실 상황이 복 때문이라 생각함   ★ 주요 소재   **Link** 인물의 처지 ❶
했거든. 그러니까, / "에이 미친놈! 네가 하늘을 어찌 가?" / 야단치니,

"전 그래도 갑니다." / 하고는 하루는 쇠지팡이를 맞춰서, / "하늘을 가리라."
복을 구하고자 하는 적극적인 태도 – 제목과 연결
하고, / "어딘지 쇠지팡이가 닳도록 가면 하늘 가가 있겠지." 〈중략〉   ▶복을 구하기 위해 하늘로 가는 막내아들

그래 간다고 가니까 배는 고픈데, 기와집이 있는데, 거기서 자야겠다 하고, 주인을 찾으니,
여행 도중 겪는 일시적 시련과 우연적 요소
밥해 먹는 여자가 나온단 말야.

"나 여기서 자고 가야겠다."
남의 집에 고용되어 주로 부엌일을 맡아 하는 여자
하고 **대문간 방**을 얻어 들어가서 저녁을 먹고 있으니, 주인이란 **젊은 여자**인데, 식모하고만
끼니를 해결하고 잠잘 곳을 마련함 – 일시적 시련의 해소   과부
살고 있었어. 저녁 후 서로 만나서 이야기를 하는데,

"어디 사는 도령인데 어디를 가오?"

"난 아무 데 사는데, 난 그 집의 막내요. 농사를 지으면 얻어먹고, 짚신을 삼으면 사니 그 이
남에게 빌어먹음
유를 알고자 원정 가고 **등장(等狀)** 가는 길이오."
여러 사람이 이름을 잇대어 써서 관청에 올려 하소연함
"그럼 기왕 가시는 길이면 내 원정을 좀 들어다 주시오." / "뭐요?"
재산이 많은 과부
"이 앞들이 다 내 것인데 남편을 얻기만 하면 죽어서 만날 과부가 되니 내 원정을 얻어다 주
Link 인물의 처지 ❷   과부의 부탁 – 남편이 계속해서 죽는 일을 원정함
시오." / "그러시오."」 「 」: 과부의 원정 부탁을 수락한 막내아들   ▶남편이 계속 죽는 과부의 원정을 부탁받은 막내아들

하고 밥을 먹고 갔지. 그래 바다에 달하니 갈 길이 없어 방황을 하다 보니까 조그만 배가 있어
서 타니까 갑자기 회오리바람이 불어 **무변대해(無邊大海)**로 가니 복판에 한 **뾰족한 산**이 있는
끝없이 넓은 바다
데 거기다 대거든. 그 산 **날망**에 무엇이 **맷방석**만치 번들번들한 것이 있어 보니까 용 못 된 **이**
'마루'의 방언   매통이나 맷돌을 쓸 때 밑에 까는, 짚으로 만든 방석

Link
출제자 **톡!** 인물의 처지를 파악하라!

❶ 막내아들이 하늘로 원정을 하려는 이유는?
아무리 노력해도 가난에서 벗어나지 못하는 사정을 하소연하기 위해

❷ 막내아들에게 원정을 부탁한 과부의 처지는?
남편을 얻기만 하면 죽어서 만날 과부가 됨

무기야. 그래 그때에는 뱀도 말했던지 뚜르르 일어서며,
용이 되지 못하고 물속에 사는 여러 해 묵은 큰 구렁이
"웬 사람이 여기 오느냐?"
원래는 사람이 올 수 없던 곳임을 알 수 있음
그래, / "내가 옥황상제께 원정을 하러 하늘을 가는 길이오."
하늘에 오름
"그럼 내가 하늘을 가도록 해 줄 테니까, 나는 득천(得天) 기회가
하늘로 갈 수 있도록 도와주는 이무기   이무기의 부탁 – 하늘로 올라가지 못하는 사연을 원정함

넘었는데도 왜 올라가지 못하는지 그 원정을 들어다 달라." / 라고 해서, / "그러마."

> _{『 』: 이무기의 원정 부탁을 수락한 막내아들}

라고 했다. 그래서 입으로 안개를 뿜어 무지개다리로 하늘을 올라가니 옥황상제가 있던 곳을
_{이무기의 도움으로 하늘에 올라감}

갔어.

> ▶ 득천 하지 못하는 이무기의 원정을 부탁받은 막내아들

"제가 원정을 왔습니다." / "어찌 왔느냐?"

"그래 저희 사부자는 복을 어찌 마련하셨습니까? 농사지으면 밥 못 먹고, 짚신을 삼아야 겨
_{노력을 해도 가난에서 벗어날 수 없는 현실을 한탄}

우 살아가니 어찌 된 일입니까?"

"너희는 그밖에 복을 마련할 길이 없어. 편하면 일찍 죽으니 그런다."
_{정해진 운명(복)은 바꿀 수 없음} _{Link '복'에 대한 인식 ❶} _{과택(과부댁)의 방언}

"저희 복은 그렇다 하고도 그러면 아무 데 사는 과택 여자는 어찌 그럽니까?"
_{과부의 원정을 옥황상제에게 전함}

"그 여자는 아무 때라도 여의주를 얻은 남편을 얻어야 해로(偕老)하고 살지, 여의주가 없는
_{과부의 문제 해결 방법}

남편은 죽는다."

"그 아무개 산의 이무기는 왜 승천을 못 합니까?"
_{이무기의 원정을 옥황상제에게 전함} _{Link '복'에 대한 인식 ❷}

"그놈은 욕심이 많아서 여의주를 하나면 득천할 것을 두 개를 가져서 못 올라간다."
_{이무기의 문제 해결 방법} ▶ 옥황상제를 만나 원정을 하는 막내아들

이래서 제 것은 못 알고 남의 원정만 듣고 도로 나와서 무지개다리로 와서 그것을 타고 내려
_{정작 자신의 문제는 해결하지 못하고 과부와 이무기의 문제 해결 방법만 알아냄}

오니 이무기가, / "그래 뭐라더냐?"

"용님은 욕심이 많아서, 여의주가 두 개라면서요. 날 하나 주시오. 그러면 간단해요."

"그럼 그래라." / 하고 한 개를 주니 이내 득천이야. 그 배에 앉아
_{욕심을 버리고 남에게 나누니 복이 옴 → 욕심이 많으면 복을 얻을 수 없다는 교훈}

서 바람으로 딱 가서 그 여자한테로 가니 여자가 물으니,

"아무 때라도 여의주를 얻은 남편을 얻어야 백년해로한다니 내가

가졌으니 나하고 살자."
_{Link '복'에 대한 인식 ❸} _{예물로 가져가거나 들어오는 좋은 음식}

이래서 여자 얻고 의복을 차반하고 자기 집으로 와서 제 부형을 보
_{주인공의 문제가 해결됨 – 다른 사람을 도와주면 자신도 복을 얻을 수 있다는 교훈을 전달함}

니 놀라더래. 그래 잘 살았소. ▶ 남의 원정을 대신 해 주고 자신도 복을 받은 막내아들

Link

출제자 톡! '복'에 대한 인식을 파악하라!

❶ 막내아들의 원정에 대한 옥황상제의 대답을
통해 알 수 있는 것은?
행복과 불행은 이미 정해져 있음.

❷ 이무기의 문제 해결 방법에 담겨 있는 인식은?
복을 얻기 위해서는 지나친 욕심을 버려야 함.

❸ 막내아들이 잘잘 수 있게 된 까닭은?
다른 사람을 위하는 착한 성품 때문에 복을
받음.

최우선 출제 포인트!

1 이 작품의 상징성

여행의 계기	노력해도 가난에서 벗어날 수 없는 막내아들이 옥황상제에게 자신의 사정을 하소연하기 위해 여행을 떠남.	
여행의 과정	지상	한 과부와 이무기가 자신들의 원정을 부탁함.
	천상	옥황상제가 막내아들에게 과부가 남편을 얻는 방법과 이무기가 득천 하는 방법을 알려 줌.
	지상	막내아들이 이무기와 과부의 문제를 해결해 줌.
여행의 결과	막내아들은 행복하게 잘살게 됨.	

최우선 핵심 Check!

1 다음 내용 중 맞는 것은 ○표를, 틀린 것은 ×표를 하시오.

(1) 문어체로 기록 문학의 성격이 드러난다. ( )

(2) 아들과 과부가 옥황상제에게 원정하려는 것을 통해 주어진 삶을 바꿈
으로써 현실의 고통에서 벗어날 수 있다는 생각을 엿볼 수 있다.

( )

2 초성 힌트를 보고 빈칸에 들어갈 알맞은 말을 쓰시오.

(1) 아들이 옥황상제를 찾아가는 데에 도움을 준 조력자는 ㅇㅁㄱ 이다.

(2) 이무기가 여의주를 두 개를 가져서 승천할 수 없다는 것은 ㅇㅅ 을/를
부리면 복을 얻을 수 없다는 것을 말해 준다.

정답 1. (1) × (2) ○ 2. (1) 이무기 (2) 욕심

출제율이 높지는 않지만
교과서에 실린 적이 있는

고전 산문 46작품

195 ~ 240

제3부

출제 플러스 작품

195 취유부벽정기(醉遊浮碧亭記) | 김시습

● 줄거리

개성에 사는 부호가의 아들인 홍생이 평양의 대동강에서 뱃놀이를 하다가 퇴락한 옛 수도의 모습을 보고 취흥을 이기지 못해 홀로 부벽정에 가 맥수지탄의 시를 읊는다. 이때 홍생의 시를 듣고 아름다운 여인이 나타난다. 여인은 기자왕의 후손 기씨녀(선녀)로, 홍생의 시 짓는 능력이 범상치 않다고 평가한다. 그 후 서로 시를 주고받으며 여인의 시연을 듣게 된 홍생은 여인과 정신적인 교감을 나눈다. 선녀는 홍생과 하룻밤을 지낸 뒤 시를 쓰고 천상계로 돌아가 버린다. 선녀와 이별한 후 친구들과 만난 홍생은 선녀와의 만남이 아닌 낚시로 하룻밤을 보냈다고 속여서 말한다. 이후 홍생은 집에 돌아와 선녀를 생각하며 상사병에 걸린다. 홍생은 꿈속에서 선녀의 시녀를 만난 후 갑작스레 세상을 떠난다. 송장을 빈소에 안치한 지 3, 4일이 지났는데도 그의 얼굴빛은 변하지 않았다. 이를 보고 사람들은 그가 신선을 만나 죽음에서 해탈되었기 때문이라 했다.

> **갈래** 한문 소설, 애정 소설　　**시대** 조선 시대
> **성격** 전기적, 도교적, 낭만적
> **주제** 시대를 초월한 아름다운 사랑
> **특징** ① 당시 시대 상황(수양 대군의 왕위 찬탈)을 망국의 상태로 인식하고 있던 작가 의식이 드러남.
> ② 초월적 현실주의 사상과 도가적 신선 사상을 혼합함.
>
> **감상 툭!** 이 작품은 개성에 사는 부호가의 아들인 홍생과 죽어서 선녀가 된 기자(箕子)의 딸 사이의 정신적인 사랑과 고국의 흥망에 대한 회고를 담고 있는 소설이다. 제목인 '취유부벽정기'는 '부벽정에서 취하여 논 이야기'라는 뜻이다. 마지막 결말 부분에서 홍생의 시체를 빈소에 안치한 지 3, 4일이 지나도 얼굴빛이 변하지 않은 것은 홍생이 신선이 되었음을 의미한다. 이는 현실에서 이루지 못한 것을 천상에서 지속해 보려는 초월적 현실주의 사상과 도가적 신선 사상의 혼합을 의미한다.

196 마장전(馬駔傳) | 박지원

● 줄거리

말 거간꾼, 관중과 소진, 믿음직한 첩, 믿음직한 벗 등이 가식적으로 신의가 있음을 보여 주는 모습을 통해 거짓 신의의 문제를 드러낸다. 걸인인 송욱, 조탑타, 장덕홍 세 사람이 광통교 위에서 군자들의 벗 사귀는 방법을 서로 논하였다. 송욱은 세속적인 사귐에 대해 권세와 명예, 이익을 추구하면서도 그렇지 않은 척 진심을 속이는 가식적인

술수에 해당하며, 이는 고도의 사교술이며 기만술이므로 진실한 사귐이 아니라고 말한다. 이어 덕홍이 '의'와 '충'에 대한 천민과 양반의 태도 차이를 설명하자 탑타는 평생 벗을 사귀지 못할지언정 '군자의 사귐'은 안 하겠다고 한다. 골계 선생은, 사람을 사귈 때는 틈[間]을 잘 이용하여야 한다고 말하며 말 거간꾼의 교활한 술수와 다르지 않은 군자의 사귐을 따르지 말 것을 평한다.

> **갈래** 한문 소설, 풍자 소설　　**시대** 조선 시대
> **성격** 비판적, 풍자적
> **주제** 양반들의 위선적 교우(交友) 풍자
> **특징** 송욱은 실제 의미와 반대로 표현하는 반어적인 말하기 방법을 사용함.
>
> **감상 툭!** 이 작품은 세속의 교제술에 관한 말 거간꾼들의 토론 내용을 통해 군자의 사귐이 말 거간꾼이 흥정을 붙이는 것과 같이 상대방을 속이고 진심을 은폐하고 있다고 비판한다. 제목의 '마장'은 '말 거간꾼'이라는 뜻이다. 따라서 '마장전'은 겉으로는 삼강오륜을 숭상하고 예교를 따른다면서 실제로는 세속적인 권세와 명예와 이익을 추구하는 선비들을 신랄하게 풍자하는 제목이라고 할 수 있다.

197 김신선전(金神仙傳) | 박지원

● 줄거리

김홍기는 장가를 들어 아들을 낳고는 다시는 아내를 가까이하지 않았으며 수년 동안 면벽한 뒤로 신통한 능력이 생겨 신선으로 불렸다. 우울증이 있던 '나'는 신선의 도술이 효험이 있다는 말을 듣고 사람을 시켜 김 신선을 찾지만 그에 관한 세상 사람들의 이런저런 풍문만 전해 듣는다. 이듬해 가을, 동해를 유람하던 중 김홍기로 추정되는 사람에 관한 이야기를 들은 '나'가 그 사람이 있다는 암자로 찾아갔으나 그곳에는 신발 두 짝만 남아 있었다. '나'는 김홍기를 만나지 못하고 돌아서면서 신선은 결국 뜻을 얻지 못해서 울적해하는 사람일 것이라는 생각을 한다.

> **갈래** 한문 소설, 풍자 소설　　**시대** 조선 시대
> **성격** 비판적, 풍자적
> **주제** 신선 사상의 허구 타파
> **특징** ① 문답식 대화를 사용하여 전개되고 있음.
> ② 일인칭 서술자의 시점으로 간결하고 사실적으로 서술함.
> ③ 주인공인 김 신선의 직접적 행동이나 말을 전혀 보여 주지 않고 '나'의 기억을 더듬는 회상기 형식을 취하고 있음.
> ④ 김홍기를 신선보다는 은자로 이해하는 작가의 의식과, 신선이란 허구를 타파하고자 하는 실학사상을 엿볼 수 있음.
>
> **감상 툭!** 이 작품은 우울증이 있어 신선의 도술에 관심이 있던 '나'가 김 신선을 만나려 애쓰다 결국 만나지 못하고 신선에 대한 자신의 생각을 정리해 보는 내용의 풍자 소설이다. 이 소설에는 소문에만 등장하던

신선을 추적하여 그 신비로움을 벗겨보려는 과정이 나타나 있다. '나'는 김 신선을 추적하면서 들은 정보들을 종합하여, 민간에서 일컫는 신선이란 '단지 우울히 뜻을 얻지 못한 자일 뿐이다.'라고 결론을 내린다. 즉, 김홍기는 신선이라기보다 현실에서 자신의 능력을 인정받지 못하여 답답하고 우울한 마음을 지니고 속세와 명산대천을 떠도는 현실 도피자라는 것이다. 이를 통해 작가는 벽곡을 하며 산에 들어가 숨어 사는 신선이란 자들은, '경세치용(經世致用, 학문은 세상을 다스리는 데에 실질적인 이익을 줄 수 있어야 함.)'의 실학과는 어울릴 수 없는 염세주의자들이고 현실 도피자들이라며 비판하고 있다.

198 성진사전(成進士傳) | 이옥

줄거리

인류가 생긴 지 오래되어 간교로운 일과 거짓 행위가 들끓음도 부인할 수 없는 사실이다. 어떤 비렁뱅이가 성희룡에게 일부러 시비를 걸고 죽은 아이로 협박하여 돈을 갈취하려다 성희룡의 처세와 인품에 감동하여 물러난다. 화서외사(花漵外史)는 성희룡의 행위에 대해 '성 씨가 그렇게 하지 않았더라면 옥사(獄事)가 반드시 성립될 것이요, 옥사가 성립된다면 요즘 법을 맡은 이들은 반드시 '의옥(疑獄)'이라 하여 여러 해를 두고 판결하지 못하지니, 성 씨의 처지로선 어찌 억울하지 않겠는가?'라고 평가하고, 혼란한 세태에 대해 개탄한다.

갈래 고전 소설	**시대** 조선 시대

성격 교훈적, 경세적, 비판적
주제 교활한 세태와 인심 비판 및 처세의 덕 강조
특징 ① '전(傳)'의 형식을 취하였으나 인과적 사건 전개와 긴장감의 형성 면에서 소설의 성격을 드러냄.
② 인물의 행동이 반복적·점층적으로 전개되다가 사건이 반전되는 구성으로 서사적 흥미를 이끌어 냄.

감상 툭! 이 작품은 성희룡의 관대하고 신중한 행동을 통해 당시 세태 인심의 교활함을 폭로하고 몸과 마음을 삼갈 줄 아는 덕을 지녀야 함을 강조하고 있는 '전(傳)' 형식의 고전 소설이다.

199 장생전(蔣生傳) | 허균

줄거리

장생(蔣生)이란 사람은 어떠한 내력을 지닌 사람인 줄을 알 수가 없었다. 기축년 무렵에 서울에 왕래하며 걸식하면서 살아갔다. 술만 있으면 곧바로 자기가 떠다가 잔뜩 마시고는 노래를 불러 아주 즐겁게 해 주고는 떠나가 버렸다.

술이 한창 취하면 맹인, 점쟁이, 술 취한 무당, 게으른 선비, 소박맞은 여인, 걸인, 노파들이 하는 짓을 흉내 냈

으니, 하는 짓마다 아주 똑같이 해냈었다. 또 가면을 쓰고 열심히 십팔 나한(十八羅漢)을 흉내 내면 꼭 같지 않은 경우가 없었다. 또 입을 찡그려서 피리, 거문고, 비파, 기러기, 고니, 무수리, 집오리, 갈매기, 학 등의 소리를 내는데, 진짜와 가짜임을 구별하기 어렵게 하였다.

아침이면 밖으로 나와 거리나 저자에서 구걸했으니, 하루 동안에 얻는 것이 거의 서너 말[斗]이었다. 몇 되[升]쯤 끓여 먹고 나면 다른 거지들에게 나누어 주었다.

임진년 4월 초하룻날 값을 뒤에 주기로 하고 술 몇 말[斗]을 사 와, 아주 취해서는 길을 가로막으며 춤을 추고 노래 부르기를 그치지 않았다가 거의 밤이 되어 수표교(水標橋) 위에서 넘어졌다. 다음 날 해 뜬 지 늦어서야 사람들이 그를 발견했는데, 죽은 지가 이미 오래되었었다. 시체가 부패하여 벌레가 되더니 모두 날개가 돋아 전부 날아가 버려 하룻밤에 다 없어지고 오직 옷과 버선만이 남아 있었다. 그와 친하게 지내던 홍세희가 조령을 넘다가 그를 만났다. 그는 홍세희에게 자기는 죽지 않았고, 바다 동쪽으로 향하여 한 나라를 찾아 떠나 버린 것이라 했다. 그는 홍세희에게 몇 가지 예지를 남겼는데, 이를 듣지 않아 홍세희는 죽음을 피하지 못하였다.

'나'는 장생이 신(神)이었거나 아니면 옛날에 말하던 검선(劍仙)과 같은 부류가 아니었을까 한다는 논평을 한다.

갈래 한문 소설	**시대** 조선 시대

성격 전기적, 비판적
주제 장생의 기이한 행적과 이상향 건설에 대한 바람
특징 ① 인물의 행동을 통해 성격을 드러냄.
② 비현실적 요소를 통해 인물의 신비함을 강조함.
③ 역사적 시간과 사건 등을 통해 사실성을 부여함.
④ 일화적 사건들을 병렬적으로 구성하여 이야기를 전개함.

감상 툭! 이 작품의 주인공 장생은 뛰어난 능력을 갖춘 이인이다. 그러나 장생은 단지 이인다운 행적만을 보일 뿐, 당대 사회의 구조적 문제를 해결하기 위해 구체적인 행동을 취하지는 않는다. 이런 점에서 장생은 신이한 능력을 지닌 개인에 그치고 마는 한계를 드러낸다.

200 설공찬전(薛公瓚傳) | 채수

줄거리

설충란의 자식인 설공찬과 그의 누이는 젊은 나이에 죽었다. 공찬은 어릴 때부터 글공부하기를 즐겨 한문과 문장 작법을 매우 즐겨 읽고 글쓰기를 아주 잘하였다.

설충란의 동생의 이름은 설충수였다. 그에게는 설공침과 업동이라는 두 아들이 있었는데, 공침의 몸에 설공찬

의 누이의 혼이 들어갔다. 제 아버지가 슬퍼 더 울고 의심하기를, 요사스런 귀신에게 빌미 될까 하여 귀신 쫓는 사람을 불러와서 복숭아 나뭇가지를 흔들어 설공찬의 누이를 쫓아내니 그 귀신이 이르기를 "나는 계집이므로 이기지 못하지만 내 오라비 공찬을 데려오겠다." 하고는 갔다. 이윽고 공찬이 오니 그 계집은 없어졌다. 설공침은 자기 몸에 마음대로 드나드는 설공찬과 그의 누이 때문에 거의 죽을 지경에 이른다. 공찬은 설충수에게서 다시는 김석산을 부르지 않겠다는 약속을 받아 낸다. 공찬의 빙의로 공침은 괴로워하지만, 사람들은 공찬에게 저승에 관해 묻는다. 이에 공찬이 공침의 입을 빌려 저승에서 행해지는 관행과 저승 심판의 모습 등 저승의 이야기를 들려준다.

> **갈래** 전기 소설 　　　　　　　**시대** 조선 시대
> **성격** 비판적, 풍자적, 전기적
> **주제** 저승의 이야기를 통한 당대의 정치 풍자
> **특징** ① '순창'이라는 실제 지역을 공간적 배경으로 함.
> 　　　② 실존 인물과 허구적인 인물을 교묘히 배합함.
> 　　　③ 저승의 이야기를 통해 당대 정치 현실과 유교 이념의 한계 등을 비판함.
> **감상 톡!** 이 작품은 스무 살에 죽은 후 사촌 동생 공침의 몸에 빙의된 설공찬이 전하는 저승 이야기를 통해 반정으로 왕위에 오른 중종과 반정 공신들을 은근히 비판하고 있는 전기 소설이다. 당시의 사실적 배경과 친숙한 소재로 대중의 인기를 끌었다.

201 은애전(銀愛傳) | 이덕무

• 줄거리

은애는 성이 김(金), 강진현 탑동리의 양갓집 딸이었다. 이 동리에는 안씨 성을 가진 성미 고약한 할멈이 살고 있었다. 할멈은 퇴물 기생으로, 험악한 마음씨와 되는대로 지껄이는 주둥이로 인해 구설도 많았다. 게다가 옴이 온몸에 퍼져 늘 가려워서 괴로워했다.

할멈은 평소에 은애의 집에 드나들면서 쌀이나 콩, 소금, 메주 같은 것을 자주 꾸어다 먹었다. 그러자니 때로는 은애의 어머니가 거절하는 때도 있었다. 이때마다 할멈은 앙큼한 마음에 불이 붙어, 자기의 몸을 온통 못살게 구는 질병에서 오는 화풀이를 더하여 기회만 있으면 앙갚음을 하려고 했다. 할멈은 시누이의 손자인 최정련과 짜고 은애가 정절을 훼손했다는 거짓 소문을 퍼뜨린다. 은애가 어렵게 시집을 갔음에도 할멈의 모함이 계속되자 나쁜 소문은 그치지 않았다. 이에 은애는 할멈을 죽여 자신의 억울함을 풀고 결백을 입증하려 한다.

할멈을 죽인 은애가 옥에 갇히나, 얼굴에는 두려운 빛이 없었고 말소리도 또렷했다. 문초를 받는 은애는 "이 몸이 홀로 모함을 입어 원수를 갚은 일이니, 또 누가 이 몸을 도와 이런 흉사를 도모하겠습니까?" 하였다. 이를 알게 된 임금이 정조를 지킨 은애의 행위를 칭송하고 특별히 석방하도록 명하였다.

> **갈래** 한문 소설 　　　　　　　**시대** 조선 시대
> **성격** 교훈적, 경세적
> **주제** 타인에 대한 무고 경계와 정조의 덕치
> **특징** 할멈의 계속되는 모함과 이를 참지 못한 은애의 행동에서, 정절을 중시하던 당시 여성들의 사고를 엿볼 수 있음.
> **감상 톡!** 이 작품은 낭설을 퍼뜨려 자신을 모함한 마을의 할멈을 살해한 김은애의 실제 이야기를 통해 당시 향촌 사회 서민들의 일상적 삶의 모습과 여성의 정조 관념, 지배층의 통치 이념과 윤리 의식을 보여 주고 있는 실화 소설이다.

202 사각전(謝角傳) | 작자 미상

• 줄거리

사휘는 자식이 없어 이를 한탄하다가 산신령께 기도하였다. 그 뒤 부인이 선관이 황룡을 타고 부인을 찾아오는 태몽을 꾼 뒤, 태기를 느끼게 되었다. 바로 천상계의 인물인 각성이 인간계로 내쳐져 사 승상의 아들인 사각으로 태어난 것이다. 사 부인이 사각을 낳은 후 한 쌍의 선녀가 내려와 옥함에 향수를 기울여 아이를 씻기고, 아기가 각성의 적강임을 알렸다.

육칠 년 후 천윤산의 한 도사가 사각을 제자로 삼겠다고 찾아왔으나, 승상은 슬하에 아이가 하나뿐이기에 처음에는 이를 거절했다. 그러자 도사는 인간과 국가의 흥망이 하늘에 달렸는데 그 뜻을 거부하는 것은 이치에 맞지 않음을 들어 설득한다. 그리하여 사각은 부모의 곁을 떠나 천윤산의 도사에게서 병서를 익히며 능력을 키우게 되었다.

이후 변방의 제왕들이 반란을 일으키고 사각은 문·무 양과에 장원 급제한다. 사각은 도원수가 되어 호왕을 크게 물리치고 초왕의 작록을 받는다. 그 후 사각은 부인과 더불어 부귀한 삶을 살다가 70세에 두 부인과 함께 천상으로 돌아간다.

> **갈래** 영웅 소설, 군담 소설 　　　　**시대** 조선 시대
> **성격** 전기적, 도술적, 일대기적
> **주제** 사각의 영웅적 성취와 활약상

특징 천상계 인물이 인간계로 내려와 공을 세우고 다시 천상계로 복귀하는 통과 의례적 구조로 이루어짐.

감상 특! 이 작품은 잘못을 저지른 천상의 인물이 지상으로 내쳐진 뒤 지상에서 영웅적인 활약을 보이고 다시 천상으로 되돌아간다는 내용의 전형적인 영웅 소설이다. 또한 천상계의 인물인 사각이 초능력인 도술을 이용하여 전란에서 큰 공을 세우고 왕권을 수호하는 활약을 하는 등 군담 소설의 전형적인 특징도 보인다.

203 오대검협전(五臺劍俠傳) | 김조순

• 줄거리

조선 영조 때에 풍수의 방술을 몹시 좋아하던 서생이 오대산에 놀러 갔다가 길을 잃어 한 청년이 사는 초암에 묵게 된다. 우연히 잠에서 깬 서생은 청년이 한 사내와 함께 어딘가로 향하는 모습을 보고, 방 안에 가득한 검서를 통해 그 청년이 검협인 줄 알게 된다. 닭이 울 무렵 돌아온 두 사람은 비수를 던지고 깔깔대고 웃다가 얼마 지나지 않아 눈물을 흘렸다. 서생이 일어나 그 내력을 묻자, 청년은 자신과 같은 스승에게서 검술을 배운 한 친구가 죄 없이 피살되어 원수를 갚으려 했는데 10여 년이 되도록 기회를 얻지 못하다가 오늘에야 비로소 원수를 갚게 된 사연을 말해 주었다. 검술을 한 번 보여 달라는 서생에게 청년은 검술을 보여 주고 이를 본 서생은 청년에게 검술을 가르쳐 달라고 요구한다. 하지만 청년은 서생의 요구를 거절하며 서생에게 어젯밤에 있었던 일을 세상에 누설하지 말 것을 당부한다. 이에 서생은 집으로 곧장 가지 않고 검협이 죽였다는 부자 아무개가 사는 고을을 찾아가 수소문하여 그 부자가 검협의 말과 같이 죽었음을 확인한다.

서생은 이 사실을 아무에게도 발설하지 않다가 나이가 들어 죽게 되었을 때 친척들에게 그 검협의 이야기를 했다고 한다.

갈래 고전 소설, 설화 소설　　　시대 조선 시대
성격 도술적, 신비적, 환상적
주제 신비한 검술과 천명에 따르는 삶
특징 풍문으로 들은 이야기에 작가의 상상력을 가미하여 창작한 작품임.

감상 특! 이 작품은 기법 면에서 사실성을 추구했던 전 양식의 발전된 양상을 띠고 있다. 기존의 전은 도입부에서 주인공의 가계나 인적 사항 등을 제시하고 전개부에서 인물의 행적을 서술한 후 사신의 논평을 통해 인물에 대해 평가하며 마무리하는 것이 일반적이었다. 그러나 이 작품에서는 도입부와 전개부에서 작가가 직접 본 것을 이야기하는 것처럼 기술하다가 마지막 부분에서 서생이 친척들에게 전한 이야기를 듣고 작가가 작품을 쓰게 되었음을 밝히고 있다. 이처럼 이 작품은 풍문으로 떠돌던 이야기에 작가가 상상력을 가미하여 창작한 것으로, 조선 후기 전 양식의 흐름과 특징을 잘 보여 주고 있다.

204 금우태자전(金牛太子傳) | 작자 미상

• 줄거리

서역 파사국의 왕은 세 부인을 두었는데, 왕이 자리를 비운 사이 셋째 왕후인 보만후가 왕자를 낳았다. 두 왕후가 보만후를 시기하여 왕자를 소여물 통에 버리고 보만후는 두 왕후의 흉계로 작은 방에 갇혀 하루에 밀 한 섬씩을 가는 형벌을 받는다. 왕자를 삼킨 암소가 금송아지를 낳고, 왕이 이를 아끼자 두 왕후는 거짓으로 병에 걸렸다고 하며 금송아지의 간을 먹어야 낫는다는 밀지를 어의에게 전하였다. 그러나 어의는 꿈을 통해 두 왕후의 계교를 알게 되어 개의 간을 바치고 금송아지를 풀어 준다. 금송아지는 이번에는 살아났지만, 자신이 살아 있는 것을 알면 두 왕후가 또 자신을 죽이려 할 것이기 때문에 보만후에게 자신이 그녀의 아들임을 밝힌 후 우전국으로 간다. 그때 우전국은 태자가 없고 공주 하나뿐이었는데, 공주가 하루는 꿈에서 '사람이고 짐승이고 짚북을 쳐서 소리를 내는 것이 네 배필'이라는 계시를 받는다. 이에 공주는 꿈에서 계시한 것에 따라 남편감을 찾으려 한다. 금송아지에게도 미리 신의 계시가 있었기에 짚북을 쳐 소리를 내 우전국의 부마가 된다. 이후 공주와 함께 학림산에서 세월을 보내다가 천상에서 내려온 선관이 준 약을 먹고 금소에서 인간으로 변한다. 왕이 된 금우 태자가 파사국을 찾아가 어머니 보만후의 억울함을 풀어 주고, 행복하게 살다가 공주와 함께 천상으로 올라간다.

갈래 불교 소설　　　시대 조선 시대
성격 전기적, 불교적
주제 금우 태자의 시련 극복과 사랑의 성취 과정
특징 현실에서 불가능한 전기적인 요소를 사용하여 작품에 신비감을 조성함.

감상 특! 이 작품은 파사국 왕의 셋째 왕후인 보만 부인에게서 태어난 왕자가 다른 두 왕후의 시기 때문에 사나운 암소에게 먹힌 후, 금송아지로 다시 태어나 겪는 고행을 그린 불교 소설이다. 제목에서 '금우'는 '금송아지'를 뜻하는 말로 석가여래의 전신을 가리킨다.

205 안락국전(安樂國傳) | 작자 미상

• 줄거리

석가세존이 큰 가뭄을 만나 대원국의 원앙 부인에게 꽃을 돌보는 소임을 맡아 줄 것을 청하자, 사라수 대왕은 원앙 부인 대신 팔 시녀를 보낸다.

사라수 대왕과 원앙 부인이 직접 소임을 맡으러 서역국에 가다가 임신한 부인이 더 이상 동행할 수 없게 된다. 대신 스스로 장현 장자의 종이 되기로 하고 그 값을 세존께 바칠 것을 대왕에게 부탁한다. 원잉 부인을 첩으로 삼으려다가 뜻을 이루지 못한 장자는 원앙 부인과 그 아들 안락국을 핍박하지만, 선녀와 동자들이 모자를 도와준다. 동자의 도움으로 도망하여 아버지와 재회한 안락국은 금릉에 돌아가 장자에 의해 살해당한 어머니를 회생시키고, 장자는 벼락을 맞아 죽는다. 안락국과 원앙 부인은 팔 시녀의 도움으로 사라수 대왕과 상봉하여 세존의 설법을 듣고, 세존은 각각에게 보살을 정하여 준다.

> **갈래** 불교 소설, 국문 소설 　　　　 **시대** 조선 시대
> **성격** 전기적, 불교적
> **주제** 불도의 정진을 통한 극락왕생, 고난 극복을 통한 행복한 삶의 성취
> **특징** 불교 사상을 중심으로 하나 부분적으로 도교 사상이 드러남.
>
> 감상 톡! 이 작품은 서원을 세워 염불하고 정진하여 안락국(安樂國)에 이른다는 정토 신앙을 내세우면서, 여성의 희생적 사랑이 인간을 구제하고 영원으로 승화시킨다는 삶의 근원 명제를 설파하고 있는 불교계 고전 소설이다.

206 정진사전(鄭進士傳) | 작자 미상

• 줄거리

괴산에 사는 정창린은 여장을 하고 누이 행세를 하며 박 소저, 최 소저와 어울리다가 이를 계기로 정혼을 하여 각 부인에게서 아들 금석과 딸 채순을 본다. 판서가 된 창린은 일지라는 첩도 얻지만, 일지는 부랑배 차돌을 정부로 삼는다.

정 판서가 청나라 사신으로 간 사이 일지와 차돌은 누명을 씌워 최 씨를 내쫓았으나 깊은 산 속을 헤매다가 정 도사를 만나 천불사에 몸을 의탁하게 된다. 그 후 일지와 차돌이 금석 모자마저 없앨 음모를 꾸미고, 우연히 그 앞을 지나던 천불사의 정수자가 금석을 구해 최 씨가 의탁하고 있는 천불사로 데려온다. 일지는 봉돌을 시켜 박 씨를 마저 해치고자 계략을 세운다. 이때 박 씨의 꿈에 금강산 신

령이 나타나 박 씨가 큰 위험에 처했음을 알려 피하도록 한다. 이후 일지는 박 씨를 납치하려다가 오히려 자신이 납치를 당하고, 봉돌의 매를 못 견뎌 장돌뱅이와 도망하려다 발각되어 장돌뱅이는 죽고 일지는 살인죄로 옥에 갇힌다.

집에 돌아온 정 판서는 비복들을 신문하여 진상을 밝혀 죄인들을 벌하고, 두 부인을 찾아 데리고 와서 자손들과 부귀영화를 누린다.

> **갈래** 가정 소설 　　　　 **시대** 조선 시대
> **성격** 전기적, 노선적
> **주제** 효·열을 통한 가정 윤리의 추구와 권선징악
> **특징** 각 회의 끝부분에서 사건을 마무리 짓지 않고 끝냄으로써 독자들이 다음에 이어질 내용에 대해 흥미를 갖도록 함.
>
> 감상 톡! 이 작품은 쟁총형 가정 소설로, 전반부는 남자 주인공 정창린이 여장을 하고 박 소저, 최 소저와 인연을 맺는 결연담, 후반부는 정창린이 첩 일지를 얻음으로써 처첩 간에 다툼이 일어나 겪게 되는 갈등을 그린 쟁총담으로 이루어져 있다.

207 화사(花史) | 임제

• 줄거리

'도'의 열왕(매화)은 도탄에 빠진 백성을 구하려고 나라를 세우고 덕치를 베푼다. 열왕이 죽은 후 왕위에 올라 나라 이름을 '동도'로 바꾼 영왕은, 소인 이옥형(자두나무)을 승상으로 삼고 양 귀인(버드나무)을 사랑하면서 사치와 향락에 빠져, 오랑캐의 침입과 여러 곳에서 일어난 난을 막지 못해 왕조의 멸망을 초래한다. '하'의 문왕(모란)은 문치에 힘써 문화를 부흥시켰으나, 석우의 딸 소녀(야록)를 왕비로 취한 후 정사에 태만하고 사치만 일삼았다. 녹림적(나뭇잎)이 난을 일으키자 천하가 이에 호응하고, 소녀가 문왕을 독살함으로써 '하'가 망하자 풍백(석우)이 실권을 잡고 천하는 녹림적의 소굴이 된다. '당'의 명왕(연꽃)은 관후한 덕으로 선정을 베풀었으나, 후에 국방을 등한시하고 윤회의 설법에 빠져 지내다가 풍백과 녹림적의 공격을 받고 나라를 세운 지 5년 만에 멸망한다.

사신은 3대 4왕의 흥망성쇠가 무상함은 슬프지만, 꽃의 성실성과 정직성은 예찬하지 않을 수 없다고 평한다.

> **갈래** 한문 가전체 　　　　 **시대** 조선 시대
> **성격** 우의적, 풍자적, 서사적
> **주제** 꽃나라 흥망성쇠의 역사
> **특징** ① '매화, 모란, 연꽃(부용)'을 각각 '도(桃), 하(夏), 당(唐)'의 왕으로 삼고, 여타의 꽃이나 초목 등을 백성과 신하로 의인화함.

② 본기체(제왕의 사적을 기록한 역사 서술 방식)에 의한 연대기적 방식을 취하며, 중요한 대목마다 작가가 사관의 관점에서 자신의 감회와 논평을 제시함.

감상 톡! 이 작품에서 도(桃)의 열왕은 군왕의 본보기로서 오균이라는 올바르고 충직한 신하의 옳은 의견을 받아들여 정치에 반영한다. 하지만 동도의 영왕, 하나라의 문왕, 당의 명왕은 처음에는 어질고 바른 정치를 하였으나, 후에는 사치와 방탕, 향락에 빠지고, 충신들을 멀리하고 간신들을 가까이하며, 정사를 소홀히 하다가 결국 나라를 망하게 한다. 작가는 이처럼 3국의 흥망성쇠를 통해 왕이 군주가 지녀야 할 품성을 갖추지 못하고 백성의 신임과 기대를 저버리면 필연적으로 망할 수밖에 없음을 보여 줌으로써 군주를 비롯한 지배 계층과 당시의 혼란한 정치 현실을 비판하고 있다.

208 안용복전(安龍福傳) | 원중거

• 줄거리

동래 출신 수군인 안용복은 강직하면서도 영리하여 한문을 알고 일본어에 능통하였다. 울릉도에서 고기잡이를 하던 안용복은 일본으로 끌려갔다가 간신히 풀려 난 후 정부에 울릉도 문제 해결을 호소하나 무시당한다. 이에 직접 사람들을 모아 회유한다. 일본 백기주로 들어가서 태수로부터 영토 침입에 대한 사과와 함께 다시는 분쟁을 일으키지 않겠다는 약속을 받고 귀국한다.

작가는 안용복의 탁월한 능력과 애국적 영웅의 면모를 높이 평가하며 안용복을 중국의 인상여나 감연수와 같은 걸출한 인물이라고 평가한다.

갈래 역사 소설   **시대** 조선 시대
성격 애국적, 영웅적
주제 울릉도쟁계를 해결한 안용복의 활약상
특징 ① 조선 숙종 때의 안용복이라는 인물을 생동감 있게 표현함.
　　② 생동감 있는 대화 장면을 통해 입전된 인물을 형상화함.

감상 톡! 이 작품은 일반적인 전기(傳記)처럼 인물의 전체 삶을 조명하지 않고 울릉도쟁계(죽도일건)라는 특정 부분을 초점화시켜 안용복의 남다른 인간상을 그려 내었다. 즉, 무명소졸에 지나지 않았던 안용복이 죽음을 무릅쓰고 두 번이나 일본에 건너가 울릉도쟁계를 해결한 활약상을 통해 그의 의로운 행동과 애국적 면모를 포착해 서사화하고 있다. 안용복을 기록한 다른 문헌들과 이 작품의 차이점은 안용복의 삶을 개성적인 서사 수법과 필치를 조화시켜 생동하는 서사로 구성하여 문학적으로 형상화한 점이다. 작가는 평면적 서술로 전개되는 일반적인 전과 달리 생동감 있는 대화 장면을 제시하면서 입전 인물을 형상화하고자 하였다. 또한 허구적 장면을 통해 안용복의 성격을 창조해 냈다. 안용복이 울산에 가서 그곳 사람들을 속여 울릉도로 간 뒤 그들을 회유하여 일본으로 가는 장면은 그 사실 여부를 확인할 수 없는 대목이다. 그런데도 작가는 이를 소설적 필치로써 안용복의 성격을 보다 구체적으로 그려 내고 있다.

209 화왕전(花王傳) | 이이순

• 줄거리

화왕의 성은 요(姚), 이름은 황(黃)이니 낙양 출신 집안이다. 자태가 아름다워 왕으로 추대된 요황(모란)은 나라의 제도를 정비하고 천하의 인재들을 모아 적재적소에 고루 등용하여 나라를 편안하게 다스린다.

나이가 든 요황이 사치가 심해지고 해당화에게 빠져 정사를 게을리하자 대나무는 이를 경계하기를 간했으나 화왕은 듣지 않았다. 가을의 신 욕수(蓐收)가 서쪽으로부터 오자 별안간 가을바람이 일고, 철마가 제멋대로 달려 삼엄한 살기가 천지 사이에 가득 차서 지나치는 곳마다 꺾이지 않는 것이 없을 만큼 되었다. 그제야 화왕은 마음에 놀랍고 얼굴이 처참하여 상교(商郊)에서 죽고 나라가 망한다.

태사공은 부귀와 번화는 누구나 원하는 것이지만 마땅히 경계할 일이며, 사람에게 가장 고귀한 것은 국화의 절개라고 평한다.

갈래 가전체   **시대** 조선 시대
성격 우의적, 교훈적, 비유적
주제 사라지는 부귀보다 절개가 더욱 소중함.
특징 ① 식물을 주인공으로 하여 인간의 어리석음과 약점을 부각함.
　　② 갈등과 대립이라는 요소를 통해 독자의 흥미를 유발함.

감상 톡! 이 작품은 통일 신라 시대의 학자 설총이 지은 「화왕계(花王戒)」의 영향을 받은 가전체 소설로, 꽃을 의인화하여 치란 흥망을 논하고 호색하는 군주를 풍간하는 동시에 선비의 고절을 높이 평가하고 있다.

210 난중일기(亂中日記) | 이순신

• 핵심 장면

을미년(1595년) 7월

1일 잠깐 비가 내렸다. 나라 제삿날이라 공무를 보지 않고 홀로 누대에 기대고 있었다. 내일은 돌아가신 부친의 생신인데, 슬픔과 그리움을 가슴에 품고 생각하니, 나도 모르게 눈물이 떨어졌다. 나라의 정세를 생각하니, 위태롭기가 아침 이슬과 같다. 안으로는 정책을 결정할 동량(棟樑) 같은 인재가 없고, 밖으로는 나라를 바로잡을 주춧돌 같은 인물이 없으니, 종묘사직이 마침내 어떻게 될 것인지 알지 못하겠다. 마음이 어지러워 하루 내내 뒤척거렸다. 〈중략〉

6일 맑음. 정항(鄭沆), 금갑도 만호, 영등포 만호가 와서 만났다. 늦게 나가 공무를 보고 활 여든 순을 쏘았다. 종목년이 고읍내(古邑川)에서 왔는데, 그 편에 어머님께서 평안하시다는 것을 알았다.

7일　흐리되 비는 오지 않았다. 경상 수사, 두 조방장과 충청 수사가 왔다. 방답 첨사, 사도 첨사 등에게 편을 갈라 활을 쏘게 했다. 경상 우병서에게 유지가 왔는데, "나라의 재앙이 참혹하고 원수가 사직(社稷)에 남아 있어서 귀신의 부끄러움과 사람의 원통함이 온 천지에 사무쳤건만, 아직도 요란한 기운을 재빨리 쓸어버리지 못하고 원수와 함께 한 하늘을 이는 분통함을 모두 절감하고 있다. 무릇 혈기 있는 자라면 누가 팔을 걷고 절치부심하여 그놈의 그 살을 찢고 싶지 않겠는가! 그런데 경은 적과 마주하여 진을 치고 있는 장수로서 조정이 명령하지도 않았는데 함부로 적과 대면하여 감히 도리에 어긋난 말을 지껄이는가. 또 누차 사사로이 편지를 보내어 그들을 높여 아첨하는 모습을 보이고 수호(修好), 강화하자는 말을 하여, 명나라 조정에까지 들리게 해서 치욕을 끼치고 사이가 벌어지게 했음에도 조금도 거리낌이 없도다. 〈중략〉 이에 비변사의 낭청(郎廳) 김용(金涌)을 보내어 구두로 나의 뜻을 전하니, 경은 그 마음을 고치고 정신을 가다듬어 후회할 일을 남기지 말라."라는 것이었다. 이것을 보니, 놀랍고도 황송한 마음을 이루 다 말할 수 없었다. 김용서란 어떠한 사람이기에 스스로 회개하여 힘쓴다는 말을 들을 수가 없는가. 만약 쓸개 있는 자라면 반드시 자결이라도 할 것이다. 〈중략〉

9일　맑음. 오늘은 말복이다. 가을 기운이 서늘해지니 마음에 떠오르는 것이 매우 많다. 미조항 첨사가 와서 만나고 갔다. 웅천 현감, 거제 현령이 활을 쏘고 갔다. 이경에 바다의 달빛이 수루에 가득 차니, 가을 생각이 매우 어지러워 수루 위를 배회하였다.

갈래 한문 수필, 일기　　　　**시대** 조선 시대
성격 사실적, 체험적, 서사적
주제 전쟁을 겪으면서 느끼는 인간적인 고뇌
특징 간결하고 진실성 넘치는 문장 등의 예술적 가치가 있음.

감상 톡!　이 글은 임진왜란 7년 동안의 상황을 매우 구체적으로 기록한 한문 일기로, 글쓴이의 인간적인 면모, 부하와 백성을 사랑하는 마음, 전투 상황 등이 사실적으로 기록되어 있다.

 시장과 우물 | 박제가

해제

이 글은 조선 후기의 실학자인 글쓴이가 자신의 소비관을 우물에 빗대어 표현한 논설문이다. 조선 사회의 유통 체계를 강화하여 백성의 삶을 풍요롭게 하고자 했던 글쓴이의 생각이 논리적으로 전개되어 있다. 글쓴이가 유통 구조의 중요성을 강조한 것은 아무리 유용한 물건이라도 한곳에 묶여 있어 제대로 유통되지 않는다면 아무 소용이 없기 때문이라 하였다. 이린 현상은 생신에도 부정적인 영향을 미치게 되고 결국에는 생활에 궁핍함을 가져오게 되기 때문이다.

내용은 '기-승-전-결'로 전개되며, '기'에서는 연경 전이나 시골, 사원 등에는 큰 시장이 형성되어 유통 활동이 활발한 중국의 경제적 상황을 설명한다. '승'에서는 상업과 유통의 중요성에 대한 인식을, 중국에 시장이 번성한 것에 대한 편견을 비판하고 유통의 필요성을 제기한다. '전'에서는 재물을 우물에 비유하고 채 판서의 말을 인용하여 유통과 소비의 중요성을 강조한다. '결'에서는 우물을 효율적으로 사용하는 중국인들의 지혜를 서술하며 소비와 유통의 중요성을 함축적으로 표현한다.

갈래 고전 수필　　　　　　　　**시대** 조선 시대
성격 논증적, 경험적, 유추적
주제 조선 사회의 유통 구조와 소비 활동
특징 ① 권위자의 말을 인용하여 주장을 강화하고 있음.
　　　② 당대의 경제 현실에 대한 비판적 시각이 드러남.
　　　③ 설득력을 높이기 위해 비교와 대조의 방식을 사용함.

 승목설(昇木說) | 강희맹

해제

이 글은 '갑'과 '을'이라는 두 나무꾼의 이야기를 통해 지나친 욕심을 경계하고 신중하게 처신하라는 교훈을 전달하는 고전 수필이다. 제목인 '승목설'은 '나무에 오르는 것에 관한 이야기'라는 뜻이다.

갑은 낮은 곳에서 땔감을 구하고 을은 높은 곳에서 땔감을 구하였는데, 을이 갑에게 평범함에 안주해서는 공을 이룰 수 없다고 충고하자 이에 갑은 많은 이익의 추구는 화근이 된다고 반박한다. 그 후 한 달쯤 지난 어느 날, 을은 높은 곳에서 떨어져서 크게 다치고 자신의 아버지를 갑

에게 보내 높고 낮음에 대해 묻게 한다. 갑은 을에게 낮은 곳에서 사는 삶의 의미에 대해 말을 전하고, 을은 후회하며 깨달음을 얻게 된다.

갈래	고전 수필	시대	조선 시대

성격 교훈적, 예화적, 대화적
주제 욕심을 부리지 않는 삶의 지혜
특징 ① 갑과 을의 대조적인 가치관 차이를 통해 주제를 제시함.
② 을의 깨달음을 개인적 차원에서 보편적 차원으로 범위를 확장해 교훈을 주고 있음.

213 유재론(遺才論) | 허균

[해제]

이 글은 신분에 따라 인재를 등용하는 현실을 비판하고, 능력에 따라 인재를 등용할 것을 촉구하고 있는 고전 수필이다. 제목에서 '유재'는 '인재를 버린다'라는 뜻이다.

글쓴이는 시작 부분에 하늘은 신분 고하에 상관없이 재능을 고르게 주며, 옛날의 어진 임금은 신분과 관계없이 능력에 따라 인재를 등용했음을 설명하며 올바른 인재 등용 방법을 말한다. 조선은 땅덩이가 좁아 인재가 적음에도 불구하고 신분과 과거로써 제한하여 유능한 인재를 버리고서 인재가 없다고 걱정하는 것은 모순임을 비판하고, 하늘이 내려 준 인재를 차별하지 않고 능력에 따라 등용할 것을 촉구한다.

갈래	한문 수필, 논(論)	시대	조선 시대

성격 비판적, 교훈적, 설득적
주제 신분 차별 없는 인재 등용 촉구
특징 중국의 인재 등용 제도와 비교하여 뛰어난 인재를 신분 때문에 버리는 조선의 인재 등용 제도의 모순을 비판함.

214 호민론(豪民論) | 허균

[해제]

이 글은 백성을 항민, 원민, 호민의 세 부류로 구분하고, 그중 호민이 가장 위험한 존재임을 역사적 사례를 통해 부각함으로써 백성을 두려워하지 않는 위정자들의 태도 변화를 촉구하고 있는 한문 수필이다.

항민	눈앞의 이익에 만족하며 순순히 지배층에 순응하므로 두려워할 만한 존재가 못 됨.
원민	지배층의 수탈에 원한을 품고 지배층을 증오하지만 탄식하고 원망하는 데 그칠 뿐이므로 두려워할 만한 존재가 못 됨.
호민	세상에 대한 원한을 품고 있다가 기회를 틈타 반란을 일으키며, 호민이 일어나면 항민과 원민도 따르게 되어 나라를 흔들고 망하게 할 수 있으므로 두려워해야 할 존재임.

글쓴이는 당대 위정자들의 부정부패와 가혹한 세금 징수, 허례허식을 비판하며 이러한 현실에 개탄한다. 또한 호민의 위험성을 중국의 역사 속 사례를 들어 설명하고, 이들과 같은 이가 우리나라에 나타나게 되면 나라를 무너뜨릴 수 있음을 경고하고 있다. 이를 통해 글쓴이는 백성을 두려워할 줄 모르고 백성 위에 군림하여 수탈을 일삼는 위정자들의 각성을 촉구하고 있다.

갈래	한문 수필	시대	조선 시대

성격 비판적, 교훈적, 설득적
주제 백성들에 대한 위정자들의 인식과 태도 변화 촉구
특징 추상적인 주장에 역사적인 예를 더하여 설득력을 높임.

215 매헌에게 주는 글 | 홍대용

[해제]

이 글은 글쓴이에게 독서의 방법을 물어 온 매헌(글쓴이가 중국에 갔을 때 교우한 벗인 청나라 청년 조욱종)에게 글쓴이가 보내는 편지글이다. 글쓴이는 매헌에게 자신이 경험하여 깨달은 독서의 방법을 설득력 있게 제시하고 있다.

글쓴이는 초학자가 독서를 시작할 때 가장 먼저 독서를 외워 읽는 것부터 해야 한다고 하였다. 그리고 음독, 암송, 묵독의 방법을 설명하며, 이 세 조목은 마음을 한곳에 집중하여 체득해야 한다고 하였다. 또한 독서를 할 때에는 뜬생각을 제거하고 의심을 하여 음미할 거리를 찾으며 수시로 궁구하는 태도가 필요하다고 하였다. 이 글에서 말하고 있는 글쓴이의 독서 방법은 단순히 책을 읽는 행위에 국한된 것이 아니라 학문에 임하는 자세로 확장할 수 있다. 즉, 독서를 통해 학문을 배우면서 인격을 수양해 나가는 올바른 자세를 보여 주고 있다.

갈래	고전 수필, 서간문	시대	조선 시대

성격 교훈적, 설득적, 비판적
주제 초학자들이 지녀야 할 올바른 독서 자세와 방법
특징 글쓴이의 실제 경험을 제시하여 설득력을 높임.

216 방선부(放蟬賦) | 이규보

해제

이 글은 매미를 놓아준 일과 관련된 행위를 통해 인간 세태를 비판하고 경계하는 한문 수필이다. 제목에서 '방선(放蟬)'은 '매미를 놓아줌.'을 뜻한다.

어떤 사람이 매미를 놓아준 '나'를 타박하였고, '나'는 그에 대해 해명을 한다. 그리고 거미, 쉬파리, 나비와 대조하며 매미를 구한 이유를 부연하여 설명한다. 마지막에는 매미에 대한 '나'의 당부로, 매미에게 깨끗한 곳을 찾아 거취를 조심할 것을 당부한다.

갈래 한문 수필   **시대** 고려 시대
성격 우의적, 교훈적, 비판적
주제 탐욕스러운 인간 세태 비판
특징 ① 청자에게 말을 건네는 방식으로 깨우침을 주고 있음.
      ② 일상적인 소재를 비유적으로 표현하며, 비교와 대조를 통해 주제를 부각함.

---

217 토황소격문(討黃巢檄文) | 최치원

해제

이 글은 신라 사람인 최치원이 당나라 관원으로 지낼 때 반란을 일으킨 황소(黃巢)에게 항복할 것을 권유하기 위해 쓴 격문으로, '격황소서(激黃巢書)'라고도 하는데 이는 '황소를 토벌하기 위해 알리는 글'이라는 뜻이다.

글쓴이는 역모에 실패한 역사적 사례들을 제시하고, 경전의 가르침을 인용하여 토벌군의 막강한 위력을 알려 위협 전략을 폈다. 동시에 항복하면 횡액을 면할 수 있고, 부와 공명을 누릴 수 있도록 배려할 것임을 들어 회유 전략을 펼쳤다.

갈래 격문   **시대** 상고 시대
성격 설득적, 위협적, 회의적
주제 황소의 죄상을 폭로하고 항복을 회유함.
특징 황소가 반역을 단념하고 항복하도록 회유와 위협을 절묘하게 조합하여 상대방을 설득하고 있음.

---

218 계축일기(癸丑日記) | 작자 미상

해제

이 글은 어느 궁녀가 인목 대비 폐위 사건과 영창 대군의 비극적 죽음에 대해 서술한 궁중 수필로, 당시 궁중에서 일어난 일이 사실적으로 기록되어 있다. 이 글은 시간에 흐름에 따른 추보식 구성을 취하고 있다. 제목인 '계축일기'는 계축년(1613년, 광해군 5년)에 일어난 '계축옥사'에 대한 기록을 말한다.

나인들이 영창 대군을 내주려 하지 않는 인목 대비를 설득한다. 영창 대군은 자신의 출궁을 예감하고 슬퍼하고, 나가지 않으려는 영창 대군과 나인들의 실랑이 끝에 대비와 대군, 공주를 업고 나서게 된다. 인목 대비가 내관들에게 선왕을 생각해서 인정을 베풀어 줄 것을 호소하지만, 결국 영창 대군은 궁 밖으로 업혀 나간다. 이때 서술자의 태도를 보면, 대군을 보내지 않으려는 세력을 동정하고 두둔하며 사건을 전달하고 있다.

갈래 국문 수필, 궁중 수필   **시대** 조선 시대
성격 서사적, 사실적, 체험적
주제 궁중 권력 암투의 비극
특징 ① 중후한 궁중어를 사용하고, 궁중의 풍속 및 생활상을 잘 보여줌.
      ② 인물의 행동과 대화를 중심으로 사건을 전개하고 있음.

---

219 의로운 거위 이야기 | 주세붕

해제

이 글은 글쓴이가 거위와 관련된 개인적 체험에서 얻은 깨달음을 전달하고 있는 고전 수필이다. 신의 있는 거위의 모습을 통해 인간 세태를 비판하고 바람직한 삶의 태도를 이끌어 내고 있다.

'나'는 큰누님이 돌아가시자 기르던 거위들이 슬퍼하며 울었다는 소문을 들었다. 그러다 그 거위들을 '나'가 기르게 되면서, 거위들이 서로를 위하고 벗의 죽음에 슬퍼하는 신의 있는 모습을 발견하게 되었다. '나'는 주인에게 충성하고 친구의 죽음을 애통해하는 거위의 의로운 품성에 대해 예찬하며, 거위와 인간의 대조적 모습을 통해 신의 없는 인간 세태를 비판한다. 그리고 사람들이 거위의 어질고 의로운 마음을 본받기를 바라는 마음을 드러낸다.

```
갈래 한문 수필, 기(記)          시대 조선 시대
성격 교훈적, 체험적, 성찰적
주제 신의 있는 거위의 모습을 본받기를 바람.
특징 ① 거위의 행동과 인간의 행동을 대비하여 주제 의식을 드러냄.
    ② 설의적 표현을 사용하여 의미를 강조함.
    ③ 동물의 행동을 인간의 삶에 유추하여 적용하며, 문답의 형식을
      통해 글쓴이의 생각을 드러냄.
```

 220 한 삼태기의 흙 | 성현

해제

이 글은 가뭄이 계속되는 상황에서 서로 다르게 행동했던 두 농부의 일화를 담은 고전 수필이다. 원래 제목은 '타농설(惰農說)'인데, '게으른 농부에 관한 이야기' 정도로 풀이할 수 있다.

계속되는 가뭄에 한 농부는 있는 힘을 다해 곡식들을 살리려고 애를 쓰고, 다른 한 농부는 노력해도 곡식은 죽을 테니 고생하기보다 편히 지내는 것이 낫다며 농사일을 포기한다. 가을걷이를 할 무렵, '나'는 게으른 농부의 논밭에 잡초만 무성하고 쭉정이뿐인 것을, 부지런한 농부의 논밭에는 잘 익은 이삭들이 가득한 것을 본다. '나'는 학문하는 것 역시 농사와 마찬가지이므로, 뜻한 바를 이룰 때까지 학문을 중도에서 포기하지 말아야 한다고 말한다.

```
갈래 한문 수필, 설(說)          시대 조선 시대
성격 교훈적, 체험적
주제 학문을 포기하지 않고 끊임없이 노력하는 자세의 필요성
특징 ① 경험과 깨달음의 2단 구성 방식을 취함.
    ② 글쓴이의 경험을 바탕으로, 유추의 방법을 통해 학업에 대한
      교훈을 전달함.
```

 221 계곡집(谿谷集) | 장유

해제

이 글은 『계곡집』에 실린 수필로, 공자와 동곽 선생의 대화를 통해 공자의 예술관을 비판하고 우주 만물의 생성 원리에 대한 깨달음을 전달하고 있다. 이 글은 추상적 관념을 특정 상황이나 인물의 성격에 투사시켜 구체적으로 접근하게 하는 방식인 우언(寓言)에 속한다.

글쓴이는 우주 만물의 생성 원리와 그 조화에 대한 깨우침을 주기 위해 공자와 동곽 선생의 대화를 설정하고 있으며, 이중 동곽 선생의 말을 통해 자신의 생각을 전달하고

있다. 동곽 선생은 모든 조화와 질서를 내포하고 있는 '무극자'야말로 진정한 장인이라 할 만하다고 역설하고 있는데, 무극자는 사람이 아닌 자연의 섭리, 또는 우주 만물의 오묘한 질서를 의미한다고 볼 수 있다.

```
갈래 한문 수필          시대 조선 시대
성격 비판적, 교훈적, 설득적
주제 우주 만물의 생성 원리에 대한 참된 깨달음
특징 ① 대화의 형식으로 글을 전개함.
    ② 동곽 선생의 일방적인 진술을 통해 글쓴이의 관점을 강조하여
      드러냄.
```

 222 소전(小傳) | 박제가

해제

이 글은 세속적 명리를 추구하지 않고 살아가는 글쓴이가 자신의 삶에 대한 자부심을 '전'이라는 형식을 빌려 쓴 한문 수필이다. 제목인 '소전'은 '간략하게 쓴 개인의 전(傳)'을 뜻한다.

이 글은 전(傳)의 대상인 '그'를 소개하는 부분과, '그'의 외양, 학문, 인품에 대해 서술하는 부분, 시로 '그'를 예찬하는 부분 등 3단 구성을 취하고 있다. 글쓴이가 자신을 예찬한 이유는 자신이 추구하는 삶의 가치에 대한 자부심을 지니고 있다는 것과 자신의 가치를 인정받고 싶은 강한 열망을 가지고 있다는 것을 보이기 위함이다.

```
갈래 한문 수필          시대 조선 시대
성격 자전적, 개성적
주제 자신의 고고한 삶에 대한 예찬
특징 자신을 '그'라는 객관적 대상으로 설정하고, '그'에 대한 평가를 함.
```

223 도자설(盜子說) | 강희맹

해제

이 글은 도둑 부자(父子)의 이야기를 통해 선비의 학문하는 자세에 대해 말하고 있는 고전 수필로, 제목인 '도자설'은 '도둑의 아들 이야기'라는 뜻이다.

아비 도둑이 자신의 재주만 믿고 행동하는 아들을 깨우치려고 일부러 곤경에 빠뜨려 스스로 지혜를 터득하게 한다는 내부 이야기(도둑 이야기)를 전반부(사실)에 하고, 부자(父子) 도둑의 이야기와 같이 학문도 스스로 지혜를

터득하도록 힘써야 한다는 외부 이야기(글쓴이의 당부)를 후반부(의견)에 전개하고 있다. 글쓴이는 예화를 통해 완곡하게 표현하여 훈계라는 느낌이 들지 않게 하면서도 글쓴이가 전하고자 하는 바를 효과적으로 전달하고자 있다.

> **갈래** 한문 수필, 설(說)   **시대** 조선 시대
> **성격** 교훈적, 우의적
> **주제** 스스로 학문의 지혜를 터득하도록 힘써야 함.
> **특징** ① 도둑 부자의 예화를 통해 말하고자 하는 바를 우회적으로 전달함.
>   ② 내부 이야기와 외부 이야기로 내용이 이루어져 있음.

224 박연의 피리 | 성현

● 해제

이 글은 조선 초기의 문신이자 음악가인 박연의 삶에 대해 서술한 경수필이다. 타고난 예술적 재능에 성실한 배움의 태도를 갖추고 당대 최고 예술가의 경지에 오른 박연의 삶을 담담하게 서술하고 있다.

박연은 책을 읽는 여가에 겸하여 피리를 배웠는데, 온 고을이 그를 피리의 명수로 우러러보고 존중하였다. 박연은 비천한 광대에게 성실히 가르침을 받고, 수일 후엔 광대가 박연을 따라갈 수 없다고 무릎을 꿇을 정도로 실력을 키운다. 세종의 명으로 석경의 음률을 듣고 음률의 높고 낮음을 정확하게 구분하여 뛰어난 음악적 감수성과 감식력을 보여 주었다. 벼슬에서 파면된 후 필마와 하인 한 명을 거느린 쓸쓸한 행장을 꾸리고, 피리를 세 번 불어 자신의 감정을 표현하여 듣는 이가 모두 쓸쓸한 느낌에 눈물을 흘리지 않는 이가 없었다고 한다.

> **갈래** 고전 수필   **시대** 조선 시대
> **성격** 교훈적, 사실적, 서정적
> **주제** 박연의 맑고 고매한 삶
> **특징** ① 서술자의 주관적 해석이나 의사 표현을 지양하고 객관적으로 간결하게 꾸밈없이 제시함.
>   ② 피리를 소재로 하여 음악가인 박연의 맑고 고매한 삶을 표현함으로써 소재와 주제의 조화로움을 느끼게 함.

225 큰누님 박씨 묘지명 | 박지원

● 해제

이 글은 연암 박지원이 큰누님을 떠나보내며 쓴 묘지명이다. 글쓴이는 고인의 생전 업적을 단순 나열하는 천편일률적인 틀에서 벗어나 자신의 진정성을 글로 담아내기 위해 격식에 구애받지 않는 형식적 파격을 보여 주고 있다.

이 글은 죽은 누님에 대한 소개, 누님이 죽자 누님의 남편 백규가 살림을 줄여 시골로 떠난 것, 어린 시절 누님과의 추억과 상여가 나가던 날의 감회, 누님을 위한 명(銘) 등으로 4단 구성을 취하고 있다.

> **갈래** 한문 수필, 묘지명   **시대** 조선 시대
> **성격** 추모적, 회상적, 애상적
> **주제** 죽은 큰누님을 떠나보내는 슬픔
> **특징** 누님과의 일화를 중심으로 글을 서술함.

226 논뢰유(論賂遺) | 이익

● 해제

이 글은 뇌물의 원인과 병폐를 서술하고, 뇌물을 주고받는 것을 막기 위한 구체적인 방법을 제시하고 있는 한문 수필이다. 제목인 '논뢰유'는 '뇌물을 줌으로써 잃는 것에 대해 논함.'이라는 의미이다.

글쓴이는 국가의 피폐와 백성 빈곤의 원인이 뇌물임에도 이를 금하지 않고 오히려 가르치는 조정의 태도를 지적하며, 그 원인과 병폐를 구체적으로 서술한다. 그리고 뇌물을 주고받는 것을 막기 위한 원칙적인 방안과 구체적인 방안을 제시하고 있다.

> **갈래** 한문 수필, 논(論)   **시대** 조선 시대
> **성격** 비판적, 논리적
> **주제** 뇌물의 폐해 제시 및 근절 촉구
> **특징** 현실의 문제점을 제시하고 이를 해결하기 위한 방법을 제시하고 있음.

227 요로원야화기(要路院夜話記) | 박두세

줄거리

요로원의 주막에서 만난 '객(서울 양반)'이 '나(시골 양반)'의 초라한 행색을 보고 '나'를 무시한다. '나'는 일부러 무식한 체하고, 육담풍월을 나누던 중 '객'이 속은 것을 알고 부끄러워한다. '나'와 '객'은 밤새 시를 주고받으며 당대의 세태를 비판·풍자한다. 날이 새자 '나'와 '객'은 서로의 이름도 묻지 않고 헤어진다.

갈래 고전 수필, 야담(野談) **시대** 조선 시대
성격 풍자적, 비판적, 해학적
주제 서울 양반들의 교만과 허세에 대한 풍자
특징 ① '나'와 객이 대화를 나누는 방식으로 이야기가 서술됨.
② 경험한 실제의 일을 기록한 형태를 취하며, 당시 언어 사용의 실상을 엿볼 수 있음.

감상 특! 이 글은 글쓴이가 과거를 보러 상경하였다가 낙방하고 돌아가는 길에 요로원의 어느 주막에서 하룻밤을 묵으면서 경험한 일을, 성중 양반(서울 양반)과 향곡 양반(시골 선비)이 주고받은 이야기를 대화체로 엮은 수필 형식의 짧은 산문이다. 향곡 양반은 주막에서 허세를 부리며 자신을 멸시하는 성중 양반을 만나 무식한 듯 행동하다가 상황을 역전시켜 상대방을 부끄럽게 만들고 있다. 이러한 역전은 양반의 허세와 실상을 더욱 드러냄과 동시에, 읽는 이에게 쾌감을 주어 흥미를 높이고 있다.

228 왕오천축국전(往五天竺國傳) | 혜초

해제

이 글은 신라 시대의 승려 혜초가 인도와 서역 및 아랍을 4년간 순례하고 돌아와 쓴 기행 수필로, 여행지의 문물과 사회적·정치적 특징, 풍습 등의 견문이 서술되어 있다. '천축'은 인도의 중국식 옛 이름으로, '왕오천축국전'은 '다섯 천축국을 다녀온 기록'으로 볼 수 있다. 이 글에는 주변국의 정세, 지리, 언어, 풍속, 정치, 주거 형태, 물산에 걸쳐 사실적으로 고증하면서도 풍물과 여정을 오언율시의 형태로 표현하고 있다는 점이 특징이다. 또한, 승려 신분으로 특별히 불교적인 내용이 많이 언급되었다는 점이 다른 기행문과 다르다고 할 수 있다.

갈래 한문 수필, 기행 수필 **시대** 상고 시대
성격 묘사적, 체험적, 사실적
주제 다섯 천축국의 정치 상황과 언어, 법률, 풍습 소개
특징 ① 우리나라 최초의 기행 수필로, 글쓴이의 여정이 드러나 있음.
② 다양한 정보들이 병렬적으로 나열되어 있음.
③ 한시를 삽입하여 글쓴이의 정서를 드러내고 있음.

229 해유록(海遊錄) | 신유한

해제

이 글은 조선 시대의 문장가 신유한이 1719년(숙종 45년)에 제술관 신분으로 통신사 일행을 따라 일본에 다녀오며 그 여정과 견문을 기록한 글이다. 제목인 '해유록'은 '바다를 여행한 기록'을 뜻한다. 일본의 산천, 기후, 역사, 도시, 풍습, 산업, 의복, 음식, 가옥, 관제, 병제 등 거의 모든 분야를 세심하게 관찰하여 기록했으며, 일본의 문인들과의 교류 경험도 함께 기록하였다. 내용이 풍부하고 문장이 유려한 데다 묘사가 매우 구체적이어서 수십 종에 달하는 통신사 관련 일본 기행문 중 최고로 꼽힌다.

갈래 기행 수필 **시대** 조선 시대
성격 묘사적, 관찰적, 견문적
주제 일본 사행길에서의 견문
특징 관찰한 내용을 꼼꼼하게 묘사하고 상세하게 서술함.

230 격몽요결(擊蒙要訣) | 이이

해제

『격몽요결』은 조선 시대 유학자인 율곡 이이가 선조 10년(1577년)에 지은 책으로, 제자들이 공부의 방향을 잡지 못하는 것을 보고 학문의 방향을 일러두기 위해 초학자들이 배우고 깨우쳐야 할 10가지 덕목을 제시되어 있다. 이는 서문에 글쓴이가 이 책을 집필한 동기에서 밝히고 있는데, 글쓴이 스스로를 경계하고 반성하고자 하는 취지도 있다고 하였다. 책명인 '격몽요결'은 '우매한 자를 깨우침'을 뜻한다.

『격몽요결』의 구성은, 제1장 입지(뜻을 세우기), 제2장 혁구습(오래된 나쁜 습관 고치기), 제3장 지신(올바른 몸가짐), 제4장 독서(책 읽기), 제5장 사친(어버이 섬기기), 제6장 상제(상 치르는 제도), 제7장 제례(제사 의례), 제8장 거가(집안 다스리는 일), 제9장 접인(남을 접대하는 방법), 제10장 처세(처세하기)로 이루어져 있다.

갈래 한문 수필 **시대** 조선 시대
성격 설득적, 비판적, 성찰적
주제 학문에 임하는 올바른 자세
특징 권위 있는 사람의 말을 인용하고, 대조를 통해 글쓴이의 주장을 강화함.

231

보한집(補閑集) 서문 | 최자

『보한집』은 고려 때의 문인 최자가 엮은 시화집(詩話集)으로, 『속파한집(續破閑集)』이라고도 한다. 이인로의 『파한집』을 보충한 수필체의 시화들을 엮은 이 작품집에는 시구(詩句), 취미, 사실(史實), 부도(浮屠), 기녀(妓女) 따위에 관한 여러 가지 이야기가 수록되어 있다.

『보한집』은 수록할 시를 경대부, 고승, 일사의 작품으로 한정하고, 경대부의 시에 대해 승려의 시를 한 계급 격하시켜 수록하였다. 즉, 경대부의 시를 중심으로 하고, 여기에 승려의 시를 추가한 것이다. 그리고 『파한집』과 달리 유교적인 내용을 담은 시 중에서도 현실 비판적인 성향의 시는 대부분 배제하였다.

글쓴이는 서문에서 '문(文)'이라는 것은 정도(正道)를 밟아 나가는 문(門)'이라고 하면서, 도리에 어긋나는 말은 가치를 지닐 수 없다고 하였다. 하지만 그는 독자의 감동을 유발하기 위해 수식을 하고 기발한 착상에 의지하는 것은 불가피하다고 보고 있다. 다만, 글쓴이는 문학적 표현이 미묘한 뜻을 드러내어 올바른 길로 나아가게 하는 데 본뜻이 있는 것이므로 단지 수식을 위한 수식이나 남을 모방하여 꾸미는 것은 바람직하지 않다고 주장하고 있다.

갈래 서문	**시대** 고려 시대
성격 교훈적, 비평적	
주제 좋은 시와 문장이 지녀야 할 요건	
특징 문(文)을 문(門)에 비유하면서 좋은 시와 문장의 조건을 제시하여 주제를 효과적으로 드러냄.	

마르는 병 | 김석주

이 글은 몸이 마르는 것을 걱정하던 선비가 지혜로운 의원과의 만남을 통해 깨달음을 얻는 과정을 대화의 방식을 사용하여 흥미롭게 보여 주고 있는 한문 수필이다.

몸이 수척해져 근심하던 김 씨가 의원을 진맥을 받고 몸이 마르는 것을 고칠 방법을 묻는다. 의원은 김 씨의 병은 자신이 고칠 수 있는 성질의 것이 아니며 육체가 마르는 것보다 마음이 마르지 않는 것이 더 중요하다는 충고를 한다. 김 씨는 다시 마음을 살찌울 방법을 묻는다. 의원은 본래 가지고 있는 것을 온전하게 만들고, 본래부터 없었던 것을 부러워하지 않아야 한다고 하며, 초나라 장사꾼의 이야기를 통해 마음을 살찌우는 것의 중요성을 말하였다. 이에 김 씨는 자신도 옛날 사람들처럼 마음을 온전하게 할 수 있겠는지 묻는다. 의원은 마음을 살찌우기 위해 노력했던 옛 성현들의 이야기를 소개하며, 온전해지고자 한다면 온전해질 수 있음을 답한다. 김 씨는 의원의 가르침에 감사하며 마음을 살찌우는 것의 중요성을 깨닫고 이를 실천하고자 하는 태도를 드러낸다.

갈래 한문 수필	**시대** 조선 시대
성격 교훈적, 예화적	
주제 도덕과 인의를 추구하는 삶의 자세	
특징 ① 문답 형식으로 내용을 전개하며 깨달음을 이끌어 냄.	
② 다양한 고사와 경전 구절을 활용하여 설득력을 높임.	

정시자전(丁侍者傳) | 석식영암

이 작품은 고려 때 승려 식영암이 지팡이를 의인화하여 지은 가전체 작품이다. '정시자전'에서 '정'은 '지팡이'를 가리키는 말이고, '시자'는 '귀한 사람을 모시는 사람'을 뜻한다. 인간이 지녀야 할 성품을 깨닫게 하고, 인재를 알아보지 못하는 어리석은 세태를 풍자하고 있다.

글쓴이 식영암이 직접 작품에 등장하여 허구적 인물인 정시자를 만나는 것으로 시작하고, 식영암과 정시자의 대화를 통해 이야기가 전개된다. 내용은 정시자가 식영암을 찾아와 자신의 신분과 부모, 성품과 행적에 대해 고백하는 도입부와 식영암이 정시자를 각암이라는 화상에게 보내고, 노래를 지어 부르는 전개부로 구성되어 있다. 일반적인 가전체 형식의 도입에 해당하는 주인공의 가계 서술이 생략되어 있고, 마지막에 제시되는 사신(史臣)의 논평도 없다.

갈래 가전체	**시대** 고려 시대
성격 우의적, 교훈적, 불교적	
주제 자신을 알고 도를 지킬 것을 경계, 인재를 알아볼 줄 모르는 세태 풍자	
특징 ① 대화체로 내용이 전개됨.	
② 주인공의 어느 날 하루에 일어난 상황을 그리고 있음.	
③ 가전의 일반적인 구성(도입-전개-평설)과 달리 평설 부분이 없음.	

234 죽부인전(竹夫人傳) | 이곡

● 해제

'죽부인'은 대오리로 길고 둥글게 얼기설기 엮어 만든 것으로, 여름밤에 서늘한 기운이 돌게 하려고 끼고 자는 기구를 말한다. 이 작품은 이러한 죽부인을 현숙한 여인의 모습으로 제시하며, 여성의 정절에 대한 교훈을 전달하고 있는 가전체이다.

내용은 죽부인의 이름과 가계(家系)를 소개하는 도입부와 죽부인의 고고한 성품, 송 대부(소나무)와의 결혼, 죽부인의 절개 등을 이야기한 전개부, 죽부인의 후사가 없음에 대해 한탄하는 논평부로 구성되어 있다.

갈래 가전체	시대 고려 시대

성격 우의적, 교훈적, 풍자적
주제 열녀의 표상으로서의 죽부인의 절개
특징 ① 유교적 가치관인 '열(烈)'을 주제로 한 작품의 시초임.
　　② 당시의 사회상을 우회적인 수법으로 풍자하여 비판함.
　　③ 대(竹)에 얽힌 중국의 고사를 많이 도입하여 현학적인 분위기를 드러냄.

235 송파 산대놀이 | 작자 미상

● 해제

이 작품은 서울 송파 지역에서 전승되던 산대놀음의 하나로, 당시의 모순된 사회 현실에 대한 비판 의식이 잘 드러나 있다. '산대놀이'는 탈을 쓰고 큰길가나 빈터에 만든 무대에서 하는 복합적인 구성의 탈놀음을 말한다.

'말뚝이'라는 인물은 평민층의 대변자로서 양반의 허위를 비판하고 있지만, 양반의 권위에 도전했다가 다시 그 권위에 순응하고 있기도 하다. 현실적으로 양반의 권위에 순응할 수밖에 없다는 인식이 반영된 인물이다. 그리고 양반들을 언청이의 외모, 까치걸음과 같은 행동 등, 즉 비정상적인 외모와 양반답지 못한 행동으로 표현하였는데 이는 비정상적이고도 추악한 삶을 영위하면서도 가식적으로 살아가는 양반들의 어리석고 우스꽝스러운 행태를 형상화한 것이라 볼 수 있다.

이 작품은 전체 7과장으로 구성되어 있다. 제1과장 상좌춤 마당, 제2과장 옴중 마당, 제3과장 연잎·눈끔적이 마당, 제4과장 팔먹중 마당, 제5과장 노장 마당, 제6과장 샌님 마당, 제7과장 신할아비·신할미 마당으로 구성된다.

갈래 민속극	시대 조선 시대

성격 오락적, 비판적, 민중적
주제 양반에 대한 서민들의 조롱과 풍자
특징 ① 당시 사회의 모순적인 면모를 적나라하게 반영하면서 비판함.
　　② 말뚝이와 쇠뚝이에 의해 양반들에 대한 조롱과 풍자가 드러나고 있음.

236 통영 오광대 | 작자 미상

● 해제

이 작품은 조선 후기에 도시의 성장을 배경으로 하여 형성·발전된 가면극이다.

특히 제2과장 풍자탈 마당에서는 일곱 양반이 등장하여 말뚝이에게 인사를 받으려 하자, 상놈인 말뚝이가 양반을 희롱한다. 양반의 하인인 말뚝이는 양반의 생활을 가까이에서 보고 경험하여 그들의 약점을 훤히 알고 있다. 그래서 당대 서민들의 언어를 사용하여 서민들을 대변하고, 때로는 양반의 권위적인 말투를 흉내 내는 반어적 수법으로 양반을 풍자하고 있다. 이렇게 말뚝이가 교묘한 말장난으로 양반들의 권위를 추락시키고 이를 지켜보는 당시 평민 관객들에게 웃음을 주었고, 조선 후기 문란했던 양반 사회를 말뚝이라는 인물을 내세워 신랄하게 비판하여 관객들에게 골계미를 느끼게 하였다.

갈래 민속극	시대 조선 시대

성격 비판적, 풍자적, 서민적
주제 양반 사회의 비리와 모순에 대한 풍자와 폭로
특징 ① 말뚝이가 비속어를 사용하여 양반을 비하하고, 양반이 상황에 맞지 않는 대사를 하여 스스로 무지를 드러내며 양반을 풍자함.
　　② 전체 5과장으로, 각 과장은 완결된 구조를 지니며 오락적이고 연희적인 성격을 띰.

237 동래 야유 | 작자 미상

● 해제

부산광역시 동래구에서 전승되어온 가면극으로, 해마다 음력 정월 보름날이 되면 야외에서 연희가 된다. 이 작품은 총 4개의 과장으로 구성되어 있으며, 양반을 풍자하고 비판하는 '양반 마당'과 서민 생활의 갈등을 그린 '할미 마당'이 작품의 중심을 이뤄 봉건적 시대상을 배경으로 한 인물들 간의 갈등 관계를 잘 보여 주고 있다.

갈래 민속극　　　　시대 조선 시대
성격 풍자적, 해학적, 오락적
목적 연중무사(年中無事)와 풍년을 기원
특징 ① 지역 세시 민속놀이로 연희가 됨.
　　② 전체 4장 중 제1과장에는 여느 탈춤과 달리 나병 환자가 등
　　　장하는 특징이 있음.

238 구토 설화 | 작자 미상

● 줄거리

　동해 용왕 딸의 병을 고치는 데 필요한 토끼의 간을 구하기 위해 거북이 육지로 간다. 토끼가 거북의 감언이설에 넘어가 용궁으로 갈 것을 결심한다. 용궁으로 가던 중 거북이 토끼를 데리고 가는 이유에 대해 사실대로 말하게 된다. 토끼는 자신의 간을 육지에 두고 왔다고 거짓말을 하여 위기를 모면한다. 구사일생으로 목숨을 건진 토끼는 거북을 비웃고, 목적을 이루지 못한 거북은 돌아간다.

갈래 설화(민담)　　　　시대 상고 시대
성격 우의적, 풍자적, 교훈적
주제 위기 극복의 지혜와 분수에 넘치는 행위에 대한 경계(토끼의 입
　　장), 경솔한 언행의 경계와 속고 속이는 세태 풍자(거북의 입장)
특징 ① 소설 구성에 가까운 서사 구조를 지니고 있음.
　　② 동물 우화 설화로 교훈과 풍자를 담고 있음.
감상 툭! 이 작품의 제목에서 '구(龜)'는 '거북'을, '토(兎)'는 토끼를 뜻
한다. 이 설화는 고구려 보장왕 때의 설화이지만, 이와 같은 이야기가
불경이나 외국 설화에도 있는 것으로 보아, 고구려 고유의 설화라고 보
기는 어렵다. 이 작품은 인도의 「본생경」의 「용원 설화」에서 영향을 받
아, 이후 판소리 「수궁가」, 고전 소설 「토끼전(별주부전)」 등의 근원이
된다.

239 연오랑세오녀 | 작자 미상

● 해제

　이 작품은 각각 해와 달을 상징하는 연오와 세오를 통해 태양과 달의 생성에 관한 내용을 전하고 있는 일월 신화로, 우리나라의 문헌에 등장하는 유일한 일월 신화라는 점에서 의의가 있다.

'기-승-전-결'의 4단 구성으로 되어 있는데, 연오가 일본으로 넘어가 왕이 되는 '기' 부분, 남편처럼 일본으로 가게 된 세오가 귀비가 되는 '승' 부분, 연오와 세오가 일본으로 가자 신라의 해와 달이 광채를 잃어버리는 '전' 부분, 세오가 짠 비단으로 제사를 지내자 신라의 해와 달이 정기를 회복하는 '결' 부분으로 구성된다.

갈래 설화(일월 신화)　　　　　　시대 상고 시대
성격 신화적, 서사적, 전설적
주제 일월신의 새로운 세계 개척
특징 신화적 요소와 전설적 요소, 민담적 유소가 함께 드러남.

신화	연오랑과 세오녀가 해와 달의 정기를 상징함.
전설	• '아달라왕 즉위 4년 정유'라는 구체적인 시간이 제시됨. • '영일현'이라는 지명의 유래를 밝힘.
민담	연오랑과 세오녀는 신성한 인물이 아니라 바닷가에서 해조 따위를 채취하던 평범한 인물이었음.

240 호조 참의를 사양하는 상소문 | 김창협

● 해제

　이 글은 임금이 내린 호조 참의라는 벼슬을 사양하면서 앞으로 어떤 직책에도 천거되지 않도록 해 달라는 글쓴이의 요청이 담긴 상소문이다.

　이 글에는 불안한 정국으로 부친을 잃은 글쓴이의 비통한 심정, 죽은 아버지의 억울한 사정을 신원해 준 임금에 대한 고마움, 부친의 결백에 대한 확신과 자신의 불효 및 부덕에 대한 자책, 임금의 높은 덕에 대한 송축 등이 담겨 있다.

갈래 고전 수필, 상소문　　　　시대 조선 시대
성격 설득적, 주관적
주제 호조 참의의 벼슬을 수용할 수 없는 처지
특징 ① 고사를 인용해 자신의 처지를 드러냄.
　　② 벼슬하지 않고 전원에서 임금의 은혜를 입고 살아가기를 바라
　　　는 마음이 드러남.

영역별 핀셋 전략으로 선택형 수능을 대비하는

나만의 원픽 시리즈

원픽 시리즈만의 강점

- **핵심만 Pick!**
  영역별 필수 개념과 공략 비법의 핵심만 콕콕 집어 공부할 수 있다.

- **빠르게 Pick!**
  최근 출제 경향과 신유형을 쏙쏙 뽑아 가장 빠르게 파악할 수 있다.

- **완벽하게 Pick!**
  다양한 제재와 문제 유형으로 시험에 완벽하게 대비할 수 있다.

원픽 시리즈는
총 8종입니다.

원픽 시리즈의 최강 라인업

▲ 기본 완성 　▲ 문학 　▲ 독서 　▲ 고전 문학 　▲ 고전 시가 　▲ 현대시 　▲ 주제 통합 독서 　▲ 언어와 매체